Historia de la prosa medieval castellana

IV

El reinado de Enrique IV: el final de la Edad Media.
Conclusiones. Guía de lectura.
Apéndices.
Índices

Fernando Gómez Redondo

Historia de la prosa medieval castellana

IV

El reinado de Enrique IV: el final de la Edad Media.
Conclusiones. Guía de lectura.
Apéndices.
Índices

CÁTEDRA

CRÍTICA Y ESTUDIOS LITERARIOS

2007

1.ª edición, 2007

Ilustración de cubierta: Enrique IV, rey de Castilla.
Vidriera del Alcázar de Segovia © Archivo Anaya

Juan Ignacio Luca de Tena, 15. 28027 Madrid
Depósito legal: M. 11.259-2007
I.S.B.N.: 978-84-376-1643-8 (Obra completa)
I.S.B.N.: 978-84-376-2372-6 (Vol. IV)
Printed in Spain
Impreso en Anzos S. L.
Fuenlabrada (Madrid)

Para José Manuel Lucía Megías
y José Manuel Pedrosa Bartolomé.
«Pon a tus desengañadores e a tus amigos
por espejo a las tus obras»
(Bocados de oro, § 92)

Nota

La producción prosística del reinado de los Reyes Católicos supera con creces a la de los dos siglos y medio anteriores. Las razones de este fenómeno son evidentes: por una parte, los impresores, además de propiciar la multiplicación de libros, instigan la composición de títulos concretos, acogiendo obras de épocas ya pasadas o promoviendo traducciones; por otra, los autores —criados o familiares adscritos a alguna corte— contribuyen de modo activo a la definición de los valores de unos precisos marcos culturales, así como a la propaganda y defensa de unos principios políticos y religiosos que cuajan en una abundante trama de textos y de géneros literarios.

Se ha considerado, por ello, conveniente cerrar la *Historia de la prosa medieval castellana* con este cuarto volumen dedicado al reinado de Enrique IV (1454-1474). Estos dos decenios marcan el final de un modo específico de entender y de servirse de la literatura, como lo demuestra el hecho de que ésta desaparezca prácticamente del ámbito curial de que se rodea el rey.

Los materiales que articulaban el que iba a ser Capítulo XII —«Los Reyes Católicos (1474-1516): la construcción de un nuevo modelo cultural»— se reservan para diseñar un proyecto consagrado enteramente a este período, que más que culminación de la literatura medieval debe entenderse como soporte de la profunda renovación que sufrirá la de los Siglos de Oro, de donde el título que llevará: *Historia de la prosa de los Reyes Católicos: el umbral del Renacimiento.*

Lista de abreviaturas

Esta lista es continuación de las ofrecidas en el volumen primero (págs. 14-18), segundo (págs. 1221-1223) y tercero (págs. 2071-2073).

Actas IX Congreso AHLM: Actas del IX Congreso Internacional de la Asociación Hispánica de Literatura Medieval (A Coruña, 2001), ed. de Carmen Parrilla y Mercedes Pampín, A Coruña, Universidade, 2005, 3 vols.

Actes X Congrés AHLM: Actes del X Congrés Internacional de l'Associació Hispànica de Literatura Medieval (Alicante, 2003), ed. de Rafael Alemany, Josep Lluís Martos i Josep Miquel Manzanaro, Alacant, Institut Interuniversitari de Filología Valenciana, 2005, 3 vols.

CLCHM: Cahiers de linguistique et de civilisation hispaniques médiévales [continuación de *CLHM*].

EC: Estudios Clásicos.

HPRC: Historia de la prosa de los Reyes Católicos: el umbral del Renacimiento (Madrid, Cátedra, en preparación).

La caballería castellana: Carlos Heusch y Jesús Rodríguez Velasco, *La caballería castellana en la baja edad media. Textos y contextos*, Montpellier, Université de Montpellier III-E.T.I.L.A.L., 2000.

QLL: Quaderni di Lingue e Letterature

CAPÍTULO XI

Enrique IV (1454-1474): la destrucción del modelo cultural

Varias son las imágenes de Enrique IV conservadas en las crónicas reales de esta centuria. Distintas y contradictorias, no sólo por serlo la propia figura del rey, sino por los intereses particulares con que eran registrados sus dichos y hechos. Porque don Enrique comenzó a reinar mucho antes del 22 de julio de 1454, fecha en la que murió Juan II. Por ello, el análisis de su conducta se convirtió en uno de los ejes esenciales del pensamiento doctrinal engastado en la *Refundición* de Galíndez (§ 10.2.4.2.3). La importancia de su influencia política comenzó a cobrar peso en 1440, el año en que casó con doña Blanca, fue dotado de casa propia y participó en la Liga aragonesista contra don Álvaro. Tras el golpe de Rámaga de 1443, inducido por Barrientos, ayudaba a su padre a escapar, en la primavera de 1444, de la prisión donde lo tenía reducido su primo, el infante don Juan, entonces rey consorte de Navarra; Juan II consiente en que su hijo use a partir de entonces el título de Príncipe de Asturias, que él ya ostentaba por su cuenta. El apoyo de Enrique al bando regalista implicaba su colaboración con don Álvaro; esta coalición de fuerzas sería determinante para destruir las esperanzas que aún conservaban los infantes de Aragón de recuperar su patrimonio territorial y el papel que su padre, el de Antequera, les había asignado en la corte castellana[1].

---

[1] Varias monografías, en los últimos años, se han dedicado a la reconstrucción de la

Cuando Alfonso de Palencia comience a ordenar las vicisitudes por las que pasa este monarca no dudará en señalar el año de 1440 como punto de partida de su registro, porque quería hacer gravitar su reinado sobre la impotencia que había quedado al descubierto esa noche del 15 al 16 de septiembre, y que él explicaba como resultado de una serie de depravaciones a las que el príncipe había sido sometido en su adolescencia. En cuanto se aborde el recorrido de la trama cronística que fija Enríquez del Castillo (§ 11.1.1.2) se comprobará que los principales problemas a los que debe enfrentarse este bondadoso, mas pusilánime, rey dependen de esa tacha física, que acabará por envolverlo y anular las mesuradas iniciativas con que comenzó a gobernar. Enrique IV, movido por su obsesivo deseo de evitar conflictos y de procurar concordias, será convencido para que repudie a quien tenía como hija verdadera, a fin de transmitir los derechos sucesorios del trono a sus dos hermanastros, Alfonso e Isabel. Pero cuando ésta se una en matrimonio con el príncipe don Fernando en 1469, se le persuadirá para que devuelva a su hija la legitimidad que por dos veces le había negado; el rey, en esa humillante jornada del 25 de octubre de 1470, en Valdelozoya, sólo se atreverá a afirmar «que creía ser hija suya» (ver, luego, pág. 3505) aquella doña Juana a la que casaban entonces con el duque de Guyena.

Desde treinta años antes, desde 1440, Enrique IV había quedado atrapado por estas contradicciones que marcaron su carácter y que propiciaron el dominio que sobre él ejercieron personajes sin escrúpulos como Juan Pacheco, Pedro Girón o Beltrán de la Cueva, enfrentados, además, entre sí, por llevar al monarca a sus respectivas posiciones y construir señoríos que los encumbraran —Pacheco lo consiguió— por encima de los principales linajes nobiliarios —Mendoza, Estúñiga, Velasco, Benavente, Medinasidonia— que colaboraron o se enfrentaron a esta corte en función de sus intereses personales.

Con la distancia de los siglos, Gregorio Marañón pudo, tras ins-

---

vida de este monarca, incidiendo en las contradicciones en que se asienta su figura; por orden cronológico, ver R. Pérez Bustamante y J.M. Calderón Ortega, *Enrique IV de Castilla (1454-1474)*, Palencia, La Olmeda, 1998; Luis Suárez, *Enrique IV de Castilla. La difamación como arma política*, Barcelona, Ariel, 2001; José Luis Martín, *Enrique IV*, Hondarribia, Nerea, 2003 y Ana Belén Sánchez Prieto, *Enrique IV El Impotente*, Madrid, Aldebarán, 2004. Sumamente valiosa es la colección diplomática reunida en el tomo II de las *Memorias de don Enrique IV de Castilla*, ordenada por la Real Academia de la Historia, Madrid, Tipografía de Fortanet, 1835-1913.

pección personal del cadáver momificado del rey, conservado en el monasterio de Guadalupe, fijar un diagnóstico sobre la enfermedad padecida por Enrique IV[2]; este dictamen se convirtió en pieza clave del análisis político e historiográfico de este período[3], atendidas las posibles manipulaciones a que fue sometido[4]. Se trataba de un rey que padecía súbitos impulsos de acción, seguidos de fuertes depresiones. Pacheco, que fue posiblemente quien mejor lo conoció, supo sacar magnífico provecho de ese carácter débil y apocado, generoso e irreflexivo con que el monarca actuaba[5].

El modelo cultural de Enrique IV, en su proyección letrada, se asienta sobre estas circunstancias. Alfonso de Palencia, autor de dos sugerentes muestras de la ficción alegórica (§ 11.6.1), construye uno de los retratos más implacables del rey, en el arranque de *Gesta Hispaniensia:*

> Entregado a estos hombres infames y malnacidos, no acogía de buen grado a ningún noble ni sabio. La misma figura de Enrique reflejaba todas estas aficiones a la austeridad selvática. Sus ojos eran feroces, de un color que ya por sí demostraba crueldad; siempre inquietos en el mirar, revelaban con su movilidad excesiva la suspica-

---

[2] Lo resume Luis Suárez: «Según él, fue Enrique IV un displástico eunucoide con reacción acromegálica, es decir, dotado de pies y manos muy grandes, talla exagerada, prognatismo mandibular. El mismo investigador, en su clínica, tuvo la oportunidad de conocer a muchos pacientes de tales características, en los que la macromegalia es consecuencia de una falta de secreción sexual», *Enrique IV de Castilla*, pág. 19.

[3] La repercusión del análisis clínico ha sido considerada en un congreso específico bajo el título de *Enrique IV de Castilla y su tiempo. Semana Marañón 97*, Valladolid, Fundación Gregorio Marañón, Cortes de Castilla y León, Universidad, 2000; P. Laín Entralgo en su intervención valoró las líneas constituyentes de esta pesquisa: «Así pues, no sólo caracterología y psiquiatría, también somatología, estudio del cuerpo humano, en sus alteraciones, en sus modos constitucionales de presentarse, para dar razón médica, científica (...) de la vida de un hombre», pág. 152.

[4] En estas mismas jornadas de 1997, J. Botella Llusiá, en «Personalidad y perfil endocrino de Enrique IV», señalaba: «Su cuadro clínico endocrino, analizando las descripciones a veces muy sagaces de los cronistas de entonces, parece ser que podría asimilarse a un *Hipogenitalismo eunucoide* de los de ahora, con aspectos acromegaloides y quizá esquizofrenia. Si fue o no además homosexual es muy difícil de decir», págs. 130-140, pág. 131.

[5] El BN Madrid 1737 cierra una sinopsis poética sobre este reinado con esta reflexión: «Fue este Rei lleno de afán, / de mill congojas cercado. / Fuera vienaventurado, / si le dejara don Juan / Pacheco, su gran privado», ver J.M. Carriazo, «Estudio preliminar», *Crónica de los Reyes Católicos*, Madrid, Espasa-Calpe, 1943, pág. cv.

> cia o la amenaza. La nariz era bastante deforme, ancha y remachada en su mitad a consecuencia de un accidente que sufrió en la primera niñez, dándole las facciones de un simio. Los labios delgados, que no prestaban ninguna gracia a la boca, y los carrillos anchos afeaban la cara. La barba, larga y saliente, hacía parecer cóncavas las facciones debajo de la frente, como si algo se hubiese arrancado del medio del rostro. El resto de su figura era de hombre proporcionado, pero siempre cubría su hermosa cabellera con sombreros vulgares, un capuz o un birrete indecoroso (6)[6].

Alejado de los hombres doctos y entregado a pecados nefandos, la sola fisonomía de este monarca —con esos rasgos de locura y de anormalidad simiesca— lo incapacita para presidir cualquier entramado literario, habida cuenta además de la poca atención que prestaba a la etiqueta y a las ceremonias de la curia, aunque ello no le impidiera organizar majestuosas recepciones de embajadores (la del Conde de Armagnac en 1462 o la de Antonio de Véneris en 1467). Es cierto que Palencia comienza a redactar sus *Gesta* cuando se halla incorporado al bando del pretendiente don Alfonso, de modo que su intención no es otra que la de difamar al monarca reinante, para autorizar la candidatura de su hermano[7]. Con todo, aun afeados conscientemente, eran ciertos los rasgos de la etopeya fijada, como lo era la tendencia del rey a apartarse de las gentes, a prescindir de los protocolos cortesanos, a vestir con la holgura y comodidad suficientes para entregarse a una de sus principales aficiones deportivas: la caza de monte y el cuidado de los animales, como confirman Enríquez del Castillo y uno de los pocos tratados políticos que ahora se redactan, el *Vergel de los príncipes* de Sánchez de Arévalo (§ 11.4.2.2). Porque esa dimensión cinegética constituía una de las facetas esenciales de la autoridad regia, tal y como señala D. Enríquez:

---

[6] Se usa la edición y traducción preparadas por Brian Tate y Jeremy Lawrance (ver, luego, n. 52).

[7] Con Enrique IV se hace patente la diferencia entre la Corona real y la figura del rey, como ha estudiado J.M. Nieto Soria: «Así, la Corona es, en cualquier caso, considerada como una entidad superior y distinta de la persona del rey, a quien puede imponer obligaciones morales y límites a su poder, siendo ello muestra palpable de su proyección política transpersonalizadora», ver «La transpersonalización del poder regio en la Castilla bajomedieval», *AEM*, 17 (1987), págs. 559-570, pág. 564.

> Era gran cazador de todo linaje de animales y bestias fieras. Su mayor deporte era andar por los montes y en aquéllos hacer edificios e sitios cercados de diversas maneras de animales, e tenía con ellos grandes gastos (101*a*)[8].

Ésta es la única preocupación «liberal» que le reconoce Mosén Diego de Valera en el cierre del *Memorial de diversas hazañas* en que compendia este reinado, esa construcción de «nobles edifiçios» vinculados especialmente a la ciudad de Segovia:

> Y en esta misma çibdad reidificó muy suntuosamente el monesterio de Santa María del Parral, de la Orden de San Gerónimo, e dotólo de grandes rentas. E fortificó maravillosamente el alcáçar, e hizo ençima de la puerta d'él una muy alta torre, labrada de maçonería, y en el corredor que se llama en aquel alcáçar «de los cordones», mandó poner todos los reyes que en Castilla y en León han seído después de la destruiçión de España, començando de don Pelayo fasta él; e mandó poner con ellos al Cid, e al conde Fernán Gonçález, por ser caballeros tan nobles e que tan grandes cosas hizieron. Todos en grandes estatuas, labradas muy sutilmente, de maderas cubiertas de oro e plata (294)[9].

Y, por supuesto, Valera no se olvida de mencionar las obras que el rey ejecutara en sus dos cotos de caza preferidos:

> Y en el Pardo, qu'es a dos leguas d'esta villa, hizo otra casa asaz notable, con un bosque poco menos bueno que el de Balsaín, y en otras partes hizo otros edifiçios asaz suntuosos (295).

Pero no era un monarca exclusivamente dedicado a la caza. Valera también reconoce, aunque criticándola por excesiva, su afición musical:

> Diose demasiadamente a la música; cantaba y tañía muy bien (íd.).

Es más explícito —y quizá justo— Enríquez del Castillo:

---

[8] Me sirvo de la ed. de C. Rosell; ver, luego, n. 16.

[9] Se usa la ed. de Juan de Mata Carriazo (ver, luego, n. 71). Recuérdese que esta Sala de los Reyes del Alcázar segoviano quedó arrasada en el incendio de 1862.

> El tono de su voz dulce e muy proporcionado; todo canto triste le daba deleite; preciábase de tener cantores y con ellos cantaba muchas veces. En los divinos oficios mucho se deleitaba. Estaba siempre retraído, tañía dulcemente laúd; sentía bien la perfección de la música; los instrumentos de ella le placían (101*a*).

Un período, por tanto, idóneo para la formación de cancioneros, aunque tampoco hayan sobrevivido excesivas muestras de esta producción, salvo el llamado *Cancionero general de muchos y diversos autores* o el *Cancionero del British Museum* (Ms. Add. 10431).

Lo que Valera no le niega a Enrique IV son ciertas condiciones letradas:

> Era grande escrivano de toda letra; leía maravillosamente. Fue docto en la lengua latina (íd.).

Con el propósito de afirmar sus cualidades morales, señala lo mismo Enríquez del Castillo:

> Era de singular ingenio y de gran aparencia, pero bien razonado, honesto y mesurado en su habla (íd.).

Y, en consecuencia, él será el único cronista que se ocupe por registrar, sobre todo en el período de «la prosperidad del rey» (§ 11.1.1.2.1), las «fablas» de este monarca, en las que asoma el trazado de referencias cultas construido en el reinado de su padre: las guerras de los «varones romanos» (viii), los «antiguos poetas» (xliv), la materia troyana (lxxxi). Pero también D. Enríquez afirma a continuación el carácter reservado de este monarca:

> Compañía de muy pocos le placía; toda conversación de gentes le daba pena (íd.).

Por ello, no es posible encontrar en este reinado la misma producción tratadística que en el de su padre, puesto que la corte deja de ser el marco en que se reúnan letrados y se discutan asuntos de la más variada índole. Lo mismo señala Valera:

> Oía de mala voluntad a quien quiera que a él venía. Era mucho apartado (íd.).

La producción literaria de este período, entonces, debe buscarse antes en los círculos de Fonseca y de Carrillo que en la curia regia, sin olvidar el brillante entramado de fiestas y de representaciones de que supo rodearse don Miguel Lucas de Iranzo. Por el contrario, su hermano Alfonso, en el trienio en que fue acatado como rey, entre 1465-1468, sí logró formar, en torno a sí, una corte letrada (ver n. 48) que respaldó, con escritos diversos, sus derechos dinásticos[10].

Conviene, por tanto, adentrarse en el curso de la historia para perseguir la imagen de un rey que nadie mejor que Enríquez del Castillo supo definir:

> Tuvo flaquezas humanas de hombre y como Rey magnanimidades de mucha grandeza (101*b*).

11.1: Una historiografía en conflicto: la figura de Enrique IV

La cronística de Enrique IV parece la historia de un despropósito: al cronista real (§ 11.1.1) se le arrebata el registro oficial de hechos que estaba practicando, para entregarlo a otro cronista regio, pero desposeído del cargo (§ 11.1.2), a fin de que lo corrija; este segundo toma entonces la determinación de construir una nueva crónica para denunciar las falsedades de la primera; esta redacción, compuesta en latín, da pie a una tercera crónica anónima (§ 11.1.3), atribuida a ese segundo historiador, la cual, a su vez, sirve de base para que un cuarto cronista, ya en la época de los Reyes Católicos, arme una suerte de memorial (§ 11.1.4) en el que asentar su visión histórica de los monarcas a quienes sirve y que se habían desembarazado ya del segundo cronista, por molesto y poco grato a doblegarse a las directrices de la reina. Nunca la historiografía había sufrido con tanta violencia las presiones de la misma historia de que había de dar cuenta; baste con indicar que cuando Pulgar *(HPRC*, § 2.1) se refiere a este proceso cronístico desde el interior del que construye para la reina Isabel, no puede dar por cierta ni reconocer por válida una sola redacción[11].

---

[10] Para este trienio ver Mª Dolores-Carmen Morales Muñiz, *Alfonso de Ávila, rey de Castilla*, Ávila, Institución «Gran Duque de Alba», 1988.

[11] De esta desconfianza da muestras, por ejemplo, en 1468.iii al referirse a doña Juana: «Esta reina, como ya en la Corónica del rey don Enrique deve ser relatado, no

11.1.1: *Diego Enríquez del Castillo, «Crónica de Enrique IV»*

La única crónica que registra, entonces, con cierta objetividad, el reinado de Enrique IV y que merece el apelativo de «real» es la que redacta su capellán, «coronista» y miembro del Consejo, Diego Enríquez del Castillo. El resto de crónicas obedece a otros intereses, por lo común ligados al problema sucesorio que plantea la supuesta impotencia del rey y a los derechos con que la nobleza inviste a sus hermanos Alfonso e Isabel; las redacciones de Palencia, Valera o la llamada «anónima castellana» son productos propagandísticos que buscan justificar unos hechos destruyendo un modelo de autoridad para asentar, en los sucesos narrados, una nueva concepción política, encarnada por los hijos del segundo matrimonio de Juan II. A pesar de que el cargo de cronista real recayera en Alfonso de Palencia (§ 11.6.1, pág. 3763), tras la muerte de Juan de Mena, y de que en 1457 fuera nombrado para esta función Martín de Ávila, el rey asignó esta tarea a D. Enríquez en 1460, que ya le servía como capellán siendo príncipe[12].

Uno y otro construirán relatos cronísticos diferentes; Palencia pertenecía al círculo del arzobispo Carrillo, mientras que D. Enríquez iba a mostrarse en todo momento leal a la corona; ello no significa que se viera obligado a tergiversar las acciones de que da cuenta; antes al contrario, posiblemente las conoce mejor que los otros cronistas por el modo en que se halla implicado en los distintos avatares del reino. D. Enríquez alaba al rey cuando lo merece, en los primeros años de su reinado y en contadas ocasiones, y lo censura sin ambages en cada una de las claudicaciones a que es forzado por el poderoso Pacheco; pero aun así, sigue inalterable a su servicio, ofreciéndole consejos y cumpliendo embajadas en las que lo único que le importa es salvar la dig-

---

guardó la honra de su persona como devía», *Crónica de los Reyes Católicos*, ed. J.M. Carriazo, 16.

[12] De hecho a Palencia en 1460 no le corresponde ya ninguna quitación como pago por este cargo; señalan Tate y Lawrance que «la pluralidad de cronistas, introducida por Juan II, era normal hasta el reinado de Carlos III», pág. xli, n. 19, recordando que Martín de Ávila en 1468 era cronista no del rey, sino de su hermano el infante don Alfonso; ver su ed. de *Gesta Hispaniensia* de Palencia citada en n. 52 de pág. 3509. Fernando de Pulgar debe quedar fuera de la nómina de cronistas de Enrique IV, a pesar de que varios mss. reclamen su autoría, ver «VIII. La atribución a Pulgar de una *Crónica de Enrique IV*», de Juan de Mata Carriazo, ed., *Crónica de los Reyes Católicos*, I, págs. c-cvi.

nidad de Castilla; sólo por ello justifica algunas de las decisiones tomadas por el monarca[13], lo que no le impide señalar, con implacable rigor, los principales defectos de su figura y el modo en que consiente que los ambiciosos se apoderen del regimiento del reino.

Pretende el cronista demostrar que Enrique IV no fue el solo culpable de la destrucción de ese orden cortesano que, mal o bien, Juan II y don Álvaro de Luna habían afirmado; fueron los privados, desleales y codiciosos, los que lograron imponerse a un monarca que, como se ha indicado, fue magnánimo y bondadoso, por tanto débil y manejable[14]. Sólo D. Enríquez supo construir esta paradójica imagen del monarca para convertirla en eficaz análisis de pensamiento político[15]. Su redacción cronística es la única que alberga un trasunto de hechos al que puede concederse credibilidad; por ello, ha sido elegida para recorrer los principales hitos de este reinado.

11.1.1.1: La doble redacción de la *Crónica*

D. Enríquez se vio obligado a rehacer su crónica, cortada violentamente por el desarrollo de los sucesos que registra, tal y como indica en el Prólogo:

> Pero si aquesta Corónica no fuere tan copiosa e complida como debe, de las cosas que sucedieron en la prosperidad del Rey, primero que le viniesen las duras adversidades, merezco ser perdonado con justa escusación, porque fui preso sobre seguro en la cibdad de Segovia, cuando fue dada por traición a los caballeros desleales, donde me robaron no solamente lo mío, mas los Registros con lo procesado que tenía scripto de ella (100*b*)[16].

---

[13] «Muchas de las fórmulas de exaltación regia que desgrana Enríquez del Castillo en su crónica parecen cocerse al calor del enfrentamiento entre Enrique IV y la nobleza rebelde», ver J.M. Nieto Soria, «Ideología y poder monárquico en la Península», *La historia medieval en España. Un balance historiográfico (1968-1998)*, Pamplona, Gobierno de Navarra-Departamento de Educación y Cultura, 1999, págs. 335-381, pág. 357.

[14] Bien le cuadra el sobrenombre, luego perdido, de *Omilde* que recibe al frente del *Repertorio de Príncipes de España* de Escavias, ed. M. Garcia (ver pág. 3541, n. 87), pág. 23.

[15] Ver J.L. Bermejo Cabrero, «Las ideas políticas de Enríquez del Castillo», *Revista de la Universidad de Madrid*, 86 (1973), págs. 61-78.

[16] Cito por la ed. de Cayetano Rosell, incluida en el tomo III de *Crónicas de los reyes de Castilla*, B.A.E. LXX, págs. 97-222; la puntuación hace preferible esta edición decimo-

Segovia, la ciudad preferida de Enrique IV y cuna del cronista, caía en poder de los rebeldes en septiembre de 1467, al poco de la segunda batalla de Olmedo; D. Enríquez, tal como refiere, fue apresado «sobre seguro del Príncipe, Rey que se descía» y su casa —o la de su manceba— rápidamente saqueada en busca de los materiales cronísticos:

> Y tan innominosamente me trataron, como a los que suelen ser traidores, acusando mi lealtad por alevosía, y poniendo sus deslealtades por cosa de mucha honra hasta las nubes. Mas yo, que sin reproche de sus vergonzosas culpas me hallaba, como vestido de más limpio manto que el suyo, sin temor alguno e con grand osadía inpugnaba sus reprehensiones e contradescía sus acusaciones falsas, en tal manera que fue reprobada su mala escisma y defendida mi fidelidad. E porque mi verdad los concluía e ponía en conclusión, determinaron de matarme, pero aquella soberana clemencia de nuestro Redentor, que nunca se cansa de obrar misericordia, me libró de sus manos y escapé con la vida (169*b*-170*a*).

Las «escripturas» que le arrebataron le fueron entregadas a Palencia, quien las remitió a Carrillo, para contrastarlas con la «verdad» oficial de su bando (ver el texto de *Gesta* en § 11.1.2, págs. 3510-3511). D. Enríquez se vio obligado, en consecuencia, a rehacer la *Crónica,* en buena medida, como señala en ese cap. ciii, para justificar su propia posición con respecto a los hechos ocurridos y a las calumnias que lo tachaban de «falaz»[17]. Justo, a partir de este punto, menudea su presencia en los asuntos públicos, circunstancia de la que proviene la mayor parte de las informaciones que describe con tanto detallismo. Si continuó o no registrando la crónica conforme al orden y al sentido primero, no es posible saberlo ni él lo dice[18]; lo que sí es cierto es que la redacción que se conserva, transmitida en casi un centenar de

---

nónica a la ed. crítica que preparara Aureliano Sánchez Martín, Valladolid, Universidad, 1994, estimable por su introducción y el análisis codicológico; ver mi reseña a la misma en *RLM*, 8 (1996), págs. 241-244.

[17] Resume Luis Suárez Fernández: «Ésta es la razón de que los investigadores actuales encuentren serias deficiencias en la primera parte de la *Crónica:* los acontecimientos anteriores a 1468 tuvieron que ser reconstruidos de memoria y adolecen de graves defectos en su cronología», *Enrique IV de Castilla*, pág. 381.

[18] La versión oficial de esta *Crónica* cuenta con 168 capítulos; avisa A. Deyermond, en «La historiografía trastámara: ¿una cuarentena de obras perdidas?», de un ms. con 235 capítulos, que «parece pertenecer a una versión mucho más larga», pág. 177.

manuscritos[19], es bastante posterior a los hechos que refiere[20] y ello es lo que le permite dotar a su relato de una singular dimensión ejemplar y ajustarlo a esa doble estructura anunciada en el prólogo —«la prosperidad del rey», «las duras adversidades»— que es la que posibilita dividir el reinado en los dos decenios a que también Pulgar se acompasa[21]. Y es que estas narraciones se construyen ya en el reinado de los Católicos, obligadas a amoldarse a la nueva ideología; sorprende, por ello, la visión objetiva y distante, nada encomiástica, que ofrece de la princesa Isabel, ya que Enríquez del Castillo se vio desposeído de sus cargos al morir el rey, como lo indica la falta de datos sobre su actividad cortesana[22]; desde esa vertiente, se dedica a recordar su trayectoria

---

[19] Ver descripción en la ed. de Aureliano Sánchez Martín, págs. 60-107, más *Diccionario Filológico*, § 48, págs. 432-445. Para las cuatro ramas de la transmisión manuscrita de la crónica ver Guy Fink Errera, «À propos de quelques manuscrits de la *Crónica del rey don Enrique el Cuarto*», *H*, 58 (1955), págs. 3-72; continuamente se añaden nuevos testimonios a la obra medieval de la que se conserva un mayor número de códices; de cinco volúmenes —tres de Enríquez del Castillo— que se custodian en la Bancroft Library de la Univ. de California (Berkeley) informa Antonio Cortijo Ocaña, en su reseña de la ed. de A. Sánchez Martín, *RFE*, 76:1-2 (1996), págs. 192-196; Hugo O. Bizzarri avisa de una «*Crónica de Enrique IV* de Diego Enríquez del Castillo: el manuscrito de la Martin-Luther-Universität Halle-Wittenberg», *Inc*, 20-21 (2000-2001), págs. 133-142 y Georgina Olivetto de «*Crónica de Enrique IV* de Diego Enríquez del Castillo: el manuscrito de la colección Foulché-Delbosc conservado en la Biblioteca Nacional argentina», *Inc*, 20-21 (2000-2001), págs. 143-152, en estos dos últimos casos con transcripción del prólogo.

[20] En el ms. *Y*, el BN Madrid 10278, de 1581, se lee: «Fue trasladada esta Chrónica del rey D. Enrique 4° de Castilla del original que el autor Diego Enríquez del Castillo escrivió con toda verdad y fidelidad en la çiudad de Toledo. Acavóse de escrivir a 21 de deçiembre día de Sancto Tomé apóstol, año de 1481», ed. A. Sánchez-Martín, pág. 81.

[21] Cuando Enrique nombra a don Beltrán de la Cueva maestre de Santiago, la alta nobleza se rebela contra el rey, de inmediato atacado por Pacheco y Girón; como indica Luis Suárez: «Con posterioridad a estos sucesos, las Cortes establecerían la fecha del 15 de septiembre de 1464 como aquella en que comenzaran las alteraciones en Castilla y, con ellas, una situación de ilegalidad. El dato sería confirmado después por Fernando e Isabel. Es oportuno, en consecuencia, para acomodarse a la mentalidad del tiempo, establecer esta división», *Enrique IV de Castilla*, págs. 282-283.

[22] Palencia sigue llamándose cronista real y a D. Enríquez lo sustituye Valera. Resume J. Puyol: «Por una carta que Castillo dirigió a la reina Isabel, sabemos que a la muerte de Enrique IV pretendió continuar en sus oficios de capellán y de cronista al lado de la nueva soberana; pero se había significado mucho en el partido del rey para que aquella lo olvidase, por lo cual hubo de cerrarle las puertas de palacio y contestar a sus reiteradas peticiones con la excusa de que el arreglo que estaba haciendo en los gastos de su casa no consentía el dispendio de los 37.000 maravedises de quitación que en el anterior reinado se le asignaron; Castillo entonces envió a decir a la reina *que desde allí se despedía de ser suyo*», «Los cronistas de Enrique IV. I», *BRAH*, 78 (1921), págs. 399-415, pág. 403.

en el pasado, fijarla por escrito y convertirla en asiento de reflexión doctrinal.

11.1.1.2: La estructura de la *Crónica*

La crónica, en la redacción conservada, carece de distribución analística; las pocas pautas cronológicas que se indican señalan datas de fallecimientos o algún enlace matrimonial; la estructura temporal la determina el itinerario del rey, los cambios de residencia, el lugar en el que permanece o al que llega para celebrar la Navidad. Dar cuenta de su presencia es lo único que preocupa al cronista, lograr conservar un mínimo rastro de su memoria, con todo lo bueno y lo malo que en ella hubiera; es difícil encontrar un capítulo en el que el rey no aparezca y, por lo mismo, otra crónica en que la voz del monarca ocupe tanto espacio; son numerosas las «fablas» del monarca, sobre todo en la primera parte, porque el cronista sabía que sólo dejándole hablar, que es lo que no iban a hacer Palencia o Valera, lograría construir un retrato, mínimamente digno, de su figura para confrontarlo con el proceso de destrucción a que se ve abocado.

D. Enríquez configura su relato mediante la sucesión de precisos núcleos cronísticos con los que logra cumplir el objetivo que en el prólogo se fija:

> Oyan por ende los presentes, atiendan los que vernán, sepan los ignorantes e noten los que leyeren que del muy esclarecido cuarto rey don Enrique de Castilla y de León, sus hechos e vida tratando, su puxanza e grandeza diciendo, sus infortunios e trabajos recontando, con testimonio de verdad prosiguiendo, yo el licenciado Diego Enríquez del Castillo, capellán e de su consejo, como fiel coronista suyo protesto relatando scribir su Corónica (100*a*).

Ahí están, de nuevo, implícitos los dos planos de contenido a que el cronista someterá los «hechos» no de un reinado, sino de la «vida» de un rey, conforme al siguiente modelo, al que se añaden simplemente los años de los sucesos:

I. «La prosperidad del rey» (1454-1464).
1. La expansión militar: 1454-1456 (i-xii).
2. El matrimonio del rey: 1456-1458 (xiii-xvi).
3. La corte caballeresca: 1459-1461 (xvii-xxxi).
4. La afirmación linajística: 1462 (xxxii-xlii).
5. El ofrecimiento de Cataluña: 1463-1464 (xliii-lvi).

II. «Las duras adversidades» (1464-1474).

1. La pérdida de la autoridad regia: 1464-1466 (lvii-lxxxvi).
2. La lucha por el maestrazgo de Santiago. La batalla de Olmedo: 1466-1468 (lxxxvii-cxiv).
3. Los acuerdos de Toros de Guisando y el matrimonio de la princesa Isabel: 1468-1469 (cxv-cxxxv).
4. Los enlaces de doña Juana. La humillación de la corte: 1469-1470 (cxxxi-cxlviii).
5. La guerra sucesoria: muertes de Pacheco y del Rey: 1470-1474 (cxlix-clxviii).

Como se comprueba, por este extracto argumental, las líneas principales del contenido cronístico se desarrollan en la segunda parte, pero ésta sólo puede ser entendida desde las imágenes esperanzadoras —realmente ciertas— delineadas en la primera.

11.1.1.2.1: «La prosperidad del rey» (1454-1464)

Como se ha apuntado, la primera parte de la *Crónica* registra los hechos con brevedad. Por un lado, el cronista tiene que rehacer los materiales que le fueron «arrebatados», por otro, conocía de sobra el negativo desenlace de ese reinado que había comenzado con tan buenos augurios. El propio monarca, a diferencia de su padre, se ocupa de asuntos relativos a la administración del reino y el cronista incluye sus «fablas» como eje de un pensamiento político que se orienta de inmediato hacia unas campañas militares en las que se descubrirá, aun sin valoraciones, su carácter remiso, pues a pesar de reunir considerable tropa decide no hostigar a los moros, sino talar campos y viñas, para rendirlos por hambre[23]; esta actitud contradice las expectativas de los linajes nobiliarios convocados:

> E puesto que los caballeros mancebos, así generosos como hijosdalgo e otras personas señaladas, iban ganosos de hacer algunas cosas hazañosas, famosas de varones, por ganar honra e alcanzar nombradía, segund la costumbre de la nobleza de España, cuando los moros salían a dar las escaramuzas, jamás el Rey daba lugar a ello, porque como era piadoso e no cruel, más amigo de la vida de los suyos que derramador de su sangre, decía que pues la vida de los hombres no tenía prescio ni avía equivalencia, que era muy grand yerro consentir aventuralla, e que por eso no le plascía que los suyos saliesen a las escaramuzas ni se diesen batalla ni combates (107*a*).

Los alborotos a que da lugar esta falta de acción militar presentan a los primeros enemigos de este prudente monarca: Pedro Girón, el hermano de Juan Pacheco, y los condes de Alba y de Paredes, liberado el primero en el cap. ii, comisionados los tres para detener al rey conforme a los usos que habían llegado a ser corrientes en el reinado de Juan II. Por ello, hay una preocupación del cronista por definir los comportamientos de los actores de la historia, ya que la crónica orienta su segunda redacción para someter a juicio a las distintas figuras que rodearon a Enrique IV; de ahí, la tendencia a construir semblanzas fragmentarias para analizar, de modo paulatino, esas conductas individuales que van a interferir en la particular del monarca. En dos personajes se centra básicamente D. Enríquez, en el mencionado Juan Pacheco, de quien ofrecerá una primera valoración neutra[24], después en don Alfonso de Fonseca cuyas contradicciones achacará a su falta de gravedad y discreción; una eficaz trama formularia previene al receptor sobre el proceder de estas figuras y le permite alcanzar el grado de ejemplaridad

---

[23] Luis Suárez: «Visto con mentalidad moderna, aquel plan era acertado. Dada la conformación del territorio granadino, ninguna parcela del mismo estaba en condiciones de sustraerse a las acciones predatorias de un enemigo superior en número», *Enrique IV de Castilla*, pág. 150. El propio Palencia pudo asumir esta prudencia del monarca para convertirla en soporte de su *Batalla campal de los perros contra los lobos*: § 11.6.1.1.3.

[24] «Salió tan discreto e de tan buen seso e reposado, que para cualquiera debate o contradicción solía hallar muchos medios. Daba en todas las cosas sanos expedientes, en tal manera que su prudencia era más provechosa que de otro ninguno de cuantos por entonces le servían», 104*a*.

que se quiere descubrir[25]. El avance de la *Crónica* no lo marca el registro de hechos, sino el ordenamiento de las reflexiones a que el cronista se entrega; puede, así, mostrarse favorable a ciertos personajes en un principio, para mudar su parecer en virtud de los acontecimientos anotados, como ocurre en el cap. XXX en donde comienzan a revelarse los ardides de Pacheco para sujetar al rey a sus deseos de engrandecimiento, una postura que le lleva a ser más condescendiente con la figura de Fonseca.

La lejanía de la redacción con respecto a los hechos le otorga las perspectivas suficientes para convertir algunas situaciones en soporte de posteriores análisis; mientras la prosperidad ampara al rey, procurará el cronista ser objetivo con doña Juana[26], no así con el arzobispo Carrillo a quien mostrará desde XXXII como uno de los principales encizañadores cortesanos, sólo preocupado por destruir a Fonseca. Con todo, la reflexión sobre la conducta de doña Juana enmarca el inicio de la decadencia de esta corte; parece que D. Enríquez quiere vincular la deshonestidad a que la portuguesa se entrega con el deterioro de los valores curiales:

> Y si ella así se quisiera conservar con templada honestidad, e regirse discretamente según que estaba estimada entre todos, sin duda muy renombrada fuera su grandeza e mayor la gloria de su fama, mas como pocas veces suelen los señores terrenales pasar sin adversidad, ella como las otras también pasó sus infortunios (119*b*).

Parecía que Enrique IV había logrado concitar, en torno a sí, una corte caballeresca, proyectada en una nueva expansión militar y bendecida por el español Calixto III; el papa le había enviado (cap. XV) la espada y el sombrero que solía honrar en la Misa del Gallo, con un breve en que le exhortaba a continuar la labor reconquistadora, aún más urgente tras la caída de Constantinopla. Pero esa corte estaba asentada sobre la falsedad de los privados y la dudosa conducta de la reina, amén de sujeta a las inevitables mudanzas de la Fortuna[27]; paradójica-

---

25 Así en XVIII, cuando logra Pacheco hacerse con la custodia de la herencia de don Álvaro de Luna, tras el arresto de doña Juana Pimentel, el cronista sólo apunta: «donde apoderado hizo lo que adelante será contado por la historia», 110*b*.

26 Apréciese, de todos modos, la ambigüedad con que se presenta el primer embarazo: «Estando allí la Reina se hizo preñada, de que el Rey fue muy alegre», 117*a*.

27 Trazando un hilo de reflexiones que va enlazando XV —«Pero como ningún gozo en esta vida sea cumplido, ni tan lleno ni entero, que con algún pesar no se mescle...», 108*b*—,

mente, el alumbramiento —tan trabajoso— de la reina parece aunar las voluntades de quienes luego más empeño pondrán en privar a su hija de sus derechos sucesorios: en el bautismo de la recién nacida actuará como madrina la infanta Isabel y será Carrillo quien la sostenga en brazos en las cortes en que es jurada como heredera.

La guerra con Navarra es favorable, pero no puede prosperar por las hostilidades que mueven Carrillo y Pacheco contra Fonseca, para anular su ascendencia sobre el rey. La propia reina sufre un accidente —se le incendia el pelo— que malogra el embarazo de un segundo hijo, esta vez varón; los pronósticos son inmediatos:

> Sobre aquesto ovo diversos juicios entre las personas notables del reino, pronosticando los trabajos que después vinieron sobre el Rey y la Reina, según será recontado, por el proceso de la Corónica (121*b*).

Paralelamente, se refieren el ascenso de don Beltrán de la Cueva —en xxxix es conde de Ledesma y en xlii casa con la hija del Marqués de Santillana— y los celos que hacia él comienza a sentir Pacheco:

> E siempre fue que la envidia pare discordia, acarrea enemistad, busca novedades e formas cautelosas para dañar, así que podemos descir que este casamiento fue sementera de los males que después subcedieron (122).

El ofrecimiento de Cataluña a Enrique IV, tras la sospechosa muerte de don Carlos de Viana en Barcelona, y el modo en que los falsos privados estorban esta expansión del reino serán hechos que sirvan de punto de inflexión para señalar el cambio de rumbo en la prosperidad del reino y avisar del modo en que los consejeros pueden entorpecer el regimiento político, anteponiendo al mismo sus ambiciones:

---

xxv —«Mas como las bienandanzas del mundo tarde o nunca se hallan sin aver adversidad que las combata ni sin envidia que las malsigne ni sin maldiciones que las revuelvan porque el poderío temporal jamás está en su ser ni vive sin adversarios...», 113*b*-114*a*— o xxx —«Mas como las cosas mundanas nunca están en un ser, antes de contino se mudan e trastuecan, unas veces levantando, otras veces trastornando, señaladamente aquellos que más cercanos se hallan de la sombra e favor de los reyes, los cuales suelen ser combatidos de las furiosas adversidades e subversión tempestuosa de la Fortuna», 117*a*— por citar sólo las tres primeras apariciones del tema.

> ...con grand infamia e vituperio del Rey, segund que sus obras fueron claros testigos que dieron testimonio, como adelante será relatado por el proceso (125*a*).

Carrillo y Pacheco —temeroso de perder su influencia en el señorío de Villena— se oponen con mayor energía a la propuesta de que Enrique IV se proclame rey de Aragón y conde de Barcelona, en virtud de argumentos ya reconocidos por Alfonso V (la primacía del tronco Trastámara sobre las otras ramas) y de razones sociopolíticas (con una de las formulaciones más claras del goticismo peninsular)[28]. El enfrentamiento entre Pacheco y el legado catalán, mosén Cardona, pone al descubierto la mezquina conducta del privado, que va a arrastrar a Enrique IV a una de las mayores humillaciones que le tocó vivir, al someterlo a la ambición de Luis XI de Francia, en nada dispuesto a consentir que Castilla se expandiera, territorial y políticamente, de ese modo. Los preparativos de las vistas de Bidasoa descubrirán a otro traidor, al secretario Álvar Gómez de Cibdad Real[29]; el cronista señala, inequívocamente, el modo en que todos los desastres que sobre el reino se ciernen se deben a estas circunstancias que sintetizan la dejación más grave de la autoridad regia:

> De aquesta embaxada se siguieron los infortunios e infamias e dolorosos trabajos del Rey, no solamente por la disoluta maldad que aquestos sus mensageros ficieron e cabsaron en la sentencia que contra la honra y estado y fama de su Rey ordenaron e consintieron, haciéndose parciales de los enemigos de su Rey, mas porque siendo él amonestado e requerido por muchos de sus leales servidores que se guardase de ellos e supiese cómo avía de ser engañado e deshonrado por su cabsa, no los quiso creer, e hizo confianza de los que le vendieron (127*b*-128*a*)[30].

---

[28] Apunta J.L. Martín: «Estos y otros datos, reforzados por la actuación posterior de los embajadores de Enrique, refuerzan el sentimiento de traición que trasluce la crónica de Enríquez del Castillo; el marqués de Villena y el arzobispo de Toledo habrían sido los responsables de que el monarca no aceptara el título de rey de Aragón», *Enrique IV. Rey de Navarra, príncipe de Cataluña*, pág. 124.

[29] Ver Luis Suárez, *Enrique IV de Castilla*, pág. 293.

[30] Coincide en esta opinión con el formador del *Cronicón de Valladolid*, ver *HPRC*, § 2.6.2.

D. Enríquez recuerda con dolor estos acontecimientos[31], hermanado con la rabia que siente el embajador catalán al conocer la negativa del rey y sus avisos sobre las adversidades que amenazan Castilla:

> «...de tanto le certifico y téngalo bien en su memoria que nunca a Vuestra real Magestad faltará de aquí adelante sobra de muchas guerras y persecuciones, ni a los catalanes quien los defienda en gran menosprecio de Vuestra real Alteza e vituperio de su Consejo» (129)[32].

El cronista se admira de la paciencia con que Enrique IV intenta salvar una dignidad ya perdida, por cuando no puede apoderarse de Estella ni evitar los graves desórdenes que suponen la persecución contra los conversos o el litigio por el arzobispado de Sevilla entre los Fonseca tío y sobrino, con el eco de las guerras movidas contra don Rodrigo de Luna, sobrino precisamente de don Álvaro.

Aún cuenta con la lealtad de algunos fieles como don Miguel Lucas de Iranzo, a quien visita en Jaén (cap. lvi)[33], y con una voluntad política que le lleva a nombrar Maestre de Santiago —despreciando con ello la voluntad testamentaria de Juan II que había señalado para el cargo a su hijo Alfonso[34]— a don Beltrán de la Cueva como medio de oponerse al creciente poder de Pacheco. Aparece aquí la primera censura del cronista al rey, cambiando con ella la orientación de su discurso:

---

[31] «Aunque hablando aquí sin pasión, puesto que sin mucho dolor e sentimiento no se podría escribir, la venida del Conde de Comenge al Rey más fue por colorar la falsedad e disimular la malicia de sus embaxadores, que por ser necesaria (...) E porque todo lo que al Rey convenía fuese de mal en peor, quisieron que en aquellas vistas, o más propiamente ciegas, quedase antes ofendido su Rey que honrado, más desabtorizado que tenido en estima», 128*a*.

[32] Éste es el momento en que los catalanes le entregan la corona del reino a don Pedro, el antes Condestable de Portugal, el autor de la *Sátira de infelice e felice vida*, ver § 10.7.4.4, más § 10.10.2.1. Así lo recuerda Pulgar en su *Crónica* sin mencionar que el reino se le había ofrecido antes a Enrique IV: «Muerto el prínçipe don Carlos, los de la çibdad de Barçelona enbiaron a Portogal por un fijo del infante don Pedro de Portogal, que llamavan don Pedro, e ficiéronle su rey, al cual llamaron rey En Pere. Este rey En Pere duró en el señorío de aquella çibdat e del principado de Cataluña por espaçio de otros tres años, e luego murió», ed. J.M. Carriazo, 449. Ver pág. 3527.

[33] Ver § 11.3.1.1, págs. 3561-3562.

[34] Ver texto en § 10.2.4.2.3, pág. 2260.

> ...fue tan remiso, que no lo quiso creer, ni curó de ello ni de remediarse, de guisa que el malino deseo de sus enemigos ovo lugar de se cumplir (132*a*).

11.1.1.2.2: «Las duras adversidades» (1464-1474)

En este punto, la crónica adquiere su verdadero sentido: descubrir a los traidores y perseguir a los desleales. D. Enríquez reconstruye toda esta parte de la redacción con el objetivo de trazar un telón de fondo que permitiera valorar los comportamientos de estos falsos privados; por ello, el cronista se ve obligado a censurar al monarca, por su indecisión y su falta de autoridad sobre todo con Pacheco, al que es incapaz de castigar a pesar de saber que quería prenderlo (cap. lxii)[35]. La propia redacción de la crónica, los hechos que ordena, porque los conoce y los ha vivido[36], son los factores que lo autorizan a señalar aquellos defectos del rey que han permitido que la prosperidad se trueque en adversidad:

> Verdad es que si el Rey quisiera como varón tener osadía de Rey y esfuerzo de caballero, para que aquella mesma noche fuera sobre ellos, muy ligeramente los pudiera prender y destruir para siempre, porque ellos estaban derramados e mal proveídos e sin orden, mas como era remiso e la rotura muy agena de su condición, antes quería pendencia de tratos, que destruir sus enemigos (137*a*).

Esta actitud será ya constante en el decenio que le queda por registrar: cuanto mayor es la traición con que se comporta Pacheco, mayor es la desidia con que actúa el rey. Ésta es la relación que le interesa examinar de forma especial. Él no es como Ayala, capaz con su prestigio y su experiencia diplomática de torcer el rumbo de las decisiones de un rey; D. Enríquez, a pesar del creciente protagonismo en asuntos cru-

[35] Indicaba J. Puyol que «quien conozca los antecedentes del autor, no puede por menos de sorprenderse al ver que un cronista asalariado, que gozó de tanta mano con el monarca, hable con frase amarga, sí, pero sin eufemismos ni circunloquios, de las lamentables condiciones de carácter del señor a quien servía», pág. 404.

[36] «Cuanto quiera que el Rey se turbó de aquella nueva, con disimulado semblante llamó al obispo de Calahorra e a mí, como su Coronista e del su Consejo, e nos mandó que de parte suya fuésemos a los condes...», 136*b*.

ciales de la gobernación del reino, no puede impedir que el monarca se deje abatir de esa manera por sus enemigos y debe conformarse con señalar, junto a los leales que lo rodeaban, el disgusto que le causaba ver cómo ponían «a las espaldas lo que tan criminalmente en la honra le tocaba y en la fama» (138*a*). Adquiere ahora crucial valor esa línea de reflexión sobre la providencia que envolverá ya el relato cronístico:

> Baste, pues, saber que ni en los grandes estados está la fortaleza ni los muy poderosos tienen mayor osadía, e que la omnipotencia de Dios es aquella que manda los corazones de los Reyes e los guía cuanto quiere, para que anden en vano e vayan fuera de camino (138*b*).

Es la falta de actuación lo que se reprocha a Enrique IV, ajeno a los consejos de su antiguo preceptor Lope de Barrientos, quien lo maldice en nombre de una historia que ya estaba escrita:

> «De tanto vos certifico que dende agora quedaréis por el más abatido Rey que jamás ovo en España e arrepentiros heis, Señor, cuando no aprovechare» (139*a*).

Como si estas palabras precisaran de un especial cumplimiento, Enrique llama a Pacheco para someterse a su voluntad; entrega a la liga de traidores a su hermano Alfonso[37], lo acepta como heredero y despoja a don Beltrán del maestrazgo.

El último impulso de autoridad que le queda al rey lo aprovechan el Almirante y Carrillo para intentar frenar al ambicioso Pacheco; la siniestra figura de Álvar Gómez, descubierta su condición de traidor, da pie al cronista para acusar públicamente a estos desleales:

> E pues aquestos como perversos así se quisieron señalar en la deslealtad, para ser conocidos por tales en perpetua memoria de su traición, razón será que diga quién fueron (141*a*)[38].

---

[37] Recuerda Morales Muñiz que la principal condición del acuerdo era que «la tutoría del infante Alfonso pasaba al Marqués de Villena», quien de este modo podía asumir la administración de la Orden de Santiago, paso previo para apoderarse del maestrazgo, *Alfonso de Ávila, rey de Castilla*, pág. 40.

[38] La jactancia de Carrillo en responder a los mensajeros reales es celebrada por su panegirista, Guillén de Segovia, en los *Hechos* en que registra sus hazañas (§ 11.3.2); así sucede con el episodio de Olmedo, en que considera la respuesta que da a los agresores

De este modo, de poco sirve la alianza de Enrique IV con Carrillo y el Almirante que lo lanzan contra Pacheco, pues enseguida serán acusados de traicionar al rey, aunque éste sea incapaz de precaverse ya contra nada; siguen los pronósticos contrarios a sus acciones (143*b*), así como la defección de Carrillo que insulta al rey cuando éste le manda un mensajero:

> «Id e decid a vuestro Rey que ya estó harto de él e de sus cosas e que agora se verá quién es el verdadero Rey de Castilla» (143*b*-144*a*).

La respuesta sirve de preludio a la farsa de Ávila que es descrita con continuas reconvenciones del cronista hacia sus actores, a fin de determinar la función ejemplar que del relato se construye[39]. La voz del rey, reclamando la presencia de los leales, se funde con una plegaria de resignada aceptación de las adversidades[40]. Curiosamente, la gravedad de los hechos permite un reforzamiento de la autoridad regia, al abandonar algunos nobles a los sediciosos; mientras, P. Girón guerrea contra el monarca en Andalucía[41], en donde sólo Miguel Lucas de Iranzo se mantiene leal. Como medio de contrarrestar la farsa de Ávila, el cronista se demora en describir una escena semejante, cuando en Siman-

---

como «digna de ser representada por boca de enperador, congecturada al tienpo y caso, diziendo que pasase a Medina o a otra parte donde su Alteza quisiese, con tanto que en la tal pasada non follase la tierra del rey don Alfonso vuestro señor», ed. de Casas Homs (ver luego n. 164), 16-17.

39 La simbología escénica de la «farsa» ha sido analizada por Angus Mackay, «Ritual and Propaganda in Fifteenth-Century Castile», *Past and Present*, 107 (1985), págs. 3-43.

40 José Manuel Nieto Soria explica: «Los sublevados de 1465 vieron o pretendieron ver en Enrique IV, y en este punto estamos ante todo un despliegue de medios propagandísticos, a un personaje cuya debilidad personal contrastaba con las pretensiones políticas de la institución que encarnaba. Así nos situamos ante el hecho común de que un régimen político amenazante para determinados intereses estamentales, como consecuencia de sus rasgos absolutistas que le otorgan amplísimas atribuciones al monarca, se convierte en definitivamente insoportable cuando, además, su máxima personificación, el rey, carece de unos mínimos reclamos carismáticos», en «La monarquía de Enrique IV: sus fundamentos ideológicos e institucionales», *Enrique IV de Castilla y su tiempo. Semana Marañón 97*, págs. 91-113, pág. 112.

41 «¡O Maestre don Pedro Girón, ingrato criado y desvergonzado súbdito! ¿Qué infamia querrás imponer al Rey que te hizo que la tuya no sea mayor? ¿De qué insultos lo querrás acusar, que a ti mismo no te condenes? (...) Pues, blasfemador de Dios e renegador de su divinal bondad, ofendedor de su bendita clemencia, con tan poco temor de su grand poderío no me quiero maravillar que deshonres al que te hizo del polvo», 146*b*-147*a*.

cas se quema una estatua con la figura de Carrillo[42]. Estas respuestas espontáneas, ya del pueblo, ya de la nobleza, son las que pretende salvar D. Enríquez, por cuanto reflejan una lealtad que el rey no sabe aprovechar; de ahí, la lamentación con que se describe su desidia para gobernar, que comienza a valorarse como dictada por la divina providencia (148*a*). Ni siquiera Enrique IV reacciona tras descubrir la intención de los traidores de matarlo; la misma reunión de un ejército tan numeroso en torno al rey llega a representar un grave problema, que obliga al cronista a reflexionar sobre la voluntad de actuar no tanto del monarca, sino de esos mismos caballeros que lo rodeaban, cuando debían haber sido ellos los que encauzaran una acción militar que permitiera salvar el reino:

> ...pues que sabían que el Rey en alguna manera tenía más flaqueza e piedad que esfuerzo y osadía. Mas hablando agora con reverencia de tan alto Rey, so enmienda de la noble caballería e leales servidores que lo seguían, ¡cuánto bien paresciera no solamente a los que por estonces vivían, mas a los que después subcedieran, cuando fueran sabidores por el proceso de esta historia, que encendidos en ira el señor e los súbditos, desenfrenados con saña se quisieran vengar de sus disolutos ofendedores! (149*b*).

Esa falta de respuesta de la caballería regalista permite el avance de la traición y que Pacheco logre apoderarse de la voluntad del rey, engañándolo con la promesa de que iba a someter a los sublevados a su obediencia y despojar del título de rey al infante don Alfonso; el cronista censura la credulidad de Enrique IV:

> ¿Cómo te osas confiar de aquel que así te destruyó? ¿Cómo puedes dar crédito a aquel que con tantos vituperios te dexó deshonrado? (...) Ca ciertamente no se podría llamar pasciencia la tuya, ni enxemplo de humildad, mas gana de ser engañado e voluntad de vivir sojuzgado... (150*a*).

No supo aprovechar la fuerza que, en torno a él, se había congregado y sólo fue capaz de repartir mercedes entre los que le habían apoya-

[42] Al son de este cantar: «"Ésta es Simancas / don Opas traidor, / Ésta es Simancas, / que no Peñaflor", con otras coplas muy feas, que contra él se descían. Aqueste cantar duró grand tiempo en Castilla, que le cantaban a las puertas del Rey e los otros caballeros», 147*b*.

do; de este grupo de nobles destaca en especial el linaje de los Mendoza, pues no puede olvidarse que D. Enríquez rehace su crónica años después de que hayan ocurrido los acontecimientos que registra. Por ello, le interesa dejar también testimonio de su presencia y dar cuenta de las embajadas efectuadas personalmente por él, así como enumerar las gallardas reacciones con que se enfrenta a los enemigos de la corte[43]. La crónica alterna episodios que parecen reforzar la autoridad del monarca (el levantamiento de Valladolid o la intención del príncipe de pasarse al rey) con otros que entrañan una clara merma de ese poder real (así la voluntad de P. Girón de casar con la infanta Isabel, un enlace que anula la inesperada muerte del Maestre de Calatrava[44]).

La lucha por el maestrazgo de Santiago le permite al cronista ahondar en la ambiciosa conducta de Pacheco y desvelar una de las razones fundamentales de la destrucción del reino. Aspiraba al cargo el conde de Benavente y pedirá la ayuda de Pacheco, sin saber que éste lo pretendía para sí, aunque disimulara en ese momento por pura conveniencia; sin embargo, la sistemática destrucción a que se entrega de los valores cortesanos no tiene otra finalidad; aún Enrique IV puede contar con la fuerza que representan las Hermandades, una institución avalada con una carta en la que aparece engastada una profunda lamentación por España:

> La cual por mayor dolor es ya tornada en menosprecio de las gentes, vituperio de los estraños, conseja de los viandantes e comparación de todas las miserias. ¡O tierra desconsolada cubierta de maldición! ¡O reino sin abrigo cercado de tantas infamias! ¡O nación aviltada llena de tantos denuestos, que si algunos hasta aquí de ser castellanos por el mundo se presciaban, do quier que ahora fueren, por baldón serán deshechos! (156*a*).

La demostración de esta queja se produce de inmediato al lograr Pacheco la caída de Pedro Arias Dávila, hermano del obispo de Segovia,

---

[43] Tal sucede con la respuesta que da al obispo de Pamplona, que era favorable a los intereses del conde de Foix y a la ocupación de Calahorra; el mismo Juan de Beaumont encarece esas palabras: «E pues vós fuisteis destemplado para hablar sin acatamiento de tal alto Rey, su embaxador vos ha respondido como varón de limpia sangre e persona de crianza», 153*a*.

[44] Interpretado providencialmente en los *Hechos de don Miguel Lucas*, ver pág. 3570.

uno de los servidores más fieles a Enrique IV. D. Enríquez se ampara en la misma historia que está componiendo para amonestar al monarca por su débil conducta:

> Pero pues licencia de escribir se me otorga, y osadía de hablar me debe ser dada, digo con reverencia de tan alto Rey, que aquesta prisión tan injusta más fue ser perseguidor de los leales que enemigo de los traidores, y que más le pesó con la lealtad, que con la traición le desplugo. ¡O qué mal exemplo de Rey! ¡O qué deshonesta hazaña de Príncipe! ¡O qué feo consentimiento y desoluta licencia! El que había de ser defendedor de sus servidores, hacerse perseguidor de ellos; el que avía de amparar su hechura leal, mandalla prender, e dar lugar a su muerte (158*b*).

Serán ya frecuentes las intervenciones de este carácter, pues Enrique IV será incapaz de advertir los engaños y las traiciones que con su desidia y estolidez él mismo fomenta. El cronista condena al monarca cuando éste ha perdido ya todos los signos de la autoridad regia que debía haber mantenido en torno a sí:

> Este Rey que, cuando Príncipe, en los días de su padre se mostraba tan osado, tan esforzado en las armas, tan denodado en las batallas, tan temido entre las gentes, tan sin miedo en las afrentas, ¿quién le privó del esfuerzo? ¿Quién le quitó la osadía? ¿Quién lo hizo tan medroso? ¿Quién captivó su libertad? ¿Quién le sojuzgó el poder e le puso en tal servidumbre? El que solía mandar es venido a ser mandado, el que reinaba e señoreaba queda puesto en servidumbre, al que todos se sojuzgaban ya ninguno lo obedece y él obedece a todos. En tanto grado es ageno de quien era, que no se acuerda si fue Rey, ni si nació para ello. Así que según aquesto, tú sola, Providencia divina, eres la que transmutas los reyes, la que les quita el sentido y pone en seso, reprobando que vengan en menosprecio y hagan lo que no cumple (158*b*-159*a*).

Con la perspectiva de un regimiento de príncipes parece que se está construyendo un *exemplum* sobre los comportamientos que un monarca debe evitar. Ello es claro cuando Enrique IV se hallaba dispuesto a entregar no sólo su persona, sino entera la «cepa real», a los traidores a cambio de vagas promesas de concordia. Aquí sí interviene decididamente el cronista, instando, en cuanto capellán y criado antiguo del rey, a los miembros de la Hermandad a evitar este cautiverio, siendo él mismo el que «proponga» ante el rey los riesgos de esta precipitada salida. Pero Enrique IV no reacciona y se deja arrastrar fuera del Alcázar, para ser liberado por el pueblo y devuelto a palacio.

Con el apoyo de los Mendoza, intenta el monarca recuperar la autoridad perdida; es urgido así por un grupo de leales (el conde de Medinaceli, el hijo del de Haro) para que ayude a la villa de Medina y se enfrente a los facciosos pertrechados en Olmedo. Es ahora cuando logra Pacheco apoderarse del maestrazgo de Santiago, ocasión aprovechada por el cronista para desenmascarar a quien considera verdadero culpable de la destrucción del reino:

> ¡O desvergonzado caballero, ingrato criado y desleal servidor! Que por subir en tal alta dignidad, abatiste la grandeza del que te puso en alto estado, disipaste su honra, denigraste su fama, denostaste sus reinos, sus gentes y nación. Por poner la espada de la caballería en tu pecho, pusiste a cuchillo tanta gente e inocentes, que murieron por tu cabsa (163*a*).

Todo este tramo final de la crónica se construye con el propósito de vincular el ascenso de este privado y la anulación de la voluntad de un monarca que ni siquiera es capaz de servirse de las circunstancias favorables que aún la Fortuna, que no él, pone a su alcance. Así ocurre con la batalla de Olmedo, librada el 20 de agosto de 1467 y que, muy a su pesar, gana el bando regalista; Enrique IV ni siquiera quería sacar el pendón real y mientras los suyos vencían en el campo de batalla se dejaba engañar por mosén Pierres, huyendo vergonzosamente y teniendo que ser buscado por el propio cronista que no podrá, por menos, que censurar su falta de arrojo en un momento tan crítico para el reino:

> Estonces yo, que como coronista avía estado presente e visto los trances de la pelea fasta el fin, e como ya los enemigos quedaban desbaratados e vencidos, busqué al Rey, pensando que estaba allí donde se avía quedado a mirar, e fallé que por falsa relación mentirosa se avía absentado del campo, de que sin duda fui maravillado. E así sabido su apartamiento, fuilo a buscar a grand priesa por el rastro hasta el aldea donde estaba, y hallándole le dixe: «¿Cómo los Reyes que son vencedores, e pelea Dios por ellos ansí, se han de arredrar de su hueste que tan varonilmente han alcanzado la gloria de su triunfo? Andad acá, Señor, que sois vencedor e vuestros enemigos quedan vencidos e destruidos». E cuando el Rey oyó lo que ansí le descía, con alegre risa me dixo: «Coronista, si con tan sanas entrañas como las vuestras me aconsejara el Condestable de Navarra, que aquí estaba aconsejándome y haciéndome creer lo

> que él deseaba e no el efecto de la verdad, ni yo me apartara de donde estaba, ni vós tomárades el trabajo en venirme a buscar; mas bien parece cuánta diferencia hay de vuestro leal deseo a su dañada voluntad, que él, en son de tratar paz, vino como parcial de traidores, e vós como leal e verdadero servidor me traéis nuevas placenteras e de tanta gloria» (165).

La traición inmediata del conde de Alba señala a la codicia como el peor de los pecados de esta nobleza[45]. Nada parece que haya cambiado porque el rey sigue siendo el mismo; Pacheco permanece en Ocaña y los rebeldes de Olmedo llegan a atacar al mismo nuncio enviado por Paulo II, desoyendo así cualquier fórmula de concordia[46]; incluso los antes leales como Pedro Arias, instigados por la misma traición con que fueran envueltos, venden al rey entregando Segovia, el último baluarte del poder real, a los sublevados y, con la villa, a la infanta Isabel que permanecerá ya en poder del otro bando. Ante estos hechos, D. Enríquez comienza a actuar como juez cronístico, condenando a estos falsos servidores al «vituperio» eterno de la historia:

> ¿A quién podrás ser bueno, cuando a ti fuiste malo? ¿A quién serás tú fiel, cuando a ti fuiste enemigo? ¿Qué daño tan grande podiste rescebir del Rey, que te hizo de nada, que no sea mayor el que tú mismo feciste? (168*b*).

La pérdida de Segovia será aprovechada por Pacheco para apoderarse una vez más del rey; le ordena que vaya a Coca y se ponga en manos de sus enemigos, lo que cumple sin rechistar. La desolación del bando regalista es absoluta y la desintegración de la corte la refleja la captura del cronista y el robo de la misma historia que estaba construyendo, tal y como ha sido ya señalado (ver texto en págs. 3510-3511).

Esa ruptura del pasado historiográfico constituye la imagen más clara del desorden moral que se apodera de la corte; sólo se mantienen leales los condes de Plasencia, a quienes Pacheco había confiado la fi-

---

[45] Se trata de la misma línea de reflexiones que F. Pérez de Guzmán había formulado en sus *Generaciones:* § 10.3.5.2.3, pág. 2445. Aquí el cronista no duda en burlarse de este personaje como demostración de la ruindad que provoca el abatimiento del reino: «¿Quién da más por el Conde de Alva, que se vende a cada cantón? ¿Ay algunos que lo pongan en prescio?», 166*a*.

[46] Por ello, señala J.L. Martín que «puede aceptarse que las tropas de Enrique salieron victoriosas (...) Los dos bandos se atribuyeron la victoria», *Enrique IV,* págs. 196-197.

gura del rey y que deciden ayudarlo, avergonzados de su penosa situación. Los motines que siguen al nombramiento de don Pedro González de Mendoza como obispo de Sigüenza confirman esa pérdida de autoridad de la curia; una vez más el cronista es enviado a procurar la rendición de un sedicioso, en este caso el deán Diego López de Madrid, que se había adueñado de la sede episcopal. Paralelo al desprestigio de la corte, muestra D. Enríquez, capellán al fin y al cabo, el desprecio con que son tratadas las instituciones religiosas; no sólo se libran batallas en torno a las vacantes obispales, sino que continuamente el nuncio papal es desobedecido y burlado por los insurrectos. Se señala, de nuevo, a la codicia como responsable de esta situación[47], así como de los males que afectan también a los facciosos, pues el conde de Benavente intentará destruir a Pacheco por la pérdida del maestrazgo de Santiago.

Estos hechos son los que propician que algunos banderizos, amparados por la escasa voluntad del rey por castigar la traición, regresen a la corte y estimulen en el monarca pasajeras reacciones de energía. Así trata el cronista el intento de ocupar Toledo en 1468; el rey había sido llamado por el obispo de Badajoz y doña María de Silva, la mujer de Pero López de Ayala; es sorprendido entrando en la ciudad y apenas tiene tiempo para refugiarse ante el levantamiento con que es perseguido e inmediatamente expulsado, a pesar de su cansancio; esta vergonzosa acción provoca, con todo, una respuesta de apoyo al rey que es, de nuevo, invitado a apoderarse de la ciudad, procediendo a dictar justicia contra los rebeldes, sancionada, ahora sí, por D. Enríquez que redacta una carta con este motivo:

> Donde llegado, mandó que yo como Coronista, a quien pertenescía loar la lealtad e vituperar la traición, escribiese a los de Toledo la carta siguiente, loando el leal servicio que le avían fecho (176*a*).

Las agresiones contra la figura del rey llegan al extremo de que uno de sus vasallos intente golpear al monarca cuando éste le pide que le entregue el Alcázar de Madrid. Aun arrestado lo perdonará, movido por la clemencia con que regía sus acciones.

---

[47] «La cobdicia desordenada, que es raíz de todos los males, siempre hace falsos a los hombres, corrompe la virtud, niega el amistad, desdeña el bien de la parentela, daña la consciencia, pierde la vergüenza, es insaciable, nunca vive contenta e por sus propios intereses pospone los agenos», 172*b*.

La última oportunidad que se concede al rey para rehacer su maltrecha opinión se la brinda la inesperada muerte de su hermano don Alfonso, o Alfonso XII para sus seguidores[48]; el cronista no tiene la menor duda de que este suceso había sido inspirado por la divina providencia, porque «Dios peleaba por el Rey» (178*a*); incluso para acallar rumores comenta los prodigios vinculados a este inopinado desastre:

> Pero fue cosa de grand maravilla que tres días antes que muriese, fue divulgada su muerte por todo el Reino, de que todos los perlados e caballeros que lo seguían, fueron muy tristes e temerosos (íd.).

Sin embargo, Enrique IV no era capaz de aprovechar ventaja alguna para restablecer una autoridad que le había sido arrebatada hace tiempo. La enemistad con los Mendoza será ahora crucial; ellos custodiaban a su hija y no podían aceptar que el rey jurara como heredera a Isabel. Con todo, el tratado de los Toros de Guisando le permite recuperar Segovia, a cambio de la entrega del Alcázar a Pacheco. Empeora la imagen de la corte la figura de doña Juana, cuando se presenta ante el legado papal para reclamar los derechos sucesorios de su hija. A partir de aquí el cronista será implacable con ella, acusándola —y recordaría su relación con Pedro de Castilla— de llevar una vida licenciosa:

> De que a la verdad, hablando sin afición e sin pasión, grand culpa e cargo se le debe dar; porque si más honestamente ella viviera, no fuera su hija tratada con tal vituperio (180*a*).

La *Crónica* le afea el rechazar un posible acuerdo de enlaces matrimoniales con Portugal porque temía que fueran a reducirla a la autoridad de su hermano. Ante estas inciertas alianzas, los Mendoza se ponen de nuevo al servicio del rey, aunque toda concordia esté condenada a fracasar de inmediato por la voluntad del monarca de sujetarse a la obediencia de Pacheco.

---

[48] No hay que olvidar que este infante contó con una nutrida corte letrada que defendió sus derechos; ver Óscar Perea Rodríguez, «La Corte literaria de Alfonso *el Inocente* (1465-1468) según las *Coplas a una partida* de Guevara, poeta del *Cancionero general*», *Medievalismo*, 11 (2001), págs. 33-57. Uno de sus miembros, criado del conde de Benavente, es Pedro de Chinchilla a quien se debe un regimiento de príncipes, enviado a quien era acatado ya como rey en 1467 (§ 11.4.7).

Sólo cuando se descubre el deseo de la princesa Isabel por casar con don Fernando de Aragón, Enrique IV intenta devolver a su hija los derechos que él mismo le había arrebatado, en virtud de sospechas que el cronista no puede callar:

> Verdad es que segund la deshonesta vida de la Reina doña Juana su muger fue grand sospecha en los corazones de las gentes sobre la hija que avía, ca muchos dubdaron ser engendrada de sus lomos del Rey, por donde nasció toda la novedad de la subcesión. Pero ni por eso el Rey jamás la denegó por su hija, antes en público y en secreto siempre afirmó ser suya, e la tovo por tal, puesto que desamaba mucho a la Reina, e la tenía en tanto aborrecimiento, que no se curaba d'ella (181*b*).

A Diego Enríquez cumple mover los resortes para lograr esa legitimidad que el rey había puesto en duda, enfrentándose entre otros a Fonseca, alejado ya totalmente del bando de la reina.

Ninguna paz cabe en un reino sometido a los deseos de engrandecimiento de Pacheco; cuando obtiene del rey el marquesado de Villena para su hijo don Diego López Pacheco, a quien casa con la nieta de don Álvaro de Luna, el cronista advierte que este poderoso había logrado alcanzar un estado y un poder con los que superaba a los principales linajes del reino, a costa de la destrucción de la corte y del modelo de autoridad que el rey representaba; D. Enríquez aplica con rigor la justicia cronística que se le había confiado:

> Aunque hablando la verdad sin pasión, pues de aquélla todos deben ser amigos y no de lo contrario, no puedo pensar ni sentir de aqueste grand caballero subido en tan alta cumbre por formas disolutas, que tan alto pudo ser el estado e señorío que así procuró tener y alcanzar, que acordándose del pago que dio a quien lo hizo de nada, e cómo deshonró a quien lo subió en tanta grandeza, que no se avergonzase de sí mismo, e no le remordiese su conciencia, e lo acusasen sus culpas de la grave maldad cometida contra quien más debiera servir que destruir, para que nunca presuman sus huesos allá do yacen, de gloriarse que fue criado leal a su Rey, ni fiel servidor a su Señor, ca por él no solamente fue perseguido e avergüenzado, mas la caballería del Reino hizo tornar en tratos de tiranía e la clara nobleza en cobdicia desordenada. Él en su vida abrió la puerta de la traición a los malos e quitó el velo de la vergüenza a los traidores. Así que ni viviendo se pudo llamar varón de limpia fama ni en la muerte digno de rica memoria (182*b*).

Además, la guerra larvada entre los principales clanes de Andalucía no cesa; allí sólo es fiel al monarca su condestable, don Miguel Lucas de Iranzo, que no duda en expulsar de Jaén a quienes considera traidores (§ 11.3.1.1, págs. 3561-3562).

Isabel es apoyada decididamente por Carrillo y el Almirante, abuelo de don Fernando de Aragón; rechaza por ello con energía la oferta de su hermano de casarla con Carlos, duque de Berry y de Guyena; hay una visión providencialista en estas renuncias de la princesa que, lógicamente, el cronista valora desde la perspectiva del presente de su redacción. El sentimiento de desolación del rey es absoluto cuando se entera de que los príncipes se habían casado en Valladolid (1469.cxxxv) en contra de sus deseos.

También, porque la crónica se compone ya en el reinado de los Católicos, Enríquez tuvo que considerar pertinente transcribir la larga carta que Isabel envía a su hermano justificando un enlace que no hacía más que cumplir las previsiones dinásticas de don Fernando de Antequera para que los miembros de su linaje se adueñaran de los reinos peninsulares[49]. Nada admite Enrique IV e intenta casar a su hija con el mismo duque de Guyena, posible sucesor de Luis XI. Son decisiones que se toman a pesar de que Pacheco se encuentra enfermo. El cronista cuida este motivo movido por el deseo de explicar, de alguna manera, la extraña sujeción del monarca a la voluntad del privado, como prueba la recepción con que festeja su regreso a la corte:

> ¡O singular e maravillosa grandeza de Dios, alto, poderoso, infinito! ¡Cuán altos son tus misterios! ¡Cuán profundos tus secretos! Al que fue desonrador de su Rey, al que con tantos vituperios lo amenguó, al que con tantas deshonestidades lo persiguió, ¿cómo, Señor, consientes y te plasce que con tanta honra lo resciba su Rey, por él ofendido, con tanta obediencia salga el Señor a su siervo y el hacedor a su hechura? (195*b*).

---

49 «...considerada la edad y unidad de nuestra antigua progenie, y lo que se añadería a la corona d'estos vuestros regnos por causa de tal matrimonio a los merescimientos muy claros del Rey don Fernando de Aragón, abuelo del Príncipe y Rey de Secilia y hermano del muy esclarecido Rey de gloriosa memoria don Enrique, abuelo de Vuestra Señoría y mío, cuya postrimera voluntad expresa en su testamento fue que siempre se continuasen nuevas conesiones matrimoniales con los descendientes por línea directa del dicho Rey don Fernando su hermano y otras cosas muchas aquí no expresas...», *Memorias de don Enrique IV de Castilla*, pág. 607*b*.

Pacheco paga estos desvelos quitándole al rey la villa de Escalona, que quería para su recreo, y enfrentándose al conde de Alba a cuento de la posesión de Montalbán. El Almirante don Fadrique se ve obligado a mediar, recordando que los malos ejemplos que están dando dejarán su reflejo en la trama cronística (192*a*). La solución a que llegan colma las ambiciones de uno y otro, pues se ofrece al de Alba el título de duque.

La degradación de la corte es absoluta; parte de la nobleza apoya a la princesa Isabel, sobre todo tras el bochornoso espectáculo en que se convierte el enlace por poderes de doña Juana con el duque de Guyena en Valdelozoya. La reina es obligada a jurar que aquélla era hija suya y del rey, pero Enrique IV, cuando le preguntan, no parece mostrarse tan seguro de su paternidad:

> ...el Rey respondió que creía ser hija suya, y que con tal certidumbre de hija la tenía e había tenido desde que nasció, e por esto la mandaba jurar y prestar fidelidad o obidiencia que a los primogénitos de los Reyes es debida e se acostumbra a dar (204*a*).

De nada sirve esta humillante situación porque el duque, a quien le daba igual que le casaran o no, muere en 1472, envenenado, mientras el rey sigue sujeto al poder de Pacheco:

> ...en tal manera que por tales indicios se sospechaba que por hechicerías o bebedizos estaba enagenado de su propio ser de hombre, porque por ninguna resistencia ni contradición salía del grado e querer del Maestre, e por esta cabsa todos los grandes del Reino avían gana de estarse en sus casas e no andar en la Corte (íd.).

La guerra contra Carrillo marca el proceso de destrucción final de este reinado; no admite los tratos que el cronista le llevaba, fiel al partido de doña Isabel. Ninguna de las acciones promovidas desde la corte parece destinada a realizarse: el intento de expulsar a los príncipes del reino, la invitación a Alfonso de Portugal para casar con doña Juana, la obtención del capelo cardenalicio para Mendoza, estorbado por Pacheco, a quien su mujer agonizante exhorta para que deje de «despedazar» al rey. La respuesta es siempre la misma: Pacheco pedirá al rey la villa de Sepúlveda, provocando, en este caso, un levantamiento popular y que se alcen pendones por Fernando e Isabel. El monarca contrariado exclama que le gustaría ser señor del mundo por ocho días para poder satisfacer la tiranía hambrienta del Maestre. También Pacheco es responsable de que Alfonso de Portugal no acceda a casar con doña Juana, amén de la vida disoluta a que la reina se entregara:

> E de las mudanzas de Castilla, ¿qué podríamos descir acá en Castilla sino que las culpas de los padres suelen a las veces traer a perdición a los hijos? Porque si la reina, madre de aquesta señora, quisiera vivir honestamente sin ofensa de su honra e del próspero matrimonio que Dios le avía dado con tan alto Rey, no padesciera la hija tanta infamia ni quedara tan abatida ni con tan grand denuesto deshonrada para siempre (211*b*).

Aún intenta casar a su hija con don Enrique «Fortuna», el primogénito del infante don Enrique, sin lograrlo porque Pacheco estorbará de nuevo estos planes. La indignación de los cortesanos es absoluta: se descubre la intención del conde de Benavente por matar al privado y la tenaz oposición de Andrés Cabrera para entregar el Alcázar a Pacheco. La última de las alegrías que esta corte conoce es la concesión del cardenalato a don Pedro González de Mendoza, a quien el rey otorga el título de Cardenal de España. Este Mendoza colabora activamente para que la princesa Isabel pueda entrar en el Alcázar y entrevistarse con su hermano; es necesaria la diligencia y el ingenio del Alcaide y de su mujer, la Bobadilla, para que se cumpla este encuentro[50]; tras ella vendrá don Fernando y se instaurará en la corte una precaria paz, rota enseguida por la noticia de la enfermedad del rey. Pacheco guerrea ahora contra la corte porque quiere expulsar a quienes considera intrusos; el conde de Benavente y el Marqués de Santillana se encuentran a punto de enfrentarse por la posesión de Carrión; las alianzas promovidas ocasionan una guerra nobiliaria sin precedentes; debe el rey, aún enfermo, acudir al campo de batalla para separarlos a costa de mayores recortes del patrimonio real. La consecuencia de esta acción será el apoyo de los Mendoza a doña Isabel.

---

[50] Curioso papel el de esta cortesana, Beatriz de Bobadilla, opuesta en un principio a don Fernando de Aragón, pero luego activa colaboradora de Isabel, por su proximidad al rey; ver Luis Suárez, *Enrique IV de Castilla*, págs. 443 y 518-519. A ella y a su marido, Andrés Cabrera, Isabel hará entrega del marquesado de Moya, que es algo que Palencia, en cuanto portavoz de la nobleza, difícilmente podía tolerar: «Bramaban los próceres. Se entristecieron los súbditos (...) mientras que a Cabrera y a Beatriz de Bobadilla se les otorgaban honores y acumulaban premios, cosa que prohibían la razón y el derecho», *Cuarta década,* 214; trad. de J. López de Toro, ver n. 64.

La muerte, por «apostemación en la garganta», de Pacheco señala el final del reinado; el cronista es consciente de ello y construye la semblanza más negativa de este personaje, en aplicación de la justicia historiográfica que a él le era lícito dictar:

> ¡O Maestre de Sanctiago, que tanta garganteria e hambre tuviste en este mundo, para abarcar señoríos! ¡Tantas congoxas, fatigas y astucias por regir e mandar en Castilla! ¡Tantos rodeos disolutos y deshonestas formas para subir a ser Maestre! Dime agora, enemigo de tu alma, disipador de tu fama, perseguidor de tu Rey, ¿qué te hizo perseguidor del reino en que naciste e fuiste criado? La pujanza de tu poder, la grandeza de tu estado, las muchas fortalezas e villas que usurpaste, los títulos de nobleza que adquiriste, ¿qué te aprovecharon cuando una pequeña apostemación en la garganta, un mal de tan poca fuerza ansí tan prestamente sin armadura ninguna te venció e agenó del mundo, e privó de lo que tenías, e te destruyó la vida, e apartóte el cuerpo del ánima? Pues ¿qué memoria será la tuya? ¿Qué renombre dexas a tus hijos? ¿Qué fama sonará de ti entre las gentes del mundo, sino que perdiste la vida usurpando lo ageno? Bástete, pues, saber de cierto que dexas feo apellido de tu nombre y mayor infamia de tus obras (220).

Y es que el rey sigue prisionero de esta figura y de su recuerdo. Por ello, entrega a su hijo todas las posesiones y cargos del padre, incluyendo el maestrazgo, sin consultar a los grandes del reino. La indignación de los nobles precipita las presiones para que reconozca a su hermana como sucesora. No puede siquiera asegurar la libertad de este nuevo Marqués de Villena, capturado por el bando nobiliario, y debe acudir a Carrillo para liberarlo. Se trata de la última de sus acciones registrada puesto que su salud se agrava, muriendo en el amanecer del 12 de diciembre de 1474. La semblanza con que D. Enríquez cierra su crónica anuda las lecciones que quería que se vincularan a este especial registro de hechos:

> ¡O Reyes poderosos que sojuzgáis los imperios! ¡O Príncipes temporales que señoreáis en el mundo! Tomad agora enxemplo en la puxanza de este Rey, cuando comenzó a reinar. Sean en vós espejo sus altos triunfos, que le dio la Fortuna, su franca liberalidad, sus piadosas obras, su mucha clemencia, con que gobernó sus súbditos. Mirad que ni lo uno le libró de la persecución de sus traidores criados, ni lo ál lo escapó de la muerte, que lo privó de los reinos e le despojó de sus señoríos. Si primero se vio con gloria, los su-

> yos se la robaron. Si fue señor de grandes tesoros, aquéllos le empobrecieron. Si ganó muchas tierras, e si algunas provincias se alzaron por él, aquéllos como ingratos se las ficieron perder. Ellos, rescibiendo mercedes, se tornaron peores; él, sufriendo sus injurias, se fizo mejor, e así feneció su vida con mucha paciencia, e acabáronse sus días con poco descanso, e salieron sus carnes de los trabajos mundanos, e reposó su espíritu de tantos afanes, y duermen sus huesos sin verse corridos. Pues si discreción e saber alcanzáis, si seso e prudencia tenéis vosotros, los del Cetro Real, contemplad su próspero estado, su graciosa humildad, sus mercedes infinitas, sus grandes persecuciones, sus trabajos e afanes, sus desmedidas fatigas. E veréis que ni la mucha potencia os debe cabsar soberbia, ni las sobradas riquezas haceros avarientos, ni los casos desastrados privar de la virtud, ni las fuertes adversidades agenar el corazón de la condición Real, mas con serena cara fazed a todo sereno semblante, e de tal guisa sufrirlo, que ni por lo muy próspero se muestre más alegre ni por las adversidades señalada tristeza (221-222).

Por ello, se había afirmado que en esta crónica se encuentra engastado un regimiento de príncipes, pensado seguramente para los nuevos monarcas bajo cuyo reinado trabaja el historiador. Ha de recordarse que Enríquez ni una sola vez se mostró partidario de doña Isabel; su función era otra, atento tan sólo a registrar el modo progresivo en que se iba destruyendo el reino, para denunciar a los culpables de esa situación y fijar, en consecuencia, una galería de semblanzas ejemplares. A esto se redujo el reinado de Enrique IV, a servir de soporte a un nuevo modo de gobernación política que, para ser definido, requería otra producción literaria, e historiográfica, específica.

11.1.2: *Alfonso de Palencia*

Palencia es nombrado cronista real en 1456, a la muerte de Juan de Mena; pertenecía al círculo del arzobispo Fonseca y hacía tres años que había regresado de Italia[51]; contaba con treinta y dos años y una sólida formación humanística, como familiar que había sido del obispo

[51] Ver Rafael Alemany Ferrer, «En torno a los primeros años de formación y estancia en Italia del humanista castellano Alfonso de Palencia», *Ítem: Revista de Ciencias Humanas*, 3 (1978), págs. 61-72.

don Alfonso de Cartagena; esta relación es la que le permite viajar a Roma y tratar, en el palacio del cardenal Joannes Bessarion, a Bruni, Bracciolini o Valla entre otros, amén de poder estudiar con el cretense G. Trapezuntios o Trebizonda, secretario de Nicolás V[52].

La primera producción de Palencia discurre por los cauces humanísticos asimilados en este período de formación; compone *epistulae* a diversos nobles y pergeña dos tratados en latín de carácter satírico-político, amparado su contenido bajo un atractivo *integumentum* poético. Del primero de ellos, la *Batalla campal de los perros contra los lobos* (§ 11.6.1.1), sólo se conserva la traducción vernácula, debida al propio Palencia; el segundo, el *De perfectione militaris triumphi,* con el propósito de esbozar un análisis de la disciplina militar, plantea una estructura de viaje dialogado (§ 11.6.1.2). Tanto una como otra composición encubren severas denuncias de la vida moral y de las relaciones de la nobleza con la corte en los primeros años del reinado de Enrique IV.

Estas dos obras constituyen un antecedente de la actividad historiográfica de Palencia, impulsada más que por su condición de cronista regio por la necesidad que él veía de fijar un relato fidedigno y verídico que permitiera explicar, con nuevas perspectivas, la profunda decadencia a que se había visto abocado el reino[53].

El propio Palencia se vio enseguida envuelto en las rivalidades con que prelados y linajes nobiliarios se disputaban el poder o formaban alianzas para enfrentarse al todopoderoso Pacheco. De esta manera, la *Batalla campal* es dedicada a un familiar de Fonseca, pero el *De per-*

---

[52] Resumo datos expuestos por Antonio Paz y Melia, *El cronista Alonso de Palencia. Su vida y obras: sus «Décadas» y las «Crónicas» contemporáneas: ilustraciones de las «Décadas» y notas varias*, Madrid, Hispanic Society of America, 1914, quien parte de este aserto: «No habría exactitud en llamar Biografía a las noticias que de su vida pueden darse, sino especie de Autobiografía, más o menos completa, como procedentes del mismo Alonso de Palencia», pág. v. Algunas apreciaciones son corregidas en el estudio que Brian Tate y Jeremy Lawrance colocan al frente de su monumental edición, traducción y comentario de Alfonso de Palencia, *Gesta Hispaniensia ex Annalibus Suorum Dierum Collecta*, ed. de Brian Tate y Jeremy Lawrance, Madrid, R.A.H., t. I 1998, t. II 1999. Se ha publicado ya la extraordinaria tesis (1999) de Madeleine Dubrasquet Pardo, *Alfonso de Palencia, historien. Études sur les «Gesta Hispaniensia»*, Villeneuve d'Ascq, Presses universitaires du Septentrion, 2003, de la que ofrecía resumen en *At*, 10 (1999), págs. 183-189.

[53] Tal y como formulara B. Tate en «Alonso de Palencia y los preceptos de la historiografía», en *Nebrija y la Introducción del Renacimiento en España*, Salamanca, Universidad, 1983, págs. 37-51.

fectione se dirige a Carrillo, que enseguida se decantará por el bando que se agrupa en torno a los hermanastros del rey. Por ello, Palencia entre 1460 y 1465 deja de cobrar sus quitaciones como cronista; Fonseca «el Viejo» había caído además en desgracia y D. Enríquez había sido elegido por el rey para redactar su crónica.

Mientras, Palencia vuelve a Roma, comisionado por Carrillo para lograr la deposición de Enrique IV. Sin embargo, la curia romana se va a mantener fiel al rey castellano, desoyendo cualquier acusación presentada en su contra. A su regreso asiste, como testigo, a la farsa de Ávila; a pesar de ser uno de los partidarios declarados de quien es llamado ya Alfonso XII, la corte vuelve a librar quitaciones a su favor como escribano de cámara y notario. Pudo ayudar a ello el hecho de que García Álvarez de Toledo, el conde de Alba, volviera a apoyar a Enrique IV; Palencia era su secretario, pero no cesó en colaborar con el grupo de Carrillo y en servir de intermediario del nuevo rey en diversas funciones.

Tal es el ámbito en que Palencia da inicio a su registro historiográfico, que debe conectarse entonces con el nuevo orden político y letrado que parece rodear al joven Alfonso[54]; de hecho, Palencia había reunido materiales e informaciones del período anterior para redactar su crónica, pero sólo se interesó por esta labor al caer en sus manos los «papeles» que le fueron secuestrados a D. Enríquez del Castillo, tras ser tomada Segovia por los alfonsinos en septiembre de 1467:

> Enseguida rompieron la puerta, sacaron las mulas y abrieron las dos arcas portátiles; pero cuando vieron que sólo contenían cuadernos, llevaron la crónica escondida al arzobispo [de Toledo]. Primero abrió los cuadernos de la crónica, y halló que contenían anales de Enrique llenos de innumerables mentiras. A poco trajeron al historiador mismo, cuyo nombre era Diego [Enríquez] del Castillo. El arzobispo abrió en presencia de los nobles la última narración de la batalla de Olmedo, que había sucedido cuarenta días antes, de modo que era fresca y conocida a todos los presentes. Leyó del códice varios dislates palmarios y mal compuestos; calló el autor, ni pudo contestar directamente a las preguntas. El rey Alfonso mandó condenarlo a muerte; al fin, lo prohibió el nombre eclesiástico. Después me entregaron las cuartillas para buscar el medio de publicar sus dislates; pero como todo se hacía precipitadamente, a ruego

54 Revísese n. 48 de pág. 3502.

de algunos grandes el escritor mentiroso salvó la vida y yo devolví los cuadernos al arzobispo de Toledo (454)[55].

Con todo, si Palencia inició su labor considerándose cronista del joven monarca, su temprana muerte tuvo que frustrar ese proyecto, aunque no su apoyo a las opciones políticas contrarias a la corte. Junto a Carrillo apoyará a la infanta Isabel y, a hacer caso a ese relato, sus gestiones serán decisivas para lograr que la princesa casara con don Fernando de Aragón; no sólo fomentará el apoyo de los nobles de Andalucía, sino que personalmente irá a buscarlo, junto al maestresala Gutierre de Cárdenas, y lo traerá escondido bajo el disfraz de mulero. Cuando Carrillo celebre estos esponsales en Valladolid en 1469, Palencia actuará como testigo, sirviendo desde entonces a los príncipes como secretario.

11.1.2.1: *Gesta Hispaniensia:* el marco histórico

Estas circunstancias son oportunas porque sus *Gesta Hispaniensia* se construyen al compás de estos movimientos políticos y de las opciones por las que Palencia muestra interés, ya que él será antes partidario de don Fernando de Aragón que de Isabel de Castilla[56]. Por ello, cuando muere Enrique IV, mientras D. Enríquez es despojado de su cargo de cronista real, Palencia sigue elaborando una redacción historiográfica en la que pronto comenzará a atravesarse la desconfianza que le inspira la camarilla de cortesanos que se agrupa en torno a Isabel I y en la que él, ferviente aragonesista, no encuentra lugar. Palencia no tenía dudas de que la autoridad regia debía recaer en don Fernando, nieto del de Antequera y sobrino de Alfonso V; el Magnánimo encarnaba para Palencia el modelo de rey, tal y como apunta en el *De perfectione.* No

---

[55] Se cita conforme a la traducción fijada por Tate y Lawrance. Los sucesos ocurridos en Segovia en este año de 1467 han sido analizados por François Foronda, «Le prince, le palais et la ville: Ségovie ou le visage du tyran dans la Castille du XVe siècle», *Revue Historique*, 305:3 (2003), págs. 521-541.

[56] Recuerda Paz y Melia: «Ya poco antes de realizarse el matrimonio de éstos había manifestado su predilección por don Fernando, reprendiendo a los continuos de la Casa de doña Isabel, que consideraban el matrimonio como excelente negocio para el Príncipe aragonés y sostenían que en la entrevista tendría que besar la mano de su prometida en señal de subordinación», pág. xiv.

terminó el año de 1474 sin que Isabel recelara de este misógino cronista, empeñado en que el nombre de Fernando antecediera, en las cartas oficiales, al de la reina. En 1477, Palencia se consideraba secretario del rey e instaba, cerca de Sevilla, a Isabel a que esperara a su marido para ser recibida en la ciudad. Importa este último año porque, para entonces, Palencia tenía que haber formado ya las tres primeras décadas de *Gesta Hispaniensia*. Aún la corte le encarga una misión política al pedirle que colaborara en los preparativos para la conquista de Canarias iniciada en 1478.

En 1480, en las cortes de Toledo, será sustituido por Pulgar en el cargo de cronista real, tras un enfrentamiento directo con la reina; Palencia presentaba a Isabel la cuarta década y la reina le pidió que la entregara a don Pedro González de Mendoza para que pudiera revisarla; Palencia no accedió a que se ejerciera ese control sobre su obra y con su negativa se alejaba de una corte que le había decepcionado profundamente[57]; quizá confiara en que el rey Fernando pudiera mediar por él, lo que no tuvo que ocurrir[58]; con todo, siguió cobrando las rentas que tenía asignadas como cronista y aún la reina le encomendó la elaboración del *Bellum granatense*, concebido con la esperanza de poder encajarlo en la estructura general de las décadas; pero esta postrera obra no llegaría a concluirla. Al tiempo que estaba terminando su *Universal vocabulario (HPRC*, § 7.4.1), Palencia dedicaría sus últimas fuerzas a preparar un borrador para la impresión de *Gesta Hispaniensia*, sin saber que muy posiblemente no hubiera obtenido el permiso para publicar esta suma cronística, por esa falta de acuerdo con la ideología dominante.

---

[57] Es cierto que había vertido en la misma juicios muy duros contra Isabel; así define el entorno toledano del que será despedido: «El éxito de la reina en conformidad con sus planes, cautivó también al marido, no ajeno a sus pretensiones con descaro evidentemente perjudicial (...) adoptó la reina una actitud despectiva respecto a la benevolencia de sus súbditos, en verdad conveniente a su felicidad, muchos de los que no habían perdido las esperanzas de que rectificara en lo futuro, la acusaban de que —siendo una mujer de talento muy despierto, cargada de singular humanidad, que con rostro sereno escuchaba las quejas de los afligidos y que con amables frases les prometía a todos se haría justicia—, tuviera a su lado a unos religiosos como mediadores para que se ocupasen de todo lo que requería o justicia o misericordia», 201; trad. de J. López de Toro, ver n. 64 de pág. 3516.

[58] Señalan Tate y Lawrance: «No lo dice abiertamente Palencia, pero está claro que su héroe Fernando, ahora rey de Aragón, lo había abandonado», págs. xliv-xlv.

11.1.2.2: Una nueva concepción historiográfica

Palencia sobresale por el rigor con que concibe su labor historiográfica y por las raíces en que alimenta este extraordinario proyecto; conocía la cronística de su tiempo, las varias redacciones dedicadas a Juan II, los borradores de D. Enríquez, las crónicas de Ayala; sin embargo, él no participa de esa tradición histórica, ligada a los avatares y cambios de rumbo de la escena política; Palencia concibe un nuevo método de escribir historia y lo sostiene sobre modelos ajenos al tronco de la historiografía real; sus referentes son los historiadores romanos —Livio, Salustio, César, Floro, Justino, Plutarco, Suetonio—, la lengua latina le sirve de cauce de expresión y el *ars rhetorica* como dominio de composición y construcción de la estructura textual[59].

De entrada, las décadas carecen de distribución analística, reservándose para cada hecho el espacio que se precise según su significación o su función con respecto a otra serie de acontecimientos, al igual que sucede en el conjunto de *Ab urbe condita decades* de T. Livio, el modelo más cercano a esta producción; de él procede la clásica división temporal de «décadas», aplicada no a los años, sino a la estructura formal de la obra: una década consta de diez libros y cada libro de diez capítulos. Él proyectaba construir un magno edificio historiográfico de ocho décadas, que vendría a suponer una nueva «crónica general», puesto que la primera versaba sobre *Antiquitates Hispanae gentis libris X* y a ésta debían seguir diez libros dedicados a los romanos, otros diez a los godos y otro conjunto de diez a la reconquista cristiana; la línea temporal se anudaría con las tres décadas ya redactadas sobre el presente (1440-1477); una última, la octava, acogería el reinado de los Católicos y la guerra de Granada, parcialmente narrada.

Aunque la división de hechos se ajuste a períodos irregulares, éstos revelan una calculada intencionalidad política. La primera década avanza, entonces, desde el matrimonio del príncipe Enrique en 1440

[59] Indica M. Pardo: «La nouvelle pratique de la rhétorique jointe à la lecture, elle aussi nouvelle, or réactivée, de modèles anciens —ou d'exemples plus récents de l'historiographie humaniste— avait dévelopée un souci de la composition, une habitude de l'analyse et de la controverse qui pouvaient considérablement modifier non seulement l'écriture mais la conception même de l'histoire en renforçant en particulier l'analyse de la causalité», pág. 185.

hasta la muerte del infante don Alfonso en 1468. Inicia Palencia su labor con el suceso que iba a descalificar a don Enrique públicamente para ejercer sus funciones como rey, puesto que no se trataba sólo de señalar la impotencia del monarca como base jurídica para privarlo de cualquier posibilidad de transmitir derechos sucesorios[60], sino de mostrar, a la vez, cómo un tiempo de promesas históricas se veía truncado por la inopinada muerte de quien era llamado Alfonso XII, despedido con este dolor:

> Se dice que a la misma hora que dio el alma el insigne rey expiraron muchas personas de diferentes edades en varios lugares de las diócesis de Ávila y de Segovia, y muchos de ellos revelaron a los circunstantes la bienaventuranza eterna de Alfonso. Sobre todo los muchachos agonizantes afirmaban que subirían al cielo en compañía del beatísimo rey Alfonso, que en aquel mismo momento dejaba toda calamidad mundana y la vana pompa del siglo presente (X.10, 477).

La segunda década cubre los seis años que quedan del reinado de Enrique IV, centrándose en las aspiraciones que amparaban a Isabel como candidata al trono de Castilla, aunque decantándose por la visión ideológica que aseguraba don Fernando de Aragón.

Como se comprueba, Palencia no registra sucesos ocurridos en el reinado de Enrique IV, sino que construye con ellos, con consecuentes interpretaciones de los mismos, un telón de fondo con el fin de recortar las figuras de los herederos destinados a transformar la vida pública de Castilla. Cuando Palencia articula, una tras otra, todas las difamaciones que contra Enrique IV llegan a su conocimiento, lo que pretende es destruir un modelo de autoridad regia para afirmar, sobre su desaparición, el nuevo representado por el infante don Alfonso o el príncipe don Fernando. De este modo, el personaje que centra todas

---

[60] Y piénsese en que si Palencia comienza a construir su crónica en 1467, ya doña Juana había nacido, encontrando en él un eficaz propalador de las sospechas que sobre su legitimidad circulaban, señalando en I.2: «Tales eran los defectos mentales del adolescente Enrique cuando a los dieciséis años fingió celebrar aquel matrimonio inútil. Durante algún tiempo no despreció abiertamente a su esposa, para aparentar algún respeto al amor de su suegro. Sin embargo, mientras su mujer procuraba agradarle y ganar su cariño, él hubiera preferido ayuntarla con algún adúltero para que con su conocimiento y aprobación concibiera ilícitamente un hijo ajeno para asegurar, si fuese posible, la sucesión al trono», 6.

las críticas de Palencia en la primera década es don Álvaro de Luna, mientras que en la segunda lo será don Juan Pacheco. Como planteara F. Pérez de Guzmán y curiosamente repitiera D. Enríquez, Palencia también apunta a la codicia como el principal de los defectos de la clase política, no sólo de estos dos privados, sino de los principales linajes que pugnaban sin cesar por defender o extender sus señoríos o estados, tal y como señala en el arranque de la obra:

> Otro obstáculo a la solución de esta duda era el carácter de nuestra gente, ya habituada a dar el visto bueno a las cosas deseables, como antes estaba acostumbrada a condenar las buenas para servir a las intrigas de los magnates. Éstos habían decidido que la maldad y apatía de los reyes traerían importantes beneficios para sus linajes. Muchos variaban sus juicios y afirmaciones de acuerdo con los soplos del favor, porque el rey Juan desde su más tierna edad se había entregado enteramente al arbitrio de Álvaro de Luna —no sin la sospecha de cierto servicio impúdico del que se reputaba haberse echado mano, cuando adolescente, para seducir lascivamente la voluntad del rey, según más por extenso se refiere en los anales que preceden a la vida de Enrique IV. De la otra parte, muchos se atenían a la opinión de los enemigos de Álvaro y especialmente a la de los hermanos de la reina, los cuales procuraban la ruina de Álvaro con el pretexto de restituir la libertad al rey. De aquí surgieron para España largos infortunios y numerosas hostilidades que agitaban ambos bandos en perpetua discordia (I.1, 3).

Palencia, en cuanto historiador formado en el humanismo italiano, creía en un modelo político de ciudad-estado que asegurara sobre todo una equitativa impartición de la justicia, de donde su empeño personal para fomentar una institución como la de la Hermandad, vencidas las reticencias del duque de Medinasidonia.

La tercera década llega hasta 1477 con el relato de las luchas civiles y de la guerra contra Portugal, mientras que en la cuarta se detuvo en ese año de 1480 en que acudió a Toledo para presentarla a la reina[61]. Son éstos años de desesperanza personal, de apartamiento de la corte, de decepción sobre todo con el nuevo orden político y la visión providencialista con que Isabel se rodea y comienza a gobernar, apoyada especialmente en la figura de don Pedro González de Mendoza.

---

61 La última noticia que se registra es la de los preparativos del viaje de la infanta Isabel a Portugal en cumplimiento de los acuerdos de paz firmados entre los dos reinos.

De todo este orden histórico, dejando de lado los anales referidos a los hechos anteriores al siglo XV, sólo se conocían las tres primeras décadas y los materiales redactados sobre la guerra de Granada, un conjunto editado y traducido por A. Paz y Melia, basándose en el ms. 33-156 de la Bibl. Arzobispal de Sevilla *(H)*, cotejado con el BN Madrid 1636[62] ; la cuarta década no fue descubierta hasta 1966 por José López de Toro, que la editó[63] y tradujo[64]. Faltaba, con todo, realizar una labor de investigación filológica que tuviera en cuenta la transmisión manuscrita de la obra y las sucesivas fases por que fue pasando; ésta ha sido la principal aportación de B. Tate al estudio de este texto, extendida en diversos análisis[65] y concretada en una edición crítica, en colaboración con J. Lawrance, que ha tenido en cuenta dieciocho manuscritos más un códice misceláneo con citas fragmentarias de la primera década, seleccionando como base para la década editada el ms. *A-P* (Astudillo, Residencia salesiana, ms. sin cota, con *Dec* I y III; París con *Dec* II), que muy bien podría corresponderse con la *minuta* en que trabajaba Palencia para la imprenta o ser su apógrafo; con todo, como señalan Tate y Lawrance, el problema principal de esta tradición lo determina el hecho de que cada década se difundiera por separado; en consecuencia, para cada una, debe perseguirse una transmisión propia, que en el caso de la primera está fijada por el mencionado *H,* por *L* (Londres, BL Add Ms. 8683), *R* (RAH ms. 9/5335) y los BN Madrid 1636, 1710 y 6544[66].

No puede, en resumen, considerarse a Alfonso de Palencia como un cronista de Enrique IV, a pesar de haber mantenido, con los inter-

---

[62] Ver Alfonso de Palencia, *Crónica de Enrique IV. Guerra de Granada. Escrita en latín por Alonso de Palencia*, ed. y trad. de A. Paz y Melia, Madrid, Colección de Escritores Castellanos, 1904-1909, 5 vols. [reed.: Madrid, BAE, 1973-75]. La traducción de Tate y de Lawrance cubre, hasta el momento, la primera década.

[63] Madrid, Real Academia de la Historia (Archivo Documental Español, t. XXIV), 1970.

[64] Madrid, Real Academia de la Historia, 1974, que aparece sin prólogo por fallecimiento del traductor en 1972.

[65] De los que destacan «Las *Décadas* de Alfonso de Palencia: un análisis historiográfico», en *Estudios dedicados a James Leslie Brooks*, ed. J.M. Ruiz Veintemilla, Barcelona, Puvill, 1984, págs. 223-241, «Guidelines for a critical edition of the Decades of Alfonso de Palencia», en *LC*, 18 (1989), págs. 5-18, «Las *Décadas* de Alfonso de Palencia: del manuscrito a la página impresa», en *Homenaje al profesor Antonio Vilanova*, ed. Alfonso Sotelo Vázquez y Marta Cristina Carbonell, Barcelona, PPU, 1989, I, págs. 689-698.

[66] Para el resto de décadas ver en su edición el esquema de pág. lxxvii.

valos ya comentados, el cargo áulico hasta el final de su vida. Él era un historiador humanista[67] y se servía de la historia en cuanto proceso de hechos que le permitiera interpretar y valorar el orden temporal registrado[68]. Por ello, no dudó en convertir el reinado de Enrique IV en soporte de un feroz análisis dedicado a señalar las principales tachas de la vida política de su tiempo[69]. Con lo que él no contaba es con que muchos de esos defectos seguirían definiendo las relaciones cortesanas del reinado de los Católicos y con que su puesto sería ocupado por cronistas menos severos y más proclives a ensalzar la figura de la reina. La concepción historiográfica de Palencia no encajaba en este sistema de valores[70].

11.1.3: *La «Crónica castellana»*

La redacción cronística de Palencia fijó, por tanto, la visión oficial de los cuarenta años de que se ocupó; adentrarse en ese tiempo implicaba asumir los planteamientos historiográficos de sus *Gesta* y eso es lo que hicieron dos autores que quisieron contar —por motivos bien distintos— los mismos sucesos, pero en castellano.

---

[67] En un aspecto tan singular como el de la toponimia, lo demuestra Ricardo Martínez Ortega, «Alonso de Palencia y su *Gesta Hispaniensia*: acerca de la traducción e identificación de algunos topónimos», en *Humanismo y pervivencia del mundo clásico. Homenaje al profesor Antonio Fontán*, ed. J.M. Maestre Maestre, Madrid, Inst. Est. Humanísticos-Ed. Laberinto-CSIC-Univ. de Cádiz-Univ. de Extremadura-Univ. de Zaragoza-Inst. Est. Turolenses, 2002, III.3, págs. 1447-1453.

[68] R.B. Tate, «Alfonso de Palencia y los preceptos de la historiografía», en *Nebrija y la introducción del Renacimiento en España: Actas de la III Academia Literaria Renacentista*, ed. de Víctor García de la Concha, Salamanca, Universidad, 1983, págs. 37-51, más Antonio Antelo Iglesias, «Alfonso de Palencia: historiografía y humanismo en la Castilla del siglo XV», *ETF*, 3 (1990), págs. 21-40.

[69] Advierte J. Puyol: «No poco perjudica también a la crónica el elevado concepto que el autor revela tener formado de sí mismo y su afán por mostrarse como personaje de importancia y aun el principal de la obra, a la que trasladó gran número de sus discursos y razonamientos en las múltiples cuestiones en que intervino», «Los cronistas de Enrique IV. II», *BRAH*, 79 (1921), págs. 11-28, pág. 20.

[70] Francisco Elías de Tejada lo resume de este modo: «Podrá fallar en él la perspectiva, pero jamás pretende ocultarnos la perspectiva desde la cual escribe. Juzga apasionadamente, sí, empero razonando sus juicios. Por eso sus crónicas son el documento más exacto de la Castilla en transición ascendente desde las luchas intestinas a la prodigiosa unidad que trajo la expansión y grandeza», *Historia de la literatura política en las Españas II*, Madrid, Real Academia de Ciencias Morales y Políticas, 1991, pág. 236.

De este modo, a punto de empezar la guerra de Granada un historiador acometió el relato de los hechos sucedidos entre 1454 y 1474, tomando como principal fuente de información las *Décadas,* hasta el punto de que este nuevo registro se creyera una traducción de la obra de Palencia, salida incluso de su propia mano. Sólo, tras rigurosa revisión de Sainz de Baranda, en 1833, a instancias de la Academia de la Historia, de los materiales cronísticos de este período, se pudo constatar que Palencia nada tuvo que ver con ese texto que alcanzó extraordinaria difusión bajo el título de *Crónica castellana,* con el fin de distinguirla de la «latina»[71]; ha merecido recientemente una importante edición crítica, debida a Mª Pilar Sánchez-Parra que ha colacionado diecinueve testimonios en busca del texto más fiable, por cuanto la transmisión manuscrita de esta crónica es sumamente confusa, debido a los casos de contaminación con los otros tres relatos cronísticos dedicados a Enrique IV[72]; Sánchez-Parra llega a importantes conclusiones sobre la relación que las crónicas de este período mantienen entre sí: demuestra, desde luego, que el autor de la *Castellana* conocía las *Décadas* (y de ahí, errores comunes), pero que otro era su sistema de historiar; divide el reinado en dos bloques simétricos de noventa y ocho capítulos cada uno, con el año de 1468 como eje narrativo; por ello, la segunda década suministrará el mayor número de noticias.

Debe pensarse que si Palencia redactaba en latín sus *Gesta,* en la inestable corte, ya del infante don Alfonso, ya de la princesa Isabel, podía sentirse interés por contar con un relato vernáculo que se ajustara a la visión de los hechos fijada en esa redacción oficial, distinta a la de D. Enríquez. Se trata además de la única crónica que construye un casillero analístico para distribuir los hechos que refiere, de donde deriva posiblemente la estima en que se la tuvo, amén de la diferente visión por los sucesos relatados y los personajes descritos que aporta; esta pes-

---

[71] La consideraba Paz y Melia «una pésima traducción, libre de toda tendencia personal», pág. xliii; Juan de Mata Carriazo, en la introducción al *Memorial*, aborda esta cuestión para señalar con ironía: «Ya es chocante que la *Crónica castellana* hable siempre de Palencia en tercera persona, cuando en las *Décadas* se nombra siempre en primera», ver Diego de Valera, *Memorial de diversas hazañas*, Madrid, Espasa-Calpe, 1941, pág. lxviii.

[72] *Crónica anónima de Enrique IV de Castilla: 1454-1474 (Crónica castellana)*, ed. de Mª Pilar Sánchez-Parra, Madrid, Ediciones La Torre, 1991, 2 vols. El volumen primero contiene el estudio introductorio y el segundo, el texto, por donde se cita. Toma como base los dos códices más antiguos, el B.U. Salamanca 2573 y el escurialense X-ii-16, «los dos, de finales del siglo XV, contienen las dos partes en que se divide la *Castellana,* y son los que utilizamos como texto de esta edición crítica al carecer del original», pág. xviii.

quisa, con todo, no es fácil; la dificulta el hecho de que el autor de la *Castellana* no redactara un prólogo que hubiera permitido valorar la intención con que acometía este proyecto y saber si lo hizo instigado por algún promotor en concreto[73].

A grandes rasgos, la *Castellana* sigue más de cerca el orden de los sucesos —por ejemplo, concede gran atención a las campañas granadinas de Enrique IV que a Palencia apenas le interesan— frente a la dramatización de la historia construida en las *Décadas*, sostenidas por un friso de personajes cuya caracterización se cuida en todo detalle. La ideología palentina, que es de hecho la de los Católicos, en cambio se mantiene incólume; véase —por ser episodio ya conocido— cómo narra la detención de Enríquez del Castillo:

> ...en la posada de una muger que era mançeba de Diego del Castillo, coronista del rey don Enrique, (...) fallaron çiertos libros, entre los cuales estava la corónica de los años del rey don Enrique, hordenada por el dicho Diego del Castillo, llena de infinitas mentiras. El cual libro llevaron al arçobispo de Toledo e dende a poco Diego del Castillo fue traído ant'él, y en su presençia llegó a leer la batalla de Olmedo que avía cuarenta días que era passada, en la cual escrivía muchas e muy manifiestas mentiras, e como le fuese preguntado por qué tan falsamente avíe escrito, ninguna cosa supo responder, al cual el rey don Alfonso mandava matar, e fue dexado por ser onbre de la Iglesia (222).

A nada que se contraste el relato con el de la primera década (ver págs. 3510-3511) se advertirán similitudes que confieren enorme valor a una noticia que Palencia omite:

> E la corónica fue dada a Alfonso de Palençia, coronista del rey don Alfonso, para que aquellas mentiras fuessen emendadas (íd.).

En este orden, la concordia de los Toros de Guisando (1468) se convierte en una proclama de adhesión isabelina[74], del mismo modo que

[73] No es desdeñable el apunte del copista del BN Madrid 2130 en que señala que la crónica, que considera de Palencia, «fue dirigida al arzobispo de Toledo don Alonso Carrillo, que murió el año 1482 y llegan sus narraciones hasta el año 1477. Con que parece fue compuesta en los cinco años intermedios», *ibídem*, pág. xxx.

[74] II.iv, 249-255, con este cierre: «Las cuales letras son puestas en esta corónica porque de todo lo pasado en este ayuntamiento fecho por los ilustrísimos prínçipes, rey don

no tenía duda alguna sobre la ilegitimidad de la recién nacida doña Juana o sobre la impotencia del monarca:

> Ya la corónica fizo mençión de cómo el rey don Enrique seyendo inpotente quiso mostrar poder aver generaçión, para lo cual muchas vezes atentó que la reina doña Juana, su muger, oviese ayuntamiento ageno, e como a la fin lo acabase, de tal manera se començó que más oviese freno que espuelas, segund adelante más largamente en su lugar se dirá. Y así fue la reina preñada, e como quiera que por muchos se dubdase de quién, la pública fama fue ser de Beltrán de la Cueva... (I.lxiv, 117).

De la misma forma, este historiador asume la sarta de prodigios y casos maravillosos con que Palencia pronosticaba el desastrado fin que le aguardaba a don Enrique y que pasarán, a su vez, al siguiente historiador. La *Castellana* se cierra, en la versión de *E,* no con la muerte del rey, sino con la proclamación de los príncipes como reyes y con la rápida coronación de Isabel, para disputar los derechos de quien era ya considerada impostora:

> E como la reina, nuestra señora, fuese y sea única señora natural en estos reinos, pudo e devió fazer lo que fizo. Verdad es que si el rey presente estuviera, esta sublimaçión de amos a dos juntamente fazerse deviera como sean reputados el marido e la muger una mesma carne, pero como el rey fuese absente e no se supiese cuán presto serie su venida, la tardança d'esta sublimaçión pudiera ser dañosa, como la preclarísima reina doña Isabel, nuestra señora, toviese conpetidora en doña Juana, que fija del rey don Enrique se llamava, e algunos aunque contra toda verdad la querían por tal tener. Assí que lo fecho, se pudo e devió fazer e fue discreta e sabiamente puesto en obra (480-481).

Un pasaje de estas características parece pensado para frenar posibles reticencias de los aragonesistas que, como Palencia, reclamaban la primacía de don Fernando en la dirección del reino. Un nuevo conflicto que habría de ser resuelto, también, cronísticamente.

Enrique e prinçesa doña Isabel e de los grandes perlados e cavalleros que en ello fueron, queden en perpetua memoria», 255.

11.1.4: *Diego de Valera*

Mosén Diego de Valera redacta su *Memorial de diversas hazañas* entre los años de 1486 y 1487, sobre la base de los materiales anteriores, a los que incorpora su particular visión de los acontecimientos[75]. El *Memorial* recoge, por ello, el amplio diseño de las *Décadas*, incorpora sucesos de la *Castellana* y apunta hacia una nueva orientación de la historiografía: se pretendía definir un orden temporal, cuajado de significaciones políticas y morales e inserto en un marco general que otorgara sentido a esa realidad del presente[76]. Es decir, a Valera no le interesa recoger sólo noticias particulares, referidas a un pasado inmediato; él pretende diseñar un conjunto de amplias dimensiones historiográficas, en el que el *Memorial* fuera una pieza más, tal y como afirma en el Prólogo:

> Y determiné en esta obra no solamente escrebir las hazañas y virtuosas obras, mas algunas aunque tales no fueron, porque los obradores así de las unas como de las otras, resciban el premio a su merecimiento debido; y dexé de escrebir en esta obra las cosas mucho antiguas, porque de aquéllas asaz mençión se hizo en la copilación de las Corónicas de España por mí hordenada, que *Valeriana* se llama (4).

Se está refiriendo a la *Crónica abreviada (HPRC*, § 3.6.1), promovida por la reina Isabel con el deseo de configurar un orden de causas y de efectos que sustentara toda su ideología política. En el centro, se si-

[75] Lo define con claridad J. Puyol: «No vaya a presumirse (...) que Diego de Valera era un adulador; podría tener, sin duda, las debilidades que, por lo general, han tenido, tienen y tendrán los cortesanos, pero del mismo modo que su pluma nunca se empleó en la censura sistemática, no hubo de rebajarse tampoco a la alabanza rastrera», «Los cronistas de Enrique IV. IV», *BRAH,* 79 (1921), págs. 118-144, pág. 125.

[76] La transmisión manuscrita de esta pieza, analizada por Carriazo en págs. lxiii-lxv de su edición (ver n. 71 de pág. 3518) y revisada por Rodríguez Velasco en el *Diccionario Filológico,* págs. 423-424, revela la importancia del BN Madrid 1210, que es el que toma Carriazo como base de su edición. D. Hook, poseedor de uno de los mss. de esta tradición, analiza las glosas marginales de estas crónicas en «Method in the Margins: An Archaeology of Annotation», en *Proceedings of the Eighth Colloquium,* eds. Andrew M. Beresford y Alan Deyermond, Londres, Department of Hispanic Studies-Queen Mary and Westfield College, 1997, págs. 135-144.

túa el *Memorial*, cuyo análisis sostiene las razones de la tercera pieza histórica, destinada ya al tiempo del presente, la *Crónica de los Reyes Católicos (HPRC*, § 2.2).

11.1.4.1: La estructura del *Memorial*

Su *Memorial* constituye, pues, el plano central de un tríptico de historias. Aunque tome como fuente a la *Castellana* y la complemente con las *Décadas*, la estructura de su crónica obedece a otros propósitos, como lo demuestra el hecho de que la «muerte del inoçente rey don Alonso» no segmente ya el relato en dos mitades; tampoco es factible acomodar el *Memorial* a los dos períodos de diez años a que se ajustan D. Enríquez o Pulgar. Es más, al primer decenio (1454-1464) en que supuestamente se desarrollaba «la prosperidad del rey», Valera dedica una cuarta parte de su crónica, los veinticinco capítulos iniciales, sin destacar una sola de las circunstancias favorables con que parecían desarrollarse los primeros compases de este reinado.

Esta pauta es oportuna, por cuanto la crónica puede dividirse en cuatro bloques que culminan en sucesos fundamentales para la determinación del presente desde el que se fija esta redacción: en el cap. xxv, la deposición del rey, en el cap. l, «la venida del prínçipe don Fernando» (161), en el cap. lxxv, el envenenamiento del casi esposo de la hija de Enrique IV, en el cap. c, en fin, la muerte del rey.

11.1.4.1.1: La destrucción de un modelo de autoridad (i-xxv)

Valera no va a juzgar a Enrique IV como lo hacía Palencia, prefiere recordar los principales errores de un sistema de gobernación que, ante todo, lo que pone en evidencia es la falta de un modelo de autoridad regia[77]; no hay, en consecuencia, «fablas» de un monarca preocupado por

[77] Esta preocupación la ha engastado J.M. Nieto Soria en las concepciones del pensamiento político de los conversos: «Si en el caso de Pulgar estamos ante lo que podría entenderse como una percepción religiosa de la realeza, en Valera nos hallamos ante una percepción esencialmente jurídico-política, funcional y cortesana de la misma, tratándose, por tanto, de planteamientos complementarios que revelan las dos facetas esenciales de las concepciones monárquicas de la época», «Las concepciones monárquicas de los intelectuales conversos en la Castilla del siglo xv», *ETF*, 6 (1993), págs. 229-248, pág. 234.

la administración del reino; la tímida expansión militar es considerada por Valera, desde la conciencia caballeresca que él representa, escasa en resultados y de incierta dirección como lo demuestra el riesgo a que, por torpeza, el rey se somete[78]; y si se detiene a describir las fiestas y las alegrías con que es recibida doña Juana es para que resalte, aún más, la decepción por todos presentida:

> Acabada la misa, bolviéronse a su palacio y comieron juntamente el rey y la reina, y con ellos los dichos embaxadores, e a la noche el rey e la reina durmieron en una cama, y la reina quedó tan entera como venía, de que no pequeño enojo se rescibió por todos (19).

Siempre Valera intentará desmontar un hecho positivo mediante un lance desfavorable: la entrada triunfal de Sevilla se oscurece con el rapto de una doncella cristiana por un moro del rey, Mofarás, al que aún Enrique disculpará, castigando a los padres por su negligencia (cap. VIII); participa, así, Valera de la difamación que Palencia extendiera acerca de la excesiva afición por los árabes sentida por el rey. Con todo, no puede dejar de acoger las pocas escaramuzas militares que en estos años se realizan y, así, con técnicas que recuerdan a la cronística de Juan II, se describe la captura de Jimena o se refiere la entrada de Fernando de Narváez por Antequera. Diego de Valera preserva, de este modo, a la clase de la caballería del influjo negativo del rey; por supuesto, él no hace referencia alguna a la corte caballeresca que D. Enríquez cree percibir en el entorno de Enrique IV, bendecido por los regalos de Calixto III; antes al contrario, Valera lo pinta desconfiado y receloso de sus súbditos (cap. XIII). Incluso, la poca seriedad con que organiza la campaña de 1457, llevando consigo a la reina y a su séquito de doncellas, merece la reconvención de los caballeros más curtidos:

> Y como los moros vieron ansí llegar la gente, salieron a las barreras, y la reina demandó una ballesta, la cual el rey le dio armada, y fizo con ella algunos tiros en los moros. Y pasado este juego, el

[78] Así sucede cuando es golpeado por una saeta junto a Moclín: «e se maravillaron mucho de un príncepe tan grande quererse meter en tales escaramuças, donde ligeramente podía ser muerto sin fazer cosa de su honor. Y como quiera que por algunos le fuese reprehendido la tal osadía, como él fuese hombre regido más por voluntad que por razón, no dexava de se meter cada día en las semejantes cosas», 22.

rey se bolvió para Jaén, donde los cavalleros que sabían fazer la guerra y la abían acostumbrado, burlaban y reían diziendo que aquella guerra más se hazía a los cristianos que a los moros. Otros dezían: «Por cierto, esta guerra bien parece a la qu'el Cid en su tiempo solía fazer» (45).

El propio cronista contribuye a difundir el resquemor general que por el reino se va extendiendo, a cuenta del desmedido reparto de mercedes con que el rey quiere premiar a los leales a su figura; quien sabía que nobleza y linaje estaban íntimamente asociados no podía ver con buenos ojos el ascenso de un «hombre de poco estado» como Miguel Lucas de Iranzo:

> Y a Miguel Lucas fizo barón de torneo y condestable juntamente en un día, cosa no vista hasta entonces, y diole la villa de Ágreda, y las fortalezas de Betunto y Vozmediano, como quiera que esta merced no ovo efeto; las cuales dinidades se cree no ser dadas a honbre del mundo fasta oy en un día (48).

El tratamiento ejemplar que se concede a algunos episodios es claro en el caso del desbarato que sufre el arzobispo de Santiago, don Rodrigo de Luna, expulsado de su sede como consecuencia de la revuelta irmandiña; no duda Valera en apuntar al deshonesto vivir de este prelado como causa de este desorden, así como en referir su desastrado final:

> Y este arçobispo ovo siempre de contender por recobrar lo que le era tomado, y jamás lo pudo acabar; y así murió derramado y pobre, por sus grandes culpas y deméritos. De que todos los hombres, por de grandes estados que sean, deven tomar exemplo, y guardarse de fazer lo que no devan, confiando en su gran poder, acordándose ser nuestro Señor tan justo que ni dexa mal sin pena ni bien sin galardón (54).

Selecciona Valera en este decenio los hechos que muestran la remisión del rey, pero sin juzgarlo ni amonestarlo directamente por las acciones acometidas o decisiones tomadas. Le basta, para lograr ese fin, con acoger en la crónica los prodigios y signos sobrenaturales de los que ya hablara Palencia, anunciadores de la destrucción que a la corte y al rey aguardan, como ocurre en 1460:

> En el mesmo año se mostró otra muy gran llama en el çielo, y lo que mayor turbación dio en todos los d'este reino fue que te-

niendo el rey en Segovia, en su palacio, muchos leones y leonas, e aviendo ende uno muy grande a quien todos los otros obedecían, se començó entre ellos tan gran pelea, que todos se juntaron contra el mayor león, y lo mataron y comieron parte d'él: de ende todos pronosticaron ser cercana la muerte del rey o gran caída (60).

Era el mejor modo de presentar —y justificar— las alianzas y confederaciones de los grandes del reino para intentar remediar estos hechos; se refiere, así, la primera petición de la nobleza para que declare sucesor a su hermano don Alfonso. Con todo, se cruza de por medio el episodio de la rebelión de don Carlos y el posterior alzamiento de Cataluña contra Juan II; Valera no puede dar crédito a los rumores de que el de Viana hubiera muerto envenenado por orden de su madrastra[79] y se burla, desvelando los engaños, de la pretensión de los barceloneses por santificar la figura de quien, para él, no había sido más que un príncipe rebelde[80]; por ello, adelanta el castigo providencial que a Cataluña le está reservado por este desacato a la autoridad real:

> Y después la çiudad de Barcelona se le dio [a Juan II], como adelante se dirá, con perpetua infamia y daños inreparables de los barceloneses; los cuales, de muy ricos y poderosos que antes eran, por su maldad fueron tornados pobres, flacos y menguados (68).

El nacimiento de la heredera doña Juana se refiere con la ironía de quien conoce la impostura del acto y la inutilidad de una jura que se acepta más por el temor que por el derecho que pretendía afirmarse (cap. xx). Ocurre, ahora, la primera intervención directa del cronista, mediante el envío de una epístola al rey[81] en que le recuerda las obligaciones fundamentales a que estaba sujeto por su condición regia.

---

[79] Que, por algo, era la madre del Católico: «...y luego començaron a dezir e afirmar el prínçepe don Carlos ser muerto por yerbas, por su madrastra. La malicia de los cuales no les dexó acordarse cuántos años abía qu'el prínçepe don Carlos avía que padescía la enfermedad de perlesía, de la cual muchas vezes avía llegado en punto de la muerte», 66-67.

[80] «Y entre las otras maldades, atentaron una no fecha semejante fasta entonçes en el mundo, la cual fue que sepultaron al prínçepe don Carlos en forma de santo, y fiziéronle altar, y pusiéronle diadema (...) esto para enemistar al rey e a la reina con todos los catalanes», 67.

[81] «En este tiempo, yo el dicho mosén Diego estava en la çiudad de Palencia, donde tenía la governación de la justicia por el rey, y conociendo el desagrado que los tres estados d'estos reinos tenían de su governación, temiendo lo que después acaesció, escre-

De este modo, la crónica vincula la grave voz del moralista que supo reprender a Juan II y denunciar la tiranía de don Álvaro, con un hecho militar tan importante como la toma de Gibraltar por don Rodrigo Ponce de León (cap. xxi); queda claro, así, que una «hazaña» de este valor no depende de la figura del rey, sino de las virtudes de una nobleza que se mantiene incólume a pesar de un monarca que agradece estos servicios entregando la alcaldía de la plaza a un criado suyo, en vez de confiar la villa a su conquistador.

No hay seguimiento alguno, por tanto, del episodio en que se ofrece la corona aragonesa a Enrique IV ni se desvelan las luchas internas e intrigas que ese suceso provoca; las vistas de Bidasoa, por ejemplo, se explican por las rivalidades entre Francia e Inglaterra y no como la jugada maestra que le permitiría a Luis XI frustrar la expansión territorial de Castilla. Es difícil saber si Valera renunciaba a contar ciertos hechos porque carecía de referencias o prefería evitar hurgar demasiado en la conciencia del rey, para no dañar a la misma institución de la realeza; es posible que, por ello, omita las maniobras de los hermanos Pacheco y Girón[82]. Desde la distancia en que se encontraba, no le interesaban al cronista las complejas operaciones políticas que destruyeron esa corte y sí los hechos de armas, aunque tenga que narrar los realizados por Alfonso V de Portugal. No se calla, en cambio, ante la torpeza que representa la entrega del maestrazgo de Santiago a un advenedizo como don Beltrán de la Cueva, acción señalada como el origen de «las rebueltas de Castilla» (89); por ello, considera importante referir el viaje del cronista Palencia a Roma para dar cuenta del estado en que se encuentra el reino y procurar la deposición del rey. Con esta embajada, se cierra el primer decenio en el que las únicas «prosperidades» se reducen a algunas —y contadas— acciones caballerescas.

11.1.4.1.2: La deposición de don Enrique (xxvi-l)

La segunda década, la de las «duras adversidades» (1464-1474), requiere las tres cuartas partes restantes de una crónica que es, ante todo,

---

ví a Su Alteza la siguiente epístola», 71-72. Ver, para esta producción concreta, *HPRC*, § 6.1.2.1, más los fragmentos incluidos en § 11.4.1, pág. 3591.

[82] Recuérdese que don Juan Pacheco había sido el destinatario del *Tratado de providencia* y del *Cirimonial de príncipes* de Valera (§ 11.4.1.2).

soporte de la dedicada al reinado de los Católicos. El intento de secuestrar al rey por los grandes del reino abre este período en el que Valera sigue buscando, fuera de Castilla, ejemplos de comportamiento caballeresco como el del príncipe don Fernando de Aragón, que con trece años se atreve a oponerse a don Pedro, el otrora Condestable de Portugal, el destinatario del *Prohemio* de don Íñigo (§ 10.4.2.1.2.1) y autor de la *Sátira* (§ 10.7.4.4), rey ya de los catalanes. Justifica la deposición de Ávila no sólo «por canónicas autoridades» (98) sino con los ejemplos de Alfonso X, desposeído de la corona por pródigo, o de Pedro I, para recrearse morosamente en el aparatoso acto en que la estatua del rey es despojada de los signos de un poder, abatido con un sonoro «¡A tierra, puto!» (99), y sentar en el trono a su hermano don Alfonso. Tan seguro está Valera de la validez de esta ceremonia que cierra con su autoridad de cronista la cronología del reinado de Enrique IV:

> Lo cual acaeció jueves, a çinco días del mes de julio del año de nuestro Redentor de mill y cuatroçientos y sesenta y çinco años, seyendo el prínçipe don Alonso de edad de onze años y çinco meses e çinco días. Ansí duró el reino del rey don Enrique, desd'el día que començó a reinar fasta esta deposeción de su corona, diez años e onze meses e cuatro días (íd.).

A partir de este punto, la crónica explora las reacciones de los grandes del reino y la aprobación que les merece este hecho, aunque no puede por menos que enumerar a los que siguen fieles a Enrique IV; pero Valera habla ya siempre de dos reyes, doliéndose de los continuos cambios de bando a que muchos nobles, ya por codicia, ya por temor, se ven arrastrados:

> E así en la pendencia d'estos dos reyes se perdían e destruían estos reinos, e no menos los grandes d'ellos, espeçialmente los que seguían al rey don Alonso; de lo cual, el arçobispo de Toledo, don Alonso Carrillo, tenía gran sentimiento, e ovo sobr'ello palabras de grande enojo con el marqués de Villena, su sobrino (104).

Es una de las primeras quejas contra Pacheco, al que enseguida presentará gobernando el reino a su voluntad, con «dobladas sentencias» (107), que sembraban aún más la confusión entre los nobles, como lo demuestra el caso del conde de Haro que se había ofrecido como «medianero» entre estos dos monarcas:

> En este tiempo don Pero Fernández de Velasco, conde de Haro, que dezían que estaba ençerrado con çierto número de cavalleros de su casa, so çierta regla, en un hospital que él avía edificado en la villa de Medina de Pumar, seyendo certificado de las grandes turbaçiones que en estos reinos avía, trayendo hábito de religioso, vino a la villa de Cigales por dar algún medio entre estos dos reyes. Lo cual como no pudiese acabar, se bolvió en su hospital como de primero estava (íd.).

Valera rechaza el apoyo del papado al rey Enrique IV y tilda las cartas de éste de «anxiosas», oponiendo a ellas las más fundadas de don Alfonso. El propósito que asiste al cronista es el de desmontar cualquier argumento que sostuviera el modelo de autoridad enriqueño y, por ello, se burla, junto a los cortesanos, de las «nuevas velaçiones con çirimonia eclesiástica» (112) con que el rey quiere sancionar su matrimonio una vez enterado de la muerte de su primera mujer, doña Blanca. Con esta intención, Valera acoge los debates que enfrentaron al maestro en teología, don Francisco de Toledo, que defendía «que por malo que fuese el rey, sus súditos no devían ni podían proçeder contra él ni privarlo del reino» (114), con don Antonio de Alcalá, a quien cumple, con autoridades escriturarias, teológicas, canónicas y jurídicas, ratificar la validez de la deposición.

Explora Valera la soberbia con que se comporta don Pedro Girón al pretender casar con doña Isabel y muestra su muerte como un castigo providencial, procurado por la oración con que la infanta rogaba a Dios que la librara de ese peligro:

> La cual como fuese certificada del propósito con qu'el maestre venía, e con grande aparato, no solamente de guerra más de corte, e con grandes aparejos para fazer justas y torneos, e todas las fiestas que se acostunbran fazer en las bodas de los grandes prínçipes, la señora infanta, como d'esto fue muy turbada e triste, estuvo un día y una noche las rodillas por el suelo, muy devotamente rogando a nuestro Señor que le pluguiese matar a él o a ella, porque este casamiento no oviese efeto (118).

No hay análisis político de estos hechos ni descripción de los cambios de alianzas que se suceden en la corte, en buena medida porque interesan muy poco; prefiere Valera las noticias foráneas (la muerte de Francisco Esforça, el peligro representado por los turcos) y se esfuerza en justificar la derrota del ejército de don Alfonso ante las tropas realistas en Olmedo, disculpada por la poca gente que el primero llevaba y centrada, sobre todo, en la animosa actuación con que Carrillo afrontaba los principales riesgos del encuentro:

> El arçobispo de Toledo, con animoso coraçón esforçava sus gentes e peleava como cavallero muncho esforçado, e como quiera qu'el brazo izquierdo le fuese pasado de un encuentro de lança, nunca por eso dexó de pelear (128).

Se demora Valera en referir la vergonzosa huida de Enrique IV y sostiene, con ella, la incertidumbre de una victoria «que no es quien pudiese verdaderamente juzgar cuál de las partes enteramente la oviese avido» (129), aunque luego cada uno la contara conforme al partido en que hubiera militado. El episodio es importante porque se conecta con la toma de Segovia y la captura del cronista real.

La muerte de doña Juana Enríquez, madre de don Fernando de Aragón, es envuelta con signos hagiográficos suficientes como para acallar la leyenda negra que sobre la misma se había propalado por Cataluña (§ 11.6.3.2). El dolor por la repentina muerte del rey Alfonso no le impide denunciar el envenenamiento que había sufrido y referir la inmediata proclamación de Isabel como heredera, vista la escena desde el presente de la redacción:

> El cual requirimiento le fue ansí mismo fecho por todas las çibdades e villas que al rey don Alonso obedeçían, pues don Enrique su hermano por sus deméritos que avía perdido el çetro real. A los cuales, la ilustrísima prinçesa respondió que pues a nuestro Señor avía plazido llevar d'esta vida al rey don Alonso su hermano, que tanto viviese el rey don Enrique, ella no tomaría la governaçión, ni se llamaría reina, mas procuraría con todas sus fuerças cómo el rey don Enrique viviese e governase mejor estos reinos que lo avía fecho en el tiempo que paçíficamente los poseía. De donde se pudo bien conoçer cuánto fue grande la virtud d'esta preclarísima prinçesa, en lo cual a todos dio çierta esperança de ser tal que después en todo se á mostrado (139).

El acuerdo de los Toros de Guisando se sostiene en la diligencia con que actúa Carrillo y en el apoyo con que el nuncio apostólico, don Antonio de Véneris, procura pacificar el reino. Sobre todo, a Valera le importa poner en boca del rey el repudio con que priva a su hija de toda legitimidad:

> Lo cual afirmó por espontáneo juramento, e dixo que ante Dios e ante los onbres confesava aquella doña Juana no fuese por él engendrada, la cual la adúltera reina doña Juana avía concevido de otro varón e no d'él. E por eso, no queriendo engañar la lejítima suçesión d'estos reinos, esto avía querido confesar para cônfirmaçión del derecho hereditario de la prinçesa doña Isabel, su hermana (143).

Por ello, el historiador reacciona contra la condición mudable de este monarca que contraviene al poco estos acuerdos e intenta casar a su hermana con Alfonso V de Portugal; el enlace se rodea con pronósticos funestos (la cebada segada de la que mana sangre). Frente a ello se muestra la iniciativa de don Rodrigo Manrique para procurar el casamiento de la infanta con don Fernando, cuando además el rey de Francia había puesto a otro candidato en juego.

Siendo los *Gesta* de Palencia una de las fuentes con que se compila este *Memorial*, la intervención del cronista en la venida a Castilla de don Fernando se refiere con detalle; ese episodio, como se ha advertido, se sitúa en el cap. l, dividiendo la crónica en dos secciones temporales. Valera, de este modo, dedica la mitad de su relato a los últimos cinco años de este reinado, por cuanto en ellos se fundamentan los derechos a reinar de estos príncipes.

11.1.4.1.3: La figura del príncipe don Fernando (li-lxxv)

El nuevo tiempo histórico lo inaugura la recepción que se brinda a don Fernando y las bodas de los príncipes, tan distintas, en resultados, a las de Enrique IV:

> El arçobispo los desposó y veló, e aquel día todo se consumió en fiestas y danças e mucha alegría; e la noche venida, el prínçipe e la prinçesa consumieron el matrimonio. Y estavan a la puerta de la cámara çiertos testigos puestos delante, los cuales sacaron la sábana que en tales casos suelen mostrar, demás de aver visto la cámara do se ençerraron; la cual en sacándola, tocaron todas las tronpetas y atabales y menistriles altos, y la amostraron a todos los que en la sala estavan esperándola, qu'estava llena de gente (166).

Ésta es la perspectiva con que Valera quiere enfocar los últimos años del reinado de Enrique IV; alterna las diligentes disposiciones de don Fernando, apoyado en el cronista Palencia, con las «engañosas divisiones» a que es arrastrado el rey de Castilla y que fomenta no tanto por los engaños a que es sometido por Pacheco, como por su ineptitud para cualquier asunto concerniente al gobierno del reino; así se refiere la tentativa de casar a doña Juana con el duque de Guyena, una propuesta que formula el cardenal Trapaçense (es decir, Atrebatense) injuriando a los príncipes y a Carrillo; el cronista se duele de la reacción del rey ante un discurso de esta naturaleza, que también menoscababa su propia dignidad:

> En deudo de lo cual, el rey, como fuese usado de sofrir injurias, ningún sentimiento mostró, ni tanpoco los grandes que presentes estavan, antes el rey determinó de fazer este casamiento (176).

Era la mejor forma de demostrar la destrucción de esta corte; antes de cerrarse los desposorios, la madre se ve obligada a jurar que aquélla era hija suya y del rey; nada se dice de lo que pudiera afirmar Enrique IV, al contrario de la *Castellana* (ver pág. 3520), porque a Valera le basta con recordar que había confesado públicamente que doña Juana era «hija adulterina de la adúltera reina doña Juana, e no suya» (179). Bien distinto es lo que ocurre en el bando de los príncipes, con el feliz alumbramiento de su primera hija, Isabel[83]. Mientras, el reino se descompone en continuas guerras nobiliarias en que intervienen los principales linajes: los Manrique o los Haro en Castilla, el duque de Medinasidonia y el marqués de Cádiz en Andalucía. Son tiempos de agitación propiciada por estos reyes nefastos, porque Valera imbrica en su relato las revueltas provocadas por las maniobras absolutistas de Luis de Francia. Las hazañas caballerescas, como la victoria que se cobra el bastardo de Juan II, Alfonso, cerca de Barcelona, suceden fuera del reino, ya que en Castilla Enrique IV se dedica a guerrear contra su condestable, don Miguel Lucas, instigado por Pacheco, siendo amonestado con dureza por Pedro de Escavias, el alcaide de Andújar (§ 11.2.2, pág. 3542).

[83] Visto, también, como una prueba a la que debe someterse la princesa para demostrar que sólo ella podía garantizar la continuidad dinástica: «Como en este tienpo no solamente muchos de los grandes d'estos reinos mas generalmente todos los pueblos estoviesen deseosos de ver el parto de la prinçesa, mayormente los que en la villa de Dueñas estavan con ella con muy mayor ansia lo esperavan; e como ya se açercase el día e las señales pareçiesen, estavan en gran cuidado, reçelando su peligro», íd.

La muerte del duque de Guyena, envenenado por su hermano, referida justo en el cap. lxxv, cierra la última posibilidad con que contaba Enrique IV de afirmar los discutidos derechos sucesorios de doña Juana.

11.1.4.1.4: La legitimidad de los príncipes (lxxvi-c)

En consecuencia, los últimos veinticinco capítulos dibujan un trágico panorama de la vida de la corte, que llevan al cronista a interesarse por la recuperación de Perpiñán por el rey don Juan o a resumir las continuas luchas que sacuden Andalucía, en buena medida porque Palencia las conocía de primera mano. Se trata de un tiempo en que interesa construir una imagen de los príncipes perseguidos, sometidos a destierro, mientras Enrique IV se desvive por casar, inútilmente, a su hija. Esta situación de inestabilidad es aprovechada por sus enemigos para extender el desorden, como ocurre en Córdoba, en donde se enfrentan los cristianos nuevos con los viejos; el asesinato de don Miguel Lucas de Iranzo se debe a estas revueltas en las que el pueblo actúa criminalmente instigado por los poderosos:

> E como fuesen así muchos armados, discurriendo por la çibdad, diziendo que querían saber qué mandaba hazer el condestable, como entrasen todos en una iglesia donde él acostumbraba a oír misa e hazer sus ayuntamientos, como el condestable pusiese las rodillas para hazer oración, uno del pueblo que más çerca d'él se halló le dio un tan gran golpe con una ballesta de azero en la cabeça, que dio con él en el suelo. E todos los que çerca d'él estaban le firieron con lanzas y espadas, de tal manera que no quedó en él señal de persona humana (244).

Frente a esta calamitosa situación, emerge la figura de don Fernando, socorriendo con diligencia a su padre en el cerco de Perpiñán y esgrimiendo valores contrarios a los sostenidos en la corte castellana. Es uno de los episodios narrados con mayor esmero porque debe demostrar la capacidad del príncipe por acometer empresas militares, conforme a las disposiciones de los tratados *de re militari:*

> El príncipe don Fernando llevaba sus batallas ordenadas, e como sus corredores discurriesen por diversas partes, todos los françeses que topaban e ivan por se juntar con sus capitanes los ma-

> taban o prendían (...) E ya el prínçipe çerca de los françeses, perdida la soberbia que solían tener, como quiera que fuesen muchos más que los españoles, no osaron dalles batalla, aunque ningún reçelo pudiesen aver de çelada, como las batallas del prínçipe en canpo llano todas paresçiesen (257-258).

Sólo cuando don Fernando se aleja de Aragón, se vislumbra la siniestra silueta del rey francés burlando a Juan II.

La crónica se desentiende decididamente de la corte castellana para seguir el itinerario de los príncipes; tal es la perspectiva que se utiliza para relatar el encuentro, propiciado por Andrés Cabrera, de Isabel con su hermano, al margen de las maniobras de Pacheco. Valera, antes de entretenerse con el último intento de Enrique IV por casar a su hija con Alfonso V, prefiere referir el modo en que don Fernando imparte justicia en Zaragoza y se ocupa de los asuntos del reino, afanado «por probeer en las cosas según el mandamiento del rey su padre» (275), actuando, por tanto, de modo muy distinto a como lo había hecho su hermanastro don Carlos.

La muerte de Juan Pacheco, al igual que ocurriera con la de su hermano, se muestra como castigo a la soberbia con que se había enseñoreado del reino, mientras promovía, además, el enlace de doña Juana con el rey portugués, que iba a propiciar tantos males recientes:

> En el cual tienpo nuestro Señor quiso que el maestre de Santiago no viese el casamiento por el rey de Portugal tanto deseado, en daño universal d'estos reinos, porque en él se verificase aquella sentencia del santo Job que dize: «Dios disipa los pensamientos de los malos, porque sus manos no puedan acabar lo que desean». E su voluntad fue que de la misma enfermedad de que murió el maestre de Calatrava, su hermano, muriese él (277).

La lucha nobiliaria por apoderarse del maestrazgo de Santiago —y Valera se decanta por la opción de don Rodrigo Manrique— descubre las disensiones con que los principales linajes del reino compiten por el poder. La enfermiza atracción que siente ahora Enrique IV por el marqués de Villena, el hijo de Pacheco, mueve al monarca a apoyar la candidatura de este nuevo valido, cuya prisión por el conde de Osorno no puede soportar:

> E sabida por el rey la prisión del marqués, pensó salir fuera de sí, como honbre sin sentido, e como naturalmente fuese de flaco

> coraçón, començó de llorar agramente, e por mucho que lo consolavan los que çerca d'él estavan, ninguna consolaçión quería oír ni resçibir e todas las cosas tenía en poco en conparaçión de la liberaçión del marqués (282-283).

La imagen es precisa, por cuanto este marqués será el principal apoyo con que contará doña Juana al morir Enrique IV. Valera cerrará su *Memorial* —y coincide en ello con la *Castellana* (476-478)— con la aleccionadora muerte de un monarca obstinado en no reconocer los derechos sucesorios de su hermana y en no querer confesarse; ambas acciones son similares, pues quien no se cuidaba de socorrer su alma menos iba a velar por salvar el reino, desoyendo la trágica petición que le formula su capellán:

> «E por eso, señor, con Dios vos requiero no queráis callar la verdad, como entre todos vuestros pecados éste sería el más detestable e más enorme, como de todos los otros podríades ser avsuelto por Dios todopoderoso, si fielmente lo confesáis, aviendo d'ellos verdadero arrepentimiento, e d'éste nunca, pues por vuestro callar dexáis llama ençendida en que vuestros reinos se quemen, e daréis lugar a los malos para perseverar en su acostunbrada tiranía». Oídas estas cosas por el rey, ninguna cosa respondió, mas començó a rebolverse en la cama, torçiendo la boca e los ojos, moviendo los braços a una parte y a otra, e començó de tremer, como ya su muerte fuese çercana. E luego fue mandado poner el altar, pensando provocarlo a devoçión, e ni por eso mostró señal de católico ni menos arrepentimiento de sus culpas e pecados (293-294).

Parecía cumplirse así la maldición con que Lope de Barrientos (ver pág. 3494) condenara a quien había sido su discípulo (ver pág. 2295). El enterramiento del rey, «sin ponpa alguna», es símbolo de un reinado del que Valera sólo salva los «nobles edefiçios» erigidos, coronando la crónica una semblanza —la única, por cierto, en la que se destacan sus cualidades letradas: ver pág. 3479— que se remata con la lección que Valera —ya estaba en la *Castellana*— quería engastar en la ideología del presente en el que se encuentra:

> Tovo muchos privados, a quien con larga mano dio muy grandes dádivas. Fue sienpre regido por su voluntad, fuyendo de todo sano consejo (295).

Justamente, de modo contrario obrarán los Católicos, que se muestran de este modo expertos conocedores de una historia que supieron ajustar (Valera y Pulgar serán eficaces colaboradores) a su programa de gobierno[84].

11.2: Las compilaciones históricas generales

A lo largo de la segunda mitad del siglo xv, príncipes, nobles y caballeros letrados se acercan a la historia con el ánimo de recabar, en las imágenes del pasado, enseñanzas para entender el presente en que se encuentran o justificaciones con que amparar decisiones o posturas que se han visto obligados a adoptar. De este modo, la cronística sale del marco cortesano para recorrer otros ámbitos linajísticos, preocupados por la necesidad de incardinar su ideología en una línea temporal que permita, en consecuencia, transmitirla a unos descendientes. Al igual que se compuso en este período la *Historia del ínclito maestre don Álvaro de Luna* (§ 10.5.5.2), se construirá un conjunto de crónicas generales concebidas como relatos nobiliarios.

11.2.1: *La «Crónica de los Reyes de Navarra»*

D. Carlos de Navarra, Príncipe de Viana, hijo de Juan II de Aragón y medio hermano por tanto de Fernando el Católico, fue puesto en libertad por su padre en 1453 tras haberlo mandado arrestar en 1451. A partir de esta fecha, D. Carlos permaneció regularmente en Pamplona; allí debió de reunir toda la documentación necesaria para redactar esta pieza historiográfica, con un propósito que él justificaba imprescindible, el de dotar a Navarra de un pasado histórico y presentarse él como legítimo sucesor del reino, dos circunstancias que se estaban poniendo en duda, tanto por la política anexionista de Aragón o de Francia, como por la disputa en torno a la herencia de Carlos III el Noble:

> ...et tú, Navarra, no consentiendo que las otras nationes de España se igoalen contigo en la antigüidat de la dignidat real ni en el

[84] Por ello, David Hook ha planteado que el preámbulo de la *Crónica de los Reyes Católicos* quizá formara parte del *Memorial*, ver «The *Preámbulo mutilado* of Diego de Valera's *Crónica de los Reyes Católicos*», en *Letters and Society in Fifteenth-Century Spain*, págs. 69-78.

triumpho e merescimiento de fieles conquistas ni en la continua possessión de tu acostumbrada lealdat ni en la original señoría de tus siempre naturales reyes e señores por la justiçia de los cuoales con muy grant esfuerço has sobrevencido muchos e grandes infortunios e dayños. Et nós, no sufriendo el herror de los passados, los cuoales no sabemos por cuoal razón quisieron assí dexar desiertas las memorias por no haver querido scrivir los grandes fechos de estos sus reyes, por ende nós (...) siempre leyendo e scribiendo, dimos comienço e fin en la hobra presente, en la cuoal nos paresce ser necessario introduzir nuestro processo por cierto fin e principio e poner en devida orden e inquerir mejor segunt las istorias de que deliberamos tractar, nos ha convenido scudrinar los antiguos libros istoriales... (75-76)[85].

Tenía razón el Príncipe al afirmar que ningún rey o noble se había ocupado de historiar el reino de Navarra. Existía, eso sí, una antigua tradición analística (§ 2.2.3) y un centón escrito por fray García Eugui (§ 7.1.3.1) pero no una obra sistemática que recogiera, al modo alfonsí, los sucesos y las noticias de los reyes navarros; como medio de demostrar su capacidad de regir los destinos de ese reino, privado hasta él de identidad histórica, y de reivindicar a la vez sus derechos sucesorios, acomete don Carlos esta labor:

...tractar nos fue complidero et de las cosas susodichas en esta special scriptura et para tractar cómo los reyes de Navarra, cuyo heredero soy y espero a regnar, et cuoáles et cuántos avemos fallado en este regno pocas et asaz flacuas scripturas que no nos ha seído poca confusión... (76).

Quizá pensara que la poca consideración con que su padre lo había tratado tenía que deberse a la conciencia de superioridad histórica con que los Trastámara se habían asentado en los distintos reinos peninsulares. De ahí, la urgencia de situar a Navarra en la encrucijada de las crónicas generales. Para ello, don Carlos toma como base una inmediata compilación reunida por Garci López de Roncesvalles, tesorero real, que llegaba hasta 1404, pero que era muy irregular en su desarrollo. Frente a esta *Crónica,* el de Viana se apropia del sistema his-

85 Cito por Carmen Orcástegui Gros, *La crónica de los Reyes de Navarra del Príncipe de Viana. Estudio, fuentes y edición crítica*, Pamplona, Diputación Foral de Navarra, 1978.

toriográfico dispuesto por Alfonso X: estructuras cronológicas y continuas remisiones a la historia universal, el orden en el que todos los reinos debían encontrar un sentido preciso[86].

11.2.1.1: El contenido de la Crónica: la reivindicación sucesoria

Dividida en tres libros, el primero se consagra a rastrear los orígenes del reino y las claves de una identidad extendida hasta la muerte de Sancho Garcés, el de Peñalén, con un breve resumen de su asesinato:

> E este rey don Sancho, como dicho es, hubiendo guerra con el rey de Castilla don Sancho, su primo, imbió hun su caballero, el cuoal hera señor de Funes, a la frontera de su regno por cuoanto no podría alcançar el fin de sus amores que avía de la muger del dicho caballero e, queriendo imitar al rey David en el fecho de Hurías, falló este espediente e echóse con la muger del dicho caballero; el cuoal hun día, passando con el dicho rey don Sancho sobre la riba de la peña que le dizen Penalén o Villanueba, cabe Villafranca, el dicho caballero dixo al rey: «A señor rey alevoso, vasallo traidor». E dichas estas palabras, echóle de la peña avaxo, e assí el dicho rey murió en el ayño de MLXXVI (116).

Se preocupa, sobre todo, de encajar este rimero de hechos en una distribución analística y de conectar ésta con otras series cronológicas referidas a otros señoríos o a las sucesiones de los papas.

El libro segundo, con dieciocho capítulos, relata el modo en que el reino pasa al aragonés Sancho Ramírez, de quien se recuerda que era nieto de Sancho III el Mayor, en cuanto hijo de Ramiro I, su bastardo; se refiere, de modo especial, la batalla en que vence al castellano Sancho II, cerca de Viana, vengando con ello la muerte de su padre:

> ...e siendo sobre Viana, el rey de Castilla veno ende con grandes compañas e hubieron batalla, e Dios, que no fallesce a la verdad, hordenó que los castellanos fueron vencidos, e el rey de Castilla, con grant vergüença, fuyó en hun caballo con pocos de los suyos e algunos dizen que el caballo hera sin silla e sin freno por mejor fuir (118).

---

[86] Indica C. Orcástegui: «La obra del Príncipe se mantiene, en cambio, dentro de la tradición alfonsina, en cuanto que amplía respecto a Garci López lo referente a la Antigüedad, sin dejar de ser una compilación», pág. 13.

Ahí se inaugura un nuevo tiempo histórico al que el príncipe quiere vincular un presente, en el que las agresiones contra el reino han sido continuas, cuando en otro momento los reyes navarros protagonizaron una importante expansión territorial; es el caso de Pedro I, quien conquistó Huesca y Barbastro, a la vez de prestar eficaz ayuda al Cid en la toma de Peña Cadiella; las tradiciones épicas enmarcan estos hechos vistos desde la vertiente navarra:

> No solamente fue valiente caballero ni se contentó de sola su virtud mas, assí como fue por ella amado, amó a los que posseían aquella mesma virtud; e por ende, recebió al Cid Ruy Díez en su comienda, e le prometió de ayudar cuando lo hubiesse menester, ca, en aquel tiempo, el Cid hera airado del rey don Alfonso de Castilla porque tomó el juramento cuoal ninguno de Castilla no osó tomar del dicho rey por saber si avía seído en consejo de la muerte de su hermano el rey don Sancho, el cuoal mató Adolsi en Çamora (131).

Por supuesto, merece oportuno registro la conquista de Zaragoza por Alfonso I, así como el recuerdo de las continuas discordias con que los castellanos asediaban a doña Urraca. Estos reinados, con todo, sirven de simple antecedente para presentar la figura de García Ramírez, *el Restaurador,* en quien se recupera la línea dinástica Jimena que había quedado quebrada tras la muerte de Sancho Garcés; hay un aviso contra las pretensiones aragonesas de apoderarse de Navarra en esta presentación:

> Después de muerto el dicho rey e emperador don Alfonso intitulado el Batallador, el cuoal de sí no dexó fijos, e no es de dudar que estos tres reyes de Aragón e de Nabarra regnaron casi tiránicamente en el regno de Nabarra, ca segunt razón, este buen rey de quien agora scriviremos e su padre, el infante don Remiro, fijo del infante don Sancho, segundogénito del rey don García de Nágera, devieron regnar; por ende, nuestro Señor, como aquel que tiene el peso de la justicia, quiso que el regno de Nabarra tornasse al verdadero horígine de sus naturales reyes (139).

Que era, al fin y al cabo, lo que tenía que ocurrir con el promotor de esta crónica, amenazado por su padre con desbancarlo de la línea sucesoria. Él era el heredero de las principales virtudes de los reyes navarros; así, de Sancho el Sabio, le interesa señalar que «fue buen cathólico e hobediente fijo a la iglesia de Dios» (145), para extenderse prolijamente con las sucesivas conquistas y la continua ayuda que Sancho VII prestara a Alfonso VIII de Castilla; en la batalla de las Navas, aquí llamada de Úbeda, no hay duda sobre a quién debe corresponder la primacía peninsular:

> E cuoando el rey de Nabarra e los otros reyes de España supieron estas nuebas, le embiaron a dezir que lugo serían con él, e adreçaron su gente de caballo e de pied (157).

A su decisiva intervención se debe la victoria final que esta coalición se cobró sobre los moros, conquistando las cadenas que quedarían ya unidas al escudo del reino:

> E el rey de Nabarra tomó el cadenado de los gamellos e las tiendas, e conquistó las cadenas por armas e assentólas sobre las ariestas con hun punto en medio de sinople. E dende los cristianos assentaron su real sobre la ciudat de Húbeda e tomáronla por fuerça de armas (158-159).

El libro tercero, que llega hasta su abuelo Carlos el Noble, atiende a la evolución de las tres dinastías foráneas, presentadas como ajenas a la identidad del reino:

> ...e los nabarros, queriendo goardar su naturaleza e aver rey descendiente de recta línea, imbiaron al dicho rey don Jaime de Aragón que les quitasse la jura que le avían fecho (165).

Con todo, importa recordar la presencia de Teobaldo I en las guerras de Ultramar, así como las disputas de su sucesor, Teobaldo II, con Alfonso X, no porque éste quisiera apoderarse del reino, que de ello nada se dice, sino por el ominoso tributo con que se pretendía sojuzgar a Navarra:

> ...ca entre otras cosas contenidas en los dichos tractos se dezía que el rey de Nabarra o a su gobernador o senescal en su nombre, hubiese ir al rey de Castilla cada aiño una vez a sus Cortes o llamamiento, e cuoando quiere que el rey de Castilla lo hubiese menester o lo requeriesse (169).

Cuanto más se acerca a su presente don Carlos, más se interesa por las luchas rivales entre bandos o burgos de Pamplona, sobre todo ante la oposición con que es recibido Felipe de Evreux, casado con doña Juana. Son tiempos de tiranía, en que algunos de los reyes ni siquiera se avienen «a jurar los fueros» (195) y en que los graves conflictos sucesorios de Castilla, con el advenimiento de la dinastía Trastámara, obligan a los navarros a intervenir en esas contiendas con las que alcanza la figura de su padre, a quien dedica el colofón de la crónica y de quien quiere mostrarse sucesor directo, tanto en virtudes como en derechos:

> Este muy virtuoso rey e señor con mucha voluntad que tuvo en decorar e aumentar este su reino en Navarra, tanto trabajó e fizo con el rey don Joán de Castilla, su cuñado, que cobró el castillo de Tudela, el de Estella, Larraga, Miranda, Viana, Sanct Vicente, e por cuoanto al tiempo que vino a regnar no falló en todo su regno salbo un solo caballero que era señor de Berrio de suso, e viendo cómo este reino estaba despojado de gente de estado en tanto grado que al rey su padre e a él era forzado d'enguerrar e haber caballeros e otra gente de estado de tierras estrañas, quísolo él reparar e no embargante que el rey su padre hobiese dado a don Carlos de Beamont, fijo bastardo del infante don Luis su hermano, algunas tierras en este regno, aquéllas le confirmando, dio otras muchas tierras e le dio el oficio de alférez e fizo otras grandes cosas como adelante será referido (213).

En buena medida, esos enfrentamientos entre beamonteses y agramonteses impedirán que el curso de la historia de este reino siga su desarrollo, pero, cuando menos, al heredero natural y legítimo le interesaba recordar los hechos más significativos que habían prestado identidad a un ámbito, social y político, que en él, y no en su padre, aseguraba su continuidad.

11.2.2: *Pedro de Escavias*

En ocasiones, la conciencia histórica del personaje público o político se proyecta sobre el pasado en demanda no de significaciones para iluminar su presente, sino de razones para construir la circunstancia de su propio existir. En este caso, no hay encargo oficial de monarca alguno ni tampoco el historiador ocupa un puesto que pudiera obligar a corresponder confianzas recibidas con la redacción de una crónica. Al autor lo que le mueve a involucrarse en el registro del pasado es una fuerte curiosidad y un insaciable deseo de erudición, de conocer qué hay más allá de los límites temporales de su particular vivir. Pedro de Escavias sintetiza, a la perfección, estos rasgos[87]. Su vida se colma de experiencias cortesanas sirviendo como paje a Juan II, partícipe activo del universo poemático que conduce a los grandes cancioneros; ha sido propuesto, por ello, como compilador del famoso *Cancionero de Oñate-Castañeda*, una vez ocupado su cargo de alcaide de la ciudad de Andújar, en donde se encontraría desde 1446[88]. Sus principales acciones políticas suceden en el reinado de Enrique IV, al que siempre se mantendrá leal, quizá como medio de garantizar una personal conciencia ética del poder; nunca le sedujeron las banderías ni participó en las múltiples campañas con que los nobles hostigaron a Enrique IV como medio seguro de aumentar mercedes y galardones[89].

Don Miguel Lucas de Iranzo, modelo de integridad caballeresca, anima su insobornable lealtad; Escavias lo ayudó en varias empresas contra los moros y en 1470 casaron hijos de ambos. Carriazo apuntaba a esta especial relación entre ellos para atribuir la autoría de la *Crónica* del condestable al alcaide andujareño[90], una opinión que no es com-

---

[87] Resulta fundamental la monografía de Michel Garcia, *Repertorio de Príncipes de España y Obra Poética del Alcaide Pedro de Escavias*, Jaén, Diputación Provincial-Instituto de Estudios Giennenses del C.S.I.C., 1972, por donde se cita.

[88] M. Garcia sostiene esta atribución basándose en la relación del alcaide con don Miguel Lucas, entre otras consideraciones cronológicas: «Escavias siente por el antiguo valido de Enrique IV una admiración rayante con la beatería, como lo demuestra el tono exageradamente laudativo que emplea en sus *Coplas dirigidas al condestable Miguel Lucas* o en el último capítulo de su *Repertorio de Príncipes de España*», ver *El Cancionero de Oñate-Castañeda*, ed. de Dorothy Sherman Severin, intr. de M. Garcia, Madison, H.S.M.S., 1990, pág. xxv.

[89] De hecho, cualquiera de las crónicas de Enrique IV se hace eco, necesariamente, del apoyo que M. Lucas y P. Escavias prestaban al rey en Andalucía, enfrentados a P. Girón o a las maniobras cortesanas de su hermano, J. Pacheco. Resume M. Garcia: «Escavias era, por tanto, consciente de que el Marqués de Villena y sus partidarios, a pesar de haberse reconciliado con el rey, no perdonarían a Miguel Lucas ni a él mismo su decidido apoyo a la causa de Enrique IV durante las luchas civiles anteriores», pág. xxxii.

[90] Y señala: «Para no dejar abandonado nada que pueda proporcionar otra pista, diré que Escavias no fue el único escritor de historia que anduvo cerca de Miguel Lucas. En Jaén y en su confianza (y hasta es posible que en su parentela política) vivió Fernán Mexía, caballero veinticuatro, autor del *Nobiliario vero* (Sevilla, 1492); pero éste fue uno de los traidores que conspiraron contra su vida, junto al comendador Pareja, y la Crónica lo execra como hemos visto y era justo. Pedro de Escavias, en cambio, es la estampa misma de la lealtad», Madrid, Espasa-Calpe, 1940, pág. xxvi. Para Mexía ver *HPRC*, § 5.2.3.

partida por M. Garcia[91]. Sea como fuere, la fidelidad de Escavias hacia el monarca se premia con nombramientos como el de escribano del Consejo de Andújar, decisiones del rey de no renunciar al «realengo» de la villa, hasta el nombramiento de alcalde mayor perpetuo en 1473, honor con el que Enrique IV quizá reconociera la lección moral que Escavias le dio un año antes cuando iba a desapoderarlo de la ciudad para entregársela a su privado Juan Pacheco; Valera, en el *Memorial*, reproduce el discurso con que Escavias alejaba al rey de los muros de Andújar y le hacía desistir de sus propósitos:

> «Señor rey, todo lo que Vuestra Alteza dize es a mí notorio, si lícito sea llamar rey a quien por su voluntad se faze siervo. E çierto es las leyes d'estos reinos disponen a los reyes no se nieguen las fortaleças por los alcaides, ni creo yo sea notado por desleal aviendo fielmente guardado esta fortaleça por el condestable, en tanto que los desleales a vós con muy grandes injurias vos trataban, yo sienpre guardando vuestro serviçio y el bien de la tierra, tirando muchos daños d'ella, resistiendo aquellos de quien era deservido e duramente injuriado. ¡Y aquéllos queréis que sean de vós señores, e así confirmáis e fazéis verdad todas las cosas que de vós se dizen, por que verdaderamente más mostruo o bruto animal debe ser llamado que rey!» (207).

No es de extrañar que Enrique IV, «con gran turbaçión», volviera las riendas y, sin mediar palabra, se retirara. La escena es importante, porque demuestra la catadura moral del personaje y apunta los motivos que le indujeron, hacia 1469, a «acopilar» su «breue tratado» historiográfico.

11.2.2.1: El *Repertorio de Príncipes*

El Prólogo del *Repertorio* (un título que no corresponde a Escavias) aplica los tópicos esperables al nuevo interés que la nobleza puede sentir por la construcción de un pasado histórico, ajeno a las grandes pautas marcadas por la realeza; no ha de ser sólo la corte la que garantice

[91] Entre varios argumentos con los que cierra su Introducción señala: «Añadiré que entre Escavias y el autor de los *Hechos del Condestable* existen disparidades muy evidentes de formación y de cultura», pág. cxiii.

este conocimiento de carácter cronístico; este deseo ha sido instigado por Dios en el corazón de cualquiera de los hombres; aunque se trata de un saber necesario, cuando los nobles quieren ponerlo en práctica no encuentran volúmenes adecuados ni memoria de la que fiarse; Escavias se propone remediar esta falta:

> Por tanto (...) entiendo brevemente tratar de qué gente primeramente fue España poblada e después quién e cuáles prínçipes e señores la sojuzgaron e mandaron uno enpós de otro, así como proçedieron, según que por muchos libros y estorias de los coronistas istoriadores auténticos dinos de fe lo fallé escrito, de los cuales solamente tomando y recoligendo la flor y cosas más señaladas, por que cualquier letor más libre de ofuscaçión del entendimiento ligeramente pueda saber y dar razón de los prinçipales fechos d'España y de los prínçipes d'ella (23-24).

Aun sólo como declaración, la veracidad de la historia envuelve el interés del cronista de seleccionar, de esos «libros y estorias», ejemplos morales y hechos virtuosos, propuestos no tanto para ser imitados, como para construir una imagen de «España» muy distinta a la del presente en que se encuentra Escavias; de ahí, esa petición al lector para que se libere de la «ofuscaçión del entendimiento» y sea capaz de adquirir otra imagen de la nación en la que vive.

Al fijarse como punto de partida el tiempo de la dominación romana, comprende que, para entender esos hechos, debe remontarse a sus raíces y atender a algunos de los hechos ocurridos desde la Creación del mundo; fija, entonces, una pauta que puede revelar los criterios de selección del conjunto entero:

> ...me pareçió asaz congruo anteponer algunas cosas que desde la Creaçión del mundo fasta la poblaçión de Roma pasaron, espeçialmente de las que los corrutos prínçipes con desordenado apetito y sobervioso propósito de dominar cometieron (24).

Se trasluce, en esta vertebración del contenido, el ambiente moral desde el que Escavias ordena los hechos.

La materia histórica se limita a los reinos peninsulares; ninguna noticia foránea se ordena y sólo se recogen referencias de los emperadores romanos vinculados al dominio del solar hispano; el título de *Repertorio* se debe a la práctica de capitular el contenido mediante unidades de sentido, concernientes a un suceso histórico importante o a un reinado en particular. Los ciento cuarenta y siete capítulos de que consta la obra avanzan, metódicamente, conforme al siguiente orden: 1) período de orígenes: i-xvii; 2) historia romana: xviii-xxxvi; 3) historia goda: xxxvii-lxxxi; 4) historia astur-leonesa: lxxxii-cvi; 5) historia navarra: cvii-cxi; 6) historia castellano-leonesa: cxii-cxlvii; interesa, de modo especial, este último desarrollo en el que se entreveran datos relativos a Aragón y a Portugal; el compendio concede mayor relevancia a la dinastía Trastámara, detallándose en especial el recorrido de hechos de Juan II y de Enrique IV[92].

El sistema de fuentes empleado no es muy complejo: la sección inicial toma datos del «De apologiis» del *De preconiis Hispaniae* de fray Juan Gil de Zamora, alternándose la primera crónica general de Alfonso X y la *Crónica general de 1344* en las secciones antiguas[93], hasta conectar con el tronco de la cronística real que le permite alcanzar su presente; incluye tradiciones populares y legendarias, con el conocimiento de la materia épica engastado en las crónicas, pero eficazmente aprovechado, como ocurre con el caso de la «exención de España» conseguida por el Cid de las *Mocedades:*

> Después d'esto, ovo el Çid otra batalla con todo el mayor poder de Françia e vençióles, sin que ninguna d'estas batallas el rey don Fernando ni sus gentes llegasen. E como todos ivan fuyendo delante del Çid, e llegaron las nuevas al conçilio, e suplicaron al papa que enbiase a mandar al rey don Fernando que se tornase, ca non quería su tributo. E cuando el rey don Fernando lo oyó, con consejo del Çid, enbió al papa al conde don Rodrigo e a don Álvar Áñez e algunos letrados, con los cuales le escrivió que le enbiase un cardenal con su poder bastante el enperador y rey de Françia y los otros reyes, para que podiesen otorgar e afirmar que nunca jamás tal demanda fuese a España movida so muy grandes penas e, si no lo quisiesen fazer, que él los iría todavía a buscar, e que no se partería de allende de Tolosa fasta saber su respuesta (191).

---

92 Pondera M. Garcia: «La historia de la Reconquista se extiende, por lo tanto, a 112 folios, es decir, las 3/4 partes del total, y los reinados de Juan II y Enrique IV, ellos solos ocupan 20 folios, o sea, 1/7 del conjunto», pág. liii.

93 No es dable saber si Escavias consultó directamente los textos del Tudense o del Toledano, aunque sean éstos los dos únicos historiadores mencionados, puesto que esas referencias se encuentran también en la *Crónica general;* M. Garcia, págs. lxvi-lxviii.

Parece que el *Repertorio* se construyó en dos períodos: entre 1467 y 1470 se redactaría toda la obra hasta Juan II, añadiéndose el último capítulo, dedicado a Enrique IV, a principios de 1475. La lealtad de Escavias hacia el rey se mantiene en todo momento incólume; destaca, en este sentido, la semblanza de Enrique IV con que se cierra la crónica; no hay en él ni una queja ni una invectiva, sino continuas justificaciones a su comportamiento:

> Fue muy dulze y benino a sus criados, y aquéllos que çerca d'él partiçipavan, a muchos de pequeños fizo y puso en grandes estados, así en lo seglar como en lo eclesiástico. Aunque con algunos no tubo buena dicha, casi todos los que fizo grandes de pequeños estados le salieran gratos y conoçidos, aunque todo el restante se levantara contra él, no lo pudieran enpezer: nunca a ninguno quitó cosa que le diese, ni jamás la repitió, ni çaherió franqueo y previllegio, muchas çibdades de sus reinos quitándoles y relaxándoles sus pechos y tributos porque le sirvieron bien y lealmente en sus trabajos y neçesidades, espeçialmente a las çibdades de Andújar y Jahén. No era vendicativo, antes perdonava de buena voluntad los yerros y desserviçios que le fazían. Muchos cavalleros y escuderos de sus reinos, en sus guardas, de pobres se fizieron ricos con los grandes sueldos y acostamientos que les dava (369).

El retrato se ajusta al fijado por D. Enríquez del Castillo y al valor que el rey concedía a este alcaide de Andújar. En 1473, Enrique IV prometió nombrarle conde de la Figuera, pero la sublevación andaluza de ese año dio al traste con sus buenas esperanzas, amén de ocurrir el asesinato de Miguel Lucas de Iranzo, señalado como punto de partida para la destrucción del reino entero:

> En tal manera se iva ençendiendo esto de lugar en lugar qu'estubo la cosa en gran peligro de condir todo el reino, y en muchos lugares rezibieron gran daño y lo rezibieran mayor, si no fueran rezibidos y anparados en algunos alcáçares y fortalezas (368).

Importante, pues, este *Repertorio,* conservado en el escurialense X-ii-1, y ejemplo magnífico del modo en que la nobleza se apropia de las imágenes de la historia, de una manera muy similar a como lo había hecho ya don Juan Manuel en su *Crónica abreviada.*

11.2.3: *Don Lope García de Salazar*

Si a Escavias, la composición de su crónica le permitió trasladarse a un pasado de más digna memoria que el presente, a este vizcaíno, apodado «El Sabio», soldado fiel de Juan II, no le quedó otro consuelo que la redacción de su portentoso compendio, cuando su hijo, don Juan de Salazar, «El Moro», lo encerró de por vida en su Casa-Torre de San Martín de Muntañones, en donde murió en 1476. Había nacido en 1399 y buena parte de su vida había sido absorbida por los continuos litigios de bandos vizcaínos, enfrentado primero a la familia de los Marroquines[94], después a la institución de la realeza[95], por último a los miembros de su misma familia, al alzarse el primogénito contra su decisión de transmitir el mayorazgo familiar a la línea representada por el segundogénito, Lope de Salazar; también fue abandonado por su mujer[96] antes de ser encerrado en la casa de San Martín y trasladado, por sus intentos de fuga, a la torre de Salazar de Portugalete, en donde sería envenenado con yerbas, junto a una hija bastarda de doce años.

---

[94] Señala Luis Suárez sobre este proceso social: «De este modo, se habían venido formando las complejas parentelas que, en la época de Enrique IV, eran sinónimas de banderías. Cada linaje se definía a sí mismo por el lugar en donde se hallaban, sólidas, las raíces de su estirpe, en un apego a la tierra que impedía el desarrollo de la modernidad. Tenía a su frente un jefe de guerra, custodio del patrimonio común y de la sangre, que era conocido como Pariente mayor; no siempre se trataba del agnado de más edad», *Enrique IV*, pág. 179. Ver José A. Marín Paredes, *«Semejante Pariente Mayor». Parentesco, solar, comunidad y linaje en la institución de un Pariente Mayor en Guipúzkoa: los señores del solar de Oñaz y Loyola (siglos XIV-XVI)*, Donostia, Diputación Foral de Guipuzkoa, 1998.

[95] En 1451 se opuso al nombramiento de corregidor en Vizcaya dictado por Juan II y años después Enrique IV lo desterró, junto a otros cabecillas de clanes vizcaínos, por su continua rebeldía contra la corte.

[96] Resume Consuelo Villacorta: «La causa de esta rivalidad fue de índole privada. Al parecer, Lope García de Salazar en un alarde de promiscuidad senil, pues rondaba los setenta años, llegó a convivir hasta con siete mancebas a la vez, a las que tenía hospedadas en el domicilio conyugal», ver su ed. de Lope García de Salazar, *Libro XI de la «Istoria de las Bienandanzas e Fortunas»*, Universidad del País Vasco, 1999, pág. XV.

11.2.3.1: La *Crónica de Vizcaya*

La serie continua de guerras en que estuvo sumido el clan de los Salazar, con unos derechos defendidos enérgicamente por don Lope[97], le movieron a redactar una suerte de crónica general y linajística del territorio vizcaíno, terminada en febrero de 1454, con una precisa finalidad:

> E por ende yo, Lope García de Salasar, aviendo voluntad que los que deciendèn de los dichos linajes suso contenidos sopiesen dónde fueron levantados e cómo sucedieron de unos en otros, e por que la luenga antigüedad non les cayesse en olvido, cuanto más que bienen antiguamente de tan noble sangre e limpia de los reyes e señores, donde estos linajes susodichos venimos. E otrosí, porque cada cuáles sea necessario puedan dar rasón de sus linajes, acordé de poner en escripto todo aquello, que de los dichos reyes e señores e linajes susodichos yo pueda fallar por todas las corónicas de España (33-34)[98].

Al menos en este señorío de Vizcaya no parece cierta la desidia que por los linajes, en torno a estas fechas, denunciara Fernán Pérez de Guzmán en sus *Generaciones;* aquí sucede lo contrario: se trata de preservar una memoria que permita afirmar unos derechos territoriales, junto a unos usos y costumbres de los que depende el mantenimiento de una identidad, no tanto colectiva como familiar[99]; parece claro, así, que quien era capaz de anudar todo ese orden cronístico de relaciones podría, también, situarse por encima del mismo y ostentar un dominio, cuando menos historiográfico, sobre esa realidad social, preservada por

---

97 Ver J.R. Díaz de Durana Ortiz de Urbina, «Sobre la justificación del poder nobiliario e hidalgo en la obra cronística del canciller Pedro López de Ayala y Lope García de Salazar», en *El poder en España y América: mitos, tópicos y realidades*, ed. Ernesto García Fernández, Bilbao, Univ. del País Vasco, 2002, págs. 69-94.

98 Se cita por la ed. de Sabino Aguirre Gandarias, *Las dos primeras crónicas de Vizcaya*, Bilbao, Caja de Ahorros, 1986, que incluye unos *Anales breves de Vizcaya.* De los trece testimonios que se conocen sigue el más antiguo, el ms. II-1772 de la Biblioteca de Palacio.

99 Sobre todo, si se tiene en cuenta que dos años antes había fundado el mayorazgo familiar a favor de don Lope, su segundo hijo. Ver Arsenio Dacosta, *Los linajes de Bizkaia en la Edad Media: poder, parentesco y conflicto*, Bilbao, Univ. del País Vasco, 2003.

la escritura[100], pero transmitida por cauces oralistas de los que da testimonio por la importancia que concedió a la trama legendaria para la compilación de estas noticias:

> ...e otrosí por dichos e oídas de algunos omes ançianos que bieron e oyeron, e fueron quedando en memoria de unos en otros, e por todas las otras maneras que lo yo pueda conponer (34).

De este modo, en el amplio soporte que presta la primera crónica general y el tronco de la cronística real, se van insertando noticias legendarias, que constituyen las versiones más antiguas, recogidas por escrito, de muchos de los mitos fundacionales de la cultura vasca, como la llegada a Mundaca, tras una noche de tormenta o fugitiva, de una hija legítima del rey de Escocia:

> E que estando allí que durmió con ella en sueñas un diablo, que llaman en Viscaya el Culuebro, Señor de la Casa, e qu'él empreñó. E pero d'estas dos cosas no se sabe cuál d'ellas fue más cierta, pero como quiera que fue, la infanta fue preñada, e parió un fijo que fue ome mucho fermoso e de buen cuerpo, e llamáronle don Çuria, que quiere desir en bascuence don Blanco (35)[101].

En otras ocasiones, se trata de memoriales vinculados a una determinada familia, como es el caso del *Libro del linaje de los señores de Ayala* compuesto por Fernán Pérez de Ayala y que presta las noticias necesarias para el título que dedica a tales «señores».

Trata en los dos primeros títulos del linaje de los Haro y Lara, vinculados en el tercero a los Castro por la circunstancia de haber sido los tres feudatarios del rey de Castilla; consagra el título cuarto a los Salcedo, señores de Ayala, una de sus raíces familiares; lo mismo ocurre en el quinto y en el sexto, dedicados a los Marroquines y Muñatones, con los que alcanza el matrimonio de sus padres, y a los Calderones de Nograro; el séptimo título se refiere al linaje paterno de Zamudio, incluyendo su matrimonio y conflictiva descendencia:

---

[100] Como afirma S. Aguirre, «para Lope García de Salazar la concepción histórica de Vizcaya es la del pariente mayor, quien la ve conducida bajo la dirección de sus señores y de los demás linajes de sangre, enzarzados en sus luchas de influencia, y ejes maestros que forman la trama del pasado y presente de su tierra», pág. 27.

[101] Ver Jon Juaristi, *La leyenda de Jaun Zuría*, Bilbao, Caja de Ahorros Vizcaína, 1978.

> Este Lope García de Salasar e doña Joana Ibañes de Butrón casaron en uno en el año del Señor de mill e CCCC e XXV años, cuando cunplía el dicho Lope García XXV años de su nascimiento e la dicha doña Juana Ibañes XVIII años. Este Lope García, seyendo con esta doña Joana Ibañes, fiso la casa de Sant Martín con todos sus edificios, e derribó todo lo primero, e fiso a medida de su altor las puertas que son en la sala de la torre mayor, por donde salen a las salas de fuera, por que los que d'él venieren sepan el altor que era su cuerpo (89).

Lo que no sabía entonces es que, en esta torre, iba a ser encerrado por su primogénito.

11.2.3.2: La *Istoria de las bienandanzas e fortunas*

La cultura historiográfica de este banderizo fue notable, pero aún más su sostenida afición —muy similar a la de cualquier erudito del cuatrocientos— a conocer los hechos del pasado tal y como declara en el prólogo de la *Istoria*[102]:

> E porque yo, Lope García de Salazar, (...) oviendo mucho a voluntad de saber e de oír de los tales fechos desde mi mocedad fasta aquí, me trabajé de aver los libros e estorias de los fechos del mundo, faziéndolos buscar por las provincias e casas de los reyes e prín-

---

102 El libro ha sido editado por Ángel Rodríguez Herrero en cuatro volúmenes: Bilbao, Diputación Provincial de Vizcaya, 1967 y Bilbao, Diputación Foral de Vizcaya, 1984; como memoria de licenciatura lo ha sido también por Ana María Marín Sánchez, *Istoria de las bienandanças e fortunas (Ms. 9-10-2/2100 R.A.H.)*, Zaragoza, Universidad, 1992 (con ed. electrónica en Lemir: http://parnaseo.uv.es/Lemir/Textos/bienandanzas/Libros). Como tesis doctoral ha fijado una edición crítica Consuelo Villacorta Macho, adelantados los criterios en «Para una nueva edición del *Libro de las Bienandanzas e Fortunas*, de Lope García de Salazar», en *La Lucha de Bandos en el País Vasco: de los Parientes Mayores a la Hidalguía Universal. Guipúzcoa, de los bandos a la Provincia (siglos XIV a XVI)*, ed. de José Ramón Díaz de Durana Ortiz de Urbina, Vitoria, Univ. del País Vasco, 1998, págs. 97-119; a Villacorta se debe § 109.2 de *Diccionario Filológico*, págs. 827-832. Básicamente, los editores han tomado como base el Códice de Mieres, copia encargada por Ochoa de Salazar, el nieto del autor. Tras la filiación de treinta y nueve mss., C. Villacorta ha procedido a una clasificación de los mismos en cuatro grupos, dando cuenta de la dificultad que supone trabajar con testimonios que, en la mayor parte de los casos, no conservan la totalidad de la obra; recuérdese que había editado previamente el *Libro XI* de esta producción (ver n. 96 de pág. 3546).

cipes cristianos, de allende la mar e de aquende, por mis despensas, con mercaderes e mareantes, e por mí mesmo a esta parte. E a plazer de nuestro Señor alcançé de todos ellos lo que obe en memoria, por lo cual de todos ellos e de la memoria de los antepasados, e de las oídas e vistas mías, e obrando sobre mí la Fortuna, estando preso en la mi casa de Sant Martín (...) esperando la misericordia de Dios e por quitar pensamiento e imaginaçión, conponí este libro e escribílo de mi mano. E començélo en el mes de jullio del año del Señor de mill e cuatroçientos e setenta e un años (12)[103].

Es excepcional la declaración de una actitud intelectual de esta naturaleza, comparable a la de un Fernández de Heredia o un López de Mendoza, sobre todo por esa preocupación por allegar libros, rastreándolos y adquiriéndolos por procedimientos muy diversos[104]. De este modo, los límites argumentales de esta recopilación los marca su curiosidad y ésta se extiende en todas direcciones, elaborando además su relato con testimonios de obras hoy perdidas o con relatos orales que hasta él habían llegado. En la *Istoria* se acumulan, entonces, informaciones de carácter universal (las de la *General estoria,* complementadas las referencias bíblicas[105]) que atienden, sobre manera, a materias literarias como la troyana[106], la artúrica[107] o la carolingia[108] con mención de personajes heroicos del estilo de Godofredo de Bullón, lo que le da pie

[103] Se usa la ed. de Á. Rodríguez Herrero (1984).

[104] Ver G. Avenoza, «Algunos libros de la biblioteca de Lope García de Salazar», *RFE*, 83:1-2 (2003), págs. 5-37, más «Leer libros para escribir libros: sobre la biblioteca de Lope García de Salazar», *Actas IX Congreso AHLM*, I, págs. 373-402.

[105] G. Avenoza: «Una lectura atenta revela que empleó no sólo una Biblia romance, tal vez incluso un comentario hebreo de la Biblia en castellano o al menos una biblia con glosas rabínicas, también el *Yosifón*, las *Sumas de Leomarte* cuya presencia ya se había señalado desde antiguo, el *Libro de Buen amor*, el *Libro del Infante*, el *Tresor* de Bruneto Latini, la *General estoria,* como ya se ha dicho, y no sabemos hasta qué punto unas *Historias o corónicas de los Macabeos*», «Leer libros para escribir libros», pág. 377.

[106] Son los Libros III y IV del conjunto; ver A.Mª Marín Sánchez, «Otra fuente de las *Bienandanzas e fortunas* de Lope García de Salazar: las epístolas de Troilo y Briseida de Rodríguez del Padrón», en *Actas V Congreso AHLM*, III, págs. 193-211.

[107] Antes de la monografía dedicada al *Libro XI* por C. Villacorta, Harvey L. Sharrer había valorado este conjunto en un importante estudio: *The Legendary History of Britain in Lope García de Salazar's «Libro de las bienandanzas e fortunas»*, Filadelfia, University of Pennsylvania Press, 1979.

[108] Como ha demostrado, también, H.L. Sharrer, «The Spanish Prosifications of the *Mocedades de Carlomagno*», en *Hispanic Medieval Studies in Honor of Samuel G. Armistead,* eds. E.M. Gerli y H.L. Sharrer, Madison, H.S.M.S., 1992, págs. 273-282.

para incluir la Conquista de Ultramar. Los «fechos de España», al igual que su prólogo, proceden de la primera crónica general, actualizados, como es lógico en el siglo XV, con *Crónica de 1344* y, para los hechos coetáneos, con las crónicas de cada reinado (y de alguna forma tuvo que hacerse, puesto que la menciona, con una historia sobre Juan II).

El empeño es extraordinario y los veinticinco libros que compila la convierten en una de las más ambiciosas crónicas de los siglos medios, comparable a los proyectos de Fernández de Heredia y del propio Alfonso X (bien que éstos contaban con «talleres» y letrados diversos). La estructura de la obra parece además reflejar una meditada ordenación: los doce primeros libros sintetizan las noticias universalistas, referidas tanto a la Antigüedad clásica como a la construcción de los núcleos políticos occidentales; los siete libros siguientes se dedican a las noticias generales de España[109] y los seis últimos a los episodios localistas de Vizcaya; por supuesto, estos seis libros contienen los sucesos más jugosos, al verse involucrado, en buena parte de esas noticias, el propio cronista[110]. Son también notables las versiones recogidas sobre materiales épicos; ofrecen variantes que revelan la pervivencia de tradiciones orales hasta esa segunda mitad del siglo XV: así ocurre con la batalla de Roncesvalles[111], Siete Infantes de Lara[112], la Condesa Traidora[113] o las *Mocedades de Rodrigo*[114].

---

109 Conforme al esquema alfonsí: señoríos romano, godo y árabe, frenado por la batalla de Roncesvalles y la construcción de la monarquía astur-leonesa y la creación de los reinos de Castilla, Navarra, Aragón y Portugal, con noticias que se extienden hasta un presente en el que él ha participado.

110 Resume C. Villacorta: «Los seis últimos libros han sido especialmente alabados por la crítica, que los ha considerado los más originales por narrar los sucesos vividos por el propio Lope. En ellos trata del origen de los más destacados linajes del País Vasco, de la fundación de sus solares y de las guerras fratricidas que durante la Baja Edad Media agitaron el territorio del norte peninsular», *Libro XI*, pág. xvi.

111 Ver Jules Horrent, «Le récit de la bataille de Roncesvaux dans le *Libro de bienandanzas y fortunas* de Lope García de Salazar», *Revue Belge de Philologie et d'Histoire*, 28 (1950), págs. 967-992.

112 Ramón Menéndez Pidal, *La Leyenda de los Siete Infantes de Lara* [1898], Madrid, Espasa-Calpe, 1971, págs. 345-355, más Salvatore Luongo, «Fra tradizione e innovazione: la leggenda degli Infanti di Lara nel compendio di Lope García de Salazar», *MR*, 20:2 (1996), págs. 209-231.

113 Tal y como ha puesto de manifiesto Mercedes Vaquero, en *Tradiciones Orales en la Historiografía de Fines de la Edad Media*, Madison, H.S.M.S., 1990, analizando expresamente esta historia tal y como la relata García de Salazar, págs. 23-28.

114 Ver Samuel G. Armistead, «Las *Mocedades de Rodrigo* según Lope García de Salazar», *R*, 94 (1973), págs. 303-319.

La libertad con que se combinan relatos y fuentes se pone, sobre todo, de manifiesto en el tratamiento que recibe la materia artúrica, complementada una versión de la *Post-Vulgata* con poemas franceses como el de *La Vengeance Nostre Seigneur;* para que se aprecien sus técnicas de abreviación puede verse el modo en que refiere el engendramiento de Merlín (§ 7.3.4.3.2):

> En el reino de la isla de Inguelaterra, en una tierra que se llama Tierra Forana, dormió un diablo que se llama Inquíbides con una donzella que fazía santa vida. Ovo poder de la engañar porque con saña de palabras desonestas que una mala muger, su hermana, le dixo, olvidósele de se santiguar en dormiendo. Como despertó, salióse corronpida e confesólo a su confesor porque ella no sopo si era diablo o omne. Salió preñada e, porque en aquel tienpo era costunbre que muger que adulterio feziese, si no fuese mundaria pública, que la matasen por ello, como se sopo su preñez, fue luego tomada de la justiçia e puesta a juizio ante los alcaldes (ed. CV, 14; ed. HS, 58-59)[115].

Por otra parte, se dan noticias cuya procedencia no puede localizarse en una fuente escrita y es preciso suponer el conocimiento de tradiciones orales, vivas aún en la franja costera del Cantábrico; así sucede con la sustitución de la isla de Avalón por la de Brasil como morada a la que es llevado Arturo tras la batalla de Camlann (aquí de Saravarre, 'Salisbury'):

> E dízese por este rey Artur, e aún así lo dizen los ingleses agora, que lo levó Margaina, su hermana, a la isla de Brasil, que es a .xxv. leguas del cabo de Longaneas, que es en Erlanda, e que encantó aquella isla que la no puede fallar ningund nabío, ca ella era mucho sabia de encantamentos que le mostró Merlín, cuidándola aver por enamorada, e que están allí vibos amos. E d'ellos ser bibos no es cosa de creer, pero d'esta isla ser allí no ay duda e de ser encantada, ca todos los mareantes la fallan en las cartas por donde se guían (...) E dizen los ingleses que aquella isla puede ser fallada si el nabío puede ver la isla ante que la isla al nabío; que una nao de Bríscol la falló una alborada e que, no sopiendo que era ella, cargó allí mucha leña para el fuego, que era todo de brasil, que lo traxo a su dueño,

---

[115] La abreviatura CV remite a la ed. de C. Villacorta (ver n. 96) y la de HS a la monografía de H.L. Sharrer (ver n. 107).

e conoçiéndolo, que enrequeçió mucho e que fue él e otros en busca d'ella e que no la podieron fallar (ed. CV, 29; ed. HS, 72-73).

García de Salazar, como cualquier historiador, duda de la verosimilitud de los materiales legendarios, pero no de las informaciones que esos «ingleses» le han podido referir —y recuérdese un caso similar en *El Victorial*: § 10.3.2.4.1, págs. 2363-2364— sobre un fenómeno que merece ser incluido en la crónica por su interés[116].

Como se comprueba son muchos, y no sólo los linajísticos, los motivos que orientan a García de Salazar a acometer esta empresa cronística; sirven, además, para mostrar el modo en que la historia puede servir de consuelo, como en otros tiempos lo fuera la filosofía[117]:

> E porque en él se fallarán muchas bienandanças e acreçentamientos d'estados que los prínçipes e gentes menudas de las cuatro generaçiones, que son gentiles e judíos e cristianos e moros, obieron, en que con ellos bisquieron en honra e a su plazer, otrosí, ovo muchos d'ellos que con fortunas decayeron e feneçieron sus vidas miserablemente en mucho dolor en trabaxo e angustia, otrosí, porque yo la fise e escribí aconpañándome la dicha fortuna, su nombre derecho deve ser *Libro de las bienandanças e fortunas* (12-13).

No sólo en sus manos la historia se particulariza, sino que llega hasta el extremo de individualizarse, encarnándose en la conducta del propio historiador.

11.2.4: *Rodrigo Sánchez de Arévalo*

Con todo, la labor historiográfica más importante la desarrolla Rodrigo Sánchez de Arévalo, si bien desde la lejanía de la curia romana donde sus buenos servicios lo mantuvieron retenido por tres papas (des-

---

[116] Y lo mismo sucede con la «Leyenda de la doncella de las manos cortadas», tal y como han estudiado R. Beltrán (ver n. 271 de pág. 2385) y Juan Carlos Busto Cortina, «La historia de la doncella de las manos cortadas (AT-706: *The Maiden without hands*) entre la tradición oriental y occidental», *Corona spicea in memoriam Cristóbal Rodríguez Alonso*, Oviedo, Universidad, 1999, págs. 383-416.

[117] Harvey L. Sharrer ha estudiado, también, «El relato de Aristóteles cabalgando según la *Bienandanzas e fortunas* de Lope García de Salazar», en *Studia Hispanica Medievalia*, págs. 131-136.

de 1456 en que Enrique IV lo comisionó como embajador hasta 1470, año en el que ocupaba el puesto de alcaide del castillo de Santángelo). Vio premiados sus desvelos con las diócesis de Oviedo, Zamora, Calahorra y Palencia, sin que llegara a ocupar ninguna de ellas. Su actividad letrada comienza a mediados de siglo, siendo sus primeras obras tratados de doctrina conciliar o manuales de educación, como el *Vergel de los príncipes,* dedicado a Enrique IV (ver § 11.4.2.2). En esta línea, se encuentra una de sus obras más editadas, el *Speculum vitae humanae,* impreso en la temprana fecha de 1468 y, ya en romance, en 1491 *(HPRC,* § 8.3.2). También, poco antes de morir, tuvo que ver publicada su *Compendiosa Historia Hispanica*[118], de la que conviene señalar sus principales rasgos de modo sintético, puesto que se trata de uno de los productos historiográficos en que mejor se afirman el poder y el prestigio del rey castellano[119].

11.2.4.1: La *Compendiosa Historia Hispanica*

La columna vertebral del pensamiento de Arévalo la constituye la conversión del aristotelismo en argumentos de defensa del poder papal[120]; ésta es la razón de su larga permanencia en la corte romana y la base de sus *orationes,* de la *Suma política* (§ 11.4.2.1) y de la descripción de este oficio eclesiástico en el *Speculum (HPRC,* § 8.3.2.3) entre otros textos. Pero la lejanía de Castilla y el escaso conocimiento que de su realidad se tiene en Italia le van a mover a emprender la redacción de la *Compendiosa,* en la línea ya planteada por el obispo de Burgos en el concilio basiliense (recuérdense págs. 2624-2627)[121]. La postura de Aré-

---

118 Aparece en Roma, Udalricus Gallus, [no después del 4 de octubre de 1470]; me sirvo del BN Madrid Inc 1167.

119 Tal es la perspectiva de estudio seguida por Luis Fernández Gallardo, en «La *Historia Hispanica* de Rodrigo Sánchez de Arévalo. Propaganda enriqueña y actitudes antihumanísticas», en *Anthologica Annua* (Roma), 48 (2000-2001), págs. 187-249.

120 Como ha demostrado F. Elías de Tejada: «Lo que fue programa en el príncipe de Viana, realismo mediterráneo en Francesc Eiximenis, empresa ingente en Alfonso de Madrigal o en Pedro de Castrovol, crítica sistemática en Pedro Martínez de Osma y en Fernando de Roa, es aquí arma de combate en la pugna ideológica del papado contra sus viejos y nuevos enemigos», *Historia de la literatura política en las Españas,* II, pág. 278. Se traza un apunte biográfico de Arévalo en § 11.4.2, pág. 3607.

121 Amén de servirse del *Valerio* de Almela *(HPRC,* § 3.1.1), que tuvo que estar terminado hacia 1467; ver la ed. facsímil preparada por J. Torres Fontes, *Valerio de las estorias escolásticas e de España*, Murcia, Real Academia de Alfonso X el Sabio, 1994, pág. xix.

valo es la misma que la del obispo de Burgos: ambos se duelen del desprecio que los occidentales sienten por el reino castellano[122] y procuran poner las cosas en su sitio[123]; recuérdese que, para ello, Cartagena delineará unos sutiles anales, entre linajísticos y mitológicos, a fin de demostrar la preeminencia de Castilla sobre los otros reinos europeos[124]; su discípulo, Arévalo, no irá tan lejos, bien porque los Bruni, Valla, Decembrio o Bracciolini pusieran freno a cualquier expansión imaginativa, bien porque su rigor moral le mueve, precisamente, a plantear posiciones casi contrarias a las de don Alfonso: sin renunciar a las tradiciones legendarias o poéticas[125], Arévalo lo que pretende es poner orden en la tradición historiográfica anterior a él, al menos en la erudita, es decir en la compuesta por San Isidoro, el Toledano y el Tudense[126].

En consecuencia, la *Compendiosa* adopta como principal modelo la *Historia Gothica* del Toledano, para revisarla, corregir sus errores y completarla en la medida de sus lecturas, siempre copiosas, a tenor de los autores que declara; en esto, como siempre, puede haber muchas referencias indirectas, y Tate ha demostrado que Tolomeo, Mela y Plinio, por ejemplo, son sólo nombres sin citas, en cambio, Estrabón, Polibio y Herodoto (traducidos hacía poco al latín) sí que eran conocidos por Arévalo.

---

122 «Falluntur plurimum qui Hispaniarum laudes, patriae situm, gentis religionem et cultum atque virtutes, et studia bellorum quoque victorias, aut nolunt aut scire negligunt», 14*r*.

123 Tate ha insistido en este aspecto que hermana a estos dos autores: «mientras se coloca a Italia en el centro de Europa, España es relegada al margen. El eco literal de estas observaciones en la dedicatoria de la *Compendiosa* da una visión bastante clara de las causas inmediatas de su composición y revela al mismo tiempo la comunidad de espíritu entre los dos castellanos», «Rodrigo Sánchez de Arévalo (1404-1470) y su *Compendiosa Historia Hispanica*», *Ensayos sobre la historiografía peninsular del siglo XV*, págs. 74-104; pág. 81.

124 Ver José Antonio Caballero López, «Desde el mito a la historia», en *Memoria, mito y realidad en la historia medieval. XIII Semana de Estudios Medievales (Nájera, 2002)*, ed. José Ignacio de la Iglesia Duarte, Logroño, Gobierno de la Rioja-Instituto de Estudios Riojanos, 2003, págs. 33-60.

125 Ver Helena de Carlos Villamarín, «Mitos fundacionales de la Península Ibérica: entre la historiografía medieval y la del temprano Humanismo», en *Ev*, 23 (1995), págs. 247-258.

126 «Así, en lugar de un corto capítulo como en la *Anacephaleosis*, Arévalo consagra seis a los diversos aspectos de la topografía y de la geografía histórica española», apunta Tate en sus *Ensayos*, pág. 83.

El diseño de la *Compendiosa* divide la materia argumental en cuatro partes. En la primera sección, Arévalo actualiza los tópicos al uso sobre los orígenes de Castilla, dedicando un especial interés a las informaciones geográficas, topográficas e, incluso, económicas (agricultura, minería y actividades de expansión comercial como la ganadera merecen su comentario). Las dos secciones siguientes revisan la obra del Toledano, ocupándose de la misma trama temporal: la segunda desde la llegada de los godos hasta la «calamitosa clades Hispaniae» (16*v*), avanzando la tercera de Pelayo a Fernando III; en su pluma, el goticismo es un reflejo del espíritu político hispánico perfectamente defendible, incluso en Italia. La cuarta parte se dedica al período que lleva de Alfonso X hasta su tiempo, incluyendo, por tanto, a Enrique IV; quizá para conocer el pensamiento social y moral de Arévalo esta última sección sea la más peculiar; no hay que olvidar que detrás de la *Compendiosa* late el deseo de fijar una doctrina de organización política y de definir un arte universal de gobierno; esta intención es la que le exige examinar cada reinado y cada monarca como *exempla* de sus demostraciones: de Alfonso X no duda en criticar su desmedida ambición intelectual y la aventura del «fecho del Imperio», pecados que pagó con la muerte de su primogénito y el alzamiento de Sancho IV[127]; pocos autores han usado de un providencialismo tan apocalíptico como Arévalo, para quien toda guerra era buena puesto que constituía un eficaz medio de conseguir la paz, del mismo modo que todo rey injusto era consecuencia de un castigo divino y no humano y debía de ser soportado, por ello, con paciencia por el pueblo, sin que a éste le cumpliera rebelarse en ningún momento. Con estos datos, puede comprenderse la desolada visión con que Arévalo observa la historia reciente: la muerte de Pedro el Cruel la pagaron bien cara los primeros Trastámara[128] y el trágico fin de don Álvaro de Luna demuestra, con rotundidad, los peligros del desmedido poder y del debilitamiento de la monarquía; por contra, con la coherencia de su producción anterior, describe con respeto afectuoso a Enrique IV, al que convierte en modelo de virtu-

---

[127] Véase sólo el enunciado de IV.v: «Quare iste Alfonsus .X. dictus est astrologus, et quomodo de sensu suo presumens, opera Dei dixit melius fieri posse, et qualiter fuit divinitus correptus de tanta arrogantia, et de infortunis et incomodis quae ex ea causa passus est, et de ceteris incidenciis tenpore suo», 90*r*.

[128] Así lo enuncia en IV.xix: «De Henrico .II. rege Castelle et Legionis et de calamitatibus quas passus est post interfectionem fratris et qualiter predicta fratricidia Petri et sua in eis et eorum posteritate punita creduntur», 91*r*.

des, tal como apuntara ya en la dedicatoria del *Vergel*[129]; procede recordar que la obra la escribe en Italia y que cumple una clara función propagandística de la monarquía hispánica.

A pesar de su redacción en latín, Arévalo no desdeña la inclusión de tradiciones orales. El romancero hostil al rey don Pedro lo conocía a la perfección, al igual que curiosas consejas o relatos, que ridiculizaban su figura (acusándolo, sin ir más lejos, de homosexual). Por esto, la *Crónica de 1344* le atrae en muchos pasajes; admira la férrea defensa de la autoridad real que en esa compilación se formula y gusta de su rico anecdotario.

Lo singular, por tanto, de la *Compendiosa* no es sólo el hecho de corregir viejas patrañas sobre los orígenes del pueblo hispánico, sino ese claro deseo de definir la identidad de una nación de la que él se sentía muy orgulloso.

11.3: Las biografías cronísticas

Conforme al modelo del *Victorial*, en la segunda mitad del siglo XV se redactan relatos biográficos, a medio camino entre la historiografía y la narración caballeresca[130]; se pretende, en ellos, justificar la vida y los comportamientos de unos personajes enfrentados a un tiempo histórico, en el que se han visto obligados a adoptar una serie de posturas comprometidas, que precisan ser explicadas y, en consecuencia, enmarcadas en las circunstancias que las propiciaron[131]. No se trata de compendios linajísticos, pues no se hace desglose alguno de relaciones genealógicas, ni de tratados de afirmación nobiliaria. Uno de ellos, el

---

129 J. Puyol es implacable: «De esto se desprende que el autor que nos ocupa, pese a la fama de que gozó entre sus coetáneos, era uno de esos seres que bajo la capa de sabio encubren un perfecto vividor y de los cuales nunca han faltado, ni faltan hoy, curiosísimos ejemplares, porque, en efecto, tenía más de cortesano que de sabio», «Los cronistas de Enrique IV. II», *BRAH*, 18 (1921), págs. 488-496, pág. 494.

130 Cabría, por supuesto, el término de «crónica particular» para referirse a producciones que en conjunto manifiestan rasgos comunes como he señalado en «La crónica particular como género literario», *Actas III Congreso AHLM*, págs. 419-427. Ver, también, la bibliografía monográfica de este modelo cronístico elaborada por C. Soriano (n. 135 de pág. 3563).

131 Se trata, en síntesis, de definir las nuevas concepciones de la nobleza trastámara como ha planteado Jean-Pierre Jardin, «Voix et échos du monde nobiliaire dans l'historiographie trastamare», *CLCHM*, 25 (2002), págs. 195-209.

dedicado a don Miguel Lucas tuvo que ser promovido por el propio interesado; el otro, consagrado al arzobispo Carrillo, se plantea como una exégesis de un poema laudatorio; en cualquiera de los casos, ambos productos afirman también el orden cultural que han sabido crear en torno a sí estas figuras históricas.

11.3.1: *Los «Hechos del Condestable don Miguel Lucas de Iranzo»*

No perdonó Juan Pacheco el ascenso ni de don Miguel Lucas ni de don Beltrán de la Cueva, ambos «criados» de Enrique IV, los dos de bajo linaje como él mismo, que escaparon a su control y que supusieron, en distintos momentos, una amenaza a la consecución de su principal apetencia política, el cargo de Maestre de Santiago. En efecto, don Miguel Lucas de Iranzo, que fue traído a la corte por el propio Pacheco, era nombrado, poco antes de morir Juan II, halconero mayor y corregidor de Baeza; Enrique IV pensaba en él para que se hiciera cargo de la Orden de Santiago, a fin de vincularla a la realeza, desatendiendo de este modo la disposición testamentaria de Juan II que la había entregado a su hijo Alfonso y contraviniendo, sobre todo, el deseo del Marqués de Villena de hacerse con el Maestrazgo; recuérdese que, al final, lo acabaría obteniendo el acomodaticio don Beltrán de la Cueva, como revancha política por la humillación de las vistas de Bidasoa, pero éste no dudó en trocar cargo tan peligroso por el título de duque de Alburquerque con tal de poder mantener su presencia junto al rey. Pensaba de otro modo don Miguel Lucas, que prefirió encastillarse en Jaén antes que sufrir las intrigas y asechanzas cortesanas, una vez obtenida la condestablía del reino, en una de las ceremonias iniciales con que D. Enríquez del Castillo *(Crónica,* xvi) se afanaba por describir la diligencia con que Enrique IV administraba el reino: así, hacía coincidir el nombramiento de don Gómez de Cáceres como maestre de Alcántara, de don Juan de Valenzuela como prior sanjuanista, de don Beltrán como mayordomo mayor del reino y de don Miguel Lucas como Condestable[132].

---

[132] Amén de las páginas iniciales de la introducción de Juan de Mata Carriazo a su ed. de *Hechos del Condestable don Miguel Lucas de Iranzo (Crónica del siglo XV)*, Madrid, Espasa-Calpe, 1940, por donde se cita con las siglas ed. JMC, puede verse Enrique Toral Peñaranda, *Estudio sobre Jaén y el Condestable don Miguel Lucas de Iranzo*, Jaén, Instituto de

11.3.1.1: El personaje histórico: las relaciones de poder

Miguel Lucas había sido nombrado caballero en junio de 1455, en una de las primeras incursiones por la Vega de Granada. Había participado en los tratos que propiciaron la venida a Castilla de doña Juana de Portugal. Contaba, entonces, con el apoyo del obispo Barrientos y del duque de Medinasidonia que confiaban en su ascendencia junto al monarca para frenar las ambiciones de Pacheco, sirviendo de apoyo a las intermitentes refriegas que el rey movía contra los granadinos. Pero la obtención de la condestablía del reino, en marzo de 1458, punto en el que comienza el registro de los *Hechos,* supuso también el inicio de su declive cortesano, por cuanto enseguida se retiraría a la frontera de Jaén; al parecer, Miguel Lucas se alejaba de la corte por el ascenso de otros «criados» del rey, como Francisco de Valdés[133], e indignado por las maniobras con que el de Villena había logrado destruir a don Juan de Luna a fin de apoderarse del antiguo señorío de don Álvaro; a los pocos días de ser detenido el hijo de doña Juana Pimentel, M. Lucas se refugiaba en Valencia para marchar desde allí a Jaén, decidido a consagrar su lealtad en la defensa de la frontera granadina, librando arriesgados combates contra Abū-l-Hasán. Debe, también, precaverse de las insidias con que comienza a cercarlo Pedro Girón; D. Enríquez, en lvi, refiere la recepción que brinda Miguel Lucas al rey, acompañado entonces de Girón de quien parece partir la idea de promover al Condestable como Maestre de Santiago, con tal de apartar de la corte a don Beltrán de la Cueva; en los *Hechos* este proyecto se relata de otro

---

Estudios Giennenses del CSIC, 1987, así como Franco Meregalli, «Sobre el Condestable Miguel Lucas de Iranzo», *Revista Iberoamericana*, 47 (1993), págs. 3-23. Es, ahora, de gran utilidad la ed. de los *Hechos* preparada por Juan Cuevas Mata, Juan del Arco Moya y José del Arco Moya, *Relación de los hechos del muy magnífico e más virtuoso señor, el señor don Miguel Lucas, muy digno Condestable de Castilla*, Jaén, Ayuntamiento-Universidad, 2001; entre sus Apéndices incluye la introducción de Pascual de Gayangos a su edición y la de Juan de Mata Carriazo citada; con las siglas ed. Rel se remite a este trabajo.

133 Ver Juan de Mata Carriazo, «Introducción», pág. xli. Palencia muestra el acoso a que lo somete el rey para sujetar a este criado a su lascivia, con marcha precipitada de Valdés a Aragón e inmediata persecución dictada por Enrique IV; la partida de Iranzo se enmarca en estos hechos: «Todo ello lo veía con disgusto Miguel Lucas, joven tan observador de los preceptos católicos que detestaba la causa de aquel amor y se arrepentía de la pena diaria que producía aquel tipo de cariño. Huyó, pues, y se encaminó al reino de Valencia», I.v.4, 180.

modo: P. Girón había intentado ganar al Condestable para la alianza que se estaba fraguando contra don Beltrán y en la que participaban su hermano Pacheco y el arzobispo Carrillo; nada había querido saber Miguel Lucas de unos tratos que, en principio, parecían instigados por el mismo rey en 1463, pero que un año después se habían convertido en maquinaciones políticas de dudosa legalidad:

> Y el dicho señor Condestable, vista la dicha escriptura de confederaçión qu'el dicho maestre le enbió, porque en ella non fazía mençión ni se salvava la presona y serviçio y estado del Rey nuestro señor, donde dizía que fuesen amigos e confederados contra todas las presonas del mundo; y asimesmo, visto lo que le enbiava de nuevo a pedir que, allende de la dicha confederaçión en que aquellos señores entravan, se fiziese otra entre él y el dicho maestre, como el dicho señor Condestable era muy discreto y agudo, y sobre todas las cosas del mundo avía de mirar y guardar la persona y estado real del Rey nuestro señor, y a este fin e so tal entinçión en su ánimo e voluntad avía venido con los dichos señores en la dicha amistad, reçibió del dicho Morán la dicha escriptura de confederaçión (...) e retóvolas en sí (ed. Rel, 154; ed. JMC, 185).

Así son los *Hechos:* un registro de las escrupulosas actuaciones con las que el Condestable logra precaverse de las inciertas amistades con que continuamente se intentaba enfrentarlo contra los favoritos del rey[134]. Sabía que la consecuencia de esta ruptura con el maestre de Calatrava traía aparejada una serie de sucesivas luchas contra sus pretensiones de engrandecerse en Andalucía; poco podía hacer si el rey, haciendo gala de su contradictoria conducta, premiaba a Girón con la entrega de Bélmez, convertida en asiento del señorío territorial que el maestre donaría a su hijo Alfonso Téllez Girón; pero sí podía, en cambio, resistir por las armas a sus ataques, aunque no lograra evitar las pérdidas de Andújar, Baeza y Úbeda, ciudad que pertenecía a don Beltrán.

Don Miguel Lucas no se halla tan aislado de los hechos que ocurren en el reino; por ello, en diciembre de 1464 se adhiere al documento en que se reconoce a don Alfonso como sucesor frente a los derechos de doña Juana. Esta postura no le hace cejar en la firme defensa

[134] Ver Margarita Carceller Cerviño, «El ascenso político de Miguel Lucas de Iranzo. Ennoblecimiento y caballería al servicio de la Monarquía», *BIEG*, 176 (2000), págs. 11-130.

de la autoridad del rey frente a la ambiciosa expansión con que el de Calatrava quería apoderarse de la alta Andalucía; así lo reconoce D. Enríquez en lxxvi:

> ...defendió la cibdad de Jahén con toda su tierra, sosteniendo la voz del Rey (147*a*).

De este modo, tras morir Girón cuando acudía a casarse con la infanta doña Isabel, Miguel Lucas, apoyado por don Juan Valenzuela, intentará recuperar Andújar y Baeza; aunque fracasa en ambas operaciones militares, obtiene cuantioso botín. Él es el único que parece dispuesto a respaldar el poder regalista frente a cualquier agresión y, así, en mayo de 1469, acoge al rey en Jaén, arrogándose la potestad de cerrar la ciudad a los traidores que acompañaban a Enrique IV; D. Enríquez registra el episodio en cxxviii: cuando el rey entra en la ciudad, el Condestable se pone en la puerta, deja pasar a don Pedro González de Mendoza, a los del consejo y a los servidores continuos del Rey, pero no a Pacheco ni a Rodrigo de Ulloa al que tacha de traidor:

> E luego tomó el Rey muy alegremente, e llevólo a aposentar en su casa con la mayor fiesta que pudo, e todos los otros fueron muy bien aposentados, y estuvo el Rey aposentado allí por el espacio de ocho días mucho a su plascer (183*b*).

Los *Hechos* no recogen la violenta expulsión de estos cortesanos, pero magnifican la escena, por tratarse de uno de los episodios cruciales de la biografía de don Miguel Lucas:

> Y como llegó al Rey nuestro señor, descavalgó del cavallo, contradiziéndogelo muncho su Alteza, y así llegó a le fazer reverençia y a besalle las manos. Pero él nunca gelas quiso dar, salvo abraçólo con el mayor amor y alegría del mundo, diziendo:
>
> —¡O mi buen Condestable, por vuestra lealtad y grandes serviçios soy yo rey en Castilla!
>
> Y con tales palabras le fizo cavalgar en su cavallo. Y llegando çerca de la puerta Noguera, por do avían de entrar, la gente de la çibdad, de onbres e mugeres que salían a reçebir y ver al señor Rey, era tanta que no se podría numerar. Y llegando çerca de la puerta, donde la dicha gente estava, el dicho señor Condestable, yendo junto con el dicho señor Rey, dixo al obispo de Çigüença e a los otros criados e privados que ivan çerca de su Alteza:

—Obispo señor, y vosotros, andad y pasad adelante; dexad al Rey nuestro señor que lo vean y fablen los de Jahén, y él a ellos, por quien tantos trabajos han reçebido.

Y así lo fizieron. Y como el dicho señor Rey y el dicho señor Condestable entraron por la dicha puerta Noguera, la grande gente de onbres y mugeres que allí estava, y así por todas las calles, alçaron un grito e clamor fasta el çielo, diziendo:

—¡Biva! ¡Biva el Rey don Enrique, nuestro señor, y el su Condestable de Castilla! (ed. Rel, 324-325; ed. JMC, 396-397).

El sentido del episodio es claro: sólo cuando el rey se encuentra junto a su leal Condestable puede mantener, aclamado por las gentes del pueblo, indeleble una autoridad que es atropellada, de inmediato, en cuanto vuelve a la comitiva con que Pacheco lo paseaba por Andalucía bajo el pretexto de restablecer el orden en Córdoba.

La revuelta de 1473 contra los conversos en Andalucía, movida eficazmente por Pacheco para desestabilizar el reino y hacerse con el control de Segovia, fue la causa que precipitó el asesinato de don Miguel Lucas, a quien se acusaba de favorecer a los cristianos nuevos; días antes, en Córdoba, había ocurrido la pavorosa matanza de conversos que D. Enríquez aprueba, vinculando este episodio al sacrílego atentado en el que Miguel Lucas perdía la vida:

...ca como todos o los más d'ellos judaizaban sin vergüenza ninguna, permitió Dios que los unos por hacedores, e los otros por consentidores, todos pereciesen e fuesen muertos e destruidos. Luego, en pos de aquello, acaesció que en Jaén la comunidad asimismo se levantó contra los conversos, e porque el Condestable don Miguel Lucas no daba lugar para que fuesen robados, un día estando él en la iglesia mayor oyendo misa, entraron todos e allí delante del altar lo mataron crudamente, e luego sin tardar fueron robados todos los conversos, e muchos d'ellos muertos sin piedad ninguna *(Crónica de Enrique IV,* 214).

Valera es más explícito: al Condestable lo hirieron «de tal manera que no quedó en él señal de persona humana» (ver texto en pág. 3532). Era el 24 de marzo de 1473. Su viuda, Teresa de Torres, tuvo que refugiarse en el castillo junto a sus hijos. La *Crónica* de D. Enríquez señala que el rey no movería investigación alguna, pasando la condestablía al conde de Haro y el sello de la cancillería al obispo de Sigüenza.

Éstos, con todo, son «hechos» que ya no recoge el memorial a él dedicado y que se había detenido a finales del mes de diciembre de 1471.

11.3.1.2: El registro de los *Hechos*

Es difícil saber, entonces, cuáles fueron las razones que guiaron la composición del documento biográfico y a la vez cronístico que constituyen los *Hechos.* Se conserva en tres manuscritos y dos fragmentos[135], sin que figure, en ninguno de ellos, proemio alguno que hubiera permitido o conocer la identidad del compilador, o cuando menos la intención por que se ordenaban las noticias referidas a quien era investido, en marzo de 1458, Condestable de Castilla. Tal es la escena con que se inaugura el recorrido de los *Hechos:* la brillante y solemne ceremonia en la que don Miguel Lucas va a recibir los honores de Conde y de Condestable, seguida de las maniobras inmediatas que le van a impedir asumir la merced que el rey le ha concedido[136]. Todo gira en torno a esta idea: demostrar cómo un individuo excepcional, que ha visto coronada su carrera con galardones bien merecidos, es víctima de las asechanzas de una colectividad, en la que se simbolizan los aspectos negativos de la vida cortesana. Éste es, desde luego, el sentido de esta sorprendente antítesis narrativa; por un lado, las tres llamadas del faraute Castilla que culminan con la suma de los honores recibidos:

---

135 Los BN Madrid 2092 *(A)* y 18223 *(B)*, así como el 9-28-2/5727 de la Academia de la Historia *(C)*; *A* sirve de base para la ed. de Carriazo y para la que Catherine Soriano fija en su tesis doctoral: *Los «Hechos del Condestable don Miguel Lucas de Iranzo»: estudio y edición*, Madrid, Univ. Complutense, 1993, 2 vols.; *C* fue usado por P. Gayangos para su ed. de *Memorial Histórico Español. Colección de documentos, opúsculos y antigüedades que publica la Real Academia de la Historia*, Madrid, Real Academia de la Historia, 1855 (tomo VIII). Catherine Soriano, en «Bibliografía de las crónicas particulares castellanas del siglo XV», *BBAHLM,* 12 (1998), págs. 341-384 da cuenta de tres manuscritos perdidos, ver pág. 364. Los editores de *Rel* añaden otro testimonio, perteneciente al Instituto de Estudios Giennenses, «que contiene los dos primeros años de la crónica más un apéndice inicial (incluido en el 2092), y un fragmento pequeño existente en el ms. 7329 de la Biblioteca Nacional», pág. xiv; buena parte de la «Introducción» de Juan Cuevas, Juan del Arco y José del Arco se dedica al análisis codicológico de esta transmisión, ver págs. xxxv-lxxviii. Este testimonio había sido ya analizado por Carmen Eisman Lasaga, «Un manuscrito excepcional con *Los hechos del Condestable Miguel Lucas de Iranzo* en la Biblioteca del Instituto de Estudios Gienenses», *BIEG,* 170 (1998), págs. 8-21. Otra edición, como soporte de su estudio lexicográfico, fijó Francisco Díaz Montesinos, *Léxico de los «Hechos del Condestable Miguel Lucas de Iranzo»*, Madrid, Univ. Complutense, 1985, 3 vols.

136 Para este marco de oficios curiales, ver Rosa María Montero Tejada y María José García Vera, «La alta nobleza en la Cancillería real del siglo XV», *ETF,* 5 (1992), págs. 163-210.

—¡Nobleza! ¡Nobleza! ¡Nobleza! ¡Qu'el muy alto e muy poderoso e muy exçelente prínçipe, e muy reductable, el Rey nuestro señor, ilustra e sublima e faze su Condestable de Castilla al varón e conde don Miguel Lucas, su criado e chançiller mayor, e del su consejo, e su alcaide de las çibdades de Jaén e Alcalá la Real! (ed. Rel, 10; ed. JMC, 12)[137].

Y, de seguido, frente a este justo ensalzamiento, el autor revela las persecuciones que empujan a don Miguel Lucas a abandonar la corte; las intrigas son continuas en el viaje de 1458 por Andalucía, pero hay tres secuencias culminantes; la primera refleja el descubrimiento de la traición:

Y Dios que non se paga de la traiçión, puso en coraçón al alcaide que sospechase d'él, e finalmente prendiólo, y fallóle en una burjoleta munchas cartas falsas que llevava, que paresçían firmadas del señor Rey y del señor Condestable, para el rey de Granada e para los Abençerrajes e para otros cavalleros; todas las cuales tomó, salvo una, que paresçía del señor Rey, que la sacó del seno y se la comió, e d'ella no pudieron aver sino la firma. En las cuales cartas, se contenían munchas traiçiones y maldades tocantes al señor Condestable (ed. Rel, 16; ed. JMC, 19).

A ello, se añade —y es la segunda imagen— el deseo de escapar de la deshonra cortesana, señalada en sus justos términos:

...a fin de se ir de la corte, como después se partió —porque ya, segund las maneras que aquellos señores marqués y maestre e otros que eran de su opinión traían con él, tenía que non le era segura ni onrosa su estada allí... (ed. Rel, 23; ed. JMC, 26).

La tercera idea gira en torno a la lealtad de Iranzo, una virtud que le asegura y fortifica, además, frente a la ingratitud que contra él —y otros servidores: el mismo Juan de Luna— se cierne:

---

137 De la escena, con esta misma exactitud, da cuenta el autor del llamado *Cronicón de Valladolid (HPRC*, § 3.6.2): «El muy magnífico e muy excelente etc. constituye e face noble al barón Miguel Lucas, nobleza, nobleza, nobleza. El muy magnífico etc. constituye e face Conde de Quesada al Barón noble, Miguel Lucas, nobleza, nobleza, nobleza», 37; me sirvo de la ed. de Pedro Sainz de Baranda, en *CODOIN*, 13 (1848), págs. 5-228.

> Después qu'el señor Rey se partió de Segovia, segund dicho es, el señor Condestable, veyendo que su Alteza non cunplía ninguna cosa de las que le avía prometido, y que aunque quería non lo podía fazer, por no desconplazer a aquellos señores que tan apoderados estavan d'él (...) acordó de se partir (...) E a la ora que se partió, escrivió al señor Rey una carta faziéndole saber las cabsas por que se partía; las cuales no le avía querido dezir en su presençia, temiendo que lo mandase detener e oviera de tornar a estar en poder de quien no lo quería bien, y se bengaran d'él (ed. Rel, 24; ed. JMC, 27).

Este perfecto contrapunto entre la gloria del cargo y el afán por escapar de una corte corrupta determina el sentido entero de la obra. No conviene olvidar —como en las biografías de Pero Niño y de don Álvaro— que si ésta es una crónica, es sólo porque atrapa un tiempo histórico para justificar los comportamientos del personaje, amén de que su redacción se ajuste a técnicas historiográficas; estas compilaciones son antes «memoriales» o «relaciones de hechos» (que tal es el título conservado además por dos manuscritos), reunidos con un propósito preconcebido, ligado siempre a la significación pública del personaje y a su participación en unos sucesos, con posiciones y actitudes que deben ser explicadas para que, sobre ellas, no queden dudas.

Es inevitable, entonces, considerar que si los *Hechos* de don Miguel Lucas comienzan a ordenarse desde el momento en que él se marcha de la corte, para no verse salpicado por sus aguas turbias, este arranque haya sido elegido de un modo intencionado. Parece inverosímil que la obra se haya requerido una vez asesinado el personaje (marzo de 1473) como medio de reivindicación de un linaje ya por su viuda, ya por un hijo, cuando tanto una como otro acabarían ingresando en una orden religiosa[138]. La «relación», cumplida y exhaustiva, de la vida de don Miguel Lucas sólo ha podido interesar al propio personaje, que pretendería, a través de esa «escriptura» (ed. Rel, 330; ed. JMC, 404), asegurar la trascendencia de su figura, una vez partido de la corte.

---

138 Ver «Vida y muerte de fray Luis de Torres y sor Luisa de la Cruz (Teresa de Torres) según la crónica de fray Alonso de Torres», ed. Juan Cuevas, Juan del Arco, José del Arco, págs. xxv-xxix.

11.3.1.3: La estructura de los *Hechos*

A nada que se repare en el número de noticias registradas analísticamente, se comprueba que el bienio de 1463-1464 sobresale del conjunto hasta el extremo de ocupar casi una tercera parte del relato; parece obvio que esos dos años tuvieron que ser cruciales, tanto porque en ellos se impulsara la redacción de este «memorial», como por acoger los «hechos» principales que configuran la identidad de gobernante y de militar de don Miguel Lucas; la primera de estas facetas se explicita en las fiestas y celebraciones con las que el Condestable arma su propio entramado cortesano[139], acomete obras urbanas[140], negocia con el Maestre de Calatrava, recibe a Enrique IV, distribuye oficios concejiles y promueve reformas que cuajan en una ordenación de leyes (cap. xxi) con las que demuestra su pericia política[141]; la segunda dimensión, la caballeresca, sirve de garante de esta administración pública, pues en paralelo se presenta al Condestable vigilando un alarde de sus tropas, procurando mejorar las condiciones de sus caballeros y ballesteros, velando porque la frontera esté bien pertrechada para resistir cualesquiera ataques.

Estos dos años contienen en ciernes el desarrollo de los *Hechos,* porque en ellos se construye esa especial relación entre los sucesos de Jaén y los acaecidos en el reino, tan graves que acaban interfiriendo en ese utópico reducto de armonía que don Miguel Lucas sabe crear en su entorno; precisamente, el año de 1463 termina con el deseo del rey por viajar a Andalucía para verse con su Condestable, por lo que encarece al Maestre de Calatrava a que provea lo necesario para que ese anhelado encuentro pueda ocurrir en las mejores condiciones; sin embargo, 1464 culmina con el levantamiento de los grandes contra la corona por la

---

139 Mª Soledad Lázaro Damas, «El palacio del Condestable Iranzo en el siglo XV. Una hipótesis descriptiva», *Senda de los Huertos* (Jaén), 32 (1993), págs. 87-95.

140 José Rodríguez Molina, *La vida de la ciudad de Jaén en tiempos del Condestable Iranzo*, Jaén, Ayuntamiento, 1996.

141 Señala con justeza R. Beltrán: «La impresión que produce la lectura de los *Hechos* es la de enfrentarnos a un dietario municipal. La documentación gira básicamente en torno a asuntos que atañen más bien a la gestión municipal y no a la política del reino», en «Don Juan de Mata Carriazo, editor de crónicas medievales», *Juan de Mata Carriazo y Arroquia. Perfiles de un Centenario (1899-1999)*, ed. Juan Luis Carriazo Rubio, Sevilla, Universidad, 2001, págs. 59-109, pág. 80.

concesión del maestrazgo de Santiago a don Beltrán, un hecho que no produce merma alguna en la lealtad del Condestable, que queda de este modo situado por encima de los nobles codiciosos, cuando él tenía también motivos para haberse rebelado[142]; sin embargo, no podrá evitar que ese episodio modifique las circunstancias con que gobernaba en Jaén y con que vigilaba la frontera.

A partir de ese núcleo central, que pudo ser el primero en formarse, los *Hechos* organizan su contenido mediante tres planos:

A) 1458-1462: Ascenso político y destierro de la corte (caps. i-ix).
B) 1463-1464: Construcción del orden señorial (caps. x-xxiii).
C) 1465-1471: Defensa de la identidad territorial (caps. xxiv-xlix).

La primera secuencia de cinco años es la más breve y tiene que redactarse desde el presente esperanzador, para don Miguel Lucas, de 1463-1464, el período en que le tiene que interesar recordar los sucesos que le movieron a encerrarse en Jaén, tras el deslumbrante nombramiento de Condestable, llevándose consigo las virtudes que luego el rey tanto iba a echar en falta para gobernar el reino. Por ello, una vez definidas las prerrogativas de la dignidad recibida (i), se descubren las asechanzas con que los hermanos Pacheco y Girón comienzan a conspirar contra él, mientras se esfuerza por mantener la justicia en Jaén (ii). Se refieren, con pormenor, las causas del destierro voluntario (iii)[143] y el modo en que don Miguel Lucas, desde la distancia de Bailén, sigue cumpliendo los cometidos de su oficio, recibiendo al embajador francés (iv)[144]; retirado definitivamente en Jaén, afirmará su condición linajística casando con doña Teresa de Torres (v) y atendiendo a las ne-

---

142 «Y como el dicho señor Condestable d'esto fue sabidor, no mirando qu'el dicho señor Rey le tenía prometido e jurado de le dar el dicho maestradgo de Santiago, e lo avía dado al dicho don Beltrán de la Cueva, contra quien el dicho maestre de Calatrava e todos los otros cavalleros eran, ni mirando qu'el dicho Fernando de Villafañe avía asaz deservido y enojado al dicho señor Condestable, mas mirando a su lealtad e al muy ferviente deseo que avía de servir a su Rey y señor...», ed. Rel, 207-208; ed. JMC, 253-254.

143 Para este motivo, ver C. Soriano, «El exilio voluntario de un Condestable de Castilla, Miguel Lucas de Iranzo», en *1616 (Anuario de la Sociedad Española de Literatura General y Comparada)*, Madrid, SELGYC, 1990, págs. 71-76.

144 Ver Lucien Clare, «Choses et gens de France vus de Jaén entre 1460 et 1470», en *Mélanges offerts a Maurice Molho. Vol. I: Moyen Âge, Espagne Classique*, ed. J. C. Chevalier y M. F. Delport, París, Editions Hispaniques, 1988, págs. 39-53.

cesarias reformas de una ciudad abatida por las continuas luchas fronterizas[145]:

> Por no detenerme agora en fablar d'estas fiestas e otras semejantes (...) quiero reduzir a la memoria cómo al tienpo que de la villa de Bailén se partió, segund dicho es, e vino a la dicha çibdad de Jahén, la falló muy disipada e destroída de grandes muertes e cautiverios e robos que los moros de cada día en los tienpos pasados le avían fecho, corriéndola fasta las puertas e matando los onbres e levando munchos prisioneros e ganados, e quemando e talando los panes e viñas e huertas (ed. Rel, 57; ed. JMC, 65-66).

Ése es el mundo al que don Miguel Lucas accede para demostrar sus habilidades militares a lo largo del año de 1462 (vii-ix), mediante peripecias notables como la incursión movida contra la vega granadina, con la que siembra el terror en la corte nazarita:

> Pues ya del terror y espanto que a los enemigos d'esta vez puso, no alargo la pluma, porque a los que lo no saben ni vieron es cosa incredible. Tanto qu'el reverendo padre frey Diego de La Guardia, guardián del monesterio de señor Sant Françisco de Jahén, que a la sazón estava en la çibdad de Granada bien cuatro meses avía, que avía ido a cobrar las parias que al Rey nuestro señor eran devidas del año pasado, después dava fe que tan grande confusión e discordia entre los moros avía, e tan quebrantados se sintían de la guerra que este señor les fazía, que todos los comunes, en espeçial los del Alcaçaba e Albaezín, eran de entençión que se diesen al Rey nuestro señor e biviesen por modéjares en aquella çibdad e su tierra (ed. Rel, 77; ed. JMC, 90).

El núcleo central de los *Hechos*, como ya se ha apuntado, pone de manifiesto la capacidad de gobernante de don Miguel Lucas a través de la restauración política y moral que emprende, sin olvidarse de las necesarias alegrías cortesanas que lo magnifican como señor de Jaén. El sentido del bienio de 1463-1464 no es otro que el de dibujar la figura del Condestable, alejado de la corte, pero cumpliendo con creces sus obligaciones, precisamente porque ha sabido apartarse de aquellos codiciosos que sólo pensaban en engrandecer su estado destruyendo el

---

145 Ver Juan del Arco Moya, «Escribanías y escribanos de número de la ciudad de Jaén», *BIEG*, 40:153 (1994), págs. 823-847.

reino. Don Miguel Lucas prueba lo contrario, que se puede conseguir el mismo ascenso social sin menoscabo alguno de la lealtad debida a la corona.

El tercer núcleo, con los últimos siete años, muestra el modo en que don Miguel Lucas, gracias a sus virtudes, sostiene la alta Andalucía mientras el resto del reino se descompone, a medida que las ambiciones de Pacheco van creciendo en torno al rey. Pedro Girón es ahora su enemigo declarado y tiene que defenderse de los continuos ataques con que intenta arrojarlo de Jaén sin éxito alguno, gracias a las diligencias con que sabe organizar sus tropas y prevenirse de los peligros. Resulta básica, para comprender este orden de ideas, la canción en alabanza del Condestable, a cuatro voces, conservada con su música en el BN Madrid 2092[146]:

> —Lealtad, ¡o lealtat!
> Lealtad, dime, ¿do stás?
> —Vete, Rey, al Condestable
> y en él la fallarás
>
> (ed. Rel, 268; ed. JMC, 328).

Y como si la canción contuviera la tensión estructural de la obra y encerrara, a la vez, los deseos de su redactor y de su instigador, culmina:

> Tal cabdillo la govierna
> qu'esto y muncho más farás,
> y de los que te an errado
> fío en Dios te vengarás
>
> (ed. Rel, íd.; ed. JMC, 329).

Las noticias generales que se seleccionan revelan la pérdida progresiva de la autoridad de un rey que es depuesto (xxv), pero que puede mantener aún su dignidad gracias a las iniciativas de don Miguel Lucas (xxvi):

> Y por munchas partes, tan grande guerra les fizo, que de todo punto le desbarató y enbaraçó a no saberse dar consejo nin remedio ninguno. De cuya causa no pudo ir en socorro de los dichos cavalleros que en Valladolid se ayuntaron con el prínçipe, con tanta

[146] Dutton 4318, *El Cancionero del siglo XV;* la lámina que figura tras la pág. 288 de la ed. de Carriazo reproduce, como se indica a pie de página, esta canción, considerada por F. Asenjo Barbieri, como «el documento de música profana española más antiguo».

gente como pensava levar. Ni por no perder lo que en aquella tierra tenía se osó d'ella partir; por manera que en esto pasó el tienpo.

Y el dicho señor Rey ovo lugar de fazer sus fechos a más su ventaja. Lo que no se cree que pudiera fazer si el maestre allá fuera. Y por tanto se dizía por munchos que por el dicho señor Condestable su Alteza reinava en Castilla (ed. Rel, 231; ed. JMC, 283).

En este sentido, es notable el tratamiento que merece la muerte de Pedro Girón, pues se descubren las siniestras intenciones con que acudía a casar con la infanta Isabel, desveladas gracias a las oportunas averiguaciones del Condestable:

Y porque el señor Condestable fue çertificado de persona que lo podía saber qu'el dicho Maestre y los otros ivan con propósito y acuerdo deliberado de en estas vistas poner las manos en el dicho señor Rey, y matarle si pudiesen, enbióle seis mensageros, uno en pos de otro, cada uno por su camino, porque aunque algunos fuesen tomados o presos, otro o otros llegasen; suplicando a su Alteza que en ninguna manera saliese a vistas con aquellos señores, porque le tenían ordenada la muerte (ed. Rel, 255; ed. JMC, 312-313).

Hay, por tanto, una visión providencialista entremetida en este justo castigo, así como el deseo de vincularlo a la protección con que Miguel Lucas sigue velando por la persona del rey:

Y plugo a Dios nuestro Señor que el maestre de Calatrava, yendo con propósito de casar con la infante y matar al Rey nuestro señor, y destruir toda la generaçión real, a fin de reinar, adolesçió en Madridejos, y de allí lo troxieron a Villaruvia, y dende a cuatro o çinco días murió sin seso, que luego en dándole el mal lo perdió (ed. Rel, íd.; ed. JMC, 313).

Sin embargo, la muerte de Pedro Girón no termina con las revueltas políticas, por cuanto 1467 se inaugura con el intento de Fernando de Quesada, «criado del Rey nuestro señor, que por su Alteza tenía los alcáçares de Jahén» (ed. Rel, 269; ed. JMC, 329), de apoderarse de la ciudad; la rebelión es sofocada por la prudencia con que actúa el Condestable, ganándose al alborotador y, con ello, obteniendo el control de esos alcázares que repara y mejora. No todas las empresas resultan tan acertadas, pues no puede defender el castillo de Montizón; es cierto que en ese año sucede el revés de la pérdida de Segovia, con lo que el quebranto del Condestable se enmarca en el general del reino. Quizá, por ello, pueden los traidores Fernán Mexía y el comendador Pareja atentar contra su vida, a cuento de robar a los conversos de Jaén; el autor no duda en explicar esta acción por el deterioro de la autoridad regia:

> Y esto dexando aparte, como los fechos del Rey nuestro señor estoviesen tan derribados y caídos, que esos pocos leales que avían quedado e seguían el serviçio del dicho señor Rey enflaqueçían y de cada día se amenguavan e consumían; y como el dicho señor Condestable, tan supremamente perseverase en su lealtad y en el serviçio del dicho señor Rey, y el marqués de Villena, que ya era maestre de Santiago, le desease destruir e aver aquella çibdad de Jahén a su mano, creyendo que si esto pudiese acabar el dicho señor Rey era de todo punto perdido, y que non le quedava cosa en Castilla que se pudiese sostener, un cavallero que se dizía Fernand Mexía, natural de la dicha çibdad de Jahén, e otro comendador Juan de Pareja, a quien el Rey nuestro señor avía criado e fecho merçedes, e por estonçes por su Alteza tenía la villa e castillo de Pegalajar, que es de la dicha çibdad de Jaén, e otros çiertos naturales e vezinos d'ella con ellos, por trato qu'el dicho marqués de Villena, maestre de Santiago, tenía con ellos, eran de acuerdo y estavan conjurados de matar a traiçión al dicho señor Condestable, y robar a los conversos, porque la comunidad de la dicha çibdad de mejor voluntad se juntase con ellos, e levantarse con la dicha çibdad (ed. Rel, 303-304; ed. JMC, 372-373).

A pesar de estas amenazas, el Condestable mantiene incólume su orden social y su propia dimensión linajística, al nacer por estas fechas su primogénito. La recepción que brinda al rey en 1469 demuestra no sólo su poder, sino la eficacia de su concurso para la pacificación de Córdoba, como lo demuestra la confianza que el monarca tenía en las tropas que don Miguel Lucas le entregara:

> Los cuales alcáçares y fortalezas su Señoría mandó entregar y apoderarse d'ellas al dicho comendador de Montizón e a los otros cavalleros y escuderos de las dichas çibdades de Jahén y de Andújar, como a gente leal de quien se fiava más que de otra ninguna (ed. Rel, 328; ed. JMC, 401).

En esta sección del «memorial», hay un claro interés en seguir las alianzas matrimoniales que promueve el Condestable como soporte de ayudas militares que son enviadas regularmente, así como de acciones singulares con que prueba sus virtudes caballerescas; tal es el valor de la descripción de la toma de la villa de Bailén en 1470:

> Otro día, sábado, de mañana, el conbate se començó por cuantas maneras e partes fazerse podía. Y el dicho alcaide, desque vido que le non iva socorro ninguno, todavía insistía que le otorgasen la vida e le asegurasen lo suyo. Y estando el comendador de Montizón para le otorgar este partido, el dicho señor Condestable, como acabó de oír misa, armóse e subió a lo alto e bóvedas que de la dicha fortaleza estava tomado; e con grande furia y enojo mandó abivar el conbate, y a los vallesteros e espingarderos que por todas partes tirasen: diziendo que no era su voluntad de le otorgar partido ninguno, salvo que sin ninguna condiçión le entregase la dicha fortaleza y se pusiese en sus manos, para fazer d'ellos e de lo suyo lo que quisiese (ed. Rel, 345; ed. JMC, 421).

De las bodas conviene destacar la de Fernán Lucas y la hija de Pedro de Escavias (xliv) y la de Juan de Olid (xlvi), ambos implicados presuntamente en la redacción de este «memorial».

Los dos últimos años son inciertos en el desarrollo de la guerra de la frontera: tan pronto el Condestable obtiene importantes victorias (xlvi) como el rey de Granada recupera parte de las posiciones perdidas (xlvii). La aflicción que siente don Miguel Lucas por estos reveses[147] se proyecta en la carta que envía al papa Sixto IV requiriendo su ayuda no sólo contra los moros, sino contra aquellos malos cristianos que habían permitido la destrucción del reino[148]; la misiva resume la línea de hechos anudada por la relación hasta este punto:

> «Sabrá Vuestra Santidad que doze años puede aver, o bien poco menos, que por serviçio de Dios, ensalçamiento de su fe, defensión d'esta frontera, acordé no solamente desterrarme de la corte del Rey mi señor, y de los grandes favores que en ella tenía, mas venirme de asiento a bevir a esta çibdad, do tantos, tan grandes y continuos daños fazíen los moros, a que ningund capitán, sin grand pena y temor, la osase tomar en cargo. Y estava ya la genta tan acostunbrada a ser vençida, y tan desanparada d'esfuerço de capitanes,

[147] «Y así, el señor Condestable se bolvió para la çibdad de Jahén, cayendo muy espesas lágrimas de sus ojos por el grand dolor que de los cristianos muertos e captivos avía, e por no podellos remediar nin más socorro dar», ed. Rel, 384; ed. JMC, 469.

[148] Ver Clara Eisman Lasaga, «Carta del Condestable Iranzo al Papa Sixto IV, defensor de la cristiandad y propulsor de las artes», *BIEG*, 37:144 (1991), págs. 35-52.

que ya desesperavan de se poder defender. Y aquesta çibdad perdida, perdíase cuasi toda esta tierra, que sola ella es el escudo que defiende por esta parte lo más del Andalucía.

»Vine yo a me poner, como algunos dixieron, en los cuernos del toro. Mas plugo a nuestro Señor que así como por algund respecto de virtud y por amor de la cristiandad lo enprendí, que así me dio Él gracia, que no solamente de sus acostunbrados perdimientos yo guardé la çibdad, mas aun fartas vezes entré a correr a Granada y a su reino, y fize asaz daños en los lugares de aquél» (ed. Rel, 385-386; ed. JMC, 471).

Es importante esta referencia porque quien se ocupa de recordar estos comportamientos, con tanta prolijidad, revela el interés que hubo de tener porque se ordenara un meticuloso registro de sus principales acciones. Lo que no podía saber es que en esa carta, en que describía el «santo exerçiçio» de su caballería, estaba, también, refiriendo el modo en que moriría dos años después:

«Ni perdonaron a la sagrada iglesia, mas aquella por fuerça entrada y ensuziada de muncha sangre, llegaron al altar y al saçerdote revestido y un monge que avíen dicho misa dieron tantas y tan fieras feridas que ninguna figura de onbres en ellos quedó. Acochillaron las santas imágenes, desonraron el cruçifixo, la devota figura de nuestra Señora quemaron, blasfemaron el nombre de Cristo, profanaron su tenplo santo, arrastraron las reliquias y ningund linage de injuria supieron que a Cristo la dexasen de fazer» (ed. Rel, 387; ed. JMC, 473).

Las acusaciones principales se dirigen contra Pacheco, al que se presenta, en el último capítulo, casando a su hija con don Rodrigo Ponce de León para controlar la ciudad de Sevilla[149]. Poco margen de maniobra le queda al Condestable; aún intenta socorrer al duque de Medinasidonia, con una tropa de su casa dirigida por el comendador de Montizón, su hermano, abasteciendo con sus recursos a la ciudad de Sevilla y a la guarnición de Sanlúcar; esta ayuda es elogiada por su gran valor:

---

149 Pulgar, en 1473.xiv, acoge, sin vincularlo, este asesinato en el mismo capítulo en que explora la codicia sin límites de Pacheco; bien que el cronista de los Católicos silencia las revueltas religiosas que indujeron los hechos, señalando en cambio: «Este año fue muerto mala e cruelmente, por algunos labradores del común de Jaén, don Miguel Lucas, a quien el rey había fecho Condestable de Castilla», ed. J.M. Carriazo, 53.

> Y las treguas asentadas, el comendador de Montizón se vino a Sevilla, donde del señor duque y de toda la çibdad fue muy bien resçebido, loando muncho todos la nobleza y magníficas obras del señor Condestable, y el bueno y grande socorro que le avía fecho. Ca de toda cuanta gente el señor duque tenía en sus guarniçiones, en conparaçión de la gente del señor Condestable por sus contrarios non era estimada en cosa ninguna (ed. Rel, 391; ed. JMC, 479).

En este punto se detiene el registro de los «hechos», con una última referencia a las angustias sufridas por el Condestable a medida que la traición se adueñaba del reino:

> E así lo tovo en Jahén algunos días, que non le quiso dar libertad fasta tanto que le entregasen la encomienda e castillo de Montizón, que don Pedro Manrique, fijo del conde de Paredes, con favor del dicho arçobispo e del adelantado de Caçorla e de otros sus parientes, avía tomado al comendador su hermano, e las salinas de Almallaz [e otras cosas, al tienpo que todos ellos se levantavan deslealmente contra el Rey nuestro señor, y el señor Condestable estava çercado y en munchas guerras y nesçesidades; segund ante de esto es largamente recontado] (ed. Rel, 392; ed. JMC, 480-481).

Es factible pensar que las circunstancias adversas de los últimos meses de vida del Condestable le hicieran desistir de su intención de preservar la memoria de unos hechos sobre los que ya no ejercía control alguno, al igual que le ocurría a Enrique IV con los asuntos del reino. Galíndez de Carvajal, en sus *Adiciones genealógicas,* acierta al sintetizar el valor de una dimensión linajística limitada a su sola persona:

> Fue muerto este Condestable estando en la iglesia mayor de Jaén haciendo oración, por un honbre común que le dio en la cabeza con las empulgueras de una ballesta; lo cual fue a 22 de marzo de 1473. Dejó un hijo llamado don Luis Lucas de Torres, el cual fue después fraile de San Francisco, e murió como buen religioso en la ciudad de Guadix, año de 1500; y la condesa su madre es monja en el monasterio de Santa Isabel d'esta ciudad [Granada], donde hace santa vida. Heredó su mayorazgo don Hernando de Portugal su sobrino (...) Y así en este Condestable, don Miguel Lucas, comenzó su linaje y en él acabó[150].

[150] Cito por la *CODOIN,* 18 (1851), págs. 423-536, págs. 453-454.

Al menos, los *Hechos* demuestran que él no había abandonado al monarca por sus deméritos o por vanas ambiciones; se marchó de la corte porque no le quedaba otro remedio, pero allá adonde iba —y demostrarlo era el objetivo de la obra— llevaba consigo la deslumbrante presencia de su vida, proyectada en actos y decisiones que le permitieron a Enrique IV librarse de la traición y de la perfidia. Al menos, hasta marzo de 1473.

11.3.1.4: Autoría y composición

Don Miguel Lucas de Iranzo tuvo que ser un personaje muy orgulloso; es raro encontrar texto que trate bien su persona; los cronistas Alfonso de Palencia y Diego de Valera comparten los denuestos con que lo tratan; sólo Enríquez del Castillo respeta, desde lejos, su figura, pero no manifiesta pesar por su muerte. Por tanto, es verosímil suponer que don Miguel Lucas, cuando se marcha de la corte, quiere demostrar que consigo partían también los pocos aspectos positivos de que podía rodearse Enrique IV.

No deja de ser una hipótesis, pero es factible pensar que, si los *Hechos* se interrumpen en 1471, sin ninguna justificación aparente, tuvo que ser porque el Condestable no quisiera seguir moldeando una imagen, gloriosa y feliz, de su realidad, ni podía, desde luego, obtener venganza de aquellos que lo habían apartado de Enrique IV y que, de modo progresivo, lograban apoderarse de la voluntad regia, como con claridad se señalaba en la secuencia de 1469, en la que se explicaba el atentado que iban a cometer F. Mexía y el comendador Pareja por la pérdida de la autoridad real (revísese el texto de pág. 3571)[151].

Si esto es así, la redacción de los *Hechos* la ha tenido que llevar a cabo alguien de su entorno y que ha seguido, con meticulosidad, sus pasos y sus acciones. Carriazo se arriesgó, en el prólogo de su edición, a apuntar a Pedro de Escavias, el alcaide de Andújar y autor del *Repertorio de Príncipes de España* (§ 11.2.1.2), como creador de este texto, seña-

[151] Debe recordarse que este Mexía, además de regidor de Jaén, fue el autor del *Nobiliario vero (HPRC*, § 5.2.3) y que había intervenido en la conjura, descontento por el matrimonio de su pariente Teresa de Torres con Miguel Lucas, a quien la nobleza siempre consideró un advenedizo; ver los comentarios, al respecto, de Manuel Sánchez Mariana, en su presentación de la ed. facsimilar del *Nobiliario*, Madrid, Ministerio de Educación y Ciencia, 1974, págs. 8-9.

lando como razones las cerca de cuarenta veces que aparece en la obra; lo extraño, desde luego, es que no figurara en más ocasiones, tanto era el afecto en que le tenía don Miguel Lucas (ambos mantenían, imperturbable, su lealtad a Enrique IV y ambos eran firmes bastiones fronterizos contra los moros; no se olvide que el Condestable acabó casando a un primo suyo con una hija de Escavias). J.B. Avalle-Arce aceptó esta atribución[152], puesta en juicio por I. Pepe[153] y M. Garcia en su edición del *Repertorio*[154].

La verdad es que, por mucho que Carriazo se convenciera de que Escavias tendría a su disposición múltiples documentos relativos a M. Lucas, los *Hechos* sólo pueden ser registrados por alguien que ha asistido, como testigo, al desarrollo de los mismos: el carácter más singular de la obra lo determina su contemporaneidad con respecto a los acontecimientos registrados y el escrúpulo que su redactor posee al dar cuenta cabal de todos los detalles, por minúsculos que éstos sean. De ahí que M. Garcia propusiera una doble autoría, que implicaba a los dos secretarios sucesivos que tuvo M. Lucas: Luis del Castillo (hasta 1466) y Juan de Olid (a partir de esa fecha). Este Olid se beneficia, además, del dato de figurar al frente de una copia manuscrita de la obra; Carriazo lo descartó por el simple hecho de aparecer sólo en dos ocasiones: una en 1471, al matrimoniar con una criada de la condesa. C. Soriano mantiene la tesis de la doble autoría[155]; en otro estudio, Soriano analiza el discurso lingüístico de la obra (sobre todo, la temporalidad narrativa) llegando a la conclusión de que hay un autor para los episodios de 1458-1462 y otro para los que llegan hasta 1471; al autor A le caracteriza una sintaxis poco compleja, adornada con comparaciones e hipérboles, mientras que el autor B prefiere la anástrofe y el hipérbaton[156].

---

152 Ver *El cronista Pedro de Escavias, una vida del siglo* XV, Chapel Hill, University, 1972.

153 Ver Inoria Pepe, «Sulla datazione e la paternità degli *Hechos del Condestable D. Miguel Lucas de Iranzo*», en *Miscellanea di Studi Ispanici*, Pisa, Università, 1962, págs. 195-216.

154 Ver § 11.2.1.2.1, págs. 3541-3542, más «À propos de la *Chronique du Connétable Miguel Lucas de Iranzo*», en *BHi*, 75 (1973), págs. 5-39.

155 Ver «¿Autor o autores en los *Hechos del Condestable don Miguel Lucas de Iranzo*?», en *Actas III Congreso AHLM*, págs. 1037-1047.

156 Ver «Los *Hechos del Condestable don Miguel Lucas de Iranzo*, crónica del siglo XV», en *At*, 2 (1991), págs. 180-190, en donde indica: «Me inclino a creer que el *Autor A* (¿alguno de los secretarios de Miguel Lucas?) dejó la redacción a instancias del Alcaide de Andújar, quien, no del todo satisfecho con la primera parte de los *Hechos*, lo sustituyó por alguien que gozaba en mayor grado de su confianza, de prosa más sobria y contenida y mejor conocedor de los rudimentos retóricos», págs. 189-190.

Sin embargo, la estructura narrativa de la obra no se acomoda, con flexibilidad, a esa supuesta autoría compartida. Al menos, es difícil encontrar pasajes que testimonien la presencia de uno u otro redactor. En cambio, sí que resulta posible señalar rasgos que apuntan a una redacción unitaria, aun luego corregida. Por ejemplo, los *Hechos* carecen de capitulación; el relato de los acontecimientos se ajusta a una distribución analística; se constituyen, por ello, catorce planos o segmentos textuales encabezados todos (menos el primero, porque es el mes de marzo) de la misma manera: «Venidas las fiestas o pasadas las fiestas de la Natividad...»; la uniformidad de este marco temporal se ve reforzada además por la ilación polisindética con que se unen los párrafos, por el empleo en toda la obra de fuentes documentales del mismo carácter, por una constante presencia de la voluntad de autoría explicitando los resortes formales con que construye el texto (fórmulas tradicionales, por supuesto) y comentando los criterios selectivos a que es sometida la materia argumental:

> Porque, segund los munchos e diversos actos e cosas que en estas fiestas pasaron, no solamente fuera trabajoso a quien todas las presumiera poner por escripto, mas casi inposible, e a los lectores e oyentes aun fuera cabsar enojo o fastidio; y, por tanto, çesé de esplanar por menudo las otras cosas que todos los otros días pasaron... (ed. Rel, 51; ed. JMC, 58).

El único cambio perceptible en la redacción posterior a 1466 lo ofrecen las descripciones, con un tono estilístico no tan brillante como el de la primera parte. Porque —y éste es el aspecto más singular de la obra y en el que más ha insistido la crítica— los *Hechos* conservan el retrato —también más fiel— de las formas de vida cortesana de la segunda mitad del siglo XV (vestidos, comidas, fiestas, aderezos, adornos, torneos, entretenimientos, músicas, representaciones teatrales, bailes) construidas en torno a un personaje[157]: tal era el deseo de don Miguel Lucas por demostrar que él podía mantener, en su aislamiento jien-

---

[157] Ver Antonio Giménez, «Ceremonia y juegos de sociedad en la Corte del Condestable Miguel Lucas de Iranzo», en *BIEG*, 30 (1984), págs. 83-103, más Lucien Clare, «Fêtes, jeux et divertissements à la cour du connétable de Castille. M. Lucas de Iranzo (1460-1470)», en *La fête et l'écriture. Théatre de Cour, Cour-Théatre en Espagne et en Italie, 1450-1530*, Aix-en-Provence, Université, 1987, págs. 5-32, y «Le connétable, la musique et le pouvoir (d'après los *Hechos del Condestable Miguel Lucas de Iranzo*)», *BHi*, 90 (1988), págs. 27-57.

nense, el esplendor que merecía la posición elevada de su cargo político. Véanse, como muestra, algunos pasajes de que se han beneficiado los estudiosos de los espectáculos dramáticos de esta centuria[158]:

a) Datos sobre actores y atavíos: «Y después de çenar, vinieron momos mancos, la meitad brocados de plata e la meitad dorados, con cortapisas, en las partes isquierdas sendas feridas, sonbreros de Bretaña, en ellos penas y veneras, y con sus bordones; e dançaron por grant pieça. Y después, el dicho señor Condestable y la señora condesa dançaron y bailaron y cantaron, fasta que fue ora de dormir» (ed. Rel, 47; ed. JMC, 53).
b) Representaciones escénicas: «Y en acabando de çenar, los maestresalas alçavan las mesas. Y luego mandava fazer la *Estoria de cuando los Reyes vinieron a adorar y dar sus presentes a nuestro Señor Jhesu Christo.* Y después de fecha y mirada con grande devoçión, mandava traer colación...» (ed. Rel, 136; ed. JMC, 162)[159].
c) Fiestas y mascaradas con participación popular: «E que viniendo çerca de aquella çibdad, en el paso de una desabitada selva, una muy fiera y fea serpienta los avía tragado, e que pidían subsidio para dende salir. A la puerta de una cámara que estava al otro cabo de la sala, enfrente do estava la señora condesa, asomó la cabeça de la dicha serpienta, muy grande, fecha de madera pintada; e por su artefiçio lançó por la boca uno a uno los dichos niños, echando grandes llamas de fuego. Y asimismo los

158 Desde el pionero análisis de Charles-Vincent Aubrun, «La chronique de Miguel Lucas de Iranzo», *BH*, 44:2-4 (1942), págs. 40-60 y 81-95. Ver, ahora, Miguel Ángel Pérez Priego, «Espectáculos y textos teatrales en Castilla a fines de la Edad Media», en *Epos*, 5 (1989), págs. 141-163, o Ángel Gómez Moreno, *El teatro medieval castellano en su marco románico*, Madrid, Taurus, 1991, págs. 96-97.

159 Se trata de la referencia más conocida, ver Charlotte Stern, «Christmas Performances in Jaén in the 1460», en *Studies in Honor of Bruce W. Wardropper*, ed. de Dian Fox, Harry Sieber y Robert Ter Horst, Newark, Delaware, 1989, págs. 323-334; no es la única; así, en 1462: «Y desque ovieron çenado y levantaron las mesas, entró por la sala una dueña, cavallera en un asnico sardesco, con un niño en los braços, que representava ser nuestra Señora la Virgen María con el su bendito e glorioso Fijo, e con ella Josep. Y en modo de grant devoçión, el dicho señor Condestable la reçibió e la subió arriba al asiento do estava, y la puso entre la dicha señora condesa e la señora doña Guiomar Carrillo, su madre, e la señora doña Juana su hermana, e las otras dueñas e donzellas que ende estavan» (ed. Rel, 63; ed. JMC, 71-72). Otra mención en ed. Rel, 130; ed. JMP, 154. Para esta dramaturgia palaciega interesa el análisis de Juan Oleza, «Teatralidad cortesana y teatralidad religiosa: vinculaciones medievales», en *Ceti sociali ed ambienti urbani del teatro religioso europeo del '300 e del '400*, Viterbo, Centro di Studi sul Teatro Medioevale e Rinascimentale, 1985, págs. 265-294.

pajes, como traían las faldas e mangas e capirotes llenas de agua ardiente, salieron ardiendo, que pareçía que verdaderamente se quemavan en llamas. Fue cosa por çierto que muncho bien paresçió» (ed. Rel, 45; ed. JMC, 51)[160].

Y, al igual que el teatro, también podría reconstruirse el fervor de los fronteros por los romances que embellecían los últimos lances bélicos y fijaban certeras imágenes de un heroísmo modélico:

> E por tan grande fue avido este fecho, qu'el Rey nuestro señor, por que mayor memoria quedase, le mandó fazer un romançe, el cual a los cantores de su capilla mandó asonar, que dize en esta manera (90)[161].

«Reportaje caballeresco» —como ha definido Carriazo con acierto— el presentado en los *Hechos del Condestable don Miguel Lucas de Iranzo:* una biografía cronística que quizá carezca de la sustancia literaria de *El Victorial* (§ 10.3.2) o de las sutiles transformaciones ideológicas de la dedicada al de Luna (§ 10.5.5.2); posee, en cambio, la virtud del realismo, el mérito sorprendente de transportar al receptor al interior de la vida cortesana del siglo XV. Con don Miguel Lucas, además, de anfitrión.

11.3.2: *Los «Hechos del arzobispo don Alfonso Carrillo»*

Si un personaje resultó decisivo para conformar la historia de Castilla en el reinado de Enrique IV, ése fue, sin duda, el arzobispo don Alfonso Carrillo, que ya había asomado en la *Crónica de Juan II,* en 1434.iii, como sobrino de don Alfonso Carrillo, el cardenal de San Estacio, asistente entonces al Concilio de Basilea; precisamente, a su muerte, el rey suplicaba al papa que otorgara esos beneficios a don Alfonso Carrillo, «sobrino de este cardenal, que era protonotario del papa e estaba a la sazón que el Cardenal, su tío, finó, con él en Basi-

[160] Estos episodios han sido editados por Miguel Ángel Pérez Priego, «1. Fiestas en el Palacio del Condestable Iranzo», ver *Teatro medieval 2. Castilla,* Barcelona, Crítica, 1997, págs. 231-239.

[161] Lamentablemente, no se conserva; señala Carriazo: «en blanco, faltan, de antiguo, cuatro folios».

lea» (391); en 1445.v, siendo obispo de Sigüenza, aparece a mano derecha del Condestable don Álvaro en la batalla de Olmedo, siendo, a partir de ese momento, una pieza activa en la organización militar del reino; es enviado por Juan II, en 1446.viii, arzobispo electo de Toledo, contra Torija, uno de los últimos núcleos de resistencia del infante don Juan; bien que lamenta el cronista esta decisión pues hubiera preferido que se hubiera encomendado a don Íñigo la recuperación de la plaza; no parecía aceptable, en este orden caballeresco, la ambigüedad de su conducta, como lo manifiesta el hecho de que en 1452.i, a pesar de su partidismo, abandonara a don Álvaro a su suerte.

Los cronistas que se ocupan de registrar los hechos de Enrique IV lo tratarán según la perspectiva de su relato; sale malparado, por supuesto, de la pluma de D. Enríquez; recuérdese que los cuadernos de este cronista real acabaron en su poder, tras ser censurados por Palencia.

Carrillo apoyó primero al infante don Alfonso, después a doña Isabel, frente a los intereses de doña Juana de Portugal y de su desafortunada hija; nunca se fió de Pacheco y, aunque en ocasiones se viera obligado a firmar algún acuerdo con el valido, fueron más las veces en que se enfrentó a su codiciosa forma de regir el reino[162].

11.3.2.1: Pero Guillén de Segovia y el círculo literario de Carrillo

Hacia 1463, tuvo que entrar al servicio de este prelado Pero Guillén de Segovia, notable poeta que había trabado amistad con don Íñigo López de Mendoza y con Juan de Mena; con éste, comparte su admiración por don Álvaro de Luna, a quien dedica, tras 1453, un *Dezir* en el que justificaba sus líneas de gobierno; tuvo que vivir luego un largo decenio de postración, en el que viajaría a Italia para acabar residiendo en un pueblo cercano a Segovia, trabajando como copista, hasta que, en

[162] Sobre todo a partir de 1466 como ha señalado Luis Suárez, subrayando «la oposición radical del arzobispo de Toledo, que no salía de su asombro: ¿de modo que todo cuanto se había hecho, incluyendo la grave decisión de negar al monarca la legitimidad, no iba a servir para otra cosa que volver al punto de partida y a las pequeñas intrigas cortesanas? ¿Dónde quedaban los grandes proyectos de liberar a Alfonso e Isabel, casarlos con hijos de Juan II, restaurar la dignidad de los infantes y devolver a la nobleza su papel?», *Enrique IV*, pág. 351.

torno a 1463, entra en contacto con Carrillo y el grupo de letrados que lo rodearían, tanto a él, como a Gómez Manrique[163].

Guillén de Segovia, en cuanto contador del arzobispo, decide poner bajo su amparo una obra en la que tenía que haber estado trabajando buena parte de su vida: *La Gaya Ciencia*[164]; este tratado de poética no se conserva completo; tenía que haber desplegado, como los occitánicos o catalanes, una serie de rudimentos sobre esta arte (nociones gramaticales, métricas y rítmicas principalmente) que sirvieran de presentación a la materia principal de la misma: un extenso rimario, el primero en lengua castellana, a semejanza del que Luis de Averçó fijara en su *Torcimany;* es posible que este conjunto lo tuviera ya formado Guillén de Segovia cuando entra en contacto con el arzobispo Carrillo; las sucesivas rupturas de los modelos culturales de la segunda mitad del siglo XV le tuvieron que impedir encontrar el contexto adecuado, o el protector interesado, al que dirigir esa obra; tal es la función que asigna a Carrillo, redactando un extraño, por heterogéneo, «Prohemio» en el que intenta vincular su arte poética, con el diccionario de consonantes, al orden letrado que promoviera el arzobispo tole-

163 Se trataría de Álvarez Gato y de Pero Díaz de Toledo (§ 10.4.3 y § 11.5.5), conversos, a los que podrían añadirse Antón de Montoro, Juan de Mazuela o Rodrigo de Cota, además de Alfonso de Toledo (§ 11.5.2.1); ver John Cummins, «Pero Guillén de Segovia y el Ms. 4114», *HR*, 41 (1973), págs. 6-32, más Carlos Moreno Hernández, «Pero Guillén de Segovia y el círculo de Alfonso Carrillo», *RL*, 47 (1985), págs. 17-49, y con más amplitud «4. El contexto histórico-literarios» de su ed. de la *Obra poética* de Pero Guillén, Madrid, F.U.E., 1989, págs. 32-65; en esta última contribución, resume: «Carrillo es también, antes de 1475, un claro ejemplo de mecenas y su círculo una prolongación del de Santillana tras la muerte de éste y al comienzo de las desavenencias de una parte de la nobleza contra Enrique IV. En este círculo Gómez Manrique y Pero Guillén intentan proseguir la labor poética culta que culmina en Juan de Mena y el marqués de Santillana y son, como ellos, el prototipo del caballero y el letrado burócrata fundidos en unos mismos intereses culturales e ideológicos», pág. 70. El canónigo Alonso de Ortiz —el autor de los *Cinco tratados* y del *Diálogo sobre la educación del príncipe don Juan* (*HPRC*, § 8.1.4)— tuvo que servirle también como familiar, puesto que le dedica el *Liber Dialogorum Alfonsi Ortiz*, en el que convierte al arzobispo en figura dialógica que debate, con Sócrates, Platón o Cicerón, acerca de la sabiduría y de la felicidad; ver el resumen que del mismo ofrece G.M. Bertini, en su traducción del mencionado *Diálogo,* Madrid, Porrúa, 1983, págs. 23-27.

164 Uso la ed. de José María Casas Homs, *La Gaya ciencia de P. Guillén de Segovia*, Madrid, C.S.I.C., 1962, 2 vols., en donde se rescata el texto que preparara, durante décadas, el finlandés O.J. Tuulio y que la Guerra Civil destruyó a punto de iniciarse la tirada de ejemplares. Ver mis *Artes poéticas medievales,* págs. 81-96.

dano en su entorno y que describe Pulgar en la semblanza que le dedicara en sus *Claros varones (HPRC,* § 4.1):

> Era ombre de grand coraçón, y su principal deseo era fazer grandes cosas y tener grand estado por aver fama y grand renonbre. Tenía en su casa letrados y cavalleros y ombres de facíon (136)[165].

El empeño era difícil pues pocos mitrados tan aguerridos y batalladores como Carrillo habían regido la sede toledana, pero Guillén de Segovia no contaba con otro posible mecenas al que enderezar su abigarrada disquisición sobre la poesía. El autor, previendo estas dificultades, va a construir un prólogo para atraerse la benevolencia del arzobispo e inducirlo a proteger el libro que le encomienda. Por desgracia, este escrito liminar ha sufrido severas mutilaciones; ha perdido el comienzo, cuatro folios internos y se encuentra trunco en su final. La parte que se conserva, básicamente, es una crónica particular dedicada a narrar los hechos del arzobispo Carrillo y las sucesivas guerras y conflictos en que se vio envuelto para salvar el reino. El propósito parece claro: Guillén de Segovia elogia al arzobispo, construyendo una biografía que pudiera oponerse a algunas de las imágenes negativas que de él se habían fijado en crónicas como la de Enríquez del Castillo; su intención era mostrarlo como benefactor del reino, hacedor de una difícil paz, tras la que convenía recobrar esa actividad creadora —la de la poesía, claro es— que había quedado interrumpida por la interminable guerra a que el reinado de Enrique IV había quedado reducido.

Porque Carrillo ha devuelto al reino la armonía se hace merecedor de una obra que le permita restaurar, si tal fuera su deseo, ese orden poético tan necesario para afirmar la vida de la corte[166]. Ésta es la argumentación en que Guillén de Segovia apoya su iniciativa de mandarle este tratado, tal y como afirma en las primeras líneas conservadas:

---

[165] Me sirvo de la ed. de R.B. Tate, Madrid, Taurus, 1989.

[166] «Hay también motivos para suponer que las ideas predominantes en este grupo intelectual, en consonancia con su oposición a Enrique IV y su apoyo a la sucesión de Isabel y Fernando, estaban al servicio de unos propósitos de reforma en sentido humanista de vuelta a los "antiguos", lo que no implica una ruptura con el mundo medieval», resume C. Moreno, ed. *Obra poética*, pág. 33.

> Y porque entre todas estas cosas brevemente por mí escriptas he conosçido que vuestro claro ingenio y loable voluntad todavía vos inçita y llama, cuando espaçio vos dan los altos y exçesivos negoçios, a leer las dotrinas de los antiguos filósofos y sabios por sus velúmenes, libros y tractados, resçibiendo en aquello mayor consolaçión y deleite qu'en un plazentero y deleitoso vergel de odoríferas plantas y flores, y así por esto como porque yo soy venido en tal hedat que por curso natural me fallo çercano a mi corrupçión, quise fazer y ordenar este tratado e indocta obra, conteniente dos fines o respectos (42-43).

El primero se refiere a su continuo deseo de servirle, de donde la intención de construir una obra en la que se conserve esa voluntad suya; el segundo apunta a la necesidad de que estos principios teóricos pudieran divulgarse «so estilo baxo y omilde», apartados del «latín» (o 'jerga') con que hasta entonces se habían difundido, impidiendo que un público más amplio pudiera aprovecharse de ese orden de ideas. Lo que pretende Guillén de Segovia es convencer al arzobispo de la importancia de recuperar esa «alegría cortesana» que puede instigar él mismo desde el ámbito letrado que ocupa:

> ...con ánimo y voluntat que así aquellos que de vuestra muy magnífica casa a este estudio y exerçiçio se quieran dar, como los otros estraños a cuyas manos aquesta mi obra verná, ayan o puedan aver la plática de esta çiençia y les sea así familiar (...) sacándola de allí con bivo entendimiento, como aquel sea lumbre que infunde Dios en el ánima del buen varón (43).

Con todo, poco interés debió manifestar el belicoso mitrado hacia este orden de afirmación poética; el manuscrito —ahora el BN Madrid 10065— que le presentara Guillén de Segovia hubo de quedar sepultado en los anaqueles de la biblioteca catedralicia, hasta que fue descubierto en el siglo XVIII por el P. Burriel, que ordenó copiarlo (en el que es hoy el BN Madrid 12994). Ese olvido tuvo que ser la causa de la pérdida no sólo de parte del «Prohemio», sino de las disquisiciones teóricas con que Guillén de Segovia explicaría los fundamentos de la ciencia poética antes de proceder a ordenar el «libro de los consonantes».

11.3.2.2: Los *Hechos* del arzobispo: materia histórica y exégesis poética

La biografía de Carrillo presenta a un gobernante y a un estratega, que por sus virtudes y su diligencia logra salvar el reino; buena parte del preámbulo con que los hechos son enmarcados insiste en este principio:

> Donde Vuestra Señoría, zelando el serviçio de Dios y del rey, y el sosiego y tranquilidat d'este trabajado reino, sin esperar otro galardón sinon de Dios, por cuyo respecto se fizo, guardando sienpre el derecho, se dispuso a todo trabajo y peligro por resistir la desmoderada sobervia y refrenar la enpesçible y mala cudiçia, socorriendo y anparando a lo más flaco que son los menudos del pueblo, defendiendo la tierra y teniéndola en su libertad (1-2).

La acción benéfica del arzobispo se dirige, y ello es notable, a ese estamento de los labradores al que devuelve su «fuerça» y al que libra de los «engaños y asechanças» de las banderías y de las luchas políticas. No quiere Guillén de Segovia que esos actos realizados por Carrillo caigan en olvido y aprovecha el proemio para fijar su recuerdo, remitiendo a un decir laudatorio que había compuesto en verso:

> Y será esto como comento o declaraçión de la otra primera obra que d'esta materia a Vuestra Señoría se fizo en metro, la medida y conpás de la cual non me consintió espresar por estenso los notables fechos çelebrados por vuestro ánimo veril, allí tocados. Lo cual aquí se fará por esta más ancha y espaçiosa carrera que lo consiente, que es e pasó como se sigue (2).

La reflexión es importante, por cuanto este proemio encierra, en realidad, un conjunto de glosas similar al que, por ejemplo, redactara Mena para la *Coronación* de don Íñigo (§ 10.5.2.5.1.1)[167]. Guillén de Segovia había planteado su «Oíd maravillas del siglo presente» como una larga suplicación de 1790 versos[168], con su correspondiente prólogo

[167] Una tercera asociación entre prosa y verso, con carácter encomiástico, propiciará la biografía de Alonso de Monroy *(HPRC,* § 4.2).

[168] Ver el texto en la ed. de Carlos Moreno Hernández, *Obra poética*, págs. 345-402; figura sólo en el BN Madrid 4114; aúna a Lucano y a Alfonso de la Torre en el recorri-

(§ 11.5.3), tras la que consideraría necesaria la *oratio soluta*, el discurso prosístico, para comprimir —y valorar— unos hechos que, en sí, se ajustan al orden cronístico y caballeresco, conforme al modelo de estas biografías políticas y cortesanas que pretenden, básicamente, justificar unas acciones y unos comportamientos determinados[169].

Sin embargo, este proemio acoge nueva materia narrativa que no aparecía en el decir poético, ya que alarga su línea temporal hasta el cerco y toma de Canales en 1474, mientras que el poema se detenía en 1469, con la intervención del arzobispo en la boda de Isabel y Fernando[170].

El rigor histórico de los «hechos» es absoluto[171]. Aunque en el proemio se numeran dieciséis, el registro se extiende a diecisiete[172] y, por la laguna de cuatro folios, posiblemente el desarrollo fuera mayor. Con todo, la unidad narrativa de los primeros dieciséis episodios exige tratarlos en conjunto. Las seis «fazañas» iniciales ocurren en el reinado de Juan II y se refieren a distintos cercos o tomas de plazas fuertes en que Carrillo probó su pericia militar, en escaramuzas lanzadas contra tropas del rey de Navarra; los asedios de la villa de Berlanga, del castillo de Alcorlo, de la fortaleza de la Riba, de la villa de Torija[173], de la liberación de Utrilla, de la fortaleza de Vado del Rey con la cerca de Ber-

---

do de imágenes que construye, ver Francisco José Doménech Mira, «El decir *Oýd maravillas del siglo presente*, de Pero Guillén de Segovia: contribución al estudio de sus fuentes literarias», *Dic*, 5 (1986), págs. 13-45.

169 Pedro Cátedra considera, con justeza, que «se puede estudiar esta obra como representante de la historiografía en verso», ver *La historiografía en verso en la época de los Reyes Católicos. Juan Barba y su «Consolatoria de Castilla»*, Salamanca, Universidad, 1989, pág. 33.

170 Rafael Beltrán ha cotejado ambos textos en el mejor análisis dedicado al asunto: «En los *Hechos* en prosa se incluyen diecisiete sucesos o hazañas, numerados explícitamente, mientras que la suplicación (entre los versos 801 y 952) se ocupa de sólo once, que coinciden con once de los primeros catorce en prosa», ver «La justificación de la escritura en las biografías de Alonso Carrillo y Alonso de Monroy», en *Actas VI Congreso AHLM* I, págs. 265-277, pág. 270.

171 Lo ha demostrado Eloy Benito Ruano, «Los *Hechos del Arzobispo de Toledo D. Alonso Carrillo,* por Pero Guillén de Segovia», *AEM*, 5 (1968), págs. 517-530, en concreto, págs. 521-529.

172 Como señala R. Beltrán en la n. 28 de su *art. cit.*, lo que ocurre es que cambia la voz narradora —es la de una visión o aparición— para referir la última peripecia.

173 En el que se determina una unidad de acción, negada en la crónica del rey, con don Íñigo: «Donde Vuestra Señoría en uno con el preclaro, exçelente y generoso cavallero don Íñigo Lopes de Mendoça (...) proveyó así todas las cosas, que ninguna pudiese ser vista desaconpañada de lo nesçesario para se sojudgar al miedo...», 4.

langa trazan un orden referencial que demuestra las cualidades caballerescas de que está investido Carrillo para dirigir estas operaciones[174].

Los hechos referidos al reinado de Enrique IV lo muestran en abierta oposición a la corte castellana; de hecho, la primera «fazaña» se refiere a la protección brindada al infante don Alfonso para lograr que le fueran reconocidos sus derechos sucesorios, frente a los inciertos de la infanta doña Juana; se traza aquí una breve reflexión que permite pasar de un reinado a otro, en virtud del celo con que Carrillo velaba por la administración del reino y por el nuevo linaje que Juan II dejara tras sí:

> Y quedándonos asimismo los infantes don Alfonso e doña Isabel, fijos asimismo legítimos del rey don Johán, avidos en la muy ínclita y exçelente señora la reina, segunda muger suya (...) y como después de la tal muerte y suçesión, Vuestra Señoría viese los fechos d'estos reinos ir en declinaçión y ronpimiento de mal, y mirando cómo ya el rey nuestro señor tenía sus hermanos los infantes y cómo, estando assí los negoçios en peso, podrían declinar e de fecho declinaran a tales ronpimientos, que diesen lugar e causa a revesar la suçesión d'estos reinos... (11).

Como liberador, por tanto, de esos infantes, el siguiente hecho lo muestra propiciando la coronación de don Alfonso como rey, a fin de acabar con las «disençiones, discordias y males de Castilla» (12), con apoyo de Pacheco[175]; nada se menciona de la «farsa» teatral de Ávila en la que es depuesto Enrique IV, reducida a la brillante escena de la coronación:

> Donde de consejo y concordia de todos y aun de algunos procuradores del reino fue fecho y çelebrado aquel memorable acto de alçar por nuevo rey al glorioso rey don Alfonso y fazer en ello todos los otros actos que para lo abtorizar fue nesçesario (13).

---

[174] Magnificadas con oportunas semejanzas extraídas de Lucano y que comparten todas una similar imaginería: «Vuestra Señoría, con ánimo veril de virtuosso y valiente coraçón, sufriendo aquellos trabajos deleitosos de la justa y líçita guerra...», 2; «Mas aquella animosidat y gravez de vuestro varonil y valiente coraçón, que a mayores cosas se avía puesto...», 3; «El cual sitio, con tanta ardideza, virtud y valentía fue porfiado...», 4; «mas Vuestra Señoría, como varón de virtut...», 5.

[175] Del que se recuerda «que agora es maestre de Santiago», lo que permite situar la redacción en fechas posteriores a 1467.

Pero no se dice cuáles fueron para no comprometer la legalidad de la otra ceremonia. En cualquier caso, a partir de ese punto siguen siete episodios en que la conducta militar de Carrillo salva al nuevo monarca; así se narran la toma de Villaflor, la prisión de García Méndez de Badajoz, el «destroço de Tudela»[176] o la batalla de Olmedo, considerada como una victoria del bando de don Alfonso, puesto que gracias al arzobispo se pudo capturar «todo el fardaje y respuesto que traían» (17) los regalistas, superiores en número. Siguen la toma de la Torre de Aragón y el cerco de Molina, contra el duque de Alburquerque. Tras morir don Alfonso, la decimocuarta «fazaña» se vincula al apoyo que Carrillo prestará a doña Isabel y las decisivas gestiones que emprende para que logre casar con don Fernando de Aragón; como Guillén de Segovia no quiere modelar la imagen de un prelado rebelde a la corte, recuerda que había vuelto a la obediencia de un rey al que la fortuna había permitido recuperar el trono:

> Cuando después de fallesçido el glorioso rey don Alfonso y Vuestra Señoría, por guardar la fe y lealtad devida, tornó en obidiençia y serviçio del rey nuestro señor, que por fallesçimiento del rey don Alfonso su hermano recobró el çetro real sin conpetitor, mirando de cabo cómo las cosas seguían su primero curso en daño y diminuçión d'este reino y cómo de cada día se amenguava la corona real y se quebrantavan las leyes, previllejos y buenas ordenanças del reino, queriendo Vuestra Señoría dar algún medio a tantos y tales daños, el cual fuese conforme a la subçesión d'estos reinos, así por ley divina como por natura umana, veyendo que era cosa justa, líçita y onesta que la serenísima y bienaventurada señora prinçesa doña Isabel oviese su legítimo marido (...) Vuestra Señoría la casó metiendo en el reino al muy ilustre y esclaresçido don Ferrando, rey de Seçilla y prínçipe de Aragón... (19).

Nuevamente, el destino del reino pasa por las manos de este hábil político que no duda, ahora, en socorrer al padre de don Fernando, aquel don Juan de Aragón contra el que tantos cercos moviera, precisamente en el asedio a que los franceses lo tenían sometido en Perpi-

[176] En que es acompañado por Pacheco de quien se esboza una positiva semblanza: «Pues non çesaré escrevir el destroço y vitoria que Vuestra Señoría, en uno con don Johán Pacheco, maestre de Santiago, onbre de gran actoridat y bivo ingenio, de vuestra clara progenie, ovo de los capitanes del rey qu'estavan en la villa de Tudela de Duero...», 15.

ñán; esta ayuda pone punto final a la secuencia de hazañas militares protagonizadas por Carrillo:

> Y aquí çeso escrevir los grandes trabajos y ocupaçiones de la militar diçiplina a que Vuestra Señoría se ha querido oponer ansí por refrenar la sobervia tanto creçida en estos reinos, como por reformar y tornar en su estado la corona real de Castilla, zelando el sosiego de los menudos abitantes en ella (21).

Porque esa imagen de favorecedor de los humildes recupera la que había sido ya prevista en el preámbulo, en cuanto defensor del estamento de los labradores. Por ello, la decimosexta «fazaña» lo muestra, por fin, ejerciendo la autoridad eclesiástica mediante el «ayuntamiento y concilio de Aranda», en el que brilla especialmente el conjunto de letrados de que se rodearía este arzobispo; ésta es una de las imágenes más claras del círculo literario de Carrillo:

> Por biva lunbre de ingenio, por el grande y copioso ayuntamiento de perlados y maestros en teología, condes y cavalleros, industriosos en los actos de la guerra y libres para bien consejar, dotores, liçençiados, bachilleres que Vuestra Señoría en su alto y magnífico consejo tiene [y] non vos podían nin devían salir demandado, fueron juntos (23).

Es de suponer que los últimos años del reinado de Enrique IV exigirían nuevas intervenciones de Carrillo en los asuntos públicos y que Guillén de Segovia, alcanzado este feliz desenlace tuviera que ingeniárselas para acoger una nueva secuencia de hechos; construye, entonces, esa segunda voz narrativa, procedente de una suerte de visión alegórica, a la que se oye, salvada la laguna de cuatro folios, refiriendo la intervención del arzobispo en el cerco de Canales, mandando a Fernando de Ribadeneira con una tropa de cincuenta lanzas y encareciendo a Gómez Manrique, mayordomo de su casa, a que lo representara dignamente en tal lance, uno de los más extensos del relato, por cuanto las noticias que tenía que manejar Guillén de Segovia se hallaban muy próximas a los acontecimientos.

Es, así, factible suponer una doble redacción para este extraño proemio que acaba convertido en insospechado pórtico de entrada a un copioso rimario. P. Guillén construirá su decir poético y en paralelo practicaría una exégesis con notas de aclaración y amplificación de algunos de esos episodios; ese material, que se alargaría hasta el decimosexto hecho, el del concilio de Aranda, lo asumiría después como soporte de este prólogo a *La Gaya ciencia,* extendido hasta la intervención del arzobispo en la defensa de Canales, plaza usurpada por Pacheco en diciembre de 1470[177], momento en el que el ya Maestre de Santiago estudiaba la posibilidad de formular un proceso canónico contra Carrillo que luego no se atrevió a presentar. Ahí es donde encuentra sentido la continuación de la primera biografía, por cuanto es preciso, una vez más, amparar y justificar unas acciones que nunca fueron lanzadas contra el reino, es decir los «menudos del pueblo», sino contra los nobles codiciosos y los usurpadores del poder real. Por supuesto, queda fuera de esta memoria cronística la defección con que Carrillo se apartara de los Católicos, en los compases iniciales de su reinado, para apoyar la intervención armada de Alfonso V, reconociendo ahora la legitimidad que antes negaba a doña Juana; esta actitud contradictoria propicia una serie de escritos difamatorios —desde «letras» a coplas o capítulos cronísticos— que convierten al arzobispo en paradigma de traidor; con todo, desde su «círculo» (§ 11.5.2.1) se instigan nuevos opúsculos reivindicatorios, al que se podría sumar este registro biográfico que, por otros motivos, compilara Guillén de Segovia antes de 1475, año probable de su muerte.

Estos *Hechos* constituyen, por tanto, una magnífica muestra de los distintos géneros poéticos y narrativos que se cultivarían en los ámbitos letrados de la segunda mitad del siglo XV y del modo en que, con ellos, se podía construir un opúsculo, capaz de servir a varios propósitos: reivindicar la figura de un arzobispo, trazar un rápido —y sesgado— repaso de los hechos políticos y militares en que se vio envuelto, presentar, por último, un ambicioso tratado de teoría poética (aunque perdido) y un rimario en el que se encontrarían las claves de una nueva armonía social y cortesana (quizá pensada para el malogrado rey don Alfonso: § 11.4.6).

---

177 Valera en su *Memorial* lo registra con precisión: «En el cual tienpo, de dos fortalezas qu'eran del arçobispo de Toledo e gelas avían furtado, se fazían grandes robos, la una llamada Canales, que tenía Cristóbal Bermudes, e la otra Perales, que tenía Vasco de Contreras, a los cuales el rey don Enrique mucho favoreçía», ed. J.M. Carriazo, 180.

11.4: Tratados políticos y regimientos de príncipes

Sólo un opúsculo de reflexión política —el *Vergel de los príncipes* de Sánchez de Arévalo— se dedicará a Enrique IV y era un breve tratado en que se justificaban sus dos aficiones deportivas, la caza y la música, procurando vincularlas a una acción bélica para la que se deseaba una mayor eficacia. Los demás autores de esta producción se desentenderán de la figura regia, seguros del escaso interés del monarca por estos análisis de teoría doctrinal. Valera ni se preocupará de dirigirle la menor obra, aunque sí una dura carta, a pesar de sus buenas relaciones con don Juan Pacheco. Lo mismo les ocurre a Sánchez de Arévalo, que confiará la *Suma política* a don Pedro de Acuña, o a Pedro de Chinchilla, que construirá un doctrinal para el conde de Benavente en pleno trienio de gobierno alfonsino, como soporte del regimiento que luego envía a quien era acatado como Alfonso XII. La corte de Castilla carecía de un modelo de cortesía que pudiera explicitarse en obras de reflexión ideológica y filosófica, que hubieran permitido otorgar coherencia y sentido a muchas acciones que fueron controladas por los intereses partidistas de privados y nobles, enzarzados en una continua lucha por acumular cargos y engrandecer su señorío; de estos problemas discuten, precisamente, dos caballeros del «reino de Castilla» —§ 11.4.3— con la finalidad de reclamar mayor prudencia para las acciones de gobierno. Con todo, los dos regimientos de príncipes más importantes son los enviados a los infantes don Alfonso —la *Exortación* del mencionado Chinchilla (§ 11.4.6)— y a doña Isabel —el *Jardín* de fray Martín de Córdoba (§ 11.4.7)— como medio de afianzar sus derechos sucesorios al trono, ya en las postrimerías del reinado de Enrique IV.

11.4.1: *Diego de Valera*

Mosén Diego de Valera atraviesa las dos décadas enriqueñas sin apenas dejar rastro de su presencia en los asuntos políticos del reino; había participado en la caída de don Álvaro de Luna y siguió después al servicio del conde de Plasencia, como él mismo lo refiere al rematar el reinado de Juan II en su *Crónica abreviada:*

E así el maestre, que tan largo tienpo avía governado estos reinos, fue degollado en la plaça de Valladolid. En el cual tienpo el conde de Plazencia, mi señor, murió. E yo ove de ir a Sevilla, por mandado de don Álvaro mi señor, con don Pedro d'Estúñiga, su fijo, por fazer su desposorio con doña Teresa de Guzmán, fija de don Juan de Guzmán, donde me detove ocho meses (Yvi*r)*[178].

Y no hay muchos más datos para seguir sus actividades públicas; se sabe que denunció, por ejemplo, al corregidor de Cuenca, Pedro de Salcedo, ante el Consejo real, por secuestrar a regidores a los que luego exigía fuertes sumas de dinero; o que, en 1462, cuando nace doña Juana, encontrándose en Palencia como administrador de la justicia del rey, dirigió una epístola de censura a Enrique IV, amonestándolo por el modo en que regía el reino:

Pues, Príncipe muy esclarescido, es así que muchos de los grandes de vuestros reinos, e porque mayor verdad diga, la mayor parte de los tres estados d'ellos, son de vós malcontentos por las cosas siguientes (8*b*)[179].

Le reprocha los malos consejos seguidos en «los fechos tocantes a la guerra e governación d'estos reinos», el irregular reparto de dignidades eclesiásticas y seglares, el «apartamiento» a que se entrega, las exiguas pagas a sus servidores, la mala aplicación de la justicia, recordándole los casos de reyes depuestos —su cuarto abuelo, don Pedro— por su errada gobernación[180]. A pesar de ello, en 1467 es nombrado maestresala y se le asigna el pago correspondiente a un oficio que tuvo que ser, simplemente, honorífico, ya que Valera estaba por estas fechas al servicio de la casa de Medinaceli.

Tras vivir varios años en Cuenca, consolidando un pequeño señorío en torno a la dehesa de Grillera, se traslada en 1470 al Puerto de Santa María, a donde le escribe el príncipe don Fernando de Aragón y en donde se encuentra cuando muere Enrique IV. Este suceso le pro-

---

[178] Cito por la impresión de 1481 (BN Madrid, Inc. 1732). Incluye este capítulo J.M. Carriazo en el cierre de su *Memorial de diversas hazañas*, ver pág. 337.

[179] Me sirvo de la ed. de M. Penna de *Prosistas castellanos del siglo* XV. *I,* págs. 1-51. Para el epistolario de Valera ver *HPRC,* § 6.1.2.1.

[180] Como recuerda Luis Suárez: «Son las acusaciones que se emplean cuando se pretende dibujar un delito de tiranía», *Enrique IV de Castilla,* pág. 269. La carta se inserta, también, en el *Memorial* (§ 11.1.4.1.1, n. 81, pág. 3525).

yecta, de nuevo, a la vida pública, por cuanto se declara ferviente partidario de la hermana del rey.

La producción letrada de Valera en estos veinte años se abre, por tanto, en dos direcciones, la reflexión histórica y la valoración política, practicadas ambas desde el discreto retiro y el período de estudio en que se sume. Tuvo que ser determinante, a este respecto, su más que posible intervención en el trazado de las instituciones de la Orden de la Vera Cruz, instigado para ello por don Pedro Fernández Velasco[181]; la consulta de los libros reunidos en la biblioteca de Medina de Pomar le permitió asumir un orden historiográfico —así la *Crónica abreviada de los emperadores* o la *Crónica martiniana*— fundamental para su producción cronística, tanto la erudita (su *Origen de Troya y Roma,* BN Madrid 12672, 149*r*-156*r*) como la que dedica a recrear el pasado peninsular ya en el contexto de los Católicos *(HPRC,* § 3.6.1).

Valera, a pesar de haber sido doncel de Enrique IV, no dio muestras de la menor simpatía hacia este monarca[182], mostrándose en cambio atraído por el papel conciliador que representaba Pacheco; a él dedica dos tratados consolatorios a raíz de la elevación de Miguel Lucas de Iranzo a la condestablía del reino en 1458, compartiendo con el valido su perplejidad por el ascenso de estos hombres de bajo estado (revísense págs. 3602-3605). Con todo, el alejamiento progresivo de Valera de la vida pública sólo puede explicarse por el creciente desengaño que sentiría hacia el continuo enfrentamiento con que nobles y prelados se disputaban el poder. Quizá como consecuencia de este clima de deterioro político, Valera acomete una producción tratadística en la que intenta salvar los principios esenciales de la caballería y de las ceremonias cortesanas.

11.4.1.1: El *Tratado de las armas*

Dedicado a Alfonso V de Portugal, el también llamado *Tratado de los rieptos y desafíos* tuvo que ser compuesto después de 1458, puesto

---

[181] Ver J. Rodríguez Velasco, *El debate de la caballería*, pág. 238.

[182] Lo demuestra con creces en su *Memorial*, § 11.1.4. Carriazo recuerda: «Un nuevo testimonio de la falta de simpatía de Mosén Diego por su antiguo señor es que no le dedicó ninguna de sus obras, como tampoco lo hizo a la reina doña Juana; siendo así que había ofrecido esta muestra de afecto y acatamiento a Juan II, por dos veces, y a la reina doña María, y luego había de hacerlo también con los Reyes Católicos», *Crónica de los Reyes Católicos*, pág. lxxxix.

que entre los títulos del portugués figura el de «señor de Cepta e Alcáçar Çaguer», plazas conquistadas en esa fecha. Su contenido parece una amplificación de los dos últimos capítulos del *Espejo de verdadera nobleza* (§ 10.5.2.4.1.2), fijada mediante los recuerdos y las experiencias de sus viajes como embajador y caballero andante por varios países de Europa, en los que destacó como justador y polemista, tal y como aquí, de pasada, recuerda:

> Cerca de lo cual fue asaz devate conmigo en la corte del señor duque Felipo de Borgoña, que oy es[183], porque truxe ende mi enpresa cubierta, e después de tocada la truxe descubierta fasta el fin de mis armas; el cual debate fue determinado por el dicho señor duque con consejo de los barones e cavalleros de su corte en esta guisa: que yo podía traer mi enpresa fasta las armas ser llegadas a fin... (129*a*)[184].

Éste es el ambiente en que se enmarcan las cuestiones de que se va a ocupar Valera, consciente de la necesidad de fijar códigos de este tipo, que permitan resolver litigios que podían desembocar en imprevistas disputas; esta expectativa de recepción tuvo que ser determinante para la difusión del opúsculo no tanto en el reinado de Enrique IV como en el cambio de los siglos XV al XVI[185], en donde este manual de etiqueta heráldica y derecho caballeresco podía ser más necesario, arropado no sólo por el prestigio de su autor, sino por la producción historiográfica que ya había construido y en donde se encuentran los casos prácticos que demuestran el valor de estos reglamentos protocolarios. Ya es notable que el *Tratado* lo dirija a Alfonso V de Portugal y que lo sea a partir de la fecha, 1458, en que Valera se aleja de la corte caste-

[183] Carriazo indica que esta alusión le permite «remontar la fecha *ante quem* de su redacción al año 1467, en que murió Felipe *el Bueno*», ver ed. de *Memorial*, pág. xxxiii.

[184] Cito por la ed. de M. Penna, en *Prosistas castellanos del siglo XV. I*, págs. 117-139. Francisco Gago Jover ha preparado *Textos y concordancias del «Tratado de las armas» de Diego de Valera. Rome, Casanatense MS. 1098, BNM MS. 1341*, Madison, HSMS, 1994; también ha sido transcrito por Félix Calero Sánchez, con corrección de Rolando Cossío, para ADMYTE 1 (1992), conforme a Valencia, Juan Viñao, c. 1517. Ver, por último, *La caballería castellana*, págs. 240-246 y 254-255.

[185] A su transmisión manuscrita ha dedicado varios estudios Lourdes Simó, ver «Los manuscritos del *Tratado de las armas* de Mosén Diego de Valera», *Med* (1992), págs. 23-29, «El *Tractado de los rieptos e desafíos* de Mosén Diego de Valera: Notas para una edición crítica», en *Actas IV Congresso AHLM*, III, págs. 283-291, o «El Ms. 529 de la Biblioteca de Catalunya y el *Tratado de las armas* de Diego de Valera», *Inc*, 13 (1993), págs. 153-168.

llana, desconcertado por el ascenso de criados como don Miguel Lucas; considera, por tanto, al rey portugués depositario de las condiciones[186] y garantías que pueden permitir el mantenimiento y la difusión de este saber caballeresco, tal y como afirma en el Prólogo:

> La cual, tal cual sea, después del estudio de tan altas sciencias a cuantas vos dais, como por deporte o recreación del trabajo, húmillmente vos suplico algunas vezes ante Vuestra Alteza la mandéis leer, no por merescimiento de aquélla, ni menos por abtoridad del simple conponedor, mas por ser materia a cavalleros conviniente, mayormente a aquellos que fechos de armas dessean enprender (117*b*).

Valera, en aquella epístola de 1462, acusaba a Enrique IV de despreciar «servicios, virtudes, linages, ciencias» y de promover a «onbres indignos»; no podía ser el monarca castellano merecedor de esta obra por cuanto carecía de la capacidad de sostener su corte sobre un entramado caballeresco, de donde la urgencia de buscar en Portugal lo que no encontraba en Castilla:

> La correpción de la cual, príncipe muy humano, someto a Vuestra Real Magestad, e a los nobles cavalleros e gentiles onbres de vuestra magnífica casa e corte, que más han visto e leído que yo, e a los reyes d'armas e harautes, a quien de su oficio conviene lo tal interpretar, corregir y enmendar, según bien visto les será (íd.).

La obra se compone para regular los «rieptos e desafíos», es decir para dirimir legalmente sobre los casos de honor que pudieran presentarse en curia y la resolución —tanto jurídica como en el campo de las armas— que requirieran. Estos principios de convivencia caballeresca son los que no puede asegurar Enrique IV.

El texto se divide en tres partes. La primera se refiere a los desafíos, es decir a las «armas necessarias que por querella se fazen» (118*a*), según el derecho y las costumbres de Francia, España e Inglaterra. Son

[186] Casi mostrado como contrafigura del monarca castellano: «cómo desde vuestra infancia, puericia, adolecencia, e no menos agora en vuestra juventud, vuestro muy claro y alto ingenio en diversas ciencias ayáis exercitado, no por esso en cosa menguando vuestro oficio real, mas prudentemente dando las cosas a los tienpos, como la oportunidad o caso lo requieren», 117.

datos muy curiosos, surgidos tanto de observaciones personales como de la lectura de tratados teóricos, arropados por la *Estoria theotónica* o por leyes como las del rey francés Filipo; sin embargo, cuando refiere las fórmulas del reto, sus solemnes redacciones, los plazos que deben interponerse, las medidas de las «liças», los cadalsos y puertas de acceso, los juramentos y funciones de los condestables, Valera está describiendo realidades en las que él mismo participó y de las que quedó constancia en la *Crónica de Juan II.* No sería extraño que, además, pretendiera aclarar nociones a fin de que los caballeros españoles que visitaban cortes europeas conocieran los entresijos de sus particulares protocolos; así, se entienden explicaciones de este carácter:

> La forma que en el repto, trance o gaje de batalla en Francia se tiene, es la siguiente: el reptador pone su querella en escripto ante el condestable, recontando el caso acaecido, poniendo el nonbre del injuriador e del injuriado, e el día e tienpo e el lugar donde la cosa acaesció, guardándose de decir otras palabras injuriosas, salvo aquellas que al caso de necesidad se requieren; e concluye diziendo que el reptado por aver cometido el tal maleficio es traidor (119*a*).

Piénsese, por otra parte, que Valera está definiendo costumbres reales y, así, cuando informa de las leyes españolas y habla de las casuísticas referidas a la traición y al menoscabo, éstas puedan considerarse marcos de comportamiento de los propios *romances* de materia caballeresca, que, desde la vertiente especular de la ficción, daban acogida a preocupaciones similares. Ahí es donde cabe, por si se hubiera olvidado, la recuperación del fondo de ideas que emerge de la séptima de las *Partidas*[187]:

> Desonra, tuerto o daño faziendo un onbre fijodalgo a otro, puédelo desafiar por ello en esta manera, diziendo así: «Tórnovos amistad e desafíovos, por tal desonra, tuerto o daño que me fezistes, o a fulano, mi pariente, porque he derecho de lo acaloñar» (122*b*).

---

[187] Advierte L. Simó: «Las dos citas de la *Séptima Partida* de Alfonso X que se encuentran en la primera parte del *Tratado de las armas* parecen seguir un original distinto del que sirvió de base para la edición del texto alfonsí en 1491», ver «Un ejemplo de anotación a dos citas legales contenidas en el *Tratado de las armas* de Diego de Valera», en *Edición y anotación de textos II*, págs. 649-665, pág. 661.

Tanto los caballeros reales como los literarios tenían que ser duchos en conocimientos como los ordenados en un manual de este tipo.

Tras las leyes referidas a los duelos o «rieptos», Valera dedica la segunda parte a la forma en que deben realizarse las «armas voluntarias», es decir aquellas que se emprenden «por sólo exercicio y gentileza» (128*b*), momento en que recuerda el debate que su firme postura suscitara en la corte de Felipe de Borgoña; pues Valera habla, siempre, de lo que vio y vivió:

> Donde digo que el cavallero o gentil onbre que las tales armas quiere enprender, lo deve fazer en una de dos maneras, es a saber: requeriendo a otro cavallero o gentil onbre que lo delibre de ciertas armas que por escrito le serán demostradas, o trayendo alguna enpresa generalmente para cualquier cavallero o gentil onbre que tocar la querrá en cualquier manera (128*b*-129*a*).

Resulta necesario que quien acometa estas empresas cuente con la «licencia» de su rey o señor y se asegure la del príncipe de la tierra a la que va, procurando no implicar en los combates a contrincantes de mayor linaje que el suyo:

> ...lo cual es mucho de reprehender a los que lo facen, que como quiera que los derechos consientan un pobre cavallero o gentil onbre poder llamar a batalla a un gran señor, esto es en las armas necesarias que por querella se facen, mas en las voluntarias no se deve fazer ni es tenido ningún gran señor de responder a la tal resqüesta, aunque en persona sea llamado, salvo si el tal con gentileza o por querer fazer onra a aquel que lo llamase se quiere facer igual suyo (129).

La tercera parte constituye, por último, una disquisición sobre el origen de las armas o señales, mostrando las diferencias de las cotas de armas y cuáles son las personas o dignidades que pueden llevarlas[188]. Se trata de un contenido muy similar al abordado en el último capítulo del *Espejo*, dedicado a las armas y señales; se amplía ahora esta materia con indicaciones referidas a las tres clases de cotas (la de armas, la tini-

[188] L. Simó señala: «Éste es el capítulo más ameno del tratado, pues Mosén Diego se remonta a la mitología clásica para explicar el origen de los escudos y emblemas», «Los manuscritos del *Tratado de las armas...*», pág. 25.

cla, el plaquín) y el modo en que deben traerse[189], así como a la descripción de las siete enseñas, especificando quién puede portarlas, para terminar con una aclaración sobre las circunstancias en que se pueden ganar y perder las armas, asumida, con argumentos de Bartolo, la distinción entre armas de linaje y armas de dignidad, por cuanto éstas requieren alcanzar previamente el honor que las sustenta:

> Si son de dignidad, en otra manera ganar no se pueden, salvo ganando la dignidad por razón de la cual las armas se traen (...) Aquí conviene saber que las armas de dignidad se convierten en armas de linaje a todos los descendientes, salvo al heredero de la dignidad, el cual no las puede en otra manera perder, salvo perdiendo el derecho que ha a la dignidad (135*a*).

Cabe ahora apuntar que cualquiera puede tomar las armas que desee, puesto que por ellas ha de ser conocido, con la condición de que esas señales no las hubiera adoptado otro caballero previamente.

Recuérdese que esta materia había sido también abordada por Rodríguez del Padrón, desde otras perspectivas y con otra valoración del término «dignidad», en su *Cadira,* cerrada también con un tratado sobre las señales (§ 10.7.4.3.4.3) en el que se ocupaba de los signos con que las armas podían revestirse; a este orden de ideas llega Valera al final de su *Tratado* al hablar de los «blasones», con procedimientos de exégesis etimológica:

> Donde, Príncipe muy católico, digo que este vocablo es francés, y en nuestra lengua quiere tanto dezir como declaración o demostración, e los que dizen blasonar armas, por pedrería, virtudes, elementos o metales, yerran, que aquello dévese dezir, conparar o apropiar, que blasonar no es otra cosa salvo demostrar o declarar cómo las armas están (136*b*-137*a*).

Menciona los siete colores con que las armas se pueden pintar, las dos señas llamadas «armiños o veros» (137*b*), el significado de las tona-

---

189 «Aquí es de notar que cota d'armas conviene traer al rey e a los ancianos cavalleros, que más por consejo que por braço han de pelear; asimesmo la deven traer los oficiales d'armas. Tinicla deven traer los mayores señores de la hueste, que son en edad de conbatir. Plaquín deven traer todos los cavalleros e gentiles onbres a quien de necessidad conviene pelear», 132*a*.

lidades, las maneras de dividir el escudo y las formas que puede adoptar conforme a su «cabeza o punta» (138*a*), recomendando que los animales que en ellos se pinten lo sean «según naturalmente mayor vigor han o más fermosas se pueden mostrar» (138*b*)[190]. Como se comprueba, todo un ritual de heráldica que Diego de Valera confía al único monarca peninsular que, en estos momentos, puede aprovecharlo.

11.4.1.2: Los tratados dedicados a Pacheco

La relación de Mosén Diego con Juan Pacheco se antoja, cuando menos, extraña, por cuanto en la figura de este valido se compendiaban los principales defectos —la codicia, la soberbia, la sed de cargos— que Valera había señalado ya como causas de la destrucción del reino en el período de Juan II; es cierto, con todo, que Juan Pacheco fue mucho más hábil que don Álvaro de Luna, pues siempre procuró ganarse a una parte de la nobleza —no importaba cuál ni quiénes fueran sus miembros— antes que enfrentarse a ella; promovía continuamente acuerdos y ligas con que lograba envolver a todos, especialmente al rey, más dado a los pactos que a las acciones. Tuvo que confiar Valera, entonces, en la experiencia política de quien había sido nombrado Marqués de Villena tras la batalla de Olmedo de 1445 para enderezar los asuntos del reino[191]. De ahí que, como se ha indicado ya, se sintiera molesto cuando Enrique IV promocionara a «criados» suyos de bajo linaje a puestos capitales en la administración del reino y fuera posible que quisiera exhortar a Pacheco a sobreponerse ante los infortunios que, por este motivo, se le aparejaban. Nada de ello se explicita, directamente, en estos opúsculos, claro es, pero a hacer caso al *Memorial de diversas hazañas*, tras la farsa de Ávila, Valera pierde totalmente la confianza en este ministro (ver pág. 3527), así que tuvo que dirigírselos antes de junio de 1465.

---

[190] Reconoce L. Simó que Valera, «desde épocas tempranas fue considerado una autoridad en temas ceremoniales (...) Sin embargo, su tarea resultó vana pues ninguna de las alternativas presentadas ha pervivido en la heráldica posterior», «Los Conocimientos Heráldicos de Mosén Diego de Valera», *LC,* 22:1 (1993), págs. 41-56, pág. 52.

[191] Amén de la formación común que ambos compartieran como recuerda J. Rodríguez Velasco: «Juan Pacheco era un viejo compañero de Diego de Valera, con el que coincidió seguramente entre los Donceles. Con él, asistió al príncipe Enrique en los años de la adolescencia y juventud de éste», *El debate sobre la caballería en el siglo XV*, pág. 229.

11.4.1.2.1: El *Tratado de providencia contra fortuna*

El primero de los tratados es de incierta datación; ha sido fechado por Carriazo entre 1462 y 1467[192] y por Rodríguez Velasco entre 1445 y 1448[193]; su mensaje es distinto en un caso o en otro y del texto nada se deduce que permita ajustar la cronología, cuando además Pacheco parece encontrarse en tal estado de prosperidad, que le conviene aprender a precaverse de la adversidad:

> E sin dubda, señor, es esta discreta doctrina, que más nescesario es el consejo en el tienpo próspero que en el adverso: que la próspera fortuna ciega e turba los coraçones humanos e la adversa, con su adversidat, da consejo. Porque, señor, a los onbres discretos conviene fazer lo que el sabio marinero, el cual en el tienpo de la bonaça se apercibe e arma contra la fortuna, ca sabe ser cossa natural, después de bonaça, tormenta, e después de tormenta, bonaça (141*a*)[194].

Acuerdan estas ideas con las expuestas en la tratadística sobre el caso y la fortuna (§ 10.5.3.2) y nociones similares habían sido ya planteadas en su *Tratado en defensa de virtuosas mugeres* (§ 10.7.4.2), aunque con un método alegórico ajustado al marco al que dirige la obra. La fortuna, en cambio, en el texto enderezado a Pacheco, es suma de contrariedades seguras, procuradas ya por iniciativa de los enemigos, ya por voluntad propia:

> E porque, señor, segunt dize Sant Bernardo, como quiera que el estado de las cosas mundanas debaxo de la fortuna trabaje, ni por eso la regla del bevir es de dexar, que muy atarde el infortunio con la diligencia se acompaña, e muy más atarde el infortunio de la peresa se aparta. E si un onbre, que a cierto día oviese a otro de conbatir, procura de armarse con grant diligencia, muchas vezes reveyendo su arnés, ¡cuánto más procurar lo deve quien no sabe cuándo será conbatido de un tan grande e fiero enemigo como es la

---

[192] Como si quisiera ponerse a su servicio: «En el fondo, mientras le advierte los riesgos que rodean la prosperidad del hombre poderoso, parece como si Valera ofreciese aquí sus servicios al de Villena», ed. *Memorial*, pág. xxxiv; ver, también, ed. *Crónica de los Reyes Católicos*, pág. xcv.

[193] En *ob. cit.*, págs. 228-229.

[194] Uso la ed. de M. Penna, *Prosistas castellanos del siglo* XV. *I*, págs. 141-146.

> fortuna! Pues, con todo estudio conviene buscar así duras armas, que sean bastantes a resistir tan grand adversario (142*a*).

Tal es el objetivo del opúsculo, proveer de razones para prevenirse contra las inevitables mudanzas con que la fortuna todo lo trastorna; bajo esta cobertura literaria, Valera aprovechará para enumerar cinco principios de afirmación política, antes que argumentos religiosos o filosóficos:

> Onde, muy virtuoso señor, las armas contra la fortuna a los grandes señores, después de servir a nuestro Señor, son cinco principales. Conviene a saber, primera: amar, querer, servir, temer e honrar de todo coraçón su rey (...) Segunda, amor de los súbditos (...) Tercera, riquezas, sin las cuales no se puede luengamente conservar grand estado, ni dar fin a cossa magnífica (...) Cuarta, fortalezas, las cuales muchas vezes leemos e vimos aver aplacado la ira de la adversa fortuna. La quinta e más principal, después de servir a nuestro Señor, buen consejo (142).

Valera engasta en su discurso pautas de actuación que coinciden con el repertorio sentencial de los tratados políticos que, desde la mitad del siglo XIII, están definiendo el modelo de buen consejero o buen privado; es cierto que, en alguno de estos puntos, asoma la experiencia cortesana y militar de su promotor, como lo demuestra la larga lista de oficiales y de pertrechos con que las fortalezas deben convertirse en bastiones defensivos (143*a*). Por otra parte, Pacheco parece que tuvo muy presente estas recomendaciones sobre el modo en que había de afirmar las numerosas alianzas que instigaría:

> E d'estos así escogidos rescebid estrecho juramento que guardarán vuestros secretos, e tened con ellos tal orden, que en las cossas graves apartadamente de cada uno sepáis su voto e contra todos argüid así bivamente cuanto vuestro juizio bastare e después todos juntamente vos mandad que digan sus opiniones, e la determinación quede a vós, en absencia suya (144*a*).

Como en anteriores opúsculos, este breve *Tratado* se orna con glosas etimológicas, filosóficas y poéticas, como la referida a la doble faz con que la fortuna se manifiesta[195]:

---

[195] Conforme a uno de los núcleos ideológicos de esta tradición, como ha señalado

> Es a saber que los poetas pintaron la Fortuna con dos caras: la primera muy fea e triste, la segunda muy alegre e fermosa; a denotar que, de nuestro nascimiento, somos todos en el mundo venidos para dolores e grandes miserias (...) E por eso, cuando los poetas quisieron fablar de la adversa fortuna, llamáronla primera, e cuando de la próspera, llamáronla segunda (146).

11.4.1.2.2: El *Cirimonial de príncipes*

Fechable entre 1458-1460, este opúsculo, eliminado su andamiaje encomiástico, parece concebido para demostrar que en torno al Marqués de Villena existía un pequeño círculo letrado, en el que se moverían debates, regulados por la «discreción» de Pacheco[196] y atentos al recto funcionamiento de las instituciones cortesanas:

> Donde, muy virtuoso señor, como este otro día de diversas cosas en uno fablásemos e ocurriese dezir de las preminencias o prerogativas a cada una de las dignidades devidas, de amas las obras de onbre prudente usastes: es a saber, diziendo sin hufanía lo que sabíades, e oyendo sin desdén lo que se dezía, e no contento de las palabras deleznables o caedizas, mandaste a mí lo que en esta materia sentía en escrito pusiesse (161)[197].

Por encima del tópico de la justificación de la escritura, interesa valorar el grado de autoridad de que se quiere investir al Marqués, promoviendo una obra que ha de servir para aclarar cualquier duda referida a la significación de los distintos títulos nobiliarios y al grado de res-

---

Mendoza Negrillo: «En Mosén Diego de Valera nos parece descubrir una evolución que va de la Fortuna, ministro de Dios, tal como la presenta Dante, a la identificación de la malicia de los hombres o de la negligencia propia o de ambas causas a la vez», *Fortuna y providencia en la literatura del siglo XV*, pág. 92.

196 Y es la principal virtud que en él se encarece: «con gran razón podemos dezir que la natura con mano liberal vos dotó de los mayores bienes que pudo, ca vos dio muy entera discreción, que es de todas las virtudes madre», 161*a*, cito por M. Penna, págs. 161-167. Ver *La caballería castellana*, pág. 205.

197 Cito por M. Penna, págs. 161-167; ha sido transcrito por Félix Calero Sánchez, con corrección de Rolando Cossío, para ADMYTE 1 (1992), conforme al impreso de Valencia, Juan Viñao, c. 1517. Se ha incluido, también, en *Textos y concordancias del «Tratado de los rieptos y desafíos. Ceremonial de príncipes» (Valencia ca. 1500? y ca. 1510?)*, ed. Gonzalo Águila Escobar, Nueva York, H.S.M.S., 2003.

peto y acatamiento que, a cada uno de ellos, se debe. Es oportuno, por ello, centrar este escrito en la profunda crisis de valores que tuvo que ocurrir en la corte castellana en 1458 cuando «onbres indignos» se hicieron con la condestablía, la mayordomía o el priorazgo de la Orden de San Juan (revísese pág. 3492), amenazando uno de ellos, además, con apropiarse del maestrazgo de Santiago. Pacheco por unas razones y Valera por otras no podían sufrir un ascenso tan imprevisto, de donde la necesidad de construir este opúsculo afirmado por «istorias antiguas» y por hechos conocidos por el propio autor que apunta, al final del proemio, el título más adecuado a esta materia:

> Assí llamaréis, si vos placiera, este tratado *Cirimonial de Príncipes* (161*b*).

Centrado históricamente el asunto, con el concurso de Bartolo se distinguen las dos clases de dignidades, con los mismos argumentos que había empleado en el *Tratado de las armas:*

> Una es aquella con que los onbres nascen; otra es la que los reyes, príncipes e provincias dan o pueden dar. De la primera es de saver que tanto alguno en mayor dignidad es nacido cuanto en deudo es más cercano a la corona real de la tierra o provincia donde nació (162*a*).

A Valera, en esta hábil pieza de propaganda política, no le basta con saber que Pacheco ha recibido la dignidad de Marqués, porque en el proemio hace remontar su origen a una ilustre progenie en que se mezclaban las casas reales de Castilla y de Portugal, aunque ello fuera más que discutible[198]. El propósito era presentarlo como la persona más adecuada para poder dirimir sobre la preeminencia que correspondía a cada una de las dignidades.

Valera, sin entrar en las eclesiásticas, recuerda que «la más alta dignidad de las tenporales es la inperial» (162*b*), como lo demuestran las tres coronas que ha de recibir en su elevación al trono; se interesa por cuestiones tangenciales con las que explica por qué los griegos mante-

---

[198] Recuerda Luis Suárez: «Nieto de un exiliado portugués, Juan Fernández Pacheco, llegado a Castilla en las postrimerías del siglo XV, que contrajo matrimonio con María Téllez, también de estirpe portuguesa, conservaba ciertas vinculaciones efectivas con el vecino reino», *Enrique IV de Castilla*, pág. 24.

nían usurpado el nombre de imperio o sobre qué base jurídica algunos reyes peninsulares se titulaban «enperadores d'España» (163*a*). Tal es la segunda dignidad de que se ocupa, la regia, ordenando aspectos prácticos de protocolo cortesano:

> Ante los otros reyes se acostumbra poner tres vezes la rodilla en el suelo; a los reyes d'España solamente se besa la mano; a los reyes de Nápol la mano y el pie como al Santo Padre, lo cual se faze porque se intitulan reyes de la santa cibdad de Jerusalén. A todos los reyes acostumbramos dezir muy excellentes, muy esclarecidos, muy poderosos, muy illustres (163*b*).

Importa también solucionar las posibles contiendas sobre los asentamientos de dos reyes o príncipes, recordando los problemas que se plantearon en el Concilio de Basilea a este respecto.

La tercera de las dignidades es la ducal[199], sobre todo en Francia e Inglaterra, cuyas preeminencias, con una buena dosis de recuerdos, enumera, para centrarse en la principal de ellas:

> E tiene otra mayor perogativa allende todos los duques del mundo, la cual es que puede juzgar canpo o batalla, tanbién entre sus naturales como entre estrangeros, e asolver e condenar, e sacar de la raya, e dar armas nobles, e dar armas como rey no reconociente superior (164*a*).

Esa regulación caballeresca no depende de los reyes a cuyo dominio puedan estar sujetos, sino del oficio principal que a ellos pertenece.

Siendo la cuarta dignidad la del marqués, Valera se impone una explicación que le parece de todo punto necesaria, dada la expectativa de recepción a que está ajustando el tratado:

> Pues viniendo a los marqueses, digo lo que más grave parece, que en los tienpos antiguos los marqueses fueron a los duques preferidos o antepuestos (...) Ca los marqueses avían dignidad perpetua, es a saber, mero y misto inperio en las provincias o marchas que señoreavan, e los duques no, salvo a tiempo, esto es, cuanto durava la guerra o exército en que avían governación (164*b*-165*a*).

---

[199] Y no sabían Valera ni Pacheco que, con el tiempo, don Beltrán de la Cueva sería promovido a duque de Alburquerque como compensación por dejar vacante el maestrazgo de Santiago.

Es la realidad del dominio señorial la que separa a una dignidad de otra, como demuestra con argumentos jurídicos y etimológicos, amén de sus propias observaciones; le interesaría, en especial, a Pacheco saber que las prerrogativas de los marqueses son similares a las de los duques:

> Los cuales se intitulan illustres, ínclitos, magníficos, claros y aun algunos d'ellos se intitulan *super* illustres (...) Estos mismos títulos se acostunbran escrevir a los marqueses, los cuales en Inglaterra e Italia oyen missa en cortinas, e besan el Evangelio, e assiéntanse en silla con doser a las espaldas (165*b*).

Aclarado este aspecto, Valera, pensando posiblemente en don Miguel Lucas, es categórico en su planteamiento:

> Pues ¿quién duda ser mayor la dignidad de marqués que de conde? El cual error en ninguna parte del mundo se tiene salvo en Castilla, el cual fue tomado de la orden de la letra de la onzena ley del título primero de la *Segunda partida*, donde primero se hace mención de los condes que de los marqueses (íd.).

Para deshacer equívocos le basta a Valera con mencionar la orden de los salvoconductos del emperador o con recordar cómo en Inglaterra él había visto a dos condes ser promovidos a marqueses. Según los *Hechos,* Iranzo fue, en la misma ceremonia, nombrado barón, conde y condestable (§ 11.3.1.2, pág. 3564), quizá por ello se consideraran pertinentes estas explicaciones.

La quinta dignidad que menciona es la de vizconde, extendida especialmente en Francia pues así son nombrados los hijos de los condes; la sexta es la baronía, vinculada al dominio de una villa; Valera sitúa en séptimo orden las dos últimas preeminencias de que le importa tratar:

> Agora veamos de algunos oficios que traen dignidades anexas, e han juridición sin tener señoría ni administración de tierra, así como ofizio de almirante y condestable (166*a*)[200].

A pesar de carecer de señorío territorial, tienen «mero e misto imperio», el primero en el mar, el segundo en la tierra, siendo superior el grado de almirante porque batalla en lugar más peligroso. En resumen,

---

[200] Ver *La caballería castellana*, pág. 126.

dos cosas quedaban claras al final de este análisis de las dignidades estamentales: después del rey, el título más importante era el de marqués, ocupando el último lugar de todos el de condestable. Los valores contrahechos en la ceremonia de 1458 quedaban, así, restaurados.

11.4.1.3: El *Breviloquio de virtudes*

Valera, con este opúsculo datable en torno a 1461, se dispone a prestar un servicio letrado a don Rodrigo Alfonso Pimentel, cuarto conde de Benavente, como medio de reconocer en el hijo los favores que el padre le había prestado; obra, así, como el traductor Pedro de Chinchilla, que dirigirá al mismo noble, en 1466, un escrito de naturaleza similar, la *Carta e breve conpendio* (§ 11.4.5); Valera sabía que no se trataba de un «don» magnífico, aunque sí merecedor de ingresar en una de las bibliotecas nobiliarias más importantes[201], amén de que la vida del conde se encontrara sujeta a mudanzas vinculadas a la dignidad que poseía y a su influencia en la vida cortesana, como lo descubre este repertorio figurativo, marcado por un cadencioso isocolon:

> E pues conoscéis cuánto es breve la más larga vida e a cuántas miserias es obligada e cuánto peligroso es este mar en que navegamos, con gran diligencia fornid vuestra fusta de tales pertrechos que vientos contrarios no vos enpescan, por bravos que sean. Que para salir a puerto seguro de golfo lleno de tantos peligros, bien conviene fusta velera e sabio piloto, aguja ligera, sonda pessada e leme prudente (147*a*)[202].

La exégesis es necesaria, por cuanto la imaginería perfilada en esta suerte de *integumentum* poético se explicita en la correspondiente red de sentidos alegóricos, relacionados con el mensaje religioso que quiere promoverse:

---

[201] Para la relación cultural promovida por este linaje ver Isabel Beceiro Pita, «La biblioteca del Conde de Benavente a mediados del siglo XV y su relación con las mentalidades y usos nobiliarios de la época», en *Estudios en memoria del profesor D. Salvador de Moxó*, Madrid, Univ. Complutense, 1982, I, págs. 135-145, más «Los libros que pertenecieron a los condes de Benavente entre 1434 y 1530», *Hisp*, 43 (1983), págs. 237-280, pág. 254.

[202] Texto en ed. de Mario Penna, págs. 147-154.

Así sea la fusta de vuestro viaje memoria de aquel dicho de Job: «Homo natus de muliere, brevi vivens tempore, repletus multis miseriis». E sea el piloto temor continuo de nuestro Señor, que sienpre ante vuestros ojos esté. Sea el aguja la linpia conciencia que siempre a todo lo honesto vos guíe. Sea la sonda muy gran discrición que a lexos mire todas las cosas. Sea el leme que la fusta govierne la caridad que sienpre tengáis. Sea el mástel que no es de olvidar, guardar vuestra fe que nunca se quiebre. Sean las entenas de grand fortalesa, con prudencia, justicia, tenprança... (147).

Desde este nivel textual, un aparato de glosas permite profundizar en los mensajes tropológicos o doctrinales de alguna de estas propiedades, como ocurre con la última, referida a la «fe»[203]. En cualquier caso, el conde debe guarnecer el navío de su vida con las cuatro virtudes cardinales para poder navegar «sin temor de fortuna»; son así definidas la prudencia, la justicia, la fortaleza y la templanza, con sentencias escriturarias y filosóficas, para examinar, en un segundo grado de configuración textual, «las partes» de cada una de ellas, a fin de convertirlas en asiento de comportamiento moral y político; de este modo, la prudencia consta de ocho partes («rasón, entendimiento, circunspección, providencia, enseñança, caución, memoria, solercia», 148*a*), la justicia de siete («religión, piedad, inocencia, amistança, reverencia, concordia, misericordia», 148*b*), al igual que la fortaleza («magnanimidad, fiusa, costancia, perseverancia, magnificencia, segurança, paciencia», 149*a*), reuniendo seis la templanza («continencia, modestia, clemencia, vergüença, abstinencia, honestad», 149*b*). Se ordenan, así, veintiocho cualidades que pueden permitir a un noble, como Pimentel, convertirse en un buen gobernante; por ello, de todas se valora de forma especial la «clemencia» sobre la que debe erigirse la de la discreción, para conseguir el máximo ideal a que puede aspirar quien desempeña un oficio público:

Pues, entre todas las otras cossas procurad ser más amado que temido; la contraria condición de lo cual, todos los tiranos procuran y no son poco en ello engañados (...) O Señor, pues ¡cuántos

---

203 «La fe se toma en dos maneras. Primera, como es virtud teológica, por la cual verdaderamente creemos lo que ver no podemos, sin la cual ningún onbre salvarse puede, como la fe sea fundamiento de todo espiritual edificio. La segunda manera se toma por verdad, que es moral virtud e muy nescessaria a todos los onbres, mayormente a los grandes señores...», 151*b*, que tal es lo que le interesaba subrayar a Valera.

> son bienaventurados los verdaderamente por merescimientos amados, de quien eso mesmo se desea e se dise en secreto que en público, y en absencia que en presencia! (150*a*).

No es casual que este cuarto conde de Benavente fuera receptor de dos opúsculos de reflexión política; él sería uno de los principales integrantes del bando nobiliario, instigado por Pacheco en torno a 1464, que depondrá a Enrique IV en la farsa de Ávila de 1465 y formará, junto al conde de Paredes, Rodrigo Manrique, y al Almirante, el ámbito cortesano que sostenga la opción política representada por el infante don Alfonso.

11.4.2: *Rodrigo Sánchez de Arévalo*

Entre 1454 y 1457, Sánchez de Arévalo debió de redactar los dos únicos textos vernáculos de su producción letrada, la *Suma política* y el *Vergel de los príncipes,* por este orden; surgen de una amplia experiencia diplomática y cortesana, vinculada a sus actividades como catedrático de derecho civil y canónico en Salamanca; había participado en encuentros singulares, como el concilio de Basilea (1433-1438), acompañando a don Alfonso de Cartagena, una misión que le valió una canonjía en el cabildo de Burgos (1439); en el cisma que sufre la Iglesia en este año, es enviado por Juan II ante Eugenio IV, a fin de ratificar la obediencia castellana al papado, y ante Alberto II de Austria, para rogarle que depusiera su enfrentamiento con la curia papal; años después, viajaría a Francia para quejarse ante Carlos VII de las treguas firmadas con los ingleses y resolver un litigio sobre la frontera de Fuenterrabía.

En las dedicatorias de estas dos obras romances se titula arcediano de Treviño en la *Suma*, deán de Sevilla en el *Vergel;* estaba destinado a alcanzar varios obispados, el de Oviedo el primero, promovido por el valenciano Calixto III en 1457; don Rodrigo se encontraba ya en Roma, convertido en diligente embajador de la corte castellana y, a la par, en eficaz intérprete del ámbito humanístico con que los sucesivos papas de la segunda mitad del siglo XV gobernarían; allí llegaría a ser castellano de Santángelo y ocasional —también amistoso— carcelero de varios humanistas italianos; sus compilaciones historiográficas, redactadas en latín, encajan en esta segunda etapa (§ 11.2.4.1).

11.4.2.1: La *Suma política*

Este utópico tratado de ciencia política, dedicado a don Pedro de Acuña, señor de Dueñas y Buendía, se conserva en el BN Madrid 1221[204]. El epígrafe introductorio sintetiza las dos líneas de contenido de que se va a ocupar: la primera se refiere a cómo deben ser fundadas y edificadas las ciudades y villas[205], la segunda al buen regimiento y recta policía que debe observar un reino tanto en la paz como en la guerra.

El prólogo justifica la construcción de esta compleja obra por las cualidades políticas que el autor adivina en don Pedro de Acuña, hermano de Alfonso Carrillo, del que perfila su imagen de receptor de estos tratados mediante paradigmas de la Antigüedad:

> Mas aun no cansava vuestro claro ingenio e elevado entendimiento en aquellas comunes e ocurrentes fablas, ca, como el nuestro Séneca dize, la virtud no cansa ni puede estar occiosa, e entonces es menos occiosa cuando es más occiosa, e entonces más descansa cuando en cosas del ingenio más se exercita. Onde aduzistes diversas qüistiones scientíficas, assí speculativas como morales e políticas; e aun, a las vezes, no sin industria, traíades materias llanas, porque conferiendo sacássedes altos misterios (ed. JBP, 31-32; ed. MP, 252*b*).

Con la *similitudo* de la caza encarece el esfuerzo que despliega por el ejercicio intelectivo, «subiendo» las materias propuestas, «altercando y disputando», hasta alcanzar el núcleo de este tratado, anudadas sus dos principales orientaciones temáticas:

> Onde entre diversas conclusiones ocorrió fablar de materias políticas, e señaladamente del sitio o lugar que toda çibdad o villa deve aver para ser sabiamente fundada e constituida, e cómo con razón deven ser reprendidos los que constituyen e edifican çibdades e villas en sitios no abtos ni en provincias e tierras no conve-

[204] El texto ha sido editado por Juan Beneyto Pérez, Madrid, CSIC, 1944 y lo incluye, también, M. Penna, en *Prosistas castellanos del siglo XV. I*, págs. 249-309. Cito por la primera de las ediciones (ed. JBP) y remito a la paginación de la segunda (ed. MP).

[205] Como estudio general, ver María Asenjo González, «Sociedad y vida política en las ciudades de la Corona de Castilla. Reflexiones sobre un debate», *Medievalismo. Boletín de la Sociedad Española de Estudios Medievales*, 5 (1995), págs. 89-125.

> nientes, de lo cual resulta las tales fundaciones en breve perecer. E porque, después de edificada o fundada la tal çibdad, es necessario buen regimiento para la conservar, por consiguiente ocorrió fablar en el recto e legítimo regimiento que toda cibdad o villa deve aver, e comunicando en las dichas materias, plugo a vós, señor, que yo fablasse (ed. JBP, 32; ed. MP, 252*b*-253*a*).

Señala Arévalo la dificultad de enfrentarse a tantos tratados como se han escrito sobre esta ciencia —a la que llama «política»—, pero aun así Acuña le insta a que recoja por escrito los argumentos de los principales autores que se han ocupado de estas dos cuestiones. Es el honesto deseo de este «qüestionante», propuesto como modelo para cualquier receptor, el que impulsa a Arévalo a acometer una labor que sobrepasa sus posibilidades, pero que asume por el valor de la materia que va a abordar, adelantando el eje principal de sus argumentaciones, al afirmar la preferencia que debe darse a los que fundan ciudades, sobre los que las conquistan:

> Onde parece más perpetuo el nombre del edificante que del conqueriente, pues muy breve perece la fama de los vencedores, e nunca obscurece la de los edificantes e virtuosos regidores (ed. JBP, 34; ed. MP, 254*a*).

De este modo, se verifica la superioridad de la ciencia política sobre la militar[206]. La complejidad del contenido es la que exige la división de la obra en dos libros, centrado el primero en los aspectos «que se requieren para bien e útilmente edificar e fundar e ordenar a toda çibdad o villa» (ed. JBP, 35; ed. MP, 254*b*), dedicado el segundo —más breve— a las cosas «necessarias al bueno e onesto regimiento de toda çibdad o villa» (íd.).

11.4.2.1.1: El «Libro I»: la fundación de la ciudad

Una nueva introducción al primer libro justifica con siete causas esta disciplina a la que llama «civilidad», asentada en la *Política* y la *Ética* de Aristóteles:

---

206 Con mínimas variaciones, tal es el asunto que se dirime en la *Qüistión entre dos cavalleros* (§ 11.4.3).

> Primeramente, por causa de vivir. Lo ii°, por vivir alegre e deleitablemente. Lo iii°, por vivir suficientemente. Lo iv°, por causa de las comutaciones, que son troques, compras o ventas, o contractos necessarios a la vida umana. Lo v°, para vivir en paz e seguridad e no recebir ofensas. Lo vi°, por causa de fazer ajuntamiento de matrimonios. Lo vii°, por causa de vivir bien y virtuosamente (ed. JBP, 39; ed. MP, 255*a*).

A partir de este punto, comienza la verdadera materia del libro; de las dieciocho «consideraciones» que deben intervenir en la fundación de la ciudad, las nueve primeras se dedican a los aspectos físicos y geográficos, las nueve siguientes a la definición y defensa de ese orden.

Las razones geopolíticas recomiendan que la ciudad se funde en un sitio o lugar templado[207]; valorado el carácter de los habitantes de las regiones calientes y frías, se aprecia la templanza como cualidad determinante para que sus moradores puedan ocuparse en cosas de ingenio y en operaciones de entendimiento. No se debe contar sólo con las disposiciones del cielo con respecto al frío o al calor, sino también con la proximidad al mar, a los montes o a las aguas del lugar elegido, así como valorar la disposición o figuras de los cuerpos celestes en el momento en que se va a proceder a la fundación de la ciudad, una creencia, con todo, que Sánchez de Arévalo imputa a los griegos y sobre la que manifiesta cierto escepticismo. Sí que admite la necesidad de que los ciudadanos se ejerciten en el uso continuo y en el estudio de disciplinas y materias relacionadas con la virtud; vinculado a este aspecto, y como se señalara ya en el título final de la *Partida segunda* (§ 4.3.3.6, pág. 568) se recomienda no atender sólo a la salud del entendimiento y del alma, sino a la del cuerpo; por este motivo, la ciudad debe estar abierta a las zonas orientales y septentrionales para aprovechar vientos que purifiquen y favorezcan la digestión.

Conviene, también, que el político elija un lugar con sanas y buenas aguas, proveyendo, en caso contrario, la construcción de cisternas y receptáculos, o de pozos bien orientados; por lo mismo, debe pro-

[207] Señala J. Beneyto Pérez: «De ahí arranca la teoría toda de la *tranquillitas* como fin político, singularmente ejemplificado en aquella época por Marsilio de Padua. De ese valor que consigue la *tranquillitas* surgen, a su servicio, dos asertos: la importancia de la topografía y la teoría de la guerra. El emplazamiento de la ciudad adquiere de esta forma un relieve extraordinario», págs. 16-17.

curarse que haya buenos pastos y montes, puesto que los ciudadanos deben orientar parte de su actividad hacia el dominio de la naturaleza y no dedicarse sólo a oficios vanos y artificiales:

> E aún, comúnmente, las tales personas que no son ocupadas en agricultura o en artes necessarias, danse a vagaciones e malos ocios, de guisa que fazen sediciones e coliganças contra el principado e levantan e bollecen los pueblos contra los señores (ed. JBP, 52; ed. MP, 263*a*).

Por ello, el buen político debe cuidar de que esas personas dispongan de posesiones de las que ocuparse, y de que sean fértiles, de tierra compacta, no arenosa, con bosques y montes de árboles, para favorecer «las artes carpenteria e aratoria, navigatoria e militaria» (ed. JBP, 53; ed. MP, 263*b*)[208]. Se abre, así, la ciudad hacia su actividad primordial, el comercio; no se aconseja extender las acciones «negociatorias» más allá de este límite, pues se favorecería la acumulación de riquezas, resultando beneficiada la actividad «mercancial» en detrimento de la agraria. Una curiosa disputa de antiguos filósofos sobre si la ciudad había de situarse cerca o no del mar cierra este primer núcleo referido a los aspectos físicos que deben intervenir en la fundación de estos ámbitos políticos, dando por buena la opinión de Aristóteles, firme guía de este recorrido de ideas:

> La çibdad deve ser ni mucho lexos del mar ni conjunta con él, de guisa que tenga comunicación con el mar mediante otras villas e lugares (ed. JBP, 55-56; ed. MP, 265*a*).

De este modo, mediante puertos o vías fluviales, puede aprovecharse del contacto con el mar, y a la vez alejar a comerciantes que puedan turbar el armónico gobierno de la villa.

El segundo grupo de nueve capítulos se dedica a la definición moral de este orden político, con consideraciones relativas a su defensa militar. Un epígrafe, de gran valor, se consagra a las deleitaciones de que los ciudadanos deben disponer para vivir bien y virtuosamente, partiendo de estas premisas:

---

[208] Técnicas y artes por las que también se interesa Alfonso de Toledo en el *Invencionario* (§ 11.5.2), en el cuarto título de su primera parte referido a las fundaciones.

> El sabio político, después de consideradas las cosas necessarias e útiles para su çibdad, aun deve ser atento en proveír cerca de las delectables. Ca las onestas delectaciones no solamente ayudan a la sanedad buena de los omes, mas aun fázelos alegres e jocundos, e dispónelos bien para exercir actos estudiosos e de virtud; e aun, ayúdalos a bien politizar; e depués dan folgança e reposo de todos travajos assí spirituales como corporales e fortifícalos e dales vigor e ánimo para más travajar (ed. JBP, 56; ed. MP, 265*b*).

Repasa, con este propósito, las ideas de Aristóteles y de Platón sobre la conveniencia de instigar «juegos y solazes», dada la importancia de configurar un ocio productivo que permita al espíritu descansar de las fatigas y trabajos continuos; curiosamente, se prefieren los entretenimientos de la música y de la caza, las dos actividades predilectas de Enrique IV, a las que Sánchez de Arévalo consagrará el *Vergel* (§ 11.4.2.2):

> Por ende, es conveniente a todo buen político proveer en estas cosas, dando orden cómo los çibdadanos ayan moderadas delectaciones sensibles de juegos e solazes, tempradamente, ordenando que los çibdadanos ayan disposición de bosques e términos aptos para caça e monte; teniendo otrosí en la çibdad maestros de prosas e famosos cantores para delectable armonía, e poetas e otros ministros; ordenando aun ciertas representaciones e juegos públicos en días señalados para alegría e consolación de los abitantes en la tal çibdad (ed. JBP, 57-58; ed. MP, 266).

Esta base argumentativa se ampliará en el siguiente tratado, pero debe notarse la justeza con que se definen las alegrías cortesanas de los entramados políticos de este reinado, no sólo porque se limiten a las dos diversiones señaladas por el monarca, sino también por ese apunte dedicado a unos «juegos escénicos» a los que tan proclive iba a mostrarse don Miguel Lucas de Iranzo (§ 11.3.1.4). Por supuesto, y en el *Vergel* se repetirá continuamente esta idea, la moderación y la templanza han de marcar los límites para adentrarse en este orden de ocio, a fin de prevenir posibles vicios.

Esta armonía ha de ser asegurada mediante el ejercicio de la guerra y, por ello, las ocho consideraciones finales de este primer libro se dedican a un *de re militari*, que acoge una novedosa valoración sobre la caballería. Esta materia se vincula a la ciencia política, como se señala en su presentación:

> Conviene a todo buen político no solamente considerar la disposición de la çibdad para en tiempo de paz, según diximos en las cosas suso dichas, mas aun lo que cumple en tiempo de guerra, ca deve assí fundar e ordenar la cibdad que tenga buena e suficiente disposición e oportunidad para las guerras (ed. JBP, 60; ed. MP, 267*b*).

Nunca la guerra debe acometerse con propósitos de expansión o de simple agresión militar, sino que ha de moverse con la sola finalidad de defender y conservar el bien común conseguido por una ciudad:

> Pues como este bien común se embargue e impida por impuñación e guerra de los enemigos, o por sedición o bullicio e levantamiento de los çibdadanos sobredichos, por causa de las personas baxas y flacas, síguese que la causa por que la guerra fue fallada es para defensión e conservación de la paz e bien común de la tal çibdad, la cual paz e bien común se empacha por guerra de enemigos e por sedición e delictos de los çibdadanos y súbditos (ed. JBP, 60-61; ed. MP, 268*a*).

Ha de velar el político porque esta guerra justa, defensiva de las virtudes ciudadanas, se pueda llevar a cabo; para ello, ha de procurar que la ciudad, al fundarse, pueda convertirse en fortaleza, ya aprovechando las ventajas naturales de su emplazamiento, ya procurando guarnecerla con muros o fortificaciones. Debe después reparar en si es conveniente o no la guerra que va a emprender para ese orden político; tres son los motivos que autorizan una acción militar: procurar paz a la ciudad, evitar injurias y ofensas, corregir vicios y castigar delitos[209].

Vegecio se esgrime como autoridad principal para estas cuestiones. De él procede la recomendación de proveer los aparejos necesarios para la guerra, así como la necesidad de calcular previamente los movimientos y situaciones posibles, destacando siete aspectos: que los ciudadanos se mantengan unidos, que los caballeros sean expertos en armas, que sean virtuosos, que sean fuertes y ligeros, que se reúna el número de armas suficiente, que haya dinero y tesoro para afrontar lar-

---

[209] Indica Rodríguez Velasco: «Pronto notamos que las virtudes expresadas por Arévalo como prudencia bélica o caballeril no están integradas en todo el sistema político, como quería Egidio Romano y manifestaban ahora Valera y Alfonso de Palencia, sino que su alcance es muy limitado, y no debe de ser extendida más allá de la forma de guardar la vida, el conocimiento del medio en que se desenvuelve la milicia en los actos militares», *El debate sobre la caballería en el siglo* XV, pág. 332.

gas campañas, que se almacenen vituallas suficientes para el tiempo que dure la contienda.

Todas estas ideas se refieren al «orden» con que la guerra ha de ser movida por el capitán y los caballeros. La formación de los caudillos debe ser esmerada, conforme a una disciplina que puede aprenderse:

> Primeramente, el capitán o cabdillo de la guerra deve ser sabidor e industrioso en el arte de las guerras e de la cavallería, la cual sciencia se aprende por las lecturas e doctrinas de los sabios antigos e después por grande uso e exercicio (ed. JBP, 66; ed. MP, 271*a*).

Son cuestiones que requieren un mínimo recorrido histórico, tras el que se determinan las cualidades físicas y morales con que deben actuar los capitanes, recurriéndose a «exemplos» extraídos de Frontino o de la materia de Fernán González[210]; una de sus preocupaciones prioritarias ha de ser la de castigar «los delictos e males que acaescen en las huestes e reales» (ed. JBP, 69; ed. MP, 272*b*), no tolerando deleites en el comer y beber, sirviendo de ejemplo la sobriedad del ejército romano, que Sánchez de Arévalo parece añorar:

> Pero en los tiempos de agora ya perece esta modestia e temperança de los manjares en las huestes e reales, ca más combites se fazen en la guerra que no en las çibdades (ed. JBP, íd.; ed. MP, 273*a*).

El mismo rigor ha de emplearse para evitar los deleites y lujurias de la carne[211], o las discordias y desobediencias de los caballeros. Un epígrafe especial merece la necesidad de evitar los robos y las rapiñas en

---

210 Relativas al modo en que deben ser animadas las tropas: «Otrosí en la *Crónica del Conde Fernán Gonçález* leemos el vulgar ensemplo del cavallero que corriendo su cavallo fue sumido en la tierra, e como la gente fue espantada, el noble Conde esforzóla deziendo que era grande e buena señal, ca pues la tierra no le sufría, menos le sufrirían los enemigos. Pues pertenece a todo buen político capitán las tales señales reduzirlas fermosamente en su favor por que los cavalleros no ayan pavor alguno», ed. JBP, 68; ed. MP, 272.

211 Con dos apuntes notables. Refiere el modo en que Julio César mandó marcar con hierro ardiente la cara de una mujer hermosa que era seguida por muchos soldados, señalando: «lo cual ciertamente se deviera fazer en las guerras d'este tiempo», ed. JBP, 70; ed. MP, 273*b*. Con similar propósito se aventura la etimología de *castra*: «que quiere dezir compañía casta, e aun llámase *castra* porque allí se casca la luxuria», íd.

tiempo de guerras, sobre todo si quienes pelean se declaran cristianos y se dedican a profanar los lugares sagrados, como demuestra con aleccionador «exemplo»:

> E pues cuánto más es grave este pecado si los tales robos se fazen a las iglesias. Onde léese en la *Istoria Tripartita* que un ome d'armas en tiempo de guerra robó de una iglesia los cálices e los libros e otros ornamentos; e luego aquel día fue muerto por sus enemigos, e los demonios acusáronle delante Dios gravemente, deziendo a Dios: «Tú consagraste estos cálices e estos ornamentos, e éste los robó: quitólos del tu servicio e vendiólos a los judíos, tus enemigos» (ed. JBP, 73; ed. MP, 275*b*).

Los tres últimos epígrafes condensan un tratado caballeresco. Recuerda que son dos los aspectos que intervienen en la regulación de la caballería: la elección —y conviene escoger a caballeros de diversas tierras— y el sacramento que los obligue a distinguirse por seis cualidades: experimentados en fortaleza y animosidad de corazón, discretos y prudentes para guardarse, ligeros para andar y luchar, prestos para herir, acostumbrados y ejercitados en trabajos de guerra, mejor armados que vestidos. El último componente que se aborda es el del juramento que han de prestar[212]:

> Ca deve saber todo cavallero que primeramente recibe orden como una estrecha religión donde se faze professión firmada con juramento e voto (ed. JBP, 78; ed. MP, 278*a*).

Esos votos son en principio religiosos, pues se trata de defender y amparar a la Iglesia católica, después políticos, para asumir, por último, la protección de viudas, huérfanos y personas miserables, sin que Sánchez de Arévalo añore las aparatosas ceremonias antiguas:

> E puesto que los cavalleros de agora no juren estas cosas expressamente, por esse mesmo fecho que reciben la cavallería, calladamente las juran, e no menos son perjuros si fazen lo contrario que si expressamente lo jurassen (ed. JBP, 78; ed. MP, 278*b*).

---

212 Y debe ponerse en relación con la *Respuesta* de don Alfonso de Burgos a la *Qüestión* que le planteara don Íñigo (§ 10.5.4.2.2.1); recuérdese que Arévalo acompañó a Cartagena al concilio de Basilea.

11.4.2.1.2: El «Libro II»: el regimiento político

El segundo libro se dedica al regimiento político, una vez fundada la ciudad, asentada su armonía sobre la virtud y resguardada con el ejercicio militar de cualquier agresión. En tres presupuestos se basa esta línea de contenido: primeramente, un buen político debe considerar cuál es su oficio y para ello se recomienda que tome como modelo a la naturaleza y aprenda, así, que debe trabajar para conseguir que los ciudadanos alcancen la virtud y puedan practicarla con los bienes temporales para ello exigidos; en segundo lugar, el político debe alejar de la ciudad los «embargos e impedimentos» (ed. JBP, 86; ed. MP, 282*a*) que estorben a los ciudadanos a alcanzar el fin de vivir virtuosa y pacíficamente; y tiene, en tercer orden, que ayudarlos para que lo puedan lograr con la mayor facilidad. Asegurados estos principios, Aristóteles traza ya el esquema de este segundo libro:

> Pues, para que todo príncipe o buen político sepa cómo deve adreçar a sus súbditos por que alcancen e consigan el desseado fin político, que es bivir en la çibdad alegre e abundantemente para obrar según virtud, deve considerar que según dize el filósofo Aristótiles, de cuatro cosas sustanciales e principales miembros se compone toda çibdad e reino e comunidad política, conviene saber: de principal principado, consejo, consulado e pueblo. Ca deve tener un príncipe virtuoso, otrosí derechos consegeros e regidores, e assimesmo justos e sabios juezes, e depués pueblo disciplinado e abituado en buenas costumbres; onde, estas cuatro partes assí bien compuestas e ordenadas, será toda çibdad e reino bien regido e ordenado (ed. JBP, 87; ed. MP, 282).

De los dieciséis capítulos, los ocho primeros convierten en materia estas cuatro partes[213]. Tres epígrafes se refieren al regimiento del rey, partiendo del supuesto de que es mejor un príncipe que no muchos, a fin de conseguir la paz y la concordia de la ciudad o reino; asegurar las virtudes de este orden político requiere que el gobernante posea él

[213] «La construcción política cuatripartita evoca la tricotómica de Polibio. Monarquía, aristocracia y democracia se funden por el principado, el consulado y el pueblo. Una parcelación del consulado (consejeros y jueces) conduce a la fórmula de don Rodrigo», J. Beneyto Pérez, pág. 18, n. 109.

también esos atributos morales, siendo el principal el del temor a Dios y la devoción a la Iglesia; estos planteamientos engastan las cualidades del monarca:

> Ca deve ser justo, inocente, amigable, piadoso, gracioso, concorde, rigoroso cuanto cumple, umano, verdadero, prudente, bien acordable, inteligente, proveído, circunspecto, enseñable, bien flexible, temperado, continente, clemente, modesto, fuerte, magnánimo, magnífico, liberal, paciente, constante, manso e umilde (ed. JBP, 93; ed. MP, 285*a*).

En la demostración de las mismas, se cuida sobre todo en separar al buen rey de los comportamientos con que un tirano ejerce sus actos; así, por ejemplo, si un príncipe ha de esforzarse por amar a sus caballeros, a los nobles y a las personas virtuosas de su reino, el tirano los aparta de sí y los persigue, favoreciendo a los viciosos y a los crueles, un hecho que aumenta en gravedad en el caso de los estudios y las escuelas, porque el tirano se esforzará por expulsar a los letrados y a los sabios del pueblo[214].

Otro grupo de tres capítulos se dedica a los consejeros, a quienes se encarece para que sean discretos y prudentes, constantes en la fe y en la justicia:

> Pues para que la tal çibdad o reino sea bien regido e governado, es necessario que tengan sabios e discretos consejeros, ábiles e espertos e prudentes, mirando más a la prudencia política que no a la militar o béllica, o a la mecánica (ed. JBP, 98-99; ed. MP, 288*a*).

Sobre todo, se requiere que sean sutiles y avisados, verdaderos en sus actos y enemigos de las lisonjas, así como contar con una práctica política amplia. Además, el consejero debe ser probado por el príncipe:

---

[214] Por ello, según refiere Aristóteles, un tirano quería arrancar de Atenas a los sabios y a los letrados, no consintiéndolo los prudentes, a pesar de reclamarlo el pueblo; cuenta, entonces, un sacerdote «la fabla del lobo, la cual es qu'el lobo quería fazer paz con las ovejas por tal que le diessen atados en cadena a todos los perros, deziendo que las enojavan dando continuas bozes; lo cual fazía entendiendo que si avía a los perros, ligeramente podría invadir las ovejas. "E d'esta guisa —el sabio sacerdote dixo—, vos contecerá con el tirano: demándavos los sabios, sabiendo que por vigor de su gran sciencia e sotileza e mucha prudencia agora que le avéis resistido e resistiréis, e si los ha a su mano, ligeramente vos destruirá"», ed. JBP, 97-98; ed. MP, 287*b*.

> Pues resulta de lo suso dicho que deve todo príncipe o buen político mucho exhaminar los consegeros, e señaladamente deve mirar que los consejos que recibe no sean llagados de dos cosas que comúnmente suelen pervertir, conviene saber, ira e festinancia, ca no es consejo útil ni onesto el que se ha con ira e con gran prissa (ed. JBP, 104; ed. MP, 291*a*).

Tras la parte «consiliatoria» se examina el tercero de los miembros de la ciudad, la parte «judicatoria», referida a la necesidad de contar con buenos y justos jueces; deben estar, para ello, libres de intereses familiares, de afecciones de amigos, de odio y malquerencia, de codicia, de temor y de ira. Conviene que, a la vez, sean sabios en las ciencias legales, sagaces para averiguar la verdad en los casos dudosos y con los recursos suficientes para no depender de bienes ajenos.

La última parte se refiere al pueblo y a la necesidad de que se encuentre bien ordenado en virtudes y buenas costumbres, por cuanto el esfuerzo de los príncipes, consejeros y jueces ha de encaminarse a asegurar el vivir virtuoso de la comunidad acogida en la ciudad, procurando que esa conducta no se oriente sólo hacia el interior de este orden político, sino que pueda revertir en los pueblos vecinos y, en general, en la república:

> Ca esto faziendo cessarán sediciones e levantamientos e otros bullicios que suelen corromper las buenas policías e regimiento de las çibdades e reinos (ed. JBP, 111; ed. MP, 295*b*).

El segundo plano de este libro agrupa otra serie de ocho capítulos dedicados al modo en que debe mantenerse la concordia en una ciudad. De otras cuatro partes requiere este asunto. La primera insta al príncipe a evitar que en la ciudad haya disparidad de costumbres, la segunda a cercenar de raíz las pequeñas disputas, la tercera a moderar y templar el rigor de la justicia, la cuarta, en fin, a estimular la paz y la concordia, como si de un músico se tratara:

> De lo cual resulta que al oficio de todo buen político pertenece travajar con prudencia e arte, a enxemplo del buen músico, por manera que de todos los miembros de la çibdad, aunque parezcan diversos en opiniones, faga una concordia e unidad e dulce consonancia de paz con sagacidad e prudencia musical (ed. JBP, 114; ed. MP, 297*b*).

Nótese cómo Sánchez de Arévalo insiste en esta semejanza especialmente cercana a las aficiones cortesanas de Enrique IV. Con todo, esta sección del libro apunta a la necesidad de mantener buenas leyes:

> E assí la ley, no se deve ordenar, salvo cuanto aprovecha al bien común de la çibdad o reino por cuya causa es fecha, e no por otros particulares provechos (ed. JBP, 115; ed. MP, íd.).

Además el reino tiene que estar fundamentado en la justicia y ésta debe surgir de la misma figura del rey, que ha de ser capaz de afirmarla por cuatro motivos: ha de guardar la ley de Dios, establecer leyes justas, juzgar por ellas y oír a los más necesitados; porque, además, el poder del príncipe ha de ser limitado por este orden legislativo: no puede por ello juzgar al que no sea de su jurisdicción, o sin que haya un acusador o dejarse llevar por su albedrío o rebajar la pena por razones arbitrarias[215].

Es importante, también, evitar que los regidores y jueces se perpetúen en los oficios, así como estimular al pueblo a que acate, con reverencia, al príncipe, pues a ello ha sido obligado por ley divina y humana, así como por ejemplos naturales: el sol y la luna ejercen señorío sobre la tierra, la novena esfera contiene a las otras ocho inferiores, el elemento más puro ha de ser seguido por los otros[216] y, hasta en el caso del «pequeño mundo» que representa el hombre, el corazón actúa como el rey o el príncipe.

La obediencia de los súbditos, entendida como principio que ha de garantizar la armonía social, debe conseguirse mediante penas y castigos si fuera necesario, como lo demuestra el modo en que fue abolida la principal y primera de todas las insumisiones, la de Lucifer, siendo

---

215 Indica J.M. Nieto Soria: «Sa proposition est double: le roi doit être assujeti à la loi, ce qui est la marque essentielle du bon gouvernement, mais il doit aussi disposer de moyens suffisants pour gouverner», «Les Miroirs des princes dans l'historiographie espagnole (couronne de Castille, XIIIᵉ-XVᵉ siècles): tendances de la recherche», *Specula principum*, ed. de Angela De Benedictis, Frankfurt am Main, Klostermann, 1999, págs. 193-207, pág. 203.

216 Y puede entreverse cierta reconvención hacia su tiempo en estas palabras: «Onde assí propiamente e mejor e lealmente deven obedecer al rey los fidalgos e nobles e cavalleros, e seguir su movimiento e voluntad que no los omes populares e baxos, porque los cavalleros e fidalgos son más puros e de mejor linage, e aun porque están más cercanos del superior, el cual influye en ellos más influencias e mercedes e gracias, e por tanto le deven mejor e más lealmente obedecer», ed. JBP, 126; ed. MP, 304*b*.

numerosas las historias de reyes abatidos por no haber corregido este grave defecto de sus súbditos. Ha de procurarse lo contrario y, así, se dedica el último epígrafe, que parece pensado también para la circunstancia del presente en que se encuentra Sánchez de Arévalo, a fomentar la sujeción y la reverencia con que el pueblo debe tratar a su rey, socorriéndolo y ayudándolo, apartando de él todo mal y daño:

> Onde, guardando los súbditos esta tan esmerada virtud de lealtad, fee e obediencia a su rey e señor e las partes e actos d'ella, luego el rey estará muy potente e vigoroso. Será assimesmo de los amigos mucho acatado e onrado, e de los enemigos muy temido, de que resultará qu'el rey no padecerá insulto ni guerras ni daños, ni sus reinos e súbditos padecerán injurias ni ofensiones, ante avrán victoria de sus contrarios (ed. JBP, 133-134; ed. MP, 308*b*).

Se traza un ideal político que distaba mucho de poder aplicarse a la realidad de esa Castilla que estaba a punto de ver desvanecerse el falso espejismo de las prosperidades a que su rey la había conducido. No se olvide que en fechas cercanas a la composición de este tratado, el autor había sido enviado a Roma, junto a fray Alonso de Palenzuela, para agradecer a Calixto III la concesión de la «bula de Cruzada» y reiterar su obediencia al papado.

Este precioso testimonio de ciencia política demuestra la maduración que esta disciplina había alcanzado en la segunda mitad del siglo XV; el desarrollo de estas ideas, con todo, sólo en el siguiente reinado iba a dejar de ser utópico[217].

11.4.2.2: El *Vergel de los príncipes*

Nadie mejor que Rodrigo Sánchez de Arévalo supo definir el mínimo entramado curial de que se rodeó Enrique IV, en virtud de los dos únicos «deportes» por los que el rey sentía interés: la caza y la música.

---

217 El proceso ha sido descrito por Pierre Heugas: «On pourrait presque parler, chez ces auteurs, d'une idéologie monolithique et presque petrifiée n'était-ce leur adhésion à un idéal politique contesté pendant des années difficiles mais qui, en Espagne, devait triompher à la fin du siècle», «Le passage d'un siècle à l'autre, des écrivains politiques aux écrivains protégés», en *Écrire à la fin du Moyen-Âge. Le pouvoir et l'écriture en Espagne et en Italie (1450-1530)*, Aix-en-Provence, Université, 1990, págs. 123-133, pág. 127.

Su capellán, y por estas fechas ya deán de Sevilla, construirá «un breve conpendio» para convertir estos dos «virtuosos exercicios» en asiento de la alegría cortesana que había de resultar más conveniente para el ocio de que podía disfrutar un monarca. Recuérdese que esta línea de reflexiones arrancaba del Título V de la *Segunda partida* y que cualquier regimiento de príncipes o reflexión sobre la educación nobiliaria solía acoger, entre las líneas de su contenido, referencias a los entretenimientos, lícitos y honestos, a que un rey podía —y debía— entregarse. Por supuesto, esta serie de valoraciones dependía de las aficiones verdaderas por que ese monarca pudiera interesarse y fuera capaz de mover en torno a su figura, como medio de significar ese ámbito que ocupa[218]; desde luego, Enrique IV no debía ser muy aficionado a la lectura y al comentario de textos de diversas materias ni a las sutilezas de la poesía cancioneril; un proemio como el que Baena redactara para presentar su cancionero a Juan II, con esa importante declaración sobre el saber letrado y sus distintas manifestaciones (§ 10.7.3.1), hubiera sido impensable en la corte de Enrique IV; sin embargo, y todos los cronistas coinciden en ello, estaba dotado de buena voz, le atraían los cantos tristes, le gustaba acompañarse de cantores, tañer el laúd, distinguir los instrumentos musicales; el mismo interés sentía por la caza, encerrándose largas jornadas en sus dos cotos preferidos de Balsaín, en Segovia, y del Pardo, junto a Madrid, hasta llegar al extremo de atender al cuidado de los animales, mezclado con sus monteros como si fuera uno de ellos.

11.4.2.2.1: El orden de la alegría cortesana

A este orden de entretenimientos va a ajustar Sánchez de Arévalo su *Vergel*, justificando, de alguna manera, en el prólogo la carencia de lecturas en la corte, referidas a otros reyes y príncipes virtuosos, por cuanto era preferible contar con un monarca en el que se afirmaran unos hechos «que otros oyen e leen» simplemente:

---

[218] Lo ha señalado M.Á. Pérez Priego: «El tratado de Sánchez de Arévalo es, pues, bastante atípico dentro de la tradición del género, en cuanto que solamente busca adoctrinar acerca de esos tres particulares ejercicios. No se refiere para nada a la ética ni a la política, y sólo se ocupa de una parte mínima de la económica: la que estaba dedicada a los ocios y trebejos del príncipe», «Sobre la configuración literaria de los 'espejos de príncipes' en el siglo XV castellano», *Studia Hispanica Medievalia III*, págs. 137-150, pág. 142.

> ...e lo que ellos desearon, ya nós lo sentimos en vós con grand alegría: más miramos en Vuestra Excellencia, que en otros leemos (311*b*)[219].

Estas palabras sólo tienen sentido en el comienzo del reinado de Enrique IV, en el período de la «prosperidad» del rey, cuando aún podía confiarse en la aplicación de un regimiento virtuoso:

> Ca vuestra natura los regnos posee, pero vuestra virtud los meresce; la ínclita vuestra progenitura causó que vuestro reinado fue necesario, mas vuestra virtud fiso que fuese cunplidero; por justa natura el principado vos fue devido, por vuestra virtud fue conveniente (312*a*).

No se trata de tópicos laudatorios, sino de la confirmación de esa inicial secuencia de hechos positivos a los que Enrique IV parecía atender con diligencia, rompiendo «la injusta paz con los infieles» y acabando con «la interstina discordia de bollicios domésticos» (íd.); había, por ello, una esperanza cierta de que sobre esas cualidades pudiera construirse un tiempo de expansión militar y de ventura social:

> Esperamos que por vuestra inmensa virtud e fechos magníficos, aun tanto crescerán la real dignidad e vuestra república, que entre vuestros regnos e las infieles gentes barbáricas, al gran Occéano e Mediterráneo, mares profundos, pornedes por muros. Nin en esto cansará vuestra virtud fasta que en las fieras partes de África vuestro nonbre e poder se dilate e vuestra moneda se cunda; donde recobre aquellas latas provincias, a vuestra real persona devidas, segunt que el rey famoso Theodorico e los vuestros progenitores so la gran monarchía de España poseyeron pacíficas (312).

Arévalo parece confiar en un tiempo de fundación nacional, similar al que había descrito en la *Suma* y que luego intenta enmarcar desde sus conocimientos históricos (§ 11.2.4).

Tras la verificación del esfuerzo político y militar, resultaba ya posible afirmar un orden de ocio, con el que poder recobrar las fuerzas para atender a las preocupaciones del reino:

---

219 Sigo la ed. de M. Penna de *Prosistas castellanos del siglo XV. I*, págs. 312-341.

> Pues, muy poderoso e excellente señor, a singular alabança e gloria de vuestra muy virtuosa e real persona, delibré de plantar un deleitoso e honesto vergel para que en él vuestra muy alta Señoría, cuando la muchedunbre de curas e negocios le dieren lugar, se pueda, virtuosa e loablemente, retraher (312*b*).

Antes de adentrarse en el contenido de ese *Vergel*, Sánchez de Arévalo dedica una doble introducción a la materia de que se va a ocupar, justificando el uso de la lengua vernácula:

> E porque todos del fruto suave d'este pequeño vergel puedan gustar, delibré fablar en baxo e claro estilo, dexando por agora la obscura e estudiosa elocuencia para en otras materias (313*a*).

La primera introducción justifica el que los reyes puedan dedicar parte de su tiempo de ocio a «deportes honestos y loables exercicios» dado el provecho que de los mismos puede derivar:

> Ca allende de otros muchos provechos e singulares efectos que d'ellos proceden, aun ayudan a buena sanidad de sus personas, otrosí fásenlos alegres, e dispónenlos bien para exercer actos nobles e de virtud; asimismo los endereçan e disponen a regir e bien politizar; después aún dan folgança e reposo de cualquier trabajos, así spirituales como tenporales, e dándoles vigor e fortaleza para más trabajar (íd.).

Aristóteles y Platón prestan argumentos para afirmar la necesidad de huir de la tristeza con el fin de convertir la deleitación en ámbito reparador del alma.

La segunda introducción contiene la estructura del tratado, pues Arévalo define los tres deportes a que los reyes deben inclinarse para ejercitar con ellos distintas cualidades, atingentes al regimiento del reino:

> El primero es el generoso e noble exercicio de armas, con que los regnos e tierras non solamente son defendidos mas acrecentados e decorados. El segundo es el noble exercicio de caça e monte, así como imagen e figura de guerra, e como aquel que causa muchas virtudes e buenos deseos en los coraçones reales. El tercero es el cordial, alegre e artificioso exercicio de melodías e modulaciones musicales, las cuales alegran e esfuerçan al coraçón humano excitándole a actos de virtud (314*b*).

De las varias deleitaciones a que los monarcas pueden dedicarse, unas resultan mejores que otras, y Aristóteles permite distinguir las más adecuadas para los reyes, aquellas que procuran una deleitación «grandíssima e muy intensa» (íd.), acorde con el poder de que deben rodearse; por estos motivos deben ser rechazados los deleites de la carne y de la gula porque «consumen e gastan», causan ansiedad y dolor.

11.4.2.2.2: Los tres «deportes» cortesanos

El cuerpo del *Vergel* distribuye su contenido en tres tratados, dedicados a esos tres deportes honestos, la milicia, la caza y la música, cada uno de ellos afirmado mediante doce «excelencias».

En el primer tratado, el ejercicio militar se presenta como el principal de los actos de virtud y de nobleza a que un monarca puede consagrarse; la metáfora de las joyas expone la estructura de razones con que se va a demostrar el valor que, en sí, posee esta actividad:

> Lo cual paresce por muchas razones e causas, señaladamente porque es decorada de doze perlas e coronas de doze diademas, conviene a saber de doze singulares excellencias e virtuosas perrogativas, en las que él precede a otros cualesquier fechos e exercicios (317*a*).

Es la «natura» la que dota a los seres de un ejercicio que no depende de invención alguna ni de artes humanas, sino del solo deseo de rechazar violencias y vengar ofensas. Aristóteles proporciona la noción de «prudencia bélica», tan necesaria como la política, para la conservación, defensa y guarda del estado real. Permite, además, conservar la vida de cada uno y la libertad. Posibilita que los nobles varones asciendan «a estados de dignidades muy sublimes e altas» (318*a*), por cuanto los títulos de condes, marqueses y duques son consecuencia de la vida militar y mediante ella sus virtudes deben ratificarse, ya que los reinos son conservados y defendidos por las armas[220]. Lo mismo sucede con la paz, dulce y alegre porque ha sido conseguida por la triste y amarga guerra. Sólo así la victoria puede entenderse como fin de un ejercicio que acrisola y encierra las principales virtudes a que los nobles varones

---

220 Ver *La caballería castellana*, págs. 131-132.

deben aspirar: la obediencia, la paciencia y perseverancia, la fortaleza y esfuerzo, la magnanimidad, la justicia y templanza, al tiempo de evitar vicios y pecados y, de modo especial, la «ociosa folgança» o la entrega a los «diversos e preciosos manjares», uno de los defectos caballerescos sobre el que más insiste Arévalo:

> Pero en los tiempos de agora, por el poco uso e continuación d'este noble exercicio de armas de guerra, ¡ya paresce esta temprança de los manjares en los cavalleros, cuando acaesce que algunas vezes están en los reales e uestes, ca más conbites se fasen en los reales que non en las cibdades! Lo cual es cierta e clara señal que non son continuados e exercitados en la tenprança e abstinencia militar (320*b*-321*a*).

Como consecuencia de estos comportamientos virtuosos, la guerra propicia lo que la naturaleza por lógica niega: que hombres plebeyos y de baja condición puedan convertirse en nobles e hidalgos, un extremo que Valera no estaría dispuesto a admitir, pero que Arévalo fundamenta, de nuevo, en Aristóteles para afirmar que la nobleza tuvo su origen en generosos actos de armas. A esto debe añadirse que la milicia permite aumentar no sólo estos bienes útiles, sino también «las cosas sanctas e sagradas, e spirituales e divinas» (322*a*), de donde el esbozo, como último grado de excelsitud, de la guerra espiritual contra los enemigos del alma:

> La dozena excellencia d'este strenuo exercicio e fecho de armas se muestra porque, por los tales nobles exercicios e fechos de armas tenporales, son los omes habituados e exercitados para la guerra spiritual que avemos contra nuestros enemigos invisibles: conviene a saber, con el diablo e con el mundo e con los vicios (322*b*).

Con todo, como si atendiera al contenido expuesto, Sánchez de Arévalo recomienda que este ejercicio se practique templada y moderadamente, que es lo que Enrique IV, en fin, hará en las distintas campañas que contra Granada mueva en los primeros años de su reinado, pensando quizá que no debía convertir en oficio lo que había sido ordenado como remedio.

El segundo tratado expone las doce prerrogativas del ejercicio de la caza, valorando sus excelentes causas y nobles fines, pues permite evitar los deleites ciudadanos y, por tanto, la comisión de actos siniestros; para ello sirve la caza, para ejercitarse y habilitarse en tiempo de trabajo y de guerra, siendo la de monte la preferible. La caza fue el origen de los reinos, como lo demuestra con el caso de Nembroth, proporciona salud al cuerpo, reproduce «los estrenuos actos de guerra» y, por sus dificultades y trabajos, sirve de asiento a la virtud de la fortaleza y, a la vez, de remedio para disponer a los hombres a acometer los trabajos más duros de la guerra; son ideas que se refuerzan con citas de Vegecio. Por otra parte, determinada la regulación caballeresca, la caza permite apartar las tristezas y los vanos pensamientos del corazón del hombre, evitar la ociosidad y la pereza que impiden obrar con diligencia y prudencia, buscar las virtudes y desterrar los vicios, recrear el espíritu y el entendimiento humanos, habiendo sido practicada por santos y justos varones como refieren las Escrituras. Al igual que en el caso de la guerra, Sánchez de Arévalo recomienda ejercitarla con templanza, pues maneja una casuística ejemplar que advierte sobre reyes —hay un tal Adagaro inglés— castigados por haber preferido la caza a la misa, con los milagros correspondientes.

El tercer tratado ensalza el honesto ejercicio de la música sobre el resto de los deleites cortesanos. Las doce propiedades en que basa su perfección le obligan, primeramente, a trazar una historia de este ocio artificioso; desdeña, aunque la refiere, la dependencia etimológica de «música» con Musas, puesto que se trata de ficciones poéticas, prefiriendo la opinión de que el nombre de esta arte deriva de *maesis* o 'aguas':

> Porque las aguas dieron causa a su invención, oyendo los omnes diversos suenos que fazen las aguas corrientes e de alto cayentes. E asimismo porque la voz humana non se puede formar, nin fabricar, nin expremir sin agua e humidad interior (333*a*).

Recuerda que la música es una de las siete artes liberales[221] y, por ello, permite conseguir y alcanzar el conocimiento de la verdad, al permitir juzgar cuáles de las modulaciones son buenas o yerran en su propósito, convirtiéndose así en una de las especulaciones más convenientes para los reyes. La música evita pecados —pues purifica y

221 Para lo que resulta oportuna la valoración etimológica de este nuevo término: «ca aquella es sciencia liberal que ordena e aderesça a los omes libres, disponiéndolos a su último fin, que es bevir segunt razón e virtud, e por el contrario aquélla es sciencia no liberal, antes es llamada servil, que ordena e endereça a los omes a cosas corporales e exteriores, e a bienes e ganancias corporales», 334*a*.

cura el corazón de pasiones y vicios, tornando en alegres a los tristes, en osados a los temerosos, en mansos a los airados— y propicia virtudes, al ser «los actos musicales e las armonías dulces» (335*b*) a ella semejantes, con una afirmación que interesaría de modo especial a Enrique IV:

> Pues de aquí se sigue que aquella persona que se acostunbra e exercita e deleita en cosas semejantes a la virtut, como es la música, por consiguiente paresce deleitarse e exercitarse en la misma virtud (336*b*).

Y no son sólo las virtudes morales las beneficiadas, sino también las políticas, ya que la armonía musical es una suerte de figura o de imagen o de regla para saber administrar un reino o una provincia; para demostrarlo, requiere, de nuevo, el tópico del hombre como «pequeño mundo», a cuya semejanza un reino, dotado también de elementos, debe regirse en función de la concordia alcanzada tras gobernar miembros contrarios y diversos:

> Ca así como el buen músico se trabaja, como dicho es, de sacar buena consonancia de diversas bozes, e el buen organista studia que non sea disonancia alguna en sus órganos, antes trabaja porque proporcionablemente todos los mienbros de los órganos fagan una concordable melodía, así el rey e príncipe considerando esta armonía e exercitándose en ella, dispónese e abilítase a trabajar porque en todas las partes e mienbros del reino sea una concordia e unidat (337).

La música conviene porque suministra salud corporal, lo que demuestra con la creencia de que los animales pierden su «feridad e crueza» al oír los cantos dulces y las melodías; además, permite soportar y sufrir los trabajos y fatigas corporales, siendo un «deporte» adecuado para todas las edades de los hombres: por ella, los mancebos toman descanso de los trabajos y recrean el espíritu, mientras que los ancianos especulan en cosas de alto entendimiento. La música posee además poderes espirituales:

> Porque tanta es su virtut e vigor que atormenta e aflige e fase foír a los demonios e a los spíritus enpecibles e fáselos salir de los cuerpos humanos (339*b*).

Amén de los «exemplos» escriturarios, la bondad de la música puede aplicarse a los hombres de perversas costumbres, que por sus rencores y discordias no pueden soportar la unidad y consonancia de las melodías musicales[222]. Como en los dos deportes anteriores, este último docenario de propiedades se cierra también con una afirmación religiosa: la música no sólo es conforme a la fe católica, sino demostradora y corroboradora de ella, por cuanto se practica y usa en el mismo cielo.

Cerrado este recorrido de cualidades, Sánchez de Arévalo relaciona la afición por la música con el desprecio por los actos carnales, pensando quizá en una de las principales tachas imputadas a Enrique IV:

> Ca indigna cosa sería que aquesta ingeniosa arte e honesto deporte, que fue fallado para salvar e recrear a las virtudes del entendimiento, se tornase en ocasión e instrumento para perder e corromper los vigores del tal entendimiento, aplicándole a deshonestas e carnales delectaciones, las cuales del todo oprimen e absorben las fuerças del ingenio e entendimiento (340*b*).

No sólo el *Vergel* se adecuaba a las escasas aficiones por los «deportes» cortesanos que Enrique IV pudiera manifestar, sino que, con ellas, planteaba una abierta propaganda del poder real contradiciendo a los detractores de este monarca. No podía considerarse censurable la prudente dirección de la guerra contra los moros, ni el «apartamiento» a que se entregaba cazando en sus cotos, ni menos aún la alta especulación a que se sumía con sus cantores, uniendo su «voz dulce» (Enríquez del Castillo) a las de ellos. Todos estos ejercicios lo convertían, antes al contrario, en un monarca virtuoso.

---

222 Bien es cierto que también puede ocurrir al contrario. Sánchez de Arévalo lo demuestra con un delicioso «exemplo»: «Según contesció a un famoso cantor que morava en París, al cual contesció que se le quemava su casa, e como era de todos amado, las gentes de la cibdat venían todos a grand priesa a matar el fuego con diversos remedios, e davan grandes bozes e diversos clamores, segunt se suele faser en los tales tienpos. E como el cantor estava abituado e usado en buenas e consonantes melodías, oyendo tan varios clamores e contrarias e discordantes boses non las pudo sofrir nin tollerar en manera alguna, e dexando quemar su casa e fasienda, cerró las orejas con las manos por non oír tan grandes disonancias e corriendo foía de la gente, deziendo a grandes bozes que más quería que se quemase su casa e fasienda que non oír tan discordantes clamores», 340*a*. Cambiaría de sentido todo el libro si este «cantor» fuera imagen de Enrique IV.

11.4.3: *La «Qüistión entre dos cavalleros»*

Conectada a la *Suma política* de Sánchez de Arévalo[223] y conservada en uno de los códices capitales para la transmisión de los textos de Valera[224], en esta *qüistión,* dos caballeros que pertenecen al «reino de Castilla», con el propósito de dirimir si se alcanza mayor fama por el cultivo de las armas o de las letras, propician un valioso análisis de la prudencia como soporte de cualquier acción política. Se pretende, en este breve tratado, construir un mínimo marco narrativo que preste verosimilitud a la exposición y que recorte, a la par, las identidades de unos personajes asociados por el vínculo del saber:

> Marco Tulio afirma por verdad, según dicho de Catón por Cipión en el su tercero de *Los oficios,* qu'el ocio y la soledat a los más de los omes causa una floxedat y laxeza, salvo a éste que según paresce le acusavan el ingenio con estudio. E no sé yo si por ventura, primo señor, esto vos ha dado a creer que yo vos pueda en algo satisfazer, respondiendo a la qüistión que me enbiastes este otro día, por me ver estar días ha cuanto al parescer vagaroso y solo por causa de mi enfermedat, pero no menos ocioso que cuando ocioso, nin solo que cuando solo só, según que fazía éste (10-11).

El procedimiento es similar al de la producción erotológica que acaba afirmando la primera de las estructuras sobre la que se sostiene la *Comedia* de Rojas: esa voluntad del demandante, reconocida como superior, vence las reticencias del «responsal» para acometer la que llama «chica obra», puesto que sabe que no será sólo su familiar el destinatario de este escrito, sino que será valorado por otros, de quienes

[223] Como ya advirtiera M. Penna en el «Estudio preliminar» de sus *Prosistas castellanos del siglo* XV. *I*, pág. xci.

[224] Se trata del BN Madrid 12672, «que contiene una veintena de obras, las más importantes escritas por Diego de Valera. La compilación data de la primera década del siglo XVI y, en su mayoría, los textos versan sobre los deberes políticos y conducta social de la clase dirigente», señala Julian Weiss al frente de su ed. de este opúsculo, ver «La *Qüistión entre dos cavalleros:* un nuevo tratado político del siglo XV», *RLM*, 4 (1992), págs. 9-39, pág. 9, por donde se cita el texto. El propio Weiss, con el mismo título, dedicó un segundo estudio a la obra: *RLM*, 7 (1995), págs. 187-207, en donde señala que este códice forma una antología, en que «todos los textos versan de alguna manera u otra sobre la definición y los deberes de la nobleza (un tema predilecto de los bibliógrafos nobles), pero con un énfasis moral y político», pág. 196.

teme su reprensión, por lo que solicita el amparo de su «primo señor». Más allá de los tópicos proemiales, debe verse el interés por perfilar un mínimo ámbito de relaciones letradas en el que este tipo de obras pueda adquirir sentido mediante ese proceso de comentarios aquí sugerido, con el fin de enfocar las distintas líneas de contenido entremetidas en la «demanda» planteada:

> Es la qüistión, ¿cuál alcança mayor gloria, el que por trabajo de armas defiende y acrecienta la cosa pública, o el que por prudencia y diligencia de saber en igual grado trabajando la acrescienta y anpara? (11).

En suma, como ocurrirá luego con dos de los dialogadores del *Libro de vita beata* de Juan de Lucena (§ 11.5.1.1.3.1), se confrontan el dominio de la caballería y el del saber, el mundo militar y el de la producción letrada.

11.4.3.1: La defensa del saber

La «respuesta» se articula en trece capítulos, ordenados conforme a pautas precisas: no hay contraposición de razones, porque el primer epígrafe contesta, inequívocamente, a la pregunta planteada, afirmando que, en cualquiera de los casos, siempre es preferible el regimiento con prudencia que la aplicación de la fuerza de las armas; para demostrar este aserto, se despliega un docenario —el mismo modelo empleado en el *Vergel de los príncipes*— de argumentos extraídos de diversos campos: la filosofía moral (caps. ii-v), la filosofía natural (caps. vi-ix) y los «exemplos istoriales» (x-xiii), con los que se gana el tiempo concreto de la realidad castellana.

En el primer capítulo, con el apoyo de Salomón y San Agustín, verificado con Catón, se incide en la primacía que debe adquirir el saber, manifestado en la prudencia y en la discreción con que se debe regir una ciudad, para llegar a la conclusión que requerirá la parte demostrativa del tratado:

> Así que paresce cuánto conviene más a la conservación y acrescentamiento de la cosa pública la justa governación con próvido y sano consejo y legal administración, que no el exercicio de las armas o acto militar (12-13).

Ha de repararse en que, ya situado en el reinado de Enrique IV, ya en el decenio inicial del de los Católicos, la realidad de Castilla parece probar lo contrario, cuando los asuntos públicos son controlados y manipulados por el continuo despliegue de operaciones militares a las que la nobleza fía su engrandecimiento señorial y territorial. Tal estado de cosas es el que se pretende desmontar en este tratado dirigido, por algo, a la clase de los caballeros.

11.4.3.2: La filosofía moral

Las razones morales de los caps. ii-v parten de una visión general, afirmada en el *De officiis* de Cicerón, para abordar los mismos aspectos por que también se interesaba Sánchez de Arévalo en su *Suma política:* el fin de la república es el vivir virtuoso y éste exige el ejercicio de la prudencia, antes que el de las armas, aunque pueda haber casos o conflictos que afecten a esa felicidad colectiva. En este trazado de ideas, resulta prioritario distinguir al tirano del buen príncipe.

El cap. ii monta un complejo aparato de autoridades morales[225] para insistir en el único aspecto político que merece ser alabado:

> Por donde asaz paresce provado ser más de loar en la república el justo y legal regimiento por prudencia que no el que es por fuerça de armas (16).

Por ello, se recuerda (cap. iii) cuál es el fin por el que la república se constituye, partiendo del supuesto de «qu'el ome sólo es animal político y cevil» (17); por esta razón se puede entender que las armas lo único que garantizan es la devastación de las ciudades, pues, en ocasiones, ni siquiera sirven para defenderlas. Por contra, con la *Ética* de Aristóteles resulta fácil demostrar —cap. iv— que el desarrollo de las virtudes requiere el regimiento de la prudencia, ya que las obras humanas merecen ser loadas en virtud del bien al que tienden y de la vo-

---

225 En las que parece oportuno mostrar los mecanismos con que se utilizan esas referencias: «E que sea verdat muéstralo Tulio...», 13, «E por tanto no dixo sin causa arriba el actor...», 14, «En esto mesmo Salustio quiso declamar...», íd., «Porque me paresce dize Salustio...», íd. Se construye, de este modo, un vívido proceso de discusión literaria, en el que se enseña también a manejar esas fuentes que se citan, con valores precisos sobre las mismas.

luntad con que este fin se persigue; la guerra, en cambio, sólo asegura la destrucción de ese vivir virtuoso:

> Ca la guerra no es así sinon ausencia de paz o privación d'ella, así que de por sí no es cosa, nin se deva fablar o dar dotrina sino por respecto de los bienes de la paz a que tira (19).

No puede haber guerra justa, por tanto, pero de tener que emprenderla debe procurarse que sea lo menos ofensiva para la paz, ya que las razones por las que suelen «ejercitarse las armas» son contrarias al bien público, guiadas por la codicia o por el deseo de dominar voluntades ajenas. Para demostrar este último concepto, el cap. v desmonta con cinco razones los principales argumentos por los que las guerras se mueven: el ejercicio de las armas no exige de la bondad para ser realizado y por ello no resulta posible que aporte ventura alguna a la república o que el estado de prosperidad sea mejorado, cuando ninguna felicidad, por sí misma, es durable y, en cualquier caso, sólo el que se encuentra libre de la sujeción de la fuerza puede aspirar a conseguir esa bienandanza, a enseñar «los abtos de justicia y igualdat» (21), quebrados por el desarrollo de la violencia; la conclusión a que se llega recoge las ideas de este primer grupo de razones morales:

> E por tanto cae muchas vezes la cosa pública por la mala dispusición de sus mienbros, y más dañosamente cuando está en el governador, según lo cual bien paresce cuánto es más de loar el justo legal regimiento por prudencia y discrición que aquel que es por fuerça de armas, pues que en el uno está la felicidad sin la cual o parte d'ella algo loarse no puede, y en el otro poco nin mucho no ay d'ella (22).

11.4.3.3: La filosofía natural

El segundo núcleo recurre a «conparaciones» de filosofía natural para demostrar (cap. vi) que la prudencia política es un «bien mayor» que la fuerza de las armas porque aprovecha más «a las presonas y cosas» y, asimismo, es más conveniente en «cuanto al tienpo y sazón» (23), ya que el regimiento por prudencia es útil no sólo en el período de paz, sino en el de guerra. La única virtud que podría sostener el ejercicio de las armas, la de la fortaleza (cap. vii), pues permite «moderar las osadías y repremir los temores» (25), no es tal por cuanto, en la mayoría de los casos, se combate por la vergüenza de disimular el temor o bien por el uso continuo de estas acciones militares, en las que predomina la costumbre sobre la propia virtud. Incluso, con la imagen de la república como cuerpo místico o civil (cap. viii) que debe con la cirujía del hierro conservar su dignidad, señala que éste sería un bien accidental y no esencial; de este modo, ni siquiera en el caso de que un pueblo fuera liberado por fuerza de armas, podría afirmarse que el ejercicio de las armas fuera preferible al de la administración prudente y legal de esa república. Y no niega (cap. ix) que en el acto militar haya una pequeña parte de prudencia, si bien sujeta al «apetito irascible» —no al «concupiscible»— que es el que inclina a alcanzar el vivir virtuoso:

> E la prudencia singular por do cada uno a sí deve saber regir y governar según derecho natural y cevil aquí no está. Ca vemos por la mayor parte que los que andan en guerra no fazen a alguno el bien que querrían que les fuese hecho, nin menos se guardan de les fazer el mal y daño que no querrían rescebir (28).

Y lo que ocurre con la prudencia singular, fuente de virtudes políticas, sucede con la económica —«por la cual saben los omes bien regir y governar sus casas y familias» (29)—, con la «regnativa» —«por la cual las ciudades y comunidades son regidas» (íd.)— y con la civil —«por la cual los súbditos saben obedecer a sus príncipes y mayores» (íd.). Además, se recuerda que la verdadera prudencia depende siempre del entendimiento y no del apetito; de este modo, el ejercicio de las armas, por sí solo, no puede en ningún caso dignificar a la república.

11.4.3.4: El orden de la historia

Este contenido moral y natural lo ratifica el curso de la historia, de donde se extraen las pruebas y «exemplos» de los cuatro epígrafes con que se cierra la *Qüistión;* interesa la valoración que se concede a este orden de hechos y casos, puesto que es la misma que permitirá que se proceda a esa indagación historiográfica, de carácter erudito, en busca de estos materiales demostrativos *(HPRC,* § 3). Porque sólo los pueblos regidos —cap. x— por políticos prudentes y sabios han logrado alcanzar un grado de expansión y prosperidad:

> Tebas y Atenas, ¿quién las ennobleció sinon la paz y legal administración con los estudios liberales? ¿Quién los desfizo y abatió como oy están sinon la guerra y exercicios militares, que saben fazer por la mayor parte las moradas de los omes y sus ciudades cuevas de ladrones, dándolas a las bestias y aves? (31-32).

La preocupación del autor por disponer una amplia casuística que demostrara estos principios parece que le movió a construir, con algunas de estas «estorias», una sección independiente de este opúsculo[226]. Y no es sólo el gobierno de la república, sino la preocupación —cap. xi— por educar y formar a los futuros príncipes en la prudencia, como lo demuestra el caso paradigmático de Aristóteles y Alejandro, o el de Nerón instruido por Séneca, o el de Trajano por Plutarco:

> Todos éstos creyendo no locamente que era mejor a sí y a sus fijos dar saber que otra alguna riqueza o poder (...) Ca no es otra cosa la cevil o militar potencia sin prudencia y saber, sinon locura y arogancia mortal para destruir y gastar los súbditos y vasallos, como sea madre de todo yerro y mala ciega ignorancia (33).

Las leyes son las que permiten que los pueblos prosperen, por lo que el cap. xii recuerda a aquellos políticos de Grecia y de Roma —dioses y emperadores unidos— que se esforzaron por dominar jurídicamente los señoríos que en ellos recayeron. La historia de Castilla —cap. xiii— ofrece la última línea demostrativa, ligada además a la construcción del presente al que el tratado se dirige; es importante el modo en que se vinculan las figuras del mítico Rocas, el fundador de Toledo, y de Atlante con la de Alfonso X, ocasión que se aprovecha para recordar que su «cuerpo muy glorioso posee oy nuestra ciudat» (38) —Sevilla, por tanto— y desgranar las obras principales que supo promover con el fin de construir esa «clerecía cortesana», ese saber jurídico e historiográfico, sobre el que el reino sigue sostenido[227]:

---

[226] Así debe interpretarse esta declaración: «Esto todo destruyó la guerra y lo asoló como oy está, y porque a muchos será plaziente oír cuámaña era Troya y cuántas puertas avía, quién y cuáles la guerreavan, y quién la defendía, y en qué año y día y mes y ora fue perdida, ponello he al fin d'este libro», 31. Es una útil referencia para valorar la implantación de la materia troyana en esta segunda mitad del siglo xv.

[227] Se contradice así ese orden negativo con que la figura de Alfonso X había sido convertida en modelo de mal regidor político; ver n. 127 de pág. 3556.

> Por donde claramente se vee y por lo antes dicho, así de actoridades naturales y morales como de la Santa Escriptura y enxenplos muy loables, que tanto sea mayor la gloria y dignidad de aquel que rige por prudencia y administración legal la cosa pública o la acresçienta, de aquel que la rige y govierna por fuerça de armas, aunque la faga aumentar y crescer (39).

Como se comprueba, la conclusión alcanzada puede servir tanto para justificar alguno de los comportamientos políticos de Enrique IV[228], como para definir ese nuevo orden jurídico con que los Católicos querían convertir a la aristocracia en una suerte de funcionariado cortesano; en un caso, podría pensarse en la autoría de Sánchez de Arévalo que fue deán de Sevilla[229], en otro en la de Diego de Valera; precisamente, el códice en que se conserva el opúsculo es fundamentalmente valeriano y contiene su *Origen de Troya y Roma*, texto que parece encajar en aquel propósito de espigar esta materia. Sea como fuere, la *Qüistión* está estrechamente conectada al desarrollo que la ciencia política adquiere en las últimas décadas de esta centuria.

11.4.4: *Carta al rey sobre el regimiento de su vivienda*

Se conserva en el BN Madrid 1159, como segunda de sus cuatro piezas (14*r*-20*v*), un breve regimiento de príncipes, articulado en forma epistolográfica[230]; parece surgido de una demanda real, planteada por un rey castellano acerca de cuáles despojos de guerra podían considerarse legales y cuáles, al contrario, había que restituir a su legítimo dueño al haber sido obtenidos en circunstancias ilícitas. El autor de la misiva, antes de entrar en materia y responder a la cuestión formulada,

---

228 Su renuencia a servirse de las armas, ya en las campañas militares contra los moros de Granada, ya para sofocar las continuas rebeliones con que nobles y prelados se alzaron contra la corte. Esta falta de energía, bien que en otra medida y en otro contexto, se le achacó también a Alfonso X.

229 Si bien es cierto, como indica Weiss en el estudio de 1997, que «aunque maneja muchos de los mismos conceptos teóricos que nuestro autor anónimo, Arévalo establece una relación complementaria entre las leyes y 'la cosa bélica'», pág. 202.

230 Ha sido editado por Jesús D. Rodríguez Velasco, «Coordenadas y texto de una carta para regimiento del rey», en *«Quien hubiese tal ventura»*, págs. 159-168, por donde se cita; también se incluye en *La caballería castellana*, págs. 127-131.

considera pertinente instruir al monarca sobre el «regimiento de su vivienda», tal y como se señala en el encabezamiento de la carta:

> Cristianísimo Señor, que por señorío de la tierra, nunca el çielo pierda. Obedesçiendo vuestro mandamiento, pensé de vos escrevir çerca del regimiento de vuestra bivienda, la cual corre en çiertos artículos (162).

El tratamiento de «Cristianísimo Señor», ajeno a los usos de la curia castellana[231], avisa ya sobre el tono moral y religioso con que este opúsculo se va a armar. En efecto, su autor, además de letrado y de buen conocedor de la tradición de los regimientos, tuvo que ser un clérigo preocupado por inculcar al rey unos esquemas de conducta religiosa antes que unos principios de actuación política; sólo, así, aprenderá a dar cumplida respuesta a las dudas que se le habían manifestado. Aunque no se conserve esa carta de petición ni haya forma de saber si llegó a existir, el proceso es muy similar al que generó la *Qüestión* de don Íñigo y la *Respuesta* de Cartagena (§ 10.5.4.2.2.1), o al intercambio que mantienen Fernando de la Torre y García el Negro sobre los fundamentos en que reside la dignidad regia (§ 11.6.2.2.2). Era práctica frecuente, entre los letrados del reino, servirse de las cartas, mensajeras o no, para instigar opúsculos que acaban alcanzando una difusión más amplia de la prevista, según fuera la personalidad de los corresponsales o la importancia del asunto tratado.

Tal es lo que sucede con esta epístola que se inserta en un manuscrito facticio de clara armadura cortesana y caballeresca, puesto que alberga una *Avisación de la dignidad real* (§ 7.4.2.3), esta *Carta*, el *Cirimonial de príncipes* de Diego de Valera (§ 11.4.1.2.2) y la *Arenga ante Alfonso V de Portugal* de Jean Jouffroy, traducida por Martín de Ávila. Estas cuatro piezas, por razones codicológicas, pueden situarse en la mitad del siglo XV, de donde la oportunidad de identificar al destinatario de la epístola con Enrique IV, tal y como ha sugerido Rodríguez Velasco[232], si

---

231 Recuerda Rodríguez Velasco que «sólo el rey de Francia recibía semejante categoría. De ahí que la primera idea que surge sea que se trata de la traducción de un texto francés», pág. 160; con todo, recuerda que la fórmula se extiende a lo largo de la segunda mitad del siglo.

232 «Ello nos podría situar al principio del reinado de Enrique IV, como una más de las numerosas intervenciones que tuvieron como objeto la educación política de un rey que se presumía conflictivo. Yo diría, por tanto, que la fecha de redacción podría situarse en torno a 1455-60, quizá más cerca de la primera fecha que de la segunda», *ibídem*.

bien cueste aceptar que en esos años iniciales de su reinado, tan volcado en placeres diversos (ver págs. 3479-3480), este rey pudiera sentir escrúpulos de conciencia tan extremos como los aquí manifestados.

11.4.4.1: Las tres líneas del regimiento religioso

La carta está segmentada en tres «artículos» por su autor. El primero es de carácter general y fija las pautas o mandamientos a que debe ajustarse la actuación —o «sana conversaçión»— del rey; como vicario entre Dios y los hombres, ha de considerar que del mismo modo que él juzgue a sus súbditos, así será juzgado también por su Creador; sólo el entendimiento le servirá de guía segura para regir a sus vasallos y poder discernir entre lo que debe a Dios y el modo en que tiene que tratar a la gente a quien gobierna. Tal es el valor que de las virtudes se destaca, el que permiten obrar conforme a un recto proceder:

> Ca el que govierna la tierra ha de ussar de grant madureza, porque donde piensa enderesçar non tuerça, ca assí como la ignorançia del que govierna destruye la tierra, assí la prudençia con obra la sana, por lo cual, los que goviernan los pueblos deven amar la claridat de la sçiençia, ca el governador sabio es firmeza del su pueblo (162-163).

Se trata de evitar la soberbia como principal de los defectos de la conducta de los reyes —y de los caballeros—, de donde la necesidad de alcanzar un sutil equilibrio entre el poder y la sabiduría antes perfilada. A ello contribuye el temor de Dios al reprimir los actos que pueden ser considerados injustos:

> E de aquí nasçe que cuando alguno se piensa sabidor, poderoso, temeroso, tanto más trabaja por se someter a buena disçiplina, pensando que alteza de dignidat, señorío, riqueza, libertad e de todos ser obedesçido, olvida su flaqueza, resuélvese en pecados, va como mal seguro, e cae sin remedio (163).

Se recomienda la adquisición de una metódica disciplina para poder templar los movimientos y los gestos, ajustados siempre a la honestidad; al rey, el poder y el saber le valen para regir a los pueblos, la humildad y la disciplina para ordenar su alma. De ahí que se exhorte al monarca a mezclar la misericordia con la justicia, de modo que se muestre riguroso con los malvados y manso con los buenos:

E assí seredes alto sobre los malos, e entre malos e buenos, vós seredes onbre de Dios, ca destruyendo los viçios, seredes virtuoso, e ussaredes bien de vuestra espada cortando los viçios e esforçando las virtudes. E assí, de alteza de regimiento sobiredes a la gloria del çielo, ca quien tenporalmente bien se rige, eternalmente con Dios regna (164).

Estas líneas de actuación, que apenas si pueden reconocerse en los comportamientos de Enrique IV transmitidos por su cronística, sí serían en cambio apreciables en el carácter de sus hermanastros.

Lo mismo ocurre con el segundo artículo de la misiva, en el que se esboza la idea de la caballería espiritual o «miliçia eclesiástica», tal y como había sido ya apuntada por Cartagena (ver págs. 2869-2870); así, conforme a estos principios, se recuerda que el rey, en virtud del alto grado que ocupa, debe pelear contra Satanás si a lo que aspira es a alcanzar la paz del cielo. Esta sección central de la obra se ajusta a un proceso alegórico muy metódico, al proponerse la imagen del rey como figura de «adalid», «ballestero», «trompeta», «alférez» y «caballero» a fin de instarle a luchar, en cada caso con distintas armas, contra los enemigos de la fe.

Pertrechado ya con este saber, el autor contesta, de un modo directo, a la cuestión sobre la que se le había consultado —«Çerca del artículo terçero, que dubdades de la materia del robo en pelea o otro cualquier linaje» (166)—, intentando responder a los diferentes casos que se le habían planteado a fin de dirimir la legalidad de la posesión de los despojos obtenidos en el curso de una guerra; por supuesto, si ésta ha sido injusta todo lo robado debe devolverse o compensar a los legítimos dueños de esos bienes; el miramiento es notable a la hora de fijar los grados de responsabilidad de cada uno de los participantes en esas acciones; si la batalla, en cambio, fue justa, no reza nada de lo aquí prescrito, de modo que todo puede «ser levado, conprado e vendido» (167)[233].

En síntesis, lo que importa de esta misiva es el propósito de su autor de configurar una conciencia religiosa como soporte de un pensamiento que más que político es espiritual, aun centrado en la caballería,

233 Esta red de argumentos adquirirá el rango de tratado —sobre «restituciones»— en el *Espejo de la conciencia (HPRC,* § 8.3.7.3), instigado por doña Juana de Cárdenas.

como medio de resolver las dudas que pudiera ocasionar la titularidad de los botines de guerra.

De ahí que más que en Enrique IV —que, en efecto, sólo podría ser el receptor de la epístola en los primeros años de su reinado— pueda pensarse en el entorno de sus dos hermanos, sobre todo en el del infante don Alfonso, que va a ser aleccionado por Pedro de Chinchilla (§ 11.4.5) con consideraciones muy cercanas a las emitidas aquí en los dos primeros artículos. Ello obligaría a retrasar la fechación de la carta al trienio de 1465-1468; sería, así, un documento más de la propaganda alzada contra Enrique IV y no un opúsculo destinado a su formación.

11.4.5: *Pedro de Chinchilla, «Carta e breve conpendio»*

En el entorno de la casa condal de Benavente tuvo que promoverse un círculo letrado del que sobreviven las referencias a los libros reunidos por este linaje[234], amén de traducciones y tratados instigados por algunos de los miembros más significativos de esta familia, a la que también estuvo unido Diego de Valera; la figura de Pedro de Chinchilla sirve para cubrir las dos líneas de producción mencionadas, puesto que tradujo en 1443, por encargo de Alfonso de Pimentel, el *Libro de la Historia Troyana*[235], redactando después para su hijo, Rodrigo Alfonso de Pimentel, el cuarto conde de Benavente, en 1466, esta *Carta e breve conpendio*[236], en cuyo desarrollo recuerda los diversos servicios prestados a esta familia:

> Et como quier que por otros ha seído por más alto e dulçe estillo dicho et más copiosamente estimando que Vuestra Señoría avrá esto por bueno, acordándose del amor e actoridad que tove en la

234 Revísese la n. 201 de pág. 3605.

235 Ver ed. de María Dolores Peláez Benítez, Madrid, Univ. Complutense, 1999; el prólogo fue incluido por Mario Schiff en *La Bibliothèque du Marquis de Santillane*, págs. 267-268, y por Mª Isabel Hernández González en *En la teoría y en la práctica de la traducción*, págs. 62-64; Chinchilla es incluido por Carlos Alvar en su «Una veintena de traductores del siglo XV: prolegómenos a un repertorio», págs. 30-31.

236 Se encuentra en el Ms. 88 de la Bibl. Menéndez Pelayo; su título completo es *Carta con un breve conpendio enviado por Pedro de Chinchilla al muy exçelente e muy magnífico e virtuoso señor don Rodrigo Alfonso Pimentel, conde de Benavente*, fols. 36*r*-57*v*, por donde se cita.

casa de los ya nonbrados señores, vuestros anteçesores, de lo cual es buen testigo Vuestra Señoría, quise tomar la péñola para lo escrivir (37*r*)[237].

11.4.5.1: La definición de un pensamiento nobiliario

La composición de este regimiento nobiliario se fecha con precisión en Alcaraz a trece de mayo de 1466 (37*v*); ganaba, con él, su autor el reconocimiento no sólo del conde sino del infante don Alfonso, reconocido como rey por parte de la nobleza en el trienio de 1465-1468; Chinchilla construirá para él una *Exortaçión o información de buena e sana doctrina* justamente en el año de 1467, cuando el monarca en litigio cumplía catorce años[238], tras comprobar su interés por leer este compendio (ver pág. 3649). Las claves de formación de este segundo texto se cifran, por tanto, en esta *Carta*, sobre todo en lo que respecta a ese orden de pensamiento nobiliario prefigurado para quien llega a ser Canciller mayor del Sello de la Poridad[239]; ese cargo al que accedía comportaba una situación de riesgo, como se infiere del prólogo con que Chinchilla presenta su opúsculo:

> Como yo en mi retraimiento, leyendo por foír el oçio, aya fallado en diversos libros ordenados por auténticos istoriadores, cuánto los onbres, espeçialmente los puestos en grandes dignidades

---

[237] La correspondencia de ideas con el prólogo del *Libro de la Historia Troyana* es absoluta: «Ya sea con razones legítimas e asaz justas, escusar de la presente traslación me podría, mayormente considerando como ya otros la ayan al nuestro romance tornado en asaz alto e dulce estilo segunt la suficencia de nuestra lengua (...) Mas aunque a mayor peligro de vergüença me oponga, por satisfazer e conplir mandado del muy noble e virtuoso señor, mi señor don Alfonso Pimentel, conde de Benavente, cuyo criado yo, Pedro de Chinchilla, só, osaré tomar la péñola...», 115.

[238] La conexión de las ideas religiosas y morales que en ese regimiento se vierten recomienda estudiarlo como el primero de los doctrinales políticos que se construye contra Enrique IV y, por tanto, a favor del linaje representado por sus hermanos Alfonso e Isabel; ver § 11.4.7.

[239] Un rasgo que es linajístico como señala Peláez Benítez en su introducción: «En el caso de los Pimentel es clara esta preocupación por el buen adoctrinamiento de los caballeros y gobernantes, pues nos consta, por el inventario, que poseían, además de las crónicas y las traducciones de textos históricos clásicos, un ejemplar de la traducción de la *Eneida* del Marqués de Villena, doctrinales de caballería como el *Espejo de verdadera nobleza* de Diego de Valera, y el «Regimiento de Príncipes», de Egidio de Colonna, traducido por Fray Juan de Castrogeriz en el siglo XIV», pág. 67.

> y estados, son traídos en este mundo por la Fortuna en diversos revolvimientos, aunque en su bevir ayan seído onestos e bien tenprados, pues más se falla ser traídos los que pasaron su vida disolutamente enbueltos en viçios i grandes pecados (36*r*).

Estas referencias comienzan a apuntar directamente al presente que quiere ser corregido por la opción que representa el bando nobiliario y eclesiástico que entrega la corona al hermanastro del rey en 1465, instigados por Pacheco; con todo, otra es la orientación representada por el cuarto conde de Benavente, cuyas cualidades enseguida enumera y muestra como culmen de las virtudes de su linaje, a cuyo elogio procede:

> Et porque por fama he seído çertificado de la calidad e noble condiçión de vós (...) pues con aquel grande amor que tove firme en mi coraçón a su estado et no menos oy tengo al vuestro, pensé escrivir a Vuestra Señoría algunas cosas que tomé e fallé escriptas por aquellos claros varones, determinando que, pues por natural inclinaçión, segund vuestra poca hedad, Dios vos quiso fazer tan noble e virtuoso, que mucho mejor sería en vós la nobleza acreçentada informado y enseñado, avisado e certificado et amonestado cuántos bienes naçieron e naçen a los onbres que bien e virtuosamente bivieron e biven et así bien de la mala e disoluta vida cuántos males, peligros, trabajos, afliççiones, pérdidas, caídas de sus estados (36*v*).

Chinchilla repara en esa circunstancia de la «tierna edad» que hermanará al conde y al joven rey, porque es la que les faculta a ambos a ser destinatarios de dos ordenamientos doctrinales que vienen a coincidir en el articulado de sus avisos y castigos, sostenidos por una cobertura religiosa, puesto que de lo que se trata es de cumplir con unas obligaciones estamentales para poder asegurar la salvación del alma:

> Et porque me paresçió en esto fazer serviçio a Vuestra noble Señoría deliberé de escrivir este breve conpendio declarando so breves palabras, aunque en rudo estillo, algunas cosas provechosas al estado de vuestra persona e fama e mucho mejor a salvaçión del alma, la cual mucho devemos preparar (36*v*-37*r*).

Los esquemas de esta presentación, sobre todo el concerniente a la brevedad de estilo, se repetirán después en la *Exortaçión* enviada al monarca, como piezas que corresponden a un mismo proceso; ahora se insiste en la vinculación de Chinchilla al entorno nobiliario de la casa de Benavente, puesto que este letrado se presenta a sí mismo como hechura del abuelo y del padre del cuarto conde; la autoridad de que se inviste es la que le permite disponer las líneas de contenido con que forma este compendio, articulado con el propósito de enfrentar comportamientos contrarios[240], que deben ligarse a ese crítico trienio de 1465-1468 a tenor de alusiones —«Et porque las cosas del presente tienpo le dan conplida fe» (íd.)— que no necesita explicitar en hechos que estarían en la memoria de todos.

11.4.5.2: La formación de los nobles: el orden de las virtudes

El orden del contenido se amolda al de las cuatro virtudes cardinales, conforme Aristóteles las concibe, porque aseguran un modelo de perfección, válido tanto para esta vida como para la eternal[241]. La materia se despliega en doce capítulos, con un articulado de ideas que corresponde más a un ordenamiento religioso que a un tratado de reflexión política, apoyado en una máxima, fijada en el cap. i, que evoca una de las directrices del período molinista, al recordar «cómo los onbres en todas sus cosas deven anteponer a Dios»; a partir de ese punto, el autor advierte contra los pecados de la soberbia (ii), avaricia (iii), lujuria (iv), envidia (v), gula (vi), pereza (vii) e ira (viii). Se presenta, después, la Fortuna como la verdadera Providencia de Dios, por cuanto suceden los males a los hombres por su propia causa (ix), recomendando la piedad contra los miserables (x) y exhortando a evitar a los blasfemos y a los renegadores (xi). En el último de los epígrafes, como cierre de ese proceso de perfección moral, aconseja a los grandes príncipes y señores a gobernar sus tierras y gentes por amor y no por tiranía, suministrando pautas sin duda pensadas para analizar el tiempo del presente, sobre todo cuando se fija el objetivo de distinguir entre «el buen señor» y «el tirano».

---

240 «En la cual escriptura Vuestra Señoría fallará cuánto bien naçe del noble e virtuoso bevir et cuánto mal de lo contrario y de ser remiso e floxo en su vida», íd.

241 «Porque toda cosa buena ha de ser fecha cuerda e discretamente por la prudençia et justa e derechamente por la justiçia et ha de ser el onbre fuerte e constante e firme en sus obras por la fortaleza e ordenado y tenprado en las cosas de delectaçión por la tenprança», 37*r-v*.

La armadura religiosa de estos conceptos la asegura el cap. i, en el que tras recordar el modo en que Dios crió al hombre a su semejanza y le entregó los mandamientos para que se rigiera por ellos, se fijan las líneas de este compendio doctrinal:

> Et pues cuál cosa es más razonable que aborreçer de derramar sangre umana e non ser desonesto en los apetitos carnales, retener su lengua de dezir falsedades y mentiras, non cobdiçiar cosa de otros, non ser sobervios nin menospreçiadores de los onbres, non ser cobdiciosos desordenados ni usar de los otros viçios et malas costunbres (37*v*).

Con el fin de subrayar este contenido y de «autorizarlo», se muestra el modo en que «los que se desvían de aquel verdadero camino» (íd.) sufren «males, persecuçiones, caídas y desaventuras» diversas, sobre todo los que con soberbia procuran alcanzar altas dignidades. Para demostrarlo se requiere el proceso de los «exemplos» que confiere al análisis de los siete pecados capitales (ii-viii) un valor extraordinario, puesto que no se trata sólo de articular una doctrina que le permita a un noble mantener su dignidad estamental, sino de enseñarle a utilizar las *estorias* de la Biblia, también algunas de la Antigüedad, para extraer de las mismas las líneas de pensamiento a las que debe ajustar su vivir[242]; así, por poner un caso, en el epígrafe dedicado a la soberbia (ii) se refiere la «caída» del gigante Nembrot con su correspondiente aplicación[243] y se recuerda la trayectoria de engrandecimiento y de aflicción del rey Príamo, con un resumen de la materia troyana que debe vincularse a la traducción que realizara en 1443.

---

242 Es cualidad que Chinchilla destaca en el tercer conde, como lo señala en el prólogo del *Libro de la Historia Troyana:* «E bien creo que algunos avrá que mi inçuficencia saben dexarán de leer esta trasladación, pero considerando como el ya nonbrado mi señor al occio muy poco se dé, e todo o lo más de su tienpo ocupe con vertuoso e alto deseo en ver e saber la vida e costunbres de los antiguos varones, especialmente de los cavalleros famosos que en el uso e exercicio de las armas virtuosamente se ovieron, porque en aquella virtud su magnánimo coraçón más se esfuerça, le plazerá esta mi obra leer, porque de materia a su deseo conforme tracte», 116.

243 «Pues si quisieren algunos tomar enxenplo de los que se levantan en sobervia por ser de altos estados, poseer grandes señoríos, tener muchos nobles parientes e amigos, tesoros, tierras y gentes, et ponen toda su firme fiuza en las cosas vanas e pereçederas d'este mundo breve que tan aína fuye, et por ello son levantados en grand sobervia», 38*v*.

Como se ha indicado, Chinchilla construye su obra mediante *opposita*, disponiendo una rejilla en la que enfrenta los pecados a sus correspondientes virtudes; así, para rematar el análisis dedicado a la soberbia considera las cualidades de la obediencia:

> Et aquellos con todas sus fuerças conplir, porque con la obediençia e humildad sin ninguna dubda es amansada su saña, por ella son abaxados los yerros y pecados, son loadas las virtudes; hordenança justa e buena y vida verdadera se guarda por ella en todas las cosas; el cuchillo del occio es enbotado; con ella floreçen los regnos y señoríos, las çibdades se pueblan e acreçientan, et por ella la paz e mansedunbre de la voluntad es guardada (41*r-v*).

Tras el repaso de los pecados capitales, el cap. ix, como ya se ha apuntado, se dedica a demostrar que la Fortuna no es otra cosa que la Providencia de Dios, haciéndose eco de la tratadística específica dedicada a esta materia:

> Algunos quisieron dezir que oviese et aya Fortuna próspera et adversa, et fablando aquí en ello alguna cosa por çierto, la verdad en que todos los más concuerdan es que ninguna otra cosa sea Fortuna salvo que las cosas que son en la Providençia de Dios cuando son puestas en obra e pareçen en el mundo manifiestas que son contrarias a los onbres, en cuanto ellos segund su opinión las toman por tales, la llaman por común vocablo Fortuna adversa et cuando las tales cosas son plazibles a sus deseos e voluntades la llaman próspera (íd.).

Coincide, así, en los argumentos principales ya expuestos en compendios como el de fray Martín de Córdoba, entendiendo sólo por bienes de fortuna los espirituales y no los mundanales, debiendo asumirse las adversidades como situaciones que pueden garantizar el proceso de perfección interior que asegure la salvación del alma; con todo, este letrado reconoce que no puede desarrollar este contenido como le hubiera gustado por carecer de los fundamentos teológicos necesarios para ello[244] y prefiere, así, servirse del *Pauperitas et Fortuna*

244 «Et porque sería cosa peligrosa en esto fablar al que poco ha leído en las santas e divinales escripturas nin querer declarar por qué la carrera de los malos s'endereça a bien e algunas vegadas los buenos son afligidos, bástale saber que los secretos e juizios de Dios son muy fondos e nuestro entender flaco e poco», 50*v*.

certamen o debate entre la pobreza y la fortuna, articulado en el *De casibus* de Boccaccio y que había informado el libro del Arcipreste de Talavera (§ 10.5.2.3.2.4.2, pág. 2693) y el *Compendio* de fray Martín de Córdoba (§ 10.5.3.2.2.3, pág. 2792):

> Et que los males vengan a los onbres por su causa puédese bien manifestar por la fablilla que se dize de la batalla que ovieron la Pobreza voluntaria e la Fortuna e cómo vençió la Pobreza a la Fortuna (50*v*).

El regimiento de conducta nobiliaria que se construye en los tres últimos epígrafes recomienda al vencedor no ser cruel con el vencido y utilizar la piedad con los miserables, con una proyección ejemplar desde su arranque —«Valleriano, enperador de Roma, fue vençido por...» (51*v*)— y con una descripción de situaciones —habla de reyes que pueden «ser privados de sus regnos»— fácilmente aplicables al presente, a la par de fijar conductas enteramente contrarias a las que se usaban entonces en la corte castellana. De hecho, el último epígrafe acoge las líneas maestras de la que luego será la *Exortaçión;* pero esas ideas, pensadas para los príncipes, convienen aquí porque el conde de Benavente, en virtud del cargo que ocupaba, debía de ser conocedor de las obligaciones a que se sujetaban aquellos que tenían que gobernar a los pueblos, en cuanto elegidos por Dios para tal misión:

> Los grandes prínçipes y señores tienen cargo de regir e governar pueblos; pues nuestro Señor Dios les dio esa dignidad y señorío e los estableçió y descogió entre los otros e puso en sus manos los señoríos, mucho se deve trabajar e con grand estudio procurar de los governar en justiçia et paz con amor y dévense acordar e sienpre aver en memoria y remenbrança que los pueblos que les son encomendados non sean por ellos tractados como siervos mas como conpañeros (54*v*-55*r*).

En estos casos, y es fácil adivinar la aplicación, se recomienda abiertamente la rebelión contra tales príncipes:

> ¿Pues tal señor deve ser servido, tal prínçipe deve ser obedeçido e amado y le deve ser onbre leal? (55*v*).

La respuesta no ofrece dudas —«ciertamente por público enemigo deve ser tenido» (56*r*)— sugiriendo que contra él se promuevan levantamientos y conjuras, puesto que el sacrificio más agradable que se puede ofrecer a Dios es el de la sangre de los tiranos, con una conclusión que sirve ya para todo el escrito:

> Pues aprendan los que a otros an de governar, si quieren que sean durables en sus señoríos, procuren lealtad de sus pueblos, abaxen sus cobdiçias, refrenen sus luxurias et quieran ser antes amados que temidos, et que como padres e no como enperadores sean vistos entre los suyos (57*r*).

Arropado por esta dimensión providencialista, fía finalmente a Dios el castigo de los malos y el ensalzamiento de los buenos en clara correspondencia con el entorno político al que pertenece y para el que parecen, desde luego, pensados estos argumentos de afirmación nobiliaria, suficientes para justificar cualquier posición de rebeldía, sobre todo si ésta va seguida de una sujeción a un nuevo marco regalista.

11.4.5.3: Las referencias letradas

La actividad letrada de Pedro de Chinchilla se extiende, con toda seguridad, entre 1443 —traducción del *Libro de la Historia de Troya*— y ese bienio de 1466 —esta *Carta e breve conpendio*— y 1467 —la *Exortaçión* al rey don Alfonso (§ 11.4.6); este marco temporal le convierte en testigo privilegiado del desarrollo de las formas literarias y de las transformaciones sufridas en esos casi veinticinco años que llevan del reinado de Juan II al decenio más oscuro del gobierno de Enrique IV.

Esta *Carta e breve conpendio* contiene varias referencias a las obras que podían ser oídas —e interesar, por tanto— en un ámbito nobiliario como el construido por el linaje de los Pimentel; así, entre los tópicos de la humildad asoma una referencia al orden de las *novellae*[245]; ello demuestra que, para 1466, estas formas narrativas serían requeridas por la nobleza, apuntando incluso algún título que habría que adscribir a la materia de la Antigüedad:

---

[245] «Et una merçed demando a Vuestra Señoría, en gualardón de mi trabajo, que esta escriptura, aunque sinple y de poca actoridad, Vuestra Merçed la quiera benignamente reçebir y leer a lo menos como quien oye una novella que poco aprovecha e han muchos onbres sabor en la oír», 37*r*.

> Et los que quieran ver e mirar cuántos males y peligros d'esto vienen, lean la *Istoria de Theseo*, cómo por creer de ligero con ira e dar fe a la mentira de Fedra, su muger, incurrió en grandes males (49*r*).

Ello no significa que se acepte el orden de la ficción, antes al contrario, pues tras prolijo resumen de esta «istoria» se precave contra sus riesgos:

> Mas es çierto e fallarse ha en asaz istorias e lugares escriptos que muchas palabras enbueltas en miel, falsas, lisongeras, con argumentos de onbres parleros aver trastornado e confondido muchos regnos, muchos pueblos et muchos prínçipes e otras asaz gentes aver esparzido e trastornado (49*v*-50*r*).

Por ello, cuando se habla de la ira se indica que aquellos que se dejan arrastrar por la misma son propensos a creer todo lo que se les diga, incluidas «cualiesquier fablillas» (48*v*), previniendo de nuevo contra este orden de pensamiento:

> Pero aun no es esto así dañoso como cuando las cosas oídas son luego creídas, porque a los discretos conviene mirar cómo los onbres son de diversas condiçiones e son apartados unos de otros en sus maneras de fablar, et unos han sabor de acreçentar las cosas que fablan faziéndolas mayores de cuanto ellas son, aunque la verdad sea a ellos manifiesta, et a otros les plaze de las amenguar, et a otros de fingir y levantar cosas nuevas (íd.).

Precisamente, el capítulo en el que se avisa sobre los peligros de la lujuria se esgrimen muchas de las actitudes que pretenden también combatirse desde los esquemas ideológicos de la ficción sentimental, puesto que al fin y al cabo se está pensando en los grandes señores o príncipes:

> ...los cuales si son sueltos en este pecado son muy grandes quebrantadores de la castidad, non poniendo ningund freno a este pecado tan grande, cuando este desordenado apetito en ellos está apoderado, trabajando de corronper todo linaje de mu geres e cuanto más castamente ellas biven tanto más trabajan por corronper su castidad o con falagos o con amenazas o con dones o falsos prometimientos e mintrosos o con otros engaños las cobran, y entienden que grand cosa además acaban cuando tálamo ageno corronpen (44*r*).

Con este propósito, se descubren las falacias de los argumentos de estos falsos amadores[246] y se rechazan los «exemplos» con que justifican sus hechos, como los de los adulterios de David, Sansón o Salomón, alegando la edad de la mancebía para convertir en simple juego un grave delito o pretextando haber seguido la «obra de natura»; se recuerdan, además, los tristes finales de estos pecadores, para sancionar:

> ...mas los que se scusan con los errores d'estos querría que fiziesen como ellos fizieron, mas ni lloran su pecado ni se parten d'él ni temen el juizio o sentençia de Dios (íd.).

Esta línea de argumentos culmina con la sugerencia de que si pretenden parecerse a ellos en el pecado, busquen asemejarse también en las virtudes[247].

Refleja, por tanto, esta *Carta e breve conpendio* las líneas maestras del pensamiento nobiliario de aquellos que se decidieron a apoyar la causa del nuevo rey alzado en Ávila en 1465, a la par de fijar una de las imágenes más precisas de los marcos letrados de la nobleza y de las lecturas que se promoverían en esos entornos.

11.4.6: *Pedro de Chinchilla, «Exortaçión o información de buena e sana doctrina»*

En junio de 1466, el letrado y traductor Pedro de Chinchilla enviaba a don Rodrigo Alfonso Pimentel, cuarto conde de Benavente, de quien era criado, la *Carta e breve conpendio* que se acaba de analizar[248];

---

[246] Contra la pasión desordenada se alza esta serie: «Porque la mucha luxuria el ingenio enbota, la memoria corronpe, la fuerça enflaqueçe, priva la vista, la virtud consume, et finalmente de toda salud es enemiga y venido a la vejez de diversas e muchas y feas dolençias es atormentado», 45*r-v*.

[247] Por supuesto, se admite esta falta si a ella obligan motivos de conservación del linaje: «Et que un onbre aya su muger et la tenga segund ley ordenada et por aver fijos y generaçión que les suçeda e conserve su eser buena e justa cosa es», 44*v*.

[248] El Ms. 88 de la Biblioteca Menéndez Pelayo, en el que figura (fols. 36*r*-57*v*), está encabezado por esta *Exortaçión*, fols. 1*r*-35*v;* ambos textos permanecen inéditos; de la *Exortaçión*, José Manuel Nieto Soria ofrece una transcripción del prólogo y de la tabla de capítulos en el «Documento I» del «Apéndice documental» que cierra *Orígenes de la monarquía hispánica*, págs. 371-373. Como en el caso del compendio, este otro opúsculo se cita por el códice santanderino. De la *Exortaçión* se cuenta con el estudio de Bonifacio

el conde de Benavente, casado este mismo año con una hija de Pacheco, doña María, fue uno de los partidarios más fervientes del bando alfonsino y llegó a ser miembro del Consejo y Canciller mayor del Sello de la Poridad; de hacer caso a los datos que figuran en esta *Exortaçión,* el joven rey tuvo que requerir el compendio que Chinchilla compusiera para el conde[249]; este interés, de ser cierto, tuvo que servir de estímulo para componer un regimiento de príncipes ajustado a la formación de un monarca que contaba con corte propia y gobernaba con sólidos apoyos, pero que no había cumplido aún catorce años; justamente, en el año de 1467 y en una fecha de rigurosa precisión astrológica[250], Pedro de Chinchilla termina de redactar esta *Exortaçión,* que por dos veces (*29r* y *33v-34r*) remite al catecismo nobiliario que había preparado para su señor; es factible sospechar que fuera el de Benavente el que instigara la formación de este segundo opúsculo, para entregárselo al rey en el año en que podía —como hiciera Alfonso XI— asumir la mayoridad y enfrentarse, así, con mayor poder y dominio, a su hermanastro[251]. Es lo cierto que, a lo largo de esos tres años, en torno a la figura de quien era tratado como Alfonso XII tuvo que formarse una activa corte literaria, básicamente poética, que definiría las líneas maestras de la legitimación de esta nueva autoridad monárquica; entre los poetas que rodearían al joven Alfonso parece que se encontraban Gómez Manrique, Jorge Manrique[252], Diego de Valera —nombrado maestresala en 1467—,

---

Palacios Martín, «La educación del rey a través de los "espejos de príncipe". Un modelo tardomedieval», en *L'enseignement religieux dans la Couronne de Castille. Incidences spirituelles et sociales (XIIIᵉ-XVᵉ siècle). Colloque tenu à la Casa de Velázquez (février 1997)*, ed. Daniel Baloup, Madrid, Casa de Velázquez, 2003, págs. 29-41.

[249] «El cual tractado Vuestra Alteza le demandó para leer en Torrijos, la Santa Semana pasada; yo [lo] presenté y él lo dio a Vuestra Señoría por causa de lo cual yo dexé de fablar aquí algunas cosas a la obra conformes porque allí están dichas», *33v-34r*.

[250] «La cual obra se acabó en la noble çibdad de Alcaraz el año que la Encarnaçión del nuestro Redemptor fue llegada a los mill et cuatroçientos años e sesenta e siete años en el mes quinto d'él et el día qu'el solar curso estava en los quinze grados del signo de Tauro», *35v*. El infante don Alfonso había nacido el 15 de noviembre de 1453, como señala sin dudas Morales Muñiz en *Alfonso de Ávila, rey de Castilla*, pág. 15.

[251] Recuerda Bonifacio Palacios que «a partir de la segunda mitad de 1466, el conde de Benavente alcanzó cierto protagonismo entre la nobleza proalfonsina con una política moderada y contemporizadora, lo que, de ser así, le llevaría a impulsar más la educación de Alfonso, dada la trascendencia que la misma tenía para su difícil legitimación y para la orientación que deseaban dar a su gobierno», pág. 33.

[252] La copla xxª de las dedicadas «a la muerte de su padre» perfila este entorno político: «Pues su hermano el inocente, / que en su vida subcesor / se llamó, / qué corte tan

quizá Juan Álvarez Gato y Guevara[253]; otros letrados, adscritos a los entornos nobiliarios que apoyaban esta causa, participarían en la promoción de piezas propagandísticas para respaldar al joven rey, tal y como ocurre con Pedro de Chinchilla.

11.4.6.1: El proemio: un regimiento de príncipes nobiliario

Junto a los tópicos consabidos del exordio, Chinchilla desgrana conceptos con los que valora el escrito que presenta al rey, engastándolo en las circunstancias del presente, puesto que indica:

> Con grand cuidado y deseo de servir a Vuestra clara y real Señoría (...) puse en obra d'escrevir en este breve tractado algunas cosas que me pareçieron sana doctrina para el uso de buena e virtuosa vida, con las cuales Vuestra real Señoría podrá dar orden al derecho y buen regimiento de vuestros regnos et a la pacificaçión e sosiego d'ellos (íd.).

Debe situarse el tratado en ese clima de sostenida guerra civil, cuando aún no se había librado la segunda batalla de Olmedo, acaecida el 20 de agosto de 1467 y saldada con la dudosa victoria del ejército enriqueño, a pesar de la buena disposición que el joven Alfonso mostrara en el combate[254]; también, aunque suene a lugar común, es cierta la prevención que el autor declara ante la «tierna edad» del príncipe o el temor manifestado ante las «sufísticas reprensiones» de los detractores; con todo, este discurso proemial pretende enmarcar este conjunto de ideas en el apoyo que el conde de Benavente está prestando al partido alfonsino; por ello, Chinchilla vence los reparos expuestos «afincado de los soliçitos mandamientos e honestos ruegos que sobr'ello me ovo

---

excelente / tuvo y cuánto grand señor / que le siguió», ver ed. de V. Beltrán, *Poesía*, Barcelona, Crítica, 1993, pág. 162.

[253] Este círculo ha sido estudiado por Óscar Perea Rodríguez, «La corte literaria de Alfonso *El Inocente* (1465-1468) según las *Coplas a una partida* de Guevara, poeta del *Cancionero general*» (ver n. 48, pág. 3502); en esas «Coplas» se encuentra uno de los mejores retratos de los caballeros que rodearían a este monarca: «no sólo el conde de Benavente, sino también el conde de Ribadeo, Diego de Ribera, Sancho de Rojas, Martín de Távara, Miranda y Morán», pág. 44.

[254] Tal y como lo reconoce Enríquez del Castillo, cronista del rey: «el cual se adelantó un buen trecho y entró como caballero esforzado con tal denuedo, que hendió la batalla e se puso de la otra parte hacia la villa de Olmedo», 164*b*.

fecho don Rodrigo Alfonso Pimentel, conde de Benavente, mi señor», recordando que había estado unido a su casa desde el tiempo de su padre y abuelo; como hechura de esa «criança» se articula, entonces, un orden de reflexión política y moral que necesariamente ha de ser nobiliario, cuando además se remite a ese Consejo del que formaba parte el conde para que el joven monarca aprendiera a apercibirse:

> Et así bien m'esforçó a ello que ay çerca de vuestro real estado grandes onbres, nobles, buenos, prudentes, católicos e muy deseosos que vuestras reales costunbres sean santas, aconpañadas de toda virtud, con la cual son çiertos y es magnifiesta verdad que vuestra real silla será firme y estará segura de las peligrosas ondas que son levantadas por los vientos que mueven los escándalos que causan la vida contraria de los príncipes que siguen sus voluntariosos deseos (1*v*).

De modo solapado, comienza a perfilarse un intencionado retrato de Enrique IV mediante estos apuntes que recuerdan sus principales errores a fin de que el nuevo rey pueda desviarse de ellos.

Tras esta declaración de principios, señala Chinchilla las pautas de composición seguidas para formar el regimiento; ha seleccionado sus enseñanzas de las «escripturas auténticas, fechas e ordenadas por algunos santos et sçientíficos varones», pero no con «copiosas palabras» ni con la «dulçe elocuençia» (2*r*) por ellos usada, sino ajustado a un criterio de brevedad que va a seguir tanto en la disposición de la obra —«copillaré en breves capítulos»— como en el uso que a la misma deba darse, facilitando su aprendizaje:

> Porque la brevedad sea causa que la discreçión de vuestra real silla lo lea y leyendo la tierna hedad de Vuestra Alteza se acostunbre a vida virtuosa y buena, fuyendo de los viçios y errores de que las dignidades son aconpañadas (íd.).

Se tiende, así, un hilo discursivo que permite incardinar estas ideas en la necesaria cobertura espiritual que debe ampararlas, por cuanto el fin último de este contenido no es otro que el de asegurar la salvación del alma del príncipe, una vez cumplidas las obligaciones estamentales inherentes a su cargo[255].

---

255 «Así por aver dado buena cuenta de lo que a vuestro real çeptro fue encomendado por aquel padre Rey de los çielos, como por la aver ganado por justos e dignos mereesçimientos», íd.

11.4.6.2: La «Exortaçión» del autor

Pieza clave para identificar la ideología del escrito y su mensaje antienrriqueño es la «exortaçión o protestaçión» que se incluye en el primer capítulo, en el que Chinchilla, en calidad de criado del de Benavente, comparece ante el rey don Alfonso para entregarle este escrito y pronunciar una «fabla» en la que resume las líneas principales de su contenido; advierte, así, sobre los trabajos que comporta la administración y gobernación de los principados y reinos; la idea la prueba con varios *exempla* de la Antigüedad —como el del tirano Dionisio que reduce a estrecha prisión a su hermano para demostrarle la dureza del cargo de rey— con el fin de distinguir entre dos clases de príncipes, los que usan de «reglado entendimiento» y los que se rigen «por el apetito de la voluntad»:

> Porque los primeros pornán todo su pensamiento en regir e administrar bien la cosa pública e lo farán por la obra et pospuesta toda afecçión medirán con igual justiçia no solamente a sus súbditos, mas a sí mismos, nin dexarán los males sin pugniçión et gastarán su tienpo en buenas e virtuosas obras (3*v*).

Describe, así, una utópica, por idealista, situación que se contrapone fácilmente con la calamitosa en que se encuentra Castilla, sobre todo cuando incide en la necesidad de que las rentas y derechos asignados a la corona se apliquen para conseguir el bien público y asegurar la impartición de la justicia, recomendando, incluso, disponer de partidas extraordinarias que permitan atender a sucesos graves o a casos extremados cuando ocurrieren.

Para apartarlo del mismo, Chinchilla fija el retrato del príncipe disoluto mediante continuas remisiones al presente[256], no dudando en condenar «su triste y desaventurada ánima» a «las infernales penas». Considera, también, oportuno explicar al joven rey las circunstancias por las que la corona ha llegado a sus manos, a pesar de vivir todavía

[256] Como ejemplo: «Et por proveer a sí mesmos e a su estado que aya de fazer ayuntamiento de gentes et consentir a los que lo siguen fazer injurias e males conosçido es a todos y que les convenga sus rentas e algos, así a los justos e a la corona real, devidos como los mal ganados, en ello gastar, cada día se faze», 4*v*.

el otro monarca, «por razón de las cosas desonestas que d'él se han dicho e dizen» (íd.); porque Enrique no puede conservar la derecha sucesión, vinculada a su persona real, merece perder el título de la primogenitura:

> Por tanto mire e contenple vuestra magnífica persona prinçipalmente en ello, e cómo las dignidades a los buenos e virtuosos falleçen e algunas vegadas son d'ellas por la maliçia de las gentes privados, cuanto más los que gastan el tienpo e en mala e disoluta vida (5*r*).

Estas acusaciones autorizan la ceremonia de la farsa de Ávila, puesto que claramente se recuerda el modo en que fuera despojado del real señorío; la oportunidad de considerar este ejemplo le ha de ayudar al joven rey a desviarse de ese modelo de conducta negativo, que es el que ha obligado a «venir al señorío ante de tienpo» a sus manos con ayuda de nobles tan virtuosos como el conde de Benavente que ha apoyado, además, su causa entregándole las líneas esenciales de su pensamiento.

11.4.6.3: La «informaçión de buena e sana doctrina»

Tras este marco de razonamientos legales, suficiente para convencer a un joven príncipe de la legitimidad de su gobierno, se desgranan los contenidos del regimiento:

> Et así en breve conpendio entiendo informar a vuestra real prudençia de las buenas costunbres que son devidas a los prínçipes que son sublimados en grandes estados e han de governar y señorear muchas tierras y gentes, duques e condes e otros grandes varones sin las cuales inposible es sallir en cabo nin aver çierta nin conplida seguridad (íd.).

Siempre se manifiesta la confianza de que las virtudes de este príncipe basten para restaurar la dignidad de la realeza que su antecesor corrompió con los vicios propios y con los ajenos.

Dejando el cap. i, dedicado a la «fabla» del autor, la materia del tratado se articula mediante tres núcleos de ideas: el primero asienta en sólidos fundamentos religiosos este espejo al recordar que el verdadero poder viene de Dios y que los reyes actúan como vicarios suyos[257], de donde la necesidad de guiarse por las virtudes, siendo las primeras las teologales (caps. ii-v); el segundo —como era esperable— considera la naturaleza de las doce virtudes morales para extraer de ellas nociones de pensamiento político (caps. vi-xvii)[258]; el tercero, en fin, fija las costumbres convenientes que debe adoptar quien va a presidir un entramado cortesano que ha de ser enteramente opuesto al ocupado por su hermano (caps. xviii-xxi).

La afirmación religiosa del regimiento (ii-v) se asienta sobre la idea de que la seguridad del trono tiene que basarse en las «buenas e virtuosas obras», una línea de contenido que se corresponde, como sugerían los filósofos de la Antigüedad, con las virtudes morales[259]; sin embargo, este compendio prefiere encauzarse desde el conocimiento de las teologales, aunque sólo sea porque el alma de los hombres habrá de alcanzar la vida perdurable en función de las buenas obras que se hicieren; con este fin, se exponen los atributos de Dios —el «bien soberano»— proyectados tanto en sus criaturas como en los propios reyes, por el «soberano poder» y la «soberana nobleza» que en Él residen en cuanto supremo «regidor del mundo» (*7r*). Por ello, se recuerda, en el cap. iii, que fue Dios el que ordenó que hubiera reyes y, en consecuencia, el modo en que aquel que ostente la real majestad debe gobernar con obras que ha de procurar virtuosas, afirmadas en la fe:

> Pues ya es claro conoçimiento avido qu'el soberano bien es Dios y Él mismo es verdadera bienaventurança, todo onbre et prinçipal i más que todos la real magestad deve trabajar con todas sus fuerças de adquirir e alcançar aquella bienaventurança et ir por verdadero y derecho camino a ella (*7v*).

Con estos preámbulos, el autor define la naturaleza del rey y la liga directamente a la voluntad de Dios para señalar «de cuáles cosas ha de

---

257 Para esta concepción aristotélico-tomista, recuérdense los clásicos estudios de Ernst Kantorowicz (ver n. 226, pág. 548) y Alain Boureau, *Le simple corps du roi: l'impossible sacralité de la royauté française*, París, Éditions de Paris, 1988.

258 En estas dos secciones comprime materiales provenientes del libro I del *De regimine principum* de Egidio el Romano, que podía haber consultado, ya en la versión latina, ya en la vernácula de García de Castrogeriz, presente en la biblioteca condal.

259 Indica B. Palacios: «Pero la plena seguridad sólo se alcanzará situando esas obras y merecimientos en la perspectiva providencialista de las virtudes teologales. Y si Alfonso quiere conservar el trono debe mantener en el gobierno esa misma línea de conducta, que —una vez más lo recalca— debe llevar una dirección contraria a la de Enrique IV», pág. 39.

usar y de cuáles desviar» (íd.), explicando de esta manera las obligaciones de su cargo:

> Et porque este nonbre es anexo a su ofiçio, por que ha de ser regidor de los otros, fue ordenado por Dios para quebrantar los sobervios et los malfechores que con sobervia e maliçia, sintiéndose más poderosos que los otros se atreven a fazer agravios e sinrazones (8*r*).

Por supuesto, asimismo le cumple defender la fe y quebrantar a sus enemigos, mantener la paz y aplicar la justicia; en sí, esta primera sección es un regimiento del alma, antes que doctrinal[260], aunque siempre sea dable encontrar alguna pauta de comportamiento, ajustada a la materia del tratado[261].

El análisis centrado en las doce virtudes morales sí acoge ya principios propios de un tratado de reflexión política, conforme a los esquemas del *De regimine principum;* no se renuncia a engastar estos conceptos en marcos más amplios, básicamente filosóficos, para proporcionar a su destinatario múltiples líneas de pensamiento con que conformar su carácter; así, resulta pertinente explicar en el cap. vi el origen del nombre de las cuatro virtudes cardinales y el gobierno que ejercen sobre las potencias y los apetitos del alma[262]. Este orden de comportamientos asegura tres provechos: «aver las razones derechas, las pasiones ordenadas y tenpradas, et las obras de fuera iguales y mesuradas» (14*r*). Muchos de estos consejos, sobre todo tras la «exortaçión» del cap. i.,

---

260 De ahí, la importancia, por ejemplo, de distinguir entre el alma sensitiva y la intelectiva: «et como la sensitiva inclina a las delectaçiones e cosas de la carnalidad e provechos sensibles et la intelectiva a las delectaçiones intelectuales y bisiones spirituales (...) la carne cobdiçia contra el spíritu y el spíritu contra la carne...», 12*v*-13*r*, recomendando que la intelectiva, como subrayaba Aristóteles, gobernara a la sensitiva. Señala B. Palacios: «Este material lo tenía Chinchilla bien a mano, pues en la biblioteca condal estaban la *Suma Teológica*, la *Suma contra Gentiles* y los *Comentarios a las Éticas de Aristóteles*», pág. 35; considera este autor como posible la impronta del catecismo de Pedro de Cuéllar (1325) en Chinchilla.

261 «Et si entre los onbres naçen riñas e discordias y guerras y se fazen unos a otros engaños e traiçiones esto proviene porque aman a sí mesmos desordenadamente e non como conviene», 13*r*.

262 «Et en el entendimiento la prinçipal virtud es la prudençia, en la voluntad la prinçipal virtud es la justiçia, et en el apetito de la saña la prinçipal virtud es la fortaleza, en el apetito que causa los deseos la prinçipal virtud es la tenprança», 14*v*. Esta línea trazada por Santo Tomás y Egidio el Romano llega también a Valera, ver *HPRC*, § 5.1.2.3.

vuelven a ser fácilmente conectables a la situación del presente, como la denuncia que se realiza en el cap. xii de los excesivos gastos que pueden provocar la ruina del reino, cuando parte de esas «despensas» se debían haber empleado en construir templos antes que en sostener un entramado cortesano, una lección que la reina Isabel sí supo aplicar a su entorno[263]; por ello, en el cap. xv, se advierte sobre el riesgo de la excesiva humildad, que puede engendrar pusilánimes o mezquinos, aunque sea virtud que permita desviarse de las tentaciones de las grandes honras (28*v*) y afirmar el camino de salvación.

El cierre de este contenido explora dos virtudes que se integran en una sola, la de la verdad y la de la amistad o «eutrapelia», necesarias para el trato con los prójimos, ya a través de los actos, ya de las palabras[264], incluyéndose en este punto, como admisibles, las «delectaçiones de juegos por qu'el onbre sea alegre con todos como conviene» (30*r*); recuerdan estas apreciaciones a las normas que ya Latini desgranara en la segunda parte del *Libro del tesoro,* porque además una y otra obra proceden de la *Ética* de Aristóteles, articulándose de este modo una serie de avisos explícitamente dirigida a «los onbres políticos» (íd.) a quienes se muestra el modo de escapar de la superfluidad y del menosprecio que pudieran causar con sus palabras poco convenientes; de ahí, la necesidad de cultivar la «discreçión» como segura vía de comportamiento cortesano[265].

Los cuatro últimos capítulos ordenan ya ideas relativas al específico regimiento del reino, desde un oportuno resumen de la materia ante-

---

263 Sabiendo siempre ser magnificente, pues se elogia a aquellos que «farán con iguales e aun con menores gastos mayores e más granadas obras qu'el otro que mira por menudo a los gastos y pues la natura es de pocas cosas contenta para conservaçión de su persona, las riquezas demasiadas e oçiosas son avidas por superfluas et vanas, si con ellas non fueren fechas donaçiones e convenibles despensas», 26*r*, es decir templos, obras «públicas e comunes lavores», «alcáçares e otros edefiçios».

264 Sólo ahora se apunta una mínima dimensión elocutiva: «Et en cuanto a lo primero, por las palabras e por las obras nos avemos convenible e amigablemente con los otros, honrando e reçibiéndolos como devemos si somos amigables e afables o bien fablantes», 29*v*.

265 «Et así en la conversaçión de los onbres se deve fazer que con mayor familiaridad e humildad y reverençia se deve fablar con los onbres de mayor guisa y estado que con los comunes, e más con los que son puestos en dignidades e grandes estados, et más con la inperial o real magestad, porque si la conversaçión del onbre fuere igual a todos con unos usaría de más e con otros de menos et fallesçería en todo», íd. Son conceptos que estaban también en los *Castigos de Sancho IV*.

rior, para incardinarla al nuevo contenido que se presenta como lógica derivación de esos principios:

> Pues ya es dicho de las virtudes así de las tres teologales que son e aprovechan para aver perfecto conosçimiento del bien soberano et para alcançar la verdadera bienaventurança e asimesmo de las virtudes morales que ayudan e aprovechan mucho a ello, para traer al onbre por derecho camino e conoçer qué cosa es virtud e para usar d'ella, antes de dar fin a la obra se dirá cuáles deven ser los pensamientos del rey et sus palabras y de la manera que deve tener en su comer y bever, et cuáles deven ser los del su consejo e ministros y exsecutores de la su justiçia (31*r*).

El rey debe pensar con sosiego y reposo para poder discernir las cosas más convenientes a su estado y al bien público de los reinos, siendo instado a despreciar las riquezas, los desordenados vicios y los deleites corporales; la codicia se presenta como el proceso que asegura la pérdida del estado real, de donde la importancia de esta prevención:

> Pues la real señoría desear viçios e corporales deleites es muy peligroso porque este viçio o pecado es natural a las dignidades e cuanto más es usado tanto más se desea, de lo cual vienen demasiados males e faze menguar la discreçión y enflaqueçe mucho el coraçón e faze aborreçer las cosas que conviene fazer si algund trabajo corporal ay en ellas e foír de las poner en obras, porqu'el trabajo es mucho enemigo de los corporales viçios (31*v*-32*r*).

A tenor de lo expuesto en el capítulo dedicado a la eutrapelia, las nociones con que se afirma la «fabla» del rey en el cap. xix inciden en la necesidad de preservar la dignidad de su persona, en cuanto soporte del ámbito cortesano al que ha de dotar de preciso significado con sus palabras y con los modos elocutivos de que logre servirse:

> Deven ser breves e pocas con tanto que la brevedad non faga la razón escura et sobre todo se deve guardar de mucho fablar, porque los fabladores allende que son muy enojosos y pesados a los oidores enviléçelos, et aun es forçado que yerren en muchas cosas (32*r*).

Tampoco convienen, por supuesto, las palabras que se consideran deshonestas o las mentiras —vale aquí el supremo ejemplo de la vida de Cristo—, continuadas por lo común por sus servidores. Las pautas de la *actio* que han de regular el hablar del rey vuelven a recordar los «enseñamientos de fablar» esbozados por Latini: esas palabras no deben ser «dichas mucho apriesa» ni «con la boca fazer gestos nin con alguna desorden traer las manos» (32*v*).

La función ejemplar que cumple el rey se extiende también a las costumbres que ha de observar al comer y al beber, materia que se desarrolla en el cap. xx; si se tolera que a su mesa se traigan «viandas e manjares bien aparejados e diversidad d'ellos» (33*v*) en función de su estado, se prescribe una prudente moderación que debe extremarse con los «manjares gruesos» y sobre todo con el «vino».

La dignidad de la figura regia depende, también, de aquellos que lo rodean, de donde la oportunidad de cerrar el tratado con una serie de avisos sobre el modo en que el rey debe escoger a sus mensajeros y oficiales, una materia que cuajará en ceremoniales precisos *(HPRC,* § 5.2). Asegurado el reino, una vez castigados los «sobervios et malos e molestadores del pueblo» (34*r*), el marco cortesano que configure en torno a su persona le tiene que permitir disponer de buenos consejeros[266], además de instigar una producción jurídica que sea trasunto de su poder, de donde la recomendación de «fazer leyes de nuevo y revocar ordenanças y estatutos antigos» (íd.), cumplida si no por él, sí por su hermana Isabel tras las cortes toledanas de 1480. Los oficiales para aplicar este modelo político deben ser escogidos entre los más virtuosos del reino y del señorío, señalándose las condiciones que deben cumplir: han de ser prudentes y sabios, conocer con sana fe las cosas buenas y desechar las malas, ser nobles de linaje y de costumbres honestas[267]; Chinchilla admite, en razón de las circunstancias históricas, que de estos últimos no podrá haber gran número, exhortando a preferir a los bien acostumbrados, antes que a los que poseen alto linaje: «ca poco aprovecharía las loables costunbres de sus anteçesores si ellos non lo siguiesen» (íd.). Debe verse tras esta admonición un esbozo de ese nuevo modelo de relaciones entre la nobleza y la realeza que sabrá, con mano firme, asegurar la reina Isabel. El retrato del oficial cortesano se

---

[266] De ahí, la conveniencia de «que tenga perlados e cavalleros grandes, prudentes e sabios letrados e otros buenos varones con quien tome sus buenos e sanos consejos y que sean ministros leales y verdaderos exsecutores de la justiçia e con su real señoría entiendan en la conservaçión del público bien y de su estado e corona real», 34*r*.

[267] Con este apunte sobre la excelencia de los linajes: «e los que estas dos cosas han son mucho de amar e la real magestad les puede y deve encomendar e fiar toda cosa, así de su persona y estado como de su fazienda y estos tales son llamados ricos onbres e no sin grand causa», 34*v*.

remata con las cualidades elocutivas —ser bien razonados— y morales —ser bien sufridos, «amadores de justiçia» (35*r*), firmes y constantes en sus obras, leales al servicio del rey, amadores del bien público— además de temerosos de Dios.

11.4.6.4: Los registros de la oralidad y de la escritura

Chinchilla construye este regimiento mediante la integración de dos discursos de naturaleza diferente, advertidos en la titulación, puesto que, por una parte, se trata de una «exortaçión» que requiere los recursos de las arengas cortesanas, por otra de una «información» sobre una doctrina, para la cual deben articularse otros mecanismos expositivos. Todo ello demuestra que la simpleza alegada en el prólogo —el peso que no «podía conportar mi flaca costilla» (1*r*)— era más un tópico que una disculpa real, puesto que Chinchilla logra reunir un amplio número de autoridades —antiguas y patrísticas— para construir un escrito teórico en el que articula diferentes niveles de lenguaje[268], justificando las digresiones que realiza[269] y manteniendo siempre la voluntad de síntesis que se había fijado[270].

La intención pedagógica es constante; por ello, cuando lo considera oportuno ofrece aclaraciones de términos[271] o interrumpe el hilo de la exposición para insertar paréntesis —«Protestaçión fecha por el autor» (9*v*)— en que deja clara su sujeción a la autoridad de la Iglesia, aceptando cualquier corrección que se quiera imponer a su escrito[272].

---

[268] Al hablar de las virtudes intelectuales, señala que son «las que por vocablo vulgar se llaman morales», 5*v*, o tras una cita de Dante indica: «y el vulgar enxenplo lo confirma en que dize "si quieres ser amado ama", e otro más vulgar que dize: "¿Quieres saber quién te ama? Aquel a quien amas"», 35*v*.

[269] «Et aunque se desvía onbre un poco de la materia tractable, mas se puede dezir para aver mayor conosçimiento de su inmenso poder e infinita bondad...», 7*r*.

[270] De un modo formulario: «Et por no corronper la brevedad asaz basta lo dicho», 8*r*.

[271] Como en el cap. vi, al explicar lo que es «magnanimidad» —«que es grandeza de coraçón»— o «eutrapelia» —«que es virtud que faze al honbre deçender a ser buen amigo e conpañero de todos», 14*r*.

[272] Amparado en esta imaginería: «E por cuanto en lo fasta aquí por mí dicho y en lo que adelante diré en este breve tractado, por aver poco leído en las divinales e sanctas escripturas de la clara teología con ignorançia podría aver dicho e puesto en escripto algunas cosas dignas de reprehensión et tales que mereçen emienda e correcçión, desde agora protesto de lo aver todo ello e lo he por non dicho. Et a la correcçión de la Santa Madre Iglesia me someto e con esta protestaçión fablo», 9*v*.

Para dar riqueza a su discurso, discute el sentido de algunas de las citas traídas a colación, como ocurre en el cap. v al valorar la opinión del Maestro de las Sentencias sobre la caridad[273] y recuerda algunos pasajes del tratado fingiendo evitar un posible conflicto con su propia obra[274]; por lo mismo, y el proceso es interesante, remite al regimiento compuesto para el conde de Benavente cuando trata en el cap. xv de la humildad[275], una referencia que asegura que este segundo tratado procede directamente de aquel orden de afirmación nobiliaria; por esta vía, llega, en el cap. xx, a incluir un resumen de aquel escrito:

> Et por razón que d'este error y pecado y de los otros pecados mortales, yo fablé copiosamente en el tractado que fize al conde de Benavente, mi señor, este año pasado, et aún todos los otros capítulos tractan de las cosas de que se deven los prínçipes e grandes señores guardar y está allí exenplificado cuántos daños vinieron a muchos que se desviaron del derecho camino et quisieron bevir disoluta y desonesta vida y es conforme a este tractado en muchas cosas (...) Et por la conformidad et conveniencia que tienen en uno me paresçió razonable e conveniente cosa que fuese al pie d'este pequeño tractado puesto e así lo fize (33*v*-34*r*).

Es clara, por tanto, la voluntad de vincular ambos escritos y conseguir con ellos una unidad no referida tanto a la materia como al propósito de afirmar la condición regia en el orden nobiliario que la propicia y sostiene, de donde la imagen del de Benavente actuando como donador de ese regimiento que había sido compuesto para él y que, por lo mismo, se ajustaba a la formación del joven príncipe, como se indica en su presentación:

> Adelante está el tractado fecho por el mismo Pedro de Chinchilla al conde de Benavente, su señor, el cual es muy conforme a esta escriptura et se fallarán en él asaz buenas doctrinas e sanas y de grand provecho (35*v*).

---

[273] Así indica: «algunos doctores tovieron que la caridad por la cual amamos a Dios e al próximo fuese por esençia el mismo Spíritu Sancto, segund escrive el Maestro de las Sentençias, en la distinçión xvii del primero de las Sentençias, la cual opinión comúnmente no es aprovada, pero la verdad es que la caridad es un ábito...», 11*r*.

[274] «E porque ya es dicho en el capítulo de la prudençia qué condiçiones ha de tener el verdadero prudente non conviene aquí replicar», 34*v*.

[275] «Et cuanto esta virtud de humildad es noble e a Dios muy açepta fallarse ha en el capítulo del libro que fize a don Rodrigo Alfonso Pimentel, conde de Benavente, en el capítulo segundo de la umildad», 29*r*.

Este ámbito de reflexiones políticas y religiosas se desmorona el 5 de julio de 1468 cuando el joven rey muere, de modo súbito, en Cardeñosa; en ese momento, emergía la figura de Isabel, que contaba ya diecisiete años, no sólo como heredera de sus derechos dinásticos, sino también de las líneas esenciales de este singular pensamiento.

11.4.7: *Fray Martín de Córdoba, «Jardín de nobles donzellas»*

Este regimiento de príncipes femenino contiene en su integridad el pensamiento de Isabel la Católica, como hechura directa que fue del mismo; todas y cada una de las directrices de su programa político, además de sus implicaciones religiosas, así como la valoración que la reina concedía al saber y a la «alegría cortesana» se encuentran inscritas en las lecciones que fray Martín de Córdoba, actuando conscientemente como un *magister,* imparte en esta obra[276]; este agustino, instigador de un tratado sobre la fortuna y la providencia para don Álvaro de Luna, no educó directamente a Isabel, ya que se vincularía a su entorno una vez que en julio de 1468 muriera su hermano Alfonso[277]. Es cierto, que este manual no figura en ninguno de los inventarios de su biblioteca[278],

---

[276] Señala F. Rubio en el «Estudio preliminar» a su edición de *Prosistas castellanos del siglo XV:* «Si poco pudo conseguir de don Enrique en orden a enderezar su vida moral y religiosa, creemos que sus contactos con los infantes Alfonso e Isabel consiguieron resultados muy provechosos, pues sus costumbres y modos de vida fueron morigerados y hasta ejemplares, y su formación religiosa consciente y fervorosa», pág. XXX. El *Jardín* ocupa las págs. 65-117; se cita con las siglas ed. FR; se usa también la ed. de Harriet Goldberg, *Jardín de nobles donzellas, fray Martín de Córdoba. A critical edition and study,* Chapel Hill, North Carolina Studies in the Romance Languages and Literatures, 1974, con las siglas ed. HG. Otra ed. anterior preparó el P. Félix García, publicada en Madrid, Joyas Bibliográficas, 1953 y reeditada en Madrid, Clásicos Agustinos, 1956.

[277] Nicasio Salvador Miguel ha consagrado dos esclarecedores estudios a este período: «La instrucción infantil de Isabel, infanta de Castilla (1451-1461)», en *Arte y Cultura en la época de Isabel la Católica,* Valladolid, Instituto Universitario de Historia Simancas-Ámbito, 2003, págs. 155-177, ver pág. 171, y «Isabel, infanta de Castilla, en la corte de Enrique IV (1461-1467): formación y entorno literario», *Actes X Congrés AHLM,* I, págs. 185-212, aquí pág. 203.

[278] Lo precisa H. Goldberg: «The *Jardín* does not appear in the extant catalogues of the two hundred and fifty volumes that make up the two libraries of Isabel», pág. 44, remitiendo al estudio de Manuel Ballesteros Gaibrois, *Isabel de Castilla: Reina Católica de España,* Madrid, 1964, págs. 205-227. No aparece, por tanto, en la magna compilación de Elisa Ruiz García, *Los libros de Isabel la Católica. Arqueología de un patrimonio escrito,* Madrid, Instituto de Historia del Libro y de la Lectura, 2004.

pero Sánchez Cantón no dudó en incluirlo entre los libros de la reina, no sólo porque a ella fuera dirigido, sino porque Isabel tuvo que promover una serie de lecturas de educación femenina[279], algunas de ellas con una clara orientación matrimonialista[280].

Por referencias internas, es posible situar la redacción de este manual en torno a los acontecimientos que conducen al Pacto de los Toros de Guisando, en septiembre de 1468; dos meses antes, en Cardeñosa, había muerto el príncipe don Alfonso, titulado como rey por parte de la nobleza y de los prelados y religiosos, entre ellos el propio fray Martín que evoca este episodio como un hecho reciente:

> Por lo cual, aunque nos devamos doler del illustrísimo varón hermano vuestro, por cuanto lo perdimos, pero de otra parte el dolor se amansa cuando vemos la noble infancia vuestra que, en la edad que es, tiene tal olor de florecientes virtudes (ed. HG, 136; ed. FR, 67).

La alusión a esa «infancia» sin compromiso matrimonial aún, con una línea temática orientada hacia la formación de la princesa como futura esposa, permite suponer que no se habían celebrado las bodas de Isabel con Fernando, realizadas un año después de Guisando, en Valladolid, en septiembre de 1469. El *Jardín* tuvo, entonces, que componerse como medio de formar el carácter de quien había sido reconocida ya como heredera al trono, siendo ésta la principal preocupación que le lleva al agustino a ordenar estas enseñanzas.

No es factible, con todo, trazar una relación directa entre la princesa castellana y fray Martín de Córdoba, más allá de la que pueda sugerir la composición de este opúsculo. No se conserva ningún códice del tratado, aunque sí una transmisión impresa bastante temprana: Valla-

---

[279] «Seis libros proporcionarían solaz íntimo a la Reina y a sus damas: el *De les dones*, o de las mujeres, de Eiximenis, el "De las tres virtudes para enseñamiento de las mujeres", escrito por Cristina de Pisa bajo Carlos VI de Francia, el *Espejo de las damas* en francés, de un franciscano anónimo, el *Vergel de nobles doncellas* de Martín Alfonso de Córdoba y los del Arcipreste de Talavera y del Maestre D. Álvaro de Luna», *Libros, tapices y cuadros*, pág. 30.

[280] Para estos aspectos ver Tobías Brandenberger, *Literatura del matrimonio (Península ibérica ss. XIV-XV)*, Zaragoza, Pórtico, 1997, que estudia el *Jardín* bajo el epígrafe «II.4. Espejos de *señoras generosas* II: Un doctrinal para la futura reina católica», págs. 137-155, contrastándolo en todo momento con el de Christine de Pisan.

dolid, Juan de Burgos, 1500, publicándose de nuevo en 1542 en Medina del Campo[281].

11.4.7.1: El «Prohemio»: la defensa de una legitimidad linajística

Fray Martín es consciente de la labor propagandística a la que tiene que ajustar su tratado, dados los escasos apoyos con que cuenta la candidatura de Isabel al trono, a pesar de que Enrique IV la proclamara «su primera legítima heredera»[282]. Juan Pacheco se dio enseguida cuenta de la dificultad de dominar a esta princesa y urgirá al rey para reconocer, de nuevo, los derechos sucesorios de su hija; de ahí, el valor de la legitimación linajística con que el «Prohemio» se abre[283]:

> A la muy clara e sereníssima señora doña Isabel, de real simiente procreada, infanta legítima heredera de los reinos de Castilla e León, el su humilde servidor fray Martín de Córdova (...) besando aquellas manos dignas de regir las riendas d'este reino... (ed. HG, 135; ed. FR, 67*a*).

Además de defender a Isabel de las intrigas de la corte, fray Martín se obliga a protegerla de los recelos que pudiera despertar su condición de mujer; asume, por ello, diversos argumentos de la tratadística de rei-

---

[281] H. Goldberg ha sido la primera en tener en cuenta la ed. de 1500, utilizando un ejemplar conservado en la Hispanic Society, pues los editores anteriores contaron sólo con la de 1542: «P. García relied solely on the 1542 ed. in Madrid and referred to the rumour that there was "una edición suelta en el British Museum". He did not consult the 1500 ed. in New York. P. Rubio also explained his use of the 1542 ed. because of its accesibility and his conclusion that the geographical proximity of Valladolid and Medina del Campo ensured that the later printing would be a faithful copy of the earlier one», págs. 11-12.

[282] Ver el epígrafe «The inter-relationship of "Advice to Princes" and the feminism/anti-feminism controversy in the *Jardín de nobles donzellas*» de la ed. de H. Goldberg, págs. 95-126, en especial pág. 114.

[283] Señala C. Soriano: «Nos encontramos, además, con un caso híbrido de destinataria textual, pues las lectoras participan de una doble condición, como receptoras del texto y como realidad extratextual. Las dedicatorias a lectoras de la época cumplen también una importante función retórica, en relación con el uso de las lenguas romances para la divulgación de textos entre las mujeres», «Conveniencia política y tópico literario en el *Jardín de Nobles Doncellas* (1468?) de Fray Martín Alonso de Córdoba», en *Actas VI Congreso AHLM*, II, págs. 1457-1466, pág. 1461.

vindicación femenina para demostrar las ventajas de contar con una futura reina: no sólo «Dios sienpre puso la salud en mano de la fembra, porque donde nasció la muerte de allí se levantase la vida» (ed. HG, 136; ed. FR, íd.), sino también porque «muchos pueblos y reinos fueron librados por muger e bien regidos» (íd.)[284].

Amparada su discípula con estas razones, el agustino procede a trazar los límites a que va a reducir la enseñanza que considera conveniente entregarle; a tenor de los últimos dos reinados, no parece fray Martín confiar mucho en la eficacia de estos *specula principum,* y prefiere incardinar la acción de regir el reino al dominio de los actos prácticos y a la construcción de un específico grado de saber, basado en la observación de las buenas costumbres, en la piedad con que el pueblo debe ser tratado, en la osadía, en fin, que ha de mostrarse ante los enemigos, sobre todo si son infieles:

> ...como fizieron vuestros antecesores que conquistaron las Españas e oxearon las moscas suzias de Mahometo, e los persiguieron con espada fasta el reino de Granada, donde agora están por la negligencia de los modernos príncipes (ed. HG, 140; ed. FR, 68*b*).

Fray Martín confía a la princesa una «sabiduría» moral en la que pueda tomar deleite su entendimiento; se trata de un saber abierto a las tres líneas de desarrollo a que va a ajustarse el contenido y la estructura de la obra: previamente, Isabel debe conocer los límites —que no defectos— y las cualidades —que son numerosas— de su naturaleza femenina, configurando un carácter que le permita reaccionar ante las diversas circunstancias a que deberá enfrentarse (Parte I); en segundo orden, debe aprender a discernir entre las buenas y malas costumbres, para amoldar su conducta a las primeras (Parte II); en tercer lugar, debe observar los modelos de comportamiento de los que pueden derivar lecciones útiles para las tareas de gobierno a que está destinada. Este esquema ternario viene a reproducir la organización de otros manuales cortesanos; el *Libro del tesoro* de Latini, recuérdese, configuraba un proceso similar: describía el ámbito de la «natura», enmarcaba en el mismo un ordena-

[284] P. Celdrán Gomariz indica: «Ya en el prólogo, a cuya princesa endereza, hay alusiones marianas, un tanto atrevidas si se tiene en cuenta los términos de la comparación que el agustino trata de proponer», *Un manual de religiosidad mariana del siglo* XV: *«Título virginal de Nuestra Señora» de fray Alfonso de Fuentidueña,* Madrid, Univ. Complutense, 1982, pág. 339.

miento moral, afirmaba, por último, unas reglas políticas, bien que, en su caso, basadas en el conocimiento de la retórica, una disciplina a la que fray Martín no va a conceder, claro es, la menor importancia[285].

11.4.7.2: La «Parte I»: conciencia femenina y saber religioso

Para hablar de la «generación» de la mujer, fray Martín se va a sujetar estrictamente a la materia bíblica; analiza «figuralmente» la creación de Eva como medio de fijar las características de la naturaleza femenina, señalando antes las virtudes que las tachas que derivan de la «hechura maravillosa» de esta primera hembra, pues, por algo, fue engendrada sin mediación de varón alguno[286]; cada uno de los epígrafes de esta primera parte va a tratarse como si fuera una «qüestión» independiente, de donde la distribución de epígrafes que fija rigurosamente en su presentación:

> Pues de la criación de la primera muger, Eva, estas cosas que se siguen diremos: [i] de qué parte del varón fue criada, [ii] de qué manera, [iii] en qué lugar, [iv] en qué tiempo e [v] para qué fue criada; [vi] si se puede llamar hija de Adam, pues que d'él fue hecha, [vii] cómo fue hecha de aquella costilla; [viii] si no pecaran, cómo serviera la muger a la generación. Esto e todo lo que ocurriere d'este negocio, aquí diremos repartiendo todo esto por capítulos (ed. HG, 144; ed. FR, íd.).

La prevención es cierta, porque aún se le «ocurrirá» un capítulo final para añadir a estos ocho, aquí sintetizados, con consideraciones naturalistas tomadas de Aristóteles. Más allá de este contenido, que muestra el empeño del agustino por convertir un orden teológico en razones asimilables, importa verificar el modo en que se va desgranando de la exposición un pensamiento político, sujeto a las particularidades de una naturaleza femenina, que es obra también de Dios y que, en consecuencia, debe ser estimada en virtud de esos planteamientos providencialistas.

---

285 En II.viii afirma: «Dize Tulio que muchos aprenden bien fablar por retórica, que les valdría más que aprendiesen callar por cordura», ed. HG, 228; ed. FR, 98*a*.

286 En la defensa de Eva coincide con la postura que fija don Álvaro en su prólogo: § 10.7.4.1.3, ver pág. 3227.

En esta primera parte, los mensajes de afirmación política derivan de la enseñanza figurativa y son muy precisos; así, en I.ii, al afirmar la excelencia de la materia con que fue creada la mujer, en comparación al barro con que fue formado el hombre, avisa sobre el modo en que Dios actúa guiado antes por la «sapiencia y conveniencia» que por la «potencia» para recomendar finalmente:

> No digo que Dios no la pudiese hazer del hueso mondo, mas que Dios no obra absolutamente por potencia, mas por obra e sapiencia e convenencia. Quiero dezir que no faze todo cuanto puede, mas faze lo que conviene. E es buen enxemplo para los poderosos, que no usen de potencia, mas de razón e justicia, poniéndose en justicia con el menor e con el mayor (ed. HG, 152-153; ed. FR, 72*a*).

La exégesis que practica sobre la circunstancia de que la mujer haya sido creada de una costilla le sirve al agustino para distinguir aspectos tópicos de la naturaleza femenina, entre ellos el de ser más «parleras» que los hombres, uno de los pocos defectos en que se detiene, pensando sobre todo en la receptora del tratado:

> E si esto es verdad en las otras dueñas, tanto más es verdad en las grandes señoras, cuyas palabras suenan por todo su imperio, e por ende deven ser pocas e graves (ed. HG, 156-157; ed. FR, 73*b*).

El valor del matrimonio se afirma en I.iii al señalar que éste fue el único estado que Dios creara en el Paraíso, de donde la importancia de considerar sus bienes, que son la fe, la casta generación, el sacramento mismo, una idea que se vincula a la devoción mariana:

> La cual, aunque todos los fieles en ella deven aver, empero en especial la Señora Princesa porque es de linaje real, como la Virgen que fue fija de reyes; e porque es doncella como era la Virgen cuando concibió al Fijo de Dios, e porque espera de ser reina, como la Virgen que es Reina de los cielos, señora de los ángeles, madre de los pecadores e manto de todos los fieles (ed. HG, 164; ed. FR, 75*b*).

Por ello, se afirma en I.v que la mujer fue criada para la «reconciliación de paz» (ed. HG, 173; ed. FR, 78) y que esa armonía debía conseguirse primeramente en el orden familiar. A tenor de los sucesos posteriores a septiembre de 1468, fray Martín prestaba argumentos al rigor con que Isabel desoyera los tratos matrimoniales que Pacheco, en los meses siguientes a Guisando, le moviera:

> Quiere dezir, que con las parientas ha de ser honbre tan cortés e mesurado, que no deve querer, aunque con él dispense, tocar ninguna d'ellas por acto carnal (...) Pues si esto es dapñable a todo honbre, cuánto más lo deve ser a los reyes e reinas, cuya generación ha de ser limpia e cuyos hijos han de aumentar la república (ed. HG, 177; ed. FR, 79*b*).

No otros eran los motivos que la llevaron a desestimar las candidaturas de Alfonso V de Portugal o del duque de Berry, para decidir que había de casar con Fernando[287].

Ello no obsta a que se plantee un rechazo drástico a cualesquiera de las formas de placer carnal, instando a la princesa a mantener la pureza aún en los actos de generación que deberá realizar por bien del reino; se empeña fray Martín en afirmar que si el hombre no hubiera pecado, las mujeres mantendrían su virginidad aun pariendo, debiendo entenderse los dolores a que la hembra está condenada como castigo de esa unión[288]; en cierto modo, este rechazo de la sexualidad será determinante en la construcción de un ámbito letrado en que se van a construir «ficciones sentimentales» con el solo objetivo de corregir estas transgresiones[289].

Hay un plan de actuación, por tanto, en la voluntad de Dios al crear a la mujer, no sólo como compañera del hombre o como instrumento de «generación», sino como ser muy especial, dotado de cualidades

287 Luis Suárez: «Isabel le había escogido, sin conocerle, a través de un proceso mental que le llevó a la conclusión de que era el candidato que más convenía, a ella y al reino, para cumplimiento de las funciones en que Guisando la había colocado», *Isabel I, reina (1451-1504)*, Barcelona, Ariel, 2000, pág. 126.

288 «Ca después del pecado, varón e muger se mezclan con ardor e suziedad e vergüença, tanto que honbres honestos d'ello hablar no quieren, e queda la muger corrupta, e si se empreña queda pesada, desque pare queda enferma e trabajada, e muchas ay que tantos dolores passan en el cuerpo que mueren. Pero ante del pecado ninguna cosa d'éstas no fuera, ca la muger mezclada con su marido quedara entera», ed. HG, 182; ed. FR, 81*a*.

289 Ver María del Mar Graña Cid y Cristina Segura Graíño, «Simbología del cuerpo y saber de las mujeres en el discurso masculino clerical. Dos ejemplos bajomedievales», *De los símbolos al orden simbólico femenino (siglos IV-XVIII)*, ed. A.I. Cerrada y J. Lorenzo, Madrid, Asociación Cultural Al-Mudayna, 1998, págs. 105-121.

que podían resultar de gran provecho para el regimiento del reino, si lograba acompasarlas a unos principios de regulación moral[290].

11.4.7.3: La «Parte II»: regimiento moral y pensamiento político

Una vez determinados los rasgos virtuosos y los límites del carácter femenino, puede ya fray Martín definir las pautas de comportamiento a que la futura reina deberá ajustar sus acciones y sus proyectos de gobierno; construye para ella una suerte de «ética femenina» que exige, antes que nada, saber distinguir las buenas costumbres de las malas, apoyando en Aristóteles la base de este nuevo contenido:

> Pues que ya hemos dicho e explanado a la Señora Princesa la generación de la muger, así divinal, como fue hecha Eva, como natural, según las otras mugeres, es razón que en esta Segunda parte d'esta pequeña obra digamos de las condiciones de las mugeres, así de las que tiene buenas, como de las que an de tener para ser virtuosas. Nota, pues, que según Aristótiles en su *Retórica,* las mugeres han algunas condiciones buenas e algunas no tales; e es bien que de todas veamos, por que la Señora Princesa escoja para sí las buenas e las no tales deseche (ed. HG, 193; ed. FR, 85*a*).

Tres condiciones otorgan bondad a las mujeres —ser vergonzosas (II.i), piadosas (II.ii) y obsequiosas (II.iii)—, derivando de cada una de ellas una línea de actuación moral. La vergüenza se convierte en una virtud que permite defender la honestidad, entendida como cualidad contraria a los ideales de la belleza femenina:

> Luego los ojos hazen honestos la vergüença e los haze abaxar a tierra, cierra las orejas a las feas palabras, conpone las manos una sobre otra, la lengua refrena, el andar viene con mesura e aun en el comer e bever pone freno la vergüença (...) ella [la vergüenza] honesta los trajes que deshonesta la poca vergüença, ella ordenó que las mugeres se tocasen e cubriesen sus cabeças e los pechos, e que tra-

[290] Con razón resume Luis Suárez: «Femenina y religiosa; en ambas condiciones hallamos las notas esenciales de su carácter. Isabel constituye uno de los primeros y principales ejemplos de que la condición de mujer, no refiriéndola únicamente a la circunstancia biológica, lejos de ser un obstáculo a la hora de reinar, podía aportar condiciones muy importantes y positivas», *Isabel I, reina,* págs. 123-124.

xesen faldas largas, porque ninguna desonestidad en ellas fuesse notada que oliese a poca vergüença (ed. HG, 196; ed. FR, 86*b*).

La piedad se valora especialmente, con términos similares a los que usará Pulgar en su Letra xvi; tanta importancia se concede a esta virtud que fray Martín recuerda, en este preciso momento, el objetivo fijado con este proceso de enseñanza:

> Agora, por cuanto todo esto se ordena a dotrina e instrución de la Princesa, quiero aplicar esto a las grandes señoras, e provar por razones que, aunque todas las mugeres sean naturalmente piadosas, pero las grandes lo deven ser más que todas. Para lo cual saber diremos que la reina en su reino o la princesa o otra señora en su principado o señorío, tiene tres respectos por los cuales e cada uno de ellos deve ser a sus vasallos piadosa: ella es madre e abogada e es escudo (ed. HG, 199; ed. FR, 87*b*).

Se dirige, así, directamente a su destinataria para instarle a que trate a su pueblo con la misericordia con que pudiera actuar una madre y a que gobierne desde la condición de «abogada» de esas gentes menudas que comenzaban a acogerse bajo su protección.

La obsequiosidad, por último, exige un comportamiento «gracioso» y un servicio «consolativo». Este rasgo permite comprender la fijación de un modelo cultural sujeto a unas previsiones religiosas, de las que deben derivar las virtudes a que el reino entero habrá de someterse:

> Así todas las mugeres deven ser en esta guisa, por devoción a Dios, obsequiosas, cuánto más deven ser las reinas e princesas, las cuales deven ser enxenplo a todos de honrar e servir a Dios e defender la Iglesia e las personas d'ella; oír cada día sus misas, rezar sus horas e devociones, oír sermones e palabras de Dios, fazer que lean delante d'ella, cuando comen e cuando están retraídas, lecturas honestas e santas, conversar con letrados e sabios que la pueden dotrinar de cosas divinales, pensar sienpre en la otra vida e en la cuenta que a Dios han de dar tan estrecha, hablar e oír fablar de la gloria de Paraíso, como fazía María Magdalena asentada a los pies de Jhesu Christo, oía sus palabras que eran enformativas del reino de Dios (ed. HG, 204-205; ed. FR, 89*b*).

Ese orden de «lecturas honestas e santas» se afirma, básicamente, en la biblioteca de que se rodeó Isabel, pero sirve, a la vez, para enmarcar las transformaciones a que se sujetan otros discursos literarios, incluyendo el de la poesía cortesana y, de modo especial, la emergencia de la caballería espiritual, con el fin de superar los horizontes de las aventuras galantes y heroicas vividas por Amadís y los miembros de su generación.

Un solo epígrafe (II.iv) se dedica a las condiciones femeninas que pueden considerarse menos buenas —y parecen aprendidas en el *Libro del Arcipreste de Talavera:* ser «intemperadas», «parleras y porfiosas», «variables y sin constancia»— y a una que resulta indiferente, porque del hecho de que las mujeres actúen «por extremo e por cabo» pueden derivarse circunstancias positivas o negativas según sea su carácter[291].

Pero porque la princesa iba a regir un ámbito cortesano en el que la presencia femenina había de ser importante, fray Martín habla de las mujeres en general:

> Nota, pues, que la princesa ha en tal manera de ordenar sus condiciones, que algunas sean buenas por respecto a Dios, otras por respecto de sí misma e otras por respecto del pueblo que rige (ed. HG, 213; ed. FR, 93*a*).

Con respecto a Dios, se señalan las honras (II.vi) que en todo momento se le deben ofrecer como una pieza fundamental de este engranaje político, que llevará a la curia pontificia a bendecir a estos monarcas con el apelativo de «los Católicos»; hay una preocupación por articular un orden de oraciones, con una sola concesión a la «alegría cortesana»:

> No digo que entre la yantar e las bísperas no se hagan deportes solepnes, que relieven los enojos de la señora; pero esto sea honesto e seguro de sangre e de bollicio (ed. HG, 219-220; ed. FR, 95*b*).

Se enmarca, así, la presentación de esta infanta como predestinada por Dios para reinar:

> Pues Dios, que en el vientre de la madre dio e predestinó a ésta para reina de tan noble reino como España, más obligada es a lo amar que otra ninguna; ca los beneficios crecientes, cresce el amor (íd.).

---

[291] Luis Suárez: «Poseía una viva sensibilidad, no sorprendente, porque aparece con más frecuencia en las mujeres que en los varones, mezclando la energía y la delicadeza, a pesar de que a veces no se la entendía. Al final daba la impresión de que era capaz de imponer su criterio, pero eso venía como consecuencia de que sabía esperar, sin apartarse un ápice de sus propósitos», *ibídem*.

Una imagen que engasta una encendida valoración de España como reino elegido por Dios, destacado por encima del resto de los pueblos occidentales[292].

Al tratar de las condiciones que debe observar por sí misma (II.vii), advierte el agustino a su discípula del amor desordenado a las riquezas, las pompas y los deleites carnales, con consejos muy concretos que Isabel no dudará en hacer suyos:

> Donde el noble ánimo de la Princesa no deve cobdiciar riquezas para atesorar, mas para dar a los suyos e hazer cosas magníficas, como son templos, hospitales, puentes e cosas que hazen servicios públicos (ed. HG, 222; ed. FR, 96*b*).

Dedica un epígrafe (II.viii) a lo que llama el «ordenamiento de la boca», reflexionando sobre el valor que debe concederse a las palabras —y esta reina prefería escuchar a hablar—, y otro (II.ix) al «ordenamiento de las manos», incluyendo aquí todo el aparato de gestos con que la princesa debía mostrarse en público y transmitir el valor de su dignidad regia; la honestidad en el hábito debía ayudar a este proceso de afirmación religiosa y monárquica; consciente de ello, fray Martín recomienda despreciar los afeites y vestir conforme al estado, siempre con mesura, sin manifestar excesivo estudio o diligencia en la elección de esas vestiduras[293].

El último epígrafe recoge todo este orden de contenido y lo conduce a las virtudes de justicia, liberalidad y afabilidad, presentadas como principios esenciales para gobernar un reino que había de caber entero en la mirada de su reina:

---

292 Es breve, pero sugerente la *laus Hispaniae* de carácter mesiánico: «Dizen qu'el mundo tiene dos partes principales: Oriente e Ocidente. En Oriente puso Dios su silla, haziendo allí el Paraíso eternal e en Occidente puso la silla del rey de España. Donde paresce que Dios partió el reino de la tierra con el nuestro rey», íd.

293 Luis Suárez: «En el creciente rigor religioso que inundaba poco a poco su existencia moviéndola por ejemplo a poner a sus damas en oración cuando había batallas entre cristianos, se fueron insertando curiosos e importantes detalles como la modestia en el vestir, compatible con el lujo, la repulsión hacia los juegos de azar y el aborrecimiento de los espectáculos crueles», pág. 115. Para la contestación que da a fray Hernando de Talavera cuando éste, en una misiva, le afea el gasto realizado en las vestimentas cortesanas o que asistiera a una corrida de toros: *HPRC*, § 6.5.2.

> E por ende, si la señora quiere ser afable, deve los buenos e virtuosos rescebir con abierto coraçón e a los malos arrugarles e torcerles la cara, por que teman la presencia de la señora (ed. HG, 238; ed. FR, 101*b*).

Este último consejo sólo puede entenderse en virtud de la dejación de autoridad a que Enrique IV había sido arrastrado en los últimos años de su reinado.

11.4.7.4: La «Parte III»: los modelos de mujeres virtuosas

Una vez articulado el regimiento moral, fray Martín se preocupa por cerrar su tratado con un catálogo de «claras e ilustres» mujeres muy semejante a los construidos por esta tratadística —Rodríguez del Padrón, Valera, don Álvaro de Luna— en el reinado de Juan II (§ 10.7.4). No se preocupa tanto de defender ahora una dignidad femenina como de poner en pie unos paradigmas de comportamiento virtuoso a cuya semejanza pudiera esta princesa aprender a superar sus limitaciones y a regir sus actos[294]; tal es la intención que se declara: «cómo a enxenplo de las pasadas que fueron claras dueñas, ha de conponer su vida» (ed. HG, 241; ed. FR, 102*a*)[295].

La casuística a que se recurre ofrece muchas semejanzas con las biografías que entran en el *Libro* de don Álvaro. Fray Martín dedica, de modo previo, el epígrafe III.i a justificar el acercamiento de la mujer al saber, recordando el origen femenino de las artes industriosas, y así, aunque por sus defectos la mujer haya sido apartada del estudio y del consejo, quien se está formando para ser reina debe procurar adquirir los conocimientos suficientes para cumplir sus fines, por lo que debe dedicar algunas horas del día a «estudiar y oír cosas» que le sean útiles para esa labor; y aquí podría estar el germen del deseo de Isabel —celebrado por Lucena en su *Epístola exhortatoria a las letras (HPRC*, § 7.5.1)—

---

[294] Ha insistido en estas conexiones Isabel Beceiro Pita, «Modelos de conducta y programas educativos para la aristocracia femenina (siglos XII-XV)», *De la Edad Media a la Moderna: mujeres, educación y familia en el ámbito rural y urbano*, ed. M.T. López Beltrán, Málaga, Universidad, 1999, págs. 37-72.

[295] Ver Rina Walthaus, «*Esto no lo quiero aquí prouar por razones, mas enxenplos*. Los *exempla* de las mujeres célebres en la discusión sobre la mujer, especialmente en el *Jardín de nobles donzellas* de fray Martín de Cordoba», *Actas VIII Congreso AHLM*, II, págs. 1807-1815.

por aprender latín, a fin de no depender de la voluntad ajena de sus secretarios.

La fortaleza (III.ii) y la constancia (III.iii) se encauzan hacia el ordenamiento militar que debe adquirir en ella un modelo de conducta al que atenerse, de donde la necesidad de comportarse con «ánimo varonil» (ed. HG, 251; ed. FR, 105*b*) en las muchas ocasiones en que le sería preciso desplegar la fuerza militar.

A la castidad, necesariamente, se dedica un conjunto de epígrafes (III.iv-vii) que forman un breve tratado religioso, en el que el agustino defiende el estado virginal como el más puro de todos, poniendo en segundo grado el de las viudas e instando a las casadas a enfrentarse a los muchos peligros a que su condición les sometía, a fin de poder guardar el amor y la fidelidad que a sus esposos debían.

Los tres últimos epígrafes reúnen grupos de sentencias diferentes. Por una parte, III.viii valora los «estatutos» dictados por los romanos sobre la relación que las dueñas mantenían con sus maridos: las formas del respeto, la ausencia de los repudios, el alejamiento de la mujer del vino, el modo en que sabían proteger la paz conyugal. En III.ix, comenta algunos de los «castigos» de Salomón de más clara misoginia, procurando iluminar los sentidos más oscuros; uno de ellos —«Mejor es la maldad del varón que el bien fecho de la muger»— lo aprovecha para insistir en la necesidad de que una reina había de adoptar un ánimo varonil, para beneficiarse —a sí misma y al reino— de las virtudes masculinas:

> Pues la Señora, aunque es henbra por naturaleza, trabaje por ser varón en virtud, e assí haga bien que no se ensalce por vanagloria, mas que se abaxe por humildad (ed. HG, 282; ed. FR, 115*a*).

Por último, III.x despliega «documentos» de diversos doctores de la Iglesia con los que insiste en valores ya analizados, pero que quiere fijar como conclusiones en este cierre: la idea de la vergüenza, el desprecio de la belleza, de los amores carnales y desordenados, el provecho, en fin, que deriva de la castidad, por encima de cualquier otra consideración[296].

---

[296] Resume Walthaus: «En total se introducen, en esta Tercera Parte del *Jardín*, unos cuarenta y siete *exempla* de mujeres célebres, sobre todo de la tradición clásica, bíblica y hagiográfica. A pesar de que la obra tiene sus dimensiones políticas (como *speculum principis* para una futura reina), la gran mayoría de estos *exempla* se aduce para propagar la vir-

Debe pensarse que fray Martín está construyendo este manual en ese arco de fechas en que la corte de Enrique IV se halla sometida a todo tipo de degradaciones, con un monarca al que se le ha arrebatado la voluntad para gobernar y con una reina entregada abiertamente al adulterio. La mirada del agustino sobre su presente es desoladora y puede explicar la articulación de este «regimiento religioso» que se confía a Isabel a fin de poder superar las circunstancias en que se debate no sólo el reino, sino la misma cristiandad; acuerda, así, con la argumentación central de los tratados apocalípticos (§ 10.6.5):

> E por nuestra malicia, más guerras e malquerencias se hallan entre cristianos que entre moros ni judíos, ni entre otros paganos, e por esso la cristiandad es más açotada de tribulaciones e males que las otras naciones, que mayor pecado es a un cristiano querer mal a su cristiano con el cual tiene doblada hermandad, es a saber, cuanto a la carne e cuanto al espíritu, que un judío querer mal a otro judío, con el cual no tiene sino hermandad carnal (ed. HG, 146; ed. FR, 70*a*).

Censura, así, el trato inmisericorde de los señores a los criados, ajenos a toda caridad[297], o el anhelo de las viudas por casar[298], invocando la buena costumbre de los romanos sobre el modo en que la mujer y el marido se esforzaban por concertar la paz entre ellos[299].

Estos simples apuntes demuestran la observación de unas costumbres reales por parte de fray Martín, de donde deriva la urgencia

---

tud que tradicionalmente más se estima en cualquier mujer: la castidad. Unos treinta y cuatro ejemplos ilustran el valor de la castidad y de la fidelidad conyugal en la mujer», pág. 1812.

[297] «Esto es crueldad horrible, e tal que da bozes a Dios por vengança contra su señor. No assí la nuestra noble Princesa: mas luego de su infancia crezca con ella la obsequiosa piedad, nin mire a lo que hazen los otros palacios, mas a lo que es obligada al suyo, e abra su mano al menesteroso e sus palmas estienda a los pobres», ed. HG, 206; ed. FR, 90*a*.

[298] «Pero en este nuestro tienpo, vemos biudas de otras condiciones que si perdieron marido malvado, luego buscan otro e dágelo Dios peor; e si el que perdieron fue bueno, luego se les olvida e buscan otro», ed. HG, 260-261; ed. FR, 108*b*.

[299] «Así pueden fazer agora los casados católicos, no en el tenplo de la ídola, mas en la iglesia e capilla de la Virgen María, ca una de las cosas que mucho ama Dios e la Virgen, es cuando dos casados entre sí son concordes en bien hazer», ed. HG, 278; ed. FR, 113*b*.

de construir un nuevo marco de relaciones políticas y religiosas en que puedan superarse esos comportamientos negativos. En este sentido, coincide con las estructuras de ideas de los tratados erotológicos y de la ficción sentimental al denunciar las estrategias de seducción de que se sirven las mujeres[300], obligando al mismo Ovidio a transmitir enseñanzas morales contrarias a las fijadas por su tradición literaria[301].

11.4.7.5: Las técnicas discursivas

Como se ha indicado, fray Martín actúa como un *magister* que va graduando el proceso de su enseñanza, apoyado en unas técnicas discursivas que le permiten ganar la voluntad de su discípulo y guiarlo hacia la recta intelección de la materia transmitida; se adelanta, contestándolas, a posibles objeciones[302] y procura articular una red de expresiones conativas, de imperativos —«Nota que...» el más reiterado— o de llamadas de atención que van segmentando los distintos niveles de contenido, distinguiendo la exposición de los «exemplos» y semejanzas; hace suyos, también, los modos de argumentación de las disputas

---

300 Con esta pauta de distinción: «ca las malas son vallesta de Cupido, qu'es dios de amor, e tiran saetas de furtibles ojadas e de blandas palabras para herir los coraçones de los varones e arrendarlos; las sanctas e buenas son vallesta e arco turqués para matar a Cupido e suzios amores», ed. HG, 155; ed. FR, 73*a*.

301 En III.x: «Ovidio da buen consejo diziendo que la noble donzella no dé entrada en su coraçón a ningund amor feo, mas que obste e mire a los principios. Como el huego mejor se mata antes que proceda en grand flama, cuando está en centella que no desque echan llamas; e todas las cosas más flacas son al principio que desque an crecido, assí haze el falso amor», ed. HG, 286; ed. FR, 116*a*. En nota a pie de página, comenta Goldberg: «Quite apparently, Ovid and Fray Martín did not have the same thing in mind».

302 En I.iv: «Dirás aquí: ya sé el tienpo en que fue la muger formada, querría saber el tienpo de su edad en que fue formada. A esto digo que las cosas que Dios al comienço crió, todas las hizo perfectas para que pudiesen engendrar; donde dizen que crió a Adán en edad varonil, que es de treinta años. Assí podemos dezir de la fenbra que fue criada en edad perfecta, de perfectión que a ella convenía. Esto digo porque la muger no requiere tanto tienpo para su perfectión como el varón; donde razonablemente, podemos dezir que ella sería de .xxv. años, pero esto no lo digo determinando, mas conjecturando, ca no hallamos d'esto más en los doctores, sino que ambos fueron criados en perfecta edad», ed. HG, 168-169; ed. FR, 77*a*.

o controversias[303], entregando de esta manera a la princesa medios elocutivos para oponerse a posibles interlocutores[304].

Fray Martín logra construir un método de exposición muy ameno, en el que caben pinceladas de humor[305] o fórmulas de reticencia, que ponen de manifiesto la actitud del autor hacia la materia que está exponiendo; así, cuando comienza a hablar de las técnicas «generativas», inmediatamente se fija unos límites que no va a atreverse a traspasar:

> E si esto conviene a todo orador, mucho más a mí, que só religioso profeso de honestad. E si a todas las vírgines así conviene que hablemos, cuánto más a aquella que deve ser resplandor de castidad e limpieza en todo este reino (ed. HG, 144; ed. FR, 69*b*).

Las cuestiones referidas a la sexualidad o a la procreación, aun apuntándolas, procura dejarlas enseguida de lado, con el pretexto de acomodar este contenido al carácter que forma en su discípula, como ocurre en I.viii:

> La otra manera de salvar su dicho es aún más profunda, pero es para el escuela, que no para donzellas, lo uno porque es sotil, lo otro porque no se puede explicar sin palabras vergonçosas, porque la virginidad es cosa muy limpia, e sotilmente no se puede tratar sin su contrario que es corrupción, por cuanto un contrario no se conosce bien sino por otro su contrario (ed. HG, 186; ed. FR, 82).

---

303 «E por aquí podemos responder al que nos demandare de cuál costado fue hecha, del derecho o del izquierdo, ca pues el varón avía de amar e honrar su muger, razón era que fuese formada del costado derecho más que del izquierdo», ed. HG, 149; ed. FR, 71*a*.

304 El discípulo, a la par que asimila el contenido de la enseñanza, tiene que aprender a pensar; véase otro ejemplo en I.iii: «Pero aquí hará qüestión alguno: ¿por qué la muger lleva esta excelencia al varón, que ella fuese criada en Paraíso e el varón no, sino en este mundo? A esto se pueden dar tres expedientes», ed. HG, 160; ed. FR, 74*a*.

305 Se imagina, por poner un caso, que la mujer es más habladora porque al haber sido creada de un hueso, si éste se mete con otros en una calabaza, arma más ruido que un saco de nueces en un costal (I.iii). En II.ix, las recomendaciones sobre el modo en que debe moverse cada miembro se ilustra con graciosos símiles; véase una muestra: «Donde si ha de oír o d'escuchar, que paren las orejas que éste es el oficio d'ellas; no abra la boca, ca no ha de oír por la boca, como hazen los aldeanos, que en començando el honbre a hablar con ellos abren la boca. Esto es grosería e falta en el gesto. Si ha de mirar, alçe los ojos, que éste es su oficio e abástale alçar los párpados, no toda la cabeça, como hazen las mulas cuando les dan sofrenadas», ed. HG, 231; ed. FR, 99*a*.

Aun así se atreve a explicar las señales que valen para conocer si el hijo esperado será varón o hembra, aunque callando algunas:

> Otras señales ay, pero d'esto más saben las parteras que nosotros (ed. HG, 190; ed. FR, 84*b*).

Da, así, muestras de una moderación que no se vincula sólo al contenido que se está exponiendo, sino que se extiende al mismo proceso de la enseñanza que está construyendo e, incluso, a la labor de predicación que debía conocer muy de cerca como para denunciar algunos de sus extremos[306].

Fray Martín, en suma, frente a otros educadores de príncipes[307], tuvo la fortuna de contar con una discípula aventajada que no iba a dudar en convertir esta materia moral y religiosa en fuente de pensamiento político y en cauce de afirmación cortesana. Bien es cierto que sabría rodearse de confesores —fray Hernando de Talavera, de modo especial— y de consejeros —el mismo Lucio Marineo Sículo, amén del cardenal Mendoza o de Cisneros— que le ayudarían a configurar ese ámbito de relaciones curiales, en el que finalmente acabarían integrándose, por primera vez, los distintos estamentos del reino: la justicia, la piedad y la castidad fueron los principales valores con que esta princesa iba a ganarse la voluntad de todos, convertida en el «jardín» acogedor que para ella había plantado fray Martín de Córdoba:

> En estas presentes razones e en las que porné después, como en jardín de donzellas, mire vuestro vivo entendimiento e tome deleite, porque pues que la sucessión natural vos da el regimiento, que no fallezca por defecto de sabiduría moral, antes la vuestra aprovada sabiduría vos haga digna de regir, como vos haze digna la real e primogénita sangre (ed. HG, 140; ed. FR, 68*b*).

---

306 Los referidos, al menos, a la *actio:* «como hazen algunos predicadores que fablan con manos e cabeça e esgrimiendo todo el cuerpo e dando bozes, como si los oyentes fuesen sordos», ed. HG, 232; ed. FR, 99*b*. Con respecto al *Compendio* (§ 10.5.3.2.2) he analizado estas técnicas discursivas en «Fray Martín de Córdoba y el *Compendio de la fortuna*: modelos culturales y teoría del "exemplo"», en *Tipología de las formas narrativas breves románicas medievales (III)*, ed. de J.M. Cacho Blecua y Mª Jesús Lacarra, Zaragoza-Granada, Universidad, 2003, págs. 213-234.

307 Recuérdense los casos de Barrientos o de don Íñigo, vinculados a la formación de Enrique IV.

11.5: El orden del conocimiento: diálogos y misceláneas

Todos los cronistas de Enrique IV coinciden al señalar el carácter retraído del monarca y el modo en que huía de la compañía —según Palencia— de los hombres doctos; Valera, en el cierre de su *Memorial*, recuerda que el monarca conocía bien la lengua latina y que «leía maravillosamente» (295). Sin embargo, y de ello da testimonio Sánchez de Arévalo, la caza y la música eran las dos únicas aficiones «deportivas» por las que este rey sentía interés. Las discusiones «científicas», los debates sobre diversas materias, la exposición en la corte de asuntos filosóficos o religiosos ya no van a resultar posibles; si es caso, en ese decenio de supuesta «prosperidad», Enríquez del Castillo apunta (cap. xx) que la corte castellana era famosa por su cancillería; pero no hay más; es de imaginar que en torno a los Mendoza, al conde de Benavente o a los prelados Carrillo y Fonseca se desarrollaría una cierta actividad letrada, segura en el caso del círculo del arzobispo de Toledo (§ 11.5.2.1); Pacheco contaba con la amistad de Diego de Valera, mientras que Beltrán de la Cueva favorecía las fiestas caballerescas, al igual que M. Lucas de Iranzo. En cualquiera de los casos, en estos veinte años del reinado de Enrique IV, desaparece ese orden de tratados y traducciones construido entre nobles y letrados en torno a Juan II. Quizá la mejor demostración de este proceso la ofrezca uno de los pocos opúsculos que se dedica a Enrique IV, el *Libro de vita beata* de Juan de Lucena, con su nostálgica mirada hacia un pasado ya perdido y del que son exponente las figuras, recuperadas, de Cartagena, don Íñigo y Juan de Mena. Esta obra, además, marca el comienzo de la literatura dialogística en castellano, con la construcción de un nuevo desarrollo textual, ya en ciernes en algunas «qüestiones» (§ 11.4.3) y verificado en productos similares como el *Diálogo e razonamiento* de Díaz de Toledo (§ 10.4.3.4). La transmisión del saber, al margen de los libros técnicos o científicos, queda reducida a esa curiosa miscelánea sobre el origen de las cosas que Alfonso de Toledo dirigirá a Carrillo (§ 11.5.2).

11.5.1: *Juan de Lucena: el humanismo de los conversos*

Pocas vidas hay, en la literatura del siglo xv, tan atrayentes y enigmáticas como la de Juan de Lucena, letrado de origen converso, que se beneficiará del clima de cierta concordia que, para los de su grupo, se respira en la primera mitad de siglo, al menos hasta el episodio de la matanza de Toledo de 1449. Esta tolerancia se irá reduciendo a lo largo del reinado de Enrique IV y desaparecerá en el de los Católicos (1480: Inquisición) y, con ella, el ordenamiento cultural que permitió la promoción de figuras como Fernand Díaz de Toledo, los miembros de la familia Santa María o este mismo Lucena.

Se conservan de él bastantes noticias, aunque en ocasiones sean confusas. A. Paz y Melia, en su introducción[308], manejó un dato que luego la crítica no ha tenido en cuenta[309]; se trata de una glosa a la estancia 78 del poema *Numantina* compuesto por Francisco de Mosquera y Barnuevo en 1612, en donde, a vueltas de otros sorianos ilustres, cita a «Don Juan de Lucena Choronista», para aclarar en la anotación pertinente:

> También están incorporados en este linage los Ramírez y Lucenas, de los cuales uvo en Soria personas principalísimas, y muy graves, como fue don Juan Ramírez de Lucena, hombre de muchas letras, docto en ambos Derechos y Protonotario de la Santa Iglesia de Roma, Abad de Covarrubias y Chronista de los Reyes Católicos...[310].

La síntesis es completa y los dos apellidos los confirma su hijo Lucena en la presentación de la *Repetición de amores* (h. 1497) en la que indica que era «hijo del muy sapientíssimo doctor y reverendo prothonotario, don Juan Remírez de Lucena»[311].

Juan de Lucena debió de nacer, por tanto, en Soria hacia 1430. Él mismo ofrece los datos para determinar su filiación familiar; en el *Libro de vita beata,* justo en el momento en que se adentra en el orden textual, uno de los personajes de la disputa, el marqués de Santillana, lo requiere de la siguiente manera:

> *El marqués:* Mucho deseo saber las novedades pullesas. Quiérolo llamar. Tú, pescúdalo bien por menudo. ¡O, hijo de mi ahijado, bien tornado de Roma! ¿No me tocas la mano?

---

308 *Opúsculos españoles de los ss. XIV a XVI,* Madrid, S.B.E., 1892, en donde edita el *Libro de vita beata*, págs. 105-205, y la *Epístola exhortatoria a las letras*, págs. 207-217.

309 Salvo el caso de Ángel Alcalá, «Juan de Lucena y el pre-erasmismo español», en *RHM*, 34 (1968), págs. 108-131, que sí lo menciona, pág. 111.

310 Ver el cap. xxix de su *Comento*, pág. 137.

311 Me sirvo de la ed. de Miguel M. García-Bermejo, incluida en *Tratados de amor en el entorno de «Celestina»*, 99.

Luçena: De mi padre compadre, bien fallado, illustre señor marqués. En este punto llegué; besados que ove al Çésar los pies, vine besarte las manos. Falléte tan ençendido en la feliçe batalla, que, de camino y desarmado, no osé entrar tan adentro (ed. GMB, 155; ed. OP, 134)[312].

El «ahijado» del marqués no es otro que Martín de Lucena, el Macabeo, médico y traductor de Santillana, para el que vertió al castellano el Nuevo Testamento y una glosa de Dante[313]. Juan de Lucena pudo educarse, o completar su formación, en el círculo letrado que había promovido don Íñigo López de Mendoza, sin olvidar que obtuvo el grado de bachiller en decretos por Salamanca antes de 1458 y el de licenciado en 1461. Se ha conjeturado, aunque sin datos que lo avalen, que acompañaría al hijo del Marqués, entre 1454 y 1455, a Italia, como embajador ante la corte papal, una vez muerto Juan II e incluso que se desplazaría a Nápoles, en donde conocería a Eneas Silvio Piccolomini, cuando fue nombrado cardenal en 1456[314]. El único hecho cierto, comentado por el propio Lucena en su *Epístola exhortatoria (HPRC,* § 7.5.1), es el de la atracción sentida por todo lo italiano:

> E yo fui a Roma grandevo, y mi gramática castellana troqué con los niños por la suya italiana (ed. Paz y Melia, 215).

Debe ponerse en duda, por tanto, la conjetura de Á. Alcalá de que en Nápoles Lucena leería el *De vitae felicitate* (h. 1445) de Bartolomeo Facio y trataría a los tres mantenedores de aquella disputa: Guarino de Verona, Antonio Beccadelli —poeta y amigo de Piccolomini— y Juan Lamola[315]. Se ha apuntado también la posibilidad de que actuara

---

312 Se cita por la ed. de Giovanni Maria Bertini, en *Testi Spagnoli del secolo XV°*, Torino, Ed. Gheroni, 1950, págs. 97-182 (ed. GMB) y por la de Olga Perotti, Ferrara, Guerzoni, 2001 (ed. OP).

313 Ver M. Schiff, *La bibliothèque du Marquis de Santillane*, págs. 237-239. F. Rico ha sugerido otra lectura de este pasaje —el marqués diría «hijo, de mí ahijado»— que cambiaría por completo esta trama de relaciones familiares, ver su *Primera cuarentena y tratado general de literatura*, Barcelona, Quaderns Crema, 1982, pág. 98; con todo, de aceptar esta variante, no se entendería por qué Lucena llama a don Íñigo «compadre de mi padre».

314 Ver Guido M. Cappelli, *El humanismo romance de Juan de Lucena. Estudios sobre el «De vita felici»*, Barcelona, Univ. Autónoma, 2002 o Madrid, Fundación Santander Central Hispano-Centro para la Edición de los Clásicos Españoles, 2002, por donde se cita, págs. 31-32.

315 «Valla, Beccadelli, Facio, Pontano, todos protegidos de Alfonso el Magnánimo y transcriptores de sus gestas, conviven en Nápoles: conviven y "contienden". En aquel ambiente de emulación y favoritismos, elegir amistades era la mitad del triunfo», pág. 125.

como secretario de Alfonso V, aduciendo un opúsculo de Valla, terminado entre 1444-1445, con el título de *In errores Antoniis Raudensis adnotationes, ad Ioan. Lucinam Alfonsi Regis Secretarium*[316].

Al margen de estos contactos, es seguro que estuvo en Roma desde 1458, sirviendo al cardenal Prospero, y que fue familiar de Pío II, quien respalda con bulas las reclamaciones de Lucena para cobrar los derechos de una canonjía en Burgos —quizá obtenida, años atrás, por mediación de Cartagena. En Roma tiene que permanecer, al menos, hasta el 30 de mayo de 1463, fecha en que signa y rubrica el códice del *Libro de vita beata* que sería entregado a Enrique IV (ver, luego, págs. 3688-3689). Lucena tuvo que servir como secretario a Pío II, viéndose afectado por la ruptura que se produce en 1463 entre Piccolomini y Rodrigo de Borja[317]. A partir de este punto, se extiende un largo período sin datos en la vida de Lucena[318]. Á. Alcalá lo quiso completar identificándolo con un Juan de Lucena, impresor, disimulado converso, que se había traído de Italia tipos hebreos para imprimir libros en España, perseguido por la Inquisición, destacando, de su notable prole, a un nieto llamado Luis, supuestamente escritor[319]; sin embargo, estos datos no pueden ser endosados a Juan Ramírez de Lucena[320]; parece más vero-

---

316 Se trata de una de las piezas que ha logrado encajar Alejandro Medina Bermúdez, «El diálogo *De Vita Beata*, de Juan de Lucena: un rompecabezas histórico (I)», *Dic*, 15 (1997), págs. 251-269 y 16 (1998), págs. 135-170; en donde señala: «Que Juan de Lucena fuera "secretario del rey Alfonso" no tiene por qué parecernos extraño. Si era "hijo del ahijado" del marqués de Santillana, no es imposible que, gracias a las recomendaciones de éste, hubiera terminado ocupando un puesto de cierta relevancia en la corte de Alfonso V», pág. 262.

317 Y sin llegar a cobrar, además, los beneficios de la canonjía que se le había concedido; de hecho, en estos años, Lucena tuvo que intentar, en varias ocasiones, regresar a Castilla; indica A. Medina: «Nótese que las bulas se multiplican a partir del 1461. A partir de esa época las tensiones irían en aumento en el seno de la Cancillería, hasta alcanzar su punto culminante, como hemos visto, en noviembre de 1463. Es curioso que de ese año date, precisamente, el primer manuscrito que ha llegado hasta nosotros, el 6728 de la Biblioteca Nacional, con su nueva y urgente dedicatoria a Enrique IV», pág, 161.

318 Guido M. Cappelli sugiere que «no hay razón para prolongar en exceso la estancia romana: la única suposición posible es que, al morir Pío II en agosto de 1464, y con el ascenso a la cátedra papal de Pablo II (quien, como es sabido, siguió una política muy distinta a la de su predecesor, máxime con respecto a los humanistas), también las fortunas romanas de Lucena hubieran cambiado, aconsejando la vuelta a casa», pág. 29.

319 Ver *art. cit.*, págs. 119-121; a este Luis le adjudica la *Repetición de amores (HPRC*, § 10.6.2).

320 Fueron publicados por Manuel Serrano y Sanz, «Noticias biográficas de Fernando de Rojas, autor de *La Celestina* y del impresor Juan de Lucena», en *RABM*, 6 (1902),

símil la magra semblanza fijada por F. de Mosquera que la apuntada con estas otras relaciones judaizantes[321], amén de cobrar cuerpo sus vínculos con el círculo del arzobispo Carrillo, de donde los contactos con el canónigo Alonso de Ortiz y el notario regio Fernand Álvarez de Zapata[322].

Juan de Lucena fue un eficaz servidor de los Reyes Católicos; en él delegaron embajadas[323], le hicieron miembro de su consejo y llegó a alcanzar cargos como el de protonotario eclesiástico. Incluso, Lucena, en un primer momento, participaría del animado ambiente de renovación cultural que promueven los monarcas; encaja aquí la composición de esa *Epístola exhortatoria de las letras (HPRC,* § 7.5.1), verdadero homenaje a Piccolomini, y un importante *Tractado de los gualardones (HPRC,* § 5.2.2), en el que, amparado por la dignidad de «protonotario», urge a una «guerra» que no puede ser otra que la de Granada, restauradora de las viejas glorias nacionales e impulsora de un nuevo modelo de corte en el que el protocolo y la ceremonia representaban conceptos esenciales. Se conserva, además, una carta consolatoria suya —un tanto ambigua: *HPRC,* § 6.3.1— dirigida a Gómez Manrique.

---

págs. 245-299, ver el epígrafe «III. Documentos referentes a Juan de Lucena y su familia», págs. 282-295.

321 Nada se ha sabido de la importante tesis doctoral que anunciara Alan Deyermond en el primer volumen de la *Historia y crítica de la literatura española:* «Las hipótesis biográficas de Alcalá [1968] sobre Juan de Lucena han quedado desmentidas por la rica documentación descubierta por Jerónimo Miguel», pág. 400. Parece ser que estas noticias se referían a la presencia de Lucena en tierras aragonesas.

322 Así lo ha probado José Luis Pérez López: «La pertenencia de Juan de Lucena al ámbito toledano en algún momento de su vida es un hecho que podemos atestiguar mediante dos documentos del Archivo General de Simancas en el que se dice que el protonotario Juan Ramírez de Lucena gozó de ciertos beneficios en Talavera», «La *Celestina* de Palacio, Juan de Lucena y los conversos», en *RLM,* 16:1 (2004), págs. 121-147, pág. 138. En este estudio revisa la producción «toledana» de Lucena, considerando la posibilidad de que la *Oración* anónima que acompaña en el «manuscrito de Palacio» al fragmento de *La Celestina* sea suya, si es que no fue el propio Lucena el «primer autor» de esta obra; es una línea de investigación que lleva promoviendo Govert Wersterveld (www.celestina-vallederieste.com).

323 «Estos últimos habían tomado además la iniciativa de enviar a Juan Ramírez de Lucena a Inglaterra y Borgoña para conseguir que, respetándose, las cláusulas de aquellos tratados que la embajada francesa consiguiera denunciar, se reconocieran a marinos y mercantes cantábricos las ventajas para ellos conseguidas. Llegó en un momento favorable: eran los días posteriores a la victoria York en Tewkesbury y del derrumbamiento francés en Cataluña. Como si fuera una consecuencia de aquella batalla, Lucena pudo anunciar que había logrado completo éxito en su misión», Luis Suárez, *Enrique IV de Castilla*, págs. 488-489.

Ahora bien, las persecuciones contra los judíos le movieron —como décadas antes a Cartagena y, en años próximos a él, a Pulgar— a escribir una agria epístola a los monarcas, denunciando la dureza con que se estaban comportando los inquisidores. Es posible que, entonces, fuera ya abad de Covarrubias, cargo recordado por Mosquera y que la crítica posterior parece haber olvidado; entre enero y diciembre de 1492 constan en el *Registro General del Sello* del Archivo de Simancas (n°s 2850-52, 3034) varios procesos instruidos por él; en cambio, un año antes, en los pleitos en que interviene es llamado sólo protonotario eclesiástico (vol. VIII del *Registro:* n°s 2273, 2305, 2342 y 2632). De 1493 en adelante ya no hay más referencias a su persona, salvo que se trate de un Juan Ramírez de Lucena, vecino de Toledo, que litiga en 1496 en defensa de una hija. En todo caso, parece evidente que su carta en amparo de los judíos marcó el inicio de su declive. La difusión que llegó a alcanzar provocó la airada respuesta de Alonso de Ortiz, quien redactó un *Tractado contra la carta del protonotario Lucena* (es uno de los *Cinco tratados* de 1493: *HPRC*, § 8.7.4), con el propósito de revelar las falsedades teológicas cometidas por el escritor contra la fe[324]. El resultado fue fulminante: Lucena, en la catedral de Córdoba, tuvo que abjurar públicamente de sus errores y reconciliarse con la Iglesia (no debe olvidarse la severidad «pre-erasmista» con la que Lucena había censurado a ciertos sectores eclesiásticos en su *Libro de vita beata).*

Aun así, en un primer momento, pudo librarse de los ataques de sus detractores, consiguiendo del rey una exención de las pesquisas inquisitoriales; con ella, se protegía a sí mismo, a su hermano y a otros familiares[325]. Tal admonición no fue suficiente para dispensarle de la requisitoria con que, en 1503, le urgió Hernando de Montemayor, inquisidor de Zaragoza. De todos modos, no hay que creer que estas hostilidades le llevaran a exiliarse a Italia y a morir en Roma —tal y como afirma Á. Alcalá— puesto que tales datos valen sólo para el impresor hebraísta y no para el protonotario, consejero, embajador, cronista-se-

---

324 Estos documentos han sido analizados por Rafael Lapesa, «Sobre Juan de Lucena: escritos suyos mal conocidos o inéditos» [1965], *De la Edad Media a nuestros días. Estudios de historia literaria* [1967], Madrid, Gredos, 1982, págs. 123-144, ver págs. 130-136. De la misiva de Lucena se conservan los fragmentos que cita el canónigo toledano en su contestación.

325 Y es que «Lucena goza del privilegio pontificio de exención de pesquisas inquisitoriales», A. Medina, pág. 259.

cretario y abad de Covarrubias que fue, finalmente, Juan Ramírez de Lucena.

11.5.1.1: El *Libro de vita beata*

De la producción literaria de Lucena destaca esta primera obra que, con justicia, merece encabezar cualquier estudio dedicado al «diálogo humanístico»[326]; por algo es redactado en Roma, siguiendo la estela de un tratado que había puesto en circulación una de las polémicas que mayor ingenio logró desplegar: la naturaleza de la felicidad humana[327]. La asimilación de esta estructura literaria sólo podía practicarse en Italia y por alguien, además, dotado del suficiente entusiasmo como para intentar aclimatar, en los medios nobiliarios peninsulares, estos procedimientos discursivos[328].

11.5.1.1.1: La transmisión textual

El *Libro* se conserva en tres manuscritos; el más importante, el BN Madrid 6728, con firma autógrafa de Lucena, lleva la data de 1463; no se trata del original, sino de una copia que se prepara para Enrique IV a quien se dedica el texto:

> Divo Henrico hispanorum quarto, de vita felici prologus incipit (ed. GMB, 97; ed. OP, 90).

Este códice reúne copioso aparato de glosas, fijado con posterioridad y que no corresponde al autor[329]. El segundo testimonio es el

[326] Ver Jesús Gómez, *El diálogo renacentista*, Madrid, Ediciones del Laberinto, 2000, págs. 39-41, quien resume: «El *Libro de vita beata* de Lucena, reeditado en 1502 y en 1514-1519, es un magnífico ejemplo del diálogo cuatrocentista, como pórtico al diálogo del Renacimiento, en el que también confluyen medievalismo y clasicismo», pág. 41.

[327] Señala Á. Gómez Moreno: «por ello, no es de extrañar la ausencia del título de Facio en España hasta unos años después, cuando llegó con los libros de Alfonso V el Magnánimo y entre las compras de Fernando Colón», *España y la Italia de los humanistas*, pág. 199.

[328] A los que ha dedicado su monografía Guido M. Cappelli (ver n. 314).

[329] Indica M. Morreale: «Es digno de nota que el comentarista, en las glosas marginales, escritas al parecer antes de la toma de Granada (cf. fol. 35²), tuviera que explicar qué es un "diálogo" ('fabla de dos'), no sin añadir con graciosa ironía: "si fablasen mu-

facticio II-1520 de la B. Palacio Real, en el que se encuentra (93*v*-100*v*) la llamada «Celestina de Palacio» (ver *HPRC*, § 10.7); este nuevo representante del *Libro* ha sido estudiado con sumo detalle por J.C. Conde López; se trata de una versión acéfala con bastantes lagunas[330]. El tercer ms. carece de valor para la fijación de una edición crítica, por ser una copia dieciochesca de la impresión de Juan de Burgos (1499)[331].

Con escasa labor ecdótica, se ha hablado de dos redacciones del tratado, por cuanto el manuscrito firmado por el autor y los impresos posteriores muestran distintos encabezamientos[332]; si el códice se dedica a Enrique IV, las ediciones impresas lo dirigen a Juan II:

> Aquí comiença un tractado en estilo breve en sentençia no sólo largo más hondo e prolixo: el cual ha nombre *Vita beata*, hecho e compuesto por el honrado e muy discreto Juan de Lucena, embaxador e del consejo del rey, intitulado al sereníssimo príncipe e glorioso rey don Juan el segundo en nonbre de Castilla de inmortal memoria (Burgos, 1502, fol. ai*v*).

Esta dedicatoria no sostiene una doble redacción. Puede explicarse sencillamente por el deseo de Lucena de ajustar su tratado a un nuevo contexto de recepción, en el que no convenía mencionar a un rey de tan nefasto recuerdo, sustituido así por otro de «inmortal memoria», padre además de la reina Isabel[333].

---

jeres, por que fablan siempre de compañía, no se podría llamar diálogo"», ver «El tratado de Juan de Lucena sobre la felicidad», *NRFH*, 9 (1955), págs. 1-21, pág. 2, n. 7. Las glosas son editadas, en apéndice, por Perotti, págs. 157-168; esta glosa en pág. 157.

330 «Así pues, el texto del *Diálogo de vita beata* que nos transmite el ms. II-1520 de la Biblioteca de Palacio carece de —según mis cálculos— once folios», ver «El manuscrito II-1520 de la Biblioteca de Palacio: un nuevo testimonio del *Diálogo de vita beata* de Juan de Lucena», *LC*, 21:2 (1993), págs 34-57, pág. 47. Ver su análisis de esta transmisión en *Diccionario Filológico*, § 82, págs. 666-669.

331 Se trata del ms. 158 de la Bibl. de la R.A.E.

332 Esta transmisión es más amplia: hay ejemplares de Antonio de Centenera (Zamora, 1483), de Juan de Burgos (Burgos, 1499 y 1502), de Juan Varela de Salamanca (Sevilla, c. 1514-1517) y de Pedro de Castro (Medina del Campo, 1543).

333 Con todo, existe la posibilidad de que el arquetipo de estos impresos fuera previo a la copia de 1463; ver, luego, n. 342.

11.5.1.1.2: Traducción y recreación del diálogo.

El *Libro de vita beata* debe conectarse, por tanto, con el diálogo italiano de Bartolomeo Facio, *De vitae felicitate,* a fin de exonerar a Lucena de los rótulos de «traductor servil» o «traductor libre» con que la crítica ha juzgado su producción. Las diferencias entre las obras italiana y española son, en efecto, cruciales, a pesar de que la discusión gire sobre la misma propuesta: averiguar si es posible en esta vida alcanzar el estado de felicidad[334].

Lucena, para empezar, escribe en «romance» y no porque esté traduciendo, que son pocos los pasajes literales con respecto al texto de Facio, sino por su clara voluntad de defender la lengua castellana como medio de expresar especulaciones morales (llama al texto «diálogo moral») de naturaleza filosófica y religiosa[335]; así, en los compases previos de la discusión, determinando los criterios con que van a juzgar y a examinar el tema propuesto, los disputadores comentan la novedad que representa el hecho de servirse de la lengua vernácula; y es don Íñigo el primero que se extraña de oír al obispo de Burgos discurriendo en castellano sobre asuntos tan complejos:

> *El marqués:* Nuestro romançe, señor obispo, ageno de moral filosófica lo pensava: jamás creí poderlo acomodar en cosas tamañas. Tú agora, ni grecas letras ni latinas feziste fazerte mengua. Tan polida, tan breve, tan alta y tan llana nos diste tu conclusión que nos diste nueva doctrina del fablar castellano (ed. GMB, 101-102; ed. OP, 93).

Si Cartagena ha llegado a esa «conclusión» es porque, antes, ha encauzado su «oración» —y él era el encargado de abrir la disputa— mediante las disposiciones establecidas por la retórica; y esto está ocurrien-

---

[334] «Lucena adopta la argumentación de Facio sin introducir cambios esenciales, pero la traslada al marco de su mentalidad, educación y ambiente», como subraya Morreale, pág. 3. Un análisis global del texto ha sido planteado por G.M. Bertini, *Un documento culturale del pre-umanesimo in Spagna. Il «Dialogo de vita beata» di Juan de Lucena*, Turín, Tirrenia, 1966.

[335] Para O. Di Camillo, éste es «el mayor mérito de Lucena: su habilidad para transmitir a la lengua vernácula las formas del diálogo humanístico, y su intuición para explotar las posibilidades literarias contenidas en esta modalidad de tan compleja disputa retórica», *El Humanismo Castellano del Siglo XV*, págs. 260-261.

do en un momento en que esta vindicación del «romance» parece necesaria, como señala don Alfonso:

> *El obispo:* Nuestra lengua primera bárbara, fecha romana después, alguarismo se es tornada. Si çerca es del latín, lexos es ya del palaçio: palabra latina no se fabla de gala (...) Nosotros, señor marqués, no vayamos tras el tiempo; forçemos tornar el tiempo a nosotros; fablemos romançe perfecto y do será menester fablemos latino. Qui lo entiende lo entienda, el otro quede por neçio. Murmuraçión invidiosa no temamos y grosera redarguçión tengamos en poco: la una se roe royendo y de grosa la otra rebienta (ed. GMB, 102; ed. OP, íd.).

El pasaje resulta excepcional por poner en juego una nueva conciencia lingüística que afirma la dignidad expresiva de la lengua vernácula en 1463, y además en Roma, en plena eclosión latinista[336].

Siguiendo con las diferencias con respecto al modelo italiano, amén de que Lucena escriba en vernáculo, debe repararse, sobre todo, en que sus protagonistas no son los italianos antes nombrados (y que quizá discutieron realmente tal asunto[337]), sino tres de las figuras claves de la transformación cultural de la Castilla del siglo XV, tres personajes ya fallecidos para cuando Lucena escribe su obra y a los que, en cierto modo, rinde homenaje por sus vínculos personales y familiares: el marqués de Santillana, don Alfonso de Cartagena y Juan de Mena[338]. Las razones que le han llevado a Lucena a elegir a estos disputadores parecen obvias: por una parte, él tenía que ser «criado» de don Íñigo López de Mendoza y pudo beneficiarse de la protección de Cartagena, que incorpora su condición de converso al texto; Santillana contribuyó a ese clima de tolerancia cultural de la primera mitad de siglo; con respecto a Mena, el autor buscaría un compañero idóneo para enfrentarlo al caballero y aristócrata don Íñigo, sin dejar, tampoco, de lado su

---

336 Recuérdese que, por estas fechas, Rodrigo Sánchez de Arévalo está construyendo, en este mismo ámbito, sus principales obras letradas en latín (ver pág. 3554).

337 Con imposición de un esquema rígido de distribución de ideas, como ha indicado Cappelli: «distribución en dos días, recorrido de los estados confiado a Lamola y Guarino, refutación de las teorías antiguas a cargo de Panormita», pág. 42.

338 Uno de los principales valores del análisis de Ana Vián estriba en considerar el diálogo como obra de ficción, estructura literaria que pone en juego una serie de principios de verosimilitud que dependen, sobre manera, de la caracterización que se conceda a los personajes que van a soportar el peso de la discusión; ver «El *Libro de Vita Beata* de Juan de Lucena como diálogo literario», *BHi*, 93 (1991), págs. 61-105.

posible ascendencia conversa. Los personajes sintetizan valores que ya nada tienen que ver con el contexto del diálogo de Facio, pero Lucena se esfuerza por dar entrada, en su obra, a la realidad castellana de su tiempo, desplegando un amplio abanico de referencias sociales, religiosas y políticas[339]. No se puede olvidar que los personajes adquieren, en el curso del diálogo, una entidad lingüística propia; para marcar estas diferencias, Lucena requiere variadas formas coloquiales, de las que no excluye los refranes o los «villançetes»[340]. Con todo, la distancia mayor entre Facio y Lucena la descubre Morreale: el italiano se conforma con exponer una tesis, ya resuelta desde un principio, a la que se van añadiendo argumentaciones, mientras que el castellano plantea un problema, cuya solución es parte principal de la intriga que se va determinando a lo largo de la obra[341].

Además, Lucena pretende insertar el marco cortesano al que dirige su obra en el del diálogo que escribe, tal y como le apunta a Enrique IV:

> Sí que, viéndome oçioso, deseando escrevir algo en tu nombre que a tu çelsitud agradase, *De la vida feliçe* deliberó mi pluma te fazer esta ofrenda. Ninguna cosa fallé así digna de tu majestad como feliçidat y gloria, ni a otro cuanto a ti, bienaventurado rey y señor, se puede acomodar esta mi oración. Tú solo eres, si dezir se puede, entre los reyes de nuestra edat feliçíssimo; tú, señor de regnos; tú, rey de señores; tú, docto y prudente, mayor luminar de los prínçipes; tú, fuerte y valiente, temperado, cultor de justiçia, amigo de clemençia, comblueço de crueldat, de çesárea tela vestido, urdida de godos, tramada de reyes. ¡Quién como tú en los reyes feliçe! ¡Quién como tú beato en los monarcas! (ed. GMB, 97-98; ed. OP, 90).

---

339 Como ha señalado Juan Carlos Conde: «La *Vita Beata* es, *casi*, un periódico, un diario que retrata fielmente todas las "cuestiones candentes" de la época de Lucena, que no se conformó tan sólo con contemplar los hechos, sino que además participó en ellos, cosa que le costó cara», ver «El siglo XV castellano a la luz del *Diálogo de Vita Beata* de Juan de Lucena», *Dic*, 4 (1985), págs. 11-34, págs. 33-34. Insiste en este aspecto Cappelli, indicando que lo que pretende Lucena es «llevar el discurso al terreno de la denuncia o de la reflexión basada en la crónica actual (y, por supuesto, corroborada con *exempla*)», pág. 43.

340 Así, don Íñigo: «En fe de cavallero, de filósofo, no de rapaz, es aquel villançete: 'Si sapiese de morir, la verdat quiero dezir'», ed. GMB, 145; ed. OP, 127.

341 «Se ha reprochado a Facio la poca firmeza de sus personajes y la facilidad con que uno de ellos, Juan Lamola cede a los argumentos del defensor de la tesis. El rumbo del diálogo se marca desde el principio», pág. 3.

Por ello, merece este monarca ser el receptor de este texto y, desde el ámbito de la curia en que se encuentra, presidir la disputa que ocurre ante él, en el plano de una realidad cortesana, posibilitando que el autor, luego, pueda acceder al interior de ese universo textual. Es cierto que este recorrido de imágenes sólo podía tener sentido en ese primer decenio de supuesta prosperidad, sobre todo si se piensa que Lucena se encuentra en Roma y que Enrique IV era un monarca sumamente apreciado por los papas[342]. Con todo, este elogio engasta tópicos que tanto podían ser aplicados a un monarca como a otro, que es lo que de hecho ocurre en los impresos.

11.5.1.1.3: El «diálogo moral»: líneas de contenido

En cualquier caso, el rey sirve como garante de este orden de discusión moral; a través del saber regio, se formula la primera presentación de los disputadores:

> Bolviéndome, pues, al mi prosupuesto, por que tu serenidat cognosca la orden de mi tractado, al reverendo Alfonso de Cartagena, présul burgense, fago mantenedor de la qüestión; y al magnífico Íñigo Lopes de Mendoça, marqués de Santillana, con el príncipe de nuestros poetas, Joán de Mena, como si bivos altercasen, ventureros; do al partir de la tela, intervengo (ed. GMB, 98; ed. OP, íd.).

Debe notarse el esfuerzo de Lucena por conectar el ámbito de la caballería con el de la producción letrada que estos disputadores arrastrarán, necesariamente, consigo, ya por su palabra, ya por las alusiones que entre ellos crucen, aludiendo al papel que se reserva para intervenir como juez de la contienda que se va a desarrollar. Hay un orden de

---

342 Sugiere A. Medina que, a raíz de la proclamación de Enrique IV como rey de Cataluña el 8 de octubre de 1462, pudo ahora revisar el arquetipo del *Libro:* «¿Aprovechó Lucena el feliz acontecimiento para intentar un acercamiento áulico, reescribiendo el *De Vita Beata* e incorporando en ese momento la nueva dedicatoria al texto? Imaginemos que así fue. Entonces podríamos datar el arquetipo perdido entre mayo de 1460 y marzo de 1461 (todas las referencias históricas apuntan a dichas fechas como términos *a quo* y *ad quem)*, con una variante posterior (el ms. 6728), copiada por el mismo Lucena entre 1462-63 (recuérdese que lleva su firma), en la que éste incluye una información recién adquirida sobre el papa, tal vez incluso procedente de boca del mismo: el texto del epitafio de los Piccolomini», pág. 165.

verosimilitud empeñado en este proceso, a la par de justificar el procedimiento discursivo elegido:

> Suelen aplazer las tales qüestiones en diálogo por demanda y respuesta, y paresçen al vulgo probables más qu'en otra manera. Resuçité estos Petrarchas, sepelidos ya de días, por que de su gravíssimo nombre aya este mi libello mayor auctoridat (íd.).

11.5.1.1.3.1: La identidad de los disputadores

No se necesitan más datos. Quedan descubiertas aquí las relaciones dialógicas que pondrán en juego los personajes, recortados por la imaginería caballeresca con que, reunidos en la «sala real» a donde les había llevado Lucena, van a trabarse «en diversos sermones», disputando sobre «la humana condiçión», a fin de averiguar por qué, «pues todos nos studiamos en conseguir feliçidat, ninguno aún la conquirió» (99), como resume Lucena.

El primero en mediar en la disputa es el marqués e involucra el orden militar en su intervención:

> ¿Plázete, reverendo padre, cuando seremos oçiosos, que, retraídos algún tanto de nuestros aferes, como ensayándonos, entremos el campo de los filósofos, y en esta impresa, digna de disputaçión, corramos tres lanças por uno? Y si en las armas aristotelas o en las platónicas platas no muy diestro me fallares, «cavallero soy novelo no me curo que te rías» (ed. GMB, íd; ed. OP, 91).

Pero don Íñigo no habla sólo a sus compañeros «sepelidos»; se dirige al rey que se encuentra en esa sala, al mismo al que adoctrinara con aquellos proverbios que dieron para tantas glosas (§ 10.4.2.1.1.3 y § 10.4.3.1) surgidas de esas varias lecturas, por él propiciadas, de los autores de que se supo rodear (y no ha de ser banal la referencia al Platón que por él fue conocido en la Península). Por otra parte, como se comprueba, el debate es firme, pero desde las primeras palabras se dará más importancia a la dimensión caracterológica de los dialogadores que al rigor intelectual desde el que se mueven razones y argumentos[343]. Le

---

[343] Con razón precisa Ana Vián: «Una teoría del diálogo literario no sabría prescindir de una teoría de la argumentación, porque topa permanentemente con hechos que

importa a Lucena, antes de entrar en materia, vivificar la escena, otorgar a cada uno de estos seres una realidad creíble y cortesana; de ahí, la recurrencia al lenguaje militar, de las justas y torneos, a que una y otra vez se alude, con el fin de evitar que la discusión tomara arriesgados vuelos de especulación filosófica. Por ello, ante la propuesta del marqués, el obispo responde con cierta sorna:

> No conviene a los pontífices entrar sin infieles en la liça, mas si a ti plaze fazer comigo, sin peligro de sangre, a trabar de los cabellos, só contento, con tal de que Joán de Mena no apele del repelo (íd.).

Por alusiones, los tres se obligan a presentarse envueltos en esa materia caballeresca en la que el obispo era perito —por lo teórico: § 10.5.4.2.2.1— y que Juan de Mena, al menos poéticamente, conocía a la perfección:

> No menos voluntarioso que tú, señor marqués, ni con menor deseo del tuyo, reverendo perlado, entraré vuestro palenque, tanto que las armas sean eguales. Mas contigo cavallero a cavallo, perderemos los de mulas, y a pie contra ti, trasquilado, al tirar de las greñas, seríemos los dos engañados (íd.).

La propuesta de discutir con «metros heroicos o coriámbricos» agudiza el ingenio del obispo que teme que, por esa vía, saldrían «bien motejados» (100). Y aún no se ha iniciado discusión alguna; es prioritario otorgar al lector u oidor del texto ocasión de configurar una realidad caracterológica que ratificaría o ampliaría la que ya tuviera formada sobre estos tres ilustres letrados. Porque el público de este diálogo conocería muy bien la obra de los tres mantenedores y usaría sus referencias en los argumentos que van exponiendo. Ana Vián ha determinado, con acierto, que ésta es una de las bases de la ironía con que Lucena envuelve la discusión; porque desde el momento en que el obispo concluye que «pues en esta comunidat de los hombres fasta qui ninguno lo consiguió, que ninguno por ende asiguió feliçidat en esta vida» (101), Mena y Santillana se esforzarán por demostrar que es fac-

---

tienen que ver con la argumentación, nacen de ella», ver «Interlocución y estructura de la argumentación en el diálogo: algunos caminos para una poética del género», *Crit*, 81-82 (2001), págs. 157-190, pág. 167.

tible alcanzar la beatitud, pero en el estado social al que no pertenecen: Mena asumirá la «empresa» de defender las opciones de ser feliz en la vida activa y el marqués se arriesgará con la contemplativa[344]. Con el intercambio de la circunstancia de estos personajes, Lucena anticipa la imposibilidad de alcanzar, en esta vida, dicha alguna: si Mena y Santillana tienen que abandonar su condición social y asomarse a otra que no les pertenece, es porque ellos como individuos consideran que, en su ámbito, no cabe la felicidad de la que están discutiendo. Porque, además, este trueque de funciones configura un nuevo proceso de verosimilitud, no ya tanto referido a los personajes, como creado para afirmar la propia materia de que se va a tratar, con los mecanismos intelectivos que cada uno de estos letrados pondrá en juego. A ello ayuda la valoración de la lengua vernácula que el marqués y el obispo cruzan a fin de recordar los títulos más significativos de su producción, como hace don Íñigo con Cartagena, considerándose ajeno a esa docta actividad:

> Bien veo, reverendo padre, que por mi ocasión t'esfuerças romançar lo que apenas latino se pronunçia (...) Tú de cavallería, de re pública, de fe cristiana escreviste vulgar, y las obras famosas del moral Séneca nuestro vulgarizaste. Si con Johán de Mena fablases a solas, latino sermón razonarías. Yo lo sé, ¡o me mísero!, cuando me veo defectuoso de letras latinas, de los fijos de hombres me cuento, mas no de los ombres. Fablart'é, pues, como supiere. Do errare, emienda, y suple do vieres mi mengua (ed. GMB, 102; ed. OP, 93).

La deprecación persigue el objetivo de incidir en el principal de los rasgos de don Íñigo que él luego, en su *altercatio* particular con Mena, contradirá:

> Illustre señor marqués, tú bien venturado, no mísero fijo de hombre, hombre y padre de hombres, no sé por qué te lamentas. De re militar, de re pública, de re cristiana, si como dizes escreví, mis dichos alabas, yo laudo tus fechos. Mayor gloria es bien fazer que bien dezir. Fagamos ya bien, bolvamos a nuestras fablas. Dime si te plaze mi conclusión, o en qué te desplaze me responde (ed. GMB, 103; ed. OP, íd.).

---

344 «Este quiasmo en los personajes, la argumentación y la estructura podría interpretarse de varias maneras, no excluyentes entre sí: podría, en primer lugar, ser la manera de afirmar el *principatus* de Cartagena y su capacidad de vencer a los contrincantes, que hablan de lo que no saben por experiencia, que sólo pueden discurrir con tópicos, que son por tanto así más *discípulos*», A. Vián, «El *Libro de vita beata* de Juan de Lucena», pág. 74.

Está a punto de iniciarse el verdadero debate, una vez que el término «fablas» aparece, instando a los dialogadores a buscar razones para afirmar o rechazar la conclusión que Cartagena había avanzado. Aún Mena tendrá que ser perfilado en los rasgos esenciales de su identidad letrada y lo será, también, por el obispo al oír que el poeta disiente de él, aunque no se atreva con las «armas museas» a arriesgarse en una «qüestión teológica»; pero don Alfonso le recuerda cuáles son los principios de un pensamiento que no es sólo poético:

> Si algún tanto soy retórico, o, como sospechas, teólogo, otros munchos son mayores, bien lo sabes; mas en esta nuestra edat ni conosçemos poeta mayor de ti ni semejante. Tú jurisconsulto, tú metafísico y grand virgilista. No cale andar floreando (...) Dime en qué no te plaze mi opinión, por qué no te acuestas a ella. Dímelo, dímelo, ca te quiero satisfazer. Dímelo (ed. GMB, 104; ed. OP, 94).

Se abre, así, ya el «dezir» —retórico también para Mena— al análisis de las distintas posibilidades de alcanzar la felicidad.

11.5.1.1.3.2: La valoración de la vida activa

Las informaciones intercambiadas por los disputadores posibilitan esta serie de relaciones: en la primera parte dialogan Cartagena y Mena, y en la segunda Santillana y Cartagena[345]; el obispo mantiene una relación cordial, casi de igual a igual, con don Íñigo, mientras que con el poeta cordobés se muestra más precavido, como si temiera ser envuelto por los enredos retóricos y las rítmicas argumentaciones con que Mena —bastante impetuoso— discute. Mena recorre las supuestas prosperidades de la vida activa: la riqueza, la autoridad regia, el poder de los privados, la «vida caballerosa», la fama de la «miliçia», la seguridad de los pastores y «ortolanos» son situaciones desmontadas con rigor por el obispo, ya a base de «exemplos», ya por medio de razones referidas a un presente inmediato[346]; así, cuando habla de la caballería

[345] No puede olvidarse la condición de maestro con que este obispo, en la realidad, acogió cordialmente, como «familiares» suyos, a una promoción de autores que iba a resultar de enorme valor en la segunda mitad de siglo: Palencia, Sánchez de Arévalo o Almela, entre otros.

[346] Ver José Miguel Martínez Torrejón, «Neither/Nor: Dialogue in Juan de Lucena's *Libro de vita beata*», *MLN*, 114:4 (1999), págs. 211-222.

sus argumentos son muy similares a los que usara Díaz de Games al referir las «lazerías» y «trabajos» de ese orden de vida (§ 10.3.2.5.2, págs. 2378-2379):

> La cavallería es de gran provecho y mayor ornamento, bien lo veo; mas si tú comparas con el provecho los daños, entonçe cognosçerás cuánt lueñe de feliçidat se remota. ¿Cuál bevir es tan áspero? ¿Cuál más grave o qué cosa es tan intolerable? ¿Quién puede enumerar los peligros de la guerra, desastros y casos de la batalla? ¿Tú no miras qu'el guerrero siempre teme o ser preso, roto, fuir o morir? No sabe qué se faga: si la vergüença por la vida o la vida pierda por la vergüença: ni come ni duerme, ni jamás un hora fuelga en reposo (ed. GMB, 119; ed. OP, 106).

Obligado Mena a cambiar de registro, las referencias con que describe el idílico mundo de los pastores anticipan la eglógica visión de la naturaleza, la alabanza de la vida de aldea, formulada además por un poeta:

> Mejor los defiende del rayo la cueva, que la teja del granizo. Su lecho ministra el suelo, sin deseo libidinoso. Si la rosada los alienta, el sol los escalda; ninguna soliçitud rompe su sueño, ni corrompen el aire çetrerizando ni pescando quiebran las aguas; predas ferinas no les plazen, ni les agradan campestres, ni visten recamos, ni de púrpura s'abrigan: de crudas pieles la hibernada y el verano de sayal varillado se cubijan; silvando, caramillando o al son de caramella, salticando la turulú en torno del hato; los obedesçen sus perros y sus ovejas andan por do les plaze (ed. GMB, 130-131; ed. OP, 115).

Mena, sabiendo que es su última oportunidad de derrocar a don Alfonso, desliza una intencionada referencia a los descendientes hebreos del obispo —«En esta simple y pura vida tus padres ançianos fueron deificados» (ed. GMB, 132; ed. OP, íd.)— para recabar la autoridad de la Biblia, logrando sólo que Cartagena asuma su linaje —«No pienses correrme por llamar los ebreos mis padres» (ed. GMB, íd; ed. OP, 116)[347]— y contradiga las deleitaciones de una «rusticana vida», cuyas calamidades nombra y enumera para deshacer el espejismo bucólico de Mena:

---

[347] Ver J.C. Conde, «4. Juan de Lucena o la conciencia crítica de un converso», en «El siglo XV castellano», págs. 23-28.

> ¿Qué contenteça le pudieron prestar sus ganados? Ni las ovejas rodadas beato ni feliçe, por çierto, le bastaron fazer las manchadas. Ítem, si el sol ardiente las modorra, las amorban muchas aguas, o el çierço si las carroña, ¿en cuánta ansiedat el mesquino pastor se vee? Dales él sal, surfuréalas y con enebro las ungüenta. Por una que pare, abortan las dos. No puedo pensar, ni creo, qu'el continuo clamitar que fazen balando, «baa, baa, bee, bee», no les robe más el sueño que a Diegarias su grand soliçitud, ni las trompetas a los Pachecos[348] (ed. GMB, 134; ed. OP, 117).

Juan de Mena se retira vencido[349], aunque confía en la «delectación» que para él va a suponer oír a don Íñigo defender las formas beatas, en principio, de la vida contemplativa, en la que se supone, con todo, que Cartagena ha de tener mayor expertizaje.

11.5.1.1.3.3: El análisis de la vida contemplativa

El intercambio de escritos entre ambos traza ya una relación distinta; el obispo aprecia esos conocimientos letrados con que el marqués comparece, asumiendo una empresa tan difícil, sobre todo a raíz de la derrota sufrida por el poeta:

> A dezirte verdat, señor obispo, mi compadre, Joán de Mena, en quien tanto fiava, ha dado tan ruin caboxida de su vanda, que temo la mía no sea muy más astrosa. Pienso, pero, fallarte más blando defendiendo tu bevir. Aunque muestres d'él bravo, dexart'as perder, yo lo sé, por quedarte feliçe (ed. GMB, 137; ed. OP, íd.).

Aún no ha empezado a hablar y ya ha sido vencido, por cuanto el fin último de la vida religiosa no es otro que el negar las formas de felicidad terrenales:

> Tal ganancia, señor marqués, no entre por nuestra casa. Sintiéndome infeliçe, cognoscerm'é ser beato (ed. GMB, íd; ed. OP, 120).

---

[348] Y es de notar, en fin, una posible alusión a la figura del contador, converso también, Diego Arias Dávila, amén del linaje de don Juan Pacheco. Recuerda A. Medina que Diegarias era «un judío converso del que se rumoreaban pecados nefandos con el mismísimo rey», pág. 263.

[349] «Todas sus maneras de bevir veo tam imbeatas, que quiero tenerme contigo más que caerme de mío», ed. GMB, 136; ed. OP, 119.

Aun así el marqués recorre los distintos estados de esa vida contemplativa, comenzando por los letrados, de los que se considera parte, puesto que ha echado en falta esta condición en el análisis de Mena; hay una importante valoración de la retórica como soporte de este universo cultural (ahora humanístico):

> La retórica, cuyo principado tienes, pan de çucaradas razones, y de palabras melificadas, briscoso panar; bien como el dulçe afoga todo amargor, así ella amata toda discordia; cambia los coraçones de ira en mansuetud y en benivolençia de rencor revoca las voluntades (...) Las otras artes engendran sus fijos desnudos: ésta los viste y adorna; párenlos mudos o tartamudos: ésta los veza fablar (ed. GMB, 138-139; ed OP, 122).

Sobre esta base, el elogio de la ciencia se extiende a la filosofía —moral y natural—, a la música[350], a la poesía[351] y a la teología, es decir, a aquellas disciplinas que propician, además, el trato cortesano:

> Los unos, advogados, corregidores, ambaxiadores, cançelleres, secretarios o del consejo de rey; los otros, de su capilla, deanes, obispos, arçobispos, cardenales y fasta papas. ¿No serán, pues, los tales feliçes y más que beatos? (ed. GMB, 142; ed. OP, 125).

Nada es lo que parece, aunque el obispo reconoce que el retrato perfilado por don Íñigo sugiere que la ciencia puede proporcionar deleite, pero no desde luego la que se aplica a la vida real de la corte, donde el engaño y la falsedad son continuos:

> De la capilla no son, si no saben «so, la, mi, re» o aguijar «la, fa, re». Deanes, obispos y arçobispos, no me fagas dezir quién son, mas si tanto me dizes «dilo», diréte que son privados del todo: privados del rey, privados de sçiençia y de virtudes, y aun tales, que meresçían ser privados de cuanto tienen. Cardenales son quien quieren los

[350] Recuérdese que se trata del «deporte» predilecto de Enrique IV y que este tratado, en el códice, está dirigido a este monarca, así que podía resultar conveniente que el marqués formulara esta alabanza: «Si todos cantásemos, señor obispo, en esta nuestra Castilla por razón, como músicos, seríemos mejor acordados, mas cantando por uso, si el uno en bemol, el otro en becuadro, el uno va en regla, si el otro en spaçio», ed. GMB, 140; ed. OP, 123.

[351] «Créolo yo, por çierto, ninguna suavidat se le eguala, si al apetito la invençión y a la invençión responden los versos», ed. GMB, 141; ed. OP, 124. Parecen conceptos extraídos del *Prohemio e carta* (§ 10.4.2.1.2.1).

> papas, y papas quien quieren los cardenales, por afecçiones y temas, más que por sçiençia promovidos (ed. GMB, 143-144; ed. OP, 126).

Planteada esta feroz crítica del estado religioso, aún don Íñigo piensa que los clérigos viven con la suficiente holgura y comodidad como para ser considerados felices, aunque en la descripción sean también culpables de la corrupta existencia a que se entregan:

> Libres de reales imposiçiones, de populares repartimentos exemptos, al rey con *dominus vobiscum* y *cum spiritu tuo* fazen pago al común. Vanse los legos a la guerra, quédanse ellos tras el hogar. De los vivos, ofrendas; por los muertos, obladas; cada fiesta, cada disanto, helas do vienen, y cada domingo, prometen çiento por uno, y por çiento nunca dan uno. *De bóvilis bóvilis* comiendo y nunca escotando, gordos y regordidos viven y más que beatos (ed. GMB, 146; ed. OP, 128).

En realidad, don Íñigo da pie a Cartagena para que prosiga ese hilo de invectivas, ocasión que aprovecha de inmediato:

> A pocas me farían reír tus donaires. ¿Dízeslo por motejarlos o por ver qué diré? Si por motejarlos, dilo en cabildo, serás respondido, mas si el cura de Somosierra, tu vezino, farto de nabos, te oye, ¡Dios te guarde, señor marqués, de su sobrevienta! Si por ver qué diré lo dizes, dígoles feçes, mas no feliçes. Si fuesen ministros de Dios, como dizes, no ternían cuanto dizes (ed. GMB, 146-147; ed. OP, íd.).

A estos llamados «ministros de Satanás», colmados de riqueza, don Íñigo los embarcaría en la guerra contra Granada, aludiendo a una tentativa suya de convencer al rey al respecto (lo que ocurrió de hecho en 1455, como refiere Enríquez del Castillo, en VIII), una postura que aplaude Cartagena y, con él, ha de suponerse que los receptores de los impresos de finales del siglo XV:

> Pluguiese a Dios, señor marqués, que así fuese. Ninguno de nós contradiría tu sentençia. ¡Qué gloria de rey! ¡Qué fama de vasallos, qué corona d'España, si el clero, religiosos y sin regla, fuesen contra Granada, y los cavalleros con el rey erumpiesen en África! (ed. GMB, 148; ed. OP, 130).

Pero este apunte sobre el tiempo histórico los desvía de la cuestión y, enseguida, don Alfonso demuestra que ni obispos ni arzobispos pueden ser beatos, hablando de una jerarquía eclesiástica que conocía muy bien y en la que, por sus embajadas, debía ser experto el mismo Lucena:

> Y lo que peor nos sabe, no solamente al papa, que a los cardenales devemos menoridat. Si venimos en Roma, por su mano nos conviene librar; imos tras ellos por sus capellanos, aguardámosles palaçio, reverençiámoslos y cuasi los adoramos por dioses. Paresçémoste feliçes y somos más que imbeatos (ed. GMB, 150; ed. OP, 131).

Y lo mismo sucede con esos cardenales o con el pontífice; don Íñigo es implacable contra el lujo y la ostentación con que la curia papal exhibe su poder terrenal, mereciendo la aquiescencia de Cartagena:

> A buena verdat, señor marqués, nunca menos de maliçiosas creí tus fablas de oy. Yo te seguro, si a toda la clerezía mojaste la barba, al papa la raes en seco. Fazemos tan reprobado bevir, que no sin razón la lengua seglar lo maldize. De cómo lo consentís me maravillo, mas si tropeçamos, daisnos del codo. ¿Quién dubda, si caemos, qu'es la culpa toda vuestra? (ed. GMB, 154; ed. OP, 134).

Ya no se está hablando de la beatitud, sino que el obligado reconocimiento de la infelicidad de los papas ha arrastrado la disputa a un peligroso terreno para el obispo —el marqués lo conjura con un triple silogismo de juegos de palabras[352]— que se zafa como puede obligando a Lucena, reducido hasta entonces a su condición de autor, a romper los límites de la escritura para involucrarse en el orden textual.

11.5.1.1.3.4: La irrupción de Lucena: el fin del debate

Se quiebran de esta forma las relaciones lógicas del relato, en un experimento de singular importancia: ni Mena ni Santillana se habían percatado de que Lucena estaba escuchándolos y tomando nota —casi levantando acta— de su disputa; sí lo sabía, en cambio, el obispo que no había querido decir nada, hasta que decide llamarlo para que les ayude a resolver la cuestión:

---

[352] «Si es maldezir del bien dezir mal, luego, señor obispo, según la egualdat de justiçia, del mal dezir bien sería peor dezir, o si del mal dezir no es maldezir, dezir mal del bien sería bien dicho. Pues si devemos del bien dezir bien, del mal diziendo mal ningún delito fazemos. Por estas tres truncadas razones te conjuro que me respondas», íd.

> ¿No miras tú, señor marqués, lo que yo miro? Havemos expía y no la vemos. Aquél que tan atento nos escucha Joán de Luçena es, familiar del papa Pío. El paper en la mano, cuanto dezimos escrive. Llamémoslo. Pesquiramos nuevas del Papa, y por ende comprenderás si su vida es beata o infeliçe. Llámalo tú, señor marqués, yo faréle la pregunta (ed. GMB, 154-155; ed. OP, íd.).

Traído por el hilo del debate, Lucena, en cuanto familiar de Pío II, es requerido desde ese contexto externo en el que está situado —y con él el rey y los receptores— para adentrarse en el orden de la realidad textual que estaba creando. El recurso es oportuno, porque, amén de las «nuevas itálicas» que se le piden, confirma la infelicidad en la que el papa vive, sumido en continuas guerras y enfermedades[353]; este estado de desolación, a esta semejanza, puede aplicarse a los demás pontífices. Aún se interesa el marqués por preguntar si en la vida monacal cabe encontrar algún tipo de beatitud, para que Cartagena descubra las ambiciones y codicias de los religiosos[354]. Don Íñigo, como antes le ocurriera a Mena, debe darse por rendido:

> Tan convençido me han tus manifestíssimas razones, reverendo señor obispo, que me te dó por vençido. Ni la vida contemplativa feliçe ni la activa cognosco beata. Y si honesto me fuese, lamentaría nuestra humana vida, como cosa llena de ansiedat, de feliçidat vazía, y de toda beatitud remotada. Tengo pero tan firma en el ánimo una indubitada esperança de beatitud, que ni sé si en esta vida ni sé si por ella me la promete. Esto me tiene que no la maldigo (ed. GMB, 159; ed. OP, 137).

[353] Con un retrato referido a su condición de escritor: «El ánimo fuerte y el cuerpo débil le fazen carcomesçer allí donde está. Sola una hora nunca fuelga: cuándo en audiençia, cuándo en consistorio, cuándo en signatura. Y la péñola nunca dexa: cuando solo o escrive lo qu'estudia, o estudia cuanto escrive», ed. GMB, 156; ed. OP, 135. Recuérdese que se trata del autor de la *Historia duobus amantibus*, uno de los pilares de la ficción sentimental; ver el análisis del texto en *HPRC*, § 10.5.1. Añádase de A. Medina, «5. El papa Pío II, o, la clave del misterio», págs. 135-143.

[354] Esta feroz crítica contra los diversos estamentos eclesiásticos atraviesa, también, el segundo libro del *Speculum vitae humanae* de Sánchez de Arévalo, cuya versión vernácula imprime Hurus en 1491 (ver *HPRC*, § 8.3.2.3), dedicado a dirimir el tipo de perfección que puede alcanzarse en la vida espiritual.

Esa ciega confianza que manifiesta don Íñigo se convierte en la línea de desarrollo de la tercera parte, encomendada a Lucena, que ratifica las conclusiones a que don Íñigo y Juan de Mena habían llegado: ni los bienes humanos aportan felicidad alguna ni la vida de los mortales es soporte de beatitud. Cuando el obispo le requiere para que desarrolle sus ideas, Lucena devuelve a los disputadores a la realidad más cotidiana recordándoles que deben ir a comer. Estas digresiones narrativas permiten ahondar en el carácter de los personajes y distender el debate con finas pinceladas de humorismo; el marqués invita a sus compañeros con jocosa cortesía[355], que celebra el obispo[356] y que permite a Lucena, en cuanto narrador externo o «actor», elogiar el linaje de los Mendoza; esta irrupción de la circunstancia familiar del marqués se aprovecha para considerar la posible beatitud de un padre tan afortunado, aspecto que niega al evocar la muerte de su hijo Pero Lasso y las diversas fatigas que por conservar el apellido había pasado. Lo serio y lo cómico se entremezclan de este modo. Cuando el obispo le recuerda a Lucena que les había prometido dar su parecer sobre la «qüestión» que mantenían, éste intenta esquivar el compromiso mediante una fingida embriaguez:

> Si por ventura, reverendo señor, las fuerças de Baco derrocasen mi débil saber, pues fago tu mandado, te suplico que me socorras, y si fiziere trocapiés de coribanta, illustre señor marqués, pues feziste llevarnos el agua de tabla, por merçed no te rías. Tú, Joán de Mena, más me deves que te devo: si más comí que tú, tú mejor lo remolaste; si me ternás, tenerte he, y si me dexas tal sea de nós qui no cayere (ed. GMB, 166-167; ed. OP, 142-143)[357].

---

355 «Vamos, vamos a comer, qu'es mucho tarde, y vamos a mi posada todos cuatro: faremos el yantar a chirla come; no partiremos d'allí, voto a Dios, sin saber la feliçidat adónde mora», ed. GMB, 162; ed. OP, 139.

356 «Vamos, pues, no detengamos más tiempo. Después que recordastes el comer, m'es venida la fambre. Por poco poco, me tornaría epicúreo y diría que si estoviésemos ya en tabla, seríemos más que beatos», íd.

357 A. Vián ha valorado la importancia de este pasaje: «El obispo lo socorrerá en efecto, el Marqués no se reirá y Mena no lo dejará, pero tal anécdota no es un mote o una pulla cualquiera, como Mena interpreta: creo que condiciona una lectura irónica global de todo el texto, y en concreto de la tercera parte, lectura que hasta ahora no he visto hecha; además confirma la familiaridad de Lucena con el diálogo italiano del siglo XV que, escrito también en un clima represivo, juega con la ironía y con la ambigüedad, ambas muy lejanas del modelo ciceroniano», pág. 71.

Lucena no va a sorprender a sus interlocutores pues ya había anticipado que no cabía felicidad alguna ni en la vida activa ni en la contemplativa, así que, como buen discípulo del obispo, confirma sus tesis:

> La razón de la vida beata, según mi paresçer, illustre y reverendo señores, depende del sumo bien (ed. GMB, 167; ed. OP, 145).

Él confirma, entonces, la «conclusión» primera de Cartagena y reduce la única felicidad humana a la búsqueda de Dios, el «sumo bien» (revísese § 9.3.3.2):

> Sólo Dios no fue fecho ni por consiguiente mudable puede ser. Sin prinçipio, luego infinito; si fenesçiesse, no crearía, çierto es, ni sería creado, no es dubda; ca si fuese creado no sería prinçipio. Cayan los çielos, profunde la tierra, que Dios consista es neçessario. Conclúyese, pues, sólo Dios ser immortal, immutable e infinito; ni es otra cosa vita eterna salvo Dios. Él es vida y salud nuestra: «Yo soy carrera, verdat y vida», Él mesmo lo dize. Y en otro lugar: «Yo soy resurecçión y vida». Eterno vive qui eterno es con Él, y qui sin Él muere *in eternum*. Y si el sumo bien, como quieren algunos, es suma paz y tranquilidat, ¿quién dubda ser solo Dios? (ed. GMB, 174-175; ed. OP, 150-151).

Para nada sirven los deleites ni la virtud, ni los bienes del cuerpo ni los de la fortuna. Pero Lucena no puede, o no quiere, señalar dónde se halla ese «sumo bien» y deja que sea el obispo el que cierre el debate, incitado para ello por el marqués y Mena. Es en la otra vida, en la salvación del alma, donde se encuentra la felicidad única que puede servir de medida a todas las acciones humanas, tanto a las activas como a las contemplativas:

> Ésta es la vida beata que los ricos misericordes speran, y los pobres no sobervios; ésta los reyes bien regientes y los pueblos bien regidos; ésta los gratos privados y los no superbidos favoridos; ésta los leales cavalleros y los qu'el bien público anteponen al suyo; ésta los pastores paçientes y contentos labratierras; ésta los letrados no inflados y los sçientes governados por sçiençia; ésta los saçerdotes continentes y honestos perlados; ésta los cardenales no pomposos y los papas llenos de santidat; ésta los religiosos constantes y los padres piadosos que sus fijos castigan (ed. GMB, 181; ed. OP, 155).

Ya no es posible añadir nada ante esta manifestación de fe y de religiosidad a que el debate ha quedado reducido. Sólo Lucena, en cuanto «actor», cierra el orden textual para dirigirse al público cortesano al que entrega la obra y con ella este mensaje de afirmación cristiana:

> «Amén, amén», diziendo todos, dieron fin a su qüestión en honor de Dios, del rey laude y gloria de los vasallos.
>
> Tu clemençia, rey clementíssimo, perdone la rudez de mi stilo y a mi atrevido fablar dé passada (...) De tu real majestad confío, que mis agras palabras mal compuestas así benigne las gustará, que le darán mejor apetito que sabor (ed. GMB, 181-182; ed. OP, íd.).

Merece, por tanto, valorarse esta primera pieza del discurso dialogístico por la capacidad con que Lucena involucra el tiempo de su presente en materias tan abstractas, así como por la creación de esas figuras de dialogadores que permiten mantener viva la memoria de los tres principales letrados de la primera mitad de la centuria.

11.5.2: *Alfonso de Toledo: el enciclopedismo religioso*

El «saber» puesto al servicio de Dios o, lo que es equivalente, del arzobispo Carrillo: tal era el objetivo que se fijó Alfonso de Toledo al compilar, en los últimos años del reinado de Enrique IV, este complejo y vasto catálogo de datos referidos a los «inventores» de las cosas, en principio más dispares y peregrinas, aunque luego todas ellas se acomoden a un férreo trazado de estructuras, a un ambicioso plan que permite conocer la fe revelada, acercar al hombre a los misterios litúrgicos y religiosos.

La crítica prestó interés, en principio, a este inventario al ser atribuido, en el registro de manuscritos de la BN Madrid, el 6936 a Alfonso Martínez de Toledo[358], cuando en la dedicatoria de la obra se dibuja, nítida, otra identidad letrada[359]:

> Comiença el tractado llamado *Invençionario*, dirigido al muy reverendo e magnífico señor don Alfonso Carrillo, Arçobispo de To-

[358] Error aclarado por Raúl A. Del Piero, «Sobre el autor y fecha del *Invencionario*», *HR*, 30 (1962), págs. 12-20, ver pág. 18.

[359] Perseguida por Philip O. Gericke, desde su trabajo «El *Invencionario* de Alfonso de Toledo», *RABM*, 74 (1967 [1973]), págs. 25-73, que acaba cuajando en la ed. del texto en Madison, H.S.M.S., 1992 —también en microfichas, en este mismo año, transcrito el ms. BN Madrid 9219— por donde se cita.

ledo, Primado de las Españas, por un su devoto siervo Alfonso de Toledo, bachiller en Decretos, vezino de la çibdad de Cuenca, patria del dicho señor (15).

Y poco más se sabe de este letrado, salvo el aviso que ofrece al final del texto, en el epígrafe dedicado a las fuentes de que se ha servido:

> De muchos otros d'estos semejantes que dezir pudiera, porque d'ellos non pienso aver tomado actoridades non curé de dezir; remito al tractado que para el señor Obispo de Cuenca e por su mandado copillé, llamado *Espejo de las istorias,* donde cuasi de todos los varones illustres e famosos, así en santidad como en potençia e fortaleza e en sçiençia, [que] desde Adam fasta el sobredicho Juan 2º fueron en el mundo, de que por todas las istorias escolásticas e eclesiásticas collegir pude, reseré, así de sus fechos famosos como de la concurrençia de sus tiempos, por vrevíssimo estillo (206).

No hay noticia de que se haya conservado este compendio, en ocasiones confundido con la *Atalaya de las corónicas* de Martínez de Toledo (§ 10.5.2.3.3), si bien, como se comprueba, el contenido que aquí se extracta no guarda semejanza alguna con este sumario cronístico[360].

El *Invencionario,* por la novedad de la materia, gozó de amplia difusión; hoy se conservan doce códices y se tiene noticia de otros tres perdidos[361]. En función de los materiales que integran la obra, es factible hablar de dos estadios textuales; el primero estaría representado por seis manuscritos[362], completado en un segundo momento con un capítulo dedicado a dilucidar el origen de la Orden de Santiago (II.viii, 16[363]), que no es obra de Alfonso de Toledo, sino de Gutierre de Fuensalida, el Comendador de Haro, que se lo envía como carta[364], para que com-

---

360 Sí se aproxima, en cambio, al *Compendio universal de las ystorias romanas (HPRC,* § 3.3), mal atribuido a un Alfonso de Ávila.

361 Ver Gericke, *ed. cit.*, págs. xx-xxv, que debe complementarse con la reseña que Juan Carlos Conde dedicara a su edición, ver *RPh,* 48:2 (1994), págs. 204-210, más el epígrafe, a él debido, en *Diccionario Filológico*, págs. 133-139.

362 Los BN Madrid 7810 *(G)*, 4295 *(M)*, 9755 *(N)*, 6936 *(T)*, el escurialense x-iii-4 *(I)* y el colombino 85-5-7 *(V)*.

363 Ver texto en págs. 181-184.

364 Indica Gericke en las notas finales: «Fuensalida's style differs noticeably from Alfonso de Toledo's, especially in his predilection for the Latin present participle and his proclivity for anacoluthon», pág. 239.

plete las noticias referidas a estas instituciones religiosas; se construye así la redacción definitiva que se difunde en dos líneas diferentes: en una, la carta se sitúa al final del códice[365], mientras que en la otra se inserta en el interior del texto[366] que alcanza, al fin, su forma actual. Se trata de un proceso compositivo que tuvo que desarrollarse entre 1467 y 1474[367].

11.5.2.1: El círculo letrado de Carrillo

Alfonso de Toledo, y tal es el valor de la dedicatoria del texto, pertenece, entonces, al círculo letrado que promoviera Carrillo, a quien atribuye, junto a otros elogios esperables[368], la preocupación por vindicar la lengua romance, dada su voluntad de «comunicar» con «todas las personas»:

> Pues yo si esta obra en lengua latina e de estillo retórico ordenara, puesto que para ello çiençia toviera, non se pudieran d'ella aprovechar salvo Vuestra Señoría e los otros letrados de vuestra casa. E así non tan largamente vuestra benignníssima condiçión oviera nin alcançara vuestro obtado deseo. E por esta razón, que todos así letrados como non letrados oviesen parte por mano de Vuestra Señoría, concluí deverla ordenar en plano estillo e ditar en lengua materna (íd.).

Señala el esfuerzo —faceta fundamental de su autoría— que este proceso le ha costado, pues las fuentes de donde ha tomado las noticias estaban en latín: la Biblia, el *Decretum* de Graciano, las *Decretales* de Gregorio IX, las historias religiosas (tanto la *Scholastica* de Comestor como la *Ecclesiastica* de Bartolomé da Lucca), los dichos de los Santos Padres; podía haberse contentado con «trasladar al pie de la letra» este rimero de datos, pero ha preferido, para servir a Carrillo, investigar en

---

365 Como aparece en h-ii-24 *(H)* y en el 2406 de la B.Univ. de Salamanca *(S)*.

366 Un testimonio, el BN Madrid 7252 *(A)*, conserva aún la forma de carta, mientras que los tres restantes —BN Madrid 9219 *(B)*, B.Univ. Salamanca 2421 *(C)* y BN París 204 *(P)*— prescinden del aparato de fórmulas epistolares.

367 Data esta última que figura en el colofón del BN Madrid 7252 *(A)*.

368 «Vuestra Señoría» es «de obras de tan altas çiençias abastado», porque a ellas ha dedicado «continuo exerçiçio» en las que pudiera ocupar su «lucido ingenio», 16. Para este círculo letrado ver § 11.3.2.1, págs. 3580-3583, en especial la n. 163.

esas materias y verter ese latín original en una nueva construcción romance, guiado por el propósito de la brevedad, aunque también de la digresión.

La obra se articula conforme a una rígida simetría, apuntada ya en la tabla de contenidos:

> Aquí comiençan los títulos e capítulos del tractado llamado *Invençionario,* en el cual se contienen dos partes principales o dos libros. El primero libro tracta de los inventores de las cosas que los onbres inventaron por sustentaçión de la vida tenporal, el cual libro contiene en sí dies partículas o dies títulos (1).
>
> La segunda parte d'este tractado tracta de los primeros inventores de las cossas con que se adquiere la vida eternal; contiene en sí otras dies partículas o títulos (6).

La similitud de la obra con las *Etymologiae* isidorianas es evidente; tanto en el desarrollo estructural —puesto que en la enciclopedia del Hispalense se ordenan también veinte secciones principales— como en el deseo de averiguar el origen «de las cosas», a través de la declaración de sus nombres. Es cierto, que a Alfonso de Toledo le asiste la intención de describir primero la realidad terrenal para pasar desde ella a la celestial, tal y como indica en el proemio:

> De dos partes prinçipales paresçe, segund lo desuso acumulado, que este presente libello deve resçebir división: la una ha de declarar los inventores de las cossas que los ombres inventaron para sustentaçión de la vida temporal e la otra de los inventores de las cosas que los ombres inventaron para adquerir la vida eternal (19).

Y ello guiado con la finalidad de propiciar el tránsito por este «mundo» hacia «Dios», como con claridad indica:

> Por cuanto a esta preposteraçión me movieron dos cosas: la una, que primero pasa ombre por esta vida temporal que alcançe la eternal; la otra, que pues la espiritual es más digna, últimamente devía ser situada porque a la memoria está mejor e a ella sea mejor encomendada (19-20).

El «saber» se enmarca, por tanto, en una dimensión religiosa. No hay aquí asomo de la menor indagación humanística: ni interesa el pasado —la noción de *antiquitas*— para iluminar desde él las circunstancias del presente, ni menos aún se va a proceder a la pesquisa etimológica con criterios filológicos. Se reúne un conocimiento que no presupone incursión alguna en el orden de la naturaleza o de cualesquiera otras disciplinas, sino un ajuste de esas materias al fin concreto de la salvación del alma, con presupuestos entonces cercanos a los que Alfonso de la Torre planteara en su visión, por algo, «delectable».

Para dejar clara esta propuesta, en el proemio, Alfonso de Toledo muestra la debilidad del hombre con respecto a la natura, en cuanto único ser al que niega «viandas», «cobijadura» o «armas» para defenderse. Por ello, tal y como argumenta, fue necesario que se inventaran las ciudades, las leyes, la escritura para poder colmar, con esas pesquisas, las insuficiencias de la condición humana; ése es el desarrollo de ideas a que el autor se va a ajustar, el marco en el que resultan tolerables las «invenciones» de que va a tratar:

> Así que lo que la Natura fallesçió, el arte e solerçia de los ombres lo ovo de suplir; e porque, como es dicho, los inventores de todas estas cosas non fueron uno mas muchos, nin las invençiones una mas muchas, nin en un tiempo mas en muchos e diversos, nin por una consideraçión mas por muchas e diversas, paresçióme cosa agradable de pervenir en notiçia d'ello (21).

Con el convencimiento, entonces, de que este conjunto referencial ha de ser encauzado hacia ese sentido religioso con que la vida del hombre debe desarrollarse.

11.5.2.2: El contenido: una miscelánea religiosa

El Libro I, a través de sus diez títulos, intenta describir el proceso de socialización del individuo desde el mismo momento en que el lenguaje, hablado y escrito, le faculta para configurar un amplio mosaico de artes, distribuidas conforme al valor que posee cada una de esas regulaciones en la construcción de lo que Sánchez de Arévalo llamaba la «civilidad». Por libros, el desarrollo se ajustaría a este orden: primero es el lenguaje, segundo la autoridad regia, tercero la jurídica, cuarto la fundación de las ciudades, quinto el orden matrimonial, sexto el alimentario, séptimo el vestuario, octavo el caballeresco, noveno los «deportes», décimo las ciencias. Este catálogo de datos será, además, afirmado mediante la estructura temporal de las edades del mundo, que para Alfonso de Toledo son siete, porque cierra la sexta en el Juicio Final y abre la última al retorno sin fin que en ese punto comienza.

Del conjunto de saberes que agrupa el *Invencionario* en su primera parte, amén de noticias peregrinas[369], interesan las síntesis alcanzadas sobre materias o realidades implicadas en la construcción del pensamiento, tanto cortesano como religioso, de esta segunda mitad del siglo XV. Así sucede en I.viii, en el que a cuento de declarar los inventores de las armas, se desarrolla un breve *de re militari,* referido a la disposición de las batallas, a las insignias y armas o a los blasones, es decir a ese orden ideológico del que ya se habían ocupado Rodríguez del Padrón o mosén Diego de Valera, con datos que provienen, básicamente, de la Biblia; a él no le preocupa asegurar las condiciones de transmisión de la nobleza, pero las ideas son similares a las del *Tratado de las armas* (§ 10.4.1.1) por cuanto Bartolo le sirve también de mentor:

> La primera conclusión es: insignias devidas a çierta dignidad o ofiçio non las deve nin puede otro traher, salvo el que posee aquella dignidat o ofiçio, e perdida la dignidat o ofiçio, pierde las insignias, e el que lo cobra las deve traher, aunque non sean suyas nin de su linaje. El que faze lo contrario incurre en pena de falso (65).

Estos principios teóricos le llevan a «demostrar por enxemplo» las armas reales de Castilla y León o a explicar el origen de la «devisa de vanda», vinculada al esfuerzo de los reyes de España «por enxalçar la fe católica e libertar la tierra de pagánico señorío» (68). Situar el origen de la caballería, tras las consabidas valoraciones etimológicas, le obliga a rastrear en los libros bíblicos ese hecho:

> De aquí nasçe una qüistión: como esto conteçiese en la Cuarta Edad, en tiempo del rey Ezechías, rey de Judea, ¿por ventura antes si avía cavalleros? E respondo que sí, ca se lee que David fiziese poner çiertos cavalleros en la çibdad de Damasco para domar el reino de Siria que le sirviese (68-69).

Un breve epígrafe extracta de la *Segunda partida* los deberes y privilegios que pertenecen a la clase militar, ocupándose también, «segunt la subiecta materia» (70), de averiguar dónde tuvo inicio la doma de caballos.

---

369 «Cuando llovió del çielo luvia de vino» (I.vi,7), la invención de las «bragas» (I.vii,3) o de las camas (I.vii,4), el modo en que «Jacob fazía cavalgar las ovejas de su suegro Laban» (I.ix,6) para obtener carneros de diferentes colores.

El título IX se refiere a los «deportes» inventados por los hombres para aliviar los trabajos: la música —atribuida a Tubal, definida por el valor que los antiguos le concedían[370] y descrita mediante los correspondientes instrumentos—, las tablas —ideadas por un griego en el real sobre Troya—, las domas de bestias más el origen de los carros y carretas para transportar a personajes ilustres.

Las demás artes aparecen embutidas en el último de los títulos, destacando la medicina por encima de la astronomía, de la astrología —vinculada a la magia— o de la filosofía, mediante una defensa de ese saber (útil para engastar § 10.5.3.1):

> Algunos fazen dubda por qué la mediçina non se contiene entre las otras artes liberales, e la razón que fallan es porque cada una de las dichas artes contienen causas singulares e la mediçina contiene causas de todas. Ca el médico ha de saber gramática, por que sepa entender e exponer pueda, asimesmo ha de saber retórica por que por argumentos verdaderos pueda difinir lo que tracta, asimesmo lógica, para las causas de las enfermedades por razón escodriñar e sanar... (81).

El Libro II despliega el orden teológico que había prometido en el proemio; el autor se disculpa ante Carrillo por abordar una materia tan ajena a su condición y, a la vez, tan difícil de sujetar al acarreo de datos que está practicando; por si se abrigaran dudas sobre su propósito, asegura la ortodoxia de su pensamiento en una declaración preliminar:

> La materia de la cual, como toda ella sea de los teólogos e yo de la teología muy poca tengo por olvidar, non me deve culpar Vuestra muy reverenda Paternidat si las materias por mí tocadas mal explicadas dexare. Ca solo versa mi entinçión en notar ruda e simplemente los inventores de las cosas segunt que pude collegir. Así que a mí non está de esplanar el aviso de la sçiençia santíssima de la sacra teología (...) Antes digo, confiesso e afirmo todo aquello que la santa Iglesia de Roma dize, confiesa e afirma, e non más nin allende (83).

---

[370] «Sin la cual ninguna disçiplina avían por perfecta, ca el mundo por una armonía de sones dizen ser dispuesto, e el çielo so una modulaçión de armonía se rebuelve. Mueve los afectos, percura en diverso ábito los sesos, los batallantes ençiende en las batallas, los trabajos alivia e la fatigaçión de los trabajantes consuela, los coraçones solevantados amanssa, las bestias, serpientes e aves e peçes provoca», 72.

El desarrollo de este contenido se vincula a los artículos de la fe, a los sacramentos, a las instituciones y estamentos de la Iglesia, ajustados ahora a la estructura temporal que determinan las leyes de Natura, de Escritura y de Gracia.

El primer título indaga sobre el remedio del pecado original; en la Ley de la Natura y en la de la Escritura era la circuncisión, en la de la Gracia, el bautismo, con lo que procede a comparar los efectos de estas dos ceremonias: los circuncisos recibían el perdón de los pecados, pero no la gracia para obrar, como sí sucede con los bautizados. Ya en este orden, Alfonso de Toledo configura un breve sacramental, ligado no sólo a los orígenes de cada uno de estos signos espirituales, sino también a las fórmulas y a los valores simbólicos de los objetos empleados en su aplicación.

Al tratar el título segundo de la fe, la anterior división de leyes le permite ordenar los diferentes símbolos con que se manifiesta esta virtud teologal: ídolos, oraciones, dioses gentílicos, dando cabida a una breve exposición mitográfica, con el fin de denunciar las vanidades de los paganos[371] y conectar con las principales herejías, las de los filósofos antiguos y las de los posteriores a Cristo, para detenerse de modo especial en la «seta de Mahomad», desviaciones todas que exigieron la convocatoria de concilios diferentes, de los que ofrece sucinta relación.

El título tercero contiene un breve oracional, en el que se preocupa por averiguar el origen de las imágenes pintadas. El título cuarto se refiere a los diezmos, primicias, oblaciones y limosnas, «con que los ombres imaginaron aplazer a Dios» (119), subrayando que en la Ley de Gracia no se fijan nuevas formas de «diezmar»:

> Todos los Decretos e Decretales que d'estas materias disponen, que son muchos, todos resçeben todos sus prinçipios e fundamentos e causas de las tradiçiones antiguas, esto es, de la Ley de Escriptura (123).

Al ayuno se dedica el título quinto, con el correspondiente recorrido histórico, al que se incorporan cuestiones prácticas (qué personas

[371] Una postura que no le impide referir alguna de las ficciones más conocidas; por ejemplo, sobre Júpiter: «D'éste todas las obras de poetria están abastadas; éste fingen figurar como toro, por cuanto al tiempo que robó a Europa (...) Fíngenlo asimesmo como águila porque se falla que robó un moço para fazer roindad con él, fíngenlo serpiente porque para fazer d'esta vileza rebtava...», 99.

no están obligadas a ayunar o qué comidas están permitidas). Especial importancia se concede al título sexto, ya desde su presentación, puesto que se va a referir al orden sacerdotal:

> Muy pomposa asoma la Sexta Partícula e non sin causa, ca trahe materia mucho más exçelente que las otras. Ellas de cosas de Dios han tractado; ésta d'ese mesmo Dios entiende tractar (132-133).

Los ministros religiosos se relacionan con los diferentes sacrificios de los que en la Biblia encuentra noticia: aunque Moisés presentara la primera ofrenda, a Aarón, su hermano, corresponde el primer sacerdocio, transmitido a su generación; esto ocurre en la Ley de la Escritura, porque la de Gracia se afirma en la figura de Cristo como primer sacerdote, al ofrecer «sus sacratísimas carne e sangre» como manifestación de su poder salvador. Dada la dificultad de la materia, el autor actúa con prudencia:

> La mi muy grant insufiçiençia me faze temer entrar en este piélago sin suelo; baste remitir a los Decretos, e por esto por ençima de las ondas bolaré, con poquilla cosa me contentando (139).

A partir de este punto, procede a describir las distintas funciones y cargos del estamento religioso, deteniéndose en las dignidades de «papa, cardenales, deanes, arçedianos» (143); encuentra ocasión para incluir la historia de la papisa Juana, perfilada con valores de misoginia:

> E dize que éste la Iglesia engañó, ca era muger; la istoria de la cual, porque cosa es singular, brevemente pasaré. Dize que ésta era una moça inglesa que, mudado el ábito feminil, en el estudio de Atenas aprendió. Tanto de las sçiençias alcançó que su igual non se podía fallar. Ésta, viniente en Roma, leyó por espaçio de tres años, en tanto famosa que grandes maestros tenía por disçípulos. E por causa de la su grant çiençia e singular vida los cardenales, muerto el papa Benedicto, d'este nombre terçio, eligieron a ésta en papa e pusiéronle nombre «Johán», en concordia, *nemine discrepante*. E la dignidad papal non le pudo los apetitos naturales [estinguir], así que de un su cubiculario el santo padre se ovo de empreñar (144)[372].

---

372 Nótese el guiño humorístico de la última frase; todo viene a cuento de explicar por qué razón el papa no pasa entre el Coliseo y San Clemente, ya que esta papisa, al ir a San Juan de Letrán, parirá en ese preciso sitio. Se contrahace, por tanto, el modelo de la «doncella sabidora».

Las otras noticias que se incorporan a este título son ya más prácticas, atenidas a los oficios y signos litúrgicos, dedicada especial atención a las partes de la misa.

El título séptimo conecta con este último punto, puesto que se refiere a la celebración de diversas fiestas y a los motivos por los que se fijaron las más importantes, como Pentecostés, la Ascensión o el Corpus.

El título octavo da acogida a los distintos mártires de los que ha quedado noticia en cada una de las leyes, asunto que se presenta con la debida unción:

> Toda firviente en caridat, humilde e devota allega agora en este punto la Partícula Octava, larga materia consigo trayendo; salvo que la non sabrá bien razonar, porque si esplicar toda lo oviese, muncho sería prolixa sin medida, contra la costumbre de las otras. E por eso, valbuçiendo e titubando dirá breve algo de lo que le pertenesçe, deseando apropincar al fin (169).

Sobre esta materia hagiográfica, amén de la selección practicada, el autor se preocupa por articular modos concretos de recepción de la misma, ya imaginando las palabras que estos mártires pronunciarían en el momento del suplicio, caso de la «fija de Gepte», ya suprimiendo algunos relatos por la truculencia de los mismos, como ocurre con la «muger del levita». También pertenece a este título la exposición referida a las distintas órdenes religiosas, deteniéndose en los predicadores, minoritas y santiaguistas.

El título noveno se consagra a los inventores de los altares y de los templos, para concluir el tratado con un apartado referido a la penitencia, como soporte de la salvación del alma; de nuevo se anticipa el respeto por la materia que se va a presentar:

> En el piélago profundo que caresçe de suelo de la materia que esta Partícula Déçima e última trahe, reçelando entrar por los defectos susodichos, convenirme ha de contentar de andar por las orillas, que sólo basta para el efecto de mi propósito (191).

Revela, ahora, la conciencia organizativa con que ha construido este segundo libro, iniciado con el pecado original y terminado con el más importante de los sacramentos.

Un epílogo desglosa los autores de que se ha ido sirviendo Alfonso de Toledo para la formación de la miscelánea:

> Assí he dado fin, discretíssimo señor, a esta mi muy mal ordenada e aças de poco provecho obra, comoquiera que sea tal, aças me ha fecho suar antes de la aver acabado. E d'esto non se deve Vuestra Señoría maravillar, ca mucho distrato de las materias semejantes, ove de investigar muchos actores de quien algunos filos tomase para ordir esta tela (195).

El epígrafe es importante porque descubre el proceso de lectura que podía aplicarse a una obra de estas características, intentando completar las referencias sugeridas por el autor, o glosando algunos de los ejemplares de la transmisión; tal circunstancia la había previsto ya el autor y prefiere, por ello, ofrecer él mismo estos datos debidamente anotados:

> E porque los lectores conosçiesen que de todo lo que es dicho de mío non he dicho cossa, non para Vuestra Prudençia nin de los señores letrados que sin cotaçiones ligeramente podríades conosçer las abctoridades aquí insertas, quién las dize e de dónde se dizen, pero para los non tan letrados las cotaçiones de los testos, así del Viejo Testamento como del Nuevo como de los Decretos e Decretales e leyes acordé de poner en los márgenes (íd.)[373].

Porque se trataba, sobre todo, de que este copioso compendio de saberes pudiera resultar útil para los receptores más variados, aunque Alfonso de Toledo sabía que el *Invencionario* iba a ser consultado por letrados a quienes importaría no sólo la referencia que él había logrado capturar con sus pesquisas, sino el origen real de esas noticias y la ortodoxia de las mismas[374].

---

373 Aunque como indica Gericke, también, en nota: «None of the surviving MSS. carries marginal notes on sources in a systematic way. MSS. A is well annotated, but within the text itself», 242.

374 Apunta J.C. Conde en la reseña a Gericke: «Esta manifestación de conciencia de autor no es comentada por Gericke, que no analiza este interesante capítulo final (...), repertorio bio-bibliográfico —no conozco parangón en la Castilla medieval— de todos los *auctores* utilizados en la redacción de la obra, digno sin duda de amplia indagación», pág. 206.

11.5.2.3: Las técnicas del discurso enciclopédico

El *Invencionario,* sin embargo, no es un simple centón de datos, porque el autor valora las noticias que incluye y critica algunas de las opiniones que recoge; por poner un caso, en I.i.3 se hace eco de la «qüestión» movida por Bartolo acerca de la excelencia de la escritura hebrea, debido a que el principio de todo movimiento exige ir de derecha a izquierda, para desmontar, con rigor escolástico, esta opinión:

> A lo cual el dicho doctor respondiendo, confiessa el argumento pero niega la menor; ca dize que la cosa más razonable se deve entender por respecto del fin a que es ordenada, e tal fin se dize: «Prinçipio del entendimiento operante», lo cual prueva non solamente por Natura mas aun por leyes çeviles. E como el fin de la escriptura es para que se lea, e el leer es con los ojos acatar, e todo veer es padesçer segunt los filósofos, la escriptura a nuestros ojos presentada faze en nuestros ojos, e ellos padesçen; lo cual es claro, pues que d'ello resçiben daño (25-26).

Es frecuente este tratamiento de «qüestiones» que ayuda a pesquirir el saber, como ocurre con las causas que mueven a los hombres a elegir rey[375].

La brevedad actúa como principio de la «especulación» con que se compone el tratado, tal y como se reconoce en el fin del proemio:

> E cada una partícula o título dividiré en çiertos capítulos segunt la calidad e cantidad de la materia lo requerirá, todavía protestando que me quiero conformar con los modernos que se pagan de brevedat (21).

Siendo esto así, las pocas amplificaciones vienen exigidas por el desarrollo de la materia, descubriendo el proceso compilatorio a que Alfonso de Toledo se aplica, como ocurre en I.ii.1:

---

375 «E a la dubda d'esta qüistión pudo dar causa las cosas que Samuel dizía al pueblo judaico cuando pedían rey», 28.

> Pero porque muchos señorearon gentes sin título de rey, e d'estos e de los reyes ovo muchos tiranos, conviene en esta segunda partícula declarar algo de algunos d'ellos, a lo menos de los primeros, lo cual en esta muy breve obra es [mi] prinçipal especulaçión (29).

La *brevitas* se explicita en numerosas fórmulas que la convierten en objetivo prioritario del discurso[376], hasta el punto de fijar límites para el proceso de búsqueda de datos de cada una de las materias elegidas[377], acuciado además por esa conciencia crítica que en el prólogo determinara:

> D'esta materia me despido, comoquier que más larga es, por seguir mi prinçipal propósito de querer seguir breviedat, amiga de los modernos, sólo diré el capítulo subsecuente (48).

Esas técnicas de construcción del discurso enciclopédico requieren «enxerir istorias» (id.)[378], discernir la verdad de los datos transmitidos por la tradición[379], seleccionar el contenido más importante[380], aclarar nociones difíciles de campos específicos como el jurídico al que pertenece el propio autor[381] y, sobre todo, proveer un amplio abanico de recursos intelectivos que permitan servirse de esos conocimientos revelados: relaciones lógicas[382], interrogaciones referidas a la materia expuesta[383],

---

[376] Así, a final de I.iv.6: «e d'estas tres fortalezas dezir la presente brevedat deve ser contenta», 41.

[377] «Muy lata sería esta materia si la explicar oviesse, e assí salliría de mi principal intento: por lo cual cesso», 43.

[378] Pero no siempre, puesto que algunas se omiten, eso sí con pesar, como la relativa al litigio movido por los viejos jueces contra Susana: «Aças es istoria graçiosa e aquí bien paresçiera, pero abaste la remisión», 36. Para más noticias «enxeridas»: I.iv.2.

[379] «E por esto algunos quisieron afirmar que el regno de Assiria començase en Nino, pero esto es verdad cuanto al ensanchamiento del regno...», 30.

[380] «E dexando los iniçios e términos de los otros regnos por [gracia de] brevedat, solo del reino de los latinos, por ser más famoso, diré cualquier cosa», 31.

[381] «De los inventores del derecho çevil en alguna manera he diserido; justo reputé de los inventores del derecho canónico en alguna manera diserir», 33.

[382] «Aças poco nos aprovecharía saber las leyes e derechos si non sopiésemos la horden e plática del juiziar», 35.

[383] «Pues ¿qué nescesario fue a Caím fundar çibdad? Ca por dos cosas era nesçesario: munchedunbre de ombres una, que sin muchos ombres non se puede edificar çibdad: la otra, que si muchedumbre de ombres non avía, superfluidad era [fundar] çibdad sin aver para ella pobladores», 37.

objeciones de diverso tipo[384], argumentos con que justifica el desarrollo de ideas[385].

El compilador es consciente de las dificultades que presupone ordenar materiales tan complejos y se disculpa en ocasiones por las referencias que aporta[386], pero que, siempre, provienen de autores —el «otros dizen»— y de una búsqueda exhaustiva por documentos[387] o por etimologías[388]. A pesar de ello, Alfonso de Toledo es consciente de estar armando un nuevo texto, cuya viva realidad, en cuanto organismo que crece y sigue un desarrollo propio, se transmite a los receptores, sobre todo en el cambio de Títulos, como sucede en I.v:

> Ya es razón de dar fin a la Cuarta Partícula porque la Quinta nos aquexa, queriendo mostrar lo que contiene. E pues que precedieron los títulos supraescritos, que fazen mençión de las causas por que fue nesçesario los ombres ayuntarse en uno para usar de los remedios para sacar las discordias de entre ellos, dezir conviene en esta Quinta Partícula del santo excelente sacramento del Matrimonio, que para la paçífica bivienda de las gentes mucho nesçesario fue (43).

A partir de este punto, cada uno de los títulos, por mor también de variedad argumentativa o de pluralidad de registros expresivos, será presentado con esta suerte de recursos alegóricos, que implican un recorrido por el dominio del saber[389] y, a la vez, sirven para pre-

---

384 Que permiten la incorporación de nuevos elementos: «De aquí nasçe una objeçión que tal es (...) Pues ¿cómo puede este Dédalo ser inventor de paredes e tejados, como dicho es? La cual oposiçión non veo cómo se puede soltar», I.iv.7, 41-42.

385 «Pues que los ombres para bever el vino usan vasos de vidrio, paresçióme que cahe bien en este paso dezir de la invençión del vidrio segunt que lo fallé», 52.

386 Sobre todo, cuando su pesquisa no le ha permitido descubrir la verdad: «Esto digo porque si alguno fallare contrario de lo que aquí esplanare, que non me culpe; ca sinplemente trasladé lo que fallé escripto», 38.

387 «La segunda fortaleza leo que fue Sión (...) La tercera fortaleza que leo que fue famosa...», 41.

388 Un nuevo caso: «La cual çibdad después señorearon los jebuseos e le añadieron su nombre al que tenía primero, llamándola "Jebusalem", después el vulgo mudó la "b" en "r" e llamóla "Jherusalem". El rey Salamón la llamó Jerosolima; después de la muerte del Salvador el enperador Elio Adriano llamóla de su nombre "Elia Adriana"», pág. 39.

389 «E ya está llamando a la puerta la Sexta Partícula, queriendo reserar su materia, e pues justo pide, cosa razonable es que sea oída», 49; «Muy festinosa viene la Séptima Partícula a nos demostrar e explicar su materia, en la cual prometí tractar de los inventores de las cosas al vestir de la carne humana pertenesçientes», 57.

sentar, como rápida síntesis, el contenido de la materia a que se accede[390].

Son necesarias estas reflexiones para lograr anudar aspectos tan variados como los que se están ordenando; ello es aún más ineludible si se abren materias que pertenecen al campo del derecho canónico, como sucede en este título; pero es de admirar esa sostenida voluntad de establecer vínculos entre núcleos de contenido muy diversos; así, al hablar del matrimonio y de los signos con que se afirma esta ceremonia señala:

> E porque segunt los Decretos el anillo es señal de amor, e porque el coraçón por estar interior non se puede atar, atamos el dicho dedo con el anillo e por consiguiente la vena fasta el coraçón. E porque del anillo fago mençión, justo repucté notar quién fue el inventor del anillo e por qué los antiguos lo acostumbraron traher; e después será el postrimero capítulo d'esta partícula (45).

Obligado estaba a la digresión, porque antes había tratado de las bendiciones, de la bigamia, del incesto o del tálamo. Este inciso sobre el anillo implica una rápida exégesis sobre la figura de Prometeo, el inventor de este objeto:

> Este Promotheo fue tan sabio que se lee d'él que fazía ombres, esto es porque a los ombres rudos fazía sabios; e aun de fecho fazía imágenes de barro e por arte çierta les fazía andar (48).

En ocasiones, se ha procedido a una investigación que se pretende meticulosa, como la referida a las vestiduras de Jesucristo:

> Sola una cosa investigar querría e d'ella poder alcançar la verdad: ésta es si aquellas sayas que nuestro Señor fizo para los primeros padres, como es dicho, si tenían brahones, ca si los tenían grande fue la negligençia de los sastres que non siguieron aquel tajo fasta estos nuestros tiempos, e si no los tenían, muy grande fue su locura e atrevimiento en querer enmendar a Dios, que fue el primero de los sastres, como es provado (57).

---

[390] Así, el título VIII se dedica a las armas: «Soberviosamente e non menos poderosa viene la Partícula Octava a demostrar su intento, muncho quexosa porque tanto tardo, la cual dispone tractar de las invençiones de las armas que fueron inventadas para protecçión e defensa del ombre», 59.

O ha habido noticias que proceden de disputas a las que el autor ha asistido, como ocurre con la «qüistión» dedicada a dilucidar si se inventaron antes las tenazas o el martillo[391].

Como se comprueba, entre tanta digresión, hay sitio para las enseñanzas morales que vinculan el tratado a ese orden religioso para el que fue pensado; tal sucede cuando se habla de los modos de cocinar y de sus instrumentos, inventados por un tal Apicio que acometió sin tasa esta pesquisa:

> E desque se vido pobre, muerte voluntaria padesçió, esto es, qu'él mismo se mató. Aças es enxemplo para los glotones que a la gula inordenada dan lugar, que non solamente sus bienes mas aun los cuerpos e las ánimas pierden, segunt que a aqueste desventurado de Apiçio conteçió (55).

Las reflexiones de este carácter preparan al receptor para acceder al contenido del segundo libro, en el que todo este orden de conocimiento terrenal se va a resolver en afirmación religiosa, articulada con similares mecanismos conceptuales para propiciar su aprendizaje.

En resumen, no sólo Carrillo se empeñó en ordenar las relaciones históricas de su tiempo, sino que, al parecer, auspició —o acogió— tratados que intentaban definir esa realidad mundanal y ajustarla a los sentidos últimos por que había sido creada.

11.5.3: *Los prólogos en prosa de Pero Guillén de Segovia*

Al margen de los *Hechos* del arzobispo Carrillo (§ 11.3.2), se conservan varios prólogos en prosa de Pero Guillén de Segovia, vinculados a las actividades letradas que se promoverían en torno a la figura del mitrado toledano; se trata de piezas de presentación de diferentes obras poéticas; son valiosas no sólo para seguir la asendereada trayectoria de este más que posible converso, caído en desgracia tras la muerte de don Álvaro de Luna (revísese § 11.3.2.1, págs. 3580-3582), sino para determinar las claves de exégesis del discurso metrificado, ya porque se precisan las autoridades de que se ha servido para la composi-

---

391 «Esta qüistión muncho vulgar muchas vezes la oí mover e nunca soltar, nin por escriptura alguna fallé la solución d'ella, pero después que leí el modo de cómo Tubalcaím inventó los metales, paresçe la qüistión aças ligera de soltar», 61.

ción que presentan, ya porque se proponen sentidos concretos que deben ser advertidos en la lectura de cada uno de esos textos. Cuatro de estos proemios los dirige a su protector, uno lo destina a Gómez Manrique y otros dos a «amigos» cuyo nombre calla; su relación con Carrillo se puede reconstruir con estos preámbulos, desde el momento en que un religioso observante le sugiere que solicite su protección, hasta el arco de fechas en que comienza a gestar los registros biográficos que le va a dedicar, tanto en verso como en prosa; con los otros interlocutores, intercambia pareceres sobre temas religiosos o filosóficos que se estarían debatiendo en estos ámbitos de producción letrada, aprovechando moldes genéricos como la epístola o el debate, o requiriendo el orden de la ficción alegórica para enmarcar las ideas que quiere poner en juego[392].

11.5.3.1: Las «suplicaciones» a Carrillo

El curso temporal de la «caída de su estado» (289) enmarca la primera «suplicación» que dirige al arzobispo para que le acoja bajo su protección[393]; este prefacio puede fecharse en torno a 1462-1463; en él, insta al mitrado a actuar con caridad, aduciendo pasajes de Séneca. Guillén de Segovia se muestra tan «constreñido» por la necesidad que, por fuerza, ha tenido que «ir contra las leyes de la razón» para escapar del infortunio de la pobreza presente tras haber conocido la prosperidad en su juventud, un argumento que hilvana con la imagen de la diosa o señora «que trabucando su rueda faze de los baxos altos y por el contrario de los altos baxos» (290); considera su caso de tal gravedad, que bien hubiera merecido ingresar en el *Libro de caídas* de «Juan Vocaçio»:

> ...ca yo (...) ha diez años que escrivo escrituras agenas e la malvada fortuna non contenta de aquesto, por me más apremiar, quitóme la mayor parte de la vista, de guisa que ya por defeto de aquélla non fago mi obra como devía, así que aun aquello que del tal trabajo avía me quitó, lo cual con poca paçiencia mirado, ya no tanto en respeto mío, como de los fijos menudos y cargo de casa a quien valer no puedo, me sojuzgaron pensamientos más çercanos a desesperaçión que al católico propósito... (íd.).

---

[392] El conjunto de estos textos liminares ha sido editado por C. Moreno Hernández en su *Obra poética*, Madrid, F.U.E., 1989, por donde se cita.

[393] Dutton 1739 P 1740; ed. C. Moreno, § 26, págs. 289-291.

P. Guillén pretende despertar compasión en el arzobispo describiendo estas duras circunstancias personales y familiares, tan extremas que le han arrastrado a esa imaginación del suicidio, de la que sólo ha podido librarse porque Dios ha dirigido sus «intelectuales ojos» hacia la figura del posible protector que podía ser Carrillo.

Estos exordios de poemas alegóricos funcionan, entonces, como marcos narrativos que dotan al poeta de cualidades y de vicisitudes, que le permiten ajustar las imágenes poéticas al «yo real» de su persona; la vertiente de la consolación contribuye a este juego de sentidos; P. Guillén es amonestado por un religioso ante la idea tan peregrina de quitarse la vida; es este confesor el que le ofrece la «esperanza» a la que se ha aferrado:

> Primero, celando representar a Vuestra Señoría una materia tanto meritoria en que podiese exerçer y continuar el santo y virtuoso propósito; segundo, por dar tienpo de justa esperança a mi desmoderado pensamiento, no dexándolo correr por vereda de perdiçión, con una letra suya a vuestra manífica persona me remitió (íd.).

Tal es el objetivo de la «poesía» compuesta para acompañar a esta misiva: una visión alegórica en la que el poeta, trasladado al monte Parnaso, sostiene un debate con la Filosofía, que le aconseja acudir al piadoso y caritativo arzobispo de Toledo para que solucione sus males. El prólogo en prosa debía concretar, en suma, las circunstancias de esa petición.

No parece, con todo, que Carrillo se interesara mucho por esta súplica, de donde la segunda que le envía al poco, envuelta, ahora, con referencias al estoicismo, para mostrar el modo en que ha sabido afrontar los infortunios y desventuras que le afligen, siendo una de ellas el poco caso prestado al primer escrito que le mandara, «siguiendo la orden d'aquel religioso observante», con el que se había confesado[394]. Y eso que P. Guillén deja constancia de la consolación que, por medio de las lecturas, ha logrado aplicar a su desastrado caso, pero sin poder evitar que «la sensualidad pungida» ponga delante de él las tentaciones de «tornar a lo primero», es decir, al riesgo de quitarse la vida. Sólo por ello, vuelve de nuevo sus ojos al arzobispo:

---

[394] Dutton 2926 P 2927; ed. C. Moreno, § 27, págs. 306-308.

> Por tanto, serenísimo señor, pues la pobreza es muerte cebil y d'esta enfermedad aquella principal virtud teológica, vos constituyó tan natural físico cuanto la obra y fama en las vecinas y estrañas partes pregona Vuestra Señoría, mande dar orden como yo viva en mayor gloria y fama vuestra, y que sea yo un continuo miradero en quien verse pueda vuestra virtud y dignidad de perpetuo nombre (307).

Frente al primer prefacio, este segundo es más directo, al prescindir del entramado narrativo con que en el otro dibujaba la condición de poeta abatido por la fortuna. Prefiere ahora mostrar sus «trabajadas canas» para que Carrillo lo guíe por la «vereda de salbación» (308)[395].

La tercera «suplicación» abandona el tono personal para convertirse en una pieza de pensamiento político, en la que Guillén abogará por la paz y el sosiego, en unos momentos de gran turbación, que pueden situarse en torno a los acontecimientos que apartan a Carrillo de la obediencia a Enrique IV, inclinándolo a favorecer la causa del pretendiente don Alfonso[396]; tales pueden ser las circunstancias señaladas al apuntar que el arzobispo «ha querido exercer e continuar aquella ciencia que se llama de la república» (327) en tiempos tan difíciles; P. Guillén se encuentra ya a su servicio y comparece ante él para presentarle este poema, lleno de «amonestaciones de virtud», en el que el mitrado comparece como seguro protector del reino, instándole a servirse antes de la justicia eclesial que de la fuerza de las armas[397]; recuerda los muchos males que las guerras causan y cómo sólo han de ser movidas aquellas que «la divinal justicia» requiere; de hecho, tanta argumentación moral no pretende más que justificar la intervención militar que está a punto de acometer Carrillo, sin que se pueda saber a cuál, de las muchas acciones que protagonizara, puede referirse:

---

[395] Esta «segunda suplicación» presenta el poema «Las sombras impiden Leandro ser visto», sometido a minuciosa exégesis por Juan Rodríguez del Padrón, tras la Epístola XXIX del *Bursario:* ver § 10.7.4.3.2.2., págs. 3277-3279.

[396] Dutton 2924 P 2925; ed. C. Moreno, § 28, págs. 327-329.

[397] «Así por vuestras heroicas virtudes como por la dinidad y grand perlacía y jurisdición eclesiástica so cuyas leyes non se falla poder correr el cuchillo de la temporal justicia, mas corregir y castigar por piadosas exortaciones, no fuyendo de aquella regla que la canónica dotrina permite contra aquellos que non temerosos del bien infinito qu'es Dios, ocupan las preeminencias et imunidades de la Iglesia, de la cual solo y protector Vuestra Señoría se falla», 328.

> Pero pues d'esta virtud guarnescido y dotado en los tiempos de nescesidad y fortuna contraria que agora corre, ya non hay otro remedio a que podamos volber nuestro pensamiento nin a quien supliquemos que nos restituya en libertad y procure la verdadera salud, después de Dios, si non a Vuestra Señoría (íd.).

Con todo, le pide que actúe guiado más por la prudencia que por el atrevimiento, «más por arte que por ventura» (329).

Tras estas tres «suplicaciones», y ya en clara conexión con los *Hechos* con que pretendía amparar su ambicioso rimario (§ 11.3.2), la cuarta pieza prologal que dedica a Carrillo sirve de presentación al poema «Oíd maravillas del siglo presente» (ver pág. 3584-3585, n. 168)[398]; el proemio conserva una de las imágenes más claras del ámbito letrado que presidiría Carrillo y testimonia el conocimiento teórico que de la «poesía» había alcanzado Guillén de Segovia; de nuevo, un rastro de alusiones biográficas muestra a este autor sometido, ahora, al penoso oficio a que el arzobispo le había destinado y, casi por esa circunstancia, alejado de la actividad poética; vuelve, sin embargo, a la misma, obligado por los insidiosos ataques que contra él se habían vertido en una discusión literaria mantenida frente a su protector:

> Como a mi noticia viniese, muy reberendo y magnífico señor, en una fabla que de la poesía se obo en presencia de Vuestra Señoría, yo haber sido increpado del ocio por algunas personas, diciendo haberme entregado a él después que en vuestra muy magnífica [casa] y serbicio fui recebido... (345).

Por supuesto, la situación es la contraria, como demostrará al final de este proemio: no sólo no está «ocioso» por las muchas obligaciones a que vive sujeto[399], sino que su conocimiento de la filosofía le hubiera bastado para apartarse de un «ocio» entendido, con Séneca, como «pena del onbre diligente», y ése no era su caso, dado el dominio de las artes liberales que había alcanzado a lo largo de su vida y que aquí enumera como medio de protegerse contra las calumnias y como soporte del nuevo esfuerzo creador que se ve obligado a asumir para acallar

---

[398] Dutton 2928 P 2929; ed. C. Moreno, § 29, págs. 345-349.

[399] Así, se queja de «la grand ocupación y congoja en que continuo me ponen las grandes negociaciones y trabajos que resultan d'este cargoso oficio de que Vuestra Señoría me dio cargo», 348.

esas habladurías. Son varios, como se comprueba, los tópicos que se entreveran en este nuevo marco narrativo, en el que Guillén se ve instigado a coger la pluma para hacer frente a un grupo de encizañadores que se había atrevido a burlarse de un ingenio que daban por agotado. Debe, de todos modos, atenderse a esa valiosa imagen de la «fabla» sobre la poesía y su utilidad para comprender el modo en que se desarrollarían estas discusiones cortesanas sobre asuntos letrados.

Guillén de Segovia justifica, entonces, el proceso de composición poética que emprende: quiere demostrar que aún puede construir poemas como los que le habían dado fama en otros contextos literarios[400] y, a la vez, quiere servir a Carrillo, convirtiendo sus principales hazañas en materia de una alegórica incursión por el dominio de un saber, propiciado por el celo y la vigilancia con que el arzobispo se había conducido en el pasado. Ya en el prólogo asoma el marco de la alegoría, puesto que el poeta, «vencido del natural sueño», es llevado al pie de un gran monte, en donde se le representan «los efectos de todas las ciencias y artes que se dicen liberales»; por ellas, puede vislumbrar las imágenes de los claros varones del pasado y los hechos memorables del presente, así como atisbar los casos desastrados de los que se han desviado de la carrera de salvación; en ese proceso de referencias, sitúa Guillén el largo poema que dedica a su valedor:

> Ordené lo siguiente, en lo cual quise tratar d'esa que dixe filosofía y de sus partes, y tanbién de sus influencias de los planetas y astros y memorar los grandes y señalados fechos de algunos de los pasados y presentes, con presupuesto y voluntad que las muy notables y claras fazañas celebradas por vuestro muy alto y no vencido corazón no quedasen anegadas ni sumergidas so las ondas de la letea fuente por defecto de autores (347).

Éste es, por tanto, el impulso inicial del registro de hechos que P. Guillén va a dedicar a Carrillo, porque este poema histórico debe considerarse germen del otro largo proemio que pondrá al frente de su libro de consonantes, posibilitando un engarce muy parecido al que

[400] Considerando su edad poco conveniente para tales empresas, como hiciera don Íñigo en el proemio que le enviara al condestable don Pedro (§ 10.4.2.1.2.1): «y por eso propuse ordenar la siguiente indota obra con la cual, aunque no satisfaga el deseo de mis increpantes, por lo menos satisfaré a que con cabsa cese su increpación, pues me tornaron a ocupar en lo que ya por antigua edad era o debía ser relevado», 346.

aquí presenta entre biografía cronística y reflexión poética, recordando que la fama de Grecia se debió no sólo a «sus famosos y gloriosos fechos», sino a los «instrutos y diligentes autores que en muy elevado estilo» (348) los perpetuaron. No pretende tanto Guillén, pues se conforma con callar a los vituperadores que se habían burlado de él y a iluminar, con el ejemplo de Carrillo, el camino de la virtud:

> No piense Vuestra Señoría que esta mi indota obra sólo serbirá a la relación de vuestras virtuosas fazañas, mas tanbién serbirá a la exortación y amonestación de aquellos que redrados del virtuoso y político vivir han querido seguir contrario camino; así, de un propósito salen dos efectos, que son galardonar la virtud con su debido premio y tachar y reprehender los vicios con aquel denuesto que les es atribuido, y estos amos son mienbros de la justicia (íd.).

De ahí, el empeño con que Guillén de Segovia intenta vincular al mitrado en la reconstrucción de un ámbito de cortesía en que tenga cabida el ejercicio poético y el conocimiento que el cultivo y la audición de la poesía propician; por ello, le entregará el rimario, considerándolo garante de la armonía que ha de permitir el desarrollo de unas ideas que quedan, aquí, también esbozadas con este perfil que el autor se aplica a sí mismo aludiendo a su primera etapa de creación literaria:

> ...había pregonado algo por mío de aquesa ciencia et que se maravillaban d'esto por ser ésta tanto dulce et aplacible a los sentidos, que comenzada a gustar non se dexa expedir de la mente, mas siempre acompaña aquel dulzor a los sesos que la comunican mayormente, cuando de aquélla resultan algunos efectos coadjutorios al bueno, lícito y onesto vivir, tratando de materias conformes a la virtud (345).

Resumía, de este modo, la «fabla» antes mencionada, pero demostraba, a la vez, la capacidad de que estaba investido para acometer esta empresa de fijar métricamente los hechos de la vida de su protector.

Este mismo orden de ideas aparece en una «Respuesta» a una epístola versificada que Gómez Manrique enviara a Diego Arias[401], al declarar los mismos beneficios producidos por la poesía, la principal de las actividades a que debe consagrarse el ocio:

---

[401] Dutton 1707 R 0094; ed. C. Moreno, § 11, págs. 144-145.

> ...senbrando e plantando verger de buenas dotrinas e reglas e morales enxenplos de que non es duda los letores algo conprenderán que les aproveche, ca según introduze Séneca en el tratado que hizo intitulado *De las artes liverales*, el dulçor de la metrificada habla sigue un respeto con el son del dulçe istrumento que después que çesa aconpaña al ome por algund espaçio (145).

Parece claro que el ámbito letrado que no logra afirmar el rey en su corte, sí que se construye, con propósitos políticos y morales, en torno a las figuras más emblemáticas que se están oponiendo a su autoridad. Extraña, por ello, que Guillén contraviniera, poéticamente, la *Esclamaçión* de Gómez Manrique (§ 11.5.5.1), alineándose en el bando de los defensores del rey; estas posturas ambiguas le tienen que valer el desafecto de Carrillo.

11.5.3.2: Las quejas a dos «amigos»

El poder de la Fortuna sobre los mortales es el asunto del primero de los proemios en el que demanda «consejo a un su amigo sobre su vida» (133)[402], enhebrando datos biográficos con lecturas diversas, de las que destacan Boecio, Séneca y Aristóteles; en realidad, el escrito no persigue otro fin que el de comunicar a ese especial destinatario las extremas necesidades que padece, justo en el momento en que, por servir al arzobispo, podía suponer solucionadas muchas de las carencias sufridas en los diez años anteriores; apunta Guillén a esa data de 1463 en que entró al servicio de don Alfonso con una referencia ajustada a la desgracia en que había caído tras la muerte de don Álvaro de Luna en 1453[403], para recordar los cuatro años a su lado pasados y el escaso fruto que había obtenido por sus muchos desvelos:

> Dirás tú: «Dime, ¿qué te mueve a escribir esas abtoridades?». Yo te lo diré. Yo serbí cuatro años en esta casa, que por ser grande, tiene tantos y tales escondrijos et rincones en que lo bueno para no

[402] Dutton 2930 P 2931; ed. C. Moreno, § 10, págs. 133-137.

[403] Así indica: «cuando por industria me levanté del suelo donde ya los menudos del pueblo me refollaban poniéndome a las lanzas de todos et mostrando a la maldad algo que mordiese, donde procuré la vivienda d'esta muy magnífica casa como sabes, y como quiera que mis grandes infortunios en la bolante fama de la grand magnificencia d'este señor me pusieron en el camino...», 135.

ser remunerado y lo no tal para carescer de punición se puede bien esconder; serbicio por cierto bueno, así en acrecentar sus rentas, por lícitas y honestas cabsas, como en destruir y anular algunas no buenas costumbres que en ella, ya por antigüedad, se iban convirtiendo en natura; et como quiera que recibí muchas y grandes mercedes, hechando la cuenta de aquéllas, comigo fallo que todo mi serbicio fue por comer (...) dígolo porque vine sin debdas, salgo con ellas (136).

P. Guillén tiene que estar dirigiéndose a un «amigo» de quien espera, cuando menos, que interceda ante Carrillo para ponerle al tanto no sólo de las penosas condiciones de subsistencia en que él se hallaba, sino de los muchos afanes con que había combatido los endémicos males de la casa arzobispal; recuérdese que Guillén de Segovia había sido nombrado contador por don Alfonso y, a tenor de estas consideraciones pesimistas, no parece que lograra prosperar gran cosa ni en su oficio ni en su personal estima. Sobre esta paradójica situación reflexiona; la fortuna le había dado esperanzas de ensanchar sus «términos», pero ahora la ve detenida dudando, y no cree justa la exigua paga recibida por sus muchos trabajos:

Et pues que esta vida nos es dada con esperanza de muerte, et el fin d'ella es caher, grand yerro sería vevir siempre en nescesidad, pues non hay cabsa que a ello apremie, mayormente a los tales como yo, que ya por antigüedad estamos acerca de nuestra corrupción (137).

Todas las imágenes que convoca P. Guillén están calculadas para mover a su receptor a intervenir en su favor, aunque parezca, claro es, que ésa no es su finalidad, sino sencillamente comunicar con él, «como a amigo, todo lo oculto de corazón» (íd.). De ahí que el propio autor comprenda que tanta alabanza de sí mismo podía resultar enojosa; por esa razón, desde el comienzo de este proemio epistolar, tiende a predisponer a su favor a este «su amigo» en el que ve a un posible protector; habla, así, de su «pelegrinación y destierro», de haber experimentado muchas veces los «doblados rostros de la ciega deidad», tanto como para pretender «retener el rebolvimiento de la subolviente rueda»; pero reconoce enseguida la imposibilidad de tal empeño, no sólo por resultar imposible huir de la fortuna, sino porque él mismo la había tomado «por señora»; incluso, para que su interlocutor le pueda aconsejar sobre las difíciles circunstancias en que se debate, va a reconstruir ante él la disputa mantenida en su interior por «la recta razón» con «el apetito y sensualidad»; es una frágil estructura literaria, limitada a la intervención consecutiva de estas dos figuras que, en estilo directo, le prestan argumentos para que se entregue a una u otra forma de pasar su vida; la «sensualidad» le exhorta, en un curioso *carpe diem,* a disfrutar de las circunstancias favorables que la fortuna le presente[404], mientras que la «recta razón» lo desengaña, denunciando las mentiras con que el apetito se apodera de los hombres, instándole a usar de sus potencias racionales:

> «Sube en la cumbre de tu entendimiento et mira los sacramentos de Dios en las honras de las ánimas, aspirando al galardón de la justicia. Quéxaste de la fortuna contraria et deseas la próspera, no mirando que la una miente et la otra dice verdad, la una engaña et la otra enseña, la una es deleznante, no sabia de sí mesma, la otra tempera apercebida, prudente en el uso de la necesidad» (134-135).

Esta dimensión consolatoria a que conduce el escrito, y que acuerda con el tejido de citas y autoridades morales del poema presentado, ha de entenderse también como pretendida por Guillén de Segovia, a fin de hacerse merecedor a la «embaxada» (137), no sólo metafórica, que espera que el «amigo» haga por él. Con todo, lo que importa es demostrar el modo en que P. Guillén logra superponer registros estilísticos, planos temáticos y modelos genéricos muy diversos para construir una presentación rica y plural que, por sí misma, atrajera la estima y atención que para él requería.

Por ello, al converso que debía ser Guillén de Segovia, a pesar de la protección que le brindaba Carrillo, le interesaba dar cuenta de su sinceridad religiosa, de donde los *Salmos penitenciales*[405], presentada a través de una labor poética que había de servir para atraer «a los rústicos e inçientes» (259) a ese conocimiento devocional; tal indica en «un prólogo en prosa fingiendo que fabla con un amigo», ante el que se previene de posibles críticas:

---

[404] Así concluye su razonamiento: «"Brebe y enojoso es el tiempo de nuestra vida et non hay refrigerio en la fin del ombre, pues apresúrate tomando nueba esperanza de vivir, ca de fuerza, segund el Filósofo, para vivir el medio has de pasar a los estremos"», 134.

[405] Que como recuerda C. Moreno «es la obra más conocida de Guillén, por ser la única suya que se imprimió», pág. 82. Dutton, 1711 P 1712; ed. C. Moreno, § 25, 259-260.

> E por me reservar de la tu a mí tanto agradable correçión, en tal caso la torpe diestra mía de mi liçencia conçibió ronper el silençio a la pluma temerosa revelándote, en prosa, el movedor fin mío en dos diferençias plantado (íd.).

Por una parte, quiere mostrar penitencia de sus propios pecados, por otra, servir a otros receptores como cauce de declaración de este contenido que no duda en señalar inspirado por «una soave voz angelical» (íd.).

El conjunto de estos prólogos, por tanto, no sólo sirve para apreciar las diferentes actitudes de Guillén de Segovia hacia la poesía y medir sus conocimientos prácticos y teóricos, sino que posibilita la reconstrucción del ámbito letrado que el arzobispo Carrillo reuniera en torno a su figura, como medio de prestigiar su figura y de justificar sus continuas intervenciones en la política del reino. Su «contador» las aplaude incondicionalmente, aunque no pueda dejar de quejarse por las penurias padecidas.

11.5.4: *Los tratados en prosa del «Cancionero de Juan Fernández de Híjar»*

A mediados del siglo XVI termina de completarse la heterogénea trama de textos que integra el *Cancionero de Juan Fernández de Híjar* (MN2, BN Madrid 2882)[406], noble aragonés, fallecido en 1487, vinculado a afanes humanísticos[407]; apenas se conserva producción de él, aunque sí, y es de suponerlo, el impulso de formación de este códice que sus familiares acabaron de armar un siglo después. Azáceta distinguió cinco fases en la construcción del compendio, siendo las más importantes las dos primeras, con el punto de partida en *A* del *Tratado de vicios y virtudes* de F. Pérez de Guzmán, hoy acéfalo (A: 1*r*-156*v*), complementado, ya antes de terminar esa copia, con materiales de PN5 (BN París

[406] Editado por José María de Azáceta, Madrid, CSIC, 1966, 2 vols. La configuración del *Cancionero* ha sido estudiada por V. Beltrán, «Juan Fernández de Híjar y los cancioneros por adición», *RPh*, 50 (1996), págs. 1-19, con datos que amplía en «Copistas y cancioneros», *Edición y anotación de textos*, I, págs. 17-40.

[407] Era considerado por Gómez Manrique como «orador muy singular», ver pág. xxii, n. 9.

Esp. 227) y RC1 (Bibl. Casanatense de Roma, 1098)[408], con los que se forma *B* (fols. 157*r*-270*v*); en esta segunda sección intervienen varios copistas y la poesía se complementa con materiales prosísticos: no sólo los prólogos o las glosas de algunos de los poemas, sino también una importante carta consolatoria de Gómez Manrique a don Pedro González de Mendoza, más la crucial *Disputa que fue fecha en la çibdad de Fez (HPRC,* § 8.7.1.3); de los textos poéticos de *B*, destacan los *Loores de los claros varones* del señor de Batres, el *Laberinto* de Mena, los *Proverbios* de don Íñigo, su *Bías contra Fortuna*, más las *Coplas* de Torrellas contra las mujeres.

La tercera sección *C* (271*r*-329*v*) interesa de modo especial porque, salvo dos poemas marianos de Pérez de Guzmán, acoge cuatro textos en prosa: un tratado de moral, otro de retórica, una regla de la orden de San Bernardo, más una importante versión de las *Fiore di virtù*, tras la que figura una datación que puede servir para este conjunto doctrinal: «A VIIII días de março año MCCCCLXX» (II.752).

La cuarta parte *D* (330*r*-349*r*) reúne poesía de sátira política, mientras que la quinta *E* (350*r*-369*r*) recoge poemas de Boscán, el Almirante, un Fraile, Juan de Mendoza, así como la traducción del *Trionfo d'Amore* de Petrarca, realizada por Álvar Gómez de Guadalajara; este núcleo se fecha en MDLI[409].

El cancionero, en sus tres primeras secciones, se tiene que formar en torno a 1470, la data que figuraba al final de *C*, mientras que las dos últimas serían de finales del siglo XV, primeras décadas del siglo XVI[410]; de este modo, los tratados en prosa de *C* pueden situarse en el reinado de Enrique IV y contribuir a la formación de este orden de conocimiento, en el que intervienen los diálogos y las misceláneas.

---

[408] Como siempre, las abreviaturas corresponden al índice de fuentes fijado por Brian Dutton en 1982 y ampliado en el tantas veces citado *El Cancionero del siglo XV (c. 1360-1520)*, Salamanca, Universidad-Biblioteca Española del Siglo XV, 1991, tomo VII, págs. 659-669.

[409] Aún el códice conserva cuarenta y un folios en blanco; corresponde así al modelo de «cancionero por adición» señalado por V. Beltrán; parece cierto que los descendientes de Híjar debieron de perder el interés por completar este amplio muestrario: «El proyecto no sólo fracasó, sino que los posteriores propietarios del códice lo consideraron poco más que un depósito de folios en blanco para ser arrancados o para ser emborronados en sucesivas notas, observaciones y pruebas de pluma», «Copistas y cancioneros», pág. 37.

[410] Indica Azáceta: «Hay un grandísimo contraste entre las tres primeras partes del manuscrito y las dos últimas: en aquéllas predomina el tono grave, doctrinal, moralizador; en éstas, la sátira, la frivolidad, el motivo circunstancial», pág. xxi.

11.5.4.1: Tratado de moral

Tal es el título que Azáceta asigna a este compendio de moral (el nº LXXIII) que se abre directamente, en el fol. 271*r*, con la tabla de sus sesenta y tres capítulos, al que se añade uno último que sirve de síntesis al conjunto; Amador de los Ríos lo bautizó como *Libro de avisos e sentencias*[411]; Jaume Riera i Sans ha demostrado que se trata de una traducción de las *Paraules de Savis e de Philòsofs* de Jafudà Bonsenyor[412], sin el prólogo original; en cualquiera de los casos, lo que importa es demostrar la conexión de un linaje nobiliario con esta producción consiliaria y sapiencial que, desde la mitad del siglo XIII, va ordenando pautas de comportamiento diversas, abiertas al dominio religioso, político y cortesano.

Como Jafudà vive entre la mitad del siglo XIII y primeras décadas del siglo XIV, es factible encontrar una semejanza con el *Libro del conde Lucanor,* no sólo con respecto a unas mismas preocupaciones linajísticas —el grado de saber que puede interesar a un noble— sino por la misma distribución de las unidades del contenido sapiencial, reducida la extensión de los epígrafes hasta dotarlos de la síntesis formularia que se alcanzaba en el *Libro de los proverbios.* De este modo, cada uno de estos capítulos acoge un número indeterminado de sentencias, conectadas al asunto señalado en el epígrafe de la tabla y que viene a coincidir con el primero de los proverbios; de este modo, comienza I. «De temer a Dios»:

> En aqueste siglo son señores los francos, e en el otro aquellos que temen a Dios e sufren aquello que Dios quiere. En aqueste siglo es tuerto del tormento del otro, aquellos que an fe en Dios por el su trabajo, pensando de aver provecho (629).

No hay mayor desarrollo narrativo que la concentrada exposición de un pensamiento que se va desgranando en exhortaciones y consejos, que o suelen dirigirse a una segunda persona o bien plantean análisis de carácter político y moral, mediante redes de metáforas que

---

411 *HCLE,* VII, pág. 180.

412 En su «Catàleg d'obres en català traduïdes en castellà durant els segles XIV i XV», *Segon Congrés International de la llengua catalana, VIII. Area 7. Historia de la llengua*, ed. A. Ferrando, Valencia, Institut de Filologia Valenciana, 1989, págs. 699-710.

obligan al receptor a buscar por sí mismo el contenido sapiencial; tal sucede en II. «De reyes e príncipes», con este arranque, en que vuelve a explorarse el temor con que los privados y consejeros deben tratar al rey:

> Reyes e prínçipes es obra de Dios en la tierra. Al rey aconteçe así como al león, e rígese como niño. Derechura de rey es mejor que largueza de tienpos. Quien contrasta con el rey síguelo el diablo. Rey es así como fuego; quien se ariedra, non se escalienta, e quien se allega, quémase. Quien es privado del rey es así como aquel que cavalga el león, que andando la gente reguarda. E la mayor derechura de rey faze que las gentes se allegan a él, e al contrario faze alexar (630).

Se trata del motivo de la «peligrosidad de la corte», presente en la tradición consiliaria que lleva de *Flores* a los *Castigos del rey de Mentón;* este hecho demuestra el modo en que siguen siendo operativos, en esta segunda mitad del siglo XV, los seis núcleos conceptuales en que es factible agrupar el contenido de estos capítulos: entre I-XI se define el orden cortesano, con recomendaciones sobre oficios curiales, sobre la educación y los grados del saber[413], sobre el seso como medio de conocimiento de la natura y del mundo, sobre las virtudes y la necesidad de cultivar la humildad y rechazar el orgullo, convertidos estos dos en paradigmas de carácter caballeresco[414].

Un segundo conjunto (XII-XIX) gira en torno a la palabra con el correspondiente elogio de la verdad y rechazo de la mentira, para engastar avisos en que se comparan las bondades del callar y los yerros del

---

413 En VI se integran anécdotas conectadas a la materia de Alejandro, en las que es apreciable un mínimo desarrollo narrativo, similar al que podía aparecer en *Poridat*, *Secreto* o *Bocados;* véase una muestra: «Un honbre mal vestido fue delante Alexandre e fabló muy bien, e demandáronle algunas cosas. Respondió muy bien e dixo Alixandre: "Si fuesen tus vestiduras tan fermosas como tu fablar, avrías dado al cuerpo lo que le perteneşçe, como as dado al ánima lo que mereşçe del saber". Él respondió: "Señor, el fablar es el poder en mí, mas de las vestiduras en ti". E Alexandre le mandó dar de vestir e fízole grant bien», 635.

414 Así en XI: «Umildat creçe la valor, e seyendo umilde aviendo poder, es mejor poder; que ninguno que non es umilde en sí, no es honrado por la gente», 639; o en XII, en que tras rechazar la «altividat» se recomienda el cultivo de la «vergüenza»: «Mayor vergüença ha aquel que es bueno d'aquellos que lo aman, que non aquel que es malo d'aquellos que lo reprehenden», 640.

hablar[415], amén de encarecer la necesidad de guardar el secreto, buscar el consejo y esquivar la mentira.

Sobre la franqueza y la amistad versa el tercer grupo de sentencias (XX-XXVIII), en el que se articulan valores de relación linajística afirmados en la noción de amistad:

> Si as privança por amor, non fíes en parentesco. Ama a tus parientes e a tus amigos, e farás enojo a tus enemigos. Fijo es fruto del coraçón; ama a tu fijo e castígalo bien. Tu fijo es tu señor çinco años, e çinco tu servidor, e çinco tu conpañero, e después torna amigo, e tú grande enemigo (645).

Se alinean reflexiones sobre los vínculos del «amor», el trato que debe darse a los enemigos y las precauciones que deben ser adoptadas ante las mujeres[416].

En el cuarto núcleo (XXIX-XLII), el análisis de la buena ventura encauza una amplia valoración de la riqueza y la pobreza, en la que se exhorta a cultivar los bienes espirituales frente a los materiales[417]; de ahí, la necesidad de saber loar el bien hecho y aprender a sufrir para vivir con seguridad.

El quinto grupo contrasta la «mançebía» y la «vejez» como preludio de una meditada disquisición sobre la muerte (XLIII-XLIX); aparecen tópicos como el del *puer senex*[418], el del aprecio en que deben ser teni-

---

415 Los esquemas de reuniones de sabios —aquí son reyes— que condensan su saber en una lapidaria sentencia vuelven a encontrarse en este opúsculo: «Cuatro palabras dixeron cuatro reyes, de las cuales se acordaron. El uno dixo: "Non me só arrepentido de lo que non he dicho, mas sóme arrepentido de lo que he dicho muchas vegadas". El segundo dixo: "Yo puedo tornar de lo que non he dicho, mas que non de lo que he dicho". El terçero dixo: "Como he dicho, la palabra ha poder en mí, e si no la digo he poder en ella". El cuarto dixo: "Maravíllome de aquel que dize la palabra, que si es preçiada non le es ningunt provecho, e si non es preçiada viénele daño"», 641-642.

416 Alguna de estas tópicas antítesis parece encerrar motivos de literatura caballeresca como el de la *recreantisse:* «Dixo un sabio: "Fijo ve tras el león, e tras el drago, e no vayas tras muger". Ruega a Dios que te guarde de mala muger, e guardatvos de las buenas», 647.

417 Lo que no presupone elogiar sin más la miseria como soporte de segura salvación; es más, se afirma en XXXVI: «Pobreza es ayuntamiento de muchos viçios», 650.

418 Pero conectado enseguida a otra serie de ideas: «La mançebía es tienpo de neçedat e de pecado. Los buenos moços son aquellos que pareçen viejos, e los malos viejos aquellos que pareçen moços. No des al niño ninguna cosa, si no pedirt'á dos», 652.

das las canas, el de la vanidad del mundo, así como argumentos que aparecen en tratados consolatorios:

> Quien bive muncho pierde sus amigos, e quien bive poco non le viene desastre, sino de sí mesmo. Piensa que tu vida es despensa que te han encomendado, e que non lo quieres mal enplear (653).

A partir del epígrafe L se ordenan ya consejos morales de varia naturaleza, en que se recomienda el cultivo de la caridad, la evitación de las malas costumbres, la importancia del castigo, el contraste entre el mar y el sol como base de reflexiones morales, más una curiosa secuencia de sentencias animalísticas, que comprimen el sentido de las frases hasta hacerlas casi perder la recta intelección de su contenido[419], forzadas a abrirse hacia un saber abstracto que roza los límites de la pura paremia, como sucede en el último de los capítulos[420].

Por tanto, frente a los alardes de erudición letrada con que se estaban construyendo tratados de ciencia y de temas diversos (desde la medicina hasta la valoración de la mujer), este compendio sapiencial se acerca a las primeras recopilaciones de dichos y de castigos para articular líneas generales de saber, así como descubrir los esquemas paratácticos de su desarrollo.

11.5.4.2: Tratado de retórica

El texto siguiente, el nº LXXIV, pretende doblegar la disciplina de la retórica a estos principios de rectitud moral y de orden religioso, ya fijados en el tratado anterior. Este opúsculo aparece, también, en el ms. 3190 de la Biblioteca de Cataluña como apuntara M. Morrás, con el título de *Doctrina de hablar e de callar hordenada por Marcho Tullio,* en la línea del *De arte tacendi et loquendi* de Albertano de Brescia[421]. De hecho,

---

[419] Entre LIX-LX; véase esta muestra: «Quien sigue al león no ha menester de carne. Del río beve el perro e el león, e el polvo que fazen las ovejas es melezina a los ojos del lobo. Quien no es lobo, cómenlo perros. Más vale cabana vazía que llena de lobos», 656.

[420] «Guárdate de conosçer a ti mesmo, antes que quieras conosçer a otro. Quieras para la gente, lo que quieres para ti mesmo (...) Como vees la barva de tu vezino pelar, pone la tuya a remogar (...) No subas en cámara e no caerás de escala. Da Dios la nuezes a quien no las sabe ronper», 658-659.

[421] Ver «Una compilación desconocida de traducciones clásicas y sentencias morales: el ms. 3190 de la Biblioteca de Cataluña», *Inc*, 13 (1993), págs. 87-104; reproduce pa-

el propósito de este opúsculo no es otro que el de corregir los excesos de esta arte elocutiva, reducir la peligrosidad de su dimensión persuasiva y encauzar el *bene dicendi* más hacia la «bondad» que hacia la propia acción de «fablar», como se indica inequívocamente en el cierre de la obra:

> E si diligentemente guardas aquestas cosas, que en este presente tractado son he te amostradas, a ti abastará a fablar bien, e dezir e fazer a Dios serviçio (669).

No es, entonces, un *ars rhetorica*, aunque, en el párrafo de presentación, se atribuya a «Marculius» —en el que habrá que ver a «Marco Tulio»— una definición de esta disciplina que coincide con la tradición de esta materia trivial: la retórica es ciencia que enseña a hablar, no naturalmente, sino conforme al uso y al arte, es decir, a la «sabieza», que debe ser dirigida hacia la consecución del bien. A partir de este punto, mediante los imperativos «piensa» y «guarda» se desgrana una secuencia de recomendaciones, no ajustadas a las *partes artis* de la retórica o siquiera a una de ellas, aunque puedan reconocerse algunos de estos fundamentos. Esta materia coincide, a su vez, con los «enseñamientos de fablar» formulados por Latini en el *Libro del tesoro,* II.lxii-lxvii, y que, de una forma más sintética, vuelven a aparecer en el cierre de *Flor de las virtudes* (ver, luego, págs. 3743-3744), poniendo en evidencia la vía italiana seguida para la transmisión de estas ideas.

Los seis primeros consejos sí pueden referirse a la necesidad de encauzar la *inventio* de un modo adecuado a los grados de verdad a que debe ajustarse un discurso que es, ante todo, soporte de convivencia social:

> Primeramente, ante que tú parles, piensa en tu coraçón qué quieres parlar, e guarda si la cossa que tú quieres parlar, si pertañe a otro o a ti. Si es cosa que pertañe a otro, no te entremetas (660).

---

sajes de las dos misceláneas, para concluir: «Como puede comprobarse, todas las lagunas del texto en el *Cancionero de Juan Fernández de Ixar* están originadas por saltos de igual a igual, lo que es señal cierta de que ambas copias derivan de un arquetipo común más o menos lejano. Ese arquetipo del que descienden era, a su vez, la traducción al castellano de una recopilación en catalán de sentencias conservado en único testimonio (hasta donde tengo noticia), el *MS 42* de la Biblioteca de Cataluña (ff. 43r-53v)», pág. 103. Figura en este ms. la colectánea de sentencias, editada también por Morrás con el título de *Dichos por instruir a buena vida* (§ 10.6.7.1.3).

Quedan así anulados todos los riesgos que a esta arte elocutiva se atribuían de «colorar las palabras», «bien pagar los omes», «la mi culpa echar sobre mi adversario», enumerados en la c. 42 del *Libro de Alexandre* (§ 1.1.2.4, págs. 34-35). Hay aquí, ahora, otro planteamiento, puesto que ha de ser el «seso» el marco que regule estos modos de expresión:

> Después, guarda que tú seas en tu buen seso e pasiblemente[422], e sin ira e sin turbamiento de coraçón (íd.).

Una red de sentencias —Tulio, Séneca, Catón, Ovidio, Pedro Alfonso— aconseja la evitación de la ira y este proceso será ya corriente a lo largo del tratado, contrastando las ideas teóricas con una materia sapiencial, en la que pueden reconocerse mínimas viñetas narrativas; así, para demostrar la conveniencia de que la voluntad esté regida por la razón se imbrica una sentencia con un breve «exemplo»:

> Que dize el Maestro: «Quien no sabe callar, non sabe parlar». Preguntaron a un sabio por qué parlava tan poco, si lo fazía por seso o por locura. Él respondió qu'el loco no puede callar (661).

Esta *inventio* debe estar sostenida por el saber y por el fin a que las palabras deben ajustarse, puesto que lo más importante para quien usa de la retórica es que pueda reconocer si aquello que va a decir es verdad o es mentira, a fin de evitar esta última, distinguiendo «siete maneras e condiçiones de mentiras»[423].

No se hace mención alguna de la *dispositio* y de la *elocutio* interesan los aspectos relativos a la salvaguarda del contenido de unas «palabras» que no han de ser «flacas», es decir sin provecho, que deben ser «buenas e dulçes»[424], «buenas e honestas e fermosas», no «escuras», «mas enten-

---

[422] Corrijo el «posiblemente» que edita Azáceta.

[423] «La primera, mostrar de la fe religiosa falsamente, aquésta es la peor; la segunda, engañar a otri sin bien e provecho de ninguno; la terçia es de engañar alguno por provecho de otro; la cuarta es por voluntad de fazer solamente, e aquésta es derecha mentira; la quinta es dezir bien las palabras, por fazer plazer a la gente; la sexta es por provecho d'alguno, sin fazer daño a otro; la sétima es dicha sin daño, mas que se diga por guardar alguno qu'él no caiga en pecado», 663. Hay una gradación, por tanto, y debe repararse en que la quinta prevención se abre hacia el dominio de lo literario.

[424] «Que dize Salamón que dulçe palabra mollefica amigos e endureçe el coraçón de los enemigos», íd.

dientes» y, por supuesto, no «sufisticadas», alejadas de todo mal o daño escondido; esta orientación abre la retórica a su verdadero dominio:

> Después guarda que tú no digas nin fagas tuerto nin daño a ninguno, que ésta es ánima que tuerto faze a ninguno, lexos es de Dios. E como parlarás no se te venga miente de cosa que se allegue a enojo (664).

Esta disciplina ha de servir para afirmar un modelo de convivencia moral que exige que esas palabras, reguladas por el «arte», no siembren discordias, no se encarnicen ni con amigos ni con enemigos (aquí no cabe el «jugar de palabra» que definiera Alfonso X), ni siquiera que se adentren en el ámbito de la ociosidad, con lo que queda cerrado, de nuevo, cualquier universo de referencias letradas:

> Retiénete de toda palabra uçiosa, que ensenadamente nos conviene parlar. Que ninguno deve dezir cosa que sea contra buenas costunbres nin meter en obra (íd.).

Este punto, para ser demostrado, requiere una amplia serie de consejos sobre el modo en que se debe hablar a los amigos y tratar con los enemigos, evitando la relación con los locos, con los «escarnidores»[425], con los «malos omes», con los beodos o con las «malas fenbras».

Al igual que en la ley xi del *Setenario* se recomendaba poner «cada razón allí do conviene» (ver n. 272, pág. 317), aquí también se pide adecuar el discurso a esa utilidad, aunque siempre ajustada a una bondad de contenido:

> Guarda todavía delante de quién fabrarás nin en cuál lugar, que en la iglesia conviene de dezir devotas palabras, que no en corte, nin ha en bodas, que no a las casas de los muertos, e en la casa otras cosas, que no en las plaças, nin en gran conpañía. Pues aquel que fabla, se deve guardar de fablar que no diga cosa mala, por bien que sea, en lugar secreto (íd.).

---

[425] «No te aconsejes con los locos, que ellos no loan sino lo que les plaze; e aun guarda, que non parles con ome juglador e lleno de discordia, qu'el Profeta dize: honbre que ha la lengua juglera no será querido ni preçiado sobre la tierra. En otro lugar dize el mesmo, que ira de escarnidor mata maliçia, pues guarda que tú no fables con honbre discordable, por tal que tú no metas la mano en su fuego», 666.

Todos estos avisos, al igual que la necesidad de guardar el decoro con respecto a la persona con quien se habla, se agrupan bajo el único principio teórico, el concepto de «ocasión»:

> Ocasión es en tres maneras: la primera es quien faze, la segunda es la materia de que honbre faze, la terçera es la fin por que se faze (667).

La regulación religiosa de estos factores es inmediata: se debe hablar por el servicio de Dios y no de los hombres y, si es así, intervenir por los amigos de un modo honesto y sin pecado.

También, conforme al *Setenario* y al *Libro del tesoro,* se va a conceder notable valor a las técnicas de la *actio:*

> Agora te conviene pensar en tus palabras, que no es ninguna cosa que no aya menester manera e tienpo e medida, e todo lo que desparte medida es malo e torna a menos. Por eso deve ser la manera e medida d'aquel que parla de çinco cosas: aqueste es de parlar suave e en paz e en cuantidat e en calidat, que bien fablar es la dignidat de todo el traimiento del cuerpo, según que la materia requiere (íd.).

Con esta presentación, se ordenan ya aspectos prácticos sobre la modulación de la voz, los gestos más apropiados para el discurso, los movimientos del cuerpo con que se debe intensificar o apoyar el contenido de lo que se habla, insistiendo en el grado de verdad que debe ser transmitido; de ahí que las palabras no hayan de ser «dobles e escuras», sino «con consejo»:

> Quieras acordar lo uno con lo otro, así que la boca responda al coraçón e el coraçón a la boca (668).

Las nociones de «medida», de «lugar» y de «tiempo» se ajustan a este mismo proceso de transmisión de verdades que han de servir como medio de cohesión de una amistad que se presenta como vínculo de relación social.

La presencia de este tratado en el *Cancionero* no contradice el orden temático de los poemas, sino que lo confirma y, en cierto modo, esas reglas sobre la recitación que se engastan en el final de esta breve pieza teórica, aun no siendo retórica, podrían servir de ayuda para el debido encauzamiento de la materia poética.

11.5.4.3: *Regla de San Bernardo*

La dimensión religiosa a que este *Cancionero* se orientaba la delimita con claridad esta *Regla de San Bernardo* (nº LXXVII) situada después de los dos poemas marianos de Pérez de Guzmán; la finalidad de este opúsculo se precisa en la rúbrica de presentación: se trata de una doctrina pensada para aquellos «que quieran tener la más útil manera en su bevir», tanto para sostener «sus faziendas» como para gobernar a «sus gentes», anteponiendo la voluntad del hombre a cualquier suerte de predeterminación:

> En caso qu'el estado e la sallida de todas las cosas del universo por fortuna sean regidas, enpero, nin por este temor es de dexar la regla hordenada de bevir (681).

En sí, el texto es un compendio de sentencias agrupadas por núcleos temáticos; gira el primero en torno a la administración de rentas, para la que se pide prudencia, señalándose los casos en que puede ser tolerable algún exceso: el gasto es honroso si se hace por caballería, razonable si es por ayudar a los amigos, pero inútil si se emplea en los «desgastados». En este mismo desarrollo, se recomienda evitar la gula, prevenirse contra la avaricia, porque es «temor de pobreza» (682), negociar con la carestía de los demás.

Un segundo grupo define las relaciones que se deben guardar con los enemigos, con las mujeres[426] o los amigos. Estas secciones se diferencian mediante imperativos con que se exhorta a recibir la enseñanza: «De los amigos oye» o bien «Oí dezir que te vissitavan truhanes. Mira lo que te diré» (íd.); se abre, así, un decir que acoge reflexiones contra truhanes, juglares[427] y servidores lisonjeros.

Una tercera sección reúne castigos relativos al modo en que se deben edificar las casas, cuidar las heredades y proteger el patrimonio. Conviene aquí —y se supone el interés del receptor: «Preguntásteme del usar del vino» (684)— agrupar una serie de prevenciones —es el cuarto núcleo— contra la beodez, así como contra los físicos no experimentados.

---

426 Con las imágenes esperables, por poner un caso: «El coraçón alto e noble en obras de mugeres non entiende», 683.

427 «Nunca plugo a Dios de los esturmentos de los juglares», íd.

En quinto lugar se reflexiona sobre la fortuna y, en virtud del orden temporal engastado en este recorrido, al haber alcanzado el receptor la vejez se le exhorta a disponer lo necesario para ordenar su alma y su «fazienda». Quedan entonces los hijos:

> Aquesto te abaste de ti, que dicho he. De los fijos oye; que muerto su padre, luego andan en divissión (685).

Para evitarlo, según los estados (nobles, mercaderes, labradores) se recomienda distribuir entre ellos los bienes, procurando que la madre no case de nuevo.

Se trata de una «regla» por cuanto estos cinco núcleos permiten construir un regimiento al que se ajusta, por completo, la vida del hombre en todos aquellos aspectos materiales de los que depende la salvación de su alma[428].

11.5.4.4: La *Flor de virtudes*

Se trata del más importante de los opúsculos acogidos en este *Cancionero* y constituye el justo remate a esta serie de valoraciones doctrinales que parecen obedecer a un preciso plan, puesto que si la *Regla de San Bernardo* acogía, en realidad, un regimiento de la casa, este nuevo tratado va a ordenar disposiciones relativas a la conciencia del hombre.

Con origen en las *Fiore di virtù*[429], en cuarenta capítulos, rematados con un epílogo referido al «buen fablar», se contraponen virtudes y vicios mediante un sistema expositivo que complementa el contenido de un epígrafe, enfrentándolo al siguiente. Por otra parte, cada una de esas unidades obedece a una rígida estructura: se define y se explica la naturaleza de cada virtud o vicio, se compara con un animal, se des-

---

[428] Ver José María Solà-Solé, «Las versiones castellanas y catalanas de la "Epistola de gubernatione rei familiaris", atribuida a San Bernardo», en *Diakonia. Studies in Honor of Robert T. Meyer*, ed. Th. Halton y J.P. William, Washington, The Catholic University of America Press, 1986, págs. 268-271.

[429] Como recuerda Mª Jesús Lacarra, se trata de un «texto anónimo escrito originariamente en italiano (en la región de Bolonia-Ferrara), a principios del siglo XIV (entre 1313-1323)», *Cuento y novela corta en España*, pág. 305; Lacarra traza un completo análisis de esta colección en «La *Flor de virtudes* y la tradición ejemplar», *Studia in honorem Germán Orduna*, págs. 347-361, con valiosas consideraciones sobre el conjunto del ms. en que se alberga.

pliegan *auctoritates* y se confirman las ideas mediante «exemplos» escriturarios o históricos[430].

La alegoría del título se explica en un breve preámbulo, en el que el colector de la obra la somete a la corrección de los receptores:

> Yo he fecho así como aquel que es en un gran prado de flores, e ha cogido la çima e belleza de aquellas por fazer una girnalda e chapirete muy noble. Todo así quiero que aquesta obra e pequeño volumen aya nonbre *Flor de virtudes e de costunbres*. E si por aventura ý fuese algún fallesçimiento fallado, sometiéndome a corepçión de aquellos que leerán, suplicando húmillmente a la su benignidat, que les plega de perdonar al mi fallesçimiento. E si por ventura ý fallan cosa que les plazerá, gradéscanlo a la Santa Escriptura e actores de aquélla (686-687).

Los dos primeros epígrafes determinan las pautas con que este conjunto de ideas debe ser asimilado y entendido. Con la *Suma* de Santo Tomás se establece la identidad entre amor, buena voluntad y deleitación, para elegir, dentro del «seso intelectual», a la imaginación como la mejor vía para conocer la virtud de amor:

> La cual es raíz, fundamiento, guía e llave, e pilar de todas las virtudes de amor e de toda otra virtud (687).

Sólo por el amor las cosas pueden llegar a ser virtuosas y la virtud separada del vicio, que es lo que se pretende en este compendio:

> Así que amor se puede asemejar a una ave, que ha nonbre calandria, que ha atal propiedat de sí mesma, que si ella es portada delante del onbre que deve morir, jamás non le buelve la cabeça, nin jamás non le aguarda, e si él deve escapar, toda la maliçia se le lieva (íd.).

El epígrafe que sirve de introducción se acomoda, de esta manera, a la estructura que luego regulará la obra entera; en este caso, la autoridad mencionada coincide con la voluntad del formador del conjunto, que descubre las líneas temáticas de los cuatro capítulos siguientes:

---

430 Así indica Mª J. Lacarra: «Precisamente en la variedad, unida a la singularidad de algunas historias para las que no se ha encontrado fuente, reside, a mi juicio, una de las claves del éxito del libro», *ibídem*, pág. 351.

> E así primeramente quiero tractar del amor de Dios, porque aquél es el mayor de todos, e después diré del amor de los parientes, después razonaré del amor de entre conpañía, a la fin declararé del amor de las mugeres (688).

A toda esta virtud del amor se opone el vicio de la envidia explicitado en el epígrafe vi. Interesa de modo especial el capítulo dedicado al «enamoramiento»; es uno de los más extensos y, por sí mismo, constituye un tratado erotológico semejante a los difundidos en la primera mitad de siglo en el entorno de la Univ. de Salamanca (§ 10.7.2), considerados asiento de la ficción sentimental; y ya no sólo por las tres vías con que se distinguen los grados de amor[431], sino también por algunas imágenes que mantienen clara correspondencia con esa tratadística particular; tal sucede con las aflicciones a que el amador se somete[432] o con los debates en que se definen las actitudes a favor y en contra de las mujeres:

> E por tanto como de las mugeres salle un formamiento de aqueste amor e virtud de aquello, por la cual cosa entiendo ser su defensor, declarando todas las cosas por horden. Primeramente escrivir algunas actoridades e dichos de poetas, fablando en favor de las mugeres, e después declararé aquellos que dizen bien, acordando la una escriptura con la otra, dando verdadera absoluçión, queriendo tajar las lenguas a los maldizientes, que han tractado contra las venerables donas, o que començaron a fablar o tractar de aquellas que dezían bien primeramente (693).

Son más numerosos los argumentos en defensa de las mujeres que los vituperios alzados contra ellas, enfrentándose el expositor del trata-

---

431 «Este amor se forma por tres maneras: la primera es dicho amor de concupiçençia, que es cuando honbre ama la muger tan solamente por aver su amor, que es deleite carnal, e non por otra vía, así como fazen oy la mayor parte de los omes», 691; este grado de amor carnal se rechaza sin paliativos. El segundo, regulado por Aristóteles, pertenece también al concupiscente, pero desea sólo «el bien de la cosa amada», íd. «La otra manera de amar sí es el amor natural: el cual non es en poder del honbre, la cual induze el ome amar su senblante», 692.

432 «Todos tienpos es e se muestra enamorado en público y en ascondido, esto por la soptuosa vista es muy discreto, por la continua imaginaçión de la cosa que ama. E d'esto ha muy gran pena, e muy poco duerme, e menos come, e finalmente toda ora está en continua malenconía», íd.

do a esos maldicientes[433] y achacando al amor la mayor parte de esas tachas.

La envidia, como se ha advertido, se opone a la virtud del amor, analizado en estos cinco epígrafes; a partir de este punto, capítulo a capítulo se van contrastando virtudes y vicios, procurando que el receptor verifique el contenido doctrinal mediante la *similitudo* del animal y la serie de «exemplos» que para ello se requiere; la alegría (vii) «que es efecto de amor» (697) se compara al gallo y se relata una anécdota hagiográfica que se distingue, formulariamente, del conjunto:

> De la alegría se cuenta en la *Vida de San Pedro,* donde dize que una vegada fue un onbre que avía nonbre Lázaro, que por el amor que avía tomado a Jhesu Christo metióle en coraçón de andar a Ultramar a ver el Santo Sepulcro de Jhesu Christo, e así lo fizo (íd.).

Este esquema se repite ya sin más variación que la del espacio textual que precisa cada una de las unidades temáticas; por lo común, siendo ésta una obra doctrinal, los epígrafes dedicados a los «vicios» exigen un desarrollo más amplio, puesto que se trata de dar a conocer unos pecados de los que hay que aprender a precaverse; se utiliza un mayor número de sentencias para confirmar la doctrina expuesta. Para dar una idea aproximada de las semejanzas y de la materia ejemplar que se despliegan en este tratado, el siguiente esquema, con sumaria indicación de fuente, ordena estas referencias[434]:

Virtudes.	Vicios.
Alegría (vii).	Tristor (viii).
Gallo.	Cuervo.
Peregrino Lázaro visita el Sepulcro *(Vida de San Pedro).*	«Planto» de filósofos ante el sepulcro de Alejandro *(Alexandre).*
Paz (ix).	Ira (x).
Castor.	Oso.
Humildad de Hipólito *(Estorias romanas).*	David y Urías *(Viejo Testamento).*

433 «E dime tú, que te plaze oír mal de las mugeres, cuál fraile nin cuál ermitaño o ninguno cualquier otro veyéndose todo solo con una fermosa fenbra podría contradezir la su voluntad...», 695.

434 Mª J. Lacarra construye una prolija tabla con estos treinta y cinco «exemplos», en la que da cuenta del tema, de los antecedentes, de los paralelos, de los índices y de la bibliografía particular, para cada uno de ellos; ver págs. 354-358.

Misericordia (xi).
«Fijos de la abubilla».
Perdón de Alejandro a un corsario *(Estorias romanas).*

Crueldad (xii).
«Bassilis» (serpiente).
Medea mata a su hermano (Ovidio).

Libertad o largueza (xiii).
Águila.
Limosnas de Alejandro y de Antígono *(Estorias romanas).*

Avaricia (xiv).
Sapo.
Testamento de Zemino.

«Corepçión» (xv).
Lobo.
Castigos de Moisés a Faraón *(Biblia).*

«Lagotería» (xvi).
«Serena de la mar».
Cuervo y raposa (Esopo).

Prudencia (xvii).
Hormiga.
Consejo del filósofo al emperador romano *(Estorias romanas).*

«Follía» o locura (xviii).
Toro salvaje.
Alejandro-Aristóteles: encuentro con un loco *(Estorias romanas).*

Justicia (xix).
«Madre de las abejas».
Quejas del ermitaño enfermo a Dios *(Vidas de los Santos Padres).*

Injusticia (xx).
Diablo.
Diablo casa con «injustiçia»: siete hijas *(Vidas de los Santos Padres).*

«Vergüeña» (xxi).
Grulla.
Rey Marco, preso por los cartagineses *(Estorias romanas).*

Falsedad (xxii).
Raposa.
Tres ángeles visitan a Lot *(Viejo Testamento).*

Verdad (xxiii).
«Fijos de la perdiz».
Venta de asnos por un caballero *(Vida de Sant Pedro).*

Mentira (xxiv).
Topo.
Historia amorosa de Jurma y Ameno *(Estorias romanas).*

Fortaleza (xxv).
León.
Sansón *(Viejo Testamento).*

Temor o miedo (xxvi).
Liebre.
Temor del rey Dionís *(Estorias romanas).*

«Magnanidat» (xxvii).
Halcón gerifalte.
Rechazo del físico traidor por el senado romano *(Estorias romanas).*

Vanagloria (xxviii).
Pavo.
Ermitaño y ángel: reacciones ante caballo muerto y joven hermosa *(Vidas Santos Padres).*

«Costançia» (xxix).
Ave fénix.
Rey griego somete a su pueblo a dura ley *(Estorias romanas).*

«Incostançia» (xxx).
«Oroneta».
Confesión del ladrón con el ermitaño *(Vidas Santos Padres).*

«Tenperança» (xxxi).
Camello.
Píramo: refrena su voluntad *(Estorias romanas).*

«Intenperança» (xxxii).
Unicornio.
Doncella Zasma atraída por los deleites carnales *(Vidas Santos Padres).*

Humildad (xxxii).
Cordero.
Honores y deshonras del pueblo romano a los vencedores *(Estorias romanas).*

Soberbia (xxxiv).
Halcón.
Rebelión de Lucifer (*Viejo Testamento).*

Abstinencia (xxxv).
Asno salvaje.
Alejandro en el desierto de Babilonia *(Estorias romanas).*

Gula (xxxvi).
Buitre.
Engaño del demonio a Eva *(Viejo Testamento).*

Castidad (xxxvii).
Tórtola.
Monja que sacó sus ojos *(Vidas de Santos Padres).*

Lujuria (xxxviii).
«Mustella».
Hijo del emperador Casiodoro *(Estorias romanas).*

«Moderança» (xxxix).
«Ermino».
Creación del mundo *(Biblia).*

Realidad del mundo (xl).
Mundo.
Creación del hombre *(Biblia).*

El conjunto obedece, como se comprueba, a un proceso calculado que describe el paso del hombre a través del «mundo» hacia Dios, aprovechando la escala de virtudes que debe encontrar en su interior y aprendiendo a rechazar los vicios (o peligros mundanales).

Un último capítulo, dedicado al «razonamiento» (xli), encierra una nueva valoración de la retórica, cercana a la fijada en el nº LXXIV, si cabe con mayor orden, puesto que se acogen los «amaestramientos» del «fablar» (748), conforme al *De arte tacendi et loquendi* de Albertano de Brescia. Las recomendaciones son guiadas por Tulio: la primera, razonar en el corazón lo que se va a exponer, la segunda, ajustar el discurso a la persona con quien se habla, la tercera, pensar aquello que va a decirse, evitando dieciséis defectos que son fundamentalmente morales y que se van contrastando con sentencias de diversas *auctoritates*. El último de estos vicios se refiere a la *actio*; recuérdese que estos aspectos, por coincidencia de fuentes, ya habían sido considerados por Latini:

> El último viçio es non se saber disponer a fablar por horden aquello que quiere dezir, por la cual cosa deve primeramente hordenar e disponer su persona, esto es, que tenga la cara derecha e

> que non la tuerça cosa ninguna, los sus labrios tenga seguros, e firmes los ojos en un lugar, nin mucho inclinados en tierra, mas en buena manera según el tienpo recresca, e non deves ninguna cosa mover la cabeça, nin estreñir las espaldas, nin señalar con las manos, nin mover los pies, nin fazer ningún acto de la persona tanto como posible sea. Tanto te guarda de escopir e de tocar en las narizes, e deves disponer la tu lengua que non sea muncho descubierta de los labrios, e que non sea cargada de saliva, e que non faga muncho espaçio de tienpo de una palabra a otra, nin mucho apriesa tanpoco, e sobre todo guarda de redoblar la palabra. Deves consonar tu boz, por tanto como son palabras que se quieren dezir fuerte, a otras por media vía, e ay otras a boz suave. Finalmente, tu fablar es mejor suave que non fuerte (751-752).

Al igual que estableciera Latini, el dominio del lenguaje y estas técnicas de «fablar» se convierten en el mejor instrumento para explorar las virtudes y desterrar los vicios, que no otro era el asunto central de este tratado.

11.5.5: *Pero Díaz de Toledo, «Introdución al dezir que conpuso el noble cavallero Gómez Manrique»*

Antes de que acabara el primer decenio de la que Enríquez del Castillo llamara «la prosperidad del rey» (ver pág. 3483), varios escritos comienzan a denunciar la situación calamitosa del reino provocada por la mala gobernación, la falta de la justicia y las luchas intestinas entre los poderosos por hacerse con el control de la corte; Valera, en 1462, remitía al rey, desde Palencia, la que es hoy su cuarta epístola en la que exponía cinco acusaciones compartidas por los principales nobles[435], mientras que Gómez Manrique, adscrito al círculo letrado de Carrillo, recuperaba el orden de la poesía satírica de las *Coplas de la panadera*, dedicando al arzobispo su *Esclamaçión e querella de la governaçión* (o *Coplas del mal gobierno de Toledo)*, tendiendo un hilo temático que será enseguida anudado por las *Coplas del Provincial (c.* 1465), asignada su autoría a Palencia, y por la glosa con que Fernando de Pulgar explana los significados de las *Coplas de Mingo Revulgo,* atribuidas a fray Íñigo de Mendoza *(HPRC,* § 7.3.1).

---

[435] Ver § 11.4.1.1, pág. 3594, más *HPRC,* § 6.1.2.1.

11.5.5.1: La *Esclamaçión de Gómez Manrique*

Compuesta cuando su autor alcanzaba los cincuenta años de edad, la *Esclamaçión* se nutre de toda la experiencia política y poética acumulada no sólo por Gómez Manrique, sino por los miembros de su linaje que se habían mostrado siempre hostiles a las figuras de don Álvaro de Luna y de Enrique IV[436]. El poema está integrado por dieciocho coplas castellanas *(ababcdcd)* en las que se parodia con acidez la situación del presente, configurando una suerte de mundo al revés mediante sostenida acumulación de disparates[437], con que pretende poner de manifiesto el desgobierno en que se encuentra su ciudad o, como señala en el v. 9, el «pueblo» en el que vive; cuando se alcanza la última de las coplas, la xviii, parece evidente que ese «pueblo», aun siendo el de Toledo, es figura de todo el reino:

> Todos los sabios dixieron
> que las cosas mal regidas,
> cuanto más alto subieron
> mayores dieron caídas;
> por esta causa reçelo
> que mi pueblo con sus calles
> avrá de venir al suelo
> por falta de governalles (vv. 137-144).

Tal es el sentido de la *similitudo* que se propone con la situación, política y moral, de Roma en la c. i —«Cuando Roma prosperava»—, explicada en la c. xvii —«Al tema quiero tornar»—, al tratarse de una ciudad que mantuvo su prosperidad «cuanto bien regida fue» (v. 132). Era claro que en el arranque de la década de 1460, desde centros letrados distintos a la corte, la poesía servía para vaticinar los desastres a que el reino iba a ser arrastrado y promover denuncias, en las que se criticaba, aun de forma encubierta, el abandono de las virtudes y el triunfo de los vicios en las tareas del gobierno; tanto es así que, entre los *opposita* con que Gómez Manrique contrahace la realidad descrita, apare-

---

436 Es la § CXXXVII de su *Cancionero*, ed. de Francisco Vidal González, Madrid, Cátedra, 2003, págs. 571-576.

437 Coincide, así, con el desarrollo de las formas humorísticas en prosa que, con el título de «Sales, facecias y parodias», se estudiarán en *HPRC*, § 9.3.

cen nítidas referencias a las actitudes negativas de los regidores públicos[438]. Por ello, el poema suscitó una de las controversias cancioneriles más activas del momento, al ser replicado por tres poetas y defendido por un letrado del prestigio de Pero Díaz de Toledo (§ 10.4.3)[439].

La contestación poética a Gómez Manrique fue asumida por Antón de Montoro, a petición del rey[440], seguida por Antonio de Soria, si bien se excusa con una sola copla, y remachada por Pero Guillén de Segovia que juega con los mismos consonantes de la *Esclamaçión* para dar la vuelta a sus acusaciones, en una composición que alcanza las diecisiete coplas[441]. Muy distinta es, tanto por su método como por su intención, la glosa que construye Díaz de Toledo[442], posiblemente instigado por Carrillo que querría, de ese modo, defender a uno de sus letrados de los ataques promovidos en la corte regia.

11.5.5.2: El comentario en prosa a la *Esclamaçión* de Gómez Manrique

Pero Díaz de Toledo plantea un riguroso comento de doce de las dieciocho coplas de que consta el poema, conforme a los esquemas de la exégesis textual, tal y como habían sido fijados por los gramáticos de

---

[438] Sobre todo a partir de la c. viii: «Donde sobra la codiçia / todos los bienes falleçen; / en el pueblo sin justiçia / los que son justos padeçen», vv. 61-64, o en la c. ix: «La iglesia sin letrados / es palaçio sin paredes», vv. 65-66, o: «Los mançebos sin los viejos / es peligroso metal», vv. 69-70, o en la c. x: «los reinos sin buenos reyes / sin adversarios se caen», vv. 79-80, o en la c. xii: «las cortes sin cavalleros / son como manos sin guantes», vv. 95-96.

[439] Ver Nancy F. Marino, «La relación entre historia y poesía: el caso de la "Exclamaçión e querella de la governaçión" de Gómez Manrique», en *Propuestas teórico-metodológicas para el estudio de la literatura hispánica medieval*, ed. de Lillian von der Walde Moheno, México, UAM-UNAM, 2003, págs. 211-225.

[440] «El poeta converso replica con una sola estrofa: "En aquel tiempo bogava / lealtad que agora çía; / otrosí el moço belava / mientras el amo dormía. / Agora tiran azconas / a do la virtud se enzierra, / assí que a bestias haronas / quien les da zevada yerra" (...) Montoro concluye por llamar bestia a Gómez Manrique por implicación, y critica a su vez al que le protege (¿el arzobispo Carrillo?)», sintetiza N.F. Marino, págs. 220-221.

[441] «En su contestación Guillén abandona la locución indirecta del poema original a favor de criticar directamente la osadía de las acusaciones semiencubiertas de Gómez Manrique. En efecto, el mensaje predominante de Guillén es templar la lengua, saber callar para no ofender», *ibídem*, pág. 221. Es extraña esta respuesta, cuando Guillén, miembro del círculo de Carrillo, suspiraba por ganarse el favor del arzobispo (ver § 11.5.3.1).

[442] Es la § CXXVIII del *Cancionero*, págs. 577-618.

los siglos anteriores; de similar modo obrarán Hernán Núñez, el «Comendador Griego», en el análisis que practicará de *Las Trescientas* de Mena *(HPRC,* § 7.3.3), o, ya en la segunda mitad del siglo XVI, el Brocense y Herrera a cuento de desvelar los sentidos de la poesía garcilasiana. El círculo literario de Carrillo acogería, entonces, no sólo debates como los suscitados por el poema de Gómez Manrique, sino también interpretaciones como la propuesta por Díaz de Toledo, actuando como el glosador que había realizado ya un trabajo parecido con los *Proverbios* de Séneca y con el *Centiloquio* de Santillana (§ 10.4.3.1); la poesía, en especial la que contenía cifrada una enseñanza, exigía esta labor hermenéutica que asegurara la recta intelección de los sentidos subyacentes bajo los *integumenta* formales. Supera, con todo, esta *Introduçión* a las otras dos glosas articuladas en el reinado de Juan II; debe repararse en que es una de las últimas intervenciones letradas de este doctor; exhibe, en consecuencia, un método más riguroso de análisis, con un preámbulo dedicado a los orígenes de la poesía, y un aparato más completo de referencias, incardinado a sus lecturas y traducciones. Tal es la primera imagen que de sí mismo ofrece; se hallaba a punto de rematar la composición de un tratado sapiencial (ver pág. 2550), cuando le llegan noticias de la difusión de ese poema de Gómez Manrique ante el arzobispo de Toledo, con la consiguiente polémica generada:

> Pensando de reposar del trabajo del libro *Enchiridión*, que por muchos años me tovo ocupado, estando cuasi en la conclusión e acabamiento de aquél, ocurrió que me fue dicho que en presençia de la muy noble e muy reverendísima paternidat vuestra ovo fablas de diversas opiniones cerca de un dezir o coplas qu'el noble cavallero Gómez Manrique ovo conpuesto (577-578).

Conocedor del debate promovido, Díaz de Toledo distingue, con habilidad, dos líneas de interpretación: la de los maldicientes que habían entrado en «la sentençia e palabras (...) a no sana parte» y la de aquellos que afirmaban que lo contenido en las coplas era cierto y que nada se debía de reprochar a su autor. Estas enconadas censuras, tan frecuentes en prácticas cortesanas reales y de las que se previenen tantos autores, se remontan a la Antigüedad —y lo demuestra con la *Vida* de Plutarco—, pero deben ser rechazadas para defender —aduce la autoridad de Vegecio— cualquier actividad letrada que los caballeros instiguen, siempre que lo hagan sin detrimento de sus obligaciones estamentales, como ocurre en este caso:

E porque según dize Vegeçio (...) cuando la osadía del escrevir no se culpa, creçe la elocuençia e exerciçio de las sentençias e este noble cavallero con agudo e sotil ingenio ha prinçipiado a se exerçitar e trabajar en conponer graçiosos e doctos poemas e metros, así en la forma del conponer como en las sentençias de las cosas conpuestas, paresçió digno trabajo de me ocupar en escrevir alguna glossa e declaraçión a las coplas por él conpuestas, donde se conozca cuánd enseñadamente escrivió e que su escrevir non discrepa de los santos e profetas que semejante querella quisieron fazer a Dios de la que este cavallero muestra fazer en aquestas coplas (578).

Sobre todo, lo que le interesa es salvar el ámbito de relaciones curiales construido en torno a Carrillo, que en ese momento había declinado en Díaz de Toledo la resolución de «negoçios familiares» (579); como si de uno de esos asuntos se tratara emprende esta labor que somete a la corrección y enmienda del mitrado, a fin de que pueda publicarla y comunicarla a aquellos «entre quien fue la diversidad de opiniones», incluido el mismo Gómez Manrique.

11.5.5.2.1: *La enarratio poetarum:* el uso de la poesía por los caballeros

P. Díaz de Toledo no acomete la exégesis directamente, sino que la engasta en una obligada *enarratio poetarum;* en ella, al igual que obrara don Íñigo en su *Prohemio e carta* (§ 10.4.2.1.2.1), tras señalar las dos clases de escritura que pueden darse —«una en prosa e oraçión soluta, e otra en metro e mesura de sílabas» (íd.)— asienta los orígenes de la poesía en la figura de Moisés, el primero al que se puede adjudicar el componer «en metro o troba», considerando después los distintos tipos de estructuras métricas reconocibles en la Biblia, conforme quedaba apuntado en los prólogos jeronimianos; el recorrido histórico continúa con los griegos —encarece, sobre todo, la figura de Homero[443]— y con los latinos —reducidos a categorías de «estilos» o géneros

[443] «Lo que más se afirma es aquel gran sabio varón poeta Omero aya seído el primero actor que aya dado ley e regla en metrificar, del cual se dize que fue çiego a natura, e andando por las puertas a pedir, conponía metros según su neçesidad lo demandava. E de allí salió el más famoso metrificador que en griegos e latinos jamás ha avido», 580.

literarios[444]—, para destacar de los autores de «la nuestra Ispania» a Fernán Pérez de Guzmán y, por supuesto, a don Íñigo, dos caballeros que habían sabido compaginar el ejercicio de las armas con el cultivo de las letras, amén de ser familiares del poeta al que defiende y al que pronostica un reconocimiento similar al alcanzado por los miembros de su linaje[445]; esta *laudatio* conectaba, además, con el propósito de Carrillo de proteger a este servidor suyo.

La exégesis recuerda a aquella que llevara a cabo Juan Rodríguez del Padrón, en el interior del *Bursario,* para interpretar unas coplas de Pero Guillén de Segovia —el ambiguo interviniente en esta polémica— que convenían al contenido de la Epístola XIX (ver § 10.7.4.3.2.2, págs. 3277-3279); el ejercicio es similar por cuanto se trata de traspasar el nivel de la *estoria* literal para poder descubrir sus sentidos morales, explicando y declarando «cada parte de las que en ella se tocan» (582), tal y como aquí se indica, sin ofrecer una sola referencia sobre los elementos formales del texto.

11.5.5.2.2: Roma y Toledo como imagen de Castilla

La más compleja de las coplas es la primera por cuanto el comentador se ve obligado a razonar las causas de la prosperidad de Roma, un asunto que, por otra parte, podía fácilmente engastarse en los viajes y embajadas que los letrados hispanos realizan a las ciudades italianas durante este período; buscando los significados de la copla inicial de Gómez Manrique —«Cuando Roma prosperava»—, Díaz de Toledo menciona las virtudes sobre las que se asentaba la fama de este pueblo:

> E la mayor gloria e riquezas que pensavan aver era seer loados de honestad. Aqueste loor amaron ardientemente, por aquéste quisieron bivir e por aquéste non dubdaron morir. Por sola esta cobdiçia reprimieron todas las otras cobdiçias, e a la patria suya, la cual ovieron por grand mengua que fuese sierva nin obedeçiesse a otro; primeramente pensaron ser cosa gloriosa que ella deviese ser libre e señora e aquesto procuraron con todo estudio e trabajo (583).

---

[444] «Ovo otros que fueron trágicos como Séneca; otros que fueron cómicos como Terençio e Plauto e Hemio; otros satíricos como Jovenal e Persio», 581.

[445] «Prinçipia e comiença asimesmo aqueste cavallero Gómez Manrique, el cual, si el tienpo le da logar a continuar e continúa, irá en el alcançe a los cavalleros nonbrados e publicará su ingenio de buenas e fructuosas obras», 581-582.

Con la cobertura de ideas que le presta San Agustín, pero con una consulta real de Salustio y Tito Livio[446] espiga los sucesos referidos a los personajes mencionados por Gómez Manrique, remitiendo, por mor de brevedad, a la glosa que había dedicado al *Centiloquio* de Santillana[447].

Salvada la comparación histórica, no le queda la menor duda a Díaz de Toledo de la queja soterrada que late en las disparatadas contraposiciones que Gómez Manrique desgrana para describir ese «pueblo» en el que mora:

> Presupuesta la governaçión e ofiçiales que Roma tovo en su prosperidad, en aquesta copla e en las siguientes paresçe el actor querellarse de la desordenada governaçión, aviendo por cosa sin razón e dessaguisada que los indiscretos e no sabios parescan regir e governar a los discretos e sabios, e los que no son tan buenos nin virtuosos que señoreen a los que son buenos e virtuosos (588).

Referidos los hechos a Toledo, los problemas podrían remontarse a las revueltas promovidas desde 1449, pero también, tal y como se ha advertido, cabía interpretar la ciudad como imagen del reino. Hay una dimensión providencialista engastada en el comento, por cuanto los males que afligen a la nación han de achacarse a sus moradores, a los pecados cometidos, a las malas costumbres observadas; por ello, Dios soportaba que los malos prosperaran en este mundo, para dar ejemplo a los buenos de cuál había de ser el recto comportamiento a que debían ajustarse. Sabe Díaz de Toledo que expone estas ideas —nuevamente una «querella»— ante un mitrado que es buen conocedor de la tratadística dedicada a la Fortuna y a la Providencia:

> En aquesta materia conviene fablar delicadamente, que es de las más altas que ay en la Sacra Escritura, por tocar a la providençia e saber de Dios (589).

---

446 Se destaca su figura como modelo de letrado por antonomasia: «E que estando Roma en su trihunfo e prosperidad, algunos nobles de España e Françia, oyendo la gran fama de eloqüençia de Titu Livio, se dispusieron de irlo a ver», 587.

447 «Çerca de lo cual fazen asimesmo algunas otras cosas que escreví en la glosa de los *Proverbios* del Marqués, en el proverbio que comiença: "Tanto tienpo los romanos"», 585.

La «fabla delicada» exige un orden de referencias letradas que le permite recordar quiénes son los que aceptan o rechazan la intervención de la Providencia divina en los asuntos terrenales, para alcanzar una conclusión similar a la que fray Martín de Córdoba bosquejara ya en su *Compendio* (§ 10.5.3.2.2):

> Mas ay gran diferençia en el uso d'estas cosas que son dichas prósperas e bienaventuradas o adversas o contrarias, ca el bueno e virtuoso non se ensoberveçe con los bienes tenporales, non se abate nin quebranta con los males, e el malo por tanto es penado con infiliçidad e miseria, porque se corronpió con feliçidad e bienaventurança (594).

Siempre los bienes temporales deben ser considerados causa de desgracia segura, mientras que los males han de ser tomados como pruebas que Dios envía a los buenos para fortalecer su alma[448]; de este modo, puede entenderse la afirmación de Gómez Manrique de que, en ese pueblo en el que vive, «al nesçio fazen alcallde»:

> Estonçes la Providençia del gran Dios dispone que los malos tengan potestades e señoríos cuando juzga e determina que los onbres a quien han de sojuzgar e señorear son dignos de tales señores (596).

Quedaba, así, abierta la vía de la lectura política del texto.

11.5.5.2.3: Los sentidos ocultos: el regimiento de príncipes

Tras delimitar el marco moral y religioso de la interpretación, Díaz de Toledo procede a desvelar los sentidos ocultos en las jocosas comparaciones métricas de Gómez Manrique, reforzando su parecer con autoridades extraídas básicamente de la Biblia, de Aristóteles y de San Agustín; a este glosador no le cabe la menor duda del fondo de crítica social y política que Manrique vierte en las coplas que compone y así va fijando, con exactitud, las correspondencias que encuentra entre las

448 Lo que le da nueva ocasión de remitir a otro escrito suyo: «E en aquesta materia yo fize algún discurso en el *Diálogo* que fize sobre la muerte del Marqués, en el terçero capítulo», 595.

imágenes burlescas y el mensaje doctrinal subyacente en las mismas, advirtiendo siempre que tales significados corresponden al autor[449], al que da la razón cuando propone un símil o una semejanza[450]; de este modo, se logra que el lector de las glosas —con el destinatario de Carrillo como mediador— mantenga un diálogo abierto con el poema que está siendo interpretado mediante citas y *exempla*, para convertirlo en un documento muy diferente, en una exhortación en la que se señalan los males y los defectos en la gobernación de la ciudad y del reino: por ello, se señala la necesidad de contar con un príncipe virtuoso[451], de rehuir a los malvados[452], de afirmar la unidad entre el pueblo y sus regidores[453], entre la hueste y sus capitanes. Esta sección la convierte Díaz de Toledo en materia sapiencial para advertir que un hombre solo por mucho poder que tenga por sí mismo nada vale, o recomendar que nadie se fíe de su seso o su saber.

El glosador expone los argumentos y los conceptos con que se arman los regimientos de príncipes, en buena medida porque también los tenía presente Gómez Manrique, a quien se va a deber una importante muestra de esta producción *(HPRC*, § 5.1.1). Se procede, así, al análisis de las virtudes, partiendo de la justicia, la principal de ellas, «la que mantiene los pueblos e sostiene los reyes» (605), a la que se dedicaban las coplas vii y viii; conforme a Aristóteles, se valoran sus dos clases, las llamadas «conmutativa» y «distributiva», imprescindibles ambas para asegurar «la armonía que sostiene los reinos» (606). Similar im-

---

449 Así, los cuatro primeros versos de la copla cuarta se conducen a esta conclusión: «Esto es lo que quiere dezir aquí el actor: que la fruta por el sabor se conoçe su natío, así como los onbres se conoçen por sus obras», 597.

450 «E no ay dubda, como dize el actor, que si los çiegos guían, que no açertarán los que van detrás», 599.

451 «E si el prínçipe fuere virtuoso, prosperan con él los virtuosos, porque le plazerá de sus costunbres, e si el prínçipe es pecador e malo, dize que le plazerá de otros semejantes a él. Así por el governador se conoçen los governados», 597.

452 Con ideas providencialistas: «Que dize que a los justos e buenos no es pena de crimen nin pecado ningún mal que les venga de los malos señores, mas experimento e prueva de virtud; qu'el bueno, si sirve a señor malo, libre es; el malo, aunque reine, sienpre es siervo e non solamente de un señor, mas de tantos señores tiene cuantos pecados comete», 598.

453 Ahora con el concurso de la *Partida II,* para determinar las sujeciones a que el rey está obligado: «Ca según dizen los juristas, los reyes son subjectos a la ley natural e a la ley divina; e aunque en algunos casos las puedan modificar e limitar, de todo non las pueden quitar; e aunque sean libres e sueltos de subjecçión cuanto a las leyes positivas, honesta cosa farán de ser subjectos de se regir e governar por ellas», 600-601.

portancia se concede a que la Iglesia se asiente en los letrados, definidos como el grupo «más sustançial» (608) de la misma. El orden moral se extiende, además, al gobierno que los «viejos» deben ejercer sobre los «mancebos», atemperados los vicios de los unos con las virtudes de los otros[454]; se exhorta a seguir los buenos consejos, sobre todo a los reyes[455] o, en su caso, a los gobernadores a fin de mantener la paz de la comunidad que están rigiendo. Conviene, en este punto, el elogio de las leyes para glosar la décima de las coplas, determinando los fundamentos de las reformas jurídicas que se emprenderán en tiempo de los Católicos *(HPRC,* § 5.3):

> En aquesta copla el actor pone conparaçiones asaz convinientes para mostrar de cuán poca eficaçia son las leyes si non ay esecutores en ellas. Ca, según dize la ley çevil, poco aprovecharía conponer e ordenar leyes si non oviese ministros que las esecutasen (613).

Con este propósito, se fijan las condiciones a que deben sujetarse esos ejecutores de las normas jurídicas, siempre aplicables a casos convenientes, procurando dar a cada uno lo que le pertenece, para concluir:

> Así que verdad dize el actor que las leyes ninguna pro traerían si execuçión no oviese, e los reinos se caerían si buenos reyes no oviesen; ca luego se tornarían todas las cosas en confusión (615).

Se van, de este modo, acumulando apuntes y observaciones que pueden conectarse fácilmente con ese presente de 1460-1462; así, cuando se afirma que la dignidad del rey depende de «la multitud e conpaña del pueblo», cayendo en caso contrario en «su confusión» (íd.), se recuerda uno de los defectos en que más insistieron los cronistas de Enrique IV (ver pág. 3480). Esta línea de contenido es importante porque le permite a Díaz de Toledo exponer una sucinta visión del modelo trifuncional de los estados, conforme a la *Política* de Aristóte-

---

454 Siempre con la armonía como fin de la amonestación: «E en aquesta manera de mançebos e viejos se faze buena mezcla e las cosas que enprehenden para fazer han buenas salidas e efectos», 610.

455 Lo que ratifica con *Partida IV:* «El rey deve aver consejo con los onbres onrados e con los cavalleros e con los otros onbres que son sabidores de la guerra, e que ayan a meter las manos en 'l fecho cuando menester fuere», 611.

les, para señalar las obligaciones de esos tres grupos; se incide en la importancia de los «oradores» y los «labradores»[456], como soporte fundamental de la caballería, siempre vinculada a la corte[457], para amonestar, de nuevo, a los príncipes a que se rodeen de «illustres varones», con referencias extraídas de la novena *Tragedia* de Séneca; era, desde luego, este mensaje el más importante que Díaz de Toledo quería articular para entregárselo a Carrillo justo en los años en que va a comenzar a maniobrar a favor de los hermanastros del rey, totalmente alejado del modelo de unidad y de seguridad políticas que el buen gobernante debe alcanzar:

> Plegaria es aquésta e suplicaçión que todos los pueblos deven fazer a sus reyes: que se ayan como padres de sus reinos e ayan por encomendados a sus cibdadanos e vasallos, lo cual farán manteniendo sus reinos en justiçia, e entendiendo en el bien e pro común d'ellos e dando paz en sus tierras, porque ésta es la principal cosa que nuestro Salvador nos mandó en su testamento (618).

Afirmada esta doctrina, el glosador considera impertinente seguir sometiendo a exégesis un poema del que ha desvelado ya sus dos principales significados, el del riesgo de un reino dividido y el de la exigencia de la «paz e concordia» para que la buena gobernación produzca sus frutos[458]. Bien es cierto que los caminos para conseguir ese estado ideal eran muy diversos y Gómez Manrique, junto a Carrillo y los letrados que lo apoyaban, formará parte de la corte del infante don Alfonso, tras ser alzado rey en 1465. Éste es el momento en que Pero Díaz de Toledo se retira a Alcalá de Henares, en donde morirá a los pocos meses, tras negarse a participar en esas sediciones; cuando menos, él sí supo ser coherente con el mensaje que creyó encontrar en esta *Esclamaçión.*

---

[456] El dato es novedoso: «Son asimesmo nesçesarios los labradores porque en tanto que los defensores están ocupados en servir al rey e defender la tierra e los oradores en fazer plegarias e oraçiones a Dios, ellos procuren los fructos de la tierra de que todos se mantengan», 616. Para los vínculos de Carrillo con este estamento ver págs. 3584 y 3588.

[457] Una institución que es definida conforme a *Partida II:* «corte es llamada el lugar donde está el rey e sus vasallos e sus ofiçiales e aquellos que cotidianamente le han de aconsejar e servir, e los otros del reino que se allegan ende por onra del rey», íd.

[458] «E de lo susodicho se declara la copla de yuso que comiença: "que bien como dan las flores", etc. E las otras coplas que no van por istenso aquí puestas», íd.

11.5.6: *Hernando de Alarcón, el consejero de Carrillo*

Aun situable en los primeros años del reinado de los Católicos, en el período de la guerra con Portugal, procede acoger en este epígrafe el *Tratado que hizo Alarcón,* por cuanto este personaje fue uno de los letrados adscritos al círculo de Carrillo, a quien dirigió este opúsculo de últimas voluntades[459], en el que pretendía fijar una imagen de resignado penitente, muy distinta de la transmitida por la cronística oficial de los Católicos, que lo convertía en paradigma de consejero desleal, capaz con sus insidias de arrastrar al arzobispo a las erradas posiciones que lo movieron a apoyar la causa del portugués en el litigio de la sucesión, tal y como se afirmaba en la *Crónica castellana* (§ 11.1.3):

> En el cual tienpo Alarcón sin enpacho ni vergüença tentó al arçobispo de Toledo a cuál de las dos entendía de seguir, a doña Juana o a doña Isabel, como fuese çierto de doña Isabel no ser tanto amado cuanto meresçían los grandes serviçios que él le avía fecho, de lo cual entre los suyos el arçobispo algunas vezes se quexava, e tantas vezes Alarcón esto dixo que le fazía titubear (ed. Sánchez-Parra, 478-479)[460].

Por ello, Pulgar, en su *Crónica,* con un grado mayor de parcialidad, somete a este criado a un riguroso análisis para avisar de los engaños con que un falso privado puede torcer la voluntad de su señor; así, sucede en 1475.xxvi, en donde funde las semblanzas del arzobispo y de su servidor para incidir en estos defectos:

> Tenía un privado que se llamava Fernando de Alarcón, que a los prinçipios ovo notiçia d'él por el arte del Alquimia, en que era

[459] El texto, muy breve, se conserva hoy en el ms. 248 de la Biblioteca Histórica Marqués de Valdecilla; ha sido rescatado y debidamente editado por Pedro M. Cátedra, *«Tratado que hizo Alarcón», alquimista del arzobispo Alonso Carrillo*, Salamanca, Seminario de Estudios Medievales y Renacentistas, 2002, por donde se cita.

[460] Lo propio hace Palencia, que incluye una amplia semblanza en el año de 1472, reproducida por Pedro Cátedra en su edición, págs. 14-16, en la que se señala que Alarcón se había instruido en la alquimia en Valencia, además de registrar el modo en que, en 1473, Isabel desterraba de su corte a este encizañador: «Entre Palencia y Alarcón habría, así, desde que ambos compartían el círculo de la princesa Isabel, un enfrentamiento personal que llevaba al historiador a culpabilizarlo de muchos de los errores o maquinaciones de otros grandes más intocables», pág. 19.

mostrado; después, como este Alarcón era ome agudo e cauteloso, e sabía bien seguir los apetitos e inclinaçiones del arçobispo, serviale en ellos de tal manera, que en poco tiempo le dio todo el crédito de su casa e de sus negoçios (I.82)[461].

En 1475.xxxii, explica el cronista que este Alarcón había sido corrompido por el marqués de Villena, el principal apoyo de Alfonso V, y «traído a su opinión» (I.102), a fin de mostrar el vínculo que conectaba a Carrillo con el bando de los traidores a Isabel; no era el único, al parecer, de los servidores infieles del arzobispo[462], aunque sí el principal de los instigadores de la felonía y Pulgar le atribuye, con un sintético apunte, el rechazo de Carrillo a encontrarse con los reyes: «E inputavan toda la culpa a aquel Fernando de Alarcón» (I.113). De este modo, en 1478.xcix, cuando el curso de la guerra es favorable a los castellanos, este criado escapaba del reino[463], permitiendo que otros consejeros leales, como el doctor don Tello de Buendía, con sus buenas razones, atrajeran al arzobispo a los acuerdos de paz. Aun así, cuando se celebran las cortes de Toledo, en 1480, y como modo de demostrar el triunfo de la verdad, uno de los actos solemnes que en las mismas se celebran es el ajusticiamiento de este alquimista:

> E fue preso por su mandado aquel Hernando de Alarcón que avemos dicho que estava con el arçobispo de Toledo, e fue traído allí a la çibdad de Toledo, del cual mandaron facer justiçia públicamente, e fue degollado, porque confesó aver movido muchos escándalos en el reino, e avía estorvado la paz d'él por algunos inte-

[461] Se sigue citando por la ed. de Juan de Mata Carriazo, Madrid, Espasa-Calpe, 1943.

[462] Así lo indica en 1475.xxxiii: «como el arçobispo estava remitido a la governaçión de aquel onbre que avemos dicho que se llamava Fernando de Alarcón, el cual estava corronpido con dádivas y promesas del marqués de Villena, eso mismo tenía çerca de sí algunos cavalleros e otros onbres de malos deseos, que por sus proprios intereses le movían a guerras y escándalos, e luego tornó a su dureza», I.112-113.

[463] «E porque creían que el arçobispo facía este nuevo escándalo por consejo de aquel Alarcón, a quien avemos dicho que dava entero crédito, e le remitía todos los negoçios que tocavan a su persona e de toda su casa, fue de tal manera amenazado por algunos criados e parientes del arçobispo, que creyendo que la voluntad e amor qu'el arçobispo le avía no serían bastantes para le librar del odio e malquerençia de los de su casa, acordó, por salvar su vida, se ausentar e fuese para el reino de Françia», 354. Resume P. Cátedra: «La salida del privado debió ser definitiva para que Carrillo volviera al redil de sus soberanos inmediatamente, o al menos coinciden uno y otro hecho», pág. 24.

reses que avía avido. E con estas justiçias que allí mandaron executar, ovo grand paz e sosiego en todo el reino (I.422-423)[464].

Se ponía, así, fin al período de agitación y de desórdenes por el que el reino había pasado, instaurándose esa firme concordia política y religiosa con que los reyes gobernarían a partir de ese momento.

P. Cátedra, volviendo del revés las acusaciones de Palencia hacia este autor, reconstruye un perfil muy distinto; Alarcón sería un espiritualista, cercano a los grupos reformadores para-franciscanos, que, ataviado con hábito y báculo, despreciador de la riqueza y del matrimonio, impondría su presencia en las cortes de Carrillo y de la misma Isabel. El interés por la alquimia, más allá de la atracción de Carrillo por el hermetismo, apunta al círculo de visionarios y apocalípticos del que habían surgido opúsculos como el del *Libro de las tribulaciones* de Jean de Roquetaillade (§ 10.6.5.2.2). Palencia, al denunciar la dimensión profética de que se arrogaba Alarcón, lo señalaba como el culpable de la construcción de revelaciones que mostraban al portugués Alfonso V como el Encubierto[465].

11.5.6.1: Las razones para «bien morir» de un alquimista

El *Tratado* que de él se conserva, rematado por veinte versículos que quizá no sean suyos, ordena las cláusulas introductorias de un testamento que se pretende adornar con toda suerte de referencias escriturarias, aducidas para apoyar la espiritualidad de su autor; si es cierto lo que se afirma en el título, es decir que lo redactó «al tiempo de su muerte» (47), habría que pensar en fechas próximas a 1479 o 1480, año en el que murió degollado; sin embargo, parece antes un ejercicio literario que los prolegómenos reales de un documento de últimas voluntades, que pudo con todo prepararse como medio de incidir en la pose

---

464 Palencia acoge con satisfacción esta ejemplar justicia; el pasaje lo incluye P. Cátedra en pág. 25.

465 Y resume P. Cátedra: «La puesta en escena de la entrada en Castilla de Alfonso de Portugal en 1475 fue impecable por lo que se refiere a su caracterización como el Emperador durmiente, el Rey escondido, el Encubierto de la tradición profética. Llegó a forzar incluso la entrada sobre unas andas para ajustarse al guión de la profecía isidoriana, que afirmaba que el Emperador de los últimos días entraría en "cavallo de madera"», págs. 33-34.

religiosa de su autor y en el dominio de una trama de semejanzas y de sentencias, que permiten, cuando menos, descubrir las habilidades elocutivas de este criado de Carrillo.

El texto presenta una continua digresión sobre el valor de la muerte y la futilidad de la vida, articulada con todas las imágenes recurrentes del *de contemptu mundi* y de la tradición pseudo-senequista; tal es la visión que se establece desde el mismo momento en que se declara la naturaleza del escrito y la vinculación de su autor al entorno de Carrillo:

> E como la muerte sea muy común e la vida pressente fallescedera, acordé yo, Alarcón, criado del muy magnífico señor don Alonso Carrillo, arçobispo de Toledo, de hazer esta escriptura, la cual es testamento de mis postrimeros días, tomando por fundamento que la vida que bivo es una sonbra que passa e viento que corre aquexosamente; y en el fin de aquesta romería lo que tengo de bienaventurança se tornará de ningún valor (48).

A partir de esta introducción, se entrecruzan los tópicos desprecios hacia los bienes terrenales con consideraciones sobre la muerte entendida como verdadera vida; estas paradojas requieren el apoyo de semejanzas que muestran al hombre —aquí es Alarcón— «como mareante que corre fortuna», enfrentado a «las contrariedades d'este mundo peligroso» (íd.); de este modo, el verdadero saber se presenta, pertrechado ya con sentencias, como un medio de alejarse de la vanidad mundanal y de aceptar la realidad de la muerte de la que todos huyen y que debe entenderse como la alegría final que puede dar consuelo al ser humano, en cuanto sola verdad en la que debe pensarse:

> Porque no sé cuándo ni dónde, ni cómo seré preso de la muerte, mejor es pensar que luego o mañana y apartarme de luenga esperança y no pesarme de lo que dexo, pues que mis bienes y yo somos agenos, y tornar al fin para que fui criado y dexar aquello para que no fui nascido, porque las cosas presentes que veo, cuando más me parecen perdurables, más aína son caíbles (49).

Sin duda, estas posturas, esgrimidas en discursos hábilmente ligados a circunstancias políticas, serían las que le valdrían la aquiescencia de sus protectores, a la par de la animadversión de sus detractores.

Por confluencia de tradiciones temáticas, el escrito debe aproximarse a las artes de bien morir que en este mismo período, vinculadas a los confesionales, comienzan a construirse *(HPRC,* ver § 8.5.2); los argumentos son similares, puesto que se enseña a menospreciar «la cárcel d'esta vida cuitada» (íd.) y a preparar el momento en que se deberán rendir cuentas ante el Juez Supremo; el mundo terrenal es concebido como un espacio de pecados y de culpas, que debe ser rechazado para buscar los bienes provechosos. Algunas de las estructuras retóricas de que se sirve Alarcón recuerdan los juegos de palabras y polípotes de la poesía cancioneril[466], así como las antítesis con que se enfrentan conceptos como «mi daño tan grande» y «los bienes tan pequeños» (50), o «me quiero casar con la muerte» y «nunca pensar en la vida» (51); pero no se promueven esos principios de pensamiento poético, antes al contrario se van desmontando los esquemas racionales con que el hombre se engaña a lo largo de su vivir incierto; esta postura presupone destruir el dominio ambiguo del saber:

> Porque aquél es llamado sabio que se sabe salvar e necio el que se condena. Porque la sabiduría d'este mundo más daño trae que provecho (50).

Son otro tipo de construcciones fraseológicas las que se imponen a lo largo del escrito, más breves y directas, a fin de transmitir la inmediatez de la muerte y sugerir las respuestas con que se debe producir ese tránsito hacia la vida perdurable; véase, como muestra, una de las mejores series de estas cláusulas testamentarias por el modo en que se articulan los *opposita:*

> Pues quiero pensar en lo que á de durar, huyendo lo que me daña, buscando lo que aprovecha, yendo tras lo que bive, aborresciendo lo que muere, deseando lo que dura, dexando lo que fallesce, quiriendo gloria, dexando pena, cobrar la vida por la muerte, trocar al diablo por Dios, cobrar la libertad por cautiverio, dar servidumbre por señorío, aborreçer este devaneo por gloria sin fin (50-51).

El modo en que, al final del escrito, se apela a la justicia de Dios, situada por encima de la de los hombres, sirve para revelar uno de los sentidos de estos opúsculos, puesto que no sólo sería Alarcón el que se

---

[466] «E yo, si pienso bivir e me muero, llevaré penar doblado, porque si pensase morirme no querría tanto la vida e no me pesaría la muerte», íd.

sentiría exonerado de todas las acusaciones que contra él se alzaran, sino también el propio Carrillo, identificado con el destino de uno de sus principales consejeros.

Con todo, este *Tratado* de reflexión moral y religiosa, unido a la producción de los Palencia, Gómez Manrique, Guillén de Segovia, Díaz de Toledo, Alonso de Ortiz o Alfonso de Toledo, entre otros, lo que pone de manifiesto es que en el período de 1464 a 1479 no habría en Castilla un círculo letrado más activo e influyente que el que rodearía a este arzobispo que supo cambiar el curso de la historia al apoyar primero al infante don Alfonso, después a su hermana, por último a doña Juana contra Isabel, sin darse cuenta de que sus propias maniobras acabarían por desbaratar sus proyectos políticos y ambiciones personales. Aunque no alcanzara el cardenalato que pretendía, al menos su curia llegó a ser más prestigiosa que la de los propios reyes.

11.6: La ficción narrativa: el orden alegórico

El marco cortesano de Enrique IV no debía de ser el más adecuado para el desarrollo de la materia caballeresca, habida cuenta de su escaso interés por declarar una guerra abierta contra Granada y de la poca hostilidad que manifestaba hacia los nobles rebeldes que contra él se alzaban, ya instigados por Pacheco, ya hartos de sus maniobras. Con todo, las tramas y ciclos artúricos siguen su desarrollo hasta ser impresos, algunos de sus títulos, en el último decenio de la centuria y primero del siguiente; recuérdese que el códice salmantino 1877 —con esa curiosa miscelánea de materiales de la *Post-Vulgata* (§ 7.3.4.3) y de textos religiosos y escatológicos (§ 10.6.5.2.2)— se fecha entre 1469 y 1470; cabe también la probabilidad de que en la biblioteca del alcázar segoviano se guardara un ejemplar completo de la *Demanda*[467]; y desde luego la recepción de estas historias por nobles como el conde de Benavente o por banderizos como don Lope García de Salazar ha de darse por segura. Pero no debía de ser muy aficionado Enrique IV a la audición de estos libros ni tampoco Pacheco lo sería, al contrario de don

[467] «Quizá por esa circunstancia y por el hecho de que la de Segovia era una biblioteca exclusivamente manuscrita, donde figuran libros dedicados a Juan II y a Enrique IV, debamos atribuir a la vieja biblioteca real la mayoría de los libros», ver Pedro M. Cátedra y Jesús D. Rodríguez Velasco, *Creación y difusión de «El Baladro del sabio Merlín» (Burgos, 1498)*, Salamanca, Semyr, 2000, pág. 77.

Álvaro de Luna que se empeñó, casi hasta el final de sus días, en construir en torno a sí una aparatosa parafernalia de ritos y ceremonias que lo encumbraran por encima de los principales clanes linajísticos; de ahí, vino su intento de convertir, en su *Crónica*, a Juan II en caballero andante y de modelar la primera parte de su *Historia* bajo estos patrones literarios (§ 10.3.6.2).

De este modo, el desarrollo de la ficción, a lo largo de estos dos decenios, va a estar limitado a dos ensayos narrativos, de corte alegórico, que va a producir Alfonso de Palencia a su regreso de Italia; pretendía, con ellos, darse a conocer en el entorno primero de Fonseca, después de Carrillo, avisando de los principales defectos que él advertía en la clase caballeresca. Se trata de obras que se componen entre 1453 y 1459. No es posible señalar producciones similares en el quindenio final de Enrique IV. Es preciso saltar al reino vecino, a Aragón, para encontrar la tercera muestra de la ficción sentimental, la *Triste deleytaçión*, abierta, por su críptica estructura de referencias, a los problemas sucesorios que plantea la muerte de don Carlos. En cualquiera de los casos, estos tres textos coinciden por encubrir una verdad bajo los *integumenta* poéticos con que se construyen sus literales historias.

11.6.1: *Alfonso de Palencia*

Cuando en 1453, Alfonso de Palencia regresa a Castilla (revísese § 11.1.2, págs. 3508-3509) trae asimilados los esquemas de la fábula humanística, desarrollada a finales de la década de 1440 en Roma y de la que puede servir de muestra el *Momus sive de Principe* de León Battista Alberti[468]; conforme a la terminología isidoriana[469], las *fabulae* despliegan hechos que ni fueron ni pudieron ser, inverosímiles por ser contrarios a lo natural, pero que, por ello mismo, pueden fijar eficaces correspondencias con una realidad histórica, posibilitar su análisis y propiciar el acceso a un fondo de verdades morales, encubiertas tras los *figmenta* o *integumenta* poéticos. Recuérdese que tales son los procedimientos empleados en los modelos narrativos que acaban afirmando

---

[468] Ver «2. La fábula humanista», en Alfonso de Palencia, *De perfectione militaris triumphi. La perfeçión del triunfo*, ed. de Javier Durán Barceló, Salamanca, Ed. Universidad, 1996, págs. 19-33.

[469] Verificada por otra parte mediante los usos vernáculos de «fablas» o de «fablillas», ver § 7.3.1.5.1, págs. 1329-1330. Términos confirmados en el *Universal vocabulario*.

el orden de la ficción sentimental (tanto el *Siervo* de Rodríguez del Padrón como la *Sátira* de don Pedro de Portugal).

Palencia, que tuvo que estudiar con Trebizonda, vuelve imbuido de los valores aprendidos en ese *Studio Romano,* plenamente capacitado para formular estas pesquisas alegóricas del mundo, político y cortesano, al que llega, cuando entra al servicio de Alfonso de Velasco, hermano del primer conde de Haro, y, por su mano, ingresa como familiar en la casa del arzobispo de Sevilla, Alfonso de Fonseca; de este modo, entre 1453 y 1459 produce cuatro fábulas latinas[470]: una epístola como homenaje a Alfonso Fernández de Madrigal, una suerte de diálogo de corte terenciano dedicado a Fernando de Pulgar, más dos *fabulae* —el *Bellum luporum cum canibus (c.* 1455) y el *De perfectione militaris triumphi* (1456)— en el sentido estricto del término, puesto que plantean ambiciosas estructuras textuales, configuran trazados de referencias alegóricas y contribuyen a la promoción personal del autor; para facilitar este último aspecto, el propio Palencia tradujo esas dos piezas narrativas, a fin de lograr una difusión más amplia de sus ideas y dar a conocer un trabajo que consideraba valioso.

11.6.1.1: La *Batalla campal de los perros contra los lobos*

La redacción latina de este opúsculo alegórico —enderezada a Alfonso de Olivares, maestresala del rey— se ha perdido, conservándose sólo la traducción, fijada por el propio Palencia y dedicada, en su andadura vernácula, a Alfonso de Herrera, criado como él de Fonseca, fechable en 1457; mientras Palencia produce estas dos versiones muere Juan de Mena en 1456, dejando vacante sus cargos; en el prefacio latino, el primero de la *Batalla* por tanto, Palencia recuerda cómo Homero, antes de escribir la *Iliada,* había compuesto una obra alegórica, la *Bratrachomiomachia,* a modo de ensayo (ver texto en pág. 3765). A esa semejanza, Palencia, con la pretensión de escribir los «fechos de España», quiere antes probar su pluma en la cruel guerra que los lobos movieron contra los perros. Hay, por tanto, una petición engastada en esta ficción moral, que asoma claramente en el epílogo, cuando advierte de su intento al maestresala del rey:

---

[470] «La mayoría de sus escritos no historiográficos se asocian con dos períodos relativamente ociosos de su ajetreada vida (1454-60, 1480-92)», tal y como señalan Tate y Lawrance, en su «Introducción» a *Gesta Hispaniensia*, pág. xlviii.

> Como quier que de todo buen exerçiçio siempre se reçiban muy muchos frutos, pero cuanto puedo me esforçaré allegar a ellos algunos presentes provechos del tiempo. Conviene a saber prinçipalmente esperimentar por estas fablillas cuánto valdría mi peñola en la historial conposiçión de los fechos de España, porque si pareşçiese ser conveniente dende en adelante usase lo convenible a mí (301)[471].

La obra tenía que demostrar no sus aptitudes de historiador, sino su capacidad para construir los núcleos de ideas con que una crónica real había de armarse: valoración de la corte, respeto a la figura del rey, dotes descriptivas referidas a encuentros militares, interpretación de las circunstancias, trazado de conclusiones. Todo ello se encuentra en la *Batalla campal* y las consecuencias de su divulgación fueron rápidas: el seis de diciembre de 1456 Palencia era nombrado secretario de latín y cronista real[472].

11.6.1.1.1: El doble prólogo: reflexiones humanísticas

En su redacción vernácula, la *Batalla* es presentada mediante un doble prólogo. El primero, el dedicado a Alfonso de Herrera, valora los problemas derivados de la traducción, sobre todo cuando existe tanta diferencia entre la lengua latina y la romance; es el humanista el que se queja por tener que reducir su obra a un sistema de expresión más imperfecto:

> Et como quiera que mucho se me faga grave el romançar sabiendo las faltas que así en él son de las cláusulas como en la verdadera significaçión de muchos vocablos, de neçesario vienen en las traslaçiones de una lengua a otra, mayormente en lo que de latín a nuestro corto fablar se convierte (255).

---

471 Se usa Matilde López Serrano, «El incunable "Batalla campal de los perros contra los lobos"», *RBN*, 6 (1945), págs. 249-302; el incunable conservado en la Biblioteca de Palacio puede fecharse en torno a 1490; la paginación, claro es, remite a la revista. Esta fábula y la de la *Perfeçión* fueron editadas, también, por Antonio María Fabié, *Dos tratados de Alfonso de Palencia, con un estudio biográfico y un glosario*, Madrid, A. Durán, 1876.

472 Añaden Tate y Lawrance: «con un sueldo diario de 15 maravedís por el primer cargo y 20 por el segundo. Palencia se instaló en la corte real con Fonseca, a la sazón cabeza con Juan Pacheco del Consejo Real», pág. xxxvii.

Y si acomete esta labor es porque se trata de un texto creado por él, pues no se hubiera atrevido a destruir un discurso formal de otro autor; no quiere que se le asocie con aquellos que piensan que es posible «traspasar de lengua limada latina a nuestro corto vulgar muchas escripturas», movidos por el deseo de tener todos los libros en esa lengua vernácula. Esgrime, de este modo, Palencia una actitud radical ante los «romancistas» o, cabría pensar, ante nobles como don Íñigo preocupados por trasladar al castellano lecturas fundamentales para su formación[473]. Sin embargo, no puede sustraerse al argumento con que Herrera lo convence para que traslade su opúsculo, el de la oportunidad de que su contenido llegue a conocimiento de los destinatarios reales que podían aprovecharlo:

> ...que non si entendida de pocos fuese ajena a los más de los nobles d'esta nuestra provincia, a los cuales más pertenesçe saber e más deve deleitar la materia en este tratado so manera de fablas contenida. Assí por ser invençión fundada sobre cautelas de guerra, como porque en el proçeso de aquéllas, podrán mejor ver cuánto mueve en las deliberaçiones, que en los comienços de las enpresas se fazen, el artifiçio de bien fablar e las razones coloradas con esperanças de grandes provechos (255-256).

Palencia sintetiza, así, las líneas principales del desarrollo temático: es cierto que va a haber una «batalla campal» entre perros y lobos, pero sólo después de que se hayan desplegado las correspondientes «deliberaçiones» en uno y en otro bando, se hayan mostrado los distintos artificios retóricos (ese *ars bene dicendi)* de que se sirven los consejeros y un faraute especial, se hayan descubierto, en fin, los intereses por que las contiendas se mueven.

El segundo prólogo —que era el primero, el latino— engasta el opúsculo en su tradición literaria, a fin de suscitar en sus receptores una respuesta consonante a los asuntos de que se va a ocupar; le basta con mencionar el modelo que le sirve de referente, para implicar además esa función de historiador para la que se ofrece:

---

473 Juan de Lucena —recuérdese: § 11.5.1.1.2— hará decir lo contrario a Cartagena, acuciado por la vergüenza que siente don Íñigo; pero también el propio Palencia traducirá textos ya del italiano, como *Lo specchio della croce (HPRC*, § 8.2.1), ya del latín humanístico, como su *Plutarco* y su *Josefo*.

> Fizo lo semejante el muy artifiçioso e muy grande Homero sabidor en todas las artes. El cual antes que començase escrivir la *Iliada*, muy fondo piélago de grandes e maravillosas batallas, conpuso la guerra de las ranas e mures, sin dubda contienda entre animales viles, mas non con vil péñola escrita (257).

Con el trasfondo, por tanto, de la *Batrachomiomachia*, Palencia, al primer destinatario del texto, le advierte de que algunas situaciones le parecerán risibles —«como de fablillas»—, mientras que otras las encontrará aprovechables, sobre todo si repara en lo que significan esos «lobos» y esos «perros», así como en el valor que debe concederse a los engaños urdidos por la «raposa»; incita, por tanto, a este Alfonso de Olivares a usar su entendimiento para descifrar las que llama «figuras de moralidades», con los correspondientes elogios a su saber. Hay, así, una tradición literaria paródica que se pone al servicio de una alegoría política[474]; la cuestión radica en precisar la clave con la que debe practicarse la exégesis del texto y ello requiere, de forma previa, analizar la «corteza literal».

11.6.1.1.2: Las líneas del contenido

Precedidos de un breve preámbulo, en el que se fija el marco de la acción narrativa y se presenta a los lobos acuciados por su necesidad de robar ovejas, y rematados con un epílogo en que se conecta la obra con el ámbito receptivo a que se dirige, el incunable de c. 1490 consta de treinta y cinco epígrafes, que distribuyen el orden del contenido en cinco núcleos de siete capítulos, conforme a esta red de sentidos:

A) Caps. i-vii. Corte de los lobos: Antartón rey. Valoración de las conductas de Harpaleo —osadía sin temor— y Pançerión —prudencia valiente.
B) Caps. viii-xiv. Consejo militar: valores de la caballería antigua. Declaración de guerra. Elección de la raposa como faraute.

---

474 Con todo, como señala J.Mª Balcells: «El relato de Palencia no ha tenido eco en las epopeyas burlescas españolas, para cuyos autores debió ser desconocido el incunable, aunque no puede descartarse por completo que, impreso seguramente en Sevilla, Juan de la Cueva lo hubiese leído», «Alonso de Palencia y la epopeya burlesca», *Actas del I Congreso Nacional de Latín Medieval*, ed. Maurilio Pérez Rodríguez, León, Universidad, 1995, págs. 237-243, págs. 241-242.

C) Caps. xv-xxi. Mensajería de Calidina. Modelo de conducta de Halipa, capitán de los mastines. Diferencias entre Banborsio y Lambiolo sobre las consecuencias de la guerra.
D) Caps. xxii-xxviii. Preparativos de la contienda. Socorros y primeras escaramuzas.
E) Caps. xxix-xxxv. Batalla campal sin victoria para ninguno de los bandos. Despedida de los ejércitos. Preferencia por la guerra de desgaste.

Si el maestresala del rey conocía la clave para descifrar la literalidad del texto, es porque, como han estudiado R.B. Tate y M. Pardo, esta trama argumental tenía que referirse a las circunstancias del presente, ya a la situación instaurada en Castilla tras la primera batalla de Olmedo[475], ya a los continuos enfrentamientos de bandos nobiliarios[476].

Cabe, con todo, rastrear otras posibilidades. En cada uno de estos núcleos setenarios, el epígrafe central sirve de eje al conjunto de sentidos y descubre las facetas que Palencia quería examinar, que no son otras que las declaradas en el prólogo. En i-vii, se enfrentan los comportamientos de Harpaleo y de Pançerión, dos lobos de la corte de Antertón que salen juntos a cazar ovejas; el primero actúa con osadía irreflexiva, sin prevenciones de ningún tipo, mientras que el segundo obra con prudencia, previendo las consecuencias de cada uno de sus movimientos; Harpaleo debía distraer a los perros, mientras Pançerión robaba un cordero de un rebaño mal custodiado por un pastor que no había querido reunirse con sus compañeros; pero Harpaleo lucha contra los mastines sin darse cuenta de que él solo no puede vencer a todos, resultando gravemente herido; Pançerión en cambio atrapa sin obstáculos el botín que se había propuesto; la conducta de este lobo es valorada por el rey en el epígrafe central, el iv, como ejemplo de la conducta que debe observarse en actuaciones de este tipo.

Con todo, la muerte de Harpaleo exige una reparación, pero el monarca requiere antes de actuar la opinión del consejo; de este modo, en viii-xiv, Palencia explora las distintas actitudes de los caballeros ante la

475 Tal es la tesis de Tate, «Political allegory in fifteenth-century Spain: a study or the *Batalla campal de los perros contra los lobos* by Alfonso de Palencia (1423-92)», *JHPh*, 1 (1977), págs. 169-186.

476 Ver M. Pardo, «La *Batalla campal de los perros contra los lobos* d'Alfonso de Palencia», en *Mélanges de langue et de littérature médiévales offerts à Pierre Le Gentil*, París, SEDES, 1973, págs. 587-603.

posible declaración de una guerra; hablan primero los mancebos, atropellados e irreflexivos, exigiendo venganza inmediata; Pançerión recuerda que Harpaleo murió por desoír sus avisos; en xi, eje de este desarrollo, Gravaparón, lobo viejo, defiende los valores de la antigua caballería:

> «Mas porque si al presente vosotros sois fuertes no se sigue que nosotros los muy viejos ayamos sido covardes, a los cuales así vino la facultad e abondamiento de bien consejar después de passada la fuerça de los mienbros, como se espera seguir la mesma madureza a vosotros que agora sois fuertes» (271).

Es la autoridad de este lobo la que instiga la guerra por la desigualdad con que la naturaleza ha repartido sus bienes, otorgando a los perros una vida segura y fácil[477]. Es elegida Calidina, la raposa, para comunicar el desafío a los mastines, lo que hace adoptando todas las cautelas necesarias para su negocio, incluida la de espiar antes a los lobos, a fin de prevenirse de cualquier engaño[478].

En xv-xxi, en su posición central, en xviii aparece el mastín Banborsio aceptando la declaración de guerra, tras las burlas con que el capitán Halipa había acogido la noticia; con todo, a Palencia lo que le interesa es examinar la conciencia de la raposa, sopesando las ventajas que le podían venir de este encuentro:

> Ca imaginava qu'el perdimiento de ambas las partes o de una d'ellas le era muy provechoso, porque si los lobos se perdiesen no podía ser sin daño e sangre a los canes, tal que de su diminuçión esperava avérsele de seguir provecho para lo advenidero (283).

No están los perros dispuestos a ayudar a los mastines y así se refiere la reunión de gozques, en que Lambiolo convence a sus congéneres de que esa guerra nada tenía que ver con ellos y deseando, incluso, que Halipa, por su arrogancia, fuera destruido.

---

477 «Por ende todos los presentes, mirad bien lo que yo, Gravaparón, siento, no solamente guerra pues siempre tenemos e ovimos guerra con los canes, mas batalla universal es de procurar contra ellos», 274.

478 En su nombre se funden los de «Calila» y «Dimna», en un momento en que la transmisión de esta línea textual de la cuentística árabe alcanza nuevas derivaciones: *HPRC*, § 9.1.1.

En xxii-xxviii se reúnen las distintas fuerzas que van a lidiar entre sí, con paródicos retratos de los combatientes que proceden de distintas naciones; la unidad axial, la xxv, muestra el primer enfrentamiento entre el lobo Polemón, capitán italiano, y Halipa, reprendido por Ancario, al fin y al cabo por cometer los mismos errores que Harpaleo:

> «Mudar deves, o Halipa, tus antiguas costumbres. Porque todas las cosas devidas a los guerreros que van so conduta de otros no son aquellas mesmas considerada la majestad convenientes a los cabdillos, si quieren seguir costumbres conformes a la dignidad, por ende si te plaze deves çesar la ida e enbía todos los otros salvo cuatro porque guardes lo conplidero e devido a tu majestad e a la guarda de las ovejas» (289).

Por tanto, sólo el último núcleo narrativo se reserva a la «batalla campal»; se cumple con ello el objetivo de mostrar la inutilidad de una acción militar de estas características; las haces de combatientes se disponen y las arengas se pronuncian, apelando Halipa a la honestidad de su causa y Antartón a la libertad que pueden obtener; en el epígrafe central, el xxxii, se producen los encuentros, descritos con las fórmulas esperables[479] y conducidos a los resultados previsibles: los perros quedan sin dientes y los lobos malheridos. Acabado el encuentro, antes de despedir a los ejércitos, un pequeño grupo de lobos roba corderos de aquel rebaño mal vigilado, con la precaución de morder al pastor para que éste pudiera fingir que había sido atacado, le dejaran seguir cuidando a las ovejas y ellos continuaran rapiñando. Cuando Antartón despide a las huestes extranjeras formula la conveniencia de acomodarse a este ideal de vida:

> Dixo las causas por qué le pareçía más sabio consejo que biviesen en la manera acostunbrada, que procurar entero perdimiento a todos los lobos. Este mesmo consejo ovieron los perros después que tantos daños sofrieron (300).

---

[479] «Vieras a Halipa pelear muy de rezio, no menos a Antartón fazer hazañas de capitán muy esclaresçido, e ambos despertavan el coraçón de los otros con su fervor del batallar», 296.

11.6.1.1.3: La aplicación moral

Para nada había servido una guerra organizada con tantos recursos y con ingente despliegue de combatientes. Eran preferibles las acciones rápidas y bien calculadas por el beneficio que de las mismas pudiera derivarse.

Palencia no llega a esta conclusión por casualidad. Enrique IV había iniciado las hostilidades contra Granada pero no buscando «batalla universal», sino limitándose a pequeñas refriegas que desgastaran los recursos del reino vecino al que prefería rendir por la necesidad antes que por la fuerza de las armas, como Enríquez del Castillo explicara en su *Crónica* (revísese el pasaje en pág. 3488).

Parece lógico que si Palencia aspiraba al cargo de cronista áulico tenía que mostrarse de acuerdo con las líneas maestras de la política de esa corte y aplaudir, en 1455-1456, el prudente desarrollo de las operaciones militares dirigidas por el rey, frente a la osadía de los mancebos o a los altos ideales con que la nobleza reclamaba esa guerra total; el rey de los lobos, Antartón, elogia la actitud de Pançerión, que obra con seguridad, atacando donde no va a ser dañado, así como la acción de ese último grupo de lobos que se aprovecha de la falta de diligencia del perezoso Mandrón. Ésos son los objetivos oportunos para una guerra lenta, pero sumamente beneficiosa, amén de la necesidad de precaverse contra la doblez con que suelen actuar los intermediarios —esa «raposa» sobre la que Palencia había llamado ya la atención en el prólogo— o farautes a la hora de cumplir sus funciones.

No podía Palencia, por último, ser ajeno a la afición que el monarca sentía por los animales y es posible que la elección de esta *fabula*, en la que los perros cazadores no quieren mezclarse con los mastines soberbios, obedeciera a esa pauta de recepción cortesana[480].

11.6.1.2: La *Perfeçión del triunfo*

La segunda fábula humanística de Palencia aúna la tradición del viaje alegórico con el esquema argumentativo de los tratados de caba-

---

480 También R. Sánchez de Arévalo había incluido en la *Suma de la política* un «exemplo» con este mismo asunto de la guerra campal entre perros y lobos (revísese n. 214 de pág. 3617, en § 11.4.2.1.2).

llería. Redactada primero en latín, la dedicatoria del llamado *De perfectione militaris triumphi* muestra el cambio de orientación política que Palencia sufrió a fines de la década de 1450: es ahora el arzobispo Carrillo, a cuyo círculo se asociará ya el cronista regio, el destinatario de la primera versión, al considerarlo poseedor de las virtudes suficientes para restaurar un cierto grado de orden moral en la vida política de Castilla[481]; al igual que en la *Batalla*, Palencia, movido por el deseo de que la obra fuera conocida por un amplio público, la traduce, destinándola, en este caso, al comendador mayor de Calatrava, Fernán Gómez de Guzmán[482].

11.6.1.2.1: La intención del tratado: los prólogos

En el prólogo vernáculo, explica el motivo de haber elegido primero a Carrillo:

> Et assimesmo fueme visto más razonable dirigirlo a Señor en quien nobleza y conosçimiento de latinidad, y amor de virtudes, y enemistad de los viçios, y enseñança militar concurriesen; y assí lo dirigí al reverendíssimo señor don Alfonso Carrillo, arçobispo de Toledo, primado de las Españas (130).

En el fondo, Palencia estaba cambiando de bando político; si se vincula ahora a Carrillo es porque este prelado apoyaba al joven Fonseca en el enfrentamiento que va a librar con su tío a cuenta del arzobispado hispalense; a fines de 1459, Palencia deja de percibir los pagos por su cargo de cronista; consigue, en cambio, ser elegido secretario

---

481 Javier Durán Barceló ha preparado la edición crítica del texto latino y de su romanceamiento; ver n. 468; por este trabajo se cita. Además de la ed. de Fabié (ver n. 471), se cuenta con la de M. Penna, en *Prosistas castellanos del siglo XV. I*, págs. 345-392. En este caso, la versión latina sobrevive en dos mss.: el escurialense S-iii-14 (indica Durán: «el texto y toda la marginalia son autógrafos», p. 56) y el BN Madrid 10076, que pertenecía antes al cabildo toledano. R.B. Tate, en «El *Tratado de la perfección del triunfo militar* de Alfonso de Palencia (1459): la villa de Discreción y la arquitectura humanística», en *Essays on Narrative Fiction in the Iberian Peninsula in Honour of Frank Pierce*, Oxford, Dolphin, 1982, págs. 163-176, editó los caps. x y xi, págs. 173-176.

482 De la que se conserva el incunable atribuido a los «cuatro compañeros alemanes», c. 1490; Durán edita I-2603 de la BN Madrid; da referencias de tres ejemplares perdidos. Recuérdese que a este comendador, Tafur había dedicado su *Tratado de andanzas e viajes* en 1454; ver pág. 3404 y, sobre todo, n. 1901.

del conde de Alba; de este modo, se compromete con la liga nobiliaria que va a oponerse a Pacheco; con todo, Palencia no rompe con su primer protector, Fonseca *el Viejo,* ya que aceptará una comisión suya para viajar a Roma, en 1464, a fin de defenderlo contra las maniobras de la corte[483]; pero también es cierto que tío y sobrino, los dos Fonseca, ese año, estaban avenidos.

La elección del segundo destinatario no es casual. Palencia quiere que se divulguen los errores que va a conocer el protagonista del opúsculo a lo largo de su viaje, y reconoce en el comendador de Calatrava las características idóneas para que puedan instruirse los remedios a los daños que en este tratado se señalan; la condición letrada de este Fernán Gómez es muy parecida a la que don Íñigo declaraba al comentar su afición de comparar la versión latina de los textos con la vernácula; este proceso de lectura es encarecido también por Palencia:

> Porque tomarías gusto de la latinidad y juzgarías si en algo se desviava de la traslaçión vulgar del enxemplar latino, y por conosçer que favoreçes singularmente estos tales exerçiçios estudiosos (íd.).

Se pretende armar un orden de actuación caballeresca sobre un preciso grado de saber letrado que tienen que poseer los miembros de la nobleza[484]; Palencia confía en que Gómez de Guzmán podrá protegerlo de los ataques que sabe que se moverán contra él por las denuncias aquí formuladas[485], a la vez de mostrarse seguro de que la condición virtuosa de este comendador favorecerá la difusión de estas ideas:

> Et allende d'esto, porque perteneşçiendo a tu nobleza y religiosa cavallería el capitanear, siendo dado el govierno de la gente de armas de Calatrava al que posee la mayor encomienda, y usando el tal exerçiçio tu señoría, y llamándose orden instituida para guerrear contra los infieles, y deviendo los cavalleros de Calatrava obedeçer

[483] Viaje del que no obtiene gran cosa, dada la voluntad de la curia papal —ya fuera Pío II, ya Paulo II— de apoyar, en cualquiera de los casos, al rey; ver Luis Suárez, *Enrique IV de Castilla*, págs. 280-281.

[484] Por ello, J. Rodríguez Velasco considera a Palencia, por este tratado, como «el caso más acabado de recepción de mensajes republicanos y cívicos acerca de la caballería», por encima de Valera o de Mexía, ver *El debate sobre la caballería*, pág. 94.

[485] «Y conosçerás cuánto me movió razón a la aspereza del reprehender la negligençia y poca enseñança de lo tanto conplidero, y más animosamente me defenderás de soberviosas menazas si algunas injustamente se fizieren», íd.

lo que mandares en las fazañas de guerra, en ti solo concurren las tres cosas sin las cuales juntas no se puede alcançar perfeto triunfo militar, conviene a saber: orden, exerçiçio y obediençia, en que está çementada la invençión fabulosa d'este mi librillo (íd.).

Quedan, así, apuntadas, en este tenso resumen, las finalidades que Palencia perseguía, pero incardinadas al receptor que podía convertirlas en pautas de actuación. Carrillo, por sus condiciones aguerridas, parecía confirmar similares condiciones. De todos modos, el prólogo —primero, claro es— que a él endereza aborda cuestiones referidas a la conveniencia de que un historiador se ocupe de componer fábulas de estas características[486]. Y es que Palencia elaboró la primera versión de este tratado considerándose cronista regio:

> En la mesma manera, muy Reverendo Señor, si te plazerá, avré de ser perdonado si pareçiere que siguo fablilla en la perfeçión del triunfo que de escrivir tengo. Pues no es dado a los historiadores escrivir fablillas, antes seguir derechamente la propiedad de las cosas, toda fabla desechada (131).

Si requiere el lenguaje figurativo, esos *integumenta* poéticos, es para lograr una transmisión más eficaz de la enseñanza que se había fijado como objetivo:

> ¡O cuánto desearía que a todos los prinçipales d'esta nuestra provinçia fuese vista tan blanda y tan alegre la leçión d'esta figura como soy çierto que avrá en plazer tu señoría, no solamente escriviéndose so figurado estilo, mas si de llano en llano se obrase! (íd.)

Hay una carencia de virtudes en esa nobleza —en esa caballería antigua que en la *Batalla campal* representaba Gravaparón— que es la que exige que sean criticadas unas precisas actitudes, aunque con el lenitivo de la ficción:

> Pero no querría ofender los ánimos de los grandes con mis trabajos; con los cuales siempre me esfuerço a plazerles. Esto dio causa prinçipal para que mi péñola seguiese camino de figuras, con

[486] Ver R. Alemany Ferrer, «Dimensión humanística de una obra menor de Alfonso de Palencia: *El tratado de la perfección del triunfo militar* (1459)», *Anales de Literatura Española de la Universidad de Alicante*, 1 (1982), págs. 7-20.

propósito qu'el presente librillo ponga fin a las fablas y de aquí adelante dé lugar a la historia (íd.).

Y en ello acertaba Palencia, puesto que comenzaría la construcción de *Gesta Hispaniensia* (§ 11.1.2.1) desligándose definitivamente de esta trama de fábulas morales.

11.6.1.2.2: El orden argumental

Palencia, por tanto, pretendía abordar en este opúsculo el asunto de la disciplina y de la obediencia militares, en consonancia con las ideas vertidas en el *Doctrinal* de Cartagena, su primer maestro; así se lo indica a Gómez de Guzmán:

> Et después me atreví colegir en latinidad los méritos del triunfar y los aparejos del perfeto triunfo militar, resumiendo cómo los antiguos mantenían la disçiplina militar de la guerra, y a quién juzgavan digno de honor glorioso; y qué condiçiones se requerían para que alguno triunfase, y cuáles fueron las gentes que por vía de incurrutible artifiçio escrivieron primero los preceptos militares, y cómo los que mejor mantovieron esta disçiplina, más floreçieron, y cuando quier que la menospreçiaron perdieron el favor y nombradía, y de la cunbre de los honores cayeron fasta el escuro valle del denuesto, convertiéndose de señores en siervos; y cuánto sea más conjunto el vençer a la razón disçiplinada que a la fortuna, segund algunos con inorançia han creído, y cómo el fundamento de la nobleza fue saber más en esta enseñança y mejor usar d'ella (129).

El tratamiento de este asunto no se hará desde un punto de vista teórico, como el elegido por don Alfonso de Cartagena, sino desde el dominio de la ficción, aunque el fondo de ideas sea similar; entroncaba, así, Palencia con las estructuras tratadísticas que, desde Lulio o don Juan Manuel, eran sostenidas por personajes en los que se encarnaban los modelos requeridos para transmitir la enseñanza propuesta; no obstante, a Palencia este proceso narrativo le planteaba serias dudas, tal y como confiesa a Carrillo:

> Cuando primeramente ove pensado, muy Reverendo Padre y muy noble Señor, de qué enfermedad más vezes reçibiese trabajo la cosa militar, por donde la gloria del triunfo menos razonablemente le pudiese intervenir, delibré escrivir una fabla moral, y aun refe-

rirla a tu grandeza que cualesquier negoçios, assí santos como militares, abraça. Pero comigo tove muy luenga y muy prolongada contienda si sería líçito reduzir tan extendida materia de digna escriptura so forma de fablas (130-131).

Luego, como se ha visto, usa el término de «fablilla», que es el mismo con el que amparaba don Juan Manuel el marco argumental ideado en el *Libro del cavallero et del escudero* (ver pág. 1110). Ahora bien, mientras que el noble castellano se limitaba a sugerir una relación entre un maestro y un discípulo, Palencia construirá una estructura narrativa sumamente compleja, en la que irá trenzando figuras alegóricas, representativas de las cualidades que quiere proyectar en la vida militar y caballeresca.

El protagonista de la historia es «Exerçiçio», un imponente varón de España, ducho en todas las artes de la guerra y exultante de bondades físicas. Su principal empeño es conocer a Triunfo y vivir perpetuamente en su compañía:

> Este varón, cuanto más le aquexava la soliçitud, tanto más se maravillava que oviese andado el Triunfo cuasi por todas las provinçias, pero oviese tenido ya por muy luengos siglos a España cuasi en menospreçio, siendo provinçia a maravilla abundante y deleitosa, abastada de guirlandas, de las cuales, segund se fazía fama, se preçiava mucho el Triunfo (132).

Posibles correspondencias con la realidad del presente podrían descubrirse enseguida, afirmadas con el tópico del motivo del viaje que el protagonista debe emprender en demanda de una cualidad o virtud con la que poder completar esa carencia[487]. Se trata, además, de un itinerario alegórico al estilo del que sigue el Entendimiento en la *Visión deleitable*, puesto que debe atravesar una serie de moradas simbólicas o, si se prefiere, de núcleos ideológicos.

El «Exerçiçio» acude a «oír la sentençia de una vejezuela» de nombre «Esperiençia», que, por sus «inumerables negoçios», no puede darle respuesta, sí, en cambio, aconsejarle que visite a su «fija llamada Discreçión», que vive en Italia (132). Una vez asentados estos componen-

---

[487] El motivo lo ha estudiado Rolf Eberenz, «Un viaje alegórico por Europa occidental: *La perfeçión del triunfo* de Alonso de Palencia (1459)», en *Relato de viaje y literaturas hispánicas*, ed. Julio Peñate Rivero, Madrid, Visor, 2004, págs. 101-112.

tes alegóricos, Palencia comienza el verdadero relato, conformado, en el incunable de c. 1490, por treinta y un capítulos más un epílogo. Es posible fijar una curiosa estructura constituida por tres niveles de diez, once y diez epígrafes respectivamente, que gira, entera, sobre el cap. xvi, unidad axial de todo el conjunto, en donde se explica por qué el Triunfo vive en Italia. El orden sería el siguiente:

A) Caps. i-x. Peregrinación hacia Italia. Pruebas de la experiencia.
B) Caps. xi-xxi. Viaje por Italia. Castigos de «Discreçión».
C) Caps. xxii-xxxi. Conocimiento del ejército italiano. Valor del Triunfo.

11.6.1.2.2.1: La peregrinación del «Exerçiçio»

El primer núcleo aborda el viaje como si se tratara de una verdadera ruta iniciática, en la que «Exerçiçio» conocerá a personajes y asomará por lugares que habrán de modificar sus planteamientos iniciales y dotarlo de la experiencia suficiente para merecer entrar en comunicación con Triunfo. Es el motivo, entonces, de la peregrinación alegórica: el protagonista tiene que adquirir, en ese recorrido, unas cualidades que, en el momento oportuno, han de surtir efecto. Palencia, a pesar de estas similitudes, no se sujeta a los esquemas de la simple ficción; es la suya una visión argumental muy realista, aun dentro de la alegoría; debe más a la literatura de viajes (con puntillosas descripciones geográficas, sobre todo, de las ciudades por las que atraviesa: conocidas en verdad por Palencia[488]) que a los *romances* de materia caballeresca.

En esta peregrinación, el «Exerçiçio» se topará con tipos seleccionados ante los que deberá adoptar diferentes reacciones. Así, en el cap. i se encuentra con unos labradores que regresan de cazar del monte, lo que le mueve a una severa reconvención, puesto que no tolera que nadie traspase los límites de su condición estamental:

[488] Es posible que a Diego Rodríguez de Almela —el «Didacus» de su Epístola IV— le enviara «ciertas *picturarum adumbrationes* de los antiguos edificios y monumentos imperiales de Roma (...) desgraciadamente, estos bosquejos, diseños o planes arquitectónicos, que tan apasionantes habrían sido para la historia del anticuarismo y arte renacentistas, tampoco se han conservado», tal y como comentan Tate y Lawrance, pág. l. Ver Á. Gómez Moreno, *España y la Italia de los humanistas*, págs. 268-269.

A los cuales, con saña, dixo el Exerçiçio: «¡Mirad qué rústicos! ¿Lo que otros tiempos prinçipalmente usavan los muy nobles varones, ya los rudos labradores, y ombres en ninguna cosa polidos, no dudáis exercitar?» (133).

Pero una mesurada respuesta le sorprende y un apasionado debate arrastra a la obra cuestiones sociales[489], planteadas por el Aldeano, que demuestran la conciencia crítica de Palencia hacia un sector de la nobleza:

«Sin dubda uno de los prinçipales deves ser, pues no vees cómo su vida es infeçionada de crímines. Dizes que los grandes d'esta nuestra edad dan obra a la caça, no por otro respecto, salvo por querer usar alguna loable interposiçión. ¿Cuál es el onesto trabajo que sufren los nuestros nobles? ¿Por ventura sostienen algund cargo que suso recontaste? ¡O palabra que dezir no se devría! ¡O desonesta confiança de loores que solamente se deve atribuir a la antigua nobleza! ¿Loor deven aver los presentes?» (135-136).

El Aldeano denuncia la «fingida nobleza» con que muchos linajes mantienen la apariencia de su señorío, habiendo perdido las buenas costumbres con que sus mayores se comportaron[490]. De este modo, «Exerçiçio» es sometido a un proceso de humildad; escarmentado de esta disputa, con un monólogo se convence del modo en que debe evitar, a partir de ahí, el pecado de la soberbia:

Et entre sí, rebolviendo muchas cosas començó dezir lo que se sigue: «¡O, mal mereçiente presumçión que a los ombres d'esta nuestra edad, finchados, en mayor y mayor grado les añades alteraçión ventosa! Ligeramente vençió aquel buen varón mi rigor con suave razonamiento y mis cautelas con claror de verdad, y suprimió mis rebueltas con muy derecho conosçimiento de todas las cosas. Ca él me puso delante las manifiestas causas de la verdadera no-

---

[489] Incluso un apunte de crítica, formulado por el Aldeano, por los excesos con que este «deporte» cortesano solía practicarse (quizá con la imagen de fondo del monarca): «O segund pienso será ya mejor entrada demandarte si aquella generosa manera de caça de venados y aves deva ser cada un día usada por los nobles, o por las razones que ya tocaste, se aya de entrexerir a otros más prinçipales cuidados», 134. Parece sentarse la base del *Diálogo entre el prudente rey y el sabio aldeano (HPRC*, § 5.4.3).

[490] Ayuda a ello el proceso dialogístico; indica Durán: «La manera en que se lleva la discusión, mezclando el diálogo lucianesco con el ciceroniano, y la sátira con la gravedad, es un logro de los tratados humanistas de filosofía moral», pág. 28.

bleza, y mostró los devidos usos, y aun ante los mis ojos puso la destruiçión avenidera por torpedad de costumbres» (139).

El siguiente encuentro lo enfrenta a un «çibdadano catalán» (iii), con el que aprende la contradictoria naturaleza de la condición humana: cómo los catalanes no son capaces de disfrutar de las riquezas conseguidas con honra, «mas afirman que su república es enconada de crímenes» (142). Recuérdese, además, en que éstos son los años en que Cataluña mueve guerra contra Juan II de Aragón y en que Enrique IV apoyará al Príncipe de Viana frente a su padre. Hay un especial empeño de afirmar que «vosotros los catalanes con razón poseedes nombre de españoles» (140), como lo demostrará el ofrecimiento de la corona aragonesa al rey castellano. Con todo, importa verificar el modo en que «Exerçiçio», en este recorrido, asume la necesidad de apartarse de los bienes terrenales. Precisamente, el viaje por Francia refuerza esta idea: la vanagloria y la continua adulación de sus habitantes provocan en este peregrino una desolada impresión, amén de tener que zanjar con sus robustos brazos una enojosa polémica con un agresivo y ridículo bravucón:

> Estonçe el françés, rebatadamente, con grand ímpeto, se arremetió al español y dixo: «Agora pagarás la pena del crimen que oy cometiste. Llegada es la hora. Y aun el momento ya es llegado. ¡Yo soy Copín!». «Si eres Copín —dixo el Exerçiçio— dexa las palabras. Yo agora entraré en la espiriençia». Et luego púsole las manos robustas, estriñéndole con la derecha el cuello y con la siniestra el braço derecho, y añadiendo industria al pie derecho, levantó las piernas a Copín, assí que primero visitó Copín la tierra con el çelebro que con otra parte del cuerpo (146).

Recuérdese que, con la llegada de Luis XI al trono, en 1461, Francia procurará extender su hegemonía sobre los reinos peninsulares, ayudado en buena medida por la ambigua política de Pacheco. En cualquier caso, las conclusiones que «Exerçiçio» extrae de este viaje las suscribiría, punto por punto, Gracián dos siglos más tarde; ahora lo que importa es comprender por qué Triunfo tampoco mora entre franceses:

> El sofrir los trabajos es prinçipalmente loado para disçiplina militar. Esto es muy atribuido a los españoles, mas françeses en ello no son loados (...) Assimesmo es muy provechosa el astuçia: en balde se egualarán en ella los françeses con los españoles... (147).

Esta primera etapa del viaje lleva a «Exerçiçio» a los feraces campos de la Lombardía, tras pasar los Alpes y bendecir a Dios por haber creado un lugar de esas características. Es el marco necesario para presentar la morada de la «Discreçión».

11.6.1.2.2.2: El encuentro con «Discreçión»

El segundo núcleo, por tanto, detalla el viaje por Italia y las lecciones que el varón español va a recibir de «Discreçión» (xi-xxi)[491]. Palencia, al describir los edificios en que esta doncella residía, demuestra cumplido conocimiento de la arquitectura alegórica, el mismo con el que realizaría esas *picturarum adumbrationes* perdidas:

> En un llano ay un pequeño otero enfortaleçido de la natura, debaxo del Apenino que posee la parte de setentrión en respeto del otero. Faza la parte de oriente se veían desde lexos muy abundosos collados; y a la de oçidente corre entre arboledas faza la llanura de mediodía una fuente perenal. Sobre aquel otero está enseñoreado un edifiçio fabricado del todo por arte dedálica. Su muro a lo baxo desde el primer çimiento era de piedras cuadradas, y de allí arriba era de ladrillo cocho. El sol, en nasçiendo, visitava la entrada de la mayor puerta, de manera que los primeros rayos resplandeçiessen en el medio quiçial. Et un muro de piedra, no alçado en grand altura, çiñe la entrada antedicha: porque los ombres que han de entrar en la casa fallen espaçio ante de la fábrica del edifiçio, lo cual paresçe muy deleitable a los visitantes (148-149).

Amén de referencias a edificios conocidos[492], estos rasgos descriptivos simbolizan las virtudes de la «Discreçión», que proyectará en sus acciones las cualidades de que es portadora. Siendo quien es, tras conocer la intención del «Exerçiçio» de buscar al Triunfo, lo atiende con esmero y pospone para el día siguiente su respuesta, no sin encarecer antes su condición de español, vinculada, eso sí, al defecto del que este peregrinante varón intenta desprenderse:

---

[491] Ver *La caballería castellana*, págs. 145-147.

[492] R.B. Tate, valorando los datos que se conservan de las fincas rurales mediceas, señala: «si se toma en cuenta lo que sabemos y si se relaciona con las posibles fechas de las visitas de Palencia a Florencia, todo parece indicar que Careggi es una posible fuente para el trazado de la residencia de Discreción», *art. cit.*, pág. 168.

«Mas deves entrar al palaçio. Que yo te digo averme seído alegre la venida del que es antepuesto a la gente de guerra de España, ni desdeñaría la presençia de algund español, aunque tenga conosçido cómo los de tu provinçia más me loan que me siguen y mejor conosçen todas las cosas, que sepan escoger lo que deva ser escogido» (152).

Se alcanza, así, ese epígrafe central de la obra, el xvi, en que «Discreçión», en la escuela de disciplina militar, va a dictar lección, «por manera de razonamiento», para que «Exerçiçio» pueda saber por qué Triunfo ha decidido fijar su morada en Italia y de qué manera podrá llegar él a conocerlo. No ha sido Triunfo culpable de esta situación, a pesar de que los españoles sean muy sufridores de trabajo y duchos en toda suerte de acción militar; con casos convenientes de la Antigüedad[493], le hace comprender que sólo con la compañía de la «Obediençia» y del «Orden» podrá ver «la faz del Triunfo»:

> Agora queda que te enseñe en qué partes del mundo falles esta compañía. Non te turbes, o, buen guerrero. Ca luego que estas palabras te dixe, y consideré tu rostro, conosçí cuán ásperamente lo ayas sofrido, assí como en te aver añadido muy orribles trabajos de luengo camino (...) Por ende, conséjote que cuanto más presto puedas te vayas a las montañas de Abruço, en la cuales la Obediençia y el Orden son en todas cosas antepuestas çerca del muy claro caudillo, que por consejo mío rige siempre su miliçia (...) Et ruégote, varón, que me perdones porque uso de semejantes palabras, pues agora te reputo mi disçiplo y non huésped estranjero, y a los disciplos que han de ser enseñados non se deve asconder el juizio del maestro (156-157).

Lo despide con una epístola para este invicto caudillo, de nombre Gloridoneo[494], pidiéndole que enseñe a este varón español el modo en que él, continuamente, ha logrado el Triunfo, mediante la compañía del «Orden» y de la «Obediençia».

---

[493] Son dos «fábulas etiológicas» como indica Durán: «Una trata de los orígenes de Roma desde que Rómulo se supo rodear del Ejercicio, el Orden y la Obediencia (...) La segunda fabulación relata el matrimonio de Marte y Victoria, y todo lo referente al nacimiento y cuidados de su hijo el Triunfo», pág. 35.

[494] Para M. Penna, es trasunto de Alfonso V; una nota marginal de la versión latina indica: «idem est quod idoneus ad gloriam assequendam, quoniam Triumphus nemini preterquam benemerenti favet», 127.

Es notable la profusión de registros estilísticos con que el texto se arma; tras los primeros apuntes realistas (el Aldeano, el ciudadano catalán) y las digresiones humorísticas de su enfrentamiento contra franceses, el orden pedagógico de su estancia en la morada dedálica de «Discreçión» alterna datos de ceremoniales (recepción de un noble, protocolo que se le debe, servicios que se le prestan, discursos que intercambian) y componentes alegóricos, que logran desvelar sus significados precisamente por el marco narrativo que los ilumina.

El viaje en busca de Gloridoneo atraviesa la Florencia —descrita de forma admirable—, las ciudades de Siena, Perugia, Rímini y Roma, ante cuyos edificios, si un tiempo fuertes, ya desmoronados, siente fatigosa tribulación:

> «Entre las mis tristes contemplaçiones de la presente caída, lo que mucho más me atormenta estas entrañas es lo que en estos tiempos no sabiamente piensan y afirman los ombres, ser agora los ingenios de los mortales más aptos en todas las artes y ser fechos más provechosos en loable agudez. ¡O, ojos enfiçionados de los mal entendientes! Por eso los llamo yo ojos, porque reprehendiendo las finiestras manifieste ser juntamente vituperables los afetos de la enferma y loca voluntad» (164).

Aquellos restos conservan aún la magnificencia de un pasado que menosprecian «los cibdadanos romanos que agora son» (íd.). Tal era la última lección que le quedaba por asumir:

> «Por ende, el mejor consejo es dar obra a lo començado y no a las lágrimas. Porque el lloro sin pro es dañosa vanidad, y como quier que de las tales consideraçiones pueda seguir algund provecho, entonçe lo conseguí cuando alcançé las raízes de la caída, conosçiendo aver proçedido el daño de los viçios, segund que la Discreçión ya este otro día muy claramente me enseñó. Assí que vóme en Abruço por ver a Gloridoneo» (164-165).

En ese punto termina este segundo bloque, al llegar al cap. xxii, en el momento en que «Exerçiçio» conoce a «un guerrero también llamado Exerçiçio» (165), con su misma forma y con igual robustez en la disposición de los miembros, aunque con señales de armas más hermosas. La amistad entre ambos es inmediata, pospuesta toda envidia. Por medio de esa representación de sus virtudes en la figura del otro «Exerçiçio», puede conocer al capitán osado y «humaníssimo» que es Gloridoneo:

> Et segund pareçía en su razonamiento, todo su cuidado era de la disçiplina militar. En las fablas todos guardavan grand tiento, assí que ningund remor de bozes se oyese. El Orden estava çerca de Gloridoneo, y la Obediençia poseía la delantera de los guerreros. Et dentro de la tienda no solamente por arreo estavan las armas, mas libros, y ninguna cosa se dezía salvo con sabieza (166).

11.6.1.2.2.3: El conocimiento del «Triunfo»

El tercer núcleo completa la carencia de «Exerçiçio» (xxii-xxxi). Es inevitable la competición con su semejante italiano por ver quién de los dos descuella en el campo de las armas. Palencia —no se olvide— no critica el esfuerzo español ni la gallardía caballeresca, sino la mala organización militar. Por ello, a nada que comiencen los combates, el «Exerçiçio» español, en ese ejército sabiamente regido, destaca en cualquier lugar que se encuentre y, al final, la victoria se debe a su pericia:

> Increíble sería dezir cuánto el español sobrepujava a todos los otros, assí en el exemplo de lidiar, como en el sofrir del trabajo. Et induzía a los muy fuertes porfía, a los flacos ardor de pelear, y a los enemigos espanto (168).

Similar importancia se concede a los otros dos conceptos alegóricos, en los que el príncipe deposita su principal valor:

> Después qu'el Exerçiçio, vitorioso, se reduxo a su aposentamiento, cometió Gloridoneo al Orden y a la Obediençia que apremiassen las gentes para que dexassen de robar. Et la Obediençia con su mucha virtud pudo aquesto: que la violenta rapaçidad de los guerreros se amansasse (169).

Se insiste, así, en el modo en que los caballeros deben ser capaces de vencer a la codicia, el principal defecto de su ser.

La lógica del relato es absoluta. El «Exerçiçio» sólo puede encontrarse con el Triunfo cuando lo obtenga de verdad. Ello no puede ocurrir en las provincias de España, ha tenido que suceder después de una larga peregrinación, en la que ha podido adquirir las virtudes de las que carecía: amansar su soberbia, despreciar los bienes terrenales, despojarse de la codicia. La verdadera victoria consiste en alcanzar la perfección caballeresca y en convertir a ésta en soporte de un humanismo cívico[495].

Un nuevo entramado alegórico —éste sí cierto— dispone estos motivos: la celebración de un desfile «triunfal» mueve la disputa acerca de quién tiene que ocupar los puestos principales:

> El Triunfo, como quiera que asaz toviesse sabido qué lugar meręiesse cada uno, pero moviéndose por justas razones, quiso oír las proposiçiones d'ellos tres... (172).

El debate, en el cual el «Exerçiçio», el «Orden» y la «Obediençia» defenderán sus razones, se convierte en un breve tratado de práctica militar, puesto que cada uno de los disputadores subraya las virtudes derivadas de su observancia. La sentencia del Triunfo contenta a todos: él iría con Gloridoneo en el carro triunfal, a la derecha el «Exerçiçio», a la izquierda la «Obediençia»:

> Que por eso la persona del caudillo era representada, anteçediendo el Orden en la pompa; porque el Orden siempre avía de estar en el capitán, y ser con mayor estudio del caudillo mirado y guardado, assí como hábito, el cual nunca devrían dexar los que governan (184).

Falta la aplicación, por muy evidente que sea, a la Castilla de la primera década enriqueña, en la cual sólo parece brillar la grandeza de la virtud de Carrillo, tal y como se afirma en el epílogo:

> Porque en la paz eres intento a la religión, favoreçes la concordia, das claro aposentamiento a la nobleza, eres conosçido por minero de magnífica liberalidad. En la guerra, cuando ya no ay logar de paz y la tormenta de los tiempos demandare fuerças, toda la España tiene conosçido cómo el Orden ha contraído grand amistad contigo, y que el Exerçiçio de mejor voluntad contigo permaneçe, y que la Obediençia faze su morada con los tus guerreros (185).

Años después, Pero Guillén de Segovia relatará los «hechos» de este arzobispo con propósitos similares (§ 11.3.2). Ahora, en torno a 1459, Palencia lo elige como garante de unas condiciones, religiosas y mili-

[495] Para esta noción ver R.B. Tate, «The civic humanism of Alfonso de Palencia», en *Renaissance and Modern Studies*, 23 (1979), págs. 25-44.

tares, que permitan asegurar el «Triunfo» al que era ajena la corte de Castilla. Cuando traduce la obra, Gómez de Guzmán se convierte en paradigma de la misma disciplina militar; todo este contenido puede quedar resumido en una sencilla lección que descubre preocupaciones de Palencia muy similares a las de su maestro Cartagena o a las ya expuestas por Diego de Valera: el «Exerçiçio» —signo del valor y del esfuerzo españoles— sólo puede alcanzar el Triunfo tras un largo proceso en el que debe acumular Experiencias, aprender a actuar con Discreción y servirse, por último, del Orden y de la Obediencia.

11.6.2: Fernando de la Torre

Conocido como poeta del *Cancionero de Estúñiga*[496], la obra en prosa de Fernando de la Torre apenas ha merecido la atención de la crítica, cuando posiblemente su autor la situara por encima de sus composiciones poéticas; tal indica la formación del llamado *Libro de las veinte cartas e qüistiones con sus respuestas e algunos metros,* con su heterogénea disposición de textos epistolares y poemáticos, centrados en asuntos muy diversos, de los que destaca el de la temática amorosa[497]; no llega a ser propiamente una obra que pueda adscribirse a la ficción sentimental, por cuanto el «yo» del autor se corresponde con una verdadera dimensión personal, pero, desde luego, esta miscelánea sólo puede entenderse desde la perspectiva de ese orden literario; Fernando de la Torre, como Juan Rodríguez del Padrón o el condestable don Pedro, participa en la construcción de las principales líneas de pensamiento que, en los últimos decenios de la corte de Juan II, se están imbricando para fijar el modelo narrativo que permita analizar una circunstancia amorosa, siempre negativa y perjudicial; con todo, él no va a crear unos per-

[496] Nicasio Salvador Miguel, «31. Fernando de la Torre», *La Poesía Cancioneril. El «Cancionero de Estúñiga»*, Madrid, Alhambra, 1977, págs. 212-220. Ver, también, Brian Dutton, *El Cancionero del siglo XV*, VII, págs. 453-456.

[497] El conjunto fue editado por A. Paz y Melia, *Cancionero y obras en prosa de Fernando de la Torre*, Dresden, Gedruckt für die Gesellschaft für Romanische Literatur, 1907 y por Mª Jesús Díez Garretas, *La obra literaria de Fernando de la Torre*, Valladolid, Universidad, 1983, quien añade seis composiciones sueltas de otros cancioneros y otras seis epístolas; se cita por este trabajo del que se espera pronta reedición actualizada y publicada por el Instituto Castellano y Leonés de la Lengua. Brian Dutton publica los textos en verso del que numera como MN44, ver *El Cancionero del siglo XV*, II, págs. 260-288.

sonajes que representen esas actitudes y que sufran las consecuencias de los engaños del amor, sino que, como hiciera Juan Ruiz en su *Libro*, va a tejer una trama de relaciones autobiográficas a las que, amén de otras «qüistiones», va a confiar esa valoración de la pasión erotológica; y tanto es así que, como le ocurriera al Arcipreste, este otro «cancionero» va a sufrir también la amputación de algunos folios, demasiado hirientes, como lo revelan las lagunas del BN Madrid 18041, el único códice en que se conserva el *Libro*[498].

Es preciso, entonces, examinar la obra de Fernando de la Torre desde los planteamientos con que se está configurando el ámbito de la ficción sentimental. Sólo así puede entenderse el empeño de montar este *Libro* con esos materiales tan singulares y vincularlo a la corte de doña Leonor de Navarra, a quien va dedicado; el dato es oportuno, por cuanto puede ayudar a fechar la obra; Leonor, condesa de Foix, casada con Gastón IV desde 1434, fue reconocida por su padre como heredera a la corona el 3 de diciembre de 1455 en Barcelona[499], decisión ratificada el 12 de enero de 1457 en las cortes agramontesas de Estella, en plena guerra civil con su hijo[500]; es factible, entonces, suponer que, con opúsculos y epístolas anteriores, F. de la Torre, ya por propia iniciativa, ya siguiendo alguna directriz de la corte castellana, enviara por estas fechas el *Libro* a quien podía convertirse —y de hecho lo fue en 1479, pero sólo por veintiún días— en reina de Navarra. En cualquiera de los casos, lo cierto es que la miscelánea se remite a un marco cortesano, presidido por una mujer de estirpe regia que ha de velar por las materias y los asuntos que en ese ámbito habían de tratarse[501].

---

[498] Ver Mª Jesús Díez Garretas, «El Ms. 18041 de la Biblioteca Nacional de Madrid: Descripción e Historia», en *Homenaje a Antonio Quilis*, Madrid-Valladolid, CSIC-UNED-Univ. de Valladolid, en prensa.

[499] Señala Jaime Vicens Vives: «En octubre de 1455, Gastón y Leonor pasaron a Barcelona, donde el 3 de diciembre siguiente tuvo lugar el acto por el cual el rey de Navarra desposeía a don Carlos y a doña Blanca de la herencia materna, en favor de la esposa del conde de Foix», *Juan II de Aragón (1398-1479). Monarquía y revolución en la España del siglo XV*, Barcelona, Teide, 1953, pág. 158.

[500] «Don Juan de Beaumont contestó convocando otras Cortes en Pamplona, que proclamaron a don Carlos rey de Navarra (16 marzo, 1457). Afortunadamente para don Juan, Enrique IV, antes tan afecto a la causa de su cuñado el Príncipe de Viana, volvía a la alianza con Aragón. El círculo se iba estrechando contra la causa del príncipe», José María Lacarra, *Historia del reino de Navarra en la Edad Media*, Pamplona, Caja de Ahorros de Navarra, 1976, pág. 480.

[501] C. Parrilla ha analizado, con pormenor, este aspecto, concluyendo: «El propio epistolario da cuenta de que la comunicación que practicó Fernando de la Torre con algu-

11.6.2.1: La vida de un cortesano letrado

Fernando de la Torre parecía el autor idóneo para suministrar estas referencias, tanto por sus conocimientos curiales como por su dilatada experiencia vital, semejante en algunos aspectos a la de Diego de Valera, otro «mosén» con el que comparte preocupaciones sobre asuntos nobiliarios, la dignidad de la mujer, el valor del amor, amén de alguna encendida soflama en cortes europeas defendiendo el honor castellano. La mayoría de las noticias de él conservadas las alberga su *Libro*, por cuanto se trata de cartas, en principio reales, que comunica con un amplio número de familiares, de damas y de letrados, de los que destaca don Íñigo López de Mendoza; de otro conjunto de seis epístolas, sobresale la que, en torno a 1455, enviara a Enrique IV, refiriendo la controversia que mantuvo en la corte francesa para demostrar la superioridad de Castilla sobre cualquier otro reino europeo, exhortando al monarca castellano a gobernar con prudencia y justicia para mantener esa dignidad por él sostenida; esta carta contiene también un amplio conjunto de alusiones biográficas[502]. Fernando de la Torre tuvo que nacer en Burgos, h. 1416 o 1420, estudiar en Florencia[503] y asistir al concilio basiliense como acompañante de don Alfonso García de Santa María, junto a su amigo Álvaro de Zamora, quien lamentaba no haberse metido a fraile «cuando de Basilea venimos» (159); pudo regresar, entonces, a Castilla en 1439, sirviendo a la corona en legaciones diplomáticas —la venida de doña Blanca a Castilla para casar con el prínci-

nas damas tenía mucho de trato amable y desinteresado, de actividad lúdica tendente, no obstante, a explanar y discutir doctrina cuando fuere necesario, según las fuerzas de cada contrincante», «A propósito de las corresponsales femeninas de Fernando de la Torre. Notas sobre la cultura femenina en el siglo XV», *Salina*, 9 (1995), págs. 19-25, pág. 23.

[502] Incluida por Mª J. Díez Garretas, *ed. cit.*, págs. 343-360; apreciada por sus contemporáneos, don Íñigo y Pero Arias entre otros requirieron copias. Américo Castro la valoraba especialmente, *La realidad histórica de España* [1965^2], México, Porrúa, 1980, págs. 87-95, apuntando que su autor fue «el primer español que intentó pensar sobre su patria algo en serio», pág. 95.

[503] Ahí es donde debe de estar el origen de algunas de las fuentes de su *Libro* hoy no identificadas; incluso cabe atribuirle, como ha planteado C. Parrilla, la traducción de cuatro «oraciones» declamadas por Stefano Porcari ante la señoría de la república florentina, conservadas en el colombino 5-3-20, ver «Una traducción anónima de cuatro oraciones a la república de Florencia en la Biblioteca Colombina», *RLM*, 7 (1995), págs. 9-38, en concreto pág. 11.

pe don Enrique en 1440[504]— y en lances de armas, puesto que signa una de sus cartas sobre el sitio de Benavente en 1449 y recibe graves heridas en la toma de Briones, luchando por Juan II, como le recuerda a su sucesor:

> ...que fui criado del muy católico e singularíssimo Prínçipe e Señor el Rey don Juan (...) en cuyo serviçio e por cuyo mandado despendí lo mejor de mi tienpo, e derramé algunas vezes mi sangre, e a la conclusión perdí el braço derecho en la cava de Briones (343-344).

Viaja después por Francia y es testigo de la conquista de Burdeos en 1452:

> Ya yo vi por mis ojos en esta postrimera conquista de Burdeos, cuándo e dónde Talabote e otros muchos ingleses perdieron la vida... (349).

En el marco de estas fechas, mantiene el honor patrio ante un caballero que se burlaba de las riquezas que había atesorado don Álvaro en Escalona; de la Torre no defiende al valido, pero aprovecha la ocasión para explicar que la prodigiosa acumulación de los bienes del de Luna se debía más a la abundancia de la tierra —probada con una vibrante *laus Hispaniae*[505]— que al pernicioso regimiento del reino; también, y la misma cuestión había sido tratada por Valera, se ve obligado a razonar las causas del desastre sufrido en Aljubarrota[506] y a confiar en que el joven rey remate la empresa de conquistar Granada, deseo con el que termina la misiva:

---

[504] Como miembro del séquito del obispo burgalés que, junto a Pedro Fernández de Velasco, fue comisionado para organizar esta recepción cortesana; pudo conocer, entonces, a Leonor de Navarra, la destinataria del *Libro* como apunta Díez Garretas en su nueva «Introducción».

[505] Similar a la de la carta a Enrique IV; apunta A. Castro: «Lo extraño en este caso es que Fernando de la Torre, para compensar la ausencia de la laboriosa actividad en sus compatriotas, convierte la fertilidad de la tierra en algo mágico y deslumbrante (...) Castilla se basta a sí misma, en tanto que otras gentes han de importar lo que ella produce», pág. 89.

[506] Explicado como castigo de Dios: «como el orgullo e menospreçio de los castellanos fuese mucho e con grand osadía e poco temor entrassen e ronpiesen los mojones e tierras del reino de Portugal, non plugo a Dios, e permitió en él el dicho desbarato», 355.

> Porque mediante la graçia de Dios, la cual vos administre e guíe, acabe Vuestra Señoría e virtud, aquella vuestra conquista que los vuestros predeçessores dexaron pendiente e suspenssa para vuestros días e singular valentía, poniendo so la vuestra real subjectión e mano aquel reino de Granada, donde tantos daños e males en los tienpos passados se han seguido a los vuestros reinos e gentes, e tan grand confusión a la nuestra santa fe e cristiandad (360).

Al poco de esta redacción epistolar, es nombrado por Enrique IV corregidor de Burgos y, entre otras misiones, es enviado a la villa de Castro con el fin de restablecer su autoridad; en estos años, tuvo que casar con Juana de Lerma, de familia de conversos mercaderes. Fernando de la Torre se mantuvo siempre fiel a este rey, incluso en los azarosos momentos de la deposición de Ávila, en junio de 1465; en la documentación de archivo conservada, figura la orden de privación, firmada por Alfonso, el «nuevo» monarca, de la renta de quince mil maravedíes que percibía por juro de heredad, así como la súplica elevada a Enrique IV para que se la restituyera. Amén de otros cargos, como el de alcaide de la fortaleza de Vitoria, en los cinco años finales de su vida fue regidor de la ciudad de Burgos, en donde tuvo que morir a finales de 1475, siendo sepultado en el monasterio de San Juan de Ortega[507].

Por tanto, Fernando de la Torre aquilata una amplia experiencia cortesana en la época de Juan II, forjada mediante el envío y la respuesta de numerosas cartas; este proceso epistolar se fija textualmente en los años iniciales del reinado de Enrique IV: ya en la importante misiva que le envía, ya en esta extraordinaria colectánea de géneros y de cuestiones que encierra el manuscrito que remite a doña Leonor de Navarra. Una de las composiciones que integra ese códice, el *Juego de naipes,* merecerá atención aparte como uno más de los *prosimetra* que conducen a la ficción sentimental.

[507] Una de las novedades de la reedición de Díez Garretas del *Libro* la constituye el análisis de la lauda sepulcral de este letrado, en la que el propio de la Torre fijó una sintética semblanza de su vida, con este encabezamiento: «Aquí yaze el onrado caballero Ferrando de la Torre / vasallo del rei, regidor de Burgos, que Dios aya».

11.6.2.2: El *Libro de las veinte cartas e qüistiones*

El desarrollo de la epistolografía a lo largo de la centuria confirma la existencia de núcleos de letrados en torno a cortes, regias o señoriales, desde las que se plantean «qüestiones» que exigen una «respuesta» que, a veces, puede llegar a constituir un preciso opúsculo sobre la materia que había sido requerida; porque hubo una demanda real, Villena redactó el *Arte cisoria* (§ 10.4.1.2.3) o el *Tratado de la consolación* (§ 10.4.1.2.4), por recordar dos casos[508]; otras cartas de envío de códices, solicitados con una determinada orientación temática, se convierten también en amplias reflexiones sobre materias como la poesía (la *Respuesta* de don Íñigo al condestable don Pedro) o la religión (el *Oracional* de Cartagena).

Debía ser, por tanto, una práctica frecuente, entre miembros pertenecientes a círculos letrados que compartían una ideología afín, el cruce de misivas con el fin de solventar dudas o promover debates sobre ese fondo de ideas —el valor de la Antigüedad, la influencia del amor, la dignidad de la mujer— que se estaría dirimiendo en poemas y en opúsculos, surgidos de la expectativa de recepción que acaba afirmando el orden de ideas sentimentales. En este sentido, el mejor reflejo de ese intercambio epistolográfico y de la pluralidad de asuntos a que pueden dar acogida estas cartas lo ofrece este excepcional compendio que Fernando de la Torre tuvo a bien reunir, no sólo como medio de conservar sus atinadas respuestas a muchas de estas cuestiones, sino movido por la preocupación de configurar un orden de referencias que salvaguardara la memoria de los emisarios y destinatarios de esta correspondencia.

11.6.2.2.1: La dedicatoria a doña Leonor de Navarra

El prólogo se dirige a doña Leonor, infanta de Navarra y hermana de don Carlos, príncipe de Viana; pretende contribuir el autor, con este

[508] Este proceso ocurre también en este conjunto; en una ocasión, Fernando de la Torre abrevia sus argumentos pues si no «de carta o respuesta faríamos tratado», 147, pero en otra, por la importancia del tema, no duda en referirse a la composición epistolar como un «tractado», 170.

envío, a la definición de un orden cortesano en torno a esa candidata al trono navarro, apoyada en sus pretensiones por Luis XI y por los agramonteses. Este proemio es similar al que redactara Baena para Juan II en muchos aspectos, insistiendo aquí en que el «pasatienpo e plazer» cortesanos han de encauzarse desde la dimensión de «honestidad»; F. de la Torre había sido requerido por esta infanta, a quien consideraba «corona de las casadas», para que le remitiera «alguna letura en la lengua castellana», quizá como medio de recordar sus vinculaciones al linaje Trastámara, extendidas a las otras casas reales de la Península; esta prosapia es soporte de unas virtudes que la convierten en paradigma de la perfección femenina:

> E dexando esta grand alteza e claridad de linages que traéis, vengamos a las otras cosas que bien corresponden a ello de que en humanidad fuestes doctada, ya la exçelencia, proporción e estatura vuestra, adornada de tanta beldad sin fación, non cale dezir más de lo que a todos es manifiesto, e a Vuestra Señoría vuestro miralle declara; ya la juvenil edad donde justamente esto se asienta, a todos es conoçida; ya los arreos, joyas e atavíos que a todo esto sirven, cubren e aconpañan, a todos es notorio (102).

Cumple el encargo despachando a doña Leonor una amplia muestra de «libros e tratados de los istoriadores e conponedores pasados e presentes» y, como presentación de ese orden libresco, el códice en que figura este conjunto epistolar, rematado con su producción poética. De la Torre valora las cartas seleccionadas tanto por las «qüestiones» que se le han planteado como por las «respuestas» que él ha logrado bosquejar y que demuestran la amplitud de saberes con que logra responder a las materias más heterogéneas[509].

La datación del conjunto es difícil de establecer; en una de las últimas misivas, en el cap. xviii, Sancho de Torres se despide de mosén Fernando antes de partir a Jerusalén y signa la carta «en el año de çincuenta y nueve» (208), pero tiene que ser un error, porque, en su respuesta, de la Torre da la fecha de «diez días de março de cuarenta e nueve», mencionando el «sitio e real çerca de Venabente», un hecho que en la

[509] C. Parrilla valora una «selección de materiales en la que creo que pesan ciertos intereses no declarados por el autor pero que resaltan de la lectura, como son la preferencia por ciertos corresponsales; la omisión de otras cartas, deducible por ciertas alusiones; así como la inclusión de algún material ficticio», «A propósito...», pág. 20.

Crónica del rey se relata en 1449.iv; alude, también, a una carta que «este día escriví a una señora que vós conosçéis mejor que no yo» (210) en la que hablaba del valor de la fama; tiene que tratarse de la dama metida a monja en el cap. ix, ante la que desgrana un nutrido repertorio de quejas. Por ello, y pensando sobre todo en el marco de recepción de la infanta doña Leonor, el *Libro,* aun con epístolas anteriores, debe formarse en los primeros años del reinado de Enrique IV, a pesar del apoyo que éste presta al Príncipe de Viana frente a su padre, don Juan[510].

La circunstancia del envío a la corte de doña Leonor explica la pluralidad de asuntos por los que Fernando de la Torre se interesa; el principal de ellos coincide con el proceso de afirmación de la ficción sentimental, pero hay también otras preocupaciones que acuerdan con las líneas temáticas de los tratados y poemas, que se promueven y escuchan en estas curias peninsulares, así como con sus principales procedimientos formales y discursivos. Destacan, entre otras ideas, cuestiones nobiliarias y linajísticas, el valor de la amistad, la consideración letrada de la mujer, el análisis, en fin, del amor[511].

11.6.2.2.2: El regimiento del reino

La segunda misiva se interesa por asuntos de derecho nobiliario, con consideraciones muy cercanas a las planteadas por Rodríguez del Padrón o por Valera en el decenio de 1440-1450. Fernando de la Torre pregunta a García el Negro por la diferencia entre «emperador» y «rey» y cuál de estas dos dignidades le parecía de mayor excelencia; esta cuestión había sido ya formulada en el arranque de la *Partida II* y vuelve a asomar en la tratadística que, en estas décadas de profunda transformación social, inquiere sobre los grados y la preeminencia de títulos y linajes; al igual que en el *Libro del regimiento de los señores* (§ 10.5.5.3), y

---

[510] «Fernando de la Torre escribe la mayor parte de su obra, a partir de 1447, pero las primeras cartas y composiciones poéticas pueden fecharse antes de 1445» tal y como acota Díez Garretas en su nueva «Introducción».

[511] Charles E. Kany valoraba así el conjunto: «The *Veinte cartas* shows again how an author, priding himself on his stylistic elegance and his knowledge of the classics, would combine his own correspondence with a few rethorical exercises in letter form to give the impression of complete episodes, and produce the collection as a fictional romance», *The Beginnings of the Epistolary Novel in France, Italy and Spain*, Berkeley, University of California Press, 1937, pág. 49.

en esa curiosa miscelánea sapiencial de *Proverbios o sententias breves espirituales y morales* (§ 10.6.7.1.5), García el Negro insiste en que el honor y la alteza, en su más alto grado, recaerán en el rey que logre afirmar en torno a sí la justicia y la honestidad; se trata de las mismas ideas con que luego de la Torre armará sus consejos para Enrique IV:

> Ca la cabsa que dizimos por qué es rey, esa mesma es cabsa e nasçida de lo honesto, ca así como el rey es para sostener e guardar la justiçia, así la justiçia es para sostener e guardar lo honesto, en lo cual se mantiene la humanal conpañía e universal del mundo (105).

García el Negro habla de dos libros, presentados al rey, en que se había ocupado ya de estas cuestiones atingentes al «exerçiçio real»; de ellos extrae un breve núcleo de sentencias que inciden en el hecho de que el reinar causa más aflicciones que deleites, forzando al monarca a vivir sujeto a continuas preocupaciones; se recomienda, en especial, evitar la codicia de apoderarse de otras tierras, lo que lleva a despreciar el modelo de conducta soberbia encarnado por Alejandro; un buen rey, por contra, debe actuar con entendimiento y discreción, para preservar íntegramente el cuerpo de la «encomienda y regimiento» a él debidos; estas pautas vienen a acordar con las actitudes manifestadas por Enrique IV en muchas de sus contradictorias actuaciones (tan denostadas por sus contemporáneos), pero que podían estar ligadas a una línea de reflexión doctrinal, apuntada en estas ideas:

> El rey, así como uno de aquellos en quien reina, se deve considerar e mirar para destruir la sobervia e para ver que así como él querría ser tratado e governado de otro rey, assimesmo sea el su exerçiçio, de lo cual sea enxienplo a los otros menores cabdillos de su reino e provinçia publicándose a ellos (107).

Por lo mismo, García el Negro aconseja que los oficios públicos se encomienden a «varones buenos e provados» por el juicio del monarca, de modo que sean hechura de su saber, con referencias que arrancan de *Bocados;* no debe el rey conceder estos cargos a quienes los suplican, sino a quienes los merecen:

> ...entonçe ternán sus fuerças las ordenanças del rey en la justiçia e non podrá la pecunia contra ellos, e la ley de Dios será ensalçada con la verdad de sí mesma, e serán los dineros e los otros çiegos intereses derrotados en su lucha e porfía (108).

Esta línea de reflexión pauta el modo en que el rey debe administrar las rentas, preocupándose sólo por allegar tesoros para las necesidades de la guerra o los gastos ordinarios del reino, que es otra de las claves de gobierno que F. de la Torre incluye en su carta a Enrique IV.

Dentro del conjunto, entonces, en el que se inserta, esta epístola es valiosa por afirmar un modelo de regimiento del reino que habría de permitir que el resto de los temas y asuntos pudieran ser tratados en el interior de una corte sabiamente gobernada por estos principios.

11.6.2.2.3: La definición de amistad

El capítulo iii acoge una pregunta de don Íñigo al autor sobre «algunas virtuosas mugeres que antiguamente las gentes llamavan diesas», por cuanto confiesa, y ya es de extrañar, desconocer la causa de esa identificación; F. de la Torre enmarca la demanda en el ámbito de referencias de la Antigüedad, evocando el tiempo de las «çibdadanas contiendas» de Roma, cuando los actos virtuosos, por loables, eran elevados a la condición divina; en ese período, en el que los hombres se regían por la ley de la natura y adoraban a los seres que les venía en voluntad, es donde debe situarse esa costumbre de transformar en «diosas» lo que no eran más que ideas o costumbres virtuosas:

> E después de aquesto ovo algunos e algunas, así en virtudes tan exçelentes, que mereşçieron de aquéllos aver supremo honor, e porque ellos non entendían poderles dar mayor grado, honra nin ensalçamiento llamávanlos dioses, e dezíanles ser ellos prinçipales governadores por cuya ordenança el Universo se governava, e así eran llamados diesas e diosas a quien sus obras más se açercavan (114).

El epígrafe siguiente invierte el orden de estos corresponsales, pues es ahora Fernando de la Torre el que pregunta a don Íñigo por la diferencia entre «amor» y «amistad», un asunto imbricado en la tratadística erotológica; si este don Íñigo, como parece ser, es el primer Marqués, este cruce epistolar adelanta el que F. Núñez mantendrá después con el segundo duque del Infantado, el hijo de don Diego Hurtado de Mendoza, también de nombre Íñigo (*HPRC*, § 13.1.1). Evoca de la Torre el «dulçe comerçio» epistolar mantenido con un «entendido mançebo», a quien había planteado la misma pregunta, sin que le satisficiera su contestación, pues no le parecía ajustada a todo lo que los poetas y discretos oradores sobre este asunto habían tratado[512]. En su respuesta, Santillana, tras valorar las virtudes intelectivas de su destinatario, establece la siguiente diferencia:

> Que al amor solamente conviene e abasta que onbre cobdiçie o quiera o dessee cualquier bien a aquel a quien ha amor, e cuando el casso verná ponerlo por la obra, lo cual se puede aver tanbién al absente como al presente (...) Pero ésta no se puede llamar justamente amistança, ca los amigos conosçidos quieren ser, e para que propiamente se pueda dezir amistad conviene, a mi paresçer, neçessariamente los onbres ser conosçidos e que se conoscan e concuerden e sean conformes en la condiçión e aun en el estado, e se requiere asimesmo el dicho deseo e voluntad de fazer las cossas por él como por sí mesmo, todavía seyendo presente o lo aver seído, que en otra manera no se guardaría el nonbre propio de la amistad, que se requiere continua e espresa conversaçión, e convenir en las cossas que más aman o que ayan convenido (120).

En consecuencia, puede haber amor y no amistad; ésta siempre precisa de una sostenida conversación que permita compartir, a los que se llaman «amigos», lo que más se desea y deleita en común, ya sean justas o ensayos, ya cazar, cantar y jugar, ya coplas o amores; por contra, en el amor no importa la ausencia, mientras que la amistad exige el conocimiento o trato continuo.

Como demostración de estas ideas parece incluirse, en el cap. viii, la carta dirigida a su amigo, Álvaro de Zamora, metido a fraile y al que recrimina por la ausencia a que lo ha condenado:

> Ca en me ver biudo de tu verdadera amistad e comunicaçión no deves dubdar de mi pensamiento e cuidado (150).

Bien que intenta consolarse pensando que al amigo que antes tenía, añade ahora la condición de hermano, amén de la de «ayudador» espiritual. La contestación de quien es ya fray Álvaro de Zamora posibilita

---

512 El *Libro* es, también, un magnífico compendio de imágenes referidas a la poesía y a su ejecución; De la Torre incluye en su carta una canción que había compuesto para una doncella, conocida de don Íñigo, y que había sido «representada» en palacio y mostrada al rey; se la envía para que pueda enmendar sus faltas, «aunque lo tal será el acorro de Escalona» (116), frase hecha que tiene que vincularse a la destrucción del palacio de don Álvaro.

un completo análisis de la vanidad y de los engaños del mundo, muy semejante al practicado en los tratados de consolación; este fraile no aceptaría cambiar el estado presente por el de mayor señor de España:

> E esto sólo por el discanso e quiete de mi espíritu, el cual allá con todos los bienes del mundo ternía tan afligido e quebrado, segund vós sabéis, que oy los señores están, e más cuanto de mayores estados son, que vernía tienpo que más quisiese ser el más pobre onbre del mundo, pues sólo por esta seguridad e discanso sin cuidado alguno, salvo de servir a Dios, quiero más estar aquí fasta que a Él plega de levarme d'esta vida (155).

La invitación a que abandone la realidad mundanal y se acerque al único camino que asegura la salvación es inmediata; tal es el asunto sobre el que gira la segunda misiva de este fray Álvaro, con ocasión de consolar a Fernando de la Torre por la grave herida recibida en Briones, afeándole la búsqueda de una fama que considera superflua:

> Segund lo que fasta aquí avéis mostrado, no paresçe que deseáis sinon aquello que los gentiles romanos deseavan porque d'ellos perpetua memoria quedase, segund fizo Nuçio e otros muchos que vós muy mejor que yo sabéis, ca non tenían que avía otra gloria salvo la perpetua fama (161).

Dentro de este orden de ideas, puede acogerse la valoración que concede de la Torre a la relación familiar, tal y como lo demuestran los castigos exhortatorios que dirige a un sobrino suyo en el cap. xv, a quien quiere apartar de los vicios y malas costumbres[513]; alude a un intento anterior, en que le había mandado un *Libro* que por las referencias puede tratarse de la colección de apólogos que ordenara alfabéticamente Sánchez de Vercial[514]; el aviso es oportuno para asumir el principal de los consejos que le da:

513 La importancia que en este conjunto heterogéneo adquieren las epístolas familiares ha sido valorada por Jeremy N.H. Lawrance, «Nuevos lectores y nuevos géneros: Apuntes y observaciones sobre la epistolografía en el primer renacimiento español», en *Academia Literaria Renacentista V. Literatura en la época del Emperador,* ed. V. García de la Concha, Salamanca, Universidad, 1988, págs. 81-99, pág. 92.

514 «E andando en esta busca por me delibrar d'esta debda e cuidado, a mis manos vino un *Libro* que del título d'él non se me acuerda, y esto porque tan grand gozo sentí con un a.b.c. que en él escripto fallé que a mi propósito fazía, que del nonbre e título d'él poco curé decorar», 200. Ver § 10.6.6.1.

> ...lo cual es aquesto, que sienpre por deporte ayas aprender y estudiar. Y esto porque no mejor vigor ni destreza puede en ti ser constituida que la çiençia, en la cual la propia riqueza e valentía más que en bienes tenporales ni fortaleza del cuerpo consiste (200-201).

Como luego afirmará en otra epístola, Fernando de la Torre no encuentra contradicción entre el ejercicio de las armas y el de las letras, un detalle importante que puede explicar la construcción de la tipología de los amadores sentimentales, más duchos en versos que en lances bélicos (con la salvedad de Leriano).

11.6.2.2.4: Las mujeres letradas

El *Libro* contiene siete epígrafes con cartas y respuestas mantenidas con «señoras», a las que debe sumarse una epístola perdida; de este modo, son ocho las mujeres que dejan oír su voz en esta miscelánea, posibilitando una amplia red de perspectivas que permite analizar el modo en que estas damas se acercaban al saber y a sus fuentes de conocimiento. Este orden de datos se articula desde el cap. v, cuando una «señora» pregunta a mosén Fernando por «las personas que el mundo desecha e a más no poder vienen en el verdadero conosçimiento, qué galardón esperan» (121). La dificultad de la «qüestión» exige de otros corresponsales, puesto que de la Torre no se atreve a responder a quien parece conocer muy bien, hasta el punto de confesar que le hubiera gustado mandarle otro «galardón» y otras «gracias»; con todo, le envía las respuestas que al mismo problema le habían apuntado fray García, confesor de la reina, un maestro de la Trinidad de Valladolid y Alfonso Fernández de Madrigal, el único que parece interpretar el verdadero sentido de la pregunta de aquella «señora», al considerar que carecía de mérito apartarse del mundo y entrar en religión para quien no vive en el «estado e honra e alegría» que antes mantenía y, por supuesto, que no debía esperar galardón alguno, aunque tampoco ello significara que fuera a condenarse.

Las vagas alusiones de ese cruce epistolar se concretan en el conjunto de cartas del cap. vi; una «señora» consuela a F. de la Torre de las aflicciones causadas por la mudanza de la Fortuna y le insta a perseverar en el comportamiento virtuoso:

> Ningund remedio tal podéis vós aver, no sólo para esto que no es muy grand fecho, mas para prosperar vuestra vida e honor, como vestirvos de aquellas virtudes que a vosotros cunplen de las que soy çierta que no solamente conosçéis, mas las tenéis en poder para usar d'ellas si quissiéredes y querer devéis y poner en obra (129).

Pero hay vagas referencias a una relación entre ambos, al quejarse la «señora» de que su emisario le debía «largas respuestas», interrumpiendo así su carta. La contestación de mosén Fernando confirma los «desastres» de los que hablaba quien más que dama discreta merecería ser llamada «sabio e entendido varón» (130); la epístola trata de la influencia de la Fortuna sobre los actos humanos, con consideraciones cercanas a las de los tratados de providencia; no aceptaba Fernando de la Torre que hubiera mala o buena fortuna, cuando todos los hechos estaban regulados por Dios, ni que debiera creerse que a una adversidad sucedería una bienandanza o que tras una desgracia vendría otra mayor, como la vulgar opinión consideraba; recorre, para demostrarlo, la materia troyana en busca de ejemplos, que complementa con otros paradigmas caballerescos[515] y referencias de la Antigüedad, ordenados conforme al esquema del *ubi sunt?*, al que vincula casos presentes que pueden servir para datar esta letra con posterioridad a 1445, pues habla de las caídas de «los infantes don Pedro e don Enrique» y de sus hermanas doña María y doña Leonor[516]. Debe recordarse que el *Libro* se ha formado para ser entregado a la infanta doña Leonor y, de ahí, la importancia que se concede a estas voces femeninas, capaces de asumir las materias de la tratadística cortesana; aun así, en la «replicaçión» que le envía la misma «señora», achaca a su estado «feminil» el no haber leído ni oído a «Juan Boçaçio», así como el no haberse adentrado en el «argumentoso razonar de Boeçio»; esta dama ha tenido noticia de que su carta ha sido incluida en un libro y se queja por ello:

> ¿Y qué juzgaré del fin vuestro que fue en tresladar mis grosseros amonestamientos e sinples consolaçiones por orden durable en fojas de libro, donde las cosas pasadas se fazen presentes y los fechos olvidados se reduzen a memoria, de lo cual se sigue gloria o pena a los pasados y a los presentes enxienplo? (137).

---

[515] Así menciona: «¿Qué de la firmeza e lealtad de Tristán, Amadís e Riscardo?», 132. Este último caso es evocado en la figura del caballero de oros del *Juego de naipes*, ver luego pág. 3811, n. 531.

[516] C. Parrilla, en «A propósito...», piensa en el decenio 1445-1455 para la construcción de esta miscelánea, ver pág. 23.

Amparada por el temor, debe apreciarse en este pasaje la construcción de una conciencia literaria, que refleja la capacidad de la mujer para ocuparse de estos temas; de hecho, tal es el asunto de la misiva, pues tras afirmar la superioridad del varón —por su seso, discreción y conocimiento de virtud— y reconocer que el estado mujeril no había participado en la construcción de ciencia alguna, acaba considerando también la opción contraria:

> Como quiera que el agudeza de las mugeres muestra que si en tales estudios e doctrinas fuesen enseñadas, aprenderían d'ello mucho más que vosotros, y esto bien puede ser (138).

Participa esta dama, entonces, en el largo y complejo debate con que, en estos marcos cortesanos, se está dirimiendo la superioridad o inferioridad de la mujer; todo ello a cuento de volver a valorar la sujeción de los seres humanos a las vueltas de la inestable Fortuna, que es «diestra y siniestra», «mala y buena»: es mala cuando burla a los hombres con sus halagos y es buena cuando los desengaña arrebatándoles los bienes que van a causar su ruina, apoyando su razón en quien antes había señalado como autor no conocido:

> Pues buena es Fortuna, y nós así la devemos tener e aver por buena, así como Boeçio afirma diziendo: que estonçe es buena Fortuna cuando del todo es mala (141).

Con estos presupuestos puede ya proceder a definir la Fortuna con imágenes y alegorías que exploran la continua contradicción de sus movimientos, como ocurre al asemejarla a «una nave en que todas las cosas tenporales navegan» (íd.). Fernando de la Torre decide poner fin a una disquisición que considera «arca sin suelo», declarándose vencido por el razonar de la dama y, en consecuencia, sujeto a su mandamiento.

No queda zanjado el asunto, porque es recogido por otra «señora» que achaca la supuesta inferioridad femenina no a diferencia de entendimiento o de saber, sino al estudio dedicado por los varones a las ciencias[517]. De hecho, De la Torre se había arrugado ante una carta en

[517] Que tal era el parecer, recuérdese, de la monja Teresa de Cartagena en su *Admiraçión operum Dey*, ver § 10.6.4.1.2, pág. 3069.

la que, salvo la alusión de Boecio, no había autoridad alguna, mientras que él había construido la suya con continuas citas y referencias; y ello, según afirmaba, como consecuencia de la fe debida a esa dama, por lo que no debía de inferirse de su actitud que el «grande e graçioso entender» en el estado feminil hubiera de ser superior al de los sabios varones, desplegando el rimero de argumentaciones habituales para demostrar la excelencia masculina en cualesquiera saberes y ciencias, ya fueran «teóricas» o «artificiales»; del hecho de que una mujer, por su ingenio natural, hubiera alcanzado algunos conocimientos semejantes a los de los letrados no podía deducirse que el resto de las féminas pudiera o debiera acercarse al dominio del saber, aun evocando algunas «estorias» con figuras femeninas a las que se debían invenciones notables, como ocurría con la del guarismo; pero frente a esa excepción, era infinito el número de sabios componedores de artes y ciencias:

> E dexados los que por granadas çiençias lo mostraron, los elocuentes ¿quién los podría contar ni las obras que naturalmente fizieron, así prosaicas como por metros e versos? (148).

Para demostrar este aserto, deja de lado a los autores latinos para referirse sólo a los que habían compuesto obras en la lengua vernácula, a los que llama «onbres sin letras», mencionando a F. Imperial, a Villasandino, a F. Manuel de Lando, a F. Pérez de Guzmán, y encareciendo en especial la actitud de don Íñigo ante el saber:

> E el noble Marqués de Santillana, ¿quién que no vea la exçelençia de sus obras, sin aquella cantidad de letras primero dichas, mas sólo por alteza de ingenio e industria sotil e natural, conversando con singulares istorias e modernos libros, e con elevadas poetrías e moralidades, por manera fáçile a cualquiera entendida persona? E dexadas las otras sus obras e elevadas fantasías e invençiones en prosa e metro, ¿cuánto son de notar las cient moralidades o proverbios que fizo e conpuso, tanto provechosas, tan buenas, tanto polidas, tanto galantes, tanto bien rimadas e en conclusión, tanto de buena invençión, conprehensibles e semejantes, acténticas, nobles e antiguas cosas e de tanto nuevo e gentil estilo, como es manifiesto e por ellas paresçe? (íd.).

La referencia le permite citar el prólogo del *Centiloquio* para demostrar la necesidad de asentar los escritos y sus razones en autoridades probadas, que es lo que no pueden conseguir las mujeres, como no lo había hecho esa «señora» ante la que galantemente él se había declarado vencido. Fernando de la Torre, entre burlas y veras, está defendiendo la actitud intelectiva de la que surge la tratadística cortesana de Juan II, esos opúsculos formados mediante un continuo acarreo de citas y autoridades que permitan mantener, por medio de la escritura, íntegra la línea de conocimiento que hasta ese presente había llegado:

> E ¿quién cree que ay más en el conponer sino buenas invençiones, estilo graçioso con enxertos sotiles de las istorias e sabios conponedores, e lo tal saber enxerir e poner el real propósito? (149).

Es importante este testimonio de la actividad libresca de la corte, porque distingue dos modos de composición, uno regulado por la dimensión elocutiva de la retórica, otro ajustado a una libertad expresiva, entendida como síntoma de imperfección:

> E este tal me paresçe el retórico propio e verdadero conponer, que cuanto las otras diformes maneras de ordenar, patrañuelas o treslados se pueden o deven dezir (íd.).

Fernando de la Torre imbrica, en estas controversias, referencias biográficas y preocupaciones que le sirven para conectar con los asuntos que se están debatiendo en los ambientes cortesanos que tan bien conoce y a los que, precisamente, destina este conjunto de epístolas.

11.6.2.2.5: Sobre amor y misoginia

El largo debate que se mantiene en la primera mitad del siglo XV sobre los grados de amor y la influencia en la vida de los cortesanos constituye uno de los núcleos básicos del contenido de la ficción sentimental, por cuanto los personajes de esas «estorias» asumirán en sus réplicas y epístolas los mismos argumentos que habían sido esgrimidos en los opúsculos correspondientes.

Fernando de la Torre, con gran originalidad, implicará las cuestiones erotológicas en el planteamiento y resolución de dudas sobre teología, afirmando, a lo largo de estas consultas, una identidad biográfica tras la que asoma una peripecia amorosa de desastrado final.

11.6.2.2.5.1: El *Tratado e despido a una dama de religión*

La más importante de estas misivas femeninas adquiere la categoría de «tratado» en su encabezamiento:

> Capítulo noveno, de un tratado e despido de mosén Fernando a una dama de religión en la cual la amonesta (170).

No es factible saber si esta «dama de religión» tendría algo que ver con las otras «señoras» que antes le habían declarado enojosa esquividad, pero lo cierto es que en la queja del autor hay un fondo de sufrimientos reales, que él va a convertir en soporte de una larga y prolija reflexión sobre la condición femenina, que bien merece figurar junto a los tratados que abordan esta temática, sobre todo porque hay una lamentación —es de suponer que verdadera— sobre el riguroso modo en que esta señora se ha comportado, quebrantando una fe prometida[518]; para ello, apela De la Torre al conjunto de «estorias» leídas y «casos» sabidos, urgido por la necesidad de construir una trama de referencias y de citas con las que demostrar, además, sus conocimientos; de ahí, la disposición —o estructura— ternaria a que ajusta las ideas:

> En el cual amonestamiento e correcçión algunas actoridades e istorias te escriviré de algunas de las pasadas que por méritos de sus exerçiçios la segunda vida alcançaron, que a mi ver es sus gloriosas famas; e ésta será una de tres conclusiones que serán fin de la presente esposiçión. La segunda conclussión será recordando la poca constançia o firmeza de otras, por conseguiente que cabsa de muchas muertes e daños fueron, aunque la culpa, segund que en la dicha conclusión discriviré, non les es de todo punto atribuida. La terçera conclusión será cuasi declinaçión, acusándote de poco constante, reprehendiéndote aver fallesçido algunos votos e juramentos a mí ofresçidos, así por palabra como encomendados a epístolas de tu propia mano (íd).

La dimensión del «tratado» la asegura además el término de «rudo proemio» que a esta presentación se da, mientras que el acercamiento

[518] De hecho, Keith Whinnom incluye esta composición en su catálogo de *The Spanish Sentimental Romance 1440-1550: A Critical Bibliography,* Londres, Grant & Cutler, 1983.

al orden de la ficción sentimental lo encauza el género o «modo de fablar» al que se adscribe este opúsculo:

> ...su propio nonbre aquí declarado resuena «sátiro», que solamente fabla en increpar e reprehender toda viçiosa condiçión e en muy alto grado loar e aprovar aquella que virtuosa la siente, e la presente escriptura ser a él conforme e muy semejante claro paresçe (171).

Es la misma intención que don Pedro, condestable de Portugal, declarara en la carta de envío en que presentaba la *Sátira* a su hermana doña Isabel (§ 10.7.4.2.2); también este afligido amador quería loar al «femíneo linage» como medio de «amonestar» a su dama por el enojoso trato recibido; De la Torre pretende, igualmente, «loar lo bueno e reprehender lo malo» para distinguir el vicio de la virtud.

En su primera parte —o «conclusión»— evoca por su nombre las principales «istorias loables» de aquellas mujeres que habían destacado por la constancia y la lealtad, sin detenerse a referirlas, pues las cree también sabidas por su dama:

> Pero si algunas d'ellas innotas o non conosçidas te son, mándame ser sabidor e serte han enbiadas en la manera que los poetas e istoriadores d'ellas han fecho mençión (172).

Se previene, así, sobre el hecho de que esas heroínas estuvieran sujetas por el «yugo matrimonial» a dar muestras de su firmeza, por lo que procede a detenerse en los casos de aquellas que supieron mantener hasta el final «el amor non fengido que ovieron a sus amantes» (íd.). En realidad, Fernando de la Torre contrahace el modelo genérico que le está sirviendo de base: él no era un fingido amador como lo podía ser —o como representaba serlo— el condestable don Pedro, si no un galán desengañado, que no busca, con este despliegue de retratos femeninos, incidir en moralidad alguna, sino demostrar la dañina voluntad con que su dama lo había despechado al profesar la vida religiosa. Se confiere, entonces, otro valor a la moralidad que habría de estar ligada a esas tramas literales que aquí se refieren, aunque sólo sea porque está predicando lo contrario de lo que sería esperable: quisiera que su dama siguiera el ejemplo de estas loables antiguas, aunque ello supusiera romper la vida religiosa que había abrazado.

Inventa y adapta, a su propósito, cinco narraciones que sirven para ilustrar el estado de su conciencia de penado y desdeñado amador; admira la valentía de Medusa, que renunció a su alto estado, aquejada por el amor que sentía por Julián, un valiente mancebo, súbdito de la casa de su padre, el duque Creonte, de donde huye convertida en una más de las «doncellas calumniadas», hasta acabar quitándose la vida[519]; encarece la desobediencia de Alixandra hacia su padre y hacia los votos religiosos que había profesado, vencida por el amor de Lucano, cuya muerte a traición fuerza también la suya[520]; recuerda la furia amorosa de la reina Pantasilea y la venganza con que se resarció por la muerte de Héctor; valora la actitud de la dama que se precipita desde una torre creyendo que su amigo había muerto, para, librada por prodigioso vuelo de sus faldas, descubrir la falsedad de aquella noticia[521]; pondera, finalmente, el arrojo de otra doncella que se quita la vida al ver a su amador muerto a causa de la lujuria que su presencia había despertado en unos «malatos» por quienes habían sido acogidos; mosén Fernando ajusta sus sentimientos a este registro de muertes a fin de destacar la rigurosa lealtad con que estas heroínas habían sabido amar:

> Todas aquestas muertes (...) e otras muchas que leales se mostraron, defensando la castidad de sus personas (...) e otras que sus vidas ofresçieron por la salud de sus amados maridos, narraçiones bastar devrían por enxienplo aprovado con actoridad, non solamente a ti, cruel madre, mas a las habitantes nobles e virtuosas en tu conpañía dignas de mucho honor (178).

Negando querer decir lo que, en verdad, está afirmando se dispone ya, como despechado amador, a recordar los casos de infieles amantes;

[519] Bien que es cierto que la fuente a la que alude otorga un sesgo irónico a esta peripecia sentimental: «E segund Johán Vocaçio, poeta moderno, lo difine e recuenta en el su libro *Corvacho,* dándole sobre todas gloria de lealtad...», 174.

[520] María Rosa Lida conecta esta trama con los relatos que podía haber oído F. de la Torre en sus años de estancia en Basilea; ver *Estudios sobre la Literatura Española del Siglo XV,* pág. 131. Indica A. Cortijo: «La historia de Alejandra y Lucano nos hace sospechar que la intención de Fernando de la Torre no es simplemente reconvenir, sino que podría esperar congraciarse con su amada-monja (posiblemente la misma intención que percibimos en la *Sátira,* y en contra de la *Confessio* y el *Siervo,* al final ya de la trayectoria vital o de las tres vías)», pág. 111.

[521] Como señala Mª J. Díez Garretas, de la Torre tuvo que encontrar esta trama argumental en la traducción que el obispo de Burgos «hizo de varias obras de Séneca, en el segundo libro de *La Providencia de Dios*», ver «Qué y cómo leen nuestros autores cuatrocentistas: El caso de Fernando de la Torre», *Actas V Congreso AHLM,* II, págs. 159-171, pág. 165.

alinea, por ello, en la segunda parte de este «tractado», episodios similares a los esgrimidos por los «maldezidores» de las mujeres:

> Así porque en la tal esposiçión ha de aver haz e envés, como porque algunas d'ellas sólo por sus obras e cometimientos son avidas por desleales e non buenas. E asimesmo porque temiendo la reprehensión de las unas, e deseando la gloria de las otras, e con este amonestamiento lo mejor seguirás, e será cabsa de tu correcçión, si por aventura a lo menos loable estás aparejada (179).

De poca constancia acusa a Pandiona, a Andriana, a Cornelia y, en especial, a la troyana Corintia, cuya deslealtad causa la muerte de su amador Ambrosio; esta última historia se atribuye también a Boccaccio[522], afirmando de la Torre su misoginia en las mejores raíces de la tradición letrada:

> Baste agora al caso presente éstas que aquí he recontado de las cuales, si passamos por esse mesmo *Corvacho* o seguimos los pasos del *Andubete,* muchas semejables podremos fallar (180).

La mención del *Sendebar* —y sería la rama oriental porque en la occidental no aparece el sabio «Cendubete» *(HPRC,* § 9.1.2)— otorga firmeza a la ejemplaridad que se está intentando construir. Con todo, le interesa insistir en que son más las que su «porísima fe, loablemente guardando, su lealtad floresçieron» (íd.), pero como medio de subrayar la infidelidad de su dama; para ello, requiere «una adición a un testo e glosa de Séneca en el *Tractado de las mugeres*», rótulo que puede referirse a la traducción de Cartagena de los *Libros de Séneca* o al opúsculo que sobre esta materia se ha atribuido al obispo (§ 10.7.4, pág. 3221); es Hipólito quien reprende a las mujeres, recordando la extrema crueldad de las que no dudaban en matar a sus maridos y a sus hijos, enhebrando la consabida ristra de acusaciones misóginas:

> E dize que la muger es capitán de los males e de todos los errores, e maestra de todas las maldades; e que ellas captivan los coraçones de los omes; e que muchas çibdades por su cabsa son quemadas; e que muchas gentes ovieron guerra por los adulterios d'ellas (181).

---

522 Aunque luego una «señora» le pida a F. de la Torre dos epístolas suyas en que desarrolla esta misma materia; ver el texto en pág. 3808.

La mencionada «adición» incluye referencias del *Eclesiastés* y una rápida acusación lanzada contra «la Atalaba, fija del conde don Illán» como causadora de la destrucción que sufriera España. No pretende ser tan riguroso Fernando de la Torre, pues cierra esta segunda parte recordando que tanto merecen ser loadas las buenas como culpados los malos que han hecho perder la honestidad a tantas mujeres.

En cualquier caso, mosén Fernando quería cargarse de razones para acometer la tercera parte de este «tractado» y quejarse de la poca firmeza con que su dama lo había despedido, con las mismas imágenes y argumentos con que lo haría cualquier amador de la ficción sentimental:

> Venga a tu memoria e recordaçión cuántas innumerables vegadas, en cuántos sin cuenta días, mostrando afecçión, fee me otorgaste, mostrando ser de ti amado sobre todos, obrando las esperiençias que yo demandava en la linpieza de nuestra conversaçión, jurando todavía nin por pensamiento de humana persona, dexado a mi requerimiento ninguno nunca açeptar, e non solamente la recusar, mas los oídos del refuir (183).

Parece De la Torre un amante recortado a la medida de los sufrimientos y de las razones esbozadas en el *Bursario,* sobre todo cuando recrimina a esta impiadosa señora el no haber sabido precaverse contra la mala fama que iba a adquirir por su actitud desdeñosa o cuando le afea por el mal ejemplo que daba a los «nuevos amadores» que temerían desenlaces parejos a los que ella había propiciado:

> E non te maravilles por enxienplo de ti muchas otras cobrar egual fama, cabsando el apartamiento de otros amantes, mas agora non dubdo de lo presumido, segund las esperiençias de mi penosa vida, pues planetas e signos bien lo han mostrado, los cuales en mi nasçimiento contrarios me fueron, consentiendo en mi pena sin gloria ninguna, e que la vida non próspera, mas afortunada la oviesse poniendo mis fuerças en ageno poder, faziendo a ti cárçel de mi coraçón (íd.).

En ciernes se encuentran inscritos en estas quejas los núcleos narrativos sobre los que se construirán los también llamados «tratados» en las últimas décadas de la centuria, incluido el continuo recurso al orden epistolar, no sólo porque esta queja adopte esa forma genérica, sino porque el amador evoca las misivas que su cruel dama le había enviado, recordando algunos de aquellos pasajes con la intención de convertir su dolor en fuente de acusaciones:

> Tú has seído desterradora de mi alegría e procuradora de mis grandes pesares, tú, robadora de mi juventud, tú, cabsadora de todas mis penas, tú, actora de todos mis males, tú, tractadora de todos mis dapnos. Quexarme de ti tomo por oficio en todos mis tristes días (184).

Termina, así, el tratado, con una ambigua exhortación en la que parece pedirle a su señora que huya de unas «ficçiones», que tienen que referirse a la vida religiosa en la que se ha encerrado y que él zahiere, con jugosas antítesis, en un poema final[523]. En esa composición le pedía, a la vez, licencia para amar «por do podiere / donde viere», lo que parece demostrar la epístola siguiente —cap. x— en que saluda y agradece a una «señora» el interés mostrado por él y el poco caso otorgado a las calumnias movidas en contra suya. Tanto en el «tractado» como en esta otra carta es admirable la aptitud del autor por aprehender de la realidad cortesana estos esquemas de comportamiento que, fingidos o no, incorpora a su ser para que luego sean valorados en ese otro marco al que dirige un *Libro* que, una y otra vez, se ajusta a los propósitos que ya se fijara el condestable don Pedro en estos mismos años:

> E la cabsa bien consintiría borrar lo blanco de tres pliegos, mayormente acordándoseme de aquella manera de fablar que se dize «sátira», que trata de loar virtudes e reprehender viçios, del cual estilo algunas actoridades quisiera escrivir a Vuestra noble Señoría, assí en nuestro vulgar como en la prudente lengua de los teóricos (188).

Gusta Fernando de la Torre de amagar con estos avisos que luego no desarrolla, pero que demuestran su capacidad de poder acometer una labor de esas características; tampoco pretende apropiarse de un lenguaje retórico que le haría vulnerable por sospechoso[524], pero

---

[523] Con esta conclusión: «Resçebid esta cadena / de dozena / en señal de despedida, / porque nunca por estrena / de vós pena / yo resçiba en esta vida», 187.

[524] Pues conoce el valor negativo que se concedía a esta arte elocutiva: «...por aventura deríades que me allegava a los proverbios e retórica frairiega, que la tal manera de ordenar por muchos es reprovada, lo cual bien pensado, saberlo ningund daño trae. E algunos, así por no lo saber como por no les paresçer bien, aplícanse más a lo reprehender que a lo aprender nin aprovar por bueno, deziendo que cuál es el ayuda que el tal saber faze para defender e aquistar la persona o para ofender e dañar al adversario», 188-189.

defiende ese conocimiento que no considera contrario a la capacidad de ejercitarse «en el animoso e diestro acto de armas» (189), tornando compatibles las armas con las letras, como ya se había indicado (ver pág. 3795).

11.6.2.2.5.2: El conocimiento de la materia sentimental

Al margen de este «tractado», en otras epístolas aparecen otros núcleos temáticos de la ficción sentimental. Así, en el cap. xi, a ruego de Pedro de Porres, desarrolla el motivo, aunque quizá real, de revelar a un amigo de máxima confianza la identidad de la señora amada, no de una forma directa, pero sí a través de un complejo juego de referencias engastadas en unas «coplas que así te han de mostrar parte de lo por ti rogado» (190); encubre el nombre y declara las virtudes con que esa dama está adornada; evita caer, así, en el torpe «error» de aquellos amadores que, con desastres inmediatos, pagaban la culpa de su indiscreción:

> Esto me plaze, pero por las razones que adelante diré, çesso de te declarar quién es e de qué proporçión; lo primero porque diziendo quién es toparía en aquel que nosotros llamamos terçero error, aunque en este caso no se deve llamar así; lo otro, porque manifestando la proporçión e señales d'ella, que tales son e tan estremadas en veldad, que soy çierto que ligeramente entre todas las vivientes conoçerla podrías (íd.).

Da acogida el *Libro* a los *remedia amoris,* otro de los componentes del imaginario sentimental, articulado en los primeros tratados erotológicos; F. de la Torre conecta, ahora, con el *Breviloquio* (§ 10.7.2.1.2), con el *Tratado de cómo al hombre es necesario amar* (§ 10.7.2.2.3) o con la *reprobatio amoris* a que llega el *Tratado de amor* atribuido a Mena (§ 10.7.2.3.3); también aquí un amigo, Diego Gómez de Toledo, pide consejo para poder aliviar la pena que siente: «yo ser amador por mi ventura poco amado» (191); achaca a la Fortuna las aflicciones que padece, extremas por cuanto su dama, aun habiéndose mostrado en principio cruel, «permitió e dio galardón, bien que poco, a mí» (192), pero ahora se encontraban separados y sin posibilidad de verse a pesar de su deseo; De la Torre retruca, como se comprueba, la tradición de la que parte, pues aquí sí hay un amor compartido, frente al que alzará los consejos ovidianos, claramente explicitados:

> ...plázeme de vos dezir lo que al presente a la memoria me viene (...) de aquel que *De los remedios* se llama libro, de que yo al tienpo que lo leí poca cuantidad guardé, segund la grosedad de mi basto sentido que es semejante de arca sin suelo (193).

Los castigos no se desvían un punto de los expuestos en los anteriores opúsculos: «fuir los ojos e los oídos» de quien da pena, apartarse de sus «letras» y de los «lugares» en que se hubiera amado, «recusar la recordaçión» de la señora, alejarse de los sitios en donde se hablare de ella y mudar un amor por otro. Bien que reconoce que estos avisos no se pueden aplicar propiamente al caso consultado, cuando lo que su amigo debía de hacer era ir donde se encontraba su dama para ganar «corona de leal amador e constante» (194); distinta era su situación, tal y como enseguida revela: desdeñado por una señora, se había procurado el consuelo de requerir y conseguir el amor de otra. Diego Gómez en una «replicaçión» valora los apercibimientos recibidos, rechazándolos para que no «puedan dezir el mugeril estado llamarse más constante qu'el varonil» (195).

En algo se parece a Juan Ruiz quien se jacta de esta facilidad amatoria; casi para demostrarlo tuvo que incluir en el *Libro* una carta, luego mutilada, en que describía el sutil acoso a que sometía a una señora, obteniendo, casi a la fuerza, el galardón de un beso, para ser después violentamente despedido[525]:

> E yo todavía aún no contento con esta merçed, le dixe que no me asegurava con aquella firma, si signo no oviese, lo cual no entendía. E yo por fermosas palabras le declaré cuál fuese aquel signo, con lo cual çiertamente tanto se enojó que apenas me pudo fablar, e jamás fasta agora, e só çierto que fasta nunca quiso ni querrá venir en aquello. E así se quedó (206).

El orden de las epístolas amorosas recupera la memoria de ideas del cap. vi, por cuanto una dama, forzada a contestar por De la Torre, recuerda la respuesta que aquella otra había dado a su importunidad:

---

[525] El ms. lleva una nota de Gayangos, uno de sus poseedores, que transcribe Díez Garretas: «aquí deben de faltar por la cuenta del cuaderno 2 ½ hojas arrancadas por algún escrupuloso. En ellas se contenía el título y principio del capítulo 16º (debe decir 17º) que debía ser algo verde según el fin», pág. 205, n. 75.

> E a las otras cosas que dezís no respondo más, salvo que de mí no más sacaréis de aquello que la otra señora que sabéis vos respondió, a donde se dize: «Ni quiere quien puede» (197).

Mosén Fernando enseña a utilizar este conjunto epistolar por medio de estas técnicas de narración interna: los receptores externos deben obrar a semejanza de las figuras que aparecen en el *Libro* leyendo las cartas de otros y aprovechándose de esas ideas.

Para cerrar este círculo de referencias, en el cap. xiv, por ruego de Pedro de Luna, el famoso bastardo de don Álvaro magnificado en la *Historia* del maestre (§ 10.5.5.2.3.1), requiere a una señora a la que no conocía[526] y que se revela como fiel lectora de sus misivas amorosas:

> Agora, gentil castellano, por valençia d'esta sinple letra vos demando que sienpre de vuestras sentidas cosas partáis comigo, e prinçipalmente e más presto dos epístolas que el portador me dixo que entre una señora que servís por amores e vós pasaron, mudando vuestros nonbres en aquellos de los troyanos[527], por encobrir e desfigurar los vuestros, e tanbién lo que sobre ello me dixo que una otra señora escrivió, lo cual e las otras cosas pasadas e por venir para sienpre vos gradesçeré e guardaré como a mi vida (199).

Hay una visión especular en esta demostración del valor que debe otorgarse a unas misivas que son solicitadas, con tanto apremio, por unas damas que son las mismas que se encuentran en ese marco cortesano al que F. de la Torre ha dirigido su obra[528]; repárese en que estas alusiones aseguran, además, que el conjunto epistolar mandado a doña Leonor, o uno con materiales similares, había gozado ya de la estima del público mujeril.

Tal ha de ser la principal de las conclusiones que se saque del análisis de este *Libro:* el engarce de una conciencia de recepción femenina

[526] Se trata de doña Lieta de Castro, dama zaragozana, la única, a la postre, de la que se sabrá su nombre, porque del resto de las voces femeninas se cela la identidad.

[527] Que es algo que había ocurrido ya en el interior de la *Fiameta,* cuando se construyen las identidades de «Fiameta» y «Pánfilo», ver *HPRC,* § 10.5.2.

[528] «El *Libro* nos deja ver que a Fernando de la Torre se le solicitaron no sólo sus propias obras —probablemente las poéticas— sino también aquellas piezas que conformaban su propio epistolario, el que Fernando intercambiaba con diferentes personas», ver C. Parrilla, «Notas y apostillas al epistolario de Fernando de la Torre», en *Proceedings of the Ninth Colloquium*, eds. A.M. Beresford y A. Deyermond, Londres, Department of Hispanic Studies-Queen Mary and Westfiel College, 2000, págs. 53-59, pág. 55.

con unos discursos literarios —las epístolas, los poemas— y con unos asuntos temáticos —el amor, la nobleza, la religión— que acabarán configurando el modelo de la ficción sentimental.

11.6.2.3: El *Juego de naipes*

El *Juego de naipes* es un *prosimetrum* que participa también, por su dimensión amorosa y por la mixtura de discursos formales, en la configuración de las líneas temáticas del orden sentimental; es cierto que no hay desarrollo argumental alguno, pero sí revela la fijación de unos paradigmas de comportamiento femenino y el análisis de las actitudes amorosas con que los hombres deben acercarse a las mujeres, según sean religiosas, casadas, viudas o doncellas.

El *Juego* lleva un prólogo en prosa, con la dedicatoria a otra noble mujer, en este caso, la condesa de Castañeda, doña Mencía Enríquez, en 1449; De la Torre le envía esta composición para disculpar su retraso por otro encargo:

> Non creo nuevo será a Vuestra Señoría averme mandado que con alguna lectura vos serviesse; y como vuestro mandado non pudiese negar, penselo poner por obra; mas como la escriptura no fuese breve, nin los tiempos así quietos como quisiera, la conclusión o medio de aquélla está por fazer; así que para esperar la tal cena, magnificencia e virtud, acordé de embiar a Vuestra Nobleza una colación o passatiempo de la manera que baxo se fará relación (213).

Excusa su atrevimiento en la «palanciana condición» de la dama, confiando en su saber para disimular los defectos de una obra que si se decide a acoger bajo su autoría es porque va «cerrada e sellada con las armas de mi grossero sentido e pendiente en filos de grand osadía» (íd.). El prólogo, de este modo, participa del «deporte» que el libro presenta, predisponiendo a los receptores a asumir la trama alegórica encubierta tras los naipes:

> Han de ser cuatro juegos apropiados a cuatro estados de amores, en esta manera: el primero de religiosas, a las espadas apropiado por las coplas, segund la calidad de la casa; han de ser doze naipes en este juego, e en cada uno una copla, e ha de aver tres figuras: la primera del rey, copla de doze pies; la del cavallero de onze, la sota de diez, e dende ayuso diminuyendo fasta llegar a un pie; y por

> consiguiente todos los otros estados, así como el de biudas apropiado a bastones, y de casadas a copas, y el de donzellas a oros, por tal que sean cuarenta e ocho cartas e coplas, sin las del prólogo o emperador (213-214).

Las mujeres se distribuyen, entonces, por estados, según marque el palo de la baraja, debiendo los amadores aprender a afirmar el valor de su amor en las razones de cada uno de los naipes; ha de apreciarse, en este sentido, la dificultad que supone disminuir un verso —o «pie»— conforme decrece el orden de las cartas, aumentando, por contra, la tensión de los argumentos que exponen esas figuras en el diálogo que mantienen.

El primer lugar se reserva al emperador, distinguido por el color morado, con la propiedad de poder ganar a cualquier otra carta. Sigue el juego de espadas, referido a los amores de las religiosas, señalado con letras coloradas; el rey desaprueba esta relación, el caballero la aceptaría si la dama fuese bella y noble, la sota se confiesa escarmentada sin recibir galardón, analizando las otras cartas diversas circunstancias como la memoria, la firmeza o el enojo. El juego de «bastones» se dedica a los amores de viudas, marcados con letras negras; el rey en su copla los encarece por ser seguros y poco peligrosos y el caballero alude a las blancuras que se esconden bajo el manto negro. El juego de copas acoge los amores de casadas, destacados por las letras azules; a él renuncia, de inmediato, el rey, porque, al igual que le sucede con el vino, este amor «a las vezes sabe mal» (223), recomendando el caballero apercibirse a quien quiera seguir tales empresas y considerando la sota que el «manto, de otro sudado», debe desecharse. Por último, el juego de oros se reserva para las doncellas, indicado con letras verdes; el rey lo reputa como «rica corona de gloria» (227) para aquel que lo gane, el caballero estima que por estos lances merece la pena arriesgar la vida, mientras que la sota señala a los «palaçianos» como los más pulidos. Quedan, de este modo, prefigurados unos esquemas de pensamiento y de mínima acción narrativa que serán luego recogidos en diversas situaciones planteadas por la ficción sentimental; sin ir más lejos, el análisis sobre el modo en que las mujeres aman según su estado será una de las enseñanzas —y temía en especial a las viudas— que la Madrina entregue a la protagonista de la *Triste deleytaçión* (ver § 11.6.3.1.1, pág. 3823-3826).

Por último, Fernando de la Torre da instrucciones al pintor para que dibuje las «figuras e istorias» de los naipes, conforme a estas pautas:

> Que ha de poner todas las istorias e figuras ençima de las coplas, las cuales coplas han de estar en medio del naipe, conpasado segund el grandor de la copla, e debaxo de la copla una señal de copa o espada o oro o bastón, segund fuere el naipe. E al torno de todas las coplas e naipes, follajes para fenchir el naipe. E todas las espaldas d'ellos de azul o verde, que non sean blancos (231).

Son estas figuras las que ratifican la rica simbología sobre la que el juego se afirma[529]; el rey de espadas ha de corresponder a la imagen de una abadesa, el de copas representar la historia de Lucrecia, el de bastos, la de la reina Pantasilea acorriendo a Héctor, el de oros, finalmente, «la istoria de la donzella encantada, cómo está en el lago criando a Lançarote» (232). Recuérdese que De la Torre endereza esta diversión cortesana a un círculo nobiliario de mujeres, por lo que estas referencias, también femeninas, tienen que revelar, cuando menos, el grado de lecturas que se practicaría en estos ambientes, tanto para reconocer esas imágenes pintadas como para asumirlas en el desarrollo de la partida[530]. El caballero de espadas, por recorrer esta figura, ha de mostrarse entrando en el convento y siendo recibido por la abadesa, el de copas es un caballero cordobés que descubre a su esposa con dos comendadores a los que mata junto a la adúltera y a dos doncellas, el de «bastones» muestra a Judit degollando al príncipe Olofernes, mientras que el de oros asume una trágica historia[531]. Las sotas, conforme al orden establecido de palos, corresponden a monjas de clausura, a Paris robando a Elena, a la reina Dido arrojándose al fuego, a Hero y Leandro finalmente, aunque cambiados sus nombres por los de «Vidus» y

[529] Señala N. Salvador: «Me parece, sin embargo, que hay en el *Juego* algo más que un mero pasatiempo cortesano; acierto a descubrir, por ejemplo, algunos simbolismos que serían, sin duda, bien inteligibles para los coetáneos y que expresan, en todo caso, el interés que tuvieron en el siglo XV las discusiones sobre temas amorosos», *La Poesía Cancioneril*, pág. 220.

[530] «E pueden jugar con ellos perseguera o trintín como en otros naipes, y, demás, puédense conoscer cuáles son mejores amores, sin aver respecto a lo que puede contescer, porque a las vezes, es mejor el carnero que la gallina e pueden conoscer su calidat, y puédense echar suertes en ellos a quien más ama cada uno, e a quien quiere más, e por otras muchas e diversas maneras», 214.

[531] «Ha de ser la figura del cavallero la istoria de Gismunda, cómo le enbía su padre un gentil onbre en un cavallo, e le trae el coraçón de su amigo Riscardo, el cual con çiertas yervas toma en una copa de oro e muere», 232. Ver la alusión de n. 515 en pág. 3796.

«Merus». Este bagaje de referencias mitológicas tiene que articular la red de situaciones a la que el juego puede ajustarse, permitiendo valorar los riesgos que los amantes pueden correr al perseguir lances amorosos, similares a los mostrados por estas figuras; en *Triste deleytaçión*, se recomienda, también, evitar el amor de las casadas por los peligros que esa relación puede entrañar.

La composición es importante, en fin, porque demuestra que lo que ocurre en el interior de la ficción, con los debates y controversias sobre el amor, es fiel reflejo de esas mismas situaciones en el orden de la realidad cortesana. Este *Juego* no sería propiamente una obra de ficción, pero sí un código de relaciones sígnicas que permite entender muchas de las escenas —de valor alegórico— que los personajes ficticios van a poner en juego, amén de los propios entretenimientos que los poemas representan.

11.6.3: *Triste deleytaçión*

Este extraño y heterogéneo producto textual, considerado como la tercera muestra de la ficción sentimental[532] y uno de los vínculos que conectan este entramado literario con la cortesía aragonesa y catalana[533], se conserva en un único ms., el 770 de la Biblioteca de Cataluña, con letra de mediados del siglo XV; apenas había llamado la atención de la crítica, hasta el análisis que, en 1956, Martín de Riquer le dedicara, reparando, sobre todo, en el modo en que los escritores catalanes, a lo largo de la segunda mitad del siglo XV, se servían del castellano[534], en consonancia, claro es, con el triunfo de los Trastámara sobre cualesquiera de los linajes aragonesistas[535]: cuando don Juan, rey de Navarra,

[532] En virtud de la fecha de 1458 declarada en su prólogo; R. Rohland de Langbehn la incluye, por tanto, en el segundo grupo de obras del género, ver «Desarrollo de géneros literarios», págs. 67-68.

[533] Ver A.D. Deyermond, «Las relaciones genéricas de la ficción sentimental», en *Tradiciones y puntos de vista en la ficción sentimental*, págs. 44-45.

[534] Tal es su conclusión: «Las páginas que anteceden sólo aspiran a arrancar del olvido una novela que en algunos momentos presenta un real interés literario y que es, sin duda alguna, una de las primeras manifestaciones del cultivo de la prosa castellana por parte de escritores catalanes», ver «*Triste deleytaçión*, novela castellana del siglo XV», *RFE*, 40 (1956), págs. 33-65, pág. 65.

[535] Y recuérdese el modo en que el Condestable de Portugal, don Pedro, logró hacerse con la corona aragonesa tras el rechazo de la misma de Enrique IV.

se sienta en el trono tras la muerte de su hermano, Alfonso V, en 1458, había derrotado ya por dos veces, en 1451 y en 1457, a su hijo don Carlos, príncipe de Viana, exiliado en Sicilia, y había elegido como sucesor a don Fernando, el hijo habido con doña Juana Enríquez, con la que había casado en 1444, amén de señalar a su tercera hija, doña Leonor, para el trono de Navarra (lo que magnifica F. de la Torre con el *Libro de las veinte cartas:* § 11.6.2.2.1). Ese infante don Juan, primero rey consorte de Navarra, luego rey de Aragón, representaba el triunfo del «castellanismo» que su padre, don Fernando, instaurara en el trono aragonés en 1414. Del mismo modo que la producción letrada de la corte castellana, en la primera mitad del siglo XV, descubría las formas más ricas y plurales de la cortesía aragonesa (recuérdense los casos de don Enrique de Villena, don Álvar García de Santa María, el mismo don Íñigo), ahora en la segunda mitad de la centuria, y aún más cuando se materialice el enlace entre don Fernando y la princesa Isabel, ocurrirá el proceso contrario: *Triste deleytaçión* es una de las consecuencias de esa nueva configuración literaria que se construye en los últimos decenios del siglo en una Cataluña atenta a la renovación ideológica y narrativa que se había fijado en la corte de Castilla entre 1430-1445, con la segura guía que suponía la obra de Juan Rodríguez del Padrón. Paradójicamente, la derrota de los infantes de Aragón en Olmedo en 1445 propiciaría la expansión de la literatura castellana frente a las creaciones vernáculas en catalán.

11.6.3.1: Contenido y estructura narrativa

La *Triste deleytaçión* es una ficción sentimental no sólo por recoger tres historias amorosas (dos de ellas autobiográficas: la del Autor, explicitada en el prólogo, y la del Enamorado con la que se articula el texto y desde la que se accede a la tercera, la del Amigo) sino por el modo en que su discurso textual amalgama todas las líneas de la producción letrada de la que surge este orden narrativo. Primeramente, la pretensión de que aquello que se cuenta es un caso verídico, ocurrido en un entorno cortesano, fácilmente reconocible, a pesar de la ambigüedad con que los sucesos se disponen; en segundo lugar, porque esa trama narrativa mínima, con el desenlace adelantado en el prólogo, y su fragmentario seguimiento sirven de soporte para el verdadero objetivo del libro: las digresiones y los discursos con que son analizados el amor, sus efectos y la importancia del mismo en el marco de las relaciones curiales.

Es cierto, y debe señalarse como nota diferenciadora, que el tratamiento erotológico de *Triste deleytaçión* no resulta tan negativo como el *Siervo* y la *Sátira* habían puesto de manifiesto; bastaría con recordar la escena de la coronación del de Antequera como rey aragonés y la atinada observación de don Álvar acerca de la «alegría» con que los catalanes expresaban sus afectos y sentimientos. De algún modo, *Triste deleytaçión* reúne, ya desde su título, esta nueva visión cultural: sus principales protagonistas, el Enamorado y la Señora, no podrán culminar su relación amorosa, tras lograr comunicársela y haberla aceptado, por culpa de hostiles personajes enemigos del amor (una vieja maliciosa, un padre autoritario), pero no porque el amor en sí resulte pernicioso; antes al contrario, en el interior de esta obra se afirmará la excelencia del amor de los enamorados sobre el vínculo matrimonial; en cualquier caso, la perfección de esta pareja, que busca sólo sublimarse con el ansiado galardón, no es realizable en un mundo de engaños y de convenciones que se esfuerza por destruirlos[536].

Este mínimo esquema argumental adquiere un valor excepcional de admitir una interpretación en clave para descifrar sus hechos y reconocer, tras sus personajes, a los actores históricos que se disputan el poder en el reino aragonés (ver, luego, § 11.6.3.2); sin embargo, esta lectura encubierta, aun siendo factible, no puede desplazar la valoración que el texto merece en virtud del grupo genérico al que se adscribe: una verosímil peripecia amorosa permite una incursión por discursos teóricos (el análisis del amor, el valor de la nobleza) y por «estorias» o «fiçiones» (los sueños alegóricos, el orden de la gentilidad); con la línea discursiva se asimilan unas cualidades intelectivas que han de ser aplicadas para desvelar los sentidos encubiertos que yacen bajo las literales cortezas. Tales son los presupuestos que permiten afirmar que *Triste deleytaçión* es una ficción sentimental: recoge un proceso textual ya articulado (se menciona por dos veces al de Padrón) y lo transforma

---

[536] Con acierto, señala Vicenta Blay: «Sin embargo, en *TD*, a diferencia de lo que ocurre en otras ficciones sentimentales españolas, no existe palinodia alguna, no se acaba en ningún «contemptus mundi» final. El autor, novedosamente, parece proponer a su público una alternativa más feliz y mejor: una solución ecléctica (...): el amor carnal es bueno siempre que se use bien de él», «La dinámica espacio-temporal como elemento estructural en *Triste deleytaçión*», *Actas III Congreso AHLM*, I, págs. 187-196, pág. 195.

en virtud de una nueva conciencia receptiva. Precisamente, la estructura del texto, con una singular configuración de los niveles de la realidad y de la ficción narrativa, permite que el receptor se convierta en un componente activo del desciframiento de sus significados. De ahí, la importancia del primero de los planos textuales, del prólogo en el que el autor le entrega al receptor todas las perspectivas necesarias para penetrar en el reducto de la vida de los personajes, conforme a estas previsiones:

> Venido a conoçimiento mío, ahunque por vía indirecta, un auto de amores de una muy garrida e más virtuosa donzella y de hun gentil honbre, de mí como de sí mismo amigo, en el tiempo de cincuenta y ocho, concorriendo en el auto mismo hotro gentil honbre y duenya madrastra de aquélla, yo, consideradas las demasiadas penas y afanes que, ellos hobedeçiendo, Amor procurado les avía, quise pora siempre en scrito pareçiesen (ed. RRL, 1; ed. MG, 1)[537].

Extrañan la precisión cronológica (ese año de 1458 en que muere Alfonso V y que ha sido el punto de partida de las distintas interpretaciones historicistas del texto), el término «auto de amores»[538] y el vínculo de la «cofradía amorosa» que engarza a todos los personajes de la historia: el Autor es amigo del Enamorado, del mismo modo que éste mantendrá una estrecha relación con otro Amigo (el mencionado «gentil honbre») al que implicará en su recuesta amorosa. Por ello se había indicado que en el texto se integraban tres historias sentimentales, con una fuerte carga de realidad:

---

[537] El texto ha merecido dos ediciones muy cercanas en el tiempo: *Triste deleytaçión. An Anonymous Fifteenth Century Castilian Romance*, ed. de E. Michael Gerli, Washington, Georgetown University Press, 1982 —es ed. MG— y la de Regula Rohland de Langbehn, *Triste deleytaçión, novela de F.A.d.C., autor anónimo del siglo XV*, Morón, Universidad, 1983 —es ed. RRL.

[538] Claro antecedente del proceso que conduce a la *Comedia de Calixto y Melibea*, como señalara F. Lázaro Carreter, tras aceptar la propuesta de Riquer de que el texto acogía una obra autobiográfica: «pudiera muy bien ocurrir que ese *auto* no hubiera existido nunca, y que aludir a él, fuera una simple broma del autor; de lo contrario, nos hallaríamos, en 1465, con un modesto precursor de Rojas, si no en continuar una obra ajena, sí en subsumirla en una creación propia», ver *Teatro medieval*, Madrid, Castalia, «Odres nuevos», 1976, pág. 69. El término aparece, también, en el cierre del prólogo del *Tirante* castellano cuando se presenta el orden sentimental de la obra: «y muchos autos y razonamientos de amores por lindas y onestas maneras dichos y tratados», ed. de Martín de Riquer, Madrid, Espasa-Calpe, 1974, I.5.

> Es verdat que si la fin d'estos amores en la presente hobra no se muestra, la causa fue no aplicar fiçión, por ser más obligado en tal caso a la verdat que al amigo (íd.).

No hay «fin d'estos amores» no sólo por no haberse alcanzado (a pesar del deseo de los enamorados por lograrlo) sino porque, al final de la obra, asoma un mínimo «tiempo de esperanza». Ello es oportuno si se repara en que el Autor se confiesa servidor de una señora a la que quiere entregar esta obra como espejo de la misma pasión que él, por ella, siente:

> Mas por cuanto asta donde me dexe el scritura mía verdadera se mostrava, no quise adelante proçeder, sperando tiempo que del fin relatador conforme al principio me iziese; por que si aquella Sª de quien soy, que por complimiento de más valer la potençia del grado consiente ser más querida, por nueva fantasía le fuesen absentes mis deseos, fatiguas y danyos, por aquella olvidança que luenga absençia es causa, la presente hobra leiendo non sólo a ella buelba en la elección primera, mas a todas las hotras stimadas senyoras que de gran sangre tienen ábito de sclareçido renonbre las aga de ingratitut delibres, ajuntándolas en huno con aquellos que por bien querer les avían la principal fin de amor ofreçido (íd.).

Se pretende interferir, por tanto, en ese plano de la realidad en que se halla el Autor, es decir influir en la voluntad de una «senyora», mediante una doble historia «real» que permite hilvanar un plural registro de discursos textuales a los que se fía no sólo el desenlace de la aventura que el Autor mantiene con esa dama, sino el de la misma que se va a referir en el orden narrativo[539]:

---

[539] Alan Deyermond explica este complejo trazado de perspectivas: «En la *Triste deleytaçión*, obra que recibe una influencia explícita del *Siervo libre,* la combinación es más compleja: la narración principal empieza en primera persona, se continúa en tercera (aunque habla de los mismos personajes), para volver finalmente a la primera. Además, la sección en tercera persona, que es la más larga de la obra, se presenta como un *exemplum* no sólo para los lectores sino también para el narrador en primera persona», «El punto de vista narrativo en la ficción sentimental del siglo XV», págs. 66-67.

> Y el mi caso terrible em presençia d'ellas venido, por yo ser el más maltractado de Amor y el más leal de cuantos posee, movidas a compasión rogarán con más afiçión ad aquéllas que de bien ordenar tienen el poder complido, en fazer la presente scritura endreçen mi mano, porque los leidores de mi dolor y tristura costreñidos, por innumerables suplicaçiones, inclinen ad aquel que sobre los enamorados tiene infinida fuerça, buelva la Sª donzella y Eº en aquel stado y ser de bien querer que en la mala aventurada despedida los avía dexado (ed. RRL, 2; ed. MG, 1-2)[540].

Una y otra historia son iguales. La incertidumbre del desenlace las vincula. Sólo el conocimiento de lo que el amor representa y de las aflicciones que por el mismo pueden sufrirse podría propiciar un final favorable para los intereses de estos amadores (es decir, del Autor y del Eº).

La estructura narrativa se ajusta, entonces, a las previsiones de conectar continuamente el plano referencial en el que se encuentran el Autor y los receptores con el plano de la realidad narrativa en el que ocurre esa doble historia sentimental, una con desenlace infortunado por la muerte de la Madrastra, la otra, la más importante, la del Eº y la Sª[541], con una incierta resolución por el triunfo (aparente) de los enemigos contrarios a un amor tan excelso como el que logra afirmar esta pareja, tras arduos sufrimientos, penosas pruebas y el consabido orden de enseñanza. El siguiente esquema refleja el doble proceso de padecimiento a que el Eº y la Sª están abocados:

---

540 Es posible que la convención obligue al Autor a fingirse enamorado y que si ésta es, como parece, una lectura en clave, el ámbito narrativo sea el real, mientras que el marco en que se halla el Autor sea el ficticio.

541 Los personajes se ajustan a estas abreviaturas: «Mas áse aquí de considerar una cosa: ca allá donde se allaran aquestas cuatro letras ansí fechas cada una por sí, Sª, Mª, Eº, Aº, se an de comprender la primera por Senyora, la segunda por Madrastra, la terçera por Enamorado, la cuarta por Amigo», ed. RRL, 3; ed. MG, 2. R. Rohland de Langbehn las desarrolla en su edición, pues cree que «se introdujeron únicamente para aliviar el trabajo del amanuense», pág. xlv; prefiero, con todo, mantenerlas como lo hace E. M. Gerli.

1. Realidad del autor: «Prólogo».
2. Realidad narrativa: doble historia sentimental.

A) Enamorado	B) Señora
a) Pasión amorosa: males y aflicciones.	a) Pasión amorosa: llantos y duelos.
b) Debate entre la Razón y la Voluntad: victoria de la Voluntad.	b) Castigos de «buen amor» de la Madrina.
c) Carta amorosa: relación descubierta. Rechazo.	c) Intervención del Amigo: relación descubierta. Peligrosidad.
d) Intervención del Amigo: relación con la Madrastra.	d) Cartas entre la Señora y el Enamorado: afirmación amorosa.
e) Partida del Enamorado a la guerra.	e) Encuentros amorosos: vieja maliciosa los sorprende. Separación.
f) Visión alegórica. Esperanza de amor. Enamorado herido en la escala de amor.	f) Intentos de restablecer la relación amorosa: muere la Madrastra, la Señora es encerrada.

3. Realidad del autor: crítica social.
4. Realidad narrativa: orden alegórico.
   a) Viaje a Barcelona: intento frustrado de ver a la Señora.
   b) Viaje al Otro Mundo: Infierno, Purgatorio, Paraíso.
   c) Regreso a la realidad: profesión religiosa de los enamorados.

Son dos, por tanto, los niveles textuales que configuran la *Triste deleytaçión,* ajustados al predominio del discurso de la prosa o del verso en cada uno de ellos[542], para ordenar unos núcleos narrativos que, por sí mismos, no dan cuenta de la riqueza literaria que subyace en la fugaz incursión que el Autor plantea por las vidas de estos seres. Un amor que se construye en el plano de la realidad y que se descubre, en todas sus significaciones, en el alegórico.

542 Indicaba M. de Riquer que la obra «se divide claramente en dos partes muy distintas, tanto en la técnica narrativa como en el estilo. En la primera parte, en la que domina la prosa, se relatan hechos verosímiles y reales (...) La segunda parte [toda en verso] (...) nos lleva al alegórico mundo de los viajes a un más allá poblado de enamorados famosos», págs. 63-64.

11.6.3.1.1: El orden de la realidad: disputas y castigos

El marco en el que el Autor y los receptores se hallan y el ámbito referencial en que se mueven los personajes comparten los motivos básicos que prestan coherencia a la ficción sentimental: el modo súbito en que la pasión del amor se apodera del E°[543], con la inmediata pérdida de la libertad y entrega generosa a una «servitut» que lo enajena totalmente. Privado de los sentidos, arrebatado por una especie de sopor, asiste a la disputa entre la Razón y la Voluntad, un tenso debate construido con todas las características y precisiones del género: desafío inicial[544], acusaciones mutuas, despliegue de «fengidas razones» y de «coloradas palabras», más discursos alegóricos engastados en el orden de la exposición[545]; tras evocar en vano la memoria de desastrados amadores, la Razón conduce a la Voluntad al «Palaçio Aborintio» (ed. RRL, 21; ed. MG, 15), en el que, junto a Cupido y Venus, viven, en aparente dicha, infinitos amadores hasta que prueban el agua del olvido que Ariadna les presenta[546]; en ese momento, el que había sido escenario de gozo y de alegría se convierte en horrible Infierno de

543 A quien se presenta en una edad ajena a esta fuerza pasional, pasando su inocente vida, ocupados sus sentimientos en «cosas civiles y bajas»: «Mas un día, cansado de tal exerciçio, por alegrar los spíritos, cavalgando acordé pasear. Ansí andando descuidado y fuera de toda fatigua que enogar me pudiese, alçé los ojos, no en fin de ser preso ni de amor tomar a ninguna, do vi en una ventana una tan linda e fermosa donzella al grado y voluntat mía tanto conforme, que si Dios a otra más perfición darle quisiera fuera forçado quedar vanaglorioso», ed. RRL, 3; ed. MG, 2-3.

544 Así comparece la Razón ante una silenciosa Voluntad: «La nueva sperienҫia de amor al vuestro virtuoso bivir grave impedimiento pone», ed. RRL, 4; ed. MG, 3.

545 En la «Introducción» señala R. Rohland de Langbehn estas aportaciones novedosas de la obra al género en el que se inscribe: «Es, entre estos textos, el primero que hace uso amplio de los largos diálogos a modo de tratados, y que contiene los intercambios de cartas que son tan importantes para el desarrollo posterior de la novela sentimental. En cuanto al contenido, es el primero de ellos que incluye el debate de las mujeres, y que integra el punto de vista femenino haciéndolo defender por una mujer», pág. xx.

546 Aunque no es el único espacio caracterizador de la obra; M.S. Brownlee apunta esta diferencia: «Architectural space confirms the chronotopic deviation from romance to novella. It is not the locus amoenus, castle, or "palaçio Aborintio" in which the author situates *Triste deleytaçión*, but houses in an urban setting. This space is replete with spies, meddlesome old ladies, and "vellacos" —figures that populate the novella world, not romance», *The Severed Word*, págs. 134-135 (ver n. 1522, pág. 3202).

amor[547]; ha de repararse en el isocolon rítmico y en la similicadencia con que esta descripción se arma:

> ...toda aquella deleytaçión y claredat absentada, y los cantos y tenores en congoxas y jemidos convertidos; los árbolles y las flores en serpientes, çapos mudados; el palaçio preparado, una selba muy scura con tanta de tenebrura que no se puede sofrir, que alí sienten grandes gritos de diversos animales, alí cadenas, martillos, alí çepos e grillones, alí fuego y alquitrán, una terrible edor. Alí toda cosa nozible e desplaziente era conjunta. Camino para la salida no se falla (ed. RRL, 23-24; ed. MG, 16).

Sin embargo, a la Voluntad le basta con describir a la Señora, con todos los tópicos esperables, entre los que destaca el simbolismo de las piedras preciosas, para vencer a la Razón y que ésta se retire:

> Como la Razón se partió de la Voluntat, la cual por el bençimiento quedava con tanta contentaçión que con movimientos desiguales el ánimo del Eº aquexava, que forçado, por el continuo seguir d'aquella, recordar, y delibre del suenyo vido su libertat del todo perdida si con discreto mirar no se remediara; fue su intençión en todo caso defendella (ed. RRL, 26; ed. MG, 18).

Detrás de un episodio de esta naturaleza, hay que contar, por tanto, con un público receptor capaz de apreciar estos debates y de distinguir la sutileza de los procedimientos elocutivos que el *ars rhetorica* propicia para librar la contienda.

A partir de este punto, la acción narrativa es rápida. El Eº se arriesga a descubrir a su Sª la pasión en que se consume, ganando para ello la confianza de una criada de la joven. Como ocurrirá en las ficciones sentimentales de las últimas décadas del siglo XV, el mundo de los servidores y de la gente de baja ralea comienza a servir de telón de fondo en el que se recortan las relaciones que mantienen sus señores; esta criada, con todo, sufrirá una dura reprimenda por parte de su señora, violentada en extremo por el tenor de la carta:

---

547 El episodio ha sido analizado por Olga T. Impey, «*Contraria en la Triste deleytaçión:* materia fundamental del Aborintio de Amor y de Fortuna», en *Proceedings of the Ninth Colloquium,* ed. A.M. Beresford y A. Deyermond, Londres, Department of Hispanic Studies-Queen Mary and Westfield College, 2000, págs. 145-164.

> Y apenas fue leyendo, en la mitad d'ela venida, como fue su graçioso rostro vestido de una amarilla scuredat, que no biva mas casi muerta la judicaríades. Mas regida por la discreçión detuvo su ira, que lugo fue tal segunt su condiçión requería (ed. RRL, 29; ed. MG, 19).

El orden narrativo debe configurar pautas de comportamiento para que sean asumidas —o validadas— en el marco de la realidad externa; de ahí, las llamadas de atención a unos receptores a fin de que reparen en los gestos y en las reacciones de unos personajes cuyas vidas son trasunto de las suyas.

Cuando el E° requiere la intervención del A° surge un segundo plano dentro de este primer orden narrativo. Sus núcleos argumentales aprovechan, también, las líneas discursivas con las que se había armado el imaginario sentimental; este Amigo, «viendo al E° demudado y costreñido de strema pasión» (ed. RRL, 31; ed. MG, 21), se esforzará por devolverle la salud mediante consejos que conectan con los *remedia amoris* que Madrigal (págs. 3173-3174), el Pseudotostado (pág. 3179), el supuesto Mena (págs. 3182 y 3187-3190) o Fernando de la Torre (pág. 3806-3807) habían desplegado en sus correspondientes tratados teóricos; aquí, esta materia doctrinal se presenta en verso; la *Triste deleytación,* en cuanto *prosimetrum* que es, reserva el discurso rítmico[548] para las secciones sobre las que se quería llamar más la atención; esta «reprobación del amor» se articula mediante coplas de octosílabos con un verso de pie quebrado (abba:c*d*dc). Tras exponer los entretenimientos a que debe entregarse el amador para olvidar a su amada, el A°, en clara conexión con el pensamiento misógino del *Corbaccio*, enumera las mañas, astucias y artificios de que se sirven las mujeres para engañar y entretener las voluntades de los hombres. Este episodio, de crudo realismo, viene a corresponderse con el del debate entre la Razón y la Voluntad, ya que al E° le basta con pensar en su S[a] para contradecir las vituperaciones con que el A° quería que recuperara una cordura ya imposible de restablecer. Sin embargo, ese nivel de la cotidianidad realista no se abandona; juntos, E° y A°, tramarán un plan para acercarse a la S[a] ganando previamente el A° la voluntad de la Madrastra para convertirla en mediadora de amores[549]; ello provoca la configuración

---

548 Tampoco demasiado notable; su autor no era un gran poeta como podían serlo Rodríguez del Padrón o Diego de San Pedro.

549 La relación de esta figura con su hija la ha abordado Patricia E. Grieve, en «Mothers and Daughters in Fifteenth-century Spanish Sentimental Romances: Implications for *Celestina*», *BHS*, 67 (1990), págs. 345-355.

de un doble triángulo de relaciones en el que se enfrentarán los códigos del amor y del honor, al aparecer en escena la figura dúplice del padre-marido.

Uno de los rasgos más originales de *Triste deleytaçión* lo constituye el continuo proceso de oposición entre varios niveles de sentido, que procede del uso sistemático de diferentes registros textuales. Se embarca así el A° en un afortunado asedio amoroso (con rápida viñeta de capa y espada) para ocasionar mayor dolor en el afligido E° que decide partir a la guerra, en busca de una muerte que lo libre de tantos sufrimientos. Tampoco se trata de una campaña bélica cualquiera, por cuanto el ejército se nutre de desesperados amadores que se disputan el honor de ascender los primeros por una peligrosa escala (de clara factura alegórica) a fin de precipitar su muerte. En esa sublimación del amor, el E° sufre ahora una visión providencial; el retrato en pergamino de su amada cobra repentina vida para consolarlo y anunciarle feliz cumplimiento de sus deseos:

> «Que el ánimo mío, endreçado por enamorada furia al fin suyo, quitó cualquiera temor que en mí Vergüença causar pudiera; que por adelante mis deseos de los tuyos, y no los tuyos de los míos, con verdat atienden la piedat que tú de mí speravas. Y no dudes que, si tus afanes y quexos obrando sobre natura en mí, por dolor de aquellos te izieron de mi piadat mereçedor, cuanto más d'aquella que por sobras de amarla y servirla, no sólo darte remuneraçión de tus méritos la tenéis obligada, mas por razón ofreçervos la vida se deve fallar contenta» (ed. RRL, 47-48; ed. MG, 31).

Ésta es una extraña prolepsis, puesto que anticipa hechos que luego no ocurrirán conforme a lo que aquí se afirma: ni le va a resultar tan fácil a la Sª vencer esa Vergüenza, en el orden narrativo a ella reservado, ni esa «remuneraçión» a tantos servicios de amor será cobrada con la facilidad anunciada. De todos modos, el episodio sirve para cerrar el primero de los análisis de las conductas amorosas con que se entreteje la *Triste deleytaçión.*

La segunda línea narrativa muestra el modo en que el amor se apodera de la voluntad de la Sª y le hace padecer encontradas reacciones. Cuando recibe la falsa noticia de que el E° ha muerto, descubre, entonces, todo lo que le amaba; encerrada en su cámara, se somete a duras aflicciones de las que surge un conmovedor *planctus,* muy parecido al de las endechas por Guillén Peraza[550]. Es ahora cuando la Sª descubre al Aº el fondo de su corazón y éste, sin revelarle que el Eº vivía, le comunica en una carta el feliz desenlace de su sufrimiento. Repárese en que los motivos con que se había armado el primer orden narrativo dedicado al Eº se repiten en el destinado a explorar la conciencia femenina. También la Sª cae en una especie de sopor en que recibe la visita de la imagen del Eº aportándole esperanzas que se adueñan de su fantasía:

> Mas ella, buelta en el primero afán por el plazer perdido, fantasiando vino a la fin concluir que su vida abría presto fin o que la cosa que más quería se falava çerqua (ed. RRL, 55; ed. MG, 35).

Porque, en efecto, el Eº vuelve, no sin que antes sufra un extraño encuentro con una espantosa imagen, la de la diosa Fortuna, que le concede una nueva identidad:

> Mas acerqua d'aquélla legado, no pudo tanto ocupar el spanto de la visión que las vozes d'ella no aribasen el son de tales palabras a los oídos del Eº: «Vervino, Vervino» (ed. RRL, 56; ed. MG, íd.).

La interpretación del mito de Verbino ha sostenido parte de la lectura en clave de la obra; la explicación la adelantaba el Autor en el prólogo, resumiendo el episodio:

> «Verbino», que quiere dezir dos vezes onbre: la una significa ser mal aventurado, y la otra ser bien aventurado; que el qu'está e bive en desaventura no bive (ed. RRL, 2-3; ed. MG, 2).

De este modo, el Eº se encuentra a punto de convertirse en «dos vezes onbre» puesto que va a nacer al amor que su Sª encierra. Con todo, ella, aun vencida por la pasión, se encuentra apresada por la Vergüenza y nada puede hacer ni decir para descubrir los afanes que siente.

Se plantea, así, el que posiblemente sea el núcleo más importante de la obra: los «castigos de buen amor» con que la Madrina de esta atribulada joven, desde su experiencia, va a enseñarle a amar, a fin de que

[550] Véase una muestra: «¡Sientan por ste los vientos / y ciellos grave dolor, / las aves con gran tristor / cayen sin defendimientos; / y que siempre opinión / obedezca la natura, / sea pïadat rencura, / la paz y razón scura, / la mar en rebellïón», ed. RRL, 52; ed. MG, 33.

pueda superar todas las prevenciones y reparos que le impedían comunicarse con el Eº[551]. Se trata de un curso completo de erotología que requiere procedimientos discursivos de la materia ejemplar, no sólo porque en ocasiones la Madrina se sirva de algún «exemplo», sino porque su figura se ajusta a la del «maestro», que progresivamente va abriendo los pliegues del saber a un «discípulo», que aquí es la Sª. Se atiende a todos los aspectos a que estarían acostumbrados los receptores de la literatura de castigos: la Sª, más joven y acuciada por el deseo de aprender, se caracteriza por la continua serie de preguntas y de objeciones que va planteando[552], mientras que la Madrina opera con la paciencia y el rigor metódico de una maestra que a veces se queja por la dificultad de la demanda planteada o se alegra porque ve a su discípula asimilar con acierto las enseñanzas transmitidas. En cierto modo, hay una calculada progresión en este orden expositivo en el que se aborda toda suerte de asuntos: 1) consejos para elegir a quién se debe amar; 2) la edad más conveniente del amador, que no es la del mancebo, sino la del hombre maduro; 3) los engaños con que las mujeres se burlan de los hombres; 4) las argucias respectivas de los hombres; 5) el modo en que una señora puede recuperar a su enamorado; 6) los fingimientos amorosos de los hombres, menos sutiles que los de las mujeres, por disponer de menos tiempo; 7) la superioridad de la nobleza femenina[553]; 8) los consejos para recuperar al amigo atrapado por la voluntad de otra mujer (distintas si son doncella, casada o viuda[554]); 9) el

---

551 Recuérdese que el *Tratado* atribuido a Mena estructuraba su contenido con conceptos relativos a «bien querer» (ver cita en pág. 3187). Este orden de ideas entra en contradicción con las enseñanzas con que el aya procuraba alejar a Fiameta de la pasión amorosa; ver § 10.7.3.3, pág. 3204.

552 Con giros y expresiones coloquiales que otorgan vivacidad y hondura humana a un orden expositivo, en principio demasiado teórico; así, cuando la Sª se entera de los fingimientos con que los falsos amadores despluman a sus damas, exclama: «¡Aredro vais, diablo, de semejante enganyo! E ¡cuánto que dixo verdat que quien de viento s'inchó las faldas, no nada traxo a casa!», ed. RRL, 63; ed. MG, 40.

553 Lo que arrastra la primera referencia al obligatorio manual de consulta: «no considerando que, en la criaçión nuestra, Dios sobrepuyándonos en grado, de más perfeçión que ellos mereçedoras nos fizo, segunt que aquél más virtuoso de todos los onbres, Rodrigo del Pedrón, coronándonos de gloria en el *Triunfo de las senyoras*, largamente avía tratado. E yo, por más confirmaçión suya, mostraré la nobleza nuestra en sta manera, con las razones siguientes, como en las cosas criadas sea más perfeto el fin que no el prinçipio», ed. RRL, 81; ed. MG, 52.

554 Como se había hecho en el *Juego de naipes:* § 11.6.2.3. Las más peligrosas son las viudas que nada tienen que temer ni son refrenadas por la vergüenza.

modo en que debe comportarse la Sª con el enamorado: cómo manifestar la pasión, mostrar celos, hablar encubiertamente; 10) la manera en que debe escogerse a un hombre no sólo por su linaje, sino por su entendimiento; 11) los riesgos que amenazan a las mujeres si piensan antes en la disposición y la belleza, o en el interés, que en la «firmeza amorosa»; 12) el rechazo del matrimonio, puesto que el grado de mayor firmeza lo poseen los enamorados.

Como se comprueba, lo más importante es amar a quien lo merece porque ha sufrido las penas que el amor tiene reservadas a sus servidores; una vez elegido el amador, se exhorta a saber conservarlo, acción meritoria sobre todo si no interviene de por medio la regulación matrimonial[555]. De cara a la realidad de los receptores, ésta debía ser la parte más jugosa de la *Triste deleytaçión;* amén de las alusiones directas a ese público[556], la Sª se muestra como receptora de la tratadística amorosa que ha alimentado la ideología que estos textos narrativos defienden; así ocurre cuando la Madrina debe aclarar, sobre todo, dudas y temores procedentes de ese orden:

> De otra parte, yo é leído y oído dezir cómo amor trae consiguo temor, çelos, sospechas, y aún vós avéis dicho qu'el verdadero [amor] no spera ora ni momento, ni se puede desimular ni templar, con otras muchas razones que allegastes (ed. RRL, 97; ed. MG, 63).

Repárese, también, en la visión pragmática de los consejos de la Madrina; frente a los mancebos, prefiere la seguridad que representa un hombre maduro que, además de placer, se preocupe por «aumentar y conservar los bienes» (ed. RRL, 100; ed. MG, 65) a fin de asegurar la vejez; ello no supone una defensa del interés, sino de la «firmeza» entendida en todos sus aspectos; la doncella resume las enseñanzas recibidas de este modo:

> Mas aun yo de mí misma quiero dezir cómo la mujer de bien sea obligada de bivir con su enamorado o marido virtuosamente, pues es

---

555 Como ha demostrado Françoise Vigier, «Aspiration au mariage et amours illégitimes dans la *novela sentimental* (XVè-XVIè siècles)», en *Amours légitimes, amours illégitimes en Espagne (XVIè-XVIIè siècles). Colloque International (Sorbonne, octobre 1984)*, París, Publications de la Sorbonne, 1985, págs. 269-284.

556 Como cuando la Sª defiende al género femenil: «Mas, ¿para qué queremos enojar los uídos de los huyentes reçitando las cosas pasadas, aunque las tengamos por ciertas, pues con las presentes podemos dar fin a nuestra diferençia?», ed. RRL, 86; ed. MG, 55.

çierto que todas las cosas, si no las que no se azen, se saben, y aun las que no son, quieren muchos por sospecha o invidiosa maliçia sean fechas, con otras infinidas cosas (ed. RRL, 105; ed. MG, 68).

Facultada ya para amar debe buscar el medio de comunicar al E° su disposición amorosa. Ayudará a ello la relación que el A° y la Mª mantienen, por cuanto esta Mª se convertirá, por su interés, en la eficaz mediadora que se pretendía que fuera. Se cruzan, ahora, dos líneas narrativas contrarias y que, en cierto modo, anticipan también la oposición entre realidad e idealismo que el «antiguo autor» y Fernando de Rojas sabrán tan bien aprovechar[557]: la relación del A° con la Mª es descubierta, por una parte, mientras el E° y la Sª, ajenos a la traición que se prepara, cruzan ocho epístolas con toda suerte de dudas y quejas, firmezas y seguridades con que logran afirmar su relación; así, en la última la Sª escribe:

> «Quién podría a la vuestra tan enamorada reqüesta ni piadosas palabras fuir, que el mi coraçón por amor, no menos qu'el vuestro, de vuestro mal es sufriente: qu'el grado por sobras de amor izo vuestras angustias e mías ençerrar dentro de la voluntat mía, tomando vengança vuestros males en mí» (ed. RRL, 121; ed. MG, 78).

Declaración que merece consonante respuesta:

> «Mas cobrado por el remedio de vuestra piadosa sperança, regava por el nuevo gozo con sobradas llágrimas el vuestro afetado papel que apenas de leerlo hubieron tiempo mis ojos; que la gloria de tal reçebimiento mi pequenyo valer conoçiendo vos á plazido igualar con el preçio de vuestra belleza inestimable, que mi simple judiçio careçe restituirvos la paga que el tal benefiçio mereçe» (ed. RRL, 122; ed. MG, 78-79).

El proceso de amores propicia el intento de la realización amorosa. Todos los esfuerzos del E° se cifrarán, a partir de este punto, en conseguir el ansiado galardón que la Sª no concede con la rapidez requeri-

[557] Señala José Luis Canet: «La *Triste deleytaçión* se distancia un poco del estilo elevado que había intentado Juan Rodríguez del Padrón, ya que la incorporación de terceros para la consecución del goce sexual, los encuentros furtivos, los maridos traicionados, criados delatores, etc., relacionan esta obra con el modelo mixto propuesto por Eneas Silvio», «El proceso del enamoramiento en la ficción sentimental», pág. 235.

da, aunque ella también ansiara «aquel deporte que consuella el pensamiento de amor travajado» (ed. RRL, 125; ed. MG, 81). No es lo mismo ser aleccionada por la Madrina que por Celestina; ocurre que a la *vetula* se le asigna aquí otra función.

Éste es el momento en que irrumpe la sórdida realidad para destruir esa relación amorosa: los dulces coloquios de la pareja son descubiertos por una vieja maliciosa que no duda en acusarlos, poniendo su relación en peligro; la autoridad del marido se había empleado ya antes al intentar matar al A°, ahora hará lo propio, pero como padre, encerrando a la hija[558]. Los intentos de reanudar la relación amorosa acaban trágicamente con la muerte de la Mª, un hecho que quiebra por completo el orden sentimental que el E° y el A° habían construido.

11.6.3.1.2: El orden de la alegoría: el discurso poético

Rota la relación sentimental, el Autor irrumpe en el proceso de su escritura para defender, por la amistad que les profesaba, a los amadores de aquellos que posiblemente los juzgaran como culpables de tan desdichado final:

> Mas a tú, maldeziente, a quien mis dichos yo buelvo, que segunt opinión del que arías tú juzgas, abastarte debría de lo que Dios se contenta, que es del perfecto querer, pues que fue entre ellos confirmado (ed. RRL, 134; ed. MG, 86).

Esta vuelta del Autor al orden textual sirve de segundo prólogo para encauzar el nuevo proceso narrativo a que va a ser sometido el E°; como en el primer plano de la obra, quedará en soledad y deberá realizar un nuevo recorrido purificatorio con la esperanza de recuperar a su Sª; viajará, para ello, a Barcelona y obrará como los amadores que allí se encontraban, componiendo un poema, en lengua catalana, contra la Fortuna, en el que anticipa su segura muerte. Incluso, disfrazado de romero, intentará acercarse a la Sª para comprobar sólo lo bien custodiada que se hallaba.

---

[558] Hay una serie de motivos coincidentes con el *Grisel*: tanto el encierro a que la hija es sometida, como el descubrimiento de la relación amorosa por parte de una *vetula* aquí, de una infidente criada en el texto de Flores. También, en la *Penitencia* el padre obrará conforme al mismo esquema (ver *HPRC*, § 10.12.1).

En este punto, cesa el discurso de la prosa, porque el orden de la realidad narrativa —la lógica y racional— desaparece. El E° emprende, y para tornarlo asumible se requiere el apoyo del verso, un viaje al Otro Mundo en el que atraviesa los tres círculos dantescos —Infierno, Purgatorio, Paraíso— en donde encuentra, reproducidas, las líneas maestras de su historia sentimental, amén de sufrir burlas y humillaciones por unos bellacos que, mediante jocosas coplas de disparates[559], lo someten a una pasión recortada con los sufrimientos que Cristo padeciera[560]. Sólo entonces, desprendido de su primer ser, puede acceder al Infierno, a «un muy fondo palaçio, / do vi de llexos Bocaçio» (ed. RRL, 175; ed. MG, 110), en el que es sometido a juicio y absuelto de inmediato, por cuanto en él nada había contrario al amor; sin embargo, amén de al autor del *Corbaccio*, presencia las torturas infligidas a la vieja que los denunciara y al padre-marido que estorbara su relación. El paso por el Purgatorio es más rápido; allí aguardaba Oliver[561] y allí contempla un lago en el que se encuentran quienes quisieron vivir ajenos a las leyes y los rigores de Venus. Por último, el Paraíso de los Enamorados, visto desde lejos como espacio insular, le permitirá atisbar una posible esperanza a su sufrimiento, por cuanto un ave blanca (imagen de un alma) le asegura que alcanzará el sosiego deseado con su Sª. Con todo, se trata de un mundo goliárdico que recuerda a las c. 1235-1241 del *Libro de buen amor:*

En 'ste triunfo d'amores
allí vi, yo's dó la fe,
gran cantidat de Menores,
no menos Preycadores
y muchos de la Merçé,
Jerónimos, Beneditos,
con gran plazer resolfar

---

[559] Estudiadas, junto a otros recursos, por Vicenta Blay Manzanera, «El humor en *Triste deleytaçión.* Sobre unas originales coplas de disparates», *RLM,* 6 (1994), págs. 45-78.

[560] «Tornados ellos se dan / plazer con el proçeído, / yo desnudo, con afán, / salbo d'un pobre gaván / que me daron, muy raído, / pusiéronme por sonbrero, / ¡mira qué causó Fortuna! / un muy rompido arnero, / dixéronme: «Scudero, / ¿cuánto tenemos de Luna?»», ed. RRL, 164; ed. MG, 104.

[561] Poeta que, como segundo Macías, se mató por la condesa de Luna; señala Riquer: «Esto nos hacer ver hasta qué punto son emigmáticas y leves las alusiones a hechos concretos y a personas que aparecen en nuestra novela. No olvidemos que la condesa de Luna, por la que se suicidó Oliver, o sea Violante Luysa de Mur (...) vivía todavía cuando ocurrieron los hechos narrados en la *Triste deleytaçión*», pág. 58.

los gozos muy infinitos
d'amor que stán enscritos
en los deleites d'amar
(ed. RRL, 194; ed. MG, 121-122).

Amén de la evocación de las «grandes proçesiones» con que Juan Ruiz llenara también las «carreras»[562], quizá esta referencia, narrativamente, sea necesaria. El Eº vuelve a la realidad y encuentra a su Sª metida en religión. Sin dudarlo, él hará lo propio. Pero esas órdenes, ya burladas en el espacio de la alegoría, no deben suponer el fin del amor, sino más bien lo contrario, aunque nada se diga explícitamente, pero todo se sugiera[563]: el Eº le pide a su Sª que le escriba[564], proclamado el amor que domina por entero su ser; tal es la «triste deleytaçión» a que ha quedado reducido:

Aunque mi querer libré
con voto y sagramento,
yo jamás no le quité
de donde primero fue
con entero complimiento
(ed. RRL, 197; ed. MG, 123).

Al contrario del protagonista del *Siervo,* este Eº no queda «libre de amor» a pesar de ingresar también en una orden religiosa; ello es como consecuencia de que a él no se le ha aparecido la doncella «Sindéresis» y de que la *visio* que sufre lo que le ha mostrado es el poder y el triunfo del Amor sobre cualesquiera de las instituciones humanas, políticas

---

562 Es además otra de las referencias al universo dramático que en esta obra se encierra, por cuanto este dominio temático se acoge bajo la denominación de «entremés»; ver el análisis de Roxana Recio, «Una cuestión de título: el desfile en el paraíso de la *Triste deleytación*», *Med,* 11 (1992), págs. 19-26.

563 Con razón, Torrellas, en la disputa que mantiene contra Breçayda en el *Grisel,* menciona la facilidad con que las cartas de los enamorados rompen los claustros: «mas el gualardón d'esta falsa honestad darlo hemos a la vergüença y non a vuestros desseos. Y las otras cosas que a vuestras finestras dezís fazen, vosotras sois inventadoras d'ellas, y aun las monjas lo levaron aprendido del mundo», 392-392; cito por la ed. de Maria Grazia Ciccarello Di Blasi, Roma, Bagatto Libri, 2003. En su *Libro,* Fiameta descubre con sorpresa el dolor que una «monja» manifiesta al saber que Pánfilo no vuelve (ver *HPRC,* § 10.5.2).

564 Con bella metáfora: «con el tu coraçón franco / l'envíes un campo blanco / grande con las armas negras», ed. RRL, 196; ed. MG, 123.

y sociales. Es muy distinto el orden de la cortesía aragonesa al de la castellana y son muy diferentes, también, sus receptores.

11.6.3.2: La trama histórica de *Triste deleytaçión*

A diferencia del *Siervo* y de la *Sátira*, *Triste deleytaçión* destaca por el modo en que la realidad del Autor se implica en la vida de esos dos amigos suyos (el E° y el A°) cuyos desdenes refiere quizá como medio de aliviar los propios. En el primer epígrafe que revela el título de la obra se esconde la identidad del autor bajo un criptónimo:

> Comiença el prólogo del libro llamado *Triste deleytaçión,* fecho por F.A.d.C. (ed. RRL, 1; ed. MG, 1).

Martín de Riquer conjeturó con que, tras estas siglas, podía con todas las prevenciones posibles, reconocerse a Fra Artal de Claramunt, comendador de la Guardia y persona de confianza de doña Juana Enríquez, la segunda esposa de Juan II y madre del que sería el Rey Católico, lugarteniente además de Cataluña entre 1461 y 1468[565]; este período coincide con la franja de años en que la acción narrativa se desarrolla.

La advertencia de Riquer de que «el autor de la *Triste deleytaçión* practica la "novela de clave"» ha sido recogida por Rosa Mª Gómez-Fargas[566], para situar la obra en el contexto histórico en que Juan II se enfrentaba a su hijo don Carlos, el príncipe de Viana, que moriría en prisión en 1461, desatándose una violenta guerra civil en Cataluña; malparada de estos hechos saldría, precisamente, doña Juana, madrastra de don Carlos[567], que moriría en 1468, víctima de un cáncer de pe-

[565] «La lengua del autor revela a cada paso que era catalán», M. de Riquer, pág. 52; aduce para ello vocablos y expresiones, trazando una línea de estudio que ha complementado Rosa María Gómez-Fargas, «Peculiaridades lingüísticas aragonesas en *Triste deleytaçion*», *AFA*, 42-43 (1989), págs. 21-64.

[566] En un sólido trabajo de investigación histórica y filológica: ver «*Triste deleytaçión:* ¿novela de clave?», *RLM,* 4 (1992), págs. 101-122.

[567] Señala Vicens Vives: «El reavivamiento de las pasiones revelóse en aquel decisivo mes de diciembre en la difusión de la creencia en la santidad milagrosa de don Carlos de Viana y en el choque de los odios sociales en el campo del Norte de Cataluña. Poco a poco el país iba alcanzando el *climax* de la coyuntura revolucionaria. Es muy posible que fuera entonces cuando empezara a circular la siniestra fama de que Juana Enríquez había envenenado a su hijastro», *Juan II,* pág. 250.

cho, aunque fueran inmediatas las sospechas de envenenamiento. Suponiendo, por tanto, que la Mª fuera doña Juana, lo que no queda tan claro es el papel que desempeña en relación con el Eº, en el que, por la referencia del mito de Verbino, se ha querido ver al príncipe don Carlos[568]; sin embargo, la intención de la obra no era la de apoyar los derechos dinásticos de este don Carlos[569]; tampoco la de zaherirlo; antes al contrario, sería la de exculpar a la reina doña Juana de las difamaciones que, tras la muerte del de Viana, sobre ella se habían vertido[570]; por tanto, en cuanto libelo político, *Triste deleytaçión* debería situarse en el período de 1472-1479, siendo activo su mensaje hasta la muerte de Fernando el Católico en 1516. No puede olvidarse la posibilidad de que otro texto de la ficción sentimental, *La coronación de la señora Gracisla,* registre «en clave» peripecias referidas a la sucesión en el reino de Nápoles y a la propuesta del monarca inglés, Enrique VII, de casar con la última de las reinas de este enclave aragonesista, doña Juana de Aragón (ver *HPRC*, § 10.8).

Sea como fuere, la *Triste deleytaçión*, lejos ya de las disputas por el trono en Navarra y en Aragón, de los enfrentamientos entre beamonteses y agramonteses, de la oposición catalana a la figura de doña Juana Enríquez, es una obra que, por sí misma, se basta para sintetizar los

---

568 Señala Gómez-Fargas: «Si la obra fuera autobiográfica, este mito literario debería estar supeditado a la situación histórica de "en el tiempo del çinquenta y ocho", porque hijastros de la Fortuna hubo muchos en España en los finales de la edad media; pero solamente uno hubiera podido convertirse en el Virbio del "solus ubi in silvis Italis"; nos referimos al príncipe de Viana, quien con su resurrección política en Sicilia, al morir Alfonso de Aragón, estaba forjando, consciente o inconscientemente, su propio mito», pág. 110.

569 Quizá sentimentales, pues Bernáldez, en sus *Memorias del reinado de los Reyes Católicos*, sugiere que el último enfrentamiento de padre e hijo se debe a la voluntad de Carlos de casar con la princesa Isabel: «E un día dixo el rey al príncipe: "Hijo, bueno será que te cases con la infanta de Portogal". Respondió el príncipe: "Señor, más con estotra, pues se ha hablado e está ya de concierto". E dixo el rey: "¿De concierto? Luego más sabes en ello que no yo". Luego el rey enbió por el fraile enbaxador, e preguntóle que qué concierto traía con su hijo; e el fraile respondió que él no sabía nada, que no le avían a él dado parte de tal secreto; e estonces huyó el otro enbaxador e vínose a Castilla. E fue fama estonces que el rey don Enrique lo quería casar con doña Isabel, su hermana, e lo faría maestre de Santiago, e le quería dar favor para que destruyese a su padre», ed. de Manuel Gómez-Moreno y Juan de Mata Carriazo, Madrid, R.A.H. y C.S.I.C, 1962, 246.

570 Tal es la conclusión de Gómez-Fargas: «Verbino, hijastro de la Fortuna, es como un resorte mágico que nuestro pensamiento hace girar, transformando el odio a una Madrastra, en amor y compasión hacia la Reina», pág. 121.

discursos y tratados con que se está construyendo el imaginario de la ficción sentimental, abriéndolo hacia el dominio de una nueva realidad social en la que adquirían tanta importancia el mundo de los enamorados como el de los personajes de la más diversa condición: los criados, la vieja, la Madrina, la Madrastra, el Amigo configuran el recorrido de conductas y de caracteres que conduce directamente a *La Celestina*.

11.7: La formación religiosa y espiritual

La articulación de la vasta y plural tratadística religiosa que se va a desarrollar en el reinado de los Católicos *(HPRC*, § 8), en especial tras las cortes de 1480, favorecida además por el concurso de la imprenta, se encuentra ya en ciernes en la formación de las misceláneas devocionales preparadas para colmar la piadosa diligencia de algunos de los prelados o próceres letrados más notables de esta centuria, como ocurre con el caso de don Pedro Fernández de Velasco, el primer conde de Haro, el formador de la biblioteca de Medina de Pomar; varios de esos códices, de naturaleza facticia, agrupan tratados de temática homogénea que sintetizan las principales líneas de esta producción: el acercamiento a la figura de Cristo, la exploración mariológica, la reunión de *miracula*, los «exemplos» piadosos, los manuales de formación de sacerdotes, la valoración de la penitencia, la indagación espiritual por último, con el objetivo de proceder a una reforma general del clero y del pueblo cristiano.

11.7.1: *Las misceláneas devocionales: el BN Madrid 8744*

Así sucede con el importante BN Madrid 8744, perteneciente a Juan Rodríguez Mascarán, rector de Mucientes (Valladolid), que fue copiado por Pero Fernández, vecino de la villa de Fuentpudia y escribano del rey. No es fácil distinguir las piezas que integran este códice; en ocho hojas preliminares, una mano, que debe ser coetánea a la encuadernación del siglo XVIII, se ocupa en catalogar —con su *incipit*, *explicit* y número de páginas— diecinueve obras independientes, asignando títulos a las que carecen del mismo; Hugo O. Bizzarri y Carlos Sainz de la Maza, en uno de los análisis previos a la publicación del que denominaron *Libro de confesión de Medina de*

Pomar[571], en la descripción del que era ms. *F*, enumeran treinta opúsculos distintos, asumiendo parte de las rúbricas del erudito del siglo XVIII; tal es la segmentación del manuscrito que aquí se va a utilizar para valorar los diferentes núcleos temáticos a que este compendio da acogida. Debe contarse con que, además del confesional citado (178*r*-208*v*), se han editado dos piezas pertenecientes a la materia hagiográfica: *Un miraglo que fizo Sant Andrés* (174*v*-178*r*) —ver, luego, n. 609— y los *Miraglos de Sant Antonio* (372*v*-388*v*) —ver n. 577.

El conjunto es posterior al 5 de febrero de 1456, como se desprende de un interesante documento —el vigésimo cuarto (416*v*-417*v*)— que es una comisión y licencia, otorgada a fray Alfonso de Valladolid, vicario y comisario de los monasterios de Scala Coeli y Domus Dei, para que fray Hernando de Soria y fray Martín Gregorio, puedan solicitar gracias de la sede apostólica; esta nueva referencia al ámbito vallisoletano conecta estos tratados con los movimientos previos que impulsarán la renovación y restauración clericales en las últimas décadas de la centuria; para ese fin, interesa recorrer, aun de forma global, el modo en que quedan esbozados, en estas misceláneas, los principales asuntos de esa reforma religiosa[572].

11.7.1.1: Tratados de espiritualidad

Buena parte de la producción albergada en este manuscrito se conecta con los tratados de espiritualidad, analizados en § 8.7, en los que comenzaban a perfilarse las ideas que iban a cuajar en el movimiento de la *devotio moderna*, confirmadas en los oracionales considerados en § 10.6.3; la impronta franciscana de este códice ayuda a comprender los criterios de agrupación de unos opúsculos, que en ocasiones llevan inscritos verdaderos itinerarios de perfeccionamiento interior[573]; precisamente, este volumen se inaugura con la traducción del *Excitatorum mentis ad Deum* o *Espertamiento de la voluntad de Dios* del franciscano fray Bernardo Oliver (m. 1348), que es, a su vez, la obra más extensa (1*r*-112*r*),

---

[571] Ver § 10.6.3.4; el trabajo citado es el de *Inc*, 7 (1987), ver n. 1255 de pág. 3037.

[572] Se analizará el códice en sus rasgos generales, del mismo modo que se estudió el Ms. 77 de la Biblioteca Menéndez Pelayo en § 8.4.3.

[573] De ahí que Manuel de Castro lo describiera parcialmente en *Manuscritos franciscanos de la Biblioteca Nacional de Madrid*, Valencia, Ministerio de Educación y Ciencia, 1973, págs. 384-385.

construida, como se señala en el prólogo para «levantar e despertar la voluntad y el desseo a devoçión» (1*r*), para avisar también sobre el riesgo que supone perseguir «las cosas mundanales». La mayoría de estos tratados contribuirá a definir ese «saber» interior, el único que puede infundir la caridad en el alma humana y apartarla de los asuntos terrenales. Con este fin, Oliver, a lo largo de catorce capítulos, procura despertar la conciencia del pecador (i) a fin de que comprenda la necesidad de recuperar el estado de gracia, impetrando la misericordia de Dios (ii), que es el asunto central del tratado: sólo, por ella, los demonios son vencidos (iii) y el pecado abatido (iv); evitada cualquier desesperanza (v), el camino de contrición (vi) aboca a la penitencia (vii), que es la única vía por la que el hombre puede prepararse para atraer hacia sí la piedad divina (viii-ix) y comprender los engaños del mundo (x), además de la falsedad de los deleites (xi) y de las dignidades temporales (xii); se configura un estremecedor *de contemptu mundi* (xiii) que sitúa, finalmente, al alma ante la realidad del Juicio Final y la descripción de las penas infernales (xiv). Como muestra de la efectividad de estos pasajes, y por ser atingente al fenómeno de la alegría cortesana, puede, en xi, recorrerse el dramatismo de un *ubi sunt?*, surgido de la contemplación de las sepulturas[574], o el inexorable final de la vida con la transformación «del alegría» en «llanto e amargura» (63*v*). Este orden de ideas culmina con una «Piadosa esclamaçión para demandar perdón al Señor» (78*v*), sólo posible por el proceso purgativo a que la conciencia del pecador ha sido sometida.

El mismo valor debe concederse a los *Dichos e contemplaçiones de Sanct Bernardo* (112*r*-130*r*) que abre además el ámbito de la *contemplatio* al que se vincularán tratados diversos a finales de la centuria, desde las *Contemplaciones sobre el rosario de la Virgen* de Gaspar Gorricio de Novara (*HPRC,* § 8.2.5) hasta el *Luzero de la vida cristiana* de Pedro Jiménez de Préxamo (*HPRC,* § 8.3.3). Estos *Dichos* se conciben como una larga plegaria en la que se invita al ser humano a adquirir conciencia de la miseria de su condición, tal y como se proclama en su encabezamiento:

574 «E vee si en ellos es alguna cosa de la vanagloria de las vestiduras de que se preçiavan. Vee si conosçerás en ellos algunas señales de alegría. Busca agora dó son las vestiduras e los ornamentos, dó son las plazenterías e los risos e los juegos, dó se fue el alegría vana e loca, dó es agora la delectaçión de la carne e la mala cobdiçia, dó la vanagloria, dó la sobervia, dó son todas estas cosas, dó son aquellos que en ellas fiaron e se delectaron de la carne, cuál fue el fin d'ellos y d'ellas. Non otra cosa sinon la muerte», 62*v*-63*r*.

> Omne sin ventura, omne nasçido de muger, ¡o qué breve tienpo bive e lleno de muchas mesquindades! ¡O omne semejable a la vanidad e semejante a las bestias! E agora ¿qué es el omne? Abismo tenebroso, tierra mesquina, fijo de ira, vaso de denuesto, engendrado de cosa muy suzia. E bive en mesquindat e morir deve en angustia, e con gemido de dolor puede dezir y dar bozes: «¡Ay de mí, mesquino! ¿Qué só y qué devo ser?» (112*r*).

Asumida esta condición, comienzan a desgranarse toda suerte de insultos y de improperios dirigidos contra una realidad corporal que es la causante de los pecados que pueden provocar la condenación del hombre. En el fondo, se trata de la misma tensión temática que se explora en las disputas del alma y el cuerpo y que, en esta centuria, se había perfilado ya en el *Coloquio de la Memoria, la Voluntad y el Entendimiento* (ver § 10.9.2.2).

Otro antecedente de Préxamo y del resto de tratadistas espirituales, por su carácter contemplativo, es el decimonoveno opúsculo, una *Revelaçión e consejo de los ángeles para pensar en el Señor e en la Passión* (323*v*-372*v*), conforme a la declaración epistolar de Leoncio, obispo de Nápoles, que «por la gran orden que tenía de bien bevir, mereçió aver grandes familiaridades e coloquios muy estrechos con los sanctos ángeles» (324*r*). Esas pláticas plantean un recorrido por los diversos estamentos —con especial atención al de los clérigos y prelados— a fin de examinar los riesgos y tentaciones de cada uno de ellos y configurar un repertorio de imágenes, para que el penitente pueda mover la misericordia de Dios, envuelto en la amargura de la contrición y del llanto:

> Et Leonçio le preguntó: «O padre e señor tan dulçe e tan glorioso, ¿cómo vós fazedes planto e vós doledes ansí?». E el santo ángel respondió: «Yo non puedo aver dolor porque só bienaventurado. Mas dó a ti forma cómo deven los omes todo tienpo llorar, que así mesquinamente passan su vida» (327*v*).

A esta categoría cabría adscribir el apunte octavo, atribuido a San Remigio (172*r*-173*r*), sobre la necesidad de seguir la voluntad de Dios[575],

[575] «Pone Sanct Remigio que todo aquel que quiere apartar la voluntad de Dios de la su sapiençia es espresso blasfemador de Dios. Porque la voluntad de Dios non puede alguna cosa fazer si non sabiamente e, por consseguiente, todo lo que faze por alguna razón lo faze», 172*r*; tales son los presupuestos a los que se fía este breve orden de perfección.

o el trigésimo de los textos, *Tres verdades para estar en gracia de Dios* (439*v*-440*v*), concebido como una breve plegaria[576].

11.7.1.2: El conocimiento sacramental: el orden de la penitencia

Entre los opúsculos, hay varios que se ocupan de los sacramentos, incidiendo, en especial, en el de la confesión[577]; así ocurre con el cuarto, el *Tractado de cómo es figurada la imagen de la penitençia* (145*v*-159*r*); acomodada a las creencias de los gentiles se articula una mínima historia literal[578], para proceder a su correspondiente interpretación moral[579], con criterios en los que se asientan ya las orientaciones que deben guiar el recto conocimiento de la materia, respaldada con argumentos de San Agustín, procedentes del *Libro de penitençia*, y de San Bernardo.

A este texto, sigue un opúsculo con el título de *Enxienplos muy provechosos* (159*r*-168*r*)[580]; se trata de una colección de sentencias relacionadas con la misma materia y orientadas a la necesidad de practicar la confesión[581]; los «exemplos» aludidos son los escriturarios y se presen-

---

576 «Señor, yo pequé contra la tu bondat e pésame e desplázeme, por cuanto Tú eres digno de ser amado (...) Señor, yo tengo buen propósito e buen desseo con ayuda de la tu graçia de me guardar de aquí adelante que non torne más a pecar (...) Señor, yo tengo buena voluntad de me confessar enteramente, segund el tu mandamiento e de la tu sancta Iglesia», 439*v*-440*r*.

577 Indica María Jesús Lacarra: «En muchos de sus textos se percibe un esfuerzo por difundir y explicar detalladamente la práctica de la confesión, lo que hace pensar que el códice en su conjunto se relaciona con los impulsos reformistas, para esta época ya lejanos, del IV Concilio de Letrán», «Una colección inédita de *Milagros de San Antonio de Padua:* edición y estudio», *RLM*, 14:1 (2002), págs. 9-33, pág. 10.

578 «Figurava una imagen de un omne que tenía el cuerpo todo desnudo, et tenía en su mano un açote, el cual açote tenía çinco fojas, en cada una de las cuales tenía escripto un verso», 145*r*.

579 «Non sin caubsa la imagen de la verdadera penitençia era figurada a manera de omne desnudo que tenía un açote en la mano, ca la tal figura es demostrança de omne que se quiere açotar e atormentar, lo cual concuerda muy bien con la verdadera penitençia», 146*v*.

580 El erudito del siglo XVIII lo extiende desde 159*r* hasta 216*r*, dando acogida en el mismo a las ocho piezas a las que Bizzarri y Sainz de la Maza otorgaban independencia.

581 «Onde deves saber que confessión e penitençia son dos lavatorios que lavan e linpian la conçiençia de toda suziedat e manzilla de pecado. Dize Sanct Agustín: "La confessión es testimonio de la conçiençia que teme a Dios, otrosí son dos alas que levantan el alma a Dios". Dize nuestro Señor en el Evangelio: "Los que a mí confessaren delante los omnes, confessarlos he delante el mi Padre que es en los çielos"», 159*r*.

tan conforme a la misma técnica empleada en el ya estudiado *Libro de confesión de Medina de Pomar,* destacando con un encabezamiento el término «Enxienplo» y refiriendo, con brevedad, la anécdota elegida[582], para completarla después con la pertinente aplicación:

> Pues así como los mienbros corporales juntos con la cabeça fazen bien ordenado el cuerpo, bien ansí la confessión junta con la penitençia fazen un sancto sacramento, por el cual se amansa la ira de Dios (160*r*).

Se procede, después, a envolver el pasaje con eficaz exégesis para la que se requieren diversas autoridades, tanto homiléticas como filosóficas. Se cumplen, en suma, los mismos fines que en el confesional de Medina de Pomar, advertido aquí con el encabezamiento «De cómo aprovecha la confessión».

La valoración de la penitencia se afianza con estrategias de mnemotecnia, basadas en órdenes numerológicos; así ocurre en la disquisición que se ocupa *Del loor de la confessión* —en donde se enumeran las seis virtudes de que el hombre se beneficia (209*r*-213*r*)[583]— y en el *De viiiº escaleras para sobir al çielo* (213*r*-216*r*); su objetivo, más allá de la evocación de las «escalas lulianas», no es otro que el de definir las distintas condiciones y actos de devoción con que debe practicarse la penitencia: humildad o conocimiento de los pecados (i), propósito de enmienda (ii), vergüenza de los pecados (iii), temor del Juicio Final[584] (iv), contrición (v), confesión oral (vi)[585], esperanza de alcanzar perdón (vii), satisfacción de los pecados (viii); estos rasgos se engastan

---

[582] «El rey Saúl, el cual como confessase su pecado e non seguiese los remedios de la penitençia, non meresçió ser perdonado en este mundo nin en el otro», 159*v*-160*r*.

[583] También se articula un ámbito de exégesis, pero aplicado ahora a la demostración de las características que rodean el sacramento: «La primera es que bivifica al ome, esto es, que cuando quier que en la confessión es la boca abierta, la muerte luego sale e entra la vida», 209*r*; se explica, así, que la boca del justo está llena de vida, mientras que la «de los malos» se encuentra cubierta por la maldad.

[584] Hay, insertas, imágenes piadosas de enorme efectividad: «Como diga Sanct Gerónimo: "Agora coma, agora beva, agora otra cosa faga, sienpre me paresçe que suena aquella luz en las mis orejas: 'Levantadvos muertos y venid a juizio'"», 214*v*.

[585] Es uno de los aspectos en que más se va a insistir en estos tratados de reforma religiosa; fue uno de los puntos claves de la controversia que, en su *Tratado de la penitencia*, mantuvo fray Juan López de Salamanca contra Pedro Martínez de Osma, que se había atrevido a afirmar que debían decirse los pecados «ascondidos en la voluntat» (ver *HPRC*, § 8.5.1).

en complejos cálculos de corte milenarista, con los que se pretende adaptar la distribución de los círculos celestes a la escala de ascensión espiritual[586].

Más acorde con la estructura de un confesional, sobre todo por el muestrario de faltas y penas que se ofrece, es el *Tractado de confessión para confessar a seglares* (216*r*-257*r*); se pretende construir un método al que se ajuste el examen de conciencia:

> E por esta razón fue ordenada esta forma de confessar, por la cual razonablemente podrá la persona escodriñar su conçiençia, e como quier que paresçe larga, pero d'ella podrá el confessor tomar e entender el modo e medio que deve tener (216*v*).

Con este propósito, su materia se articula en cuatro partes: la primera se refiere a «la manera e forma e avisaçión que deve aver el confessor çerca del que se confiessa» (216*v*-217*r*) para aprovechar la disposición y conocimientos del confitente; la segunda explica el proceso a que debe ajustarse la confesión y cómo deben inquirirse los pecados[587], siguiendo el orden de los mandamientos, de los siete pecados mortales y de sus «ramos e çircunstançias» (245*r*), vinculadas a los sentidos[588], tras las que siguen las obras de misericordia y los artículos de la fe; la tercera recoge el modo en que se debe imponer la penitencia e impar-

---

[586] «Pues es nesçessario para alcançar e sobir a esta tan alta dignidat e gloria çelestial que pongamos ocho escaleras, por cuanto ay gran altura de la tierra al çielo, porque segund que pone Rabí Moisés, un gran filósofo, que desde la tierra al çielo e desde la planeta de un çielo a otro, ay carrera de quinientos años, esto es, que ay espaçio cuanto un omne pueda andar por carrera llana en quinientos años. E dize que la distançia o apartamiento que ay de un çielo al otro, ay esso mesmo carrera de quinientos años. E por ende, como los çielos sean siete avrá, segund que éste dize, fasta la altura del çielo saturnino, que es el séptimo çielo, carrera de siete mill años, e fasta la altura del çielo inperio siete mill e seteçientos años», 213*r-v*. Como se comprueba, a lo largo de esta centuria, se acude a las imágenes astrológicas para instigar, en el receptor, el asombro y la admiración ante las proporciones del universo creado por Dios.

[587] De una manera muy práctica: «El que viene a confessión, fincados los finojos en tierra faga la señal de la cruz (...) Luego diga la confessión en latín, si la sabe fasta aquella parte que dize "cogitaçiones" e allí calle e començe a fablar el confessor, segund adelante se contiene», 234*v*-235*r*, con un formulario al que se puede ya acomodar este desarrollo.

[588] Como siempre, en el del «oír» se incluyen referencias a formas literarias: «Si se deleita en oír burlas e cantares vanos e palabras de maldezir e de murmuraçión e de difamaçión e si lo oye de mejor voluntad que la palabra e dotrina de Dios, e si se deleita en oír tañeres de instrumentos e otros cantos», 245*v*.

tir la absolución; la cuarta, en fin, explica la manera en que el confesor debe comportarse con un penitente que se encuentre enfermo o en trance de muerte.

A la eucaristía se dedica el opúsculo decimoctavo, el *Tractado del precioso sacramento del Señor* (282*r*-323*v*), de similares características a las de la *Estoria de la fiesta del Cuerpo de Dios* (§ 10.6.3.3), ya que se trata de comunicar a los fieles —con el aire de una proclama triunfal— los maravillosos misterios obrados por este sacramento:

> Venit, hermanos, e vet las obras maravillosas de Dios, e singularmente en este muy exçelente sacramento del preçioso cuerpo e muy sanctíssima sangre de nuestro Señor Jhesu Christo, los misterios del cual son tan altos e maravillosos que non es lengua humanal nin angelical, que perfectamente los pueda esplanar nin declarar (282*r-v*).

La paradoja que articula el contenido se ofrece previamente para que sea convertida en pauta de reflexión y de análisis, pues en la eucaristía se funden un misterio de profundo dolor y compasión con otro de infinito amor, suavidad y dulzura. Se pretende excitar la devoción del receptor mediante la descripción de las aflicciones a que Cristo fue sometido, desde la angustiosa mirada de su Madre, contemplada a su vez por el Hijo[589]; esta secuencia —la del «cuchillo de mortal dolor» (283*r*)— será frecuente en los tratados de meditación espiritual de finales de la centuria *(HPRC,* § 8.2), bien que ahora, en todo momento, ese proceso de reflexión se controle con fórmulas que obligan a asumir las perspectivas propuestas[590], para contraponerlas a otras que exultan de gozo —con toda la imaginería de exclamaciones posibles— por la recepción de la eucaristía[591]; a partir de este punto, el discurso adquiere una dimensión conversacional, cercana a la de los soliloquios sostenidos

---

[589] «E como asimesmo el Fijo amase su Madre de amor inmenso e inefábile e infinito, veyéndola tan llena de dolor, con gran conpassión que d'ella avía, todos los dolores d'Ella tenía Él invisçerados e atravessados en sus entrañas. E así Él moría e padesçía por Ella e Ella por Él», 283*v*.

[590] Del estilo de «Pues si piensas quién padesçió, dígote...» o «E si lo no sabes pensar, yo te lo diré: deves saber que éste es Dios perdurable...», 283*v*-284*r*.

[591] «¡O Dios mío, esposo mío, amor mío, fecho es mi manjar! El premio de los sanctos, el gozo de los ángeles, el verbo de Dios Padre es mi criamiento. La luz del mundo, el sol del çielo, la sabidoría de Dios es refiçión de mi coraçón, la generaçión virginal, la redenpçión humanal, la reparaçión çelestial e angelical, fecha es mi fartura», 288*v*-289*r*.

por fray Pedro Fernández de Pecha (§ 8.7.1), con el fin de mostrar a cada persona las vías más seguras para dialogar con Dios, en un proceso en que se involucran nociones esenciales de la doctrina cristiana[592].

11.7.1.3: Tratados de vicios y virtudes

Bajo esta rúbrica cabrían los opúsculos tercero —en latín, un *De conflictu viciorum* atribuido a San Ambrosio (130*r*-145*v*)— y decimocuarto, *De las usuras* (257*r*-259*r*), articulado para proporcionar argumentos contra los prestamistas, un asunto que obliga a pensar siempre en el pueblo hebreo:

> Devemos saber que ay algunas leyes que consienten las usuras, las cuales no valen nin tienen alguna vigor (257*v*).

Se recuerda, así, que las usuras son prohibidas por Dios, también por el derecho natural y el canónico, para alcanzar una conclusión —«el deudor non es obligado a pagar las usuras e si las pagó puédelas demandar» (258*r*)— que fue esgrimida realmente en el marco de los sucesos que condujeron a la expulsión de los judíos en 1492[593].

Otras líneas de comportamiento moral parecen fijarse en el decimosexto, *Algunas cosas contra la luxuria* (261*v*-268*r*), ligadas a pasajes del *De contemptu mundi* de Inocencio III y a su correspondiente glosa; se avisa, en especial, contra la fornicación[594], con apoyo de ejemplos es-

---

592 Por poner un ejemplo: «O, buen Jhesú, ¿por qué llamas a este pan nuestro 'cotidiano'? ¿Por ventura quieres que cada día sea éste nuestro manjar? ¿Et non nos abasta que seas en nós e con nós por espaçio de un solo día? ¿Qué bien fezimos nós a ti? ¿Por qué es esta tan bien querençia tuya? Yo non lo sé», 290*v*-291*r*.

593 Así recuerda Tarsicio de Azcona: «La prescripción contra la usura de los judíos debe ser entendida no sólo en su perspectiva medieval, sino en el momento difícil que pasaba Castilla en aquellos meses de revolución y de guerra contra Portugal, recayendo sobre el pueblo servicios extraordinarios, para cuyo pago no tenían más remedio que acudir a los establecimientos públicos o privados de los judíos. Es fácil comprender que, en tales circunstancias, éstos gravaron los intereses. Los reyes se vieron en situación comprometida. Ni podían tolerar intereses abusivos ni podían condescender con sus súbditos, que querían tomar la ley de Madrigal como asidero para sustraerse a pagar deudas justas, debidas a los judíos», *Isabel la Católica: estudio crítico de su vida y su reinado* [1964], Madrid, B.A.C., 1993, págs. 786-787.

594 «Dize una glosa que los otros pecados solamente manzillan el alma, mas éste el alma e el cuerpo, porque por este pecado pierde el omne la gracia de Dios e la fama del mundo», 262*r*.

criturarios —Salomón perdió su gloria— y de sentencias que pueden ser fácilmente asimiladas; el hecho de que el contenido se divida en «ramos» invita a suponer que el opúsculo ha podido prepararse para complementar un confesional. En cualquier caso, conforme a la restrictiva ideología de estos manuales, se insiste en que el peor de los pecados es el de la sodomía, porque por él «se ronpe la conpañía que omne ha con Dios» (262*v*); la importancia que se concede al asunto requiere una digresión demostrativa:

> Póngote un enxienplo: algunas vezes acaesçe que alguno enpresta o enpeña a otro su cosa, e si gela dan enpeorada, él dize: «Non la quiero, sea vuestra». Así Dios, cuando vee que aquel que Él fizo omne, se faze mugier, non lo reputa nin ha por su criatura (263*r*).

A la par, también se considera pecado venial cualquier ayuntamiento de marido y mujer, no forzado por la necesidad de engendrar hijos, sí movido por el deseo de disfrutar de los deleites de la carne.

Este texto se acompaña de otro —en vernáculo y en latín— titulado *De las tachas de las mugieres,* en el que se alinean los consabidos vituperios conforme a la autoridad de San Juan, obispo, y de Orígenes[595]; algunas de estas ideas se entremeten en los tratados de erotología y en los discursos de misoginia que pronuncian destacados personajes —Pánfilo (de la *Fiameta: HPRC,* § 10.5.2), Torrellas (del *Grisel: HPRC,* § 10.2.1)— de la ficción sentimental, de donde la pertinencia de esta recomendación:

> Por ende departe tu amor de las mugeres e non te tiren del amor de Dios (264*v*).

11.7.1.4: Tratados de reforma eclesiástica y conventual

A esta categoría cabría adscribir el vigésimo séptimo opúsculo, bien titulado por el erudito del siglo XVIII (págs. vii-viii) como *[Exhortaçión*

---

[595] En este caso se produce la acumulación de sentencias por simple parataxis: «Ítem Orígines. La muger es cabeça del pecado, corronpimiento de la ley antigua e de las buenas costunbres e desseos. La muger es confondimiento del omne, bestia sin fartura, saeta veninosa», 264*r*.

a la obediençia regular y monástica] (421*v*-432*r*), ya que en el mismo se insta a los miembros de una comunidad a que no abandonen los votos profesados[596]; en efecto, espigando pasajes evangélicos y sentencias varias, un expositor —abierto a un plural en el que integra a sus «amados hermanos»— desgrana las ventajas de la vida monástica —antesala «de las cosas çelestiales» (422*r*)— y las compara a los peligros de la mundanal, partiendo de la paradoja del alma que huye de su Creador:

> E ¿quién pensará hermanos que aquella ánima demanda dignamente e llama así que le sea abierto, que al mandamiento del su mayor es desobediente, movida con ira e sobervia? E ¿quién pensará que aquel que así demanda e así busca para que falle lo que quiere, que cuando por alguna nigligençia es corregido o por la orden de la diçiplina es castigado non se inclina a alguna satisfaçión o emendaçión, mas por ello se endureşçe más? (423*r*).

Tal es el propósito de este escrito admonitorio, que pretende convencer, a los que quieren abandonar el cenobio porque se les hace insufrible la estrecha regla de esa vida, de que, en realidad, eligen una vía de perdición[597], al cambiar la «disciplina» por la «desobediencia», dibujándose, en este momento, el ámbito —siempre integrador— de la vida monacal:

> ¿Pues qué otra cosa es esto, si non sacudir con rebelde çerviz el yugo del Señor? Estos tales non saben qué prometieron e anse olvidado por qué son venidos a la congregaçión del monesterio (423*v*-424*r*).

Se pretende demostrar que al huir de las virtudes se siguen los vicios, que al escapar de la «passión» de una vida que asegura la salvación el pecador se entrega al diablo; con pormenor, se describe el proceso en que el maligno, con sigilo, se apodera de las potencias del alma:

---

[596] Constituye un claro antecedente de los manuales de formación sacerdotal que se estudiarán en *HPRC*, § 8.4.

[597] Frases de estilo directo permiten insertar la conciencia de los réprobos, para corregirla: «Et por su sobervia dize: "Ya non podría yo sofrir aquesto". Pues el que non quiere obedesçer al prelado ni conssiente ser corregido, pienso que aún non sabe cómo fue redemido, que puesto en la cavallería christiana presume dezir: "Ya non obedesçeré. Ya non sofriría yo estas cosas"», 423*r-v*.

> E tú, que eres apostado de entendimiento e guarnido de razón, ¿así eres fecho ageno de sentido que antepongas tus voluntades e entençiones a los benefiçios de Dios e non solamente las voluntades, mas los enseñamientos diabólicos? (426*v*).

Se oponen, entonces, los males —o «detrimentos del ánima» (427*v*)—, causados por la rebeldía a las ventajas de la humilde obediencia, la única virtud con la que se pueden superar todas las tribulaciones y trabajos, alcanzando así una primera conclusión[598], sobre la que se afirman las ventajas de los sacrificios, ayunos y oraciones de la vida monástica. El solo hecho de que se prepare un opúsculo de esta naturaleza, y además en lengua vernácula, declara el estado deplorable a que había llegado la vida monacal en las décadas que coinciden con el reinado de Enrique IV y la necesidad de impulsar, con firmeza, la reforma del conventualismo y de la observancia que Isabel convertirá en una de las principales empresas de su reinado.

Dentro del orden de la regulación eclesiástica cabe el vigésimo tercero, que, en los índices preliminares, aparece rotulado como *[Ritual y cómputo eclesiástico]* (410*v*-416*v*); en sí, es un sumario que contiene diversas instrucciones relativas a la celebración de la misa en los días feriados de la Semana Santa y a las ceremonias correspondientes a cada uno de los oficios, indicando qué clérigos deben participar en los mismos, así como los ritos y ornamentos que deben ponerse en juego y las lecturas que han de efectuarse[599]; a este conjunto, en el que cada línea se destaca con orla en el códice, sigue una «Regla de las domínicas del mes de setienbre», conforme a la alternancia de los ciclos litúrgicos; figura, después, la tabla del número áureo, necesaria para fijar la calendación de las fiestas pascuales[600]; con el mismo propósito, se disponen reglas

---

598 «Onde es de saber que cuanto más omildes e más obedientes fuéremos a nuestros padres e mayores, tanto sentiremos sobre nosotros el yugo del Señor más dulçe e más ligero, e cuanto más obedientes fuéremos a nuestros mayores, tanto más obedesçerá nuestro Señor Dios las nuestras oraçiones», íd.

599 Por dar una idea, y referido al Viernes Santo: «E en tanto dos acólitos tienden una sávana sobre el altar e el sacerdote acabada la oración levántese e bese en medio del altar. E luego siéntese en su lugar, con diáchono e subdiáchono e después levántese el subdiáchono e lea dos profectas, sin título, como se contiene en la missa», 401*v*-402*r*.

600 «Después de la Epifanía busca el áureo número e cuenta diez días, con el día del áureo número e en la seguiente domínica, después de los diez días será la septuagésima. Después de la fiesta *de perpetue et felicitatis*, que cae en el mes de março, busca el áureo número e cuenta después d'él tres primeras domínicas e la postrimera d'ellas es Pascua. Et si acaesçiere que el áureo número veniere en domínica, aquélla contarás la una de las tres

para calcular el día en que debe celebrarse la fiesta de Santa María en año bisiesto, la del Adviento y las «cuatro témporas», la de la Purificación, así como varias fórmulas de bendiciones, un modelo de licencia para que un religioso pueda viajar o ir a Roma y, de nuevo, aunque con más detalles, una serie de explicaciones para «sacar el áureo número».

Hay que recordar que el destinatario de esta miscelánea era ese clérigo, rector de Mucientes, que podía necesitar de este tipo de materiales para el desempeño de su oficio; a él le podía interesar, de modo especial, el texto decimoquinto, *Nota una costituçión, la cual fue fecha en el Conçilio de Costançia, en el tienpo del papa Martín* (259*r*-261*v*), en que se regulan los casos de excomunión o de entredicho en que no deben ser impartidos los sacramentos, sobre todo el de la comunión.

11.7.1.5: La reflexión moral

El sexto de los opúsculos, *De los bienes que se siguen de la remenbrança de la muerte* (168*r*-172*r*), puede considerarse un «arte de bien morir» en el que se ordenan, a modo de sentencias, los beneficios que la muerte produce, contrastados con diversas *auctoritates*; encaja el texto, a la vez, en el grupo de los libros de consolación, por cuanto tales argumentos pueden ser empleados para mitigar el dolor por la pérdida de familiares o allegados; la recomendación inicial —el recuerdo de la muerte aleja los pecados y atrae las virtudes— no cumple otro objetivo:

> El que piensa ser ante la muerte sienpre avrá temor en la su obra y en todas sus cosas. E más piensa la ora de la muerte e nunca pecarás (168*v*).

Algunos de estos materiales adoptan la forma de «exemplo», indicada con la rotulación habitual, y con un mínimo desglose de intrigas[601],

dominicas, et la postremera d'ellas es Pascua», 409*r-v*. A estas indicaciones sigue una tabla para facilitar las operaciones y un nuevo apunte para datar esta miscelánea, pues se señala el «punto» en el que anduvo el «áureo número» en el año de 1456, 410*r*. Estos cálculos los insertará Andrés de Li en su *Reportorio de los tiempos (HPRC*, § 13.3.2) impreso por Hurus en 1492.

[601] Sostenidas en rápidos apuntes caracterológicos: «Dos mugeres son casadas: la una es fiel, la otra non es fiel. Acaesçió que aquellos dos omes van fuera de la tierra a librar sus negoçios. La que es fiel suspira y dessea que veniesse su marido, la que non es fiel geme y teme cuando verná su marido e non querría que veniesse», íd.

previsto para alcanzar con rapidez la aplicación moral[602]. Éste es el desarrollo a que se ajusta el resto del contenido; así, si San Gregorio indica que el pensar en el día de la muerte aleja a los hombres de la codicia, esa enseñanza moral la confirma la unidad narrativa del hijo que entra en religión y despierta la ira del padre, para contraponer en un diálogo las leyes a que ambos ajustan sus vidas, la de Dios y la del mundo, con el final esperable[603]. Es la conciencia de la muerte la que se explora, por cuanto su memoria es la única que permite menospreciar los bienes terrenales y perecederos, los «que ninguno consigo non puede levar» (170*r*); ello se demuestra con el «exemplo» de la simia que pare dos hijos y, habiendo perdido al que amaba, se abraza, sin soltarlo, al que no quería:

> E este enxienplo en las Escripturas es conparado a los que aman las malas andanças d'este mundo, los cuales costrenidos por nesçessidad de la muerte dexan lo que más aman que son las riquezas, e los pecados que menos aman, así como olvidados, échanlos detrás de sí y éstos son los que van con la mesquina ánima (170*v*).

Interesa el opúsculo, también, por el orden de lecturas que se declara, atenido al desprecio del mundo; así, se menciona a la pecadora Magdalena[604], al «infante Josafat»[605], al apóstol San Pablo[606], para cerrar el escrito con una breve descripción de los gozos celestiales.

---

602 «Bien así es el alma de cada un omne, la cual por caução es fija de Dios, et por redenpçión es esposa de Jhesu Christo. E el alma fiel desea la venida del esposo e ama la muerte porque sabe que sin ella non puede venir al tálamo e gozo que dessea, e el ánima non fiel, que con el mundo e con la carne e con el demonio faze adulterio non quería que veniesse el Esposo e teme la muerte e aborresçe la su remenbrança», 168*v*-169*r*.

603 «E el padre desque ovo tienpo convenible renunció el mundo e seguió al fijo en la religión», 169*v*. La trama se aproxima, por tanto, al *Barlaam* e, incluso, al *Libro de los estados,* por la exhortación al cumplimiento de las obligaciones estamentales.

604 «Otrosí léesse de la Magdalena que le fue perdonado mucho porque amo mucho», 171*r*.

605 De cuyos hechos se ofrece cumplido resumen, rematado por la conclusión buscada: «E púsosse húmilmente a servir a Dios», 171*v*.

606 Envuelto por su beatífica «visión»: «El apóstol arrovado fasta el terçero çielo e non podiendo conprehender la magnífica gloria que ende vio, dize que ojo non vido nin oreja non oyó, nin coraçón non pudo pensar los gozos e bienaventuranças que Dios tiene aparejadas para aquellos que lo aman», íd. Para la *Visio Sancti Pauli,* ver pág. 1834; en el *Carro de dos vidas* de Gómez García *(HPRC,* § 8.3.4), se habla de esta experiencia mística: viii*v*.

11.7.1.6: Tratados apocalípticos

Se incluyen en esta miscelánea dos productos de esta naturaleza; el primero de ellos —que es el octavo del códice— es importante porque se trata del *Capítulo de las quinze señales que serán antes del Juizio Final* (173*r*-174*v*), un texto que debía gozar de buena aceptación en medios monásticos, como para merecer ser impugnado con dureza por el obispo de Coria en su *Luzero de la vida cristiana* (ver *HPRC*, § 8.3.3.6). Estos avisos premonitorios habían quedado fuera de la versión vulgata de la Biblia, pero se asentaban en la misma pesquisa que practicara San Jerónimo sobre antiguos «libros ebraicos»; en ellos figuran los signos escatológicos que debían de sucederse a lo largo de quince días: el mar inundaría la tierra hasta cubrir el monte más alto (i), luego desaparecería súbitamente (ii), para volver a su cauce y dejar que los peces prorrumpieran en lamentaciones (iii), antes de que el fuego destruyera todas las aguas (iv); seguirían terremotos (v) que abatirían casas y ciudades (vi), quebrando las piedras (vii); las hierbas sudarían sangre (viii), los montes y collados se allanarían (ix), los hombres perderían el habla (x), morirían «por muy grandes vexaciones y dolor de coraçón y miedo y sin toda consolaçión» (174*r*) (xi), antes de que otro espantoso fuego arrasara la faz de la tierra (xii); el sol crecería cien veces y permanecerían inmóviles estrellas y planetas (xiii), a fin de que un nuevo aire luminoso (xiv) envolviera la resurrección de los muertos (xv), tras ser arrastrados sus huesos sobre la mar:

> Dizen algunos que aquestos huessos paresçerán así estendidos en el Val de Josafad. E entonçe será aplanada con los montes que le estarán enderredor (174*r*)[607].

El segundo opúsculo apocalíptico, vigésimo quinto del conjunto, sin título, versa *[Sobre el Juicio Final]* (417*v*-419*r*); una voz narrativa, en primera persona, exhorta al alma humana para que deje de temer a la muerte y considere de mayor pesadumbre «el estado del Juizio Final» (417*v*), puesto que nadie puede engañar a la sabiduría divina ni modificar la estrecha justicia a la que todos deberán someterse:

---

[607] Conviene reparar en que el opúsculo termina con un apunte que puede proceder de la fuente de donde se copiara: «E aquí es acabado el quinto tractado de aqueste dezeno libro», íd.

> Pues, ¡o mi ánima!, considera con grand temor que es lo que de ti será en aquel día postrimero, cuando la tu conçiençia dará testimonio de todas las tus cogitaçiones e pensamientos (íd.).

Toda la iconografía de imágenes y gestos de esta secuencia milenarista se despliega para recrear un marco de inflexible justicia:

> E ençima estará mucho airado el Juez del justo juizio e de fuera estará el mundo ardiendo e de dentro aterrará la justiçia del Juez justo. Et si el justo apenas se podrá salvar, ¿el pecado[r] e el cruel adónde aparesçerán o a cuál parte se asconderán? (418*r*).

El propósito de estas fulminantes amenazas obedece a una de las líneas de formación de esta miscelánea: cualquier instigación a apartarse del mundo y a evitar la compañía de los malos promueve —y refuerza— las formas de vida conventual[608].

11.7.1.7: El conocimiento de la hagiografía

A la materia hagiográfica deben asociarse tres piezas que, lógicamente, se implican en los dos asuntos principales que otorgan coherencia al códice: la afirmación de la penitencia y la necesidad de impulsar reglas de reforma monástica, de donde la oportunidad de incluir aquí una breve reflexión sobre el grado de «aprovechamiento en la religión».

11.7.1.7.1: *Miraglo de Sanct Andrés*

Precisamente, entre los fols. 174*v*-178*r*, es decir justo antes del *Libro de confesión de Medina Pomar* y del resto de opúsculos consagrados a la penitencia, se sitúa este milagro, con forma de *exemplum,* que puede muy bien funcionar como introducción a la materia que se va a desarrollar, tanto a la narrativa como a la doctrinal, por cuanto la lección final avisa sobre el cuidado que deben tener los confesores con los engaños y

[608] Martín Martínez de Ampiés acogerá la materia de estos dos últimos textos en su *Libro del judicio postrimero*, uno de los cuatro opúsculos incluidos en la miscelánea escatológica formada por el *Libro del Anticristo: HPRC*, § 8.2.6.2.2.

arterías que pueden emplear los confitentes —en especial, las mujeres— para confundirlos[609]. El relato —de procedencia folclórica y de claro sabor sapiencial[610]— aparece vinculado a la materia hagiográfica de San Andrés en la familia *B* del *Flos sanctorum*[611].

Sin salir de este códice, este milagro reproduce, en cierto modo, el esquema del xvi° de la colección dedicada a San Antonio, al adoptar de nuevo el diablo «la semejança de una muger muy fermosa», aunque en este caso no se incite a una dueña —aquella Loba— a pecar, sino a un obispo que será salvado del diablo por su devoción a San Andrés.

El «exemplo», en cuanto tal, se adecua a las divisiones ternarias de estas estructuras narrativas. El primer núcleo analiza el engaño que sufre un obispo al que se caracteriza como «muy sancto» y «amigo» de San Andrés; ante él, comparece el diablo, en forma de mujer hermosa, pidiendo confesión, pero no con el «penitençial» —o sacerdote— que él le señalaba, sino con él mismo; finge ser hija de reyes y haber escapado del matrimonio que para ella habían concertado, porque quería guardar voto de castidad; esperaba de la «sanctidad» del obispo la protección suficiente para no «quebrantar la fe que prometí a mi Esposo» (49). El obispo cae en la trampa, brinda socorro al diablo y le pide que coma con él; la falsa doncella le burla, finamente, con la verdad:

> E dixo ella: «Non querades, padre, rogarme sobre aquesta cosa. Ca por aventura tomarán algunos mala sospecha en esta razón e la vuestra buena fama sería menospreciada». E díxole el obispo: «Muchos seremos e non solament nós solos. E por ende non podrían ninguna mala sospecha aver» (49).

---

609 El texto ha sido editado por Carlos Sainz de la Maza, «San Andrés, *El Obispo y la diablesa*», *LC*, 17:2 (1989), págs. 48-52, por donde se cita. Aparece, también, en el *Espéculo de los legos*, núm. 179.

610 El asunto entronca con las líneas de argumentación empleadas en los tratados de erotología, en donde se desgranan los casos de sabios engañados por las astucias o por la belleza de la mujer.

611 Cita Sainz de la Maza, al respecto, los escurialenses h-i-14 y k-ii-12, para señalar: «Su inclusión aislada en esta obra mixta de devoción permite documentar un uso de estos textos como lectura devota, ajeno al más importante y *oficial* de materia prima para la predicación popular», pág. 48.

El segundo núcleo se articula en torno a la seducción del confesor. Mientras el obispo contemplaba a la doncella —«E así demientra que la catava encomençóle de llagar el coraçón» (49-50)—, el diablo, que se da cuenta, incrementa su belleza hasta sentir que el obispo se encontraba dispuesto a pecar con ella. La escena es interrumpida por la llegada imprevista de un peregrino que pide entrar en la sala. El obispo —y demuestra así la sujeción en la que ha caído— pide el parecer de la dueña y ésta considera que, antes de recibirlo, se debía probar el ingenio del recién llegado «con una pregunta asaz grave» (50).

El tercer núcleo se dedica, por tanto, a la disputa que el diablo mantendrá con el romero, al que plantea tres enigmas; la resolución de los mismos conduce directamente al desvelamiento del verdadero ser de aquella dueña, que acaba engañándose a sí misma inquiriendo por la verdad —la distancia que media entre el cielo y la tierra— que pretendía ocultar; la cuestión le permite al peregrino descubrir la naturaleza del diablo:

> Et respondió el peregrino al mensajero e díxole: «Vete para aquel que acá te enbió, et esto le demanda tú a él muy afincadamente, ca él mejor lo sabe que yo, e por ende responderte á a ti más conplidamente d'esta demanda, ca él medió mejor este espaçio cuando cayó del çielo en el abismo» (íd.).

A esa misma caída es condenada esta falsa doncella que desaparece de inmediato, como también el romero, cuya identidad sólo le es revelada al obispo en un sueño:

> E fue mostrado essa noche al obispo que aquel fuera Sant Andrés que lo veniera a librar en hábito de peregrino. E de allí adelant començó el obispo de aver mayor devoçión en Sanct Andrés e amarle más e fazerle mayor honra (50-51).

No extraña que el siguiente texto del códice sea el *Libro de confesión de Medina de Pomar* (178*r*-208*v*), presentado con este admonitorio encabezamiento:

> De cómo aprovecha poco la confessión a aquellos que, non enbargante se confiessan, non an entençión de emendar su vida e partirse de los pecados (178*r*).

11.7.1.7.2: *Milagros de San Antonio*

Una de las colecciones más singulares de los milagros de San Antonio de Padua (1195-1231) se alberga en este códice; afirma, por una parte, la filiación franciscana del conjunto —el opúsculo se ofrece precedido por unos *Dichos de frey Gil conpañero de Sant Françisco* (371*v*-372*v*)[612]—, por otra, como ya se ha indicado, refuerza el valor que se concede a la difusión y al análisis del sacramento de la penitencia, presente en buen número de los textos que integran el volumen.

María Jesús Lacarra —editora y estudiosa de este conjunto[613]— recuerda que los milagros atribuidos al santo aparecen ya en fuentes tardías; habría un núcleo inicial de diez prodigios, que podría situarse en la segunda mitad del siglo XIII, produciéndose un importante incremento en la centuria siguiente, en la que se forman la *Leyenda Florentina* y el *Liber miraculorum;* ya en el siglo XV, se compilan la *Vida y milagros de San Antonio* de Bartolomeo Rinonico de Pisa (muere en 1401) y la *Vida de San Antonio* de Sicco Polentone *(c.* 1433). Tal y como ha demostrado esta investigadora, la versión castellana, formada por veintinueve milagros, sigue de cerca el *Liber miraculorum* del franciscano Arnoldo de Serrano, que preparó entre 1369 y 1373 la *Chronica XXIV Generalium Ordinis Minorum,* en la que se incluyen sesenta y seis unidades narrativas, vinculadas a tres líneas diferentes de procedencia: francesa (i, vi, vii, xv, xx, xxvii), italiana (iii, xii, xiv, xviii, xxiii, xxiv) y portuguesa (xvi, xvii, xix)[614]. Es importante esta conexión, porque fray Arnoldo, maestro de teología en Aquitania, tuvo que viajar a la Península, hacia 1373, con el encargo de reformar la provincia franciscana de Castilla.

---

[612] Que deben ponerse en relación con el *Floreto de San Francisco,* ver Juana Arcelus Ulibarrena, *Floreto de Sant Francisco [Sevilla, 1492]. Fontes Franciscani y literatura en la Península Ibérica y el Nuevo Mundo. Estudio crítico, texto, glosario y notas,* Madrid, F.U.E., 1998.

[613] Presentó un primer análisis en «*Algunos miraglos que nuestro Señor fizo por nuestro padre sancto Antonio:* presentación del texto y aproximación tipológica», *Typologie des formes narratives brèves au Moyen Âge (domaine roman) II [Crisol,* 4 (2000)], París, Centre de Recherches Ibériques et Ibéro-Américaines de l'Université Paris X-Nanterre, 2001, págs. 215-230, un estudio que cuajó en «Una colección inédita de *Milagros de San Antonio de Padua:* edición y estudio», por donde se cita (ver n. 577).

[614] Esta numeración remite al número del milagro, conforme a la edición mencionada.

Con todo, no puede hablarse de una dependencia directa entre el *Liber miraculorum* y este conjunto del códice madrileño, y no sólo por la reducción de las piezas que integran una y otra recopilación, sino sobre todo, como señala Lacarra, porque se altera el orden original y se rompe la agrupación temática de la fuente; cabría pensar, así, en una traducción realizada en fechas cercanas a la formación de este volumen facticio, en el entorno de 1450, justo en un período en que comienza a difundirse la iconografía del santo, a la par que su imagen de predicador popular.

M.ª J. Lacarra aprovecha el estudio y edición de este opúsculo para verificar los cruces entre hagiografía, *exemplum* y folclore[615], destacando en particular los valores del XX —«El mulo adora la Hostia»— y del XVI, protagonizado por una dueña portuguesa, de nombre Loba, que remite a la mítica reina del mismo nombre —ya «Lupa», ya «Luparia»— conectada a la difusión leyendística de Santiago (así aparece en los *Milagros de Santiago* que reúne Almela, ver *HPRC,* § 8.6).

11.7.1.7.2.1: Las líneas de la meditación espiritual

La colección carece de cualquier tipo de presentación biográfica, más allá de ese escueto «Síguense algunos miraglos que nuestro Señor fizo por nuestro padre Sancto Antonio» (19); no se precisan más datos y la utilización de esa integradora forma de plural —aparece también en XV y XVI— revela una lectura pensada para los miembros de la orden, a fin de darles ocasión de meditar en los prodigios obrados por el minorita portugués.

Debe, por ello, analizarse el conjunto en virtud de la disposición presentada por los milagros, ya que la continuidad de su lectura revela una trama de sentidos lógica y consecuente; así, el I afirma la condición de predicador popular de este santo, alejado de la nobleza —«Predicando el glorioso sancto Antonio en una çibdat, posava en casa de un burgés...» (íd.)— y vinculado estrechamente a la figura del Niño Jesús, prestando soporte a una de las imágenes más difundidas de su iconografía; esta primera dimensión hagiográfica se confirma en II, «De una ale-

[615] «Estamos, pues, ante una serie de 'motivos' que deberían estudiarse y catalogarse con independencia de las circunstancias particulares que supusieron en un momento histórico dado su atribución a tal o cual personaje», pág. 13.

gre y piadosa cosa», en donde el santo ayuda a una «poblezilla» mujer que, «por amor de Dios se fazía serviçial, así como Marta», y le había dado acogida; recompone, por ella, un vaso roto y llena de «vino nuevo y ferviente» una cuba que se le había vertido; ambos prodigios pueden servir de prefiguración de la Eucaristía (recuérdense págs. 3839-3840).

Una de las constantes temáticas de la colección se incardina, entonces, a la ayuda que el santo presta a los pobres y menesterosos, como ocurre en iii en el que actúa restituyendo un miembro mutilado —si bien él mismo había inducido tal castigo en el curso de la penitencia[616]— o en iv, salvaguardando de morir a un niño que había caído en la caldera, mientras «una muger con gozo» le oía predicar. Y no sólo son los humildes los destinatarios de su palabra; también los seres de la naturaleza, como los peces (v), salen a la orilla a oír su sermón, aunque en este caso sea fácil reconocer el símbolo cristológico, en una unidad además en que se demuestra la dureza de corazón de los herejes[617]. La misión predicatoria se extiende en vi a su labor como custodio de novicios, al librar a uno de ellos de la tentación de dejar los hábitos[618], insuflándole en la boca el aliento del Espíritu Santo; en vii y viii actúa investido de la misma autoridad, en dos casos de bilocación que le permiten predicar en una iglesia e impartir lección en el convento, o sermonear ante el pueblo y cantar el Aleluya en el coro; en ix y x, por amor a devotos suyos —siempre humildes, como «un omne» o «una muger»— devuelve la vida a hijos que habían muerto porque los padres o habían visitado su tumba o habían acudido a sus prédicas[619]; hay una cierta continuidad de ideas, en el xi, en el que profeti-

---

[616] «Acaesçió que uno le confessó que feriese con el pie a su madre. E el sancto, casi reprehendiéndole, dixo: "El pie que fiere a su madre meresçe ser cortado"», 20.

[617] «Como Sancto Antonio predicase en un lugar onde avía muchos hereges y como non los podiese convertir de sus errores, por inspiraçión de Dios fuesse riberas de un río que estava çerca del mar y començó a llamar los peçes para que oyessen la palabra de Dios. E a poco a poco fue tanta muchedumbre ayuntada, así de grandes como de medianos y pequeños, e estavan así paçíficos en sus convenientes lugares, que era maravilla de la orden que tenían», 20-21; resulta extraordinaria la representación de los grupos estamentales que se inclinan ante el santo.

[618] Debe ponerse, por tanto, en correspondencia con el opúsculo de la *[Exhortaçión a la obediençia regular y monástica]* (421*v*-432*r*) en que se trata el mismo tema, demostrándose de este modo la coherencia interna con que se forma el volumen facticio.

[619] En el segundo caso, el niño aparece «jugando con unas pedrezuelas, las cuales nunca antes toviera», 23, un detalle enigmático que recuerda a los doce gorriones que de pellas de barro formara el Niño Jesús en una de las versiones apócrifas de su infancia.

za, a «una dueña que estava preñada», el martirio que ese hijo —luego el real fray Felipe— iba a sufrir. El ámbito de la protección que brinda a los que asisten a sus sermones se recupera en xii —preserva del lodo las vestiduras de una mujer noble en Padua—, xiii —resguarda a sus oyentes del fragor de una tormenta— y xiv —logra ser entendido por una muchedumbre de peregrinos, cada uno en su lengua, mereciendo ser llamado por el Papa «Archa del Testamento» (24)[620]; no a su predicación, pero sí al fervor con que visita «un monesterio de nuestros fraires» (25), debe una mujer que su marido, celoso, le arranque los cabellos que le serán restituidos, tras conveniente oración, guiada por el santo[621].

Siguen cuatro milagros *post mortem* (ya lo había sido el ix), con el xvi, el dedicado a la dueña Loba, como el más importante por el cruce de motivos folclóricos y tradiciones legendarias que en el mismo se produce; la «cosa maravillosa» que se anuncia en el epígrafe se refiere a la victoria del santo sobre el diablo «en figura de mugier» que servía a aquella dueña, incitándola continuamente a pecar, aunque logre salvar su alma, por la eficacia de la confesión, antes de morir[622]; no falta el apunte humorístico de la vergüenza que el diablo siente por esta derrota:

> E el diablo iva por los caminos llorando y gemiendo porque non levava alguna cosa de tanto tienpo como avía trabajado en serviçio de aquella dueña. E un cavallero que passava preguntóle quién era y por qué iva en tal manera. E él le dixo cómo era el diablo y contóle el fecho, e díxole: «Venieron dos capelludos y convertiéronla y non llevo nada» (26).

---

620 Un nombre que es histórico como anota Mª J. Lacarra: «El papa Gregorio IX, sorprendido por su capacidad para sacar de las Escrituras significados originales y profundos, le llamó *Archa Testamenti*», n. 45, pág. 24.

621 Es ésta una de las pocas ocasiones en que asoma en San Antonio un atisbo de enojo, por cuanto el santo acudía a su llamada «pensando que quería confessarse (...) E como ella gelo contasse, el Sancto maltráxola porque por tal cabsa enbiara por él» (25).

622 Una nueva oportunidad de conectar el texto con el asunto central del códice, el valor de la penitencia: «Y aunque ella non quería, enpero con muchas amonestaçiones proponiéndole esperança de perdón y temor de las penas, traxiéronla a penitençia; por las palabras de los cuales, ella se convirtió de loba en cordera e fizo devida penitençia y fue soterrada en nuestro hábito», 25.

Otra mujer endemoniada, en xvii, es salvada de la tentación de quitarse la vida, al imponerle el santo la cédula que, colgada al cuello, le servirá de exorcismo[623]; el mismo poder se confiere, en xviii, a una imagen del santo que no se dejará «raer» de los frescos de la iglesia del Salvador en Roma, como lo había ordenado Bonifacio VIII[624]; en xix, el alma de una mujer, que iba a vender trigo el día de la festividad de San Antonio, es conducida por un mancebo ante un pozo en que le muestra las penas del infierno —centradas en especial en mercaderes y usureros— para dejarle luego entrever «una proçessión de omes maravillosamente vestidos et muy resplandesçientes» (28), en la que destaca el santo cuya fiesta no había guardado.

El orden de la predicación se recupera en xx, en donde han de ser de nuevo los animales irracionales —un mulo adora la Hostia— los que den muestra de devoción para que los herejes queden confusos y se conviertan; en xxi, sana, *post mortem,* a un leproso para castigar a un caballero que dudaba de sus poderes taumatúrgicos y que contrae de inmediato la lepra para suplicar por su curación; a larga distancia, en xxii, logra que llegue su sermón a una mujer que no había podido acudir a oírlo, por tener que cuidar de su marido, y son sus palabras —«grandes y ásperas» (30)— las que logran conmover, en xxiii, a un tirano que, postrado a sus pies, se convierte y en el que debe verse la figura real de Ezzelino III de Romano que, según la tradición, se enfrentó al santo en varias ocasiones, intentando corromperlo mediante regalos, como se refiere en xxiv[625]; con su prédica reforma a un arzobispo vicioso en xxv —al que tilda de «cornudo» (31) contrahaciendo la imagen de la mitra que portaba— y con su cíngulo, en xxvi, sana a un loco que es atado con él; un prodigio similar se refiere en xxvii, en el que su túni-

---

623 Es el «Fugite, partes adversas»; señala Lacarra en n. 52: «Como recuerdo del milagro antoniano, se impuso la costumbre popular de llevar grabada esta frase en una medalla colgada al cuello», pág. 27; tal y como se advierte en el texto, «con esta çédula fueron fechos muchos miraglos», íd.

624 Extraña el rigor del castigo: «E mandó raer su imagen y que posiessen a Sanct Gregorio en su lugar. E como sobiessen unos en su andamio, luego cayeron en tierra y el uno murió luego y los otros a poco tienpo. E el Papa mandó que la dexassen, que poco ganaríen en la raer», 27.

625 Planteado conforme al esquema de la prueba engañosa: «E el tirano, queriéndolo tentar, enbióle con çiertos omnes malos de los suyos un presente y díxoles: "Si fray Antonio resçiviere este presente, luego lo matad. E si con indignaçión vos enviare y non lo resçibiere, non le fagades mal, mas tornadvos a mí"», íd., que es lo que por supuesto ocurre.

ca resguarda a un monje «que era tenptado de la carne» (íd.), imponiéndole además el signo de la castidad[626]; contra el veneno es poderosa su oración en xxviii, en el que unos herejes lo ponen a prueba tanto a él como al dicho del Evangelio «que dize "Si bevieren alguna cosa mortal, non les enpesçerá"» (32), que es lo que sucede para lograr la conversión de los réprobos.

El último epígrafe se dedica a los años vividos por el santo —bien que los confunde, pues afirma que fueron veintisiete en vez de los treinta y seis reales— y a un último prodigio, obrado en Lisboa, el día de su canonización en que las campanas comienzan a tañer por sí solas sin que nadie supiera la razón: «E a poco tienpo después fue sabido cómo en aquel día fue canonizado Sancto Antonio» (íd.).

Esta selección de *miracula* posee, como se comprueba, un orden propio, en el que a grandes tramos se sigue el particular del *Liber miraculorum*, pero que impone unas pautas de significación peculiares, vinculadas a la valoración de la penitencia y a la dimensión taumatúrgica y predicatoria de una palabra de la que debían dar testimonio los minoritas a quienes se dirigía este conjunto —y de ahí que sean mencionados directamente: «nuestros fraires», «nuestro hábito» (25)— y a quienes se invita a rezar por el santo el responso que para él compusiera Julián de Spira (387*r*-388*v*).

11.7.1.7.3: La *Vida de la Virgen*

La *Vida de la Virgen* (395*v*-400*r*), que es el vigésimo segundo de los textos del códice, atribuida a San Jerónimo, puede servir para enmarcar ese conjunto de reglas espirituales que en las últimas décadas del siglo XV se construyen para damas de la nobleza, como sucede con las compuestas por Alonso Núñez de Toledo *(HPRC,* § 8.3.1) o por fray Hernando de Talavera *(HPRC,* § 8.1.1.2.8); todas coinciden en el objetivo de enseñar a ordenar el tiempo, ajustándolo por igual a obligaciones y devociones; tal es el proceso sugerido en su arranque:

> Dize Sanct Gerónimo que ella tenía esta orden de vida. Primeramente, ella se levantava de dormir e entonçe ella orava e contenplava e entendía más en contenplación que en oración de boca,

[626] «E el sancto desnuyóse la suya y fízole que la vestiese y çiñóle una cuerda en somo d'ella y nunca más sintió dende adelante aquella tenptaçión», 31-32.

porque el tiempo es más convenible. E estava así fasta que era fecho en el tenplo el sacrifiçio de los matines (395*v*-396*r*).

Conforme a este trazado meticuloso se distribuye el resto de horas; así, María extendía la «oraçión de boca» hasta la de tercia y trabajaba con sus manos hasta la de nona, cosiendo o tejiendo para el servicio del templo, sin cesar de alabar a Dios:

> Non era persona que en su persona osasse estar oçiosa nin osasse dexar perder el tienpo (396*r*).

Esta evitación de la ociosidad se va a convertir en una de las ideas claves de la reforma conventual, asentada en dos símbolos básicos —el «pan çelestial», el «açetre de agua» (396*v*)— que constituyen el alimento espiritual que un ángel le presenta a María a la hora de nona:

> E la bendicha estava de finojos tanto como durava el comer. El ángel, estando en forma humana, leía delante d'ella ordenadamente el Testamento Viejo, que el Nuevo aún non era fecho, así que en uno resçebía refiçión en el cuerpo e en el ánima (íd.).

Como se insistirá en su específica tratadística *(HPRC,* § 8.4), tales eran las pautas a que había de adecuarse la vida de los conventos.

Esta *Vida* se articula con una mínima trama de hechos narrativos, que pueden considerarse ligados al período en que María permanece en ese templo al que la conducen sus padres, San Joaquín y Santa Ana, tal y como se «contempla» en el *Título virginal de nuestra Señora* de Fuentidueña; incluso se suscita una rápida intriga cuando se apunta que nadie tenía noticia de las secretas visitas del ángel a quien es llamada Gloriosa, salvo una doncella, «familiar suya», «su compañera», imagen viva de la caridad, puesto que acostumbraba a repartir su comida entre los pobres; por ello, es la elegida para dar testimonio de estas místicas adoraciones:

> Dize que rayos de claridat le salían de la cara, así altamente, que aquellos que la vían, apenas podían firmar el ojo en ella, la cual cosa fazía la gran providençia divinal, por tal que todo el mundo, contra voluntad de la Gloriosa, que ascondía la su sanctidad, conosçiese que ella era criatura de señalada perfiçión, que non avía avido nin abría jamás en la tierra, que era a Dios muy amada (397*v*).

Ya no se requieren más imágenes, sino perspectivas para valorar esta piadosa estampa. Genardio encarece la humildad de María[627], el acendramiento de sus virtudes, la renuencia a recibir los honores de aquel ángel que la servía y que le llamaba, «en su familiar fabla, madre del Creador» (398*r*). Senero registra las oraciones de María —los ruegos por los pobres, por sus padres, por «los gulosos» (399*r*)— y aprecia, en especial, su dedicación a formar a otras «sanctas niñas» del templo. Egidio valora esta tarea educativa y el provecho que de la misma obtienen las más de mil doncellas, que contraen, sólo por ella, voto de castidad:

> La cual cosa era muy nueva de oír a ellos, que jamás tal non avían oído. E por la grand fama e sanctidat e enformaçión de la Gloriosa desseavan muchos de la çibdat e de todo el pueblo de Israel venir a ella e oírle, así omes como mugieres mucho sanctas (399*v*-400*r*).

Pero María no es propagadora de doctrina alguna; esa tarea estaba reservada para su Hijo; Ella debe ofrecer continuo testimonio de humildad, como lo demuestra al rechazar con energía toda pompa y vanidad, retirándose a orar con unas pocas doncellas elegidas, en lo que sería una clara prefiguración de la vida monacal.

11.7.1.7.4: El «aprovechamiento en la religión»

Cierra este opúsculo una digresión sobre el «grado de aprovechamiento en la religión» (400*r*-401*v*), en la que se insta a vencer las tentaciones, a mantener la firmeza de la fe, a soportar cualquier tribulación. La vida religiosa se concibe como una continua superación de pruebas de la que depende la perfección espiritual:

> E ansí la virtud del buen ome, la cual es muy noble e ha de durar para sienpre, provada deve ser por las tenptaçiones si será fuerte segund conviene (400*r*-*v*).

---

[627] Insiste, sobre todo, en el grado de perfección alcanzado por la Virgen: «¡O, Señor, con tan gran deleite que la contenplava el ángel que la servíe, cuando la veía espejo de toda virtud, non contando que fuese tan niña!», 397*v*-398*r*.

El mismo sentido debe darse a las contrariedades, puesto que permiten purificar la conciencia del pecador; el hombre religioso debe alternar la vida activa con la contemplativa[628], perfilándose así uno de los asuntos centrales de la tratadística de finales de la centuria.

11.7.1.8: Oraciones y plegarias

En esta miscelánea, se incluyen varios grupos de oraciones; hay preces en latín —las *Oraçiones del muy preçiosísimo cuerpo de nuestro Señor Jhesu Christo* (268*r*-282*r*), el grupo de *Iste sunt oraciones* (388*v*-395*v*) y una *Misa votiva de la Virgen* (432*r*-436*v*)— y en lengua vernácula; de éstas, destaca un pequeño núcleo de rezos dedicados a la Virgen —a la estructura de los «gozos» tradicionales se añade una rememoración de la pasión de Cristo[629] (436*v*-438*v*)— y a San Cristóbal, que requiere una declaración previa de su figura, resuelta con rápido apunte hagiográfico[630], sobre el que se construye el ruego de alejamiento de todos los peligros, incluidos los «de pestilençia, fanbre, guerra, agua, fuego, falso testimonio» (íd.), una enumeración que parece definir las preocupaciones a que se enfrentaría el lector de este códice.

Latina es una oración de San Gregorio —el *Stabat mater*— precedida de un comentario en castellano[631]; por último, el códice se cierra con la plegaria de las «tres verdades»:

---

[628] «Onde así como el mercadero non falla en un solo mercado nin en una feria nin en una tienda todo lo que desea, ansí el religioso non deve buscar el estudio de la perfiçión e la razón del mereșçimiento en el solo assossiego de la devoçión e en la sola dulçedunbre de la consolaçión, mas aún en el trabajo e pelea de las tribulaçiones e tenptaçiones, e en el uso e estudio de las buenas obras», 401*r-v*.

[629] La plegaria se precisa con su emisora: «E por la tu sancta muerte te ruego, Señora, que con todos los sanctos de Dios vengas e te aquexes en mi ayuda e en mi consejo e en todas mis oraçiones e en todas mis angustias e tribulaciones (...) E a mí, tu sierva Inés, me ganes del tu fijo Jhesu Christo conplimiento de toda salvaçión e misericordia e de todo consejo e toda ayuda e bendiçión e paz», 437*v*. Quizá se trate de una oración de Santa Inés.

[630] «La figura de Sanct Christóval cualquier que la viere, en aquel día de todo trabajo será librado, lo cual le fue otorgado de aquel que a cuestas levó, deziendo Christóval: "Como niño seas, ¿cómo tanto pesas?". Respondiendo el Niño: "Non te turbe cosa. Ca el que tú lievas heredero es del reigno de los çielos"», 438*v*.

[631] «Esta oración fizo Sanct Gregorio. E otorgó a todos aquellos que devotamente la dixieren, estando en estado de graçia e en verdadera penitençia, siete años de perdón. Esta oración está escripta con letras de oro en la iglesia de Sanct Pedro en Roma», 393*r-v*.

> Cualquier persona que dixiere estas tres verdades que se siguen de buen coraçón e sin mentir, cuando se acostare a dormir e cuando se levantare, o a lo menos una vez en la semana, sepa que está en la graçia de Dios e fuera de las manos del enemigo (439*v*).

Esta suerte de conjuro oracional sintetiza, a la perfección, las tres principales líneas de desarrollo de esta miscelánea: el reconocimiento del pecado, el deseo de perfeccionamiento interior y la necesidad de acercarse a la penitencia para alcanzar la gracia de Dios.

11.7.2: *Fray Juan López de Salamanca*

La vida de este dominico es extraordinaria, puesto que atraviesa los diferentes reinados de esta centuria, sin llegar a involucrarse en ninguno de los modelos culturales que se van formando en la misma; tuvo que nacer en torno a 1385, posiblemente en Salamanca —o alrededores, ya que se le conoce también como de Zamora—, para morir, ya nonagenario, en 1479 en Plasencia; había profesado en el convento de San Esteban de Salamanca, en donde ejerció el magisterio; estuvo vinculado al linaje de los Estúñiga, en cuanto confesor que fue de doña Leonor Pimentel, segunda condesa de Plasencia, que muere en 1486 y que había casado con su tío don Álvaro López de Zúñiga en 1461; a ella dedica una extensa vida de la Virgen, convertida en un manual de meditación religiosa; a su vez, la condesa erige, por él, en Plasencia un convento dedicado a San Vicente Ferrer, terminado en 1486, tras lograr que varios frailes habitaran en una casa privada de esta ciudad desde 1464[632]; en paralelo a esta fundación conventual, doña Leonor conseguiría que fray Juan López compusiera una *Vida de San Vicente Ferrer*, de la que no quedan más que referencias indirectas[633], como ocurre

---

[632] Recuerda el P. Getino «que fue a Plasencia llamado por los duques de Béjar; que ellos, agradecidos a San Vicente Ferrer, recientemente canonizado (1458), al que atribuían nada menos que la resurrección de su hijo el futuro Cardenal don Juan de Zúñiga, levantaron un convento de San Vicente», ver «Prefacio» a su ed. de la *Concepción y Nascencia de la Virgen*, Madrid, Tipografía de la «Revista de Archivos», 1924, pág. ci. Este Juan de Zúñiga será el protector de Nebrija: *HPRC*, § 7.2.1.

[633] Lo mismo que ocurre con otros productos hagiográficos que se le atribuyen, como la *Vida de Santo Domingo* o la *Vida de los primitivos bienaventurados de la Orden de Predicadores;* ver Fernando Baños, págs. 250-251, más la «Introducción» de Ramón Hernández a su ed. de J. López de Salamanca y P. Martínez de Osma, *La confesión y las indulgencias. Prerreforma y tradición*, Salamanca, San Esteban, 1978, pág. 17.

con un *Clarísimo sol de justicia* y un *Libro de la casta niña,* que figuraban en el inventario de 1468 de los libros de los condes de Plasencia[634].

En este período, en 1477, fray Juan López se traslada a Salamanca, para disputar con Pedro Martínez de Osma, catedrático de prima de su Universidad, a fin de impugnar sus teorías sobre la penitencia y las indulgencias, consideradas heréticas, sin que el de Osma accediera a mantener encuentro alguno con él; este hecho representó la victoria del dogmatismo más ortodoxo, del inquebrantable tomismo, frente a una actitud que cabría tildar de libre pensamiento; el abandono y la soledad a que fue condenado el maestro de Nebrija sintetizan, en cierto modo, la rigidez de los valores de la España de los Católicos; con los argumentos y autoridades que reuniera para aquella controversia se formó luego el *Defensorium fidei contra garrulos preceptores. Tratado de la penitencia según la Iglesia Romana*[635]; fue también fray Juan López autor de la doble serie de los *Evangelios moralizados*[636].

11.7.2.1: *Libro de toda la vida de nuestra Señora*

Aun compuesta, probablemente, en el reinado de Enrique IV, esta extraordinaria *Vida de nuestra Señora* merece situarse en el arranque del análisis de las obras de contenido mariológico por ser la primera de esta centuria en la que se aborda la defensa de un dogma mariano, el inmaculista en este caso, mediante el discurso de la prosa y el artificio del modelo narrativo del diálogo; habría que retrotraerse, por lo me-

---

634 Arturo Jiménez Moreno, en su «Introducción» a la ed. de los *Evangelios moralizados* del dominico, apunta la posibilidad de que el primer título pudiera tratarse «de un tratado apologético contra judíos o moros», mientras que el segundo podía ser un ejemplar «destinado a la educación de su hija», Salamanca, Ediciones Universidad, 2004, pág. 38.

635 Que son los textos que edita Ramón Hernández en *La confesión y las indulgencias: prerreforma y tradición*, Salamanca, San Esteban, 1978; ya que la disputa se engasta en el reinado de los Católicos, se sitúa el análisis de esta pieza en el epígrafe dedicado a la confesión (ver *HPRC*, § 8.5.1).

636 La primera impresa en 1490 —se conserva en el BN Madrid Inc 635—, la segunda pertenece a la Biblioteca del Cabildo de Salamanca, 66-1-2; debía haber una tercera serie como recuerda Pedro Cátedra: «Al final de la exposición del evangelio del segundo domingo de Cuaresma, Juan López anota: "No tenía papel para alargar e cessé así ceñido"», ver *Dos estudios sobre el sermón en la España medieval*, pág. 12. De ellos, ya se hizo mención en págs. 2972-2973; se cuenta, ahora, con la ed. de Arturo Jiménez Moreno de n. 634; ver, luego, págs. 4065-4067.

nos, siglo y medio para encontrar en el *Tractado de la Asunçión* de don Juan Manuel (§ 6.4.3) un antecedente similar a este proceso; luego, en la última década del siglo XV, se imprimirán varias piezas con similar objetivo, algunas concebidas con plena coherencia, como el *Título virginal de Nuestra Señora* de fray Alonso de Fuentidueña *(HPRC,* § 8.2.7), otras como fruto de una especulación más heterodoxa, cuando no disparatada, como ocurre con el *Triumpho de María* de Martín Martínez de Ampiés *(HPRC,* § 8.2.6.1); más próxima se halla esta *Vida* al *Título* del franciscano Fuentidueña, no sólo por el trazado de imágenes y de valores aludidos, sino por tratarse de manuales pensados para que una dama de la nobleza pueda abrazar un estado de meditación religiosa, que, centrado en María, le proporcione pautas de comportamiento para aplicar a su vida. El hecho de que en la dedicatoria doña Leonor reciba el tratamiento de condesa de Plasencia sirve para datar la obra en ese arco de fechas en que, por ejemplo, también Alfonso Núñez de Toledo construye su *Vencimiento del mundo* (1481) para que doña Leonor de Ayala aprenda a despreciar los bienes terrenales (ver *HPRC,* § 8.3.1).

Este compendio devocional se conserva en el BN Madrid Ms. 103; este códice no transmite completa una obra que, en principio, se había concebido como un díptico, formado por dos libros, integrado cada uno de ellos por cuatro historias marianas como enseguida se dirá; sobrevive sólo el primero de los volúmenes, del que la primera mitad ha sido editada por el padre Luis G.A. Getino[637].

11.7.2.1.1: Hacia un modelo de meditación nobiliaria

Fray Juan López, en el «Prólogo» dirigido a doña Leonor Pimentel y en el que se presenta como su «humillde capellán e inútile orador» (1*ra*; ed. Get, 1), amén de fijar las pautas a que obedecerá la organización temática de la que debía haber sido extensa vida de María, establece también los principios por los que habría de regirse ese orden de

637 Son las dos primeras «estorias» perfiladas en el título ya citado de la *Concepción y Nascencia de la Virgen,* en el mismo (ver n. 632) se transcribe hasta el fol. 102*r;* cito siempre por el manuscrito, pero para esta parte remito también a la ed. de Getino (ed. Get). Es, con todo, inminente la aparición de una nueva edición de la obra a cargo de Pedro Cátedra y Arturo Jiménez Moreno, en Salamanca, Seminario de Estudios Medievales y Sociedad de Estudios Medievales y Renacentistas.

contemplación al que la condesa de Plasencia va a prestar su propia persona, por cuanto la obra constituye un largo y dilatado diálogo sostenido entre la noble y la Virgen, conforme a unos modelos que se declaran previamente para que puedan ser asumidos:

> Será la escripta lectura por manera de fabla, entre dos perssonas de sexu feminino, de las cuales la una pregunta como disçípula afectuosa de aprender, la otra, como maestra ganosa de enseñar e responder (1*v*; ed. Get, 3).

Si se ha vinculado el marco devocional a la condición femenina no es sólo porque su destinataria real aparezca inscrita en el mismo, sino por el modo en que esa figura que representa a doña Leonor va a inquirir y a indagar sobre todo tipo de aspectos —hasta los más puntillosos— relacionados con la condición y la naturaleza de María; la Virgen adquiere, de esta manera, la posibilidad de defender por sí misma los dogmas básicos de su culto, en concreto el relativo a la inmaculada y milagrosa concepción de su ser[638]. Tal es el asunto con que se inaugura esta vida mariana, proyectada con un alcance más amplio, como señala el propio fray Juan López; él había concebido una suerte de díptico, integrado cada tablero o libro por cuatro pequeños cuadros que, a modo de retablo, habían de contener las escenas fundamentales de lo que su autor llamaba «las devotíssimas e santíssimas historias que comprehenden toda la vida de nuestra Señora» (1*r*b; ed. Get, 2). El primero de los volúmenes atiende, por tanto, a la concepción de María, a su nacimiento, a la milagrosa encarnación del Hijo de Dios, a la visitación a su prima Isabel; estas líneas temáticas son las que integran el volumen que coincide con el ms. 103; el segundo libro trataría del nacimiento de Cristo, de su Presentación en el Templo, de la Asunción de María a los cielos, del prodigio, en fin, de las nieves caídas en agosto[639]. Al margen ya del acierto en la selección de las estampas marianas, lo que interesa es señalar el valor del proceso que se está construyendo para esta dama noble, acostumbrada, como se recuerda también, a «los aferes caridosos y diligentes actos, e los ejercicios de continuo y servicio

[638] Con el respaldo de los *Evangelios apócrifos*, éste será uno de los núcleos temáticos del *Libro llamado infancia Salvatoris (HPRC,* § 8.2.4).

[639] Arturo Jiménez señala que «la obra no es tanto un relato de la vida de la Virgen sino una suerte de devocionario en forma dialogada que sigue las fiestas marianas más importantes del año litúrgico», *Evangelios moralizados*, pág. 43.

por cabo devotos» ofrecidos a Dios y a la Virgen; ese ámbito de contemplación espiritual es el que pretende beneficiar fray Juan López con estos coloquios que permitan acendrar esas virtudes señaladas:

> Desseando promover vuestra floresçiente e resplandesçiente moçedat, tanto de virtudes e graçias adornada cuanto de preminençias e prerrogativas ya guarnida, a costunbres e usos más intensos, a secreta e pública devoçión e a deseos e apetitos de más íntima afecçión, a devotos afectos e conatos de más cendrada devoçión, de los cuales, así virtuosos como graciosos motivos, conçibiendo osadía, propuse exarar por extensso un libro, más provechoso que graçioso (íd.).

La última indicación es oportuna por cuanto el desarrollo de esta materia, y no es un tópico, implicaba la renuncia a cualquier grado de deleite formal[640] que pudiera empañar el objetivo prioritario de construir un orden de meditación a través del que resultara posible alcanzar la realidad que aquí se finge:

> E mírelo Vuestra Alteza e léalo, una vez siquiera, vuestra devotíssima nobleza por deporte alegre e gozoso, fablando en el retrete con la Madre del Gloriosíssimo, el cual, con la Madre, vos lieven a la Gloria e vos asienten a la su diestra (íd.).

Se trata, por tanto, de instigar una «piadosa devoción» y de propiciar las líneas de pensamiento que la posibiliten[641].

Para ello, se construye el marco del diálogo antes de que la «fabla» propiamente dicha comience; es la condesa la que, en dos epígrafes, define el estado de su conciencia, el modo en que se aleja de los «estruendos» del mundo y de los «negocios» de su señorío[642], para dirigir

---

640 «E van escriptas de estilo rudo [¿e grosero?], como de tartamudo y sciolo en la elocuençia de las flores», 2*v*b; ed. Get, 3.

641 Asentadas en autoridades, lógicamente, masculinas, aunque sean dos mujeres las que dialoguen; Ronald E. Surtz ha explorado esta paradoja en «Fray Juan López en travestí: sus *Historias que comprenden toda la vida de Nuestra Señora*», en *Studia Hispanica Medievalia IV*, págs. 248-255.

642 El proceso se traza minuciosamente: «Parientas mías ni otras señoras de mi estado, ya non me fatiguen con sus fablillas mundanas; oiré las dulçes departiçiones de la Madre del mi Criador. Ni me ocupen las dueñas de mi palaçio con sus consejuelas profanas; escucharé las muy sabrosas razones de la Genitrix de mi Redentor. Ni me empi-

su mirada a la Virgen e invocar su presencia, mediante una anáfora gradativa que va recorriendo ya los principales atributos marianos[643]; de este modo, otros dos capítulos describen el encuentro entre la condesa, que saluda a la Virgen con una larga paráfrasis del *Salve regina,* y María, que se apresura a aliviar las angustias con que ante Ella comparece su devota:

> En hora buena veniste; en punto próspero allegaste; paçífica sea tu venida. En angustias es puesta la tu alma, e arde del todo tu spíritu. Tu angustia del ánimo te posee, angustia del alma te aflige; de males eres çercada e coitas çircundada, congoxada de miserias, conclusa de adversidades (3*r*b; ed. Get, 8).

Tales son las circunstancias materiales de que va a ser despojada la condesa para que la Virgen pueda, de nuevo, «informar» su ser, mediante una petición sabiamente distribuida en series ternarias:

> Tú me guía cómo ande, Tú me enseña cómo fable, Tú me doctrina cómo piense. Dame regla cómo rija mi coraçón, cómo mesure mi razón, cómo ordene mi conversaçión. Esto es lo que yo quiero. Esto codiçio. Esto deseo (4*r*a; ed. Get, 10).

La doctrina que imparte María describe una cuidada escala de perfeccionamiento espiritual, que requiere de una ascesis previa: alejar el corazón de los «pensamientos curiosos», desdeñar los «deseos seglares», aborrecer los «apetitos carnales», evitar los «deleites corporales» y apartarse de cualquier ociosidad, con razones que luego hizo suyas la reina Isabel:

> La oçiosidat no es sino arca de pecados e dehesa de los viçios. En la pereza renascen los viçios e retoñesçen (...) Usa la rueca, menea el aspa, puebla el dechado, exerçita el bastidor. Escogerás tienpo en que leas e horas çiertas en que contenples lo que leíste, e momentos señala en que fagas lo que estudiaste. Abre tus libros. Conpón tus estudios. Tu oraçión sea devota e cabo de lecçión, e tu lecçión sea intenta e cabo de tu oraçión (5*r*a; ed. Get, 12).

---

dan las donzellas e otras de mi estrado con patrañuelas vazías e vanas; entenderé en las provechosas e útiles enformaçiones de la Criante del mi Salvador», 2*r*a; ed. Get, 4.

[643] «Ciertamente Tú sola eres la que a Dios de carne vestiste. Tú eres sola la que a Dios e Honbre pariste. Tú sola eres la que, pariendo, virgen quedaste. Tú eres sola la que, virgen, del çielo leche cobraste, de la cual al çevo çevaste. Tú sola eres la que Virgen e Madre duraste», 2*v*a; ed. Get, 5.

El diálogo ajusta su estructura al orden de las fiestas marianas. En sí, el libro lo que pretende es confirmar unos dogmas que se celebran en unos días precisos y es ese calendario litúrgico el que permite distribuir las ocho estampas mencionadas[644]:

> Unos dizen que vuestra persona fue maravillosamente de manera conçebida. Otros afirman que antes fuestes santa que en el mundo naçida. Dizen otros que conçebistes por la oreja. Otro[s] fablan que preñada sobistes montaña muy sobeja. Otros dizen que paristes virgen sin dolor. E otros que al Fijo ofresçistes puríssima sin honor. E otros que vivistes santíssima sin error. E otros que nevastes en el agosto con grand calor. Otros que sobistes entera a los çielos a la bienaventurança (5*r*b-*v*a; ed. Get, 13-14).

Se desgranan, así, los ocho núcleos —gozos y misterios— que fray Juan López había seleccionado para repasar los hitos principales de la vida de María[645] o, por mejor decirlo, prestar a la Virgen voz propia para que ella pudiera explicar esas verdades fundamentales de su singular naturaleza, sancionadas en buena medida por los dominicos y afirmadas por la propia María con elogios a su Creador, que es el primero de los aspectos de que se va a tratar:

> Así es como oíste; verdat es lo que dexiste; çierto es lo que sopiste. Así es; así contesçió; así pasó. El grand Señor en mí fizo grandes cosas. E yo por cualquier d'ellas magnifico, glorifico e loo e honro al santo Nonbre suyo (5*v;* ed. Get, 14-15).

María expone los componentes doctrinales de un modo velado, por medio de figuras y de símbolos que obligarán a la condesa —imagen

---

[644] Por ello, ha sido considerado el *Libro* por Pedro M. Cátedra, en su *Liturgia, poesía y teatro en la Edad Media*, Madrid, Gredos, 2005, en donde indica: «Aparte esta estructura en forma de diálogo entre mujeres y aparte también algún episodio del que nos valdremos a lo largo de este libro, la obra de Juan López no sólo se beneficia de una estructura como la descrita, sino que también los textos litúrgicos de la fiestas marianas la fecundan como veneros poéticos, pues es en cierto modo una verdadera traducción y comentario de los materiales litúrgicos de esas fiestas», pág. 126.

[645] Aunque, en ocasiones, quepa adelantar algo de materia por el proceso de razones seguido: «El apetito del saber e gana de conosçer aguija tu coraçón de antemano a preguntar las cosas que aquí no caben, ca esperan las otras fiestas que me fazen los christianos», 32*v*b; ed. Get, 92.

en este aspecto de cualquier receptor— a interesarse por ese trazado de razones, que repite no sólo para demostrar que las ha aprendido —o «decorado»—, sino para plantear las dudas que había despertado en ella ese orden de conocimiento tan elevado.

11.7.2.1.2: La Concepción de María

De este modo, la primera exposición gira en torno a la singular concepción de María, varias veces concebida como varias serán las demandas que la condesa le plantee y que, a su vez, requerirán otros tantos epígrafes[646]; como es norma en los tratados educativos, el maestro alaba o censura la actitud del discípulo[647], enjuiciando incluso el valor de las mismas preguntas planteadas[648]; por ello, la Virgen reitera el pasaje controvertido y lo aclara con nuevas razones en las que se entremezclan salmos y citas escriturarias, que vuelven a proyectarse en una continua alabanza a la providencia divina, como lo demuestra la comparación que María establece entre Ella y la primera de las mujeres creada por Dios:

> Mira que fuemos dos mugeres, anbas prinçipales de sus siglos; aquélla, del siglo mundial, e Yo, del siglo spiritual. Aquélla, de la humanidat, e Yo fui de la christiandat. Aquélla çerró las puertas de Paraíso e Yo las abrí a todos los que creyessen. Aquélla fue virgen e sobervia e Yo, Virgen, fui humilde. Aquélla, altiva, que se quiso igualar a saber tanto como Dios, e no contenta de las frutas otorgadas, fue comer de las vedadas, a Dios desobediente, a su menaza no creyente (8*r*b-*v*a; ed. Get, 19-20).

---

646 Así anuncia la condesa: «E señalaré, si Vós deñardes las oír, unas seis o siete d'ellas. Es la primera "El Señor me poseyó en prinçipio de sus carreras". Aquí no entiendo qué possessión e qué carreras. La segunda es: "Ordenada só eterno, e de los antiguos antes que la tierra fuesse fecha". No entiendo cómo fuestes ordenada eternalmente ni sé qué antiguos son aquéllos», 6*r*; ed. Get, 16.

647 Así, en un punto determinado le indica: «Graçiosa condessa, de saber de altos secretos curiosa», 47*v*b; ed. Get, 49.

648 «Cerca es de la verdat la perssona que algo dubda; ca dudar de cada cosa no trae daño, mas faze provecho. E como tú, devota fija e condessa engeniosa, ayas de mis dichos dudado algunas cosas, prestamente conoçerás que tus dubdas fueron buenas e te traxieron provecho», 6*v*a; ed. Get, 17.

El fragmento interesa, sobre todo, porque parece recoger las tensas argumentaciones que se enfrentan en los tratados en defensa de las mujeres[649]. No termina de responder la Virgen a todas las preguntas y la condesa muestra ya el modo en que ha entendido esas razones y la manera en que sabe aplicarlas a su particular situación, con términos en los que es factible reconocer algunas de las azarosas vicisitudes por que pasaron los Estúñiga durante el reinado de Enrique IV[650]. Por lo mismo, porque se trata de enseñar a pensar mediante estos procedimientos discursivos, la condesa agradece la enseñanza recibida y la resume antes de plantear otra cuestión[651], señalando en ocasiones las dificultades vencidas[652].

De este modo, se van exponiendo las diferentes concepciones de María: la primera antes de la Creación, la segunda ante los coros celestes, la tercera en la memoria de Adán y Eva, la cuarta en la de los patriarcas y profetas, la quinta por sus progenitores reales, Joaquín y Ana; interesa este último orden porque coincide con una de las líneas temáticas integradas en el *Libro llamado Infancia Salvatoris,* la referida a la expulsión de San Joaquín del Templo, por «seco e mañero» (15*r*b; ed. Get, 42), y al período de penitencia a que debe someterse, apartado de su mujer entre los pastores, hasta recibir la visita del Arcángel Gabriel, que le ofrece una explicación prodigiosa de su esterilidad[653]. Las de-

---

[649] Lo señala Arturo Jiménez en la «Introducción» a su ed. de los *Evangelios*: «Aunque fray Juan no participa de uno de los debates literarios de moda como es la consideración de la mujer, sin embargo parece situarse en el bando profemenino si analizamos algunos momentos de su obra», pág. 30.

[650] Hay un eco de aflicciones reales que podían muy bien ser conocidas por un confesor: «En grand bien, Señora mía, e mucha consolaçión, yo fui conçebida que sería çercada e conquistada de mis enemigos, e Dios conçebió a Vós así como a alcáçar e fuerte castillo mío. Yo del Señor fui conçebida que sería de mis parientes y amigos en mis neçessidades desanparada, e a Vós conçebió para que fuéssedes esperança mía sin falla. A mí conçebió como a huérfana e pupila, e a Vós conçebió que fuéssedes, Señora, Madre mía. Finalmente, conçebió a mí así como una que avía de passar por todas nesçessidades, e conçebió a Vuestra Merçed así como a un acorro mí[o] de oportunas utilidades», 8*r;* ed. Get, 22.

[651] «Muchas graçias e loores son a Vuestra grand Alteza e serviçios con honores por me fazer tanto bien, benefiçio e grand merçed, purgando mi ignorançia, illustrando mi entender, perfecçionando mi saber», 9*v*; ed. Get, 27.

[652] Y así, por ejemplo, reconoce: «E cómo fueron las intelligençias fechas alegres, oyendo de vuestra buena Conçepçión, aunque un poco me fue oscuro, bien me gozé oyendo tal nueva», 11*va*; ed. Get, 32.

[653] «"E sepas que cuando el Señor e Dios de todos çierra el vientre de alguna casada, por esta razón lo faze: para que el parto de aquélla sea más maravilloso e que conozcan

mandas de la condesa afirman los pilares del dogma inmaculista al interesarse por las circunstancias especiales de su Concepción, no las referidas a la «seminación» paternal o la «recepción» maternal:

> Ni digo de aquella que es natural por admiración, mas de la Conçepçión vuestra passiva e perssonal por divina operaçión, así çerca del virginal cuerpo vuestro como de la ánima e spíritu vuestro, porque yo pueda entender cómo la vuestra santa Conçepçión fue veramente llamada miraculosa (17*v*; ed. Get, 48).

La materia es difícil y requiere un orden expositivo adecuado, puesto que María va a explicar cómo su cuerpo fue «formado e doctado de dones espeçiales» y su espíritu «previllegiado de virtudes divinales» (18*ra*; ed. Get, 50), un departimiento que la condesa agradece de modo especial[654], lo mismo que ocurre cuando la Virgen requiere las diversas vías exegéticas para que su discípula asuma los sentidos encubiertos de las imágenes mostradas[655]; estos resortes discursivos, una vez expuestos, se utilizan ya normalmente por las dos interlocutoras del diálogo; por eso, la Virgen puede dar «presta e breve respuesta», pero «llena de luenga sentençia» (21*ra*; ed. Get, 58).

11.7.2.1.2.1: El cuerpo de María: un nuevo modelo de belleza femenina

En las décadas en que está a punto de afirmarse el orden de la ficción sentimental, en el que se integran en sus argumentos las tópicas recreaciones de la belleza femenina modeladas en los poemas cancioneriles, asombra el interés con que este dominico describe —apoyado por la insaciable curiosidad femenina de la condesa— el cuerpo de María, desde la cabeza hasta los pies, a fin de construir un modelo de

que lo que así nasçe no venir de carnal delectaçión, mas por gracia de arriba e donaçión divinal"», 16*ra*, ed. Get, 44, amén de formularse la expresa petición de que la hija concebida, habría de ser desde su infancia «consagrada al Señor», 16*rb*, ed. Get, íd.

654 «Mucho será buena essa forma de fablar. Alegre es a mí essa manera de departir. Dulce es a mí essa orden de dezir e delectable en la oír», íd.

655 «Cuando fablé del oro e de mi coraçón, entendílo en seso tropológico o moral. E cuando agora fize memoria del oro diziendo que en el glorioso Fijo mío significava divinidat e la plata la humanidat para fazer el eletro, que significa al Salvador, mi Fijo, entendílo en seso alegórico o spiritual», 20*v*b; ed. Get, 57-58.

beldad diferente, asentado en las virtudes marianas y, como tal, el único que puede ser considerado perfecto; recoge, para ello, las sugerentes imágenes del *Cantar de los cantares,* a fin de que María interprete correctamente los símbolos eróticos con que en este libro de la Biblia era prefigurada su imagen.

Nada falta, porque por todo se interesa doña Leonor; se comienza por las «tetas santísimas», por las «mamillas de alto amparo», hasta alcanzar el reducto del vientre virginal; no hay otro propósito que el de defender esa virginidad y esa pureza[656], descifrando las alegorías del amor divino encerradas en el mencionado *Cantar*[657]; el proceso atiende a cada una de las partes del cuerpo de María, destacando aquellos miembros —hombros, brazos y manos— formados para recibir a su Hijo, o el cuello y la garganta, firmes soportes de otras virtudes; cada una de las exposiciones de la Virgen es convertida por la condesa en una exultante oración de gozo mariano, que sirve además para contrahacer los retratos literarios de la hermosura de la mujer, un fenómeno que es sobre todo perceptible cuando se procede a definir el rostro de la Virgen, con una perfección que refleja la magnitud del poder de Dios, ajeno a cualquier deseo humano[658]. No duda fray Juan López —y el asunto lo exigía— en incluir algún apunte crítico hacia los afanes gastados por las mujeres en embellecer su aspecto, sobre todo los cabellos, a tenor de los avisos con que la Virgen encauza la descripción de esta parte de su cuerpo:

---

[656] «Primeramente hizo Dios, fabricador del mundo e mi singular formador, los pechos míos, como arcas de ricos tesoros, en que ençerró las riquezas de su gloriosa potençia, que podiessen defenderse de todo viril e vil tocamiento, e que podiessen en todo mirante raer e quitar todo carnal movimiento (...); que fuessen çelleros de todas virtudes, así teologales como cardinales (...) singularmente guardadas para solo Aquel que sólo las supo formar en mis pechos, no para leche de suzias fuentes, mas para leche manante del çielo; no para criar niños pecables, mas para criar al Rey de los reinos estables», 23*v*; ed. Get, 63-64.

[657] «Este versso me inclina e me fuerça que como Madre piadosa vos aleche como a fijos. E aquí se cunple el cántico de los *Cantares*: "¡Oh, cuán fermosas son tus tetas, hermana mía esposa!". Quiso dezir que mis pechos dignos eran de reverençia e honra», 23*r*a; ed. Get, 65.

[658] Puede verse un ejemplo referido a la «nariz»: «Por agora te diré de la forma de mi nariz e un poco de las mexillas, allegando los secretos que de mí el Señor Dios inspiró. Formó el Spíritu Santo mi nariz derecha e igual, no las abaxó como a las camusas, ni las alçó como a las carnerunas, mas derechas por igual; no me las formó cortillas ni luengas, mas conpasadas, guarnidas e de bella vista, de falagante mirar. Eran de tanta virtud que, después de mi nasçençia, Yo olía el Paraíso, no sólo el terrenal, mas los gozos de los Santos e del Paraíso çelestial», 22*v*b; ed. Get, 81.

> Quiçá no as oído las propiedades de los cabellos como aquí las diré, ca muchas mugeres e moças, dueñas e donzellas, se preçian de cabellos ruvios, los cuales, si los han de natura, perseveran en su ruviura; si por industria, no perseveran, que han menester que los requieran con lavatorios e maestrías humanas, las cuales cosas descubren los vanos desseos que ascondidos estavan en los coraçones de las tales perssonas, que su tienpo despienden en tales estudios; e si no pueden por arte aver ruvios cabellos, tanto cresçe el vano deseo d'ellos, que cabellos agenos de perssonas bivas o muertas, segund más aína pueden enchir su apetito, toman e fazen cabelleras para poner a su rostro. E paresçe claro que aquesto conquista a la honestad e vergüença feminil (34*r*b; ed. Get, 96-97)[659].

No sólo señala que cada mujer debe conformarse con los «cabellos naturales» de que ha sido dotada, sino que establece una curiosa disquisición sobre las propiedades de los mismos, en función de su color y calidad[660]. En conformidad con estos valores, María se muestra renuente a declarar «los secretos de mis partes virginales e feminiles», para que no lleguen a «corro de honbres» y a «orejas de los varones» (35*v*b; ed. Get, 101)[661], aunque ante la insistencia de la condesa deba encarecer la hermosura de sus pies —«muy prestos de ir a Dios e de socorrer ligeros para aquellos que me llaman en sus priessas e menesteres de todo su coraçón» (36*v*b; ed. Get, 104)—, de sus suras —o pantorrillas: firmes columnas para sostener a su Hijo—, de sus rodillas —con valoraciones sobre el modo en que se deben «corvar» para «loar al Señor»—, de sus «femíneos virginales», del vientre finalmente, o «tálamo

[659] Con la misma intención, y validando algunos de los esquemas de la lírica popular, precisa: «E cuando la donzella o moça trae los cabellos sueltos e desatados por las espaldas e por los honbros derramados, significa que su coraçón anda desçeñido e abierto e que no retiene secreto e resçibe cualquier amor, no te digo amor honesto, mas carnal e desonesto; e cuando los traen apretados, encordados o apretados con capellejo o crespina o inpla, segund al estado pertenesçe e a fin bien ordenado, sinifica los secretos ascondidos en su coraçón, e si las tales son de mal secreto, suyo o ageno, son contrahechas las tales, que uno son e otro muestran», 34*v*b-35*r*a; ed. Get, 98.

[660] Los rubios se asocian a la «caridat», «si son castaños significan que la perssona sea castaña por fortaleza contra la adversidat. Si tiran a blancos o a color de plata, que la aya virtud de castidat. Si negros e corvinos dizen que la perssona ha de ser penitente, por dolorosa compunçión, por cuanto el Fijo mío e Yo ovimos cabellos prietos, sienpre mientra bivimos, fuemos grandes abstinentes», 34*v*; ed. Get, 97-98.

[661] Es el mismo temor que sentía Fiameta cuando se despedía de su libro; ver págs. 3206-3207.

casto en que hospedastes al Fijo de Dios» (39*v*b; ed. Get, 112); la declaración de estos misterios exige, a la vez, que el ritmo de la prosa se ajuste a cláusulas pautadas armónicamente[662], con el fin de intensificar el retrato de virtudes femeninas sugerido[663].

11.7.2.1.2.2: El alma de María: el análisis de las virtudes

Esta cobertura rítmica, ajustada a las excelencias del cuerpo de María, envuelve otros fenómenos de intensificación del discurso rítmico con los que se pretende dar idea de la perfección del alma de la Virgen; es ahora la similicadencia la que refuerza la superficie literal:

> Sepas, condessa e mi buena fija, qu'el grand Señor mío e mi Criador, mi alma criada, mi cuerpo enformante e Yo fecha perssona entera del todo, de Dios resçebí un don tan graçioso que toda la fizo tan resplandesçiente, claríssima toda e tan reluziente, que sonbra ni niebla ni otra tiniebla, de culpa cualquiera ni grande ni chica, que a otras humanas asaz damnifica, aquesta grand graçia fue asentada en la sustançia del ánima mía (41*r;* ed. Get, 116)[664].

De este modo, María explica cómo las tres potencias de su alma —la concupiscible, la irascible y la racional— fueron traspasadas por «tres rayos» que habían de regular las pasiones y permitir que germinasen

[662] Son octosílabos: «Fabricólo de marfil, / todo mucho refrescado, / por que del luengo camino / el Esposo repausasse / del fervor de su carrera. / Ca te digo que del çielo / e de las sillas del Padre / desçendió el Fijo de Dios / e falló en mí refresco / toda estrada de marfil...» 40*r*b; ed. Get, 114. Se trata del mismo proceso que siguen algunos de los autores de la ficción sentimental, como Juan Rodríguez del Padrón o Juan de Flores, o de la tratadística religiosa posterior, como Martín Martínez de Ampiés; de ahí, la posibilidad de editar estos fragmentos como versos (ver, luego, n. 703).

[663] Indica, al respecto, Susana Camiña: «En resumen, la formación de ese modelo femenino que se forja a través de la alabanza y el vituperio de personajes femeninos, excede el simple interés de una instrucción religiosa para las simples lectoras. Al parecer, la obra estaría destinada a un selecto público femenino», ver «Luces y sombras en el modelo femenino presente en la *Vida de Nuestra Señora* de Juan López», *Actas IX Congreso AHLM*, I, págs. 559-568, pág. 567.

[664] La condesa confiesa haber quedado atrapada por esa musicalidad de la literalidad del texto: «¡O, singular Virgen Señora! Con diligençia incliné mis orejas a oír, mas no pudo disçernir mi rudeza las palabras. Deleitóme el fablar al retinto de la oreja, mas mi corazón quedó como la tierra sin agua», 41*v*b-42*r*a; ed. Get, 117.

sólo las virtudes; tal es el preámbulo de uno de los discursos más importantes engastados en este manual, referido precisamente a la forma en que deben ser controlados los apetitos de esas potencias, para poder refrenar los vicios y las fuerzas pasionales; interesa, en especial, este último desarrollo porque se refiere a los temores de la muerte —y conecta con los tratados de consolación— y a las deleitaciones carnales, construyéndose un valioso regimiento femenino, con consejos que se aplican a la vida matrimonial[665], de la que Ella misma es supremo paradigma por su consagración a la castidad[666].

11.7.2.1.3: La natividad de María

La segunda parte se va a plantear como un complejo recorrido por los *nomina Mariae*, partiendo del supuesto de que si la Concepción fue extraordinaria, la «nascencia» de María fue aún más «gozosa», un aserto que debe demostrarse con una nueva trama de comparaciones y *similitudines* que es asumida por la propia Virgen; comienza, así, afirmando que su nacimiento fue como el alborada para que, instigada por la condesa, determine las ocho propiedades que le permiten asemejarse a la aurora[667]; el resto de imágenes es sometido a un proceso similar, mediante un tratamiento de carácter etimológico que se proyecta en una amplia red de explicaciones[668]: por ejemplo, si María es comparada a la «estrella del albor», el símil obliga a ocuparse primero «de los

[665] Y en este sentido la actuación de la Virgen como maestra es continua: «Enxenplo: mi razón alunbra mi apetito con la virtud de la prudençia, una cosa buena que de suyo es buena, como muestra una casada, que la lealtad del matrimonio es una cosa preçiosa e de mucho honor e de fama gloriosa, mi apetito desea e cobdiçia alcançar esta lealtança», 45*v*b; ed. Get, 129.

[666] «E cerrar sus ojos e orejas e perseverar en su virtud e lealtad a enxemplo mío que, seyendo niña e moça de catorze años, tuve marido viejo e cansado, que nunca me conosçió, ni yo a otro varón miré por amor ni oí para caer en error», 46*r*a; ed. Get, 130.

[667] Véase como muestra la última: «Ítem, a la aurora cantan las alondras e paxarillos con calandrias e ruiseñores e se despiertan para dar loores a Dios con las aves del çielo, que son los ángeles. Así las niñas e moçuelas se despertaron a cantar con el ángel Gabriel, a cantar la saludaçión mía, que es el Ave María», 43*r;* ed. Get, 138.

[668] Este método de análisis gramatical es nombrado en cuanto tal, ya al final de este libro: «Plega a la Vuestra muy magnífica Señoría, por me fazer merçed, querer declarar aquellas cuatro etimologías, por que las entendiendo, sienta consolaçión mi alma e cresca mi devoçión en amor suyo e dilecçión», 71*v*b; ed. Get, 203.

nonbres del luzero» (49*v*b; ed. Get, 141), en los que se asientan los valores de las principales virtudes marianas[669]; se desglosa, conforme a este esquema, el resto de *nomina:* «estrella de la mar» (52*r*a; ed. Get, 147)[670] —por el modo en que guía a las almas en peligro—, «fuente» (55*v*b; ed. Get, 157)[671] —lava toda suciedad, riega toda sequedad, harta toda voluntad—, «verde hierva» (57*v*a; ed. Get, 162), «Arca de Noe» (58*r*a; ed. Get, 163), su propio nombre «María» (58*r*b; ed. Get, 164) —y se recuerdan las distintas mujeres bíblicas que la figuraron, así como las gentílicas[672]. Éste es el único momento en que la Virgen reprende a la condesa ante el interés que manifiesta por la hermosura de Venus, ya que puede servir de indicio para comportamientos pecaminosos[673]; se ve, por ello, obligada a desmontar la falsa trama de las ocho circunstancias del amor carnal o corrupto. El proceso de formación que se está alumbrando exige, precisamente, la corrección de esas erradas creencias, tal y como reconoce la propia condesa, manifestándose dispuesta a seguir profundizando en esa dimensión onomasiológica de María:

---

[669] De modo que si la estrella del albor es llamada «luzero», «estrella matutina», «véspero» o «Venus», María puede afirmar: «Segund estos cuatro nonbres só Yo dicha e llamada Madre de fermosa dilecçión, cuasi diosa de amor linpio, puro, claro e casto. Só Madre de santo temor que pronunçia a la noche de la muerte. Llámanme Madre de la fermosa cogniçión o notiçia, e como el luzero que luze sobre las estrellas», 50*r*a; ed. Get, íd.

[670] Y hay explicaciones que implican un desglose de ciencias que van más allá de la mariología: «Çerca de lo cual deves notar que la estrella que los ispanos llaman Onorte, llaman los romanos Trasmontana e los astrólogos la llaman Articópolo e los teólogos, Quicial del çielo», 52*r;* ed. Get, íd.

[671] Y la Virgen declara el ámbito del que proceden estas imágenes: «Muchas son las conparaçiones, devota condessa e fija mía, a que me conparan los santos varones en el mi, al mundo, gratíssimo nasçimiento. Dizen que así de la mi madre [nascí] como la fuente de la tierra», 56*r*a; ed. Get, íd.

[672] Que son denostadas debidamente: «Essas mugeres ançianas, / cretensas e tebanas, / honras ovieron e fama / segund el mundo e vana. / Ya passaron por estoria, / en el siglo fue su gloria, / no es acá d'ella memoria. / Yo te diré algo d'ellas, / pues que preguntas por ellas», 60*r*b; ed. Get, 169-170. Apréciese de nuevo la similicadencia y el isocolon marcado por los períodos octosilábicos.

[673] «No era negoçio digno de relaçión, o condessa mi devota, si no me fuerçen dos causas: la una, por mostrar el engaño de los mundanos çerca de la diesa que se llama de amor, cuánto es de poco presçio en estima de los sabios; la segunda, por te dar a entender que no te afiuzes en amor de corrupçión ni te fíes en beldat de fermosura, que son dos cosas que enloquesçen a las moças e aun a viudas e casadas», 62*r*a; ed. Get, 174.

> Plega a la profunda sabiduría vuestra dezir algunos ascondidos secretos de vuestro santíssimo Nonbre, por que sea de mí más querido e más amado, cuanto más a mí fuere conosçido e declarado (63*r*b; ed. Get, 178).

11.7.2.1.3.1: De los acrósticos a las oraciones

La Virgen sí admite la comparación moral de su nombre con el de Diana, por su pureza, integridad y defensa de la virginidad, construyendo para ello un preciso acróstico:

> Era Diana, cuanto a la primera letra *M,* muger joventa; por la *A,* apuesta e muy fermosa; e por la *R,* reina coronada; por la *I,* de iuvénculas ninfas acompañada; por la *A,* armada de arco con que tirava (63*v*b; ed. Get, 179).

Estas cinco propiedades dan lugar, de nuevo, a una compleja indagación de la identidad de María; el mismo recurso de deletrear el nombre se aplica a cinco santas mujeres —Micol, Abigail, Raquel, Judic, Abisag— y a cinco piedras preciosas —«margarita blanca», «adamante», «rubí mayor», «jaspe», «electorio»[674]—; como era esperable, la condesa se siente ya capacitada para construir una serie similar:

> Vós, sobre Señora mía, sobre todas fenbras sois María: por la *M,* Madre piadosa; por la *A,* abogada poderosa; por la *R,* regla nuestra virtuosa; por la *I,* joya rica preçiosa; por la *A,* amiga muy amorosa (67*r*b; ed. Get, 189).

Por ello, la Virgen considera que puede avanzar hasta el último de los grados de este saber religioso que está alumbrando en su discípula y que podrá ya convertir en principios de actuación moral:

> Más te diré del Nonbre mío en la venida del Ángel, que fizo cuando me saludó. Mas agora te diré siete virtudes del mi nombre *María* contra los viçios capitales que son siete e mortales. En cada una de las virtudes me fallarás nonbrada *María* (67*v*a; ed. Get, 190).

---

[674] Hay un conocimiento de las virtudes de las piedras preciosas, tal y como eran fijadas por los lapidarios; así, de esta última se afirma: «aquésta nasçe en el vientre del gallo; la cual ha virtud de restituir al hombre las honras perdidas e faze al trayente açeto e graçioso», 66*v*b-67*r*a; ed. Get, 188.

Le desvela así el modo en que con su humildad venció a su soberbia, con su caridad a la envidia, con la «leznidat» a la saña y a la ira, con la «acuçiosidat» a la acidia, con la «pobredat» a la avaricia, con la «sobredat» a la «glotonía», con la «virginidat» a la lujuria. La Virgen había advertido que la condesa merecía este orden de conocimiento —«No te dixera estas cosas sino porque te miré ganosa de oír fabla del Nonbre mío» (67*v*b; ed. Get, 191)— y ella demuestra, a su vez, que sabe aprovecharlo para profundizar en el mismo[675], suscitando la más importante de las exposiciones de este segundo libro, referida al modo en que deben ser sometidos los pecados y asumida una práctica oracional, inscrita en la llamada «Epístola de la Virgen», que contiene diez cláusulas con las que se forma un «regimiento» para la perfecta casada:

> Diez condiçiones te diré, o buena condessa, de la noble casada, que están registradas por el sabio de Jherusalem en diez cláusulas contenidas en la epístola de la fiesta mi nasççençcia; las cuales fueron por la graçia de Dios lleneramente conplidas en Mí. E si les mostrares afecçión, también las podrás sentir en ti (77*r*a; ed. Get, 218).

Cada una de las declaraciones de los símbolos e imágenes de esas cláusulas son convertidas por la condesa en eficaces oraciones con las que demuestra, a la vez, la disposición suya para ajustarse a ese plan de vida que la Virgen le deja trazado de esta manera; este último núcleo requiere el ejemplo de la propia vida de María, de la que comienza a construirse un perfil hagiográfico, con datos provenientes de la tradición de los apócrifos; María divide su vida en diversos estadios: uno, dedicado a su lactancia[676] o niñez, en que vivía alejada de los juegos y las alegrías[677] y entregada sólo a las oraciones, otro el de su destete, que coincide con el de su ingreso en el templo a los tres años, una secuen-

---

675 «Agora quedo más fanbrienta, agora me fallo más sedienta, más ganosa e cobdiçiosa de saber e conosçer cómo el vuestro santo Nonbre contiene aquellas virtudes e conbate aquellos viçios», íd.

676 La materia exige una disquisición sobre las tres clases de leche que pueden tomarse: la de crianza, la de infancia —es la de sabiduría— y la de puericia y mocedad, 94*r*b-96*v*a; ed. Get, 264-266.

677 «Ni en mi niñez vido jamás criatura movimiento en mí liviano ni dissoluto, ni me vido reír ni dar bozes, ni moverme de ligero, ni me vido fazer cosa que fuesse pueril o fecho de niña que fuesse enojoso», 93*r*a; ed. Get, 260.

cia que, por estas fechas, cuaja en la *Vida de la Virgen,* atribuida a San Jerónimo[678], hasta entrar, vía Pseudo-San Bernardo, en el *Libro llamado Infancia Salvatoris (HPRC,* § 8.2.4), a la espera de ese importante *Título Virginal de nuestra Señora,* de fray Alfonso de Fuentidueña, impreso en 1499 *(HPRC,* § 8.2.7). La primera recreación de estas secuencias argumentales la fija fray Juan López, vista desde la posición elevada del templo[679], deteniéndose en la sorprendente manera en que María se aparta de sus familiares sin dar muestras de pesar[680], impulsada por las condiciones de la caridad impresas en su alma, así como por la carencia de los ocho vicios de la niñez[681]. Las condiciones sobrehumanas de María se extienden a no haber conocido las «horruras ni inmundiçias» (97*r*b; ed. Get, 272) naturales en los niños ni a padecer, después, la «purgaçión sanguinia» (98*r*b; ed. Get, 275) común a toda mujer, una noticia que deja perpleja a la condesa[682], pero que es necesaria para afirmar la imagen de la virgen como templo de castidad. Termina, esta segunda parte, con una valoración iluminista del nombre de María, declarando los diez rayos con que Dios traspasa su alma, para convertirla en crisol ya de todas virtudes.

---

678 Tal y como aparecía en la miscelánea del BN Madrid 8744; revísese § 11.7.1.7.3.

679 Explicada la simbología de las quince gradas que la niña había de ascender: «Lo terçero, como el tenplo fuesse parte d'él en un montezillo, era nesçesario de subir por una escalera en que eran quinze gradas, para las cuales el rey David, en spíritu de profeçía, fizo quinze salmos, a cada grada el suyo», 95*v*a; ed. Get, 267.

680 «Cuanto perteneşçe a lo segundo, deves saber que cuando me pusieron mis parientes a la raíz de la escalera, sin ayuda de alguno, una chiquilla como era, la subí sin descansar, como si ya fuera de conplida hedat. E fue aquella subida un grand misterio», 95*v*; ed. Get, íd.

681 Con algunos, fray Juan López construye graciosas, por lo naturalistas, viñetas; así: «La cuarta niñez es inmundiçia e suziedat, ca los niños patalean por el agua, siéntansse en el lodo, ensuzian sus ropas, enbuélcanse, ençenízansse e todos se avellacan», 96*v*b; ed. Get, 270. O bien: «La octava niñez, que los niños no han vergüença de tomar la teta delante todos, ni de se despojar, ni de mostrar sus vergüenças e sus secretos naturales», 97*r*a; ed. Get, 271.

682 «¿Cómo puede ser que vuestra feminil e vera humana perssona fuesse veramente mugier, e no toviesse los ofiçios de sus virtudes vegetables, sin las cuales no puede ser hombre en espeçia humana? Ca Dios dio un humor en los varones para multiplicar la espeçia humana e a las mugeres humor sanguino e mestrual para ese mesmo ofiçio», 98*v*b; ed. Get, 275-276.

11.7.2.1.4: La encarnación de Jesús

La tercera de las historias marianas acoge la «gloriosa encarnaçión del fijo de Dios» (102*v*-161*v*)[683] y se articula como una prolija declaración de Lc, 1,26-38, el evangelista al que la Virgen se refiere una y otra vez como «mi secretario»; su relato de la anunciación de Jesús es sometido a una compleja paráfrasis, mediante el mismo sistema de preguntas y de respuestas, que deja adivinar las varias facetas de la formación intelectiva y espiritual que está recibiendo doña Leonor. Cada uno de los versículos —o cláusulas— del evangelio de Lucas sirve de punto de partida para trazar una amplia exégesis sujeta a las dudas que expone la noble, derivadas no sólo de una continua reflexión y dedicación a los textos sagrados, sino de sus lecturas y de las discusiones practicadas con otros letrados.

La materia de esta tercera historia se divide en doce capítulos en los que se desgrana un mosaico de cuestiones relativas a cada uno de esos pasajes evangélicos que se fijan, de manera previa, en los enunciados de los epígrafes; el dinamismo expositivo lo asegura la trama dialogística con que se ordena este marco de reflexiones y disquisiciones muy variadas; entre estas pláticas, se intercalan «contemplaciones» y «loores» de la condesa, que constituyen espacios internos de oración en los que esta figura femenina resume los principales núcleos de la enseñanza impartida.

11.7.2.1.4.1: La formación intelectiva de la condesa: diálogo y enseñanza

Procede recordar que López de Salamanca no trataba sólo de instigar la devoción de doña Leonor, sino que buscaba, a la par, construir un concienzudo itinerario de perfeccionamiento espiritual; por ello, según van avanzando las historias de su libro, la capacidad intelectiva de la condesa va aumentando, como lo demuestra el arranque de esta tercera:

---

683 Para las dos últimas secciones del libro, se cita por el BN Madrid 103; recuérdese que el P. Getino editó sólo las dos primeras.

> Agora mi muy alta Señora, si plazerá al vuestro querer, querría oír la vuestra ançilla la maravillosa conçepçión que huvo vuestra castíssima virginidat por virtud del mui Alto e obra del Spíritu Santo (102*v*a).

Tras esta demanda, la Virgen le pide que escoja el estilo en que quiere plantearle esas cuestiones para ajustar al mismo las respuestas que Ella le pueda dar; de ahí que convenga atender, en esta tercera historia, al proceso evolutivo de formación del pensamiento religioso de la noble. Así, el grado de confianza con su maestra es cada vez mayor; por ejemplo, la condesa se atreve a interrumpir la exposición de la Virgen, acuciada por su deseo de conocer nuevos aspectos relacionados con la naturaleza de los ángeles, aunque luego tenga que excusarse por ello[684]; María, en ocasiones, pierde la paciencia y reconviene a su alumna con dulzura[685] y llega a mostrarse enojada ante alguna de las preguntas que parecen surgidas de una simple curiosidad femenina, como ocurre cuando doña Leonor se interesa por lo que hubiera podido pasar si María hubiera concebido de José[686]; la Virgen reacciona del mismo modo si considera que el deseo de saber de su pupila va en contra de la «honesta humilldat» (149*r*a), por cuanto interesaba fijar límites a este tipo de indagaciones. Es capaz, también, doña Leonor de proponer un «exemplo» no porque lo necesite la Virgen, sino para verificar si ella había entendido o no la lección explicada[687]. Valgan estos rápidos apuntes como muestra de las técnicas de exposición escolar que sostienen el tratado.

Los detalles con que se va animando el diálogo dependen, precisamente, de la exploración con que López de Salamanca ahonda en la identidad de estas dos dialogadoras, en especial en la de doña Leonor, cuyo carácter debía de conocer muy bien como para desear fijarlo con los matices desplegados en los preliminares de las cuestiones que aborda; la propia condesa reconoce no quedar conforme ante alguna de las

684 «E perdone Vuestra Señoría porque atajé la dulçe palabra vuestra», 104*r*b.

685 «Aunque no fuera como dizes no me quedavan olvidadas las que esperavas razones, mas cuando mis dichos atajaste llegava la ora de las dezir. Primero convenía fablarte en qué manera fui turbada e luego, encontinente, porné las maneras de mi turbaçión», 128*v*a.

686 Y por ello le responde: «Tu qüestión no es razonable, aunque sea aparente esto por muchas razones», 113*v*b.

687 «E porné enxemplo. No para que vuestra sabia perssona lo entienda, mas para que vea si lo entiendo», 111*v*b.

contestaciones dadas[688] y es consciente de que pueden resultar un tanto molestas ciertas demandas planteadas[689]. Quizá, por ello, la Virgen someta a su alumna a pruebas ocasionales para conocer el verdadero grado de interés por la materia requerida:

> Gana huve e voluntad de te conplazer, mas quise primero despertar tu devoçión e fazerte saber cuánto era el fervor de la dilecçión que avías al mi noble *penthagramaton* que quiere dezir de las çinco letras. E por entender el amor tuyo al nonbre glorioso mío declararé los ofiçios qu'el Señor me encomendó a provecho tuyo e de todos los devotos míos en cada letra (119*v*b-120*r*a).

Es crucial, en este sentido, la condición letrada que se perfila de doña Leonor, por cuanto tuvo que ser instigada directamente por fray Juan López; las dudas que expone suelen surgir de las lecturas practicadas, siendo capaz de contraponer pasajes escriturarios que pueden parecer contradictorios —en el Evangelio de Lucas se habla de José como hijo de Helí, mientras que en el de Mateo se afirma que lo era de Jacob—, exhibiendo una erudición que extraña a la propia Virgen que se interesa por la procedencia de esa demanda; tal es la ocasión en que la condesa descubre el fondo de unas lecciones[690], ajustadas a las prédicas oídas[691].

---

688 La disposición de los epígrafes del manuscrito se adecua a esta trama de interpelaciones: «La condessa: "Muy santa reina mía, mucho só contenta de tener vuestra muy çierta e vera respuesta, mas la indigna mi alma no se tiene por contenta". La Virgen: "¿Qué te queda por saber de la presente qüestión que aya de responder porque quedes satisfecha?". La condessa: "Lo que me trahe duda es cómo sea así que el secretario vuestro..."», 117*v*b.

689 Como cuando se interesa por los motivos de que San Lucas emplee el nombre de la Virgen María: «Mui benigna Señora, fatigo a Vuestra Alteza con inportunas preguntas que me estarían mejor passarlas dissimulando que fazerlas enojando a quien tengo de servir alegre e plazentera. Vuestra clemençia perdone a mi nesçia ignorançia», 118*v*b-119*r*a.

690 «Muy esclarescida Virgen yo tengo muchos libros e los santos evangelios en que leo algunas vezes e contésçeme mirar en algunas cosas d'éstas e como sea ignorante la lecçión me trahe duda», 117*rb-va*. En otro momento del diálogo, vuelve a remitir a «algunos libros que yo tengo», 147*v*b.

691 Y que recuerda en el momento oportuno: «Yo oí dos cosas a los predicadores que fablavan en la Sancta Escriptura (...) Lo segundo que leí e oí es qu'el mesmo Fijo de Dios dixo a Pilato...», 146*v*a.

11.7.2.1.4.2: La identidad virginal de María: dogma y misterio

Debe valorarse, también, la progresiva construcción del retrato de María; es moroso el dominico en ofrecer los detalles caracterológicos con los que figura a una doncella de extrema fragilidad[692] y dotada de una naturaleza afirmada en las contradicciones que quieren ser salvadas mediante los dogmas definidos en el interior de este tratado; la condesa, por ejemplo, al abordar la cuarta de las cláusulas del Evangelio no entiende por qué la Virgen tuvo que casarse[693]; la cuestión le permite a María, en cuanto preceptora de la noble, ofrecer «dos notables», referido el primero a su virginidad, centrado el segundo en su castidad; este vocabulario de carácter escolar refuerza la dimensión de la Virgen como impartidora de enseñanzas[694]:

> No te fatigue mi proçesso si lo sintieres prolixo, que las raízes del notable son tan altas e tan loables que si has gana de las oír, aún te serán muy delectables. Mira las raízes en que se funda la nobleza de mi exçellente virginidat. Por estos motivos más de veinte (108*v*).

Los trazos del esbozo de María se concentran en la segunda cláusula del Evangelio, la relativa al saludo del ángel, por las distintas perspectivas con que se configura la escena en cuanto interviene en la misma el arcángel Gabriel; la condesa se convierte, entonces, en espectadora de ese diálogo inserto en el evangelio de Lucas, obligando a la Virgen a descubrir hasta el mínimo pensamiento que por su cabeza cruzara; la contemplación de la «estoria» permite pasar, así, de la corteza de su literalidad a sus sentidos más ocultos; por ello, se cuidan tanto los detalles materiales de una escena que es imaginada por doña

---

692 Cuando recibe la embajada del ángel: «Ítem por la parte mía que era moçuela e virgen flaca e temerosa que avía de ser turbada e medrosa en tan alta embaxada, nesçessaria fue a mí la fortaleza de Dios para que me consolasse e esforçasse en los temores virginales e miedos míos feminiles», 103*va*.

693 «Mui alta Señora mía, mucho me maravillo d'este dicho en cuanto diz' el Evangelio que Gabriel fue embiado a la virgen e desposada. Si Dios quería que su madre fuesse virgen ¿para qué la desposó e por qué la quiso virgen más que casada ni biuda?», 107*va*.

694 Recuérdese que, entre los escolásticos, el «notable» es una nota o previa advertencia en que se enuncia lo sustancial de la materia que se va a abordar; por ello, Lucena en su paródica *Repetición de amores (HPRC,* § 10.6.2) habla del «Notable del texto» sobre el que funda su exposición.

Leonor como si la tuviera delante: así, se interesa por saber lo que hacía la Virgen, por qué la puerta de su cámara estaba cerrada, por dónde pudo pasar el ángel, cuáles eran sus gestos, cuáles las reacciones de María al descubrirlo, una circunstancia que permite de nuevo profundizar en la dimensión humana que asoma en el «temor» sentido ante la «fabla» del emisario celestial y que incide en su condición virginal:

> E como yo fuesse virgen moçuela, que mi tesoro tenía en flaco vaso, temía de lo perder, ca no se podía recobrar. Fueme forçado de temer porque lo pensé [perder] (129*r*b).

La contemplación de la escena es tan intensa que la condesa se ve arrastrada a su interior y llega a interpelar al ángel para pedirle que no aflija a la Virgen; el artificio permite que, en ese supremo instante de turbación de María, sea el ángel el que continúe explicando los misterios de esta tercera historia. Por ello, en este juego de identidades cruzadas, la Virgen, en las preguntas que formula al ángel, se asemeja a la condesa; el recurso es efectivo porque de esta manera se adelanta a alguna de las cuestiones que sabe que su discípula le va a plantear[695].

Concluida la escena de la Anunciación, la Virgen tiene aún que explicar el momento exacto en que ocurrió la concepción del Hijo de Dios, cómo se formó en su vientre y cuál fue la perfección virtuosa de que fue dotado, antes de cerrar la materia de esta tercera historia:

> E así quedas certificada cómo e dónde conçebí e cómo el mi conçepto divinal e virginal fue singular e maravilloso (161*r*a).

Una exclamación de la condesa, en la que resume la enseñanza recibida, pone fin a esta tercera parte del libro, construyendo estrategias de recepción que eviten cualquier duda sobre esta materia:

> E puesto que a los infieles e filósofos parezca la tal encarnaçión cosa loca e enferma, pero ¿qué cosa es más poderosa que dar a la Virgen poder conçebir contra los derechos de humana natura e por muerte de la carne la sobervia mortal revocar a la gloria de la inmortalidat? E esta locura que dizen es a nós fecha sabiduría de Dios porque nos fue reparadora de la vida perdida (161*v*a).

---

695 Y también la Virgen apela a su memoria de lecturas: «Mas que la parida quede virgen ¿cómo se pueda fazer esto? Aún nunca lo he leído, ca tal como ésta deviérasse escrevir por que no fuera en olvido, pero ¿cómo se pueda fazer? Esto çiertamente no es aún de mí leído», 150*r*b.

Como se comprueba, disquisiciones de naturaleza teológica no faltan y es de imaginar que muchos de estos asuntos pudieron surgir de las conversaciones mantenidas entre la condesa y su director espiritual; así, cuando se tiene que explicar por qué fue elegido Gabriel en vez de otro ángel como mensajero de Dios, amén de las razones etimológicas aducidas —su nombre «quiere dezir fortaleza de Dios» (103*r*b)—, se aprovecha la ocasión para describir las distintas jerarquías celestiales en que se dividen los ángeles. También, el núcleo referido a la virginidad de María exige una prolija exposición en la que se reúnen veintidós argumentos para defenderla (108*v*-111*v*a); de hecho, es la materia principal de esta tercera historia, un desarrollo que se alcanza con la cuarta cláusula de la embajada —«Ahé que conçibirás en el vientre e parirás al Fijo» (141*v*b)— tal y como la Virgen lo anuncia:

> Agora viene tiempo de explanar aquella grande embaxada del çielo a mí venida, donde verás encaxada, por sus puntos enxerida, cómo por mí aquexada del ángel e requerida fue por mí sola fallada la graçia que fue perdida (íd.).

Este contenido es instigado con minuciosidad por la condesa, amparada por las reticencias esperables[696], que logra con su pesquisa que se ordenen las principales razones sobre las que se asienta la concepción virginal de Cristo, asumidas todas las paradojas posibles[697] y desplegadas las *similitudines* habituales: la concha de mar que es capaz de producir aljófar, la fuerza engendradora del «rayo verdadero, fijo del sol Dios Padre» (149*v*b) o la referencia a las abejas que «conçiben e paren vírgenes» (150*r*a). Lo mismo ocurre con los signos con que en el Antiguo Testamento se figuraba la virginidad de María.

La condición estamental de la condesa permite que en esta miscelánea devocional sean acogidas cuestiones que incumben directamente al ámbito nobiliario que ella ocupa; algunas se refieren a aspectos fa-

---

[696] «Mas ¿qué dixe? La ceguedat de mi razón me costriñe, la ignorançia mía me punge e me estimula la gana del saber, mas la vergüença aprieta la rienda, el temor de ofender encoge el cabestro, mas viendo el dapño del callar e grande interesse del preguntar, cabestros e frenos quebrantaré e de vuestra liçençia fablaré con temible osadía», 142*r*.

[697] «Como si dixiera: el que has de conçebir en el vientre tuyo, ya fijo es en el padre suyo, por lo cual parirás al fijo, el cual podrá e sabrá e por su bondat querrá, salvos e enteros los sillos de tu virginidat, salir del vientre tuyo como sale el novio del adornado tálamo suyo», 143*r*b.

miliares[698], otras se plantean como un ataque directo contra los usos amorosos sobre los que se afirmaba algún marco cortesano —el del mismo rey: ver pág. 3489—; por ello, la condesa reflexiona con amargura sobre las costumbres de su presente[699], con razones que son sancionadas por la Virgen:

> No está el preçio de la virginidat a juizio de la moçedat ni de los puercos enlodados ni de locos enamorados, mas deven dar del preçio tanto cuanto plaze al Spíritu Santo, darle tal peso e tal mesura cual gela da la Escriptura (129*v*).

También, el autor mira a su alrededor y aprovecha el desglose de los *nomina Mariae*, vinculados ahora a los diversos oficios de María, para desgranar las condiciones que debe reunir un buen letrado, al actuar la Virgen como «abogada» —es la segunda de sus letras— de los hombres; esta materia permite la inserción de algún «exemplo» destacado con su correspondiente epígrafe: «De un enxemplo que contesçió a un grande pecador» (121*r*b).

11.7.2.1.5: La visitación a Isabel

La cuarta historia del libro (162*r*-211*v*), desarrollada en nueve capítulos, se acomoda nuevamente al relato fijado por Lc, 1,35-69, del que derivan los cuatro núcleos sobre los que va a girar el diálogo que, con creciente confianza, mantienen doña Leonor y la Virgen: la visitación de María a Isabel, los sentidos ocultos del *Magnificat,* los tres meses en que la Virgen permanece junto a su prima y su regreso final a Nazareth junto a José, con los sucesos que provoca el descubrimiento de su inesperada preñez.

La materia del Evangelio, como en los casos anteriores, es insuficiente para satisfacer la curiosidad de la condesa y sus preguntas obligan a la Virgen a relatar hechos, apenas apuntados por su «secretario», y a reconstruir las conversaciones mantenidas ya con los ángeles, cuan-

---

698 Así, al defender la Virgen el haber sido desposada con José, se enumeran las propiedades que ha de reunir un buen esposo, partiendo de esta premisa: «Ca Josep quiere dezir acreçentamiento», 115*v*b.

699 «Si fuesse la virginidat de muy rico presçio no la ternía la moçedat en tanto despreçio», 129*v*a.

do la acompañaban a la ciudad de Judá, ya con Isabel, cuando ambas se reconocen tocadas por la gracia del Señor. Las dudas siguen surgiendo del anhelo de espiritualidad que invade a la noble; todo le parece extraño: no entiende por qué Lucas no mencionó el saludo entre la Virgen y Zacarías, quién reveló al «infante» de su prima que sería el precursor del Salvador, quién a Isabel que María era la Madre del Hijo de Dios, cómo pudo saber que había concebido nada más aceptar el mensaje del ángel. Es ese saludo de Isabel —«Bendicha tú entre las mugeres e bendicho el fruto del vientre tuyo» (165*va*)— el que da pie para determinar las razones por las que la Virgen podía considerarse bendita[700] y declarar, por consiguiente, las noblezas del fruto de su vientre[701].

El *Magnificat* que entona la Virgen ante su prima Isabel es equiparado por la propia María a un «salterio de diez cuerdas en que tañí e canté dulçes loores al Señor» (175*va*); cada una de esas cuerdas se corresponde a un verso del cántico que es explicado, así, en sus «bozes dulçes con sus acordes» (176*ra*); este juego de referencias posibilita un sistema de interpretación, ágil y variado, por la trama de imágenes desplegadas y por los espacios internos de reflexión descubiertos; cada cuerda o verso consta de tres tonos, que propician tres niveles de interpretación, así como de tres acordes, según sea el destinatario del mensaje religioso en que se piense; las estructuras de exposición de estas diez cuerdas van variando de una a otra.

El tercer núcleo dedicado al período en que la Virgen permanece con su prima hasta que nace el Bautista lo convierte López de Salamanca en una cuidada guía de espiritualidad, destinada a convertirse en un práctico oracional; se preocupa, para ello, de explicar lo que es la devoción, con sus diversos modos, ajustados por la Virgen a las condiciones estamentales de su discípula, puesto que el primer grado es propio de los clérigos y el segundo de los religiosos:

> Las maneras de la devoçión son tres. La una açerca del ofiçio divinal. El segundo açerca de las contemplaçiones. El terçero çerca de las personales e singulares oraciones. Esta terçera bastará a ti, pues eres perssona seglar e ocupada en muchos negoçios de tu señorío (195*ra*).

---

700 Y Ella las ofrece sintetizadas para luego amplificarlas: «Yo só dicha bendicha por mi complimiento graçioso, e por mi conçebimiento maravilloso, e por mi inclinamiento mucho piadoso, e por el mi subimiento al çielo glorioso», 167*va*.

701 De nuevo, con cuatro razones: «Por lo cual te certifico qu'el mi fructo es muy generoso por sublimidat, mui deliçioso por suavidat, e muy provechoso por virtuosidad, es muy fructuoso por universsidat», 169*va*.

El orden temático que aquí se desarrolla es el que luego será corriente en los tratados de espiritualidad impresos a finales de la centuria; son productos del desarrollo de la *devotio moderna* y de la progresiva implantación de sus esquemas devocionales entre los círculos nobiliarios: se explica, así, lo que son las meditaciones, se enumeran sus once grados, se subrayan los valores derivados de la oración y se enseña de qué manera deben rezar los fieles, describiendo las posturas y los gestos, hasta alcanzar esta síntesis, solicitada en especial por la condesa:

> La vera humilldad se entiende en el corvar de las rodillas. La derecha entençión en el alçar de la cabeça e los ojos al çielo. La declaraçión del afecto e desseo se muestra en el juntar de las manos al pecho donde mora el coraçón (203*rb*-*va*).

El último de los núcleos de esta historia se refiere al parto de Isabel y al regreso de María a la ciudad de Nazareth. Se articula, ahora, una de las líneas narrativas más intensas de este compendio mariológico, referida a las dudas que embargan a José al descubrir la prodigiosa preñez; su tribulación posibilita insertar en el tratado una trama de situaciones dramáticas[702]; como no sabe si en María se podrían reconocer los defectos de la mala mujer, se somete a un debate «faziendo conparaçiones, sacando d'ellas razones de mala muger a buena» (207*ra*). Aunque se da cuenta de que no puede imputar tacha alguna a su esposa, el monólogo termina con una violenta recriminación lanzada contra sí mismo y pespunteada con los mejores artificios de la prosa rítmica:

> Pues ésta no es infinta / mas es cosa provada, / que veo ser ençinta / e veramente preñada, / pues no consiente razón / que conçiba sin varón / alguna virgen casada, / ¿cómo ésta esté preñada / e de mí no fue tratada? / ¿Forçóla algund garçón? / ¡O çercado de tristura, / viejo de mala ventura! / ¿Por qué quesiste casar, / seyendo de tanta hedat, / con tan bella moçedat? / Ca el viejo con la moça / no caben en una choça, / mientra el viejo se coça, / ella

[702] Relacionables con la *Representación del nacimiento de nuestro Señor* de Gómez Manrique, tal y como ha señalado Pedro Cátedra en su *Liturgia, poesía y teatro a fines de la Edad Media*, págs. 463-470, editando este fragmento, con el título de «Dudas de José», entre págs. 613-620. P. Cátedra marca estas diferencias: «Manrique, de acuerdo sin duda con sus monjas, depuraría los excesos que divierten la devoción de doña Leonor Pimentel, pero mantiene los rasgos fundamentales del tipo protagonista, pues no en vano necesita tipos que le faciliten la *tipología* y la alegoría tan fundamentales en la justificación de la obra», pág. 470.

> con otro retoça. / Mas el viejo engañado, / por fijo toma entenado. / Mas ésta tan virtuosa, / santa, honesta, vergonçosa, / ¿cómo faría tal cosa? / A su madre lo diré, / yo gela embiaré / e d'ella me espediré / sin estruendo ocultamente. / Por juizio çiertamente / yo no la acusaré, / mas por muger no la terné (207*v*b)[703].

Nada de lo que ocurre en el libro deja de ser vivido y valorado por su principal destinataria; por ello, de inmediato, la condesa increpará a José por las sospechas alzadas contra la Virgen[704]. El juego de perspectivas caracterológicas es rico y variado en esta parte; la intervención de Santa Ana poco arregla, puesto que María no podía revelar los secretos que le habían sido confiados. Esta red de intrigas enmarca el episodio del sueño en que el ángel amonesta a José para que desista de su propósito de repudiar a María; lo importante en esta secuencia es que la Virgen actúa, ahora, como recitadora interna:

> Cuenta la historia que como Josep pensase con deliberaçión de dexarme repudiada e desechada, no queriendo el Señor que por ignorançia cayesse revelóle el secreto por el ángel Sant Gabriel (210*ra*).

Aunque la Virgen dé por zanjada la materia de esta cuarta historia e, incluso, anuncie la siguiente[705], hoy perdida, la curiosidad de doña Leonor le obliga a explicar cómo pudo conservar la virginidad después de parir y a aclarar si Jesús tuvo o no otros hermanos, al tratarlo las Escrituras como «fijo primogénito» y mencionar esas relaciones de parentesco.

Sólo entonces un epígrafe cierra la unidad formada por estas cuatro historias, integradas en el primer plano del díptico que tenía que formar este libro:

> Acábasse la historia de la conçepçión del fijo de Dios e por consiguiente el primero libro o volumen (211*r*b).

---

703 En la ed. de P. Cátedra, el fragmento se ofrece en forma de verso, pág. 617.

704 Se construye, así, un segundo monólogo de gran efectividad porque en el mismo contesta a las acusaciones que maquinara José; éste es su arranque: «¿Qué piensas, ançiano sin prudençia? ¿Qué imaginas, antiguo sin paçiençia? ¿Qué delibras, viejo sin conçiençia? La esposa que dexar quieres es la muger escogida...», 208*ra*.

705 «Cómo yo parí al Fijo e Señor mío e cómo le puse nonbre la estoria que se sigue lo relata», 210*r*b.

Sin embargo, tampoco es así, porque como preparación para la lectura de ese segundo libro, este primero incluye un apéndice de cuestiones centradas en la solemne Fiesta de la O, desde estos presupuestos:

> A la exçellencia virginal e virginidat exçellentíssima de vuestra magnifiçençia suplica húmillmente la vuestra indigna fámula e ançilla menor devota, por me fazer granada merçed, me quiera consolar deziéndome cuáles pensamientos o qué consideraçiones ocupavan vuestro tan graçioso cuanto alto e generoso coraçón en aquellos finales siete días de vuestra altíssima e divinal preñez e parto maravilloso (211*v*a).

La alusión a las tradiciones hagiográficas vinculadas a esta fiesta es inmediata; la Virgen recuerda que esta celebración había sido instaurada por «mi devoto capellán don Alonso, sancto arçobispo de Toledo e de las Hispanias famoso primas, ordenó a ocho días ante de Navidat por me fazer honra» (211*v*b).

Al igual que en el segundo de los núcleos de la cuarta historia, el del *Magnificat,* ahora se aprovechan las «siete cantilenas» de su ritual para ordenar la materia de esta última sección[706]; cada uno de esos cánticos de alabanza, vinculados a peticiones concretas que deben ser formuladas por los fieles, suscitan dudas a la condesa que dan paso a respuestas con que se profundiza en los aspectos enunciados.

Por concluir el análisis dedicado al proceso de la formación intelectiva de la condesa, en la cuarta de las historias, esta dimensión está ya muy afianzada; es capaz, así, de plantear una pregunta y de responderla ella misma, al darse cuenta de que no era procedente obligar a la Virgen a hacerlo[707]. Lo mismo ocurre cuando María razona por qué no contestó a las palabras de su prima Isabel tras saludarla; la exposición de las cuatro causas alegadas es asumida por la condesa[708], aceptando la Virgen que su discípula, en esta ocasión, se imagine ser Ella para ver qué le hubiera respondido a Isabel en su lugar; y la condesa no desmerece esa confianza por cuanto se ajusta a la perfección a los esque-

---

[706] «De cada cantilena te daré una respuesta por la cual sepas en qué se ocupava mi desseoso coraçón», 212*r*a.

[707] «Mas una maravilla veo: cómo árbol tan brevíssima como vós pudo dar fructa tan altíssima como Dios. Mas esta qüestión no es digna de tan alta respuesta. Mas yo diré lo que mi breve saber alcança», 171*v*b. Y ya es la noble la que explora las antítesis que se encierran en estas imágenes.

[708] «De vuestra graçia e liçençia diré yo mi paresçer qué respuesta meresçía», 174*r*b.

mas de enseñanza —incluidas las valoraciones etimológicas— de su maestra.

También en esta última historia se insertan cuestiones variadas que confieren a la miscelánea una dimensión casi enciclopédica, cuando menos ajustada a los saberes que podían convenir a doña Leonor Pimentel: se habla así de los accidentes de la preñez[709] o de los tres grados de la nobleza[710] por poner sólo dos casos. Se mantiene, igualmente, la mirada crítica sobre el presente, cuando la Virgen denuncia la hipocresía, doliéndose de que sean tan pocas las que pueden ser llamadas humildes y vírgenes[711].

En suma, aun sólo conservado el primer plano de este díptico concebido con ocho historias marianas, valen estas cuatro custodiadas en el BN Madrid 103 para demostrar el modo en que López de Salamanca logra su propósito principal: construir un manual de devoción religiosa para que su hija espiritual, la condesa de Plasencia, aprendiera a contemplar los misterios de la naturaleza mariana y, a la vez, a dialogar con la Virgen desde los diversos grados de saber articulados. Este recorrido por las cuatro secciones preservadas de este ambicioso retablo demuestra, por último, no sólo la hondura de conocimientos que fray Juan López llegó a alcanzar sobre el contenido mariológico, sino la destreza y la habilidad de un escritor que disfrutaba con su oficio, tanto en lo que se refiere a la recreación de las figuras que dialogan, como a las tradiciones de que se sirve —y contrahace— para dar consistencia a sus preguntas y a sus respuestas.

---

709 Y María señala cómo no sentía ninguno de los síntomas que describe: «Aquellas resçiben desmayos e debilitaçiones e muchas passiones por las diverssas alteraçiones e mudaçiones de lo conçebido, fasta ser biva la criatura, mas yo en el instante de mi conçepçión lo huve bivo e perfecto. Por esso fui libre de aquellas passiones e açidentes feminiles», 164*va*.

710 Puesto que Jesús es «fidalgo e generoso porque es fruto de vientre real», 169*v*b.

711 «Ca muchas salen vanas, lasçivas e loçanas; las más salen locas e las prudentes pocas. E así de las humiliaçiones muchas son falsas e aparentes e pocas verás existentes porque unos fazen humiliaçiones raposinas e otros asininas e otras lupinas», 179*va*.

Capítulo XII

Conclusiones. Guía de lectura

Tras este dilatado recorrido por el discurso de la prosa, desde el reinado de Alfonso VIII hasta el final del de Enrique IV, examinadas con detalle 346 obras y 63 grupos genéricos o «estilos», procede fijar, en una tabla de conclusiones, los principales aspectos analizados, así como las valoraciones finales —es la última síntesis: § 12.13— a que esta *Historia* ha llegado, con la intención de propiciar una rápida guía de lectura que permita obtener una visión concisa de cada uno de los diez sistemas literarios descritos y facilite una consulta más ágil de estos cuatro volúmenes; con este fin, se marcan en negrita las páginas en que han sido estudiados los textos y autores, los marcos creadores y movimientos culturales extractados en este capítulo.

12.1: Presentación

1ª) Esta *Historia* está sostenida por los diez principios fijados en el epígrafe de «Presentación»: 1) postergada la voluntad de autoría (afirmada en muy pocos casos), se ha pretendido trazar una *historia de los textos*, es decir, de la elaboración de un tejido lingüístico dotado de intenciones ideológicas; 2) ello es así, porque en cada obra se inscribe un *código sígnico* que permite la identificación de los grupos sociales a los que se destina; 3) ha sido, entonces, necesario atender a los *contextos de producción letrada*, instigadores reales de unos libros requeridos en virtud de una determinada visión del mundo; 4) el «proceso de escritura» afirma el *proceso de construcción literaria*, derivado del empeño de explorar las posibilidades expresivas de aquel «lenguaje de Castiella» al que Alfonso X supo imprimir su propia identidad; 5) las obras se impulsan para fijar un *discurso ideológico*, despliegan unas líneas de contenido textual en las que quedan registrados los valores del grupo social que las promueve con el fin de atender a una problemática específica; 6) tal era el único medio de articular un *cuadro de relaciones genéricas*, en el que esos productos letrados se relacionaran no tanto por los rasgos formales que pudieran compartir, como por la respuesta dada a los problemas sociales o a las inquietudes letradas a las que debían satisfacer; 7) el *espacio textual* se convertía en el factor prioritario para entender la evolución de unas formas discursivas que, adaptadas, iban transformando la mentalidad de sus receptores; 8) los textos, en consecuencia, acotan *pautas de comportamiento*, reconocibles en tramas de ideas que cuajan en estructuras formales muy precisas; 9) el discurso de la prosa encauza *categorías ideológicas y sociales*, anclado en concretos contextos de producción y recepción, pero también *intelectivas y poéticas*, pues no se trata de presentar o contar unos hechos sin más, sino de aprender a pensarlos y a entenderlos; 10) el *desarrollo cronológico* que se ha ido siguiendo, a lo largo de estos cuatro volúmenes, surge entonces de los propios textos, de su específica transmisión, de las relaciones establecidas con los marcos —casi siempre cortesanos— a los que se destinan, de la «espacialidad» construida al dar respuesta a las expectativas a las que atienden **[→ págs. 9-13]**.

12.2: Capítulo I: Los orígenes de la prosa medieval castellana

2ª) En el primer capítulo, con el propósito de reconstruir los «orígenes de la prosa castellana» (págs. 19-62), se exploraban las tradiciones poéticas y retóricas insertas en las disciplinas —las «artes elocutivas»— de la «clerezía», impartidas en los estudios generales que se fundan en las dos primeras décadas del siglo XIII. Esta visión del mundo clerical se incorpora a las cancillerías regias, tanto en el reinado de Alfonso VIII como sobre todo en el de Fernando III, en el que emergen las primeras producciones prosísticas en lengua vernácula **[→ págs. 19-37]**.

3ª) En esta misma centuria, se construye una conciencia poética referida al dominio de la prosa y acompasada a la propia evolución de este discurso formal; se ha descrito, así, la relación entre la *oratio soluta* y la «leyenda suelta» (noción extraída del Prólogo del *Libro de Isaías)* y el «fablar comunal» (al que se refiere Brunetto Latini); fuera quedaban los valores de la «prosa» como estructura métrica (himnos cantados) o como esquema rítmico (presentes en el «curso rimado» de la clerecía) [→ **págs. 37-62**].

12.3: Capítulo II: De Alfonso VIII a Fernando III (1170-1230)

4ª) En este análisis del discurso prosístico se halla inscrita la historia de la construcción de la identidad de Castilla y de su particular transformación en virtud de los grupos sociales o marcos cortesanos y religiosos desde los que se instiga la producción de estos textos (págs. 63-156). En el período de orígenes, a punto de consumarse la unidad entre Castilla y León (1230), compiten los modelos culturales de estos dos reinos a través de sus cancillerías y de algunas obras (la historiografía latina: el Tudense y el Toledano) incardinadas a las mismas. Pero, enseguida, con Fernando III y, de forma ya definitiva, con Alfonso X el castellano se impone como el código de signos que ha de ser requerido —explicado y definido siempre— para la configuración de la visión letrada del nuevo reino unificado [→ **págs. 63-80**].

5ª) Esa identidad de Castilla se ha rastreado en los textos de orígenes que la definen y que ayudan a fijar las estructuras de pensamiento de la nueva lengua; los fueros y la primera historiografía vernácula acogen ideales de expansión militar y religiosa, que se convierten en soporte del pensamiento cortesano [→ **págs. 81-110**]. También, las muestras iniciales de la literatura religiosa se conectan al espíritu del IV Lateranense; así se ha visto que funcionan el itinerario bíblico de la *Fazienda de Ultramar* —que pretende difundir un mensaje catequético y propiciar una lectura amena de selectos episodios bíblicos— y los romanceamientos de la Biblia, tan ligados a los proyectos historiográficos de Alfonso X, urgido de material escriturario para la formación de la *General estoria* [→ **págs. 110-131**]. En la *Disputa entre un cristiano y un judío* se ha reconocido el germen nuclear de las *altercationes* que, a lo largo de los siglos XIV y XV, se suceden en la Península, valoradas de modo especial las estructuras dialógicas engarzadas en esta pieza [→ **págs. 131-139**].

6ª) El discurso de la prosa va ampliando la concepción del mundo —siempre espacial— de que es portador; por ello, en el reinado de Fernando III se sitúan las primeras pesquisas enciclopédicas, como la albergada en la *Semejança del mundo*, en la que se cifra el proceso de clerecía escolar con que fue instruido Alfonso X; en esta singular miscelánea, se traza una visión general del mundo, mostrado «como en espejo», en cuanto soporte de la «natura», mediante la descripción de los elementos que lo componen; emerge la escritura como el espacio real y físico que se plasma ante el autor y que autoriza al «maestro» a vincular su voluntad en el método de exposición configurado; la heterogeneidad de sus materiales —un *mapa mundi*, un epítome de historia, un lapidario, un compendio de astrología y apuntes gentílicos presentados como «estorias» y «fablas»— encierra, en ciernes, el abigarrado mosaico de la obra alfonsí **[→ págs. 139-156]**.

12.4: Capítulo III: De Fernando III a Alfonso X (1230-1255)

7ª) Los cambios fijados en este recorrido por el discurso de la prosa se acompasan a la definición de unas facetas de realidad nueva, proyectadas en las estructuras de pensamiento inscritas en la misma evolución del lenguaje. De este modo, en los años que van de 1230 a 1255, en el capítulo tercero (págs. 157-422), se configura el primer ámbito de la realidad cortesana en el que se promueve una precisa producción prosística vinculada al fenómeno del regalismo, es decir a la ideología política que se afirma en los dos decenios de expansión militar en que se multiplica el espacio geográfico y se crea una eficaz cancillería, con una «corte» en la que se encarnan las virtudes del monarca **[→ págs. 157-161]**.

8ª) Todavía no hay crónicas vernáculas porque el pasado es muy reciente, pero sí leyes y traducciones de textos orientales, que llevan inscritas las claves del pensamiento que recibe Alfonso. En las traslaciones del Tudense y del Toledano se procede a una continua experimentación formal; prevalece la visión del mundo de don Rodrigo Jiménez de Rada, vertebradora de la cronística medieval e impulsora de la primera *historia* que puede considerarse narración, abierta, por ello, a materiales literarios diversos **[→ págs. 161-170]**. Como cifra del nuevo espacio lingüístico y político, se ha examinado la *Crónica de la población de Ávila*, impulsora de una «caballería urbana», cuyos hechos se refieren mediante una trama de «exemplos» y de «estorias», vinculada a ese grupo de habitantes de la villa, al que se confiere la categoría de héroe colectivo [→ **págs. 170-180**].

9ª) Las primeras estructuras de la ficción que llegan a la Península se ligan a las traducciones de la cuentística oriental, atenidas a la fijación de dos facetas claves: el grado de saber con el que se norman unos precisos modos de convivencia y los mecanismos conceptuales con que ese conocimiento se despliega y se adquiere. De las imágenes que transmite el *Calila*, se ha destacado la del rey como figura vicaria de los monarcas que se encuentran fuera del texto oyendo cuestiones atingentes a su dignidad, mientras que la del filósofo presta su discreción a los consejeros, el grupo en el que se sustenta la armonía de la corte; se ha afirmado, por ello, que en el *Calila* hay un método de educación principesca, plasmado en esa serie sucesiva de cortes que aparece en el interior de las unidades narrativas; esos núcleos se articulan en función de los mecanismos de la enseñanza medieval, empleadas técnicas de análisis textual para descubrir la verdad, desvelar el «seso encubierto» bajo la literalidad de «exemplos» que se cuentan y se oyen para ser interpretados [→ **págs. 180-213**]. Del *Sendebar* ha interesado la vinculación de esta obra a la figura del infante don Fadrique, a su deseo por crear un ámbito de cortesía personal en el que resultaran operativos esos consejos o castigos para apercibirse contra los engaños de las mujeres, insistiendo en el valor que se concede al proceso de educación a que tiene que ser sometido un príncipe [→ **págs. 214-234**]. Por último, la *Escala de Mahoma* se ligaba a la búsqueda de Alfonso de una explicación alegórica de los orígenes y principios de la ley coránica; en el período en que la corte castellana era un prodigioso centro de irradiación de saberes, importaba requerir los argumentos con que combatir las creencias erradas [→ **págs. 234-240**].

10ª) El discurso de la prosa acoge, paulatinamente, el pensamiento político y la literatura sapiencial que precisan los contextos —siempre de recepción— a que se destinan obras, en que se justifican las actitudes de sus promotores. De este modo, frente a la sublevación nobiliaria de 1255, Alfonso alza el saber y la autoridad de su padre, dos imágenes cifradas en el *Libro de los doze sabios* y el *Setenario;* Fernando III había afirmado una unidad política que no tiene que volver a quebrarse, y su heredero recibe ese «saber» que le va a permitir mantenerla; se formula, así, la ideología caballeresca y religiosa que acaba encarnándose en Alfonso. En el *Libro de los doze sabios*, primera muestra de la literatura sapiencial, es singular la unidad de «ciencias» y «caballería» que autoriza al monarca a adueñarse de una nobleza poco «leal» con sus aspiraciones [→ **págs. 241-260**]. De *Flores de filosofía* se ha perfilado el recorrido ideológico inscrito en sus capítulos o «leyes»; en ese itinerario de ideas, el «omne» ha de adquirir la perfección interior que asegure la salvación del alma, una vez descrita la vida cortesana (leyes ii-xix) como medio de articular el «seso» (xxx-xxxvii) que ha de servir de plataforma para llegar a Dios (xxxviii) **[→ págs. 260-273]**. La pesquisa sobre el «saber» practicada en estos primeros libros de castigos o sentencias requiere las figuras de Aristóteles y de Alejandro, tal y como aparecen en el *Poridat de las poridades* —en sí, un discurso para asimilar técnicas intelectivas que faculten para la adquisición del saber— o el *Secreto de los secretos*, en donde se encarece el dominio del «seso» sobre el poder y la fuerza, además de predicarse la necesidad de que la corte se asiente en los letrados, se guíe por las razones de los sabios **[→ págs. 273-294]**.

11ª) En lo que concierne al modelo jurídico, a mediados de la centuria se produce el paso de las formas breves a las amplias compilaciones de leyes, afianzada la corte como una institución política, dotada de un pensamiento propio; ocurre, así, la evolución que lleva del *Libro de los fueros de Castilla* al *Fuero Viejo de Castilla*, articulado mediante una división de libros que coincide con la de las principales promulgaciones alfonsíes **[→ págs. 294-300]**. En los códigos que instiga Alfonso X, el regalismo impulsa el orden de la afirmación jurídica; el Rey Sabio inspira un pensamiento legislativo para sostener una ideología cultural de la que depende la significación política de su corte. Ello es ya visible en el *Fuero Real*, el primer intento de promulgar una ley general para todo el territorio, surgida de la asunción de las funciones que como rey le cumplen **[→ págs. 300-303]**.

Sobre el *Setenario*, más allá del problema de su datación, se ha advertido la dificultad de considerarlo un código legislativo, porque es una obra de propaganda política y social de su promotor; con este libro, Alfonso defiende una ideología, ensalza un linaje, promueve unos derechos dinásticos, ampara el credo cristiano frente a las otras creencias; encierra, además, una síntesis del discurso prosístico que el rey instiga: la indagación etimológica, el didactismo expositivo, la configuración de un espacio textual rico en perspectivas; estos tres rasgos permiten comprender la protección que se brinda a la «sabiduría» clerical en la ley xiª, convertidas las artes elocutivas en asiento de la cortesía que preside un rey «sesudo y entendido» **[→ págs. 304-330]**.

El *Espéculo*, en cambio, se ha considerado la pieza clave del entramado de las obras jurídicas y doctrinales de Alfonso; siendo un código que piensa en la unidad de reinos y que limita las ambiciones de la nobleza, su estructura ideológica reposa sobre las dimensiones del «saber» y del «entendimiento» con las que este monarca define su autoridad regia para poder gobernar **[→ págs. 330-357]**, apoyado en una eficaz trama de juristas **[→ págs. 358-364]**.

12ª) Alfonso abre, decididamente, el discurso de la prosa al dominio de la ciencia; este esfuerzo traductor enriquece el «lenguaje de Castiella», mediante abundante incorporación de léxico y de estructuras sintácticas, y convierte a la «corte» en centro de una producción científica incardinada a la formación clerical del rey; así lo demuestra el *Lapidario*, proyectado en 1250 cuando era infante y en el que se percibe la inquietud por aumentar el saber, conforme a las *artes* escolares, así como la querencia de Alfonso por promover tratados astrológicos y acercarse al dominio de la «natura»; de esta primera producción, se han valorado los procedimientos de organización textual que serán luego usados por los «auctores» alfonsíes **[→ págs. 364-387]**.

Más ambicioso resulta el *Libro conplido en los judizios de las estrellas*, acometido con el propósito específico de transmitir ese «saber» a sus «gientes», convertida la «filosofía natural» en un orden de conocimiento que permite contemplar la propia labor de Dios, participar en ella desde las cualidades del «seso» y del «entendimiento». El proceso de la traducción es singular: se cruzan en el libro diversos sistemas lingüísticos para alumbrar uno nuevo, el de la «lengua castellana» **[→ págs. 387-407]**.

Del *Libro de las cruzes* se ha valorado su aplicación cortesana; el rey aparece en el prólogo configurando un espacio político y moral, basado en el dominio de la sabiduría, vinculado a un libro en el que se cifra una tradición hermética de conocimiento; la dimensión de su linaje lo sitúa por encima de los otros monarcas de su tiempo; Alfonso es un «rey letrado», que atiende a los asuntos políticos relativos al buen gobierno del «regno» y al mantenimiento de su «señorío», y es también un «rey clérigo», situado en el centro de sus «escuelas», dirigiendo las operaciones de las que depende la construcción del libro **[→ págs. 407-422]**.

12.5: Capítulo IV: La corte letrada de Alfonso X (1256-1284)

13ª) Tras recibir, en marzo de 1256, a la embajada pisana, el Rey Sabio compromete, en el «fecho del Imperio», su prestigio de «rey letrado» además de las finanzas del reino. Es ahora cuando, con mayor empeño, Alfonso asume los saberes clericales como base de configuración de una ideología (doctrinal y política) que se ha denominado «clerecía cortesana» (págs. 423-852). Vinculado a este proceso, se ha analizado el doctrinal de cortesía y de moral política que encierra el *Libro de los cien capítulos;* no se transmite en el mismo un «saber», sino las técnicas para poder utilizarlo; es una colección de *dicta* que ha de servir de soporte a unos *facta*, pensados para ser asumidos por un determinado grupo social, ya que se pretende modelar la conducta de los consejeros en los que se ha de asentar la autoridad del rey; en el *Libro*, se ha considerado capital la idea de que las cualidades del «enseñamiento» y del «seso» superan a la condición linajística; el «saber» actúa de regulador de la conciencia nobiliaria y perfila esa especial modalidad de pensamiento llamada «cortesía»; este fundamento de la «clerecía cortesana» exige el conocimiento preciso de las artes elocutivas, encauzadas desde la propia figura del rey; es un libro calculado para que la nobleza abandone las actitudes de desmesura y de soberbia y se apropie de las virtudes contrarias, basadas en el poder de la palabra, en su control por el «seso» **[→ págs. 423-440]**.

En esta línea, se ha destacado del *Libro de los buenos proverbios* el ambicioso discurso sobre el «saber» —y los grados de su utilidad— que contiene; los proverbios y castigos se consideran parte esencial de la formación de los receptores, convertida la figura de Alejandro en asiento de valores caballerescos **[→ págs. 440-455]**.

Con todo, la indagación más exhaustiva sobre el «saber» se plantea en *Bocados de oro*, una heterogénea colección de sentencias perfilada para un ámbito que gira en torno a la «palabra» como firme principio de la realidad cortesana; hay inscrito en el libro un recorrido que muestra cómo el «saber» es el único cauce para conocer el «mundo» y llegar a Dios desde el «seso» adquirido; el núcleo más importante de la obra se centra, una vez más, en la relación entre Aristóteles y Alejandro **[→ págs. 455-470]**.

14ª) También, como manifestación de la «clerecía cortesana», se han incardinado a esta corte los primeros diálogos, confrontaciones dialécticas en prosa en las que personajes seleccionados disputan sobre conocimientos diversos ante un auditorio que se pretende similar al que se encuentra fuera del texto. En el *Diálogo de Epicteto y el emperador Adriano*, el joven sabio, frente a un emperador caracterizado por el dominio de las artes elocutivas, demuestra que la mejor manera de castigarse a sí mismo consiste en conocer la naturaleza humana y la realidad mundanal, convertido el estudio de los libros sagrados en el modo más seguro de acercarse a Dios **[→ págs. 470-481]**.

De la *Historia de la donzella Teodor,* se ha valorado su capacidad de adaptarse a todo tipo de contextos y de ajustarse a cualquier medio de difusión, desde las *Mil y una noches* hasta los *folhetos* difundidos en Brasil en la época presente; la disputa cifra un contenido de carácter enciclopédico sobre materias que van de la teología a la poesía; su trama evoluciona a través de tres núcleos en los que se analiza el saber inicial (asociado a la generosidad), su enfrentamiento con la corte (advertidos sus peligros), el regreso al primer marco del conocimiento (caracterizado por la gratitud) una vez transformado en sabiduría interior **[→ págs. 482-502]**.

En el *Capítulo de Segundo filósofo* se explora la dimensión del silencio en un debate singular en el que se mezclan la voz y la escritura, con demandas que se van reduciendo en respuestas en que se avisa sobre el riesgo de pretender dominar la naturaleza **[→ págs. 502-510]**.

15ª) Alfonso acomete una profunda revisión jurídica en función de la corte imperial que ahora preside y, también, de los problemas internos a los que debe dar firme respuesta. El *Espéculo* carecía de los soportes legales y políticos que le hubieran permitido ser Rey de Romanos. Impulsa, así, varios proyectos legislativos que acaban cuajando en las *Siete Partidas;* como se ha apuntado el primero sería el del *Libro del fuero de las leyes*, terminado en agosto de 1265, del que sobrevive el ms. A de la que es hoy *Partida I;* se mantienen los conceptos básicos del *Espéculo*, como el acatamiento a la potestad divina, así como la división de voluntades y de entendimientos de los hombres. Estos principios desaparecen en las *Partidas*, con las que Alfonso intenta conciliarse con los grupos hostiles a su pensamiento; asume, para ello, la *Partida I* la defensa de la «creencia» religiosa, pero su articulado legislativo deriva del interior de la ley, no ya del pensamiento del rey; el monarca queda ahora convertido en mero instrumento de la norma jurídica **[→ págs. 511-536]**.

En este orden, en *Partida II,* la aristocracia se convertirá en garante de la figura regia y de una trama legislativa compilada para defender unos derechos y unos privilegios, no un sistema de pensamiento político. Esa *Partida II* refleja las claudicaciones asumidas por Alfonso en su empeño de mantener el «fecho del Imperio»; aunque parezca amparada la autoridad regia, es el rey el que depende del estamento de la aristocracia. Porque el orden social reposa sobre la institución caballeresca, se rescatan los viejos fueros y los privilegios de esta clase social; ahora el rey no es dueño de ningún señorío, sino defensor del «pro comunal»; por lo mismo, la corte no depende sólo del monarca, sino de la institución de la nobleza que es la que le otorga sentido; la dimensión aristocrática de la ley la exhibe el Título XXI, el primer tratado de regulación caballeresca redactado en castellano; también el Título XXIII, un arte de la guerra, demuestra que la paz es garantizada por la caballería, no por la figura regia [→ **págs. 536-570**].

Vistas en su conjunto, las tres primeras partidas conforman un singular «entendimiento» que aspira a convertirse en base reguladora de la «vida social», descrita y normada en las tres últimas partes del código, en virtud del «coraçón» que late en la cuarta, la dedicada a las relaciones de los comportamientos humanos, asentadas en el linaje como medio de asegurar la verdadera identidad del reino. Como se ha indicado, las *Partidas* no describen sólo un proceso de configuración social, acorde con los privilegios y costumbres antiguas de la nobleza, también lo crean, inventando una «realidad designativa» que refleja la necesidad de «nombrar con el lenguaje» el nuevo orden de valores [→ **págs. 570-596**].

16ª) A lo largo de la década de 1270, sobre todo tras 1275, año en el que se desmorona el «fecho del Imperio» y en que muere su primogénito, Alfonso se adentra, con mayor empeño, en el espacio de la ciencia. Instiga el *Libro del saber de astrología,* magna compilación de dieciséis tratados científicos, con el fin de conocer y calcular el curso de las estrellas; en su prólogo, Alfonso se siente parte integrante de la cadena de transmisión de ese «saber»; el rey «fabla» como antes «fablaron» esos sabios de la antigüedad, preocupado por facilitar la consulta de su *Libro,* procurando que sus «razones» sean más llanas; por ello, su figura se recorta en ese proceso de «toller las razones que eran sobejanas et dobladas», exhibida una clara voluntad de extender el «saber», de entramar un tejido moral que fuera soporte de valores doctrinales. Esta miscelánea no se interesa por la astrología en cuanto ciencia de adivinación del porvenir, pero sí de los cálculos y mediciones astronómicas que han de facilitar esa pesquisa; a esta disciplina, de un modo ya concreto, dedica Alfonso el *Libro de las formas et de las imágenes,* que sí es un tratado de astrología, del que se conserva el prólogo y el índice de sus once libros; el *Libro* tuvo que desaparecer por su contenido hermético; a los veinticinco años de su reinado, Alfonso se define como «amador de sciencias et de saberes»; el índice descubre una trama de lapidarios enfocados desde distintas perspectivas astronómicas; las «formas» e «imágenes» apuntadas servían para construir talismanes. Instigado por Alfonso, y perdida la versión vernácula, el *Liber Picatrix,* fabuloso manual de magia talismánica, influye en las concepciones neoplatónicas del humanismo italiano [→ **págs. 597-643**].

17ª) La historia es el dominio en el que Alfonso expone su pensamiento político, recabando del pasado las razones que justifican sus aspiraciones sobre el presente: las de la corona imperial y las necesarias para construir un modelo de convivencia. Como se ha mostrado, no pudo terminar ninguna de las dos compilaciones historiográficas instigadas, por la dificultad de ajustar su ideología a esas dos crónicas; cuando comienza estas dos redacciones, hacia 1270, la revuelta nobiliaria se agrava, rechazado el modelo de «clerecía cortesana» [→ **págs. 643-645**]. En la *Estoria de España*, Alfonso asume el papel de *magister historiarum;* él propugnaba una «cortesía» basada en el «entendimiento», no en las relaciones vasalláticas; como se ha indicado, aunque no lo lograra, Alfonso pretendía alcanzar «su» tiempo, a fin de afirmar su sistema de gobierno. Su concepción de España es unitaria, al igual que la noción de «españoles», pueblo condenado a sufrir el dominio secular de diversas gentes llegadas a la Península; los godos, portadores de la nobleza, son destruidos por los africanos por el desacuerdo entre la aristocracia y la realeza. Tales son los goznes sobre los que gira el pasado histórico, por cuanto en el presente están ocurriendo hechos similares; Alfonso buscaba la unidad de reinos para apoyar sus pretensiones imperiales, pero no pudo rematar el proyecto, porque la historia no podía contarse como él lo estaba haciendo; la compilación de materiales y la capitulación del texto se detienen en diversos momentos, surgiendo así «versiones» ajustadas a las circunstancias por las que el rey pasa; la última de ellas es la *Versión crítica,* impulsada en los dos últimos años de su vida, cuando en Sevilla intenta reconstruir su autoridad, cercado por su segundogénito Sancho.

Una vez más, en el prólogo de esta crónica general Alfonso aparece como el monarca que se ocupa de buscar los «libros» y las «escripturas» en que quedan registrados los dominios y «señoríos» del pasado, para convertir ese entramado de «fechos» en una forma especial de «saber» y de entender la realidad que él quiere construir; por ello, se denomina a sí mismo como *decus Hesperie;* el conocimiento inscrito en la historia había de otorgar a España la identidad social y política que su monarca merecía; sólo entonces, el rey podría lograr ser el «noble príncipe» al que se refiere el elogio del prólogo [→ **págs. 645-686**].

18ª) Toda la producción letrada impulsada por Alfonso cobra sentido en la prodigiosa estructura del saber y del conocimiento que conforma la historia, tanto el caso de la particular de España como en el de la universal. En el prólogo de la *General estoria,* se repite el deseo del rey de transmitir a sus súbditos una identidad moral y política; era el único medio de convertir el «saber» en soporte de la convivencia cortesana en la que pretendía asentar su dignidad regia; sobre todo porque en la *Primera parte* de la crónica universal asoma la esperanza de Alfonso por lograr la corona imperial, muerto Ricardo de Cornualles. Como se ha mostrado, las dos crónicas, la peninsular y la general, avanzaban a la par, entrelazándose —había fuentes comunes— y nutriéndose de referencias sobre el presente, algunas de ellas apuntadas por el propio monarca. Para la construcción del discurso de la prosa, interesa el modo en que las fuentes se integran conforme al sistema escolar, de donde las referencias a las artes elocutivas o a la necesidad de buscar el sentido oculto en las «estorias literales» o en las «fablas de los gentiles» que se traducen; llega a articularse un mínimo vocabulario poético que surge de la práctica de la escritura, de ese proceso de ir «enxeriendo» las «razones» bíblicas con los «dichos» gentílicos (los de Ovidio en especial) mediante el proceso de «fablar en figura».

El principal problema de la *General estoria* consistía en fijar unos sistemas de cómputos temporales para ordenar sus noticias; el desarrollo de sus seis partes debía explicar cómo el «señorío» se había ido transmitiendo desde el pueblo elegido por Dios hasta ser recibido por el propio Alfonso. La *General estoria* es una pieza de propaganda política, de promoción de unos derechos sucesorios. Articulada con la pretensión de abarcar los hechos del mundo, a lo largo de las seis edades de la historia de la humanidad, la crónica es, también, una abigarrada enciclopedia de narraciones y de relatos de la más diversa índole **[→ págs. 686-796]**.

19ª) Al margen de estas dos empresas cronísticas, en la corte letrada de Alfonso se leen y se oyen poemas y *estorias* con los hechos singulares de los príncipes y reyes que se convirtieron en paradigmas del valor y de la sabiduría; son narraciones cortesanas en las que resulta tolerable un mínimo grado de ficción, como el que se entremete en la *Historia troyana polimétrica* o el que se despliega en los *romances* provenientes de la materia épica (destaca el dedicado al «infant Garçía» por su titulación). No parece este marco el apropiado para el desarrollo de la materia artúrica. De la *Polimétrica* se ha destacado la hábil integración del verso y de la prosa; el *prosimetrum* encierra diferentes mecanismos de interpretación: los pasajes prosísticos se leerían en voz alta, los poemas se cantarían, salvo los clericales que se recitarían; se configura una *Historia* que propicia varios niveles de sentido. No se describen calculadas acciones de armas, sino gestos y pensamientos para conformar una voluntad caballeresca; se ha apreciado el modo en que se enseña a pensar mediante estas *estorias*, a vertebrar un orden conceptual que no se limita sólo a la comprensión de unos hechos, sino que promueve el conocimiento adecuado para que puedan ser valorados los encuentros de armas **[→ págs. 796-817]**.

20ª) Además de la lectura de libros, la «alegría de la corte» reposaba en los juegos y en la caza, dos actividades «deportivas» que Alfonso regulará ordenando específicos tratados. El proyecto más singular cuaja en la compilación de los *Libros de acedrex, dados e tablas,* sobre todo porque lo acaba en Sevilla en 1283, en el mismo arco de fechas en que impulsaba la *Versión crítica;* Alfonso se esforzaba por demostrar que la corte seguía siendo el ámbito común en que se podían desarrollar las cualidades intelectivas, un marco de relaciones humanas en que cabían estos «deportes» asentados en el entretenimiento y la demostración del ingenio; Alfonso otorga a esta materia la condición de faceta inherente de la vida curial; el *Libro de acedrex* se ajusta a la estructura social para la que se destina: el ajedrez es alegoría de la guerra, del mismo modo que el «andar de los juegos» propicia «semejanzas» morales o cortesanas **[→ págs. 817-838]**.

La caza, por último, se concibe como el ámbito que permite mantener las destrezas físicas y cultivar las bondades morales; como se ha indicado, es factible que el *Libro de las animalias que caçan,* con una transmisión incardinada a la figura de Federico II, se tradujera en la corte alfonsí, espejo de todas las materias y todos los saberes **[→ págs. 838-846]**, al igual que el *Libro de fecho de los cavallos,* primer tratado de albeitería **[→ págs. 847-852]**.

12.6: Capítulo V: La corte de Sancho IV (1284-1295)

21ª) Este quinto capítulo define el espacio de la corte de Sancho IV (págs. 853-1092) o lo que es igual, desde la vertiente letrada del discurso de la prosa, se analiza en él la construcción del «molinismo», el nuevo orden cultural de que se rodean el joven rey y su esposa, doña María de Molina, apoyados en la escuela catedralicia toledana, en la figura concreta de su arzobispo, don Gonzalo Pérez Gudiel; la pareja regia tenía que legitimar sus derechos dinásticos y configurar, a la vez, un nuevo orden de convivencia, distinto del que impulsara Alfonso, y que sirviera de soporte a una autoridad fuertemente contestada en el marco de la política exterior. Esto no significa que desaparezca el entramado literario, sino que se ajusta al nuevo modelo ideológico, mediante la corrección de la ciencia, la vuelta a la ortodoxia religiosa y la depuración de la elocuencia cortesana; frente al «saber» se esgrime la «razón», frente al «entendimiento» el «seso natural». El rey sigue garantizando la transmisión del conocimiento; así lo demuestran los *Castigos de Sancho IV,* en donde Sancho se amolda a una imagen contraria a la de su padre: él es un monarca preocupado por «castigar» a su heredero y abrirle los caminos de la fe; por esta vía, se vierten a la lengua vernácula el *Lucidario*, el *Barlaam* o la *Gran Conquista de Ultramar.* El regalismo de Sancho es «aristocrático» y aspira a integrar a los clanes nobiliarios en el entramado de la corte; propiciaba, para ello, un nuevo proceso de expansión militar, coronado por la toma de Tarifa en 1292, aunque enseguida lo quebrara la temprana muerte del rey en 1295 [→ **págs. 853-863**].

22ª) El *Libro del tesoro*, compendio enciclopédico y manual de gobernación, se ha considerado una pieza clave para comprender la evolución del discurso prosístico a finales del siglo XIII; Latini funde la dimensión de «nobleza» y de «filosofía» para construir un sistema de pautas con el que el ser humano pueda conocer el mundo en el que habita (Libro I), regirse a sí mismo (Libro II) y relacionarse con los demás (Libro III); ese tercer libro es el más importante, porque convierte a la retórica, la «sçiençia de bien fablar», en soporte de la política; no le interesa el *ornatus* del escritor, sino los cauces de la *inventio* y la *dispositio,* desde su pretensión de dotar al gobernante de una pluralidad de conocimientos que le permitan regir cualquier «señorío»; se apunta, en esta obra, la formación de una «caballería letrada», con la «palabra» como soporte de las buenas costumbres y del buen gobierno [→ **págs. 863-890**].

23ª) El *Lucidario*, que arranca del *Elucidarium* de Honorius Augustodunensis (siglo XI), refleja el grado de conocimiento científico admisible en la corte molinista; el objeto del «saber» no es la «natura» sino los caminos que conducen a Dios; se rechaza la ciencia y se afirma la ortodoxia religiosa; Sancho acoge «demandas» en su curia para corregir erradas actitudes y devolver a la Iglesia la firmeza y solidez de su creencia; Sancho convierte en proclama su oposición a los saberes cifrados en la teología y la «natura», respaldando su legitimidad regia con su decidida defensa de la fe. Este tratado articula una estructura dinámica de preguntas y respuestas entre un maestro y su discípulo, sujeto en todo momento a su preceptor por la obediencia. En el libro, se reflexiona sobre el «saber» transmitido, sobre la cuestión planteada. Importan más las operaciones intelectivas descritas que la materia expuesta; adquiere especial valor la teología, que ha de servir, además, para combatir las herejías [→ **págs. 890-913**].

24ª)·*Castigos de Sancho IV* contiene la proclama inaugural del «molinismo»; conquistada Tarifa en 1292, Sancho se convierte en centro de la corte, inspirador de un sistema de pensamiento político propio, alejado del de su padre, aunque idéntico en la afirmación de una identidad personal, que se esfuerza por transmitir a su hijo don Fernando mediante consejos y sentencias, semejanzas y «exemplos». El libro exhibe la dimensión de un rey, cercana a la de un *magister* que comunica un «saber» de raíz religiosa. *Castigos* acoge, por tanto, un singular «regimiento de príncipes» que define una nueva voluntad real; no importa precisar una realidad histórica, sólo construir una identidad monárquica basada en tres principios: la legitimidad de unos derechos sucesorios, la unidad del rey con Dios y la defensa de la autoridad regia; a doña María de Molina se atribuye un cuarto rasgo: el amparo prestado a la dignidad femenina; se ha resaltado, como quinta característica, la inclusión en la obra de un vasto «exemplario», el primero en lengua castellana, encauzado desde la figura del rey que aparece como contador de «exemplos». El monarca se preocupa por lo que se debe oír en su entorno y por el modo en que pueden «deportarse» los cortesanos; presta sus «palabras buenas» para transmitir las *estorias* que su corte, ámbito de enseñanza, requiere; la «palabra», como se ha indicado, es instrumento de formación, mensaje de naturaleza evangélica, síntesis del saber proverbial **[→ págs. 913-943]**.

25ª) El *Libro del consejo e de los consejeros* ha resultado crucial para entender la evolución sufrida por las obras sapienciales del siglo XIII; recortado en el telón de fondo de la ideología molinista, con un «saber» vinculado a Tulio y a Aristóteles, se traza un ambicioso programa de enseñanza cortesana, convertidas la figura del «consejero» y la naturaleza del «consejo» en centro de una nueva relación política, ya que ha de ser ese «consejero» el que dirija el pensamiento del rey. Se dispone, así, un conjunto de técnicas intelectivas ajustadas a ese orden cultural; el «saber» es «melezina» del alma y se orienta desde una configuración religiosa y espiritual, transformado en guía interior, en medio seguro de buscar a Dios. A diferencia de los ejemplarios de la corte alfonsí, que giraban sobre la dimensión del «saber», los que se difunden en la de Sancho IV gravitan sobre el valor del «consejo». Los modelos, ahora, son Catón, «Salamón» o Albertano de Brescia; el filósofo es, ante todo, contador de «exemplos», advertida la necesidad de esta corte no tanto en referir «exemplos» como en oírlos, para aprender a extraer de esas unidades narrativas unas pautas morales de comportamiento **[→ págs. 943-959]**.

26ª) En el dominio de la historiografía, en la corte de Sancho IV se produce el paso de la crónica general a la real; las compilaciones alfonsíes habían quedado sin concluir; se sigue trabajando en la *Estoria de España* y se forma la *Versión amplificada de 1289,* sostenida por una diferente ideología, reclamado Sancho como figura predestinada para rematar la empresa de la Reconquista; en esta labor compilatoria, el modelo de la crónica general (la crónica era cauce de la ideología regia) se disuelve en el de la crónica real (la historia justifica las acciones del monarca). Con todo, el proyecto o tronco cronístico impulsado por Alfonso X continuará inalterable hasta el reinado de Juan II **[→ págs. 959-964]**.

27ª) Alfonso XI encarga a Ferrán Sánchez de Valladolid la terminación de la *Estoria de España* —se forma, entonces, E_2— y la redacción de las crónicas de Alfonso X, Sancho IV y Fernando IV, la llamada *Crónica de tres reyes;* Sánchez de Valladolid es un fiel intérprete de la ideología molinista y transforma los materiales de la crónica general desde esas perspectivas, guiado siempre por una teoría valorativa de la historia, convertida en «cuenta» de «fechos» y de «razones», es decir de unidades que se asientan no en el pensamiento de Alfonso, sino en el del arzobispo don Rodrigo, a quien se debe la promoción de otros valores: el sometimiento de la aristocracia levantisca, la fusión de «cavallería» y «guerra santa», la idea de religiosidad. Lo que importaba era mostrar a Sancho como heredero del «poder real» construido por Fernando III **[→ págs. 964-971]**.

Proyectadas en otro marco, sobre materiales anteriores, tanto *estorias* como documentos cancillerescos, las crónicas reales atienden a los problemas a que se enfrenta Alfonso XI; por ello, la dedicada a Alfonso X sirve para respaldar las enérgicas justicias con que su bisnieto logra reanudar las campañas contra los moros; en esta pieza cronística, se integran materiales heterogéneos: una suma de *estorias* cortesanas dedicadas a los primeros años del reinado de Alfonso, un relato centrado en la rebelión de los nobles y una contradictoria relación de la guerra civil, tratadas las mismas acciones desde dos perspectivas diferentes. La *Crónica de Sancho IV* se instiga para consolidar los derechos linajísticos que arrancan de este monarca; se han reconocido en esta compilación restos de una pieza de propaganda del poder real, una *Estoria del rey don Sancho,* que sería operativa hasta 1288 y que recoge, en parte, para contradecirlas, las líneas con que se armara una *Estoria del rey don Alfonso,* favorable a este monarca; estas narraciones penetran después en la *Estoria del fecho de los godos.* El principal valor de esta segunda crónica real lo ofrece la trama de «exemplos» destinada a analizar las relaciones entre la realeza y la aristocracia levantisca; con este orden narrativo se formula una suerte de «regimiento de príncipes» enderezado a Alfonso XI **[→ págs. 971-979]**.

28ª) La literatura doctrinal se abre a la materia religiosa; había que corregir el modelo cultural alfonsí; ya no hay disputas o debates sobre el «saber», sino textos en los que triunfa la ortodoxia de la fe; con estas perspectivas se ha analizado el *Barlaam e Josafat,* una pieza clave para comprender la formación del *Zifar* —Zifar es «cavallero de Dios», porque antes Josafá había sido «cavallero de Jhesu Christo»— y el *Libro de los estados* de don Juan Manuel. Se enfrentan en el *Barlaam* la vida terrenal y la espiritual; Josafá propiciará la unión de estos dos planos que dan lugar a una estructura díptico, similar a la de los *romances* de materia hagiográfica: la corte —reducto de engaños y de pecados— se contrapone al desierto —espacio de purificación religiosa. Interesa, por ello, de esta obra, el modo en que resulta iluminado por la fe un nuevo marco de convivencia **[→ págs. 980-1009]**.

Se han considerado incardinadas a este ámbito del molinismo la transmisión de las primeras obras catequismales en lengua vernácula —así, el confesional que es *Diez Mandamientos*— o la primera colectánea de hagiografía en prosa vernácula —los *Miráculos romançados* de Pero Marín. Las *Cantigas prosificadas* convienen a este mismo desarrollo, en cuanto comentarios de las «estorias» miniadas, ejecutados para receptores que preferían seguir el orden narrativo de las ilustraciones **[→ págs. 1009-1029]**.

29ª) La corte de Sancho IV conforma un espacio privilegiado para el desarrollo de la ficción; estas *estorias* o *romances* atienden a nuevas expectativas; la materia troyana se sustituye por la de las cruzadas, con procedimientos específicos de pensar la realidad, de posibilitar la integración en la misma del receptor, articulando un proceso que propiciará la aparición del *Zifar*. Así se ha analizado la *Gran Conquista de Ultramar;* es posible que Alfonso X acometiera la traducción de la *Historia rerum in partibus transmarinis gestarum* del arzobispo de Tiro para completar su *General estoria*, pero el marco en el que resultaría operativa esta colectánea de narraciones pertenece a Sancho IV; la obra es reflejo de la visión política y militar de un monarca convertido en centro de una ejemplaridad religiosa, que permite asumir las prosificaciones de los poemas sobre las cruzadas. Como se ha indicado, después de 1295, los ideales de conquista se perderían, aunque no desapareciera el contexto de recepción de esa corte, atento a algunos de sus núcleos narrativos: la *Estoria del Cavallero del Çisne* y las mocedades carolingias. Sin la primera de estas piezas no se entendería el desarrollo de la ficción, porque permite perfilar las expectativas de recepción del público cortesano interesado por una heterogénea *Estoria* en la que se integran materiales folclóricos, épicos y cronísticos, además de episodios hagiográficos; dos ideas molinistas articulan esta *Estoria:* 1) la necesidad de dotar de buen «comienço e çimiento» a cualquier empresa asumible y 2) la configuración linajística como soporte de la estructura caballeresca; a ello, debe añadirse el análisis de las tres mujeres de las que depende la identidad del héroe, a quien entregan, respectivamente, su «seso», su prudencia y su silencio. Por ello, se ha afirmado que estos *romances* persiguen inculcar en la audiencia femenina unos modelos de comportamiento que aparecen retratados en esas conductas **[→ págs. 1029-1080]**.

La materia carolingia prosificada en esta historia de las cruzadas se centra en los relatos de *Berta* y *Mainete*; el primero troquela una precisa pauta de recepción femenina, considerando la posición de la mujer ante las intrigas de la corte; el segundo gira sobre la construcción de la identidad caballeresca de Carlos, con un análisis de la dicotomía «lealtad»/«traición», la misma que se explorará en la segunda de las «estorias» que integran el *Zifar* **[→ págs. 1080-1092]**.

12.7: Capítulo VI: Don Juan Manuel: la cortesía nobiliaria

30ª) El capitulo sexto se dedica enteramente a don Juan Manuel (págs. 1093-1204), dueño de la voluntad de autoría más importante y renovadora de los siglos medios, volcada en el empeño de la construcción de una «cortesía nobiliaria» que sirviera de reflejo de su dimensión linajística; ese «estado» peligroso —el de hijo de infante— en que Dios lo había situado le forzaba al cumplimiento escrupuloso de unas obligaciones estamentales —ser tutor del rey, padre de la reina después repudiada— de las que dependía la salvación de su alma. Don Juan Manuel, en consecuencia, instiga una producción comparable a la alfonsí —la historiografía, las leyes, la caza— cuando logra alcanzar el poder acorde con su linaje; pero después de 1327, encerrada su hija en el castillo de Toro, se refugia en la escritura, produciendo obras en las que seguía demostrando su valía, ya proponiendo una rigurosa descripción estamental, ya instigando el manual de consejeros que se encierra en el *Libro del conde Lucanor;* vencido finalmente por Alfonso XI, después de 1338, construye tres libros en los que fija la memoria de su linaje para entregarla a su hijo, tomar venganza del rey alterando la historia de Castilla con insidiosos rumores y proclamar su devoción mariana. Por eso, se ha afirmado que don Juan Manuel convierte su vida en materia literaria a fin de conseguir aquello que le fue negado y poder alcanzar la dignidad que su «estado» le exigía **[→ págs. 1093-1103]**.

31ª) De la producción de carácter alfonsí, la *Crónica abreviada* revela el particular aprendizaje de don Juan Manuel de la historia, el modo en que requiere la memoria del pasado para justificar su presente y comprender la importancia de su figura; la abreviación —practicada en una singular versión de la *Estoria de España*— se ajusta a una técnica de enseñanza, de asimilación de contenidos cronísticos; en su lectura, don Juan Manuel defiende los privilegios del estado nobiliario al que pertenece y se muestra como heredero del «entendimiento linajístico» configurado por Fernando III **[→ págs. 1103-1108]**.

La reflexión sobre la caballería cuaja en dos tratados; perdido el *Libro de la cavallería* y trece capítulos del *Libro del cavallero et del escudero*, esta última pieza, construida a manera de «fabliella», articula su contenido mediante una estructura dialógica de raíz dominica; el propio autor debía servirse de esas «maneras de disputaçión» con que en el interior de su obra un caballero anciano le entrega al novel el «saber» necesario para cumplir las obligaciones de su estado, recorrer el «mundo», buscar finalmente a Dios **[→ págs. 1109-1116]**.

En el *Libro de la caza* don Juan Manuel proclama la identidad de su linaje, a través de una cuidada trama de anécdotas referidas a sus familiares y entretejidas con las experiencias reales de su condición de cazador, de una actividad «deportiva» ejercida en los dominios de su señorío **[→ págs. 1116-1121]**.

32ª) El *Libro de los estados,* con el que se abre el segundo grupo de la obra de don Juan Manuel, refleja los desórdenes, morales y políticos, a que el noble se va a enfrentar en el período de 1327-1332; esa tensión le obliga a quebrar el proceso de la escritura y a aparecer en veintidós ocasiones en el interior de su libro para justificar sus hechos y publicar las intrigas movidas contra él; al margen de esos «exemplos» biográficos, don Juan Manuel configura una utópica organización social, en la que todos los privilegios recaen en su estado y en él mismo, convertido en firme garante de una paz política que Alfonso XI se empeñaba en quebrar continuamente. El *Libro* se articula como un regimiento de príncipes, que pretendía hacer compatibles los asuntos terrenales con la salvación espiritual, mediante la unión de la secularidad y la espiritualidad;

de ese proceso surge la figura de Julio, el predicador que en sus conversaciones con el infante Johás, recordará los graves sucesos vividos por don Juan en la Castilla de la que procede [→ **págs. 1121-1148**].

Como consecuencia de esta relación entre vida y obra, se ha afirmado que el *Libro del conde Lucanor,* compuesto entre 1332 y 1335, extrae su materia de la dimensión biográfica de don Juan Manuel, que prefiere, antes que como creador, aparecer en el cierre de los «enxemplos» como receptor de los mismos y versificador de su enseñanza. Como se ha indicado, este compendio integra tres estructuras: la primera, la general de la obra, transmite el pensamiento del autor, la segunda corresponde a la de cada uno de los tres libros (centrado el *Libro de los enxemplos* en las preocupaciones sociales, el *Libro de los proverbios* en las cuestiones filosófico-morales, el último tratado en las religiosas), mientras que la tercera —la realmente artística— es la de cada «enxemplo», en donde se convierten en esquemas argumentales las tensiones padecidas por su formador. El *Libro de los enxemplos* encubre un manual de formación consiliaria; el *Libro de los proverbios* recorre los ámbitos del saber y las técnicas intelectivas; el último tratado estipula las condiciones en que se debe guardar el alma [→ **págs. 1148-1183**].

33ª) La última producción de don Juan Manuel —el tercero de los núcleos de su obra— se enmarca en los años más difíciles y peligrosos de su relación con Alfonso XI. Ahí adquiere sentido el empeño de convertir su «saber nobiliario» en una trama de «castigos» para formar a su hijo, don Fernando Manuel, ajustada al modo en que Sancho IV había procurado educar a su sucesor. El *Libro enfenido* se ha analizado, así, como un «regimiento aristocrático», un libro de educación linajística; don Juan Manuel actúa como *magister* y entrega a don Fernando los datos necesarios para configurar su «entendimiento linajístico», cerrando la enseñanza con un epílogo que se consagra a la naturaleza del «amor», en cuanto soporte de las relaciones vasalláticas [→ **págs. 1183-1191**].

Ya en el período de 1342-1345, cuando don Juan Manuel, a cambio de la libertad de su hija, se somete a la autoridad del rey, construye el *Libro de las tres razones* para proclamar con orgullo —«probarla» razonadamente— la superioridad de su linaje sobre el particular del rey; cobra, así, venganza por las deshonrosas capitulaciones que se ha visto obligado a firmar; altera, entonces, la memoria familiar para demostrar que la dinastía reinante estaba maldita al no haber podido recibir Alfonso X, doña Violante y Sancho IV las bendiciones de sus respectivos padres; en cambio, el infante don Manuel, el hijo menor de Fernando III y padre del noble, había sido elegido por el Rey Santo como destinatario final de su pensamiento **[→ págs. 1191-1198]**.

Por último, el *Tractado de la Asunçión de la Virgen María* refleja la sinceridad religiosa de don Juan, también la impronta dominica de su pensamiento y su poder nobiliario, implicado en la defensa del dogma asuncionista, en una disputa con sabios de las otras leyes **[→ págs. 1198-1202]**.

El final de la vida de don Juan Manuel coincide, prácticamente, con la desaparición de Alfonso XI alcanzada ya la mitad de la centuria. Don Juan Manuel ha merecido un capítulo propio por ser además el mejor intérprete del pensamiento molinista, usado paradójicamente para enfrentarse al nieto de doña María de Molina, ante el que acabaría rindiéndose. El discurso de la prosa en manos de don Juan Manuel adquiere, así, su máximo valor al cifrar con él una ideología, encerrada en una ambiciosa producción abierta a todas las materias que pudieran prestar significado a su figura **[→ págs. 1202-1204]**.

12.8: Capítulo VII: De Fernando IV a Alfonso XI (1295-1350)

El tomo II de esta *Historia de la prosa castellana medieval* retrocede en la escala diacrónica para seguir recorriendo las derivaciones del pensamiento molinista, tanto en los reinados de Fernando IV como de Alfonso XI.

34ª) Este largo capítulo se ha dedicado, en su integridad, al «triunfo del molinismo» en la primera mitad del siglo XIV (págs. 1225-1769), período en el que se mantienen las claves culturales y letradas fijadas en el reinado de Sancho IV; sus tres principios esenciales —la dimensión religiosa, el esfuerzo aplicado a las buenas obras, la guía del «seso natural»— requieren cauces de expresión nuevos y posibilitan que se articule el primer dominio vernáculo de la ficción; su desarrollo es consecuencia de la desaparición de la actividad historiográfica y de la jurídica, dos líneas que se retomarán cuando Alfonso XI convierta su corte en centro de un nuevo poder, ya en la década de 1340-1350 **[→ págs. 1225-1226]**.

35ª) En el reinado de Fernando IV, en los talleres historiográficos se entremezclan y producen «versiones» nuevas de crónicas. Se ha reparado en el cuño aristocrático con que se arman las crónicas generales (tanto la «abreviada» por don Juan Manuel, como la que construye el conde de Barcelos) y se ha analizado la absorción de diferentes materias literarias, como ocurre en la *Crónica fragmentaria*. En este cambio de siglos, la *Versión crítica* de la *Estoria de España* se propaga a través de la familia de manuscritos que tradicionalmente se denominaba como *Crónica de veinte reyes;* pretendía asentar la historia de Castilla en el reino de León. En la *Crónica de Castilla* se integran la *Versión concisa* y la *Versión amplificada;* atiende a los enfrentamientos entre clanes nobiliarios y el poder real; defiende derechos linajísticos, con un discurso que se abre a la novelización de los hechos, cercano a la ficción caballeresca. Esta preferencia por los detalles novelescos se incrementa en la *Crónica General Vulgata*, organizada con una nueva distribución cronológica y dotada de una diferente concepción estilística. La más singular de las recreaciones de la *Estoria de España* es la *Crónica de 1344,* compilada por el bisnieto de Alfonso X, Pedro Afonso, el conde de Barcelos; con un relato cronístico más elaborado, defiende una ideología portuguesista en abierta hostilidad contra la dinastía castellana. La *Crónica fragmentaria* se acerca al ámbito de la ficción, incardinado un ciclo de leyendas carolingias, ya prosificado, en la historia de los hechos peninsulares. Se ha insistido en que, detrás de estas crónicas, debe verse la defensa y propaganda de otros derechos linajísticos, ligados posiblemente a los infantes de la Cerda de donde el interés por entroncar los orígenes de Carlos en el mítico rey Flores, convertido por amor a la verdadera fe **[→ págs. 1226-1237]**.

36ª) Se ha afirmado que el modelo de la crónica real se halla inscrito en la derivación de la *Estoria de España,* una crónica general resuelta en una suma de crónicas reales. Así ocurre con la llamada *Crónica particular de Fernando III,* pieza maestra del «molinismo»; el contenido de la trama cronística lo constituyen las «razones» y los «fechos», porque la crónica es portadora de un pensamiento que ha de ajustarse a los valores de quienes la instigan para ver reflejada su ideología; con ella ha de acordar la «razón» del «estoriador» cuando interpreta las noticias que ordena **[→ págs. 1238-1248]**.

La *Crónica de Fernando IV,* tal y como se ha visto, es en realidad la crónica de doña María de Molina, quizá el «libro de la estoria» de la reina mencionado en el *Zifar;* no importan los hechos del hijo, sino el registro puntual y metódico de la tenacidad con que gobierna su madre; doña María se enfrenta a los problemas que entraña la minoridad de Fernando IV, a fin de que el cronista analice las tensiones entre los poderes nobiliario y regalista; F. Sánchez de Valladolid extrae lecciones de ese registro de hechos para enmarcar las líneas maestras de la política de Alfonso XI. Como se ha indicado, la crónica no cambia la historia pero manipula el relato de los acontecimientos para fijar conductas y lograr la transmisión de una enseñanza que le permita a Alfonso XI recobrar la dimensión de autoridad que su figura requiere **[→ págs. 1248-1259]**.

37ª) Como fruto de estas tensiones, tan compleja como la de Alfonso X resulta la historiografía de Alfonso XI; la suya es la primera crónica real en afirmarse, por ser portadora del pensamiento del rey y por limitarse el cronista a juzgar e interpretar los hechos desde esa vertiente. Se ha mostrado, así, el modo en que, en la *Crónica de Alfonso XI,* F. Sánchez de Valladolid convierte el «molinismo» en un renovado discurso político, con el fin de sostener un poder regalista, violentamente contestado, y configurar un nuevo modelo caballeresco. El historiador es ahora exégeta del presente, selecciona y registra unos hechos en función de lo que «atañe» al monarca; define un «tiempo» que es de un «rey», vinculado a las líneas maestras de su ideología. Como se ha indicado, la crónica gira en torno a las «guerras» con las que Alfonso logra consolidar su poder y, abatidas las revueltas nobiliarias, reanudar las campañas contra los moros. El cronista se preocupa de que los oyentes puedan asumir un «saber» vinculado a la dimensión política configurada en torno al monarca; se ha visto, por ello, que hay capítulos que funcionan como «exemplos», mientras que en otros se incluyen proverbios o milagros, hasta formar, paradójicamente, una estructura discursiva muy parecida a la diseñada por don Juan Manuel en su obra **[→ págs. 1260-1284]**.

38ª) En la primera mitad del siglo XIV, los otros reinos peninsulares ensayan nuevos modelos de crónica general con el propósito de conformar su propia visión histórica, ajena a la impuesta por Alfonso X en la *Estoria de España;* por ello, estas compilaciones tienden a continuar el relato interrumpido del Toledano. De la *Crónica* de fray García Eugui, punto de partida de la historiografía navarra, se ha valorado la visión fabulística derivada de la inserción de historias y narraciones maravillosas; de la *Crónica de los Estados Peninsulares*, su pretensión de relegar a Castilla a un segundo plano cronístico; de la *Crónica de San Juan de la Peña,* el soporte prestado a la cortesía aragonesa de Pedro IV. Sólo Juan Fernández de Heredia devuelve a Alfonso X enteramente su valor **[→ págs. 1285-1291]**.

39ª) El pensamiento jurídico alfonsí se mantiene en las promulgaciones derivadas del *Fuero Real,* pero, tal y como se ha indicado, la corona ya no impulsa leyes que contengan una definición del mundo y que orienten las relaciones estamentales. La labor jurídica del período de Fernando IV es escasa; resultan, en cambio, valiosas las promulgaciones legislativas auspiciadas por Alfonso XI. Ya en su *Crónica*, este monarca aparecía como *conditor legum;* a diferencia del Rey Sabio, Alfonso XI no querrá imponer un modelo de leyes que sirva de soporte a su autoridad, pero sí se va a preocupar por restablecer un orden de seguridad jurídica. Se ha indicado que esta actividad legisladora surge de una praxis de gobierno, de la experiencia real de enfrentarse a unos problemas concretos; sólo cuando se asegura la paz de los reinos, el rey puede comenzar a dictar leyes como las recogidas en el *Ordenamiento de Alcalá de 1348*, reflejo del regalismo incontestable que afianza Alfonso XI, una vez liquidadas las guerras civiles, además de amparado y expandido el señorío territorial; puede, por ello, asegurar la administración de la justicia, agilizar los procesos, ordenar las funciones de la nobleza y regular los privilegios señoriales **[→ págs. 1291-1314]**.

40ª) El desarrollo de la ficción en prosa se enmarca en la evolución particular de los contextos cortesanos a los que se dirigen esas propuestas de invención temática y de valoración discursiva; se han analizado, de modo especial, las traducciones de materias narrativas foráneas, porque de nada valen los esquemas de ficción construidos en otras lenguas; ha de ser el «lenguaje de Castiella» el que descubra su propio modelo de conocimiento de la realidad, recorridas las posibilidades de «nombrar» y «pensar», a fin de configurar «mundos posibles» que puedan ser ocupados por la imaginación del receptor.

Se ha analizado el temor a la ficción, presente en los libros de leyes y en la misma literatura sapiencial; la «clerecía cortesana» alfonsí, al precaverse contra la «fantasía» y la «imaginación», definía, paradójicamente, los resortes por los que la ficción iba a adquirir una identidad específica, como lo demuestra el hecho de que, entre 1270-1290, oír «estorias» o «libros» constituyera una de las formas preferidas del entretenimiento cortesano *(Partida II)*; a la vez, la retórica perfila técnicas de recitación que aseguran la transmisión de estas obras a un auditorio *(Libro del tesoro).*

Tras las probaturas narrativas que se encierran en la *Estoria del Cavallero del Çisne,* la corte de Fernando IV es el primer marco cortesano al que se dirige la ficción en prosa; precisamente, porque hay nobles e infantes que le niegan a una reina y a sus hijos la legitimidad dinástica se construyen los *romances* de materia hagiográfica y el *Zifar* **[→ págs. 1314-1328]**.

De los cuatro términos con que se designa la ficción —«estorias», «fablas», «cuentos» y «romances»—, sólo el último adquiere un preciso valor clasificatorio, como lo demuestran los títulos conservados y las estrategias de recitación vinculadas a formas narrativas que se difunden tanto en verso como en prosa **[→ págs. 1328-1339]**.

41ª) Los primeros modelos de ficción en prosa reproducen las expectativas de unos grupos receptores que aspiran a verse reflejados en «mundos posibles» similares a los suyos; por ello, se ha puesto tanto empeño en reconstruir el marco narrativo que instiga el «molinismo» por cuanto acuerda con el pensamiento de doña María de Molina; se ha explicado, así, la evolución sufrida por la hagiografía, por medio de prosificaciones de *vitae* y de la formación de misceláneas tan singulares como la albergada en el escurialense h-i-13, el mejor testimonio de las lecturas que oiría la reina, de los «espejos» a que se asomaría para reconocer los problemas a que tuvo que enfrentarse; de ahí que el rasgo común de estas obras lo marque el predominio de las figuras femeninas calumniadas o perseguidas **[→ págs. 1339-1343]**.

42ª) Del h-i-13 se han elegido cuatro textos para examinar el modelo de los *romances* de materia hagiográfica. La *Estoria de Santa María Egiçiaca*, aun siendo una *vita* en origen, se traduce como una «estoria» en la que se examina el núcleo «pecado-redención». El *Cavallero Pláçidas* es una de las piezas del engranaje de los principios religiosos con que el «molinismo» intenta envolver a la clase caballeresca; coincide con el *Barlaam* en predicar la necesidad de abandonar la dimensión estamental, los valores mundanales, para alcanzar la perfección interior que asegure la salvación del alma, la santidad. En cambio, la *Estoria del rrey Guillelme* se aproxima a la visión ideológica cifrada por don Juan Manuel en el *Libro de los estados:* conviene alcanzar una pureza religiosa que le permita al individuo recorrer la «carrera» que del mundo lleve a Dios, sin necesidad de abandonar las obligaciones estamentales. Se ha indicado que en el *Cuento de una santa enperatrís* no hay encuentros de armas ni aventuras, pero sí situaciones cortesanas de cuyos engaños se quiere advertir; las dos ideas que lo sostienen son la valoración de la castidad y la consideración del amor como fuerza destructiva **[→ págs. 1343-1370]**.

43ª) Se ha analizado el *Zifar* como piedra angular del «molinismo»: es el primer *romance* en prosa autóctono peninsular, crisol de variados «estilos» (o géneros: hagiografía, historiografía, libros sapienciales, leyes) y materias narrativas que se funden para construir la imagen de la realidad que un ámbito histórico necesita para comprenderse y examinar su circunstancia. Se ha indicado que es el libro que define el pensamiento cortesano de doña María, tal y como fue construido junto a Sancho IV (1291-1295), extendido con Fernando IV (hasta 1312) y mantenido durante la minoridad de Alfonso XI. El *Zifar* se fraguó a lo largo de estos tres períodos históricos; no es una obra surgida de un solo impulso de redacción; va dando respuestas a problemas derivados de los cambios que sufren sus públicos. De este modo, se han reconocido en el *Zifar* tres amplificaciones: A) la *Estoria* de Zifar y de Grima (historia de un linaje), los prólogos (ideología molinista) y los *Castigos* del rey de Mentón (regimiento de príncipes) servirían a la minoridad de Fernando IV (1295-1301); B) la *Estoria* de Garfín y de Roboán (defensa de un linaje y discurso sobre la lealtad y la traición) se ajusta al reinado de Fernando IV (1301-1312); C) la *Estoria* de Roboán (afirmación de un linaje frente a la aristocracia) atiende a la minoridad de Alfonso XI (1312-1321) [→ **págs. 1371-1380**].

De los dos prólogos actuales, el primero acomete la defensa del «molinismo» —de donde el retrato de doña María, abocetado con cinco rasgos que se proyectan sobre Zifar y Grima—, mientras que el segundo define el ámbito de la ficción, articulando los esquemas figurativos que han de aplicarse para descubrir el sentido alegórico que subyace bajo las «estorias» literales. Los receptores que lo instigan, el «trasladador» y los personajes del *Zifar* se acomodan a las tres ideas claves de este marco cultural: 1) ha de evitarse la desesperación ante los «enbargos» que sucedan por larga y difícil que resulte la obra emprendida, 2) Dios ha de ser antepuesto a todas las cosas y 3) el «seso» natural ha de guiar cualquier actuación [→ **págs. 1380-1393**].

Se ha señalado que la *estoria* de Zifar y de Grima se acompasa a la historia personal que protagonizaron Sancho IV y doña María de Molina: se construye un linaje dinástico, se define una ideología, se superan unas pruebas y se configura un ámbito cortesano que dote de significado a esas figuras y las proyecte en una producción letrada [→ **págs. 1393-1411**]. La *estoria* de Garfín y Roboán conforma una unidad centrada en las virtudes que han de ser asumidas por la «cavallería mançeba», representada por estos jóvenes, y en las «costumbres» que deben observar, examinada en especial la relación entre la «fieldat» y la «traiçión», como sucede también en el *Mainete* [→ **págs. 1411-1420**]. La *Estoria del infante Roboán* conserva su título específico; una vez descubierta la cara de la traición en la anterior «estoria», se explora el concepto contrario, la virtud de la nobleza; en el modelo de heroísmo de Roboán se integran *sapientia* y *fortitudo,* al acometer pruebas que se han de resolver o con las armas —las estrategias militares— o con las palabras —los consejos y los «exemplos» [→ **págs. 1420-1438**]. Los *Castigos* despliegan un curso de gobernación política; Zifar, en cuanto rey de Mentón, es el mejor propagandista del «molinismo»: expone primero las virtudes a que tiene que amoldarse el grupo social de la aristocracia, para definir después las obligaciones de los reyes y tratar, por último, del modo en que se ha de utilizar el poder caballeresco. Por ello, se ha afirmado que el *Zifar,* en su primer impulso de redacción y en las sucesivas amplificaciones que sufre, se compone para inculcar en la caballería unos valores religiosos que, a su vez, la conviertan en el soporte esencial de la realidad cortesana y del poder regalista **[→ págs. 1439-1459]**.

44ª) Atendida ya puramente la materia caballeresca, se ha examinado la evolución global del ciclo artúrico desde las primeras menciones de este orden (reinado de Alfonso VIII) hasta los impresos del siglo XVI. Se han valorado los escasos testimonios que sobreviven de la *Vulgata* —en especial, el *Lanzarote* datado en 1414— y los de la *Post-Vulgata,* representados por la miscelánea del B.Univ. de Salamanca 1877, una antología seleccionada conforme a pautas religiosas. Con este propósito, el arranque de la *Estoria de Merlín* demuestra el poder de Dios sobre los diablos y los mortales; distinto es el *Baladro* impreso en 1498, en el que se conservan imágenes del contexto de principios del siglo XIV; en este período de orígenes serviría para avisar sobre intrigas cortesanas, mientras que a finales del siglo XV acuñaría reflexiones religiosas. En la *Demanda,* se ha explorado también el rastro de referencias que de 1313 conduce a los impresos quinientistas. En síntesis, al margen del específico valor de la aventura caballeresca, este conjunto textual se arma para difundir certeros mensajes de doctrina cristiana **[→ págs. 1459-1505]**.

45ª) En la materia del *Tristán* y en su compleja transmisión, se ha explorado la relación entre la cortesía y el amor, entendido como pasión destructiva. Se ha afirmado que, en el fondo del *Tristán,* late un enfrentamiento entre realeza y caballería, aprovechado para analizar el sistema de las relaciones curiales y el modo en que el amor (no el cortés) no encuentra cabida en este ámbito. Se han apreciado los tres rasgos que sostienen la recepción ideológica del *Tristán* peninsular: 1) la historia sirve para valorar la «cortesía», mediante un proceso de discursos caballerescos y situaciones elocutivas; 2) el conocimiento de la caballería se vincula al dominio de la materia artúrica, de la que deriva el modelo de la «aventura»; 3) la ficción artúrica presta verosimilitud a las historias de Tristán, ya que sus líneas argumentales y sus personajes principales constituyen el referente sobre el que se recortan los nuevos héroes y sus circunstancias **[→ págs. 1505-1540]**.

46ª) También el *Amadís,* para ser creado, requiere del entramado de la materia artúrica; siempre, la ficción, para construirse, necesita asumir la verosimilitud prendida en otras ficciones. Al igual que el *Zifar,* el *Amadís,* en su transmisión, va a sufrir severas «enmiendas» textuales, como lo testimonia la practicada por el infante don Alfonso de Portugal, glosada con amplitud por Montalvo; con ella se puede asegurar la existencia, al menos, de tres estadios de redacción. Un primer *Amadís* sería operativo en el contexto de Alfonso XI; surge, como la *Estoria del infante Roboán,* de la asimilación de la materia artúrica; estaría formado por dos libros y analizaría las asechanzas que se ciernen contra la identidad caballeresca, explorada la relación entre amor y caballería. El segundo *Amadís,* de cuño trastámara y con tres libros, se abre a otros problemas: las guerras civiles, la afirmación de la aristocracia, el cisma religioso, las derrotas sufridas ante los portugueses. El tercer *Amadís* se formaría a partir de 1454 y atendería a los desórdenes de la época enriqueña, acogiendo los nuevos valores de la España de los Católicos; contaría con cuatro libros, más el quinto añadido por Garci Rodríguez de Montalvo; este regidor medinés «enmienda» el final de la versión trastámara, librando a Amadís de la muerte **[→ págs. 1540-1577]**.

47ª) La figura de Carlomagno, en cuanto arquetipo ideológico, firme soporte del pensamiento occidental, es explorada en los *romances* de materia carolingia. Tres textos se ocupan de sus orígenes, integrados en una prosificación elaborada con métodos historiográficos a finales del siglo XIII, principios del siglo XIV, y que informa la *Gran Conquista de Ultramar* y la *Crónica fragmentaria* **[→ págs. 1577-1582]**. En el *Flores y Blancaflor,* padres de Berta y abuelos de Carlos, el amor y la religión constituyen los motivos temáticos del primitivo relato; se configura un ambiente cortesano en el que caben análisis sociales, juicios políticos y opiniones morales **[→ págs. 1582-1593]**. Esta redacción del *Berta* es más completa que la de la *Gran Conquista,* suprimido el signo de la anagnórisis de la deformidad de los pies **[→ págs. 1593-1597]**. El *Mainete* demuestra el modo en que un *romance* se recrea desde los ideales que unos grupos receptores desean ver enjuiciados y comentados; como se ha visto, el joven Carlos se enfrenta a sus hermanastros («traición») con el apoyo aristocrático representado por sus ayos («lealtad») **[→ págs. 1597-1604]**.

Distinto es el *Cuento del enperador Carlos Maynes* del escurialense h-i-13; su protagonista es la reina Sevilla; no importa la figura del emperador, sino la corte que mantiene; se trata de avisar contra los malos privados y consejeros, así como de valorar el uso a que debe someterse la fuerza caballeresca, prestando auxilio a los representantes más desprotegidos de la nobleza. La trama narrativa explora los valores de la prudencia y la lealtad **[→ págs. 1605-1617]**.

Se ha incluido la *Historia de Enrique fi de Oliva* en este grupo, por su empeño de vincular a Carlomagno con la empresa de Ultramar y con la figura de Godofredo de Bullón; sobrevive el impreso de 1498, que permite alinear el *Enrique* con los textos caballerescos de orientación religiosa; como se ha indicado, Enrique es un héroe espiritualmente agónico, obligado a conquistar con su esfuerzo los valores que lo faculten para la empresa de la conquista de Constantinopla **[→ págs. 1617-1630]**.

48ª) La inserción de «estorias» en las crónicas permite hablar de *romances* de materia historiográfica; la audición de estas piezas se convierte en parte activa del proceso de formación que un entramado cortesano tiene que garantizar; este cauce posibilita la plena recuperación de la materia troyana y la formación de las *Sumas* atribuidas a Leomarte. En ellas, se han reconocido técnicas historiográficas procedentes de la *Estoria de España,* puesto que no se trata sólo de contar unas «estorias», sino de engarzarlas en una linealidad temporal que las dote de sentido; de la *General estoria* derivan materiales y el tratamiento figurativo con que son analizadas las «fábulas» mitológicas. Como se ha indicado, son *Sumas* de unidades argumentales dispersas, aunque ensambladas por pertenecer todas a la materia de Grecia. Se ha incidido en el hecho de que, en las *Sumas*, se encuentran en ciernes las estructuras básicas de la ficción sentimental, hasta el punto de que las peripecias amatorias de los héroes importen más que el desarrollo mismo de la historia **[→ págs. 1631-1649]**.

49ª) Parte de la producción instigada por Juan Fernández de Heredia, el gran maestre de la Orden Hospitalaria, cabe bajo el grupo de los *romances* de materia historiográfica; las imágenes del pasado propiciaban modelos explicativos y razones que podían proyectarse sobre el presente; por ello, se interesa por las empresas caballerescas (*Crónica de Morea),* por los itinerarios de aventuras (el *Libro de Marco Polo),* por los regimientos de príncipes (la *Crónica de los Emperadores),* por los análisis de las conductas políticas y militares (la *Grant corónica de los conquiridores)* o por la materia de la Antigüedad (la *Crónica Troyana)* **[→ págs. 1649-1655]**.

50ª) En el último decenio del reinado de Alfonso XI se encuadran los *romances* de la materia de la Antigüedad, un orden temático ajeno al modelo de la cortesía «molinista». Desentendida la historiografía del pasado más remoto, el dominio de la ficción (en prosa) se interesa por esas tramas argumentales y sus implicaciones simbólicas. Se ha visto, así, el modo en que la Antigüedad clásica traza un singular telón de fondo sobre el que se recortan actitudes y valores pertenecientes a cada una de las épocas que convoca el prestigio de ese marco de desarrollo narrativo [→ **págs. 1655-1658**]. Este proceso se ha analizado en el caso del *Otas de Roma,* uno de los *romances* del h-i-13, presentado como una «estoria (...) de tienpo antiguo»; el *Otas* se redacta para prevenir a sus receptores sobre el poder de la traición en las relaciones humanas [→ **págs. 1658-1674**]. También, la *Ystoria del noble Vespesiano* se reconstruye para enmarcar, en el entramado de circunstancias de la prestigiosa Roma, milagros, castigos, episodios caballerescos, consejos cortesanos en la línea de los regimientos de príncipes [→ **págs. 1674-1680**]. La *Historia de Apolonio* en prosa, derivada de la *Confessio amantis* de John Gower, abre este marco de referencias a la pluralidad temática —naufragios, dispersiones familiares, reencuentros, discursos amorosos— del modelo bizantino [→ **págs. 1680-1682**].

51ª) En el reinado de Fernando IV y en la minoridad de Alfonso XI, se ha comprobado cómo desaparece de la corte el interés por la ciencia o las leyes; sólo a partir de 1325, se recupera una cierta actividad letrada que se proyecta en los asuntos de la caza y en las reflexiones políticas. Alfonso XI, tal y como lo muestra su *Crónica,* era un experto cazador; esta práctica seguía siendo uno de los «deportes» esenciales de la «alegría cortesana». Se han vinculado a este período la miscelánea del escurialense V-ii-19 —centrada en las aves de cetrería— y el *Libro de la montería,* cuya composición respalda el nombre del propio monarca. La caza es un ejercicio caballeresco, preferida sobre todo la de «monte»; era uno de los medios de que se servía Alfonso XI para incardinar la «caballería cortesana» a su entorno, como lo demuestra su crónica [→ **págs. 1683-1696**].

52ª) Los «regimientos de príncipes» adquieren sentido en el marco molinista, momento en que la voz del rey se proyecta en una trama de *Castigos* para formar a su sucesor; se ha indicado que el «regimiento» más importante se alberga en el interior del *Zifar;* con sus enseñanzas, el rey de Mentón aseguraba su continuidad linajística y afirmaba las virtudes que permitirían a sus descendientes ser buenos gobernantes. A partir de 1340, vencidos los nobles y abatidos los benimerines, Alfonso XI se esfuerza por construir un modelo de «cortesía regalista» en la que los catecismos doctrinales volverán a ser precisados. Éste es el período en el que el obispo de Osma, don Bernabé, encarga a fray Juan García de Castrojeriz la traducción del *De regimine principum* de Egidio el Romano, complementada con una *Glosa* que acoge un nutrido repertorio de fuentes y de «exemplos» hispánicos; se alumbra, así, uno de los más importantes tratados de filosofía moral, de conducta política y de ordenamiento militar, que forzará la amplificación de los *Castigos de Sancho IV,* testimoniada por el ms. *A* (BN Madrid 6.559) [→ **págs. 1696-1725**].

Por su dependencia con *Partida II*, se ha incluido la *Avisaçión de la dignidad real* en este período; en este texto, se configura un entramado cortesano, sólido y estable, capaz de asegurar la paz del reino y de garantizar una expansión militar [→ **págs. 1725-1730**]. También el *Tratado de la comunidad* se ha adscrito a la mitad del siglo XIV, articulada en su interior una doble línea de regimiento, dedicada la primera a la comunidad y al gobierno que el príncipe debe instaurar, la segunda al regimiento del individuo con implicaciones de carácter espiritual [→ **págs. 1730-1735**].

53ª) Desde las cortes de doña María de Molina se impulsa una profunda renovación religiosa, que requiere una producción textual específica con la que propagar los principios de la doctrina cristiana, en especial los referidos a la penitencia, como lo demuestra el *Libro de las confesiones* de Martín Pérez; en el mismo, se define un saber que tiene que ser usado en la ejecución de este sacramento, amén de acotarse precisas imágenes de realidad cotidiana que ayuden al reconocimiento del pecado [→ **págs. 1735-1744**].

54ª) De los *Dichos de los santos padres* de Pero López de Baeza, se ha destacado el acuerdo que muestra con la producción letrada de don Juan Manuel; así lo manifiestan el grado de saber caballeresco construido, el equilibrio que debe alcanzarse entre la «honra» estamental y la «salvación» del alma, la condición de la autoría explicitada en continuas reflexiones; en este peculiar «regimiento» santiaguista, se escoge el *Flores de filosofía* como fuente principal de sentencias y como medio de recuperar el espíritu del entramado cortesano y militar de Fernando III [→ **págs. 1744-1750**].

55ª) En la primera mitad de siglo, se sitúan los tratados apologéticos alumbrados por Alfonso de Valladolid; se ha incidido en el valor de estos polemistas, figuras excepcionales para la definición de marcos ideológicos que dependen de las ideas y del discurso textual que se pone a prueba en estos complejos tratados de controversia religiosa; se ha valorado, en especial, la visión enciclopédica con que se configura su *Mostrador de Justiçia*, obra surgida de una conciencia de autoría muy rigurosa, aplicada en el proceso de capitulación del texto y en la afirmación de la superioridad de la ley cristiana sobre la mosaica **[→ págs. 1750-1760]**.

56ª) Se ha insertado en el ámbito del «molinismo» la *Visión de Filiberto*, un tenso debate sostenido entre el alma y el cuerpo situados en el umbral de su condenación; se ha apreciado el cruce de argumentos y de lamentaciones con que los disputadores se vituperan para publicar los errores y culpas en que han incurrido, a fin de apercibir a los oyentes contra los pecados y poder corregir sus conductas. Su compleja estructura refuerza el marco de verosimilitud que permite a los receptores acceder a la realidad que aguarda más allá de la muerte **[→ págs. 1761-1769]**.

12.9: Capítulo VIII: De Pedro I (1350-1369) a Juan I (1379-1390): el advenimiento de una nueva dinastía

57ª) Se ha incidido, en este capítulo, en la fractura de valores que representa el turbulento reinado de Pedro I, culminado con el fratricidio de Montiel (1369). Alfonso XI había sido el único monarca que había logrado sojuzgar a los nobles y construir un entramado cortesano que fuera imagen de ese poder consolidado y de una autoridad que requería ser fijada mediante precisos signos literarios. En cambio, Pedro I o careció de aficiones letradas o desaparecieron con él; de su hermanastro, don Enrique, se ha señalado que fue conde antes que rey y, por ello, miembro activo de una nobleza que no renunciaba a los privilegios cedidos ante su padre. Cuando don Enrique es proclamado rey en 1366 lo apoyan los principales clanes linajísticos opuestos a la realeza, ganados por el compromiso del nuevo monarca de devolverles los derechos perdidos. Desde 1369, Enrique II gobierna los reinos en función de los valores que han sostenido su causa; ello obligará a definir otros signos morales y políticos por los que la corte deba regirse. Se ha incidido en las dos paradojas ideológicas de esta segunda mitad de siglo: por una parte, don Juan Manuel, el enemigo más activo de Alfonso XI, se convierte en el fundamento linajístico de la nueva dinastía tras casar su hija doña Juana Manuel con Enrique II, por otra, los descendientes de Pedro I se convertirán en una continua amenaza para los Trastámara hasta que se verifica el enlace entre Enrique III y doña Catalina de Lancáster, propiciando la inserción de los «petristas» en la corte **[→ págs. 1771-1776]**.

58ª) La fractura ideológica de 1369 provoca una grave quiebra en las redacciones cronísticas, suspendida la general hasta 1404 y recuperada la real por Enrique II al ordenar en 1376 la revisión de la de su padre. A tenor de las referencias indirectas, parece factible suponer que hubo una historiografía petrista, con una **Corónica verdadera* que pudo construirse en el entorno de doña Catalina de Lancáster, luego perdida y que sería una más de las piezas con que se armó el entramado cortesano de Juan II [→ **págs. 1776-1783**].

59ª) Don Pero López de Ayala es el intérprete más fiel, además de testigo, de las transformaciones políticas y letradas que se producen con el advenimiento de la nueva dinastía. Tal es lo que refleja el proceso de redacción de sus *Crónicas*, con dos versiones diferentes de la dedicada a los dos primeros reyes. Al iniciar su labor en 1379, Ayala contempla el ciclo cronístico de los dos hermanos rivales como una unidad, formada en 1383 la versión llamada *Primitiva;* hasta 1388, una vez liberado del cautiverio de Obidos, no volvería a ocuparse de las crónicas; había ocurrido ya el enlace del tercer Trastámara con doña Catalina de Lancáster; cerradas las heridas de la guerra, acomete Ayala la revisión del primer proyecto; crea, así, la versión *Vulgar* o *Vulgata*, concebida como un ciclo unitario que explicaba los designios que habían regido a los descendientes de Alfonso XI e instaurado en Castilla un nuevo modelo cortesano.

De este modo, la *Crónica del rey don Pedro y del rey don Enrique* se concibe como un solo relato cronístico dedicado a dos reinados que abarcan un período de treinta años, de 1350 a 1379, con el eje de 1366, el año en que don Enrique es proclamado rey en Calahorra. Se ha indicado que Ayala es el cronista de una dinastía, lo que le permite liberar su redacción de las limitaciones a que estaban sujetas las crónicas reales, obligadas a registrar el pensamiento y la voluntad de un monarca. Ayala juzga en ocasiones a Enrique II y a Juan I, analiza ese tiempo histórico y reflexiona sobre el pensamiento político que le parece más conveniente. El cronista es parte integrante de la misma historia que con su escritura está fijando; suele ser objetivo al registrar los datos, pero puede también implicarse en la defensa de una ideología.

Se ha valorado la trama literaria de la *Crónica* ayalina, el modo en que deja hablar a sus protagonistas, mediante la distribución estratégica de discursos pronunciados por personajes relevantes, a fin de armar el entramado ideológico que convertirá a don Enrique en rey. Se ha descrito el modo en que los comentarios del cronista se convierten en glosas doctrinales, en disquisiciones teóricas que afirman el pensamiento caballeresco que debía vincularse a las empresas militares [→ **págs. 1783-1808**].

La *Crónica de Juan I* se redacta con la pretensión de verificar la validez del cambio dinástico, configurada una sola «versión» que se transmite en las dos derivaciones de la *Primitiva* y la *Vulgar.* En este relato, la voz del historiador gana en autoridad, en paralelo a los cometidos cortesanos desempeñados; se formula un saber histórico que se despliega en «exemplos» y «razones». La crónica entera gravita sobre el desastre de Aljubarrota, a fin de justificar la derrota con Portugal y salvar la figura de un monarca de quien se encarece su prudencia y el valor concedido a los consejos. Ayala convierte esta *Crónica* en una especie de ensayo político, ajustado al regimiento más conveniente para el reino **[→ págs. 1808-1816]**.

60ª) La *Gran Crónica de Alfonso XI* manifiesta el interés de Enrique II por recuperar el pensamiento político de su padre y convertirlo en asiento de su legitimidad dinástica. De esta compilación, formada entre 1376 y 1379, se ha valorado el despliegue de un eficaz conjunto de técnicas descriptivas con las que se refuerza la dimensión caballeresca que Alfonso XI había logrado afirmar; se incide, por ello, en sus hazañas militares, juzgados y verificados comportamientos militares o morales **[→ págs. 1816-1820]**.

61ª) El análisis de los libros de viajes se sitúa en la segunda mitad del siglo XIV. Se ha indicado que estos relatos constituyen ventanas abiertas a la imaginación del hombre medieval, ofrecidas a su deseo de recorrer senderos reales, inventados o escatológicos, a fin de ampliar los reducidos límites de sus relaciones sociales o de comparar las costumbres de distintos pueblos. Se ha incidido en la pluralidad de formas que adoptan: encuentran aquí cabida guías de peregrinación, rutas comerciales, enciclopedias geográficas, relatos maravillosos o aventuras individuales **[→ págs. 1821-1824]**.

El *Libro del conosçimiento* se ha ligado al ámbito de la imaginación de su formador, a su pretensión de integrar en su compilación de datos tres líneas de conocimiento —la geográfica, la vexilológica, la heráldica— a las que añade informaciones de carácter político. Las noticias reunidas se someten a una ordenación cronográfica, desplegadas técnicas de verosimilitud para presentar como factible un recorrido desmesurado **[→ págs. 1824-1828]**.

El *Libro de Marco Polo* se ha conectado a los intereses letrados de Juan Fernández de Heredia, así como a las estrategias políticas de la orden que regía **[→ págs. 1829-1831]**. El *Libro de las maravillas del mundo*, mandado traducir por el aragonés Juan I, sobresale por la diversidad de planos que lo integran: es un libro de «exemplos», un compendio de *miracula*, un libro de viajes no emprendidos, pero referidos con fórmulas de verosimilitud que influirán en otros itinerarios sí realizados **[→ págs. 1831-1833]**.

Se ha otorgado un especial valor al grupo de los viajes alegóricos, singulares recorridos que posibilitan que el alma se asome a ese «trasmundo» al que se sabe destinada. La *Visión de don Túngano* se ha enmarcado en el ámbito del «molinismo»: un «caballero» va a sufrir severas correcciones por actos cometidos contra una dimensión religiosa que doña María quería convertir en modelo de conducta; Túngano se ajusta al esquema del «caballero mancebo», engañado por los placeres del «mundo», ajeno a la vida espiritual; el relato adopta una configuración sermonística **[→ págs. 1833-1843]**. El *Purgatorio de San Patricio* es un producto hagiográfico con estructura de itinerario, que acoge una peregrinación purgatoria por el Otro Mundo; se ha delineado la dimensión de «caballería espiritual» de que se reviste su protagonista en el enfrentamiento que libra contra los diablos **[→ págs. 1843-1852]**.

62ª) Tras la derrota definitiva de los benimerines en 1340, se impulsan reformas eclesiales que requieren una precisa literatura catequismal; todo el orden escolar y universitario se pondrá al servicio de este afán renovador, impulsado desde estratégicas sedes episcopales. Como muestras de esta producción se han analizado el *Catecismo* de Gil de Albornoz —que presta atención especial al orden de los sacramentos— y el de Gutierre de Toledo, obispo de Oviedo, en el que se regula la doctrina cristiana con el fin de que sea fácilmente asimilada y difundida **[→ págs. 1852-1859]**.

Se ha examinado, con detalle, la miscelánea integrada en el Ms. 77 de la Bibl. Menéndez Pelayo, antecedente directo de las compilaciones doctrinales y religiosas que se van a formar en la segunda mitad del siglo XV. Hay tres líneas de orientación molinista en este códice: el valor de la penitencia, las oraciones, la utilización de *exempla;* los esquemas narrativos se vinculan a una labor de predicación, preferidas las peripecias de carácter hagiográfico; se incluye una de las primeras *regulae* de vida espiritual en lengua vernácula, construida con la pretensión de definir la condición de clérigo y de afirmar el estudio y diligencia con que el eclesiástico debe acomodarse a las normas de las órdenes recibidas **[→ págs. 1859-1875]**.

Uno de los grandes reformadores de finales del siglo XIV es don Pedro Gómez Álvarez de Albornoz, arzobispo de Sevilla y autor del *Libro de la justiçia de la vida espiritual*, sólido manual de formación religiosa, dividido en cinco partes en las que se ordena la doctrina que debe conocer todo cristiano para salvar su alma. Es un catecismo que otorga a la penitencia un valor fundamental. Este «regimiento del alma» se enmarca en las exhortaciones sinodales de controlar las vidas de los fieles en sus diversas manifestaciones. Se ha destacado la atención prestada por el autor a las formas de vida cotidiana que deben ser corregidas, así como a las supersticiones y creencias populares, encauzadas mediante una cuidada trama «exemplar» **[→ págs. 1875-1897]**.

63ª) La sermonística en lengua vernácula comienza a desarrollarse a lo largo del siglo XIV; establecidos los marcos a que se ajusta su evolución, se han analizado tres piezas singulares de este orden predicatorio. De la homilía de Pero López de Baeza, centrada en los significados del hábito santiaguista, se ha destacado la valoración de los diferentes símbolos caballerescos y religiosos que sostienen a esta orden. Mayor interés posee el sermón de Pedro de Luna, pronunciado en 1390, en Pamplona ante el rey Carlos III para justificar la adhesión del monarca a la causa clementista; la idea principal del sermón incide en que la autoridad pontifical ha de consolidar la regia, con el fin de explicitar la simbología del poder real; un elogio dedicado a Pamplona y a su catedral enmarca un breve regimiento de príncipes, en el que el cuerpo del rey se asocia a las virtudes que como buen gobernante precisará. Por último, se ha valorado un sermón político aragonés, pronunciado en 1398 por Martín el Humano, en el que desgrana los principios de su pensamiento político **[→ págs. 1897-1916]**.

64ª) La hagiografía adquiere en el período molinista un auge extraordinario, verificándose el trasvase de esta materia del discurso del verso al de la prosa, un proceso que implica la construcción de nuevos esquemas de intelección y de análisis de estas líneas argumentales. Se han enumerado las características comunes del género: la verosimilitud, apoyada en la truculencia, la dimensión exegética, el celo pastoral y el anhelo de interferir en la construcción del orden ideológico en que se encuentran instalados los receptores. Se han examinado diversas piezas hagiográficas, vinculadas o no a la difusión de la *Legenda aurea* de Santiago de Varazzo. La *Istoria de Sant Alifonso* se ha ligado al marco de la escuela catedralicia toledana; se muestra el modo en que el «saber» debe apartarse de la «natura» (o del «mundo») para alcanzar un conocimiento esencialmente religioso. De la miscelánea del BN Madrid 10252 se ha destacado el conjunto de los *Miraglos de Santiago*, en los que se instiga la secuencia de valores que converge en torno a su culto; es una advocación vinculada a una dimensión caballeresca, explicitada en glosas que advierten sobre los vicios en que pueden incurrir los miembros de este estado **[→ págs. 1916-1936]**.

65ª) De las cuatro *vitae* del escurialense h-i-13, tres se reservaban para el análisis de la hagiografía, tan próxima a las querencias letradas de la reina doña María. La actualidad histórica atraviesa la *Vida de Santa María Madalena,* difundida para promover su culto e insistir en la necesidad de celebrar las cuaresmas penitenciales. La *Vida de Santa Marta* se aprovecha para afirmar un contenido catequético, centrado en el valor de la vida ascética, con un orden narrativo que enseña el modo en que deben ser vencidos los peligros mundanales. La *passio* cifrada en el *Santa Catalina* no pretende propagar un culto, sino configurar un «regimiento de salvación» del alma, además de trazar una valoración negativa del «saber» **[→ págs. 1936-1962]**.

66ª) La *Leyenda de San Amaro,* ajena a las principales compilaciones hagiográficas, se crea con el fin de convertir la vida humana en una continua búsqueda de Dios para lograr la salvación del alma; tratándose de una advocación inventada, en el relato se integran tradiciones folclóricas y estructuras de libros de viajes, definida la vida como peregrinación y apuntada una aleccionadora visión del «otro mundo» **[→ págs. 1962-1971]**. La *Vida de San Alejo* se ha considerado otra *passio,* si bien voluntaria, que convierte la libre asunción de tormentos y aflicciones en medio de llegar a Dios y apartarse de los engaños de la vida terrenal **[→ págs. 1972-1981]**. La *Vida de Santa Pelagia* se ha estimado por sus glosas catequismales, consagradas a las fórmulas litúrgicas, los objetos de culto, los sacramentos **[→ págs. 1981-1985]**.

67ª) El concepto de hagiografía monacal, tercera vía de difusión de estos relatos, se ajusta a *vitae* en las que se extractan los valores esenciales de los santos fundadores de las órdenes. Con este fin, se ha analizado la *Vida de Santo Domingo de Guzmán,* armada con un fuerte bagaje de noticias históricas, sobre las que se proyectan las obras y las palabras del santo, dirigidas en especial contra las herejías. De la *Leyenda de Santo Tomás de Aquino* se ha valorado el modo en que la *vita* se centra en el difícil equilibrio que el Aquinate establece entre su vida religiosa y la dedicación al «saber», siempre peligroso **[→ págs. 1986-2001]**.

68ª) Vinculados a la *devotio moderna,* se construyen a finales del siglo XIV los primeros tratados de espiritualidad; se han analizado como muestra de este orden los *Soliloquios* de fray Pedro Fernández Pecha, el fundador de los jerónimos; se trata de una guía religiosa redactada para promover exámenes de conciencia, conforme al esquema de las *Confesiones* de San Agustín; el primer «soliloquio» se aplica a la búsqueda de

Dios, mientras que el segundo esboza una original disputa entre la criatura y su Creador **[→ págs. 2001-2011]**.

69ª) Tras el *Libro del conde Lucanor*, la cuentística abandona los marcos cortesanos y se convierte en un cauce de moralización o de enseñanza religiosa. Con estas perspectivas, se ha examinado el *Libro de los gatos*, en el que se encierra una pesquisa alegórica practicada sobre las *fabulae* que reuniera Odo de Chériton en las primeras décadas del siglo XIII; se ha insistido en que la intención del *Libro* no consiste en articular una predicación de carácter estamental, sino en desvelar los engaños con que el «mundo» desvía a las personas del camino de salvación **[→ págs. 2011-2024]**. También en el interior del *Viridario* o *Vergel de la consolaçión* se traza un itinerario de perfeccionamiento espiritual, desvelados los aspectos negativos de la condición humana y afirmadas las virtudes que pueden permitir al individuo alcanzar la «sapiencia verdadera» que conduce a Dios; en uno de los manuscritos de su transmisión se incluyen siete «exemplos» que inciden en el valor de la confesión, la contrición y la penitencia **[→ págs. 2025-2035]**.

70ª) De la «alegría de la corte» sólo la actividad de la caza cuaja en productos letrados, tal y como lo testimonia el *Libro de la caza de las aves* del canciller Pero López de Ayala; vinculado su contenido a la figura de don Juan Manuel y asumida la materia del *Livro de falcoaria* de Pero de Menino, Ayala encierra en esta obra su ideología aristocrática, defendiendo la conciencia nobiliaria incardinada a la práctica de este ejercicio; se han valorado las evocaciones autobiográficas, así como la significación concedida al halcón neblí, signo supremo de las virtudes a que un cazador debe aspirar **[→ págs. 2036-2049]**.

12.10: Capítulo IX: Enrique III (1390-1406): el cambio de siglos.

El tercer tomo de esta *Historia de la prosa medieval castellana* fija los orígenes del humanismo —las traducciones, los tratados— en los marcos culturales de Enrique III y Juan II, alargando su recorrido hasta la mitad de siglo.

71ª) Enrique III construye un modelo de regalismo que se ajusta a la ideología política de López de Ayala, canciller del reino desde 1398; en este noveno capítulo (págs. 2075-2190) se fijan los valores de este marco cultural, enfrentado a una crisis económica y religiosa que se agrava por las persecuciones desatadas contra los judíos. Enrique III logra imponer su autoridad regia sobre la nobleza; dirige eficaces campañas militares contra esa aristocracia levantisca y los reinos vecinos; renueva el aparato burocrático de la corte y encauza las ofensivas contra los moros instigadas por el infante don Fernando **[→ págs. 2075-2080]**.

72ª) La decadencia de la cronística general se enmarca en la fractura de valores que propicia el advenimiento de los Trastámara; la transmisión de una crónica general es cada vez más incierta: su construcción no es consecuencia sólo del esfuerzo creativo de un compilador, sino resultado de la contaminación de versiones que se copian sin ningún orden y que configuran nuevas visiones de hechos, en las que vuelven a resurgir motivos y líneas temáticas de la épica. Sólo la *Crónica de 1404* posee un cierto grado de originalidad, derivado de la heterogénea dimensión letrada de su autor de origen gallego; a él se debe el registro particular de las noticias acaecidas desde Fernando IV hasta alcanzar su presente; se ha apreciado el interés prestado a la materia caballeresca, a los episodios artúricos, a las Cruzadas, a la hagiografía, a la materia troyana, hábilmente integrados estos materiales en las estructuras de la realidad propuestas. La *Crónica del moro Rasis* se ha valorado por constituir el soporte de la *Crónica sarracina* de Pedro de Corral y propiciar un nuevo sistema de integración y de interpretación de fuentes **[→ págs. 2081-2089]**.

73ª) Los sumarios de crónicas reflejan la visión historiográfica impuesta por los Trastámara. En estas piezas históricas, el pasado se reconstruye en virtud de los patrones ideológicos que sostienen los nuevos entramados de las relaciones cortesanas. Uno de los sumarios más originales es el *Cuento de los Reyes* inserto en la Parte primera de *El Victorial,* atribuido al abuelo de Pero Niño; en el análisis que efectúa de la guerra civil y del cambio dinástico, elogia las actitudes de lealtad caballeresca, sin decantarse por ninguno de los bandos contendientes; se antepone la virtud de la fidelidad a cualquiera de los compromisos políticos impuestos por las dinastías reinantes. El *Sumario del Despensero de la reina doña Leonor* selecciona pasajes de la cronística general, con el fin de recabar noticias que permitan fijar un modelo de autoridad regia; de ahí, el interés por la materia épica o por los discursos y arengas cortesanas; se condensan biografías de cuarenta reyes, tratadas como si fueran breves marcos de relaciones sociales y políticas; esta fórmula propicia sucesivas ampliaciones y que el sumario pueda incorporar nuevos resúmenes de reinados **[→ págs. 2089-2099]**.

74ª) La cronística real queda detenida en 1395, en la data en que Ayala interrumpe el registro de la *Crónica de Enrique III;* sólo cinco años del reinado del tercer Trastámara son compilados en una crónica que se transforma en un detallado diario del reino, susceptible de acoger cualquier noticia referida al engrandecimiento de la corte, con un monarca que se va a convertir en paradigma de firmeza y de autoridad. El cronista es testigo de un tiempo y, a la vez, intérprete y hacedor de las líneas maestras de su ideología [→ **págs. 2099-2110**].

75ª) Tras la escasa actividad traductora del siglo XIV, se recupera la trama de las traslaciones en el reinado de Enrique III, acomodada a pautas doctrinales y religiosas que revelan la dificultad de aclimatar en Castilla, en la primera mitad del siglo XV, los *studia humanitatis*, incardinados antes al espacio cultural de la corte aragonesa. Se traducen obras vinculadas al entorno de Aviñón, en donde Ayala completa su formación letrada; de este ámbito provienen las *Vidas y dichos de filósofos antiguos*, derivadas de un original latino compuesto por Walter Burley h. 1340 sobre la base de Diógenes Laercio; es una miscelánea que se abre a los problemas de la segunda mitad del siglo XIV, amoldada a uno de los esquemas de difusión del saber más seguros, el de la sucesiva transformación de discípulos en maestros que se preocupan por transmitir ese contenido, hermético y reservado, a nuevos pupilos debidamente probados y seleccionados; como ocurriera en el *Bocados de oro*, la trama cronológica se acompasa al orden de la sabiduría desvelada. Las técnicas de enseñanza, referidas al lenguaje y al conocimiento, denuncian los peligros de las disciplinas elocutivas, en especial los de la retórica [→ **págs. 2111-2131**].

76ª) Las traducciones instigadas por P. López de Ayala se acomodan a sus preocupaciones políticas y morales, amén de revelar su interés por «romanzar» textos no conocidos en Castilla. Su traslación de Tito Livio se fija sobre la versión francesa de Pierre Bersuire; se pretendía con ella restaurar la conciencia caballeresca de Castilla en virtud de la «ordenanza» y de la «disciplina» con que procedía acometer cualquier acción armada; se ha indicado que Ayala buscaba entregar a Enrique III las claves de gobierno militar para convertirlas en soporte de la organización de sus ejércitos y del proceso de expansión bélica [→ **págs. 2131-2142**].

Distinta es la *Caída de prínçipes* de origen boccacciano, vinculada al fracaso del Canciller por resolver el cisma aviñonés; en esta obra asoma la actitud de severo moralista de Ayala; se traza un friso de retratos de personajes célebres que permite tratar asuntos tan heterogéneos como la misoginia, el influjo de la providencia, los sueños, la relación entre la Pobreza y la Fortuna; al resguardo de Boccaccio se defienden la poesía y el «fablar» letrado, validado el uso del lenguaje figurativo [→ **págs. 2142-2150**].

Ayala era un apasionado conocedor de la materia de Job; traduce el libro bíblico, traslada los *Moralia in Job* de San Gregorio para convertirlos en un conjunto sapiencial y los abrevia para formar un regimiento de príncipes, afirmado sobre el orden doctrinal de la dimensión escrituraria de su pensamiento político [→ **págs. 2150-2157**].

77ª) Se sitúan en este cambio de siglos los romanceamientos de San Isidoro, apuntada la posibilidad de que las *Etimologías* hubieran sido ya trasladadas en la época alfonsí; de los paratextos con que se presenta esta miscelánea enciclopédica, interesa la *Vita* isidoriana, en donde el saber religioso propicia un soporte de acercamiento a las obras de la Antigüedad y a las artes elocutivas [→ **págs. 2158-2162**].

Para la versión *Del soberano bien* se ha estimado la intervención de un traductor laico, quizá el mismo Ayala, en virtud de la selección de los asuntos escogidos de las *Sententiae*; el valor principal de este texto estriba en la conexión que propone entre vidas contemplativa y activa, precisando los modos en que pueden ser purgadas las obras de la vida terrenal; constituye un claro antecedente de las reglas monacales, advertidos los riesgos que comporta el amor del mundo e inscrito, en su interior, el itinerario de perfección a que se ajustarán letrados y nobles castellanos en la primera mitad del siglo XV [→ **págs. 2163-2171**].

78ª) A finales de la centuria, se redactan «relaciones» (diarios de a bordo, itinerarios geográficos, cuadernos de viaje) que se guardan en la cámara regia para ser utilizadas como documentos cronísticos. Constituyen, por tanto, el reflejo del espacio cortesano que las vincula a la trama de la historia, tal y como sucede con la *Embajada a Tamorlán*, una de las mejores imágenes del poder cifrado en la corte de Enrique III; se ha advertido que los fines de esta expedición coinciden con los intereses de los Trastámara en política exterior: el trazado de mapas políticos, la verificación de rutas comerciales, la valoración de las conexiones italianas en Oriente, el conocimiento de pueblos que podían prestar una eficaz ayuda contra el poder de los turcos. Se ha señalado que su estructura narrativa se amolda a la construcción de un detallado itinerario geográfico; se trata, ahora, de un viaje real, referido con técnicas descriptivas ya empleadas en los relatos anteriores; apenas hay concesiones al imaginario caballeresco y son escasos los *mirabilia* descritos. La *Embajada* —sólo por el hecho de serlo— aspira a construir un saber político y diplomático que represente el orden ideológico de la corte castellana, además de servir de registro de las enseñanzas que deben ser asumidas por ese marco de recepción [→ **págs. 2171-2190**].

12.11: Capítulo X: Juan II (1406-1454): el último entramado literario

79ª) El capítulo más largo y complejo de esta *Historia de la prosa* (págs. 2191-3439) se consagra al paradójico modelo cultural de Juan II, el cuarto Trastámara; este monarca propicia un ámbito letrado semejante al alfonsí, pero no lo utiliza como soporte de su autoridad regia, sino como refugio de su ineptitud política. A lo largo de la primera mitad del siglo XV, la corte es un espacio de disputas entre don Álvaro de Luna, la nobleza castellana y los infantes de Aragón; por ello, en este reinado contienden dos marcos de producción letrada —el castellano y el aragonés— que acabarán siendo irreconciliables. Don Álvaro configura un imaginario cortesano que lo presenta como paradigma de los valores de la caballería y que posibilita que el rey dedique sus virtudes intelectivas a otras materias. Se ha hablado, por ello, de una curia dúplice, presidida por Juan II, pero controlada por el de Luna; a los nobles castellanos no les queda otra opción que integrarse en los bandos que se forman en torno a los infantes don Enrique y don Juan, que rivalizarán por apoderarse del monarca castellano. En las guerras que se suceden contra Aragón, los linajes nobiliarios de Castilla quedan aislados, obligados a construir ámbitos propios de legitimación cultural, algunos tan importantes como los que instigan el señor de Batres, el conde de Haro o el marqués de Santillana. Con el apoyo de la heterogénea *Crónica de Juan II*, se han destacado tres paradigmas de autoridad curial en este reinado: el del infante don Fernando —cabecera del linaje aragonesista—, el de don Álvaro de Luna —garante de la estabilidad política y letrada del reino— y el de Juan II —paradójico dueño de un «saber» que lo incapacita para gobernar. La producción literaria de este período atiende a la contradictoria formación de los marcos cortesanos de Juan II: enfrentado a la visión aragonesista que se afirma en su minoridad, don Álvaro construye para él un dominio de imágenes caballerescas que le permita alejarse del orden de influencias de sus primos y entregarse a unas aficiones letradas abiertas al mundo de la poesía y de la reflexión religiosa. No hay vías de desarrollo posible en Castilla para el humanismo porque ese orden de ideas había prendido antes en Aragón [→ **págs. 2191-2206**].

80ª) La cronística de Juan II proporciona el mejor reflejo de las continuas fracturas de valores y de la colisión de mundos culturales que se suceden a lo largo de este reinado. El principal cronista fue don Álvar García de Santa María; careció del protagonismo político de Ayala, su antecesor en el cargo, pero logró fijar uno de los pensamientos cronísticos más sólidos y rigurosos de la historiografía medieval. Don Álvar extendió la redacción de la crónica hasta el año de 1434; de su labor se conservan dos partes, la *Primera* dedicada a la minoridad de Juan II, la *Segunda* volcada ya en su gobierno. Como se ha visto, de ninguna de ellas el rey es la figura central **[→ págs. 2207-2212]**.

La *Primera parte* gira en torno a don Fernando de Antequera y, así, cuando el regente marcha a Aragón en 1412 la crónica viaja también con él; don Álvar lo convierte en modelo de conducta regia; es espejo de virtudes caballerescas y de prudencia cortesana; la misma ejecución de las acciones militares ocurre en cumplimiento de unas cualidades religiosas, que arropan las ambiciones políticas proyectadas en sus hijos. Se ha indicado, también, que la marcha de don Fernando a Aragón presupone la victoria de la ideología castellana sobre la del resto de los reinos peninsulares. La trama narrativa de esta sección se abre a dos líneas de sentido: la primera muestra a don Fernando como regente de Castilla, la segunda lo presenta como rey de Aragón **[→ págs. 2212-2231]**.

La *Segunda parte* de la *Crónica* le fue quitada a don Álvar de las manos y corregida para adaptarla a la ideología con que don Álvaro quería reforzar la corte castellana con el fin de enfrentarse a la nobleza y a los infantes de Aragón; por el protagonismo adquirido, se ha apuntado la posibilidad de que esa revisión la ejecutara F. Díaz de Toledo, el Relator. Se han explicado, así, las contradicciones de este relato cronístico; en sus primeros capítulos se diseñan retratos negativos del rey y de su valido, mientras que en los últimos se construye una firme defensa de sus figuras. Gira la *Segunda parte* sobre dos líneas temáticas, la primera dedicada al valimiento de don Álvaro (1420-1427), la segunda a su regimiento del reino (1428-1434) **[→ págs. 2231-2240]**.

Se ha incidido en que Lorenzo Galíndez de Carvajal, cuando prepara los materiales para publicar esta *Crónica* (1517), elige una *Refundición* que atribuye a Pérez de Guzmán y que considera validada ideológicamente por la reina Isabel, es decir por el único marco cortesano que había sabido atajar los errores con que el reino había sido regido hasta 1474. Se ha afirmado, por ello, que en el tercer tramo de la *Crónica* (1435-1454) late una dimensión doctrinal que acuerda con los valores de la unidad de reinos que consuman los últimos Trastámara.

Juan II es, ahora, un monarca que pretende gobernar, pero que se halla sujeto a la voluntad del Condestable, a quien se imputan los principales errores políticos cometidos en este reinado; la figura del futuro Enrique IV propicia un análisis de las circunstancias que provocan la pérdida del linaje real. La *Refundición* convierte a don Álvaro en ejemplo supremo de «príncipe» abatido por la fortuna y por sus personales desaciertos; es el enemigo de la nobleza y de la propia institución monárquica; por ello, la sentencia que se dicta contra él surge de la voluntad nobiliaria, no de la regia. La trama narrativa de la *Refundición* se ajusta a esta paradoja: no importa el registro dedicado a la historia de un rey, envuelto por intrigas y conjuras, o a la de un valido, encastillado en la condición estamental alcanzada, interesa el relato de un reino entero, fragmentado en múltiples espacios de poder. Se ha afirmado, por ello, que el ascenso y caída de don Álvaro extiende su ejemplaridad en un telón de fondo en el que se recortan los perfiles verdaderos de los protagonistas de la crónica que leyó la reina Isabel y que se entregó al príncipe Carlos para que conociera la memoria reciente de España **[→ págs. 2240-2268]**.

81ª) Aun detenida por su principal historiador, los hechos posteriores a 1434 siguen metiéndose en crónica por Pero Carrillo de Huete, Halconero mayor, que gozaba del favor y de la confianza del rey. Él compila un «memorial» de hechos, un «sumario» de los itinerarios seguidos por el monarca; se ha señalado que es el único cronista que logra fijar un retrato positivo de Juan II, convirtiéndolo en centro de un orden político que depende de su sola presencia. El Halconero sólo quiere dar fe de que existe una corte, a la que llegan noticias, embajadas y documentos que avalan la autoridad regia; se ha destacado el elevado número de fuentes documentales que se integran en la trama cronística, detenida bruscamente el 28 de junio de 1441 cuando el monarca castellano es secuestrado por su primo don Juan, el rey consorte de Navarra **[→ págs. 2268-2294]**.

82ª) Se ha indicado que en el punto en que se detiene la compilación de Carrillo de Huete, conforme al testimonio del BN Madrid 9445, en junio de 1441, comienza la única redacción cronística que se puede atribuir a don Lope de Barrientos, extendida hasta el año de 1450. El obispo es el verdadero protagonista de esta secuencia; sólo le interesan los hechos que de él dependen, inclinándose su relato por la opción política representada por el príncipe Enrique. Cuando en 1446 Barrientos abandona la corte y marcha a Cuenca, este registro de datos parte también con él **[→ págs. 2294-2306]**.

83ª) De la historiografía de Juan II se ha valorado en especial el compendio albergado en el escurialense X-ii-13; no es una «refundición» del Halconero ni su relato puede atribuirse a Barrientos. Se trata de la mejor crónica de Juan II, tanto por su claridad y precisión como por el modo en que regresa a los orígenes del reinado para ofrecer un relato muy distinto de los sucesos históricos ya compilados; varios hechos cambian de sentido porque se cuentan desde otra perspectiva, que coincide con los planteamientos ideológicos que sostenían la causa del infante don Enrique; la utilización de varias semblanzas cronísticas de Pérez de Guzmán y del mismo prólogo de *Generaciones* permite apuntar la hipótesis de que el X-ii-13 refleje la intervención del señor de Batres en la línea cronística de Juan II, ya que se ajusta a la descripción dada por Galíndez de esa «refundición»: se abrevia la *Primera parte* de don Álvar, se reelabora la *Segunda* y se recurre al relato del Halconero hasta el año 1439 en que se interrumpe **[→ págs. 2306-2322]**.

84ª) Del final del reinado de Juan II, amén de la *Refundición,* sólo queda el registro conservado en el ms. 434 de la Bibl. Universitaria de Santa Cruz de Valladolid, que es una copia de la que se ha llamado *Abreviación perdida* del Halconero; este producto cronístico utilizó la versión del X-ii-13 hasta que pudo empalmarla con el Halconero, mientras que, a partir de 1450, se sirve de otro texto más cercano al de la crónica impresa por Galíndez, sin que sea dable saber si ese cierre sería obra de Pérez de Guzmán o procedería de otro sumario **[→ págs. 2322-2333]**.

85ª) La nobleza castellana, expulsada de la corte regia y enfrentada a don Álvaro, precisa construir una memoria histórica propia. Se forma así una trama de relatos —«crónicas particulares», biografías o registros notariales— con la que la aristocracia justificará sus comportamientos, reconstruirá el pasado en función de los sucesos en que se ha visto implicada, analizará los hechos desde el fondo de la «conciencia nobiliaria» sobre la que el reino debía haberse alzado. Se ha señalado que la raíz de este proceso se encontraría en don Juan Manuel, el primer noble preocupado por convertir su vida en materia literaria; a su resguardo, harán lo propio los viejos linajes abatidos en Montiel y la nueva aristocracia ascendida por los Trastámara **[→ págs. 2333-2334]**.

86ª) Se han valorado las *Memorias* —o «escritura»— de doña Leonor López de Córdoba como el primer documento en que una conciencia linajística, sostenida por una voz femenina, reconstruye su memoria en función de la fractura del orden ideológico que impuso el advenimiento de los Trastámara. Descendiente, por parte de padre, de don Juan Manuel, recrea el pasado con intenciones similares a las del noble en el *Libro de las tres razones*. La materia argumental se estructura conforme a cuatro ideas nucleares: 1) se trazan los orígenes linajísticos, 2) se refiere la caída de su linaje, 3) se da cuenta de la recuperación del honor familiar y 4) se desgranan las nuevas acechanzas de la adversidad. Las interpretaciones del opúsculo varían según la «escritura» se considere instigada —puesto que la dicta— antes o después de 1409, el año en que su carrera cortesana junto a la reina doña Catalina se quiebra bruscamente por las insidias que contra ella mueve Inés de Torres **[→ págs. 2334-2350]**.

87ª) *El Victorial*, o biografía de Pero Niño, está sostenido por una de las constantes de la vida de este caballero: la reclamación de unos derechos linajísticos en virtud de unos servicios prestados. A esta idea se ajusta el desarrollo del «libro» o del «memorial» que Díaz de Games construye no sólo para reivindicar los intereses del biografiado, sino para exponer los valores que deben ser infundidos en el estamento de la caballería. Se han postulado tres fechas para la composición del «libro»: en 1406 se articula un memorial de servicios con el registro de las campañas en que Niño ha participado; en 1429-1431, el relato justifica la acción de Tordesillas y posterior defensa de Montánchez, en el bando del infante don Enrique, recordando su intervención en la guerra de Granada y su enfrentamiento con el regente don Fernando; surge el «libro» que contiene, a su vez, un complejo doctrinal de caballerías, justo cuando el héroe alcanza la promoción al condado de Buelna; a partir de 1435, el «libro» se convierte en la biografía de un linaje, mediante el registro de las hazañas del malogrado Juan Niño de Portugal.

Se ha postulado la posible conexión ideológica entre Díaz de Games y don Álvaro de Luna, ya que la construcción de este doctrinal caballeresco acuerda con el impulso que, en el interior de la corte, se está dando para recuperar el valor y las virtudes de un estamento militar que había de ser hechura de las obras y de las ideas del Condestable. También, la doble línea de comportamiento militar y amoroso, con acciones de las que Niño sale siempre vencedor, encaja en el primer marco de relaciones cortesanas de don Álvaro, asentado en la unidad de las «armas» y del «amor» como constante real y verdadera, tal y como aparece en la primera parte de la *Historia* del propio Luna. El «libro» se denomina *Tratado* porque se concibe como un comentario —doctrinal y narrativo— de acciones que perfila los valores con que se ha de afirmar la clase de la caballería, además de justificar las reclamaciones de un cortesano por unos servicios prestados. El final deslavazado de *El Victorial* refleja la incapacidad de Díaz de Games por encajar las posturas adoptadas por el conde en el orden ideológico que se alza contra Luna en torno a 1440; desde luego, para 1445, carecían ya de valor sus reflexiones sobre teoría caballeresca, recomendada la conveniencia de no tentar a Dios con las pruebas de armas o las más peligrosas banderías políticas **[→ págs. 2350-2396]**.

88ª) El *Seguro de Tordesillas* se vincula al linaje de los Haro; su primer conde, don Pedro Fernández de Velasco, fue elegido en 1439 para promover un encuentro en el que los bandos enfrentados —la corte castellana, la facción aragonesista, los linajes nobiliarios— pudieran verse en persona y solventar sus diferencias; las reuniones se celebran en Tordesillas, villa que se entrega al conde para ponerla bajo su seguridad; como testimonio de estos encuentros se levantan estas actas, una suerte de escrito, diplomático y cronístico, en que se anotan las ceremonias usadas en esos días junto a los movimientos y estrategias de los diferentes partidos en litigio; don Pedro guardó una copia de este escrito en su biblioteca para dejar constancia de sus actuaciones; desde esa perspectiva, leído el *Seguro* como si se tratara de un doctrinal de príncipes, se posibilita un análisis político de los males que pueden afectar a las monarquías. La negativa de los nobles a devolver los bienes confiscados a los infantes de Aragón tornó en impracticables los acuerdos alcanzados. El de Haro supo, cuando menos, mantener la seguridad que el rey le confiara e impartir un curso de saber político y de gestión diplomática **[→ págs. 2397-2410]**.

89ª) El *Libro del Passo Honroso* es fiel reflejo del linaje de los Quiñones, representantes del poder nobiliario opuesto a don Álvaro; de este clan pervive la imagen de don Suero como justador y mantenedor de un paso de armas celebrado en 1434, a orillas del río Órbigo, que impresionó la memoria de sus contemporáneos; Pero Rodríguez de Lena, notario del rey, articuló un registro de estos encuentros. Se trata de un relato construido conforme a los modelos de la materia caballeresca. Se ha indicado que lo que comienza siendo una simple relación de hechos, acaba por adquirir singulares dimensiones literarias, sin duda ajustadas a la pena amorosa —la argolla en el cuello— de la que se quería librar el principal mantenedor del paso **[→ págs. 2410-2420]**.

90ª) La conciencia nobiliaria de Fernán Pérez de Guzmán es hechura de la ideología promovida en torno al infante don Fernando; por este motivo, se integra en el bando del infante don Enrique, aunque no duda en volver a la corte en 1425 cuando se le requiere para ello; la caída del obispo de Palencia en 1432 le hará retirarse a Batres en donde construirá un marco de producción letrada muy activo, similar al de su tío López de Ayala por la producción cronística y la actividad traductora asumidas. El *Mar de historias* constituye la mejor muestra de este proceso; en esta traslación de la crónica de Giovanni della Colonna se encuentran cifradas las claves del pensamiento historiográfico de Pérez de Guzmán: la construcción del orden político y doctrinal de Occidente, la necesidad de asentar esa dimensión ideológica en un ámbito de conocimiento religioso, la oportunidad de recuperar las ideas y las obras de los principales pensadores y exégetas eclesiásticos. Se ha insistido en el modo en que el señor de Batres se ajusta al programa de expansión política y religiosa del *Mare* de Colonna, coincidente con el mesianismo con que era arropada la figura de Fernando de Antequera **[→ págs. 2420-2434]**.

De las *Generaciones y semblanzas* se ha valorado el amargo pesimismo que cruza esta galería de retratos biográficos; Pérez de Guzmán tiende un hilo histórico que avanza desde el reinado de Enrique III hasta el inicio del de Enrique IV, con el fin de consolidar un proceso de conocimiento, filosófico y religioso, que permita entender el modo en que un reino poderoso como Castilla había sido destruido. Se ha indicado que Pérez de Guzmán alza un proceso contra la institución de la realeza y el estamento de la caballería, acusando a los linajes aristocráticos de haber trocado las virtudes militares por el afán de la riqueza. Con esta miscelánea de biografías, el señor de Batres impulsa la tradición linajística en Castilla; la carencia de nobiliarios es apuntada como una de las causas de la pérdida de las virtudes estamentales; su prólogo es una lúcida pieza de reflexión historiográfica, en el que señala el orden, formal y temático, a que la escritura de la historia debía atenerse. Tras realizar un profundo examen de la decadencia social del grupo de la caballería, Pérez de Guzmán somete a juicio a las dos figuras más visibles de este entramado moral, el rey y su valido; con criterios providencialistas, presenta a Juan II como el castigo enviado por Dios a los naturales del reino como consecuencia de sus pecados, del mismo modo que el de Luna lo había sido para la aristocracia; porque don Álvaro era la síntesis de los defectos de la nobleza castellana, ninguno de esos linajes pudo destruirlo **[→ págs. 2434-2459]**.

91ª) La memoria de los Guzmán se fía a un relato linajístico que, en realidad, encubre una biografía caballeresca dedicada al proceso de engrandecimiento social que lograra afianzar Alonso Pérez de Guzmán, pero en el marco del molinismo, superada la condición de su bastardía. Es posible que este registro se fijara en torno a 1436, cuando muere frente a Gibraltar el primer conde de Niebla, don Enrique de Guzmán, siendo amplificado por sus sucesores hasta alcanzar la primera mitad del siglo XVI [→ **págs. 2459-2470**].

92ª) La aclimatación del humanismo en la Castilla de la primera mitad del siglo XV la entorpecen severos problemas políticos; los *studia humanitatis* no se asimilan en los marcos cortesanos de Juan II y de don Álvaro de Luna porque esas líneas de conocimiento habían llegado a la Península a través de Aragón; sólo los nobles que participan de la cortesía aragonesa —don Enrique de Villena o don Íñigo López de Mendoza— se interesan por estas novedades letradas; en Castilla, la aristocracia desconoce el latín, los prelados se enredan en controversias religiosas y filosóficas, la ficción no propone nuevos cauces para su desarrollo; los únicos acercamientos a la cultura clásica los proporcionan el lenguaje figurativo y la traducción de la retórica ciceroniana [→ **págs. 2470-2473**].

93ª) La producción letrada de don Enrique de Aragón, aun destinada en parte a la curia castellana, es hechura de la cortesía aragonesa. Don Enrique carece del rigor científico y de la actitud crítica de los humanistas italianos, pero posee el conocimiento suficiente del latín y la curiosidad necesaria sobre los saberes antiguos —y herméticos— como para instigar opúsculos y tratados en los que se encierran las imágenes e ideas humanísticas más fértiles de este período; algunas de estas pesquisas procuran una transformación social, como ocurre con la revisión estamental de *Los doze trabajos de Hércules,* en donde actúa como un «legislador moral», propiciando un modelo de «cortesía exegética» que permite fijar los valores convenientes a cada uno de los estados. La regulación de la vida de la corte requiere las nociones de protocolo reunidas en el *Arte cisoria*, del mismo modo que en la *Epístola a Suero de Quiñones* se avisa de la necesidad de que el caballero no se desvíe de sus virtudes o incumpla sus obligaciones atrapado por la pasión del amor. La poesía representa para don Enrique el soporte fundamental de la cortesía y le dirige a don Íñigo un *Arte de trovar,* con el fin de que los castellanos aprendan la «rítmica doctrina» y las buenas composiciones de los poetas puedan ser «transfundidas» a los oyentes; en su *Exposición del soneto de Petrarca* insiste en las virtudes afectivas que derivan del cultivo de esa poesía; en este orden, es portentosa la actividad glosatoria de sus traducciones, en las que se despliegan las líneas imaginarias de los saberes y de las ciencias que unos precisos grupos de recepción —siempre cortesanos— necesitan conocer; tres de sus tratados apuntan hacia estas mismas direcciones: la interpretación de la lepra como «culpa mortal» del «ánima», la «consolación» que brinda a Juan Fernández de Valera y los remedios que ordena contra el «aojamiento» **[→ págs. 2473-2516]**.

94ª) La formación de don Íñigo López de Mendoza es aragonesista y, en consecuencia, vive siempre al margen de la cortesía castellana, sobre todo de los valores impulsados directamente por don Álvaro. La producción letrada de don Íñigo conforma un imaginario aristocrático, proyectado en los libros que logró reunir, en los letrados que trabajaron en su entorno y en las obras, en verso y en prosa, con que definió su pensamiento creador. Desde la corte literaria que preside, instiga tratados para precaverse de las asechanzas del de Luna o para defender a amigos y familiares, como ocurre con el *Bías contra Fortuna*, dirigido a su primo, el conde de Alba. La mirada sobre el desolador presente la proyecta en una *Lamentaçión de Spaña*, un *planctus* ajustado al modelo de las arengas cortesanas; sin embargo, don Íñigo se preocupa por puntillosos aspectos de teoría caballeresca —la *Qüestión* que plantea a Cartagena sobre el juramento que prestaban los antiguos romanos— y, requerido por el rey, articula un regimiento de príncipes para don Enrique, al que dota de nutrido aparato de glosas, con el fin de proporcionar a su discípulo la posibilidad de adentrarse en el saber y de adquirir los medios intelectivos para afirmar ese conocimiento. Similar magisterio ejerce en el *Prohemio e carta* que dirige a don Pedro de Portugal, en donde convierte a la «sçiençia de poesía» en una elevada indagación de saberes diversos, que posibilitan que la *fiçtio* pueda construir ámbitos alegóricos para transmitir enseñanzas; cuestiones referidas a géneros literarios se esbozan en la carta enviada a doña Violante de Prades y problemas derivados de la traducción se apuntan en la epístola remitida a su hijo don Pedro González de Mendoza **[→ págs. 2516-2540]**.

En torno a don Íñigo se forma un activo círculo literario, integrado por «doctores y maestros», conversos en su mayor parte; en este marco de cortesía nobiliaria, se articula un proceso de acercamiento a la cultura clásica, que cuaja en la formación de una espléndida biblioteca, soporte fundamental de traducciones promovidas con el fin de fijar los saberes necesarios para el grupo social de la aristocracia **[→ págs. 2540-2547]**.

95ª) Pero Díaz de Toledo fue uno de los letrados que contribuyó de modo decisivo a definir el marco de la cortesía aristocrática de don Íñigo, sin alejarse por ello de la curia castellana; por orden de Juan II, glosa los *Proverbios de Séneca,* situando al monarca en el centro de una corte que se preocupa por asegurar la convivencia y la paz en el reino; las fracturas ideológicas que se suceden en la década de 1440 asoman en las glosas con que recorre los *Proverbios* de Santillana, en su deseo por ofrecer soluciones a los problemas políticos causados por el Príncipe y su facción. Sus traducciones perfilan líneas fundamentales de la conciencia letrada de mediados de la centuria, apuntadas en el *Basilio de la reformación del ánima* que dirige a don Íñigo; esta homilía de San Basilio encierra un discurso sobre el saber, no una defensa de los autores de la Antigüedad, sin embargo en su interior se ordenan ideas de ética religiosa y se facilitan los medios para su intelección; si interesan los «poetas» y los «oradores» antiguos es para ejercitar el ingenio, no para obtener un grado de deleite; sólo se admiten las lecturas que puedan practicarse para adquirir la virtud; a estas pautas obedece la formación de las bibliotecas nobiliarias de don Íñigo o del conde de Haro; la «poesía» ha de estar asociada a la transmisión de un contenido moral, de unos *exempla* históricos que sirvan para inducir severos modelos de virtud **[→ págs. 2548-2563]**.

A Díaz de Toledo se deben las primeras traducciones al castellano de Platón; el *Libro llamado «Fedrón»* proviene de la versión latina preparada por Bruni; esta recuperación del saber antiguo sirve como soporte para afirmar la doctrina cristiana, no para profundizar en la dimensión de esos conocimientos **[→ págs. 2563-2568]**.

Produce, también, una de las primeras muestras del género dialogístico; su *Diálogo e razonamiento en la muerte del marqués de Santillana* es, en realidad, un doble «diálogo» mantenido por el autor con don Íñigo y con F. Álvarez de Toledo, primo del Marqués e instigador del tratado; el primero de los coloquios articula un *ars moriendi* en el que Pero Díaz prepara al noble para afrontar el trance de su muerte y le brinda la oportunidad de rechazar algunas de sus lecturas «ociosas»; el segundo muestra la «consolación» derivada de la piadosa muerte de don Íñigo, convertida en asiento de razones teológicas y de argumentos centrados en el asunto de la amistad. El opúsculo se convierte en una miscelánea que acoge toda suerte de preocupaciones relativas a la pérdida de un amigo, con una materia que se va adentrando progresivamente en los fundamentos de la fe católica **[→ págs. 2568-2581]**.

96ª) Nuño de Guzmán, a instancias de don Íñigo, tradujo la *Oraçión de miçer Ganoço Manety;* interesaban al noble las dos primeras partes referidas a la dignidad del ejercicio de las armas y a las virtudes que distinguen al buen capitán; además del equilibrio entre las armas y las letras, en este opúsculo las artes liberales se contemplan como un medio de alcanzar el conocimiento de la «razón çivil» y de la filosofía. El humanismo, en torno a 1453, se involucra en el trazado del arte y de la disciplina de la vida militar [→ **págs. 2581-2586**].

97ª) Los ejes de la ciencia y la religión definen el orden cultural de la realeza; esta «alegría cortesana» no deriva del poder político de Juan II, sino de sus preocupaciones letradas. En el consejo de doctores y religiosos que rodean al rey destaca la familia Santa María; en 1407, don Pablo García de Santa María es nombrado canciller del reino; al poco, se le entrega a su hermano don Álvar la crónica real; se ha incidido en la circunstancia de que el estamento religioso reemplace al de la caballería en la dirección política del reino y en las funciones de educación del rey. Se ha valorado el empeño de don Pablo por renovar el interés por la cronística universal, incardinando *Las siete edades del mundo* en el proceso de regimiento del reino, rechazada la forma «prosaica» por «corromperse» con facilidad. El pesimismo que se apodera de don Álvar al entrar Juan II en la mayoridad lo testimonia don Pablo en su *Suma de las corónicas de España*, en la que analiza la pérdida de influencia política y militar de Castilla, como consecuencia de la rivalidad entre el privado y los nobles [→ **págs. 2586-2598**].

98ª) Don Alfonso de Cartagena es el letrado que mejor representa la dimensión cortesana, política y cultural, que se construye en torno al rey; rechazada la «poesía» como soporte de significados alegóricos, la evolución de su pensamiento revela la dificultad de integrar los *studia humanitatis* en la corte castellana. Sus primeras traducciones de Séneca y de Cicerón encajan en el marco de *otium* activo que conoce en la corte de Juan I de Portugal, en torno a 1421, pero la *Controversia Alphonsiana*, instigada diez años después sobre la versión de Bruni de la *Ética* de Aristóteles, determina la exigencia de preservar el contenido asegurado por la tradición teológica, frente a la nueva lectura impuesta por la traslación directa del griego al latín. El mismo rigor refleja la *Epistula* dirigida a P. Fernández de Velasco, en la que se fijan las pautas y las lecturas más convenientes para la formación de la nobleza. Esta severidad moral de don Alfonso crece en paralelo a los desórdenes que se adueñan en Castilla desde 1439; por ello, los escritos de carácter filológico van siendo sustituidos por tratados de carácter doctrinal y político. Al contrario de su padre, Cartagena sí cree en las virtudes de la monarquía goda, transmitidas a las dinastías posteriores, y basa en la antigüedad de la realeza hispánica la preeminencia de los reyes castellanos sobre los ingleses (con el correspondiente reflejo diplomático) y el derecho de conquista de las Islas Canarias, disputado por los portugueses en la curia pontificia **[→ págs. 2598-2630]**.

99ª) Del círculo de doctores del consejo del rey, se ha destacado la figura de Fernand Díaz de Toledo; al margen de su posible intervención en la *Crónica* de don Álvar, se ha valorado su *Instrucción del Relator* como una pieza clave en las controversias religiosas de mitad de la centuria; se trata de un informe en el que se reúnen autoridades teológicas, además de leyes canónicas y civiles, preparado para que lo leyera el obispo de Cuenca, Barrientos, y restaurara la legitimidad del rey en la ciudad de Toledo, tras la revuelta política promovida por el repostero Pedro Sarmiento en 1449; en la breve «escriptura» se imbrican la propaganda a favor de los conversos, la anulación de los instrumentos jurídicos de los rebeldes y la defensa de la dignidad de la corte. Se ha puesto de manifiesto el modo en que, por medio de estos documentos, la curia castellana logra defenderse de agresiones y mantener una imagen de poder y de organización política, que depende de la labor de unos letrados —la mayoría conversos— provenientes de círculos universitarios **[→ págs. 2630-2643]**.

100ª) La figura de Alfonso Fernández de Madrigal ha ayudado a identificar el ámbito letrado de la reina doña María, activo en el decenio de 1430-1440; el Madrigalense dirige a la reina *Las çinco figuratas paradoxas*, una exégesis metafórica resuelta con imágenes escriturarias, referidas a la Virgen y a Cristo. De hecho, el acopio de saberes de quien llega a ser obispo de Ávila no tiene otro fin que el de construir un amplio sistema exegético para interpretar la Biblia, un proyecto que dejó apenas iniciado, o la historia universal, a la que aplica un comentario ejecutado sobre su traducción de la cronografía de Eusebio-Jerónimo. Al Tostado se debe también el primer tratado de mitografía en castellano, *Las diez qüestiones vulgares*, una triple exégesis de carácter evemerista, astral y alegórico, con la que pretende devolver a las figuras mitológicas la dimensión significativa con que fueron concebidas por los antiguos **[→ págs. 2643-2661]**.

101ª) De Alfonso Martínez de Toledo se ha valorado la originalidad de su conciencia de autoría y el placer que extrae del proceso de una escritura abierta a los asuntos «científicos» de la corte de Juan II de quien era capellán. Así, las cuatro partes que articulan el *Arcipreste de Talavera* (1438) conectan con las preocupaciones morales de la curia regia: la primera es una «reprobación» contra el loco amor, que para ser efectiva requiere las *probationes* descriptivas de las secciones segunda y tercera, mientras que la cuarta contiene un opúsculo centrado en los asuntos de la predestinación y el libre albedrío. Se han reconocido las cualidades estilísticas de Martínez de Toledo en el desarrollo de los breves relatos y *exempla* de las partes centrales, ajustadas a la *divisio extra* de la estructura sermonística; se han distinguido tres categorías de narraciones: a) *exempla* idénticos a los de los manuales de predicación, b) *evidentiae* o viñetas de carácter descriptivo y c) peripecias o anécdotas reales. La cuarta parte otorga sentido al conjunto del libro, porque lo que el Arcipreste pretendía era contrastar la realidad material humana con la espiritual divina, para probar que los que siguen la carrera del amor mundanal yerran tanto como los que sostienen falsas opiniones alzadas contra la providencia divina [→ **págs. 2661-2694**].

El sumario cronístico de la *Atalaya de las corónicas* se ha puesto en correspondencia con el entorno áulico que lo requiere y con los problemas a los que Juan II tiene que enfrentarse en los primeros años de la década de 1440. De ahí, la evocación de la firme voluntad de la figura de Fernando de Aragón y el despliegue de la memoria goticista para entroncar en ella el origen linajístico de los reyes peninsulares [→ **págs. 2694-2700**].

Se han atribuido al Arcipreste las *Vidas* de San Ildefonso y San Isidoro; al margen de su vinculación a devociones toledanas, su desarrollo se ajusta a una *enarratio poetarum* que capacita después para adentrarse en el nivel más profundo de significado de los textos de esos autores; las dos vidas se conectan con el contenido y la intención del *Arcipreste de Talavera*, promovidas la castidad y la caridad como normas de conducta [→ **págs. 2700-2713**].

102ª) Se ha considerado a Diego de Valera testigo excepcional del dilatado tiempo histórico —tres reinados— en que se desenvuelve su vida; su abigarrada producción, formada por tratados, manuales, exhortaciones y epístolas, se conecta con las principales inquietudes y problemas de la corte; de esas relaciones curiales extrae las perspectivas que convertirá en soporte de una amplia indagación cronística, en la que se reflejan sus experiencias diplomáticas y políticas. En este duodécimo capítulo, se consideran sólo los tratados adscritos al reinado de Juan II; se preocupa, como lo hiciera don Íñigo, por definir el valor de la nobleza, impugnando, con su *Espejo de la verdadera nobleza*, la errada lectura de Bartolo con que Juan Rodríguez del Padrón había formado su *Cadira de onor;* demuestra, así, que el linaje es el principal soporte de la hidalguía y perfila un modelo de *otium* activo, vinculado a unas precisas «lecturas». Su *Exhortación de la paz* encierra un breve regimiento de príncipes en el que insta al rey a definir un nuevo ámbito de concordia cortesana, encarecida la fidelidad con que debe actuar el consejero **[→ págs. 2713-2727]**.

103ª) También la breve producción prosística de Juan de Mena refleja los intereses y las cualidades letradas del marco cortesano de Juan II y de don Álvaro de Luna en el arco de fechas en que se afirma el poder del valido. Articula una actividad exegética o de comentario textual que aplica a su poema alegórico de la *Coronación*, con el fin de discernir entre la gloria que alcanzan los buenos y la miseria a que los malos son condenados. Prepara para Juan II una traducción de Homero, no de la *Ilíada* que estaba siendo trasladada para don Íñigo por don Pedro González de Mendoza, sino de la *Ilias latina*, que proporcionaría al rey un grado de conocimiento suficiente sobre Homero y la guerra de Troya; el encargo se aprovecha para configurar una imaginería caballeresca con la que se ensalza la figura del monarca y el espacio político que ocupa. Con el mismo propósito de demostrar que en la corte castellana existían *virtutes* suficientes como asiento de la nobleza, articula dos opúsculos linajísticos dedicado el primero a don Juan Alonso de Guzmán, el segundo a rastrear los orígenes de los antiguos linajes del reino **[→ págs. 2727-2747]**.

104ª) Por la relación mantenida con el Relator, se ha valorado el epistolario de su primo, Fernando Díaz de Toledo, el Arcediano de Niebla, interesante por las múltiples observaciones y los atinados comentarios con que su autor se asoma a su tiempo y al mundo en el que vive **[→ págs. 2747-2756]**.

105ª) La única disciplina científica que adquiere un cierto auge a lo largo de la centuria es la medicina; se han explorado las diferentes direcciones de esta tratadística, valorando sus aportaciones léxicas y los conceptos acuñados sobre enfermedades y remedios que ayudan a definir el entramado referencial de poemas y textos literarios, consolidando el análisis del amor como enfermedad tal y como se plantea en los tratados de erotología y en la ficción sentimental **[→ págs. 2756-2775]**.

106ª) Los tratados de caso y fortuna se ajustan al peculiar desarrollo de las vidas de Juan II y de don Álvaro, que parecen reguladas por esta figura alegórica. Barrientos para el rey y fray Martín de Córdoba para el privado producen dos opúsculos en que se consideran los posibles grados de verdad con que pueden interpretarse los cambios y mudanzas a que se sujetan las acciones de los mortales. Ambos letrados procuran otorgar a la fortuna una orientación religiosa, insistiendo el agustino en el provecho espiritual que deriva de la que suele considerarse adversa, por cuanto asegura un alejamiento de los bienes materiales **[→ págs. 2775-2797]**.

107ª) El asunto de la predestinación, encauzado por la poesía cancioneril y por debates reales mantenidos en la corte y recogidos en el *Cancionero de Baena*, requiere una tratadística de la que se conservan un *Diálogo sobre la predestinación* y un *Tratado* de fray Martín de Córdoba; pretende el agustino conciliar la libertad de actuación del hombre con el conocimiento de Dios sobre los humanos a fin de engastar, en la naturaleza divina, los comportamientos de los mortales. Se instruye, así, una catequesis cortesana en la que el contenido teológico se vincula a otro narrativo **[→ págs. 2797-2811]**.

108ª) La materia relativa a la adivinación interesa, en especial, a Barrientos, que tuvo que aprovechar los libros que sobre el tema allegara don Enrique de Villena y que, a su muerte, por mandato del rey, él ordenara quemar. Requerido por Juan II, el obispo somete estas nociones —que examina y despliega con rigor aristotélico— al tamiz de las creencias religiosas; en su *Tractado de los sueños e de los agüeros* denuncia el peligro de los falsos escritos o el poder de los agoreros que podían intervenir en la toma de decisiones sobre hechos graves; del *Tractado de la adivinança* interesan las tres últimas partes, de carácter empírico, en las que analiza veinticinco clases de adivinación; admite que de algunos signos naturales podía derivar un cierto conocimiento de las cosas futuras, aunque avisa siempre de los riesgos de tales prácticas **[→ págs. 2811-2829]**.

109ª) La figura del converso Alfonso de la Torre se vincula al entorno de don Carlos, el príncipe de Viana; había sido requerido este bachiller por don Juan de Beaumont para construir un tratado enciclopédico, en función de dos *quaestiones* previas que él mismo le había planteado y que posibilitan que la *Visión deleitable* se articule en dos libros: el primero define los conocimientos básicos que debe adquirir el ser humano, el segundo analiza el asunto de la perfección atingente a la naturaleza de la persona. Se ha indicado que este autor pretende trazar un nuevo modelo de hombre, aplicadas sus virtudes intelectivas a la resolución de los problemas que puedan entorpecer la consecución de la felicidad verdadera; de ahí, el viaje iniciático a que son arrastrados el Entendimiento y el Natural Ingenio, mientras se someten a un meticuloso proceso de aprendizaje. Procurado un equilibrio entre la dimensión humana y la realidad religiosa, se desgranan, finalmente, las nociones esenciales de la fe católica, con la revelación de sus misterios y dogmas básicos **[→ págs. 2829-2849]**.

110ª) Los tratados cinegéticos se concretan en el *Libro de las aves que cazan* de Juan de Sahagún, construido con el fin de prestigiar el entramado cortesano al que se dirige. Pretendía su formador demostrar los orígenes nobles de esta arte y exhortar a la conservación de unos contenidos transmitidos por una tradición textual; así lo demuestran las glosas con que Beltrán de la Cueva, ya en el reinado de Enrique IV, complementa esta materia [→ **págs. 2850-2853**].

111ª) La producción jurídica del reinado de Juan II, surgida del reforzamiento del poder real propiciado por el regreso de don Álvaro en 1428 a la corte, se desarrolla en el período de 1430 a 1445. Esta actividad legislativa se incardina al pensamiento político del privado y articula un sistema de legitimación de la autoridad del rey frente a las reivindicaciones de la nobleza o del bando aragonesista [→ **págs. 2853-2860**].

112ª) También como consecuencia del «regalismo validista» con que don Álvaro gobierna, a partir de 1428 se instigan reflexiones teóricas sobre la institución de la caballería, ya articuladas en el interior del *Victorial*. Estos tratados caballerescos se elaboran para resolver necesidades prácticas a las que debía atenderse, vinculados a debates reales en los que la aristocracia se aplicaba en formular unos resortes de convivencia. Se ha valorado, en especial, la aportación de Cartagena a esta materia, tanto en la *Respuesta* que le envía a don Íñigo —apuntado el deseo de organizar un ejército poderoso y disciplinado, una suerte de «miliçia eclesiástica»— como en el *Doctrinal* que dedica al conde de Castro y en el que busca encauzar el esfuerzo bélico hacia su principal objetivo, la guerra contra los moros; quería el obispo demostrar que la caballería seguía siendo una institución válida si se recuperaba su exclusiva función militar, la definida en la *Partida II* [→ **págs. 2860-2885**].

113ª) Se han fijado las claves del marco cultural presidido por don Álvaro; para ello, se ha seguido el rastro del valido en la *Segunda parte* de la *Crónica* regia, analizando los cambios que se producen en la misma una vez que el de Luna regresa de Ayllón en 1428; se engasta, en ese momento, en la crónica un relato caballeresco que convierte a don Álvaro en principal garante de las virtudes de ese estamento, presentándolo como el único que puede proteger al monarca; esa dimensión ideológica había de ser tan opuesta a los intereses de la facción aragonesa como a la identidad linajística de los nobles castellanos [→ **págs. 2885-2900**].

Las dos partes de que consta la *Historia del ínclito don Álvaro de Luna* constituyen el mejor reflejo del trágico desenlace a que se vio arrastrada la vida de este privado. La *Primera parte* es deudora de los *romances* de materia caballeresca y se consagra a la definición de la identidad heroica de don Álvaro; coetánea a los hechos registrados, avanza hasta 1432, silencia los ocho años cruciales del gobierno del valido y de 1441 a 1446 ofrece tres muestras de un brillante memorial militar; se ha apuntado la posibilidad de que esta parte de la *Historia* se proyectara como un doctrinal de caballerías ajustado a las líneas maestras del pensamiento político del de Luna. La *Segunda parte* se consagra a los cinco años finales de la vida de don Álvaro, acomodada al esquema de la «caída de príncipes»; se ha advertido en la misma otra voluntad de autoría, otra disposición textual; se ha destacado el relato minucioso que se dedica al último año de la vida del Maestre, como medio de analizar la transformación radical que sufre el «amor» del rey hacia su mejor servidor; Juan II se convierte en modelo de monarca negativo; se ha aceptado la posibilidad de que Gonzalo Chacón, verdadero deuteragonista, fuera el autor de esta sección, que pudo componerse en torno a 1464-1468, el arco de fechas en que se trasladan los restos mortales del valido a la Capilla de Santiago de la catedral toledana **[→ págs. 2900-2935]**.

114ª) Se ha engastado la figura del agustino fray Juan de Alarcón en el entorno de don Álvaro y se ha considerado, en consecuencia, que el *Libro del regimiento de los señores* se dirigiría a este privado. Se trata de un complejo manual de formación religiosa y política, que selecciona precisos pasajes escriturarios para convertirlos en reglas de vida cortesana; el de Luna tendría interés en que se le dedicara un tratado de esta naturaleza, que le permitiera demostrar el modo en que acompasaba su gobierno a principios de honda religiosidad para hacer frente a las acusaciones con que la nobleza lo tildaba de tirano, asemejado al Anticristo **[→ págs. 2935-2943]**.

115ª) En la *Lamentación de don Álvaro de Luna,* la caída del privado se convierte en soporte de un discurso religioso; en este diálogo no se reivindica la figura del de Luna, sino que se utiliza el «exemplo» de su miedo, enfrentado a la muerte, para reflexionar sobre la caducidad de los bienes terrenales **[→ págs. 2943-2947]**.

116ª) La educación de Juan II fue básicamente religiosa, orientada por su madre y vigilada por don Pablo de Santa María; en consecuencia, el rey proyecta sus inquietudes letradas hacia el orden de la producción espiritual. Se ha valorado el auge que adquiere la predicación en este momento, con un interés cierto por acercar los sermones a la vida de los fieles o por intervenir en el regimiento del reino, como ocurre con el caso de San Vicente Ferrer; el predicador valenciano persigue regenerar la vida de la corte y suscitar en la misma debates y preocupaciones que cuajaron en tratadísticas particulares. Se ha considerado el caso de sermonarios construidos para la formación de la nobleza, como ocurre con las cuatro piezas homiléticas atribuidas a Pedro Marín, con las que se conforma un tratado devocional que acaba en manos del conde de Haro **[→ págs. 2947-2974]**.

117ª) La producción consolatoria del siglo XV se dirige a aflicciones políticas y espirituales. El soporte de esta literatura se encuentra en *La consolaçión natural* de Boecio, un romanceamiento ligado a los medios nobiliarios castellanos; del mismo se han valorado los comentarios referidos a las técnicas de la traducción, a las dificultades que surgen de verter un texto latino a una lengua vernácula. La visión alegórica de la Filosofía configura un proceso que influye en el trazado del *Siervo* y de la *Sátira* **[→ págs. 2974-2982]**.

La copia conservada del *Libro de las consolaçiones de la vida humana* de don Pedro de Luna tuvo que formarse bajo el patrocinio de don Álvaro de Luna. Se ha admitido que la voz que ordena este tratado corresponde a la del «papa cismático», que configura un amplio muestrario de situaciones aflictivas, susceptibles de ser valoradas desde la perspectiva de una consolación religiosa. Las tres vías consolativas propuestas —linajística, mundanal y espiritual— se extraen de las experiencias a que el autor tuvo que enfrentarse **[→ págs. 2983-2997]**.

También hay inscrito un proceso de perfeccionamiento espiritual en el *Espejo del alma* de fray Lope Fernández de Minaya, perfilado en su deseo de enseñar al hombre a recorrer el mundo hasta llegar a Dios; sin destinatario cortesano explícito, el manual se dirige no al religioso, sino al lego común, con una primera parte dedicada al análisis de la naturaleza humana y una segunda abierta al espacio de la conciencia. Como epílogo conveniente del *Espejo* se ha considerado un *Tractado breve de penitencia*, precisadas las señales que determinan si una confesión puede considerarse válida. Se ha aceptado la autoría de Fernández de Minaya para el *Libro de las tribulaciones;* no es una simple «consolatoria», puesto que se convierte el concepto de «tribulación» en el principal de los dones que Dios concede a los mortales para descubrir el camino de salvación **[→ págs. 2998-3015]**.

118ª) Los nobles comienzan a requerir tratados de oración en la primera mitad del siglo XV, lo que obliga a los prelados a producir piezas exegéticas con las que enseñar a leer los textos escriturarios. Alfonso de Cartagena dirigió a Pérez de Guzmán, entre 1454 y 1456, un amplio *Oracional,* una especie de tratado consolatorio que propone la práctica devocional como singular remedio. Encierra esta obra una reflexión, profunda y renovadora, sobre la oración que ha de mediar en el proceso de la formación interior de la persona, definido en especial el modelo de conciencia religiosa a que habían de ajustarse los letrados. Frente a la manifestación externa de rezos y plegarias, Cartagena es partidario de una religiosidad interior **[→ págs. 3015-3034]**.

Como singular exégesis de sacramentos se han analizado la *Estoria de la fiesta del cuerpo de Dios* —formada para catequizar a legos a los que convenía explicar el contenido de la Eucaristía— y el *Confesional* del Tostado, en el que traza una digresión histórica sobre la penitencia, ligada a los planes de redención humana. Un sacramental más complejo es el de Clemente Sánchez de Vercial, en el que denuncia la incuria y abandono en el proceso de instrucción sacerdotal; se incide, por ello, en la explicación de los símbolos litúrgicos, así como en las operaciones y ritos con que debían ser oficiados. En el *Libro de confesión de Medina de Pomar* se ha apreciado la mixtura de la teoría homilética y la trama ejemplar, ajustada a los tratados de que deberían disponer los predicadores para construir sus sermones con rudimentos de doctrina y breves demostraciones prácticas; se ha destacado la organización tipológica del contenido con el fin de facilitar el «exemplo» adecuado para la preparación de un sermón **[→ págs. 3034-3053]**.

119ª) La voz literaria femenina se afirma al amparo de la dimensión religiosa con que un par de mujeres, vinculadas a círculos letrados o nobiliarios, esbozan reflexiones de orden espiritual o reivindican una memoria familiar. De Teresa de Cartagena se ha encarecido el modo en que defiende su derecho a adentrarse en el dominio de su escritura, considerándose plenamente capacitada para ocuparse de los asuntos religiosos hacia los que dirige su pensamiento. Desde la enfermedad que convierte en soporte de su experiencia religiosa, le importaba señalar que ella podía abordar los temas que despliega en sus escritos. Su *Arboleda de los enfermos* traza una vía devocional en la que las aflicciones son convertidas en caminos ciertos de salvación; con un marco narrativo de carácter alegórico, se construyen dos discursos: afirma el primero una «consolatoria» ligada a su circunstancia personal, propone el segundo una indagación etimológica de la «paciencia» para explorar los grados de esta virtud. En un segundo opúsculo, la *Admiraçión operum dey*, dirigido a doña Juana de Mendoza, imparte lección de humildad y enseña a sus detractores a admirarse de las «obras de Dios», a agradecerlas en cuanto manifestación de su pensamiento y sus planes de redención **[→ págs. 3053-3071]**.

Otra mujer noble, sor Constanza, nieta del rey don Pedro y priora de Santo Domingo el Real, forma un compendio de obras devocionales, dirigido a las monjas de su monasterio, con el propósito de fijar esquemas de religiosidad ajustados a las necesidades de la comunidad dominica **[→ págs. 3071-3074]**.

120ª) Se ha señalado que durante el reinado de Juan II, las situaciones políticas parecían hallarse en manos de la Fortuna, regidos los sucesos históricos por una providencia que se manifestaba en destrucciones y fenómenos prodigiosos. Ligados a estas circunstancias, se construyen tratados apocalípticos que encubren rigurosos análisis de las causas que han provocado la decadencia que aflige al reino, como ocurre en el *Libro de la consolaçión de España*, o bien opúsculos visionarios que predicen la venida del Anticristo: así, en el *Libro del conoscimiento del fin del mundo* se describe la subversión de valores y de costumbres como signo de seguro aniquilamiento, mientras que en el *Libro de las tribulaciones* de fray Juan de Rocacisa se transmiten severas denuncias contra la corrupción del clero **[→ págs. 3074-3094]**.

121ª) La cuentística de la primera mitad del siglo XV queda al margen de las líneas de formación y desarrollo de la literatura cortesana, tanto de la poesía narrativa como de la materia caballeresca o sentimental. El «exemplo» es utilizado por predicadores o tratadistas religiosos y se instigan colectáneas que no pueden competir con las traducciones de vidas, consejos y dichos que asumen esas funciones ejemplarizadoras; hay, ahora, otra forma de leer y de interpretar los sentidos de los textos **[→ págs. 3094-3096]**. El *Libro de los exemplos por a.b.c* de Sánchez de Vercial, el más importante de los ejemplarios de la centuria, sin marco narrativo alguno, pretende formar a los clérigos, prevenirlos sobre los engaños del diablo, sobre el peligro de los placeres mundanales; las fuentes desplegadas se ajustan a la mentalidad receptora del público, alternando «exemplos» ligados a las vidas de filósofos con episodios hagiográficos y «fablillas» diversas **[→ págs. 3096-3103]**. El *Espéculo de los legos* intercala los materiales ejemplares en un completo repertorio de teología; se ha considerado su propósito de formación del predicador, el aporte de ideas para construir el sermón y disponer el material demostrativo con que amplificar su exposición **[→ págs. 3103-3109]**. Los *Exemplos muy notables* responden a una doble vertebración: una primera línea engarza una «consolatoria» y un arte de bien morir, mientras que una segunda advierte sobre las realidades engañosas del mundo **[→ págs. 3109-3118]**.

122ª) Las colecciones de proverbios parecen desligarse de la producción de la corte y adquirir una nueva identidad, ya formal como en el caso de los proverbios rimados, ya discursiva como ocurre con las glosas que complementan los regimientos de príncipes. Por un lado, se copian las principales compilaciones del siglo XIII, por otro se recupera parte del legado de la Antigüedad. Se ha examinado esta producción ajustada a tres de sus posibles pautas de recepción: las compilaciones de dichos, los compendios educativos y los proverbios reunidos para promover una lectura cortesana.

De las colecciones de *dicta*, se ha recordado que la agrupación paratáctica de sentencias constituye el cauce más simple de ordenación de saberes; se han destacado los *Proverbios o sententias breves espirituales y morales* apuntando la posibilidad de que fueran un extracto del *Libro del regimiento de los señores* de fray Juan de Alarcón, con un contenido vinculable a la situación real de las cortes peninsulares de esta centuria **[→ págs. 3118-3133]**.

La literatura sapiencial acoge esquemas educativos; se conservan dos procesos de instrucción: uno pensado para que las hijas sepan comportarse como buenas esposas —*Castigos y dotrinas que un sabio dava a sus hijas*—, otro para que los hijos aprendan a respetar a su padre —el breve fragmento del *Capítulo cómo los fijos deven onrar al padre* **[→ págs. 3133-3140]**.

Los proverbios sí intervienen activamente en la educación nobiliaria; se ha valorado, así, la preocupación por afirmar la identidad caballeresca mediante la transmisión de pautas y reglas que han de ser verificadas en compendios de esta naturaleza; los *Dichos de Séneca en el acto de la caballería* se han vinculado al interés de Cartagena por esta materia; este compendio se asienta en una práctica real de la vida militar, no en una idealizada visión del mundo caballeresco **[→ págs. 3140-3151]**.

123ª) El orden de la ficción sigue analizándose en virtud del contexto de recepción, precisada la correspondencia con el entramado de signos al que responde la mentalidad de un público que se ve obligado, en ocasiones, a intervenir en la construcción de esos mundos posibles. Dentro de la formación que han de promover los textos de ficción, el análisis sobre el amor se convierte en una de las preocupaciones esenciales. Pero antes de que se cree la «ficción sentimental» tiene que existir una «realidad sentimental» que alimente historias y aliente a personajes, recortados con el perfil de unas situaciones verdaderas y de unas experiencias probadas. Con este propósito, se han reconstruido los marcos de la ficción sentimental, fijando sus claves con ayuda de las peripecias sentimentales y reales referidas en la cronística de Juan II o en textos como *El Victorial* o la *Historia de don Álvaro de Luna*. Se ha ligado el primer marco de la ficción sentimental a este poderoso valido, a los dos períodos (1428-1439 y 1445-1450) en que su dominio de la corte es absoluto; en esos dos arcos de fechas se construyen los soportes teóricos y ejemplares de este orden literario [→ **págs. 3151-3165**].

124ª) La «realidad sentimental» se afirma en función de los principios teóricos que se comentan y discuten en la corte, ya en poemas cancioneriles, ya en una concreta tratadística en la que se define la fuerza negativa que el amor representa, ordenando una compleja casuística de «estorias» y de «fiçiones» antiguas, que se proyectará en posteriores perfiles caracterológicos y precisas acciones argumentales. Se trata de una producción vinculada a la corte de Juan II y a la Universidad de Salamanca. Como primera pieza de la erotología, se ha analizado la *repetitio* que Fernández de Madrigal engasta en su *Breviloquio de amor y de amiçiçia*, considerado el amor humano en su manifestación puramente carnal y desglosados unos *remedia amoris*, sobre cuya peligrosidad también se advierte. Al mismo Madrigal se atribuye el *Tratado de cómo al hombre es necesario amar*, sostenido por una sarta de falacias dialécticas; su marco narrativo es similar a los de la ficción sentimental, así como las perspectivas con que viven y conversan sus protagonistas; al hilo de estas ideas, se ha indicado que la ficción sentimental busca corregir pasiones, pero también publicar actitudes que por sí mismas resulten ejemplares. La disquisición filosófica del *Tratado de amor* atribuido a Mena encubre una historia sentimental que permite definir y reconocer las clases del amor, para analizar el ilícito y valorar con once causas la noción de «bien querer». También en *El Victorial* de Díaz de Games se incluye un excurso sobre el amor para ratificar el modo en que Pero Niño supo triunfar sobre esta pasión, tras asumir el riesgo de tres peripecias sentimentales que contribuyen a su engrandecimiento social [→ **págs. 3165-3193**].

125ª) Las tradiciones literarias que convergen en la ficción sentimental son variadas; se ha identificado en el proemio del *Cancionero de Baena* la figura del cortesano obligado a ser amador o a fingir «ser enamorado». La definición del concepto de «poesía» y la defensa consiguiente que articula Boccaccio en el Libro XIV de sus *Genealogiae* permite apoyar la ficción en el lenguaje alegórico y valorar la *utilitas* de la fábula. Al mismo Boccaccio se debe el soporte narrativo de gestos y de actitudes sobre los que se ha de alzar este mundo: la «queja» amorosa de la voz femenina inscrita en la *Fiammetta* y la reprobación masculina del amor encauzada en el *Corbaccio*. En la *Confesión del amante* de John Gower se ha reconocido un ambicioso mosaico de narraciones, ensambladas por una estructura de carácter alegórico, en donde se perfilan los esquemas narrativos de las primeras muestras de la ficción sentimental; la pesquisa sobre el amor que Gower plantea es muy parecida a la de los tratados erotológicos, en su empeño de demostrar que el amor es la gran fuerza dominadora del mundo y de los mortales **[→ págs. 3193-3220]**.

126ª) Para que la mujer se convierta en el núcleo central de la exploración sobre el amor que se practica en el orden de la ficción sentimental, es preciso que, a lo largo de las décadas de 1430-1450, se impulse desde la corte una tratadística en la que se examinen las distintas facetas de la identidad femenina, tanto desde una vertiente misógina, como desde una posición de estricta defensa de su dignidad **[→ págs. 3220-3222]**.

Hay predominio de escritos feministas, incardinados al círculo de la reina doña María o al modelo cultural instigado en torno a don Álvaro; su *Libro de las claras e virtuosas mugeres* constituye el mejor reflejo de la autoridad política y militar que encarna el valido y que afirma Mena en un proemio en el que se bosqueja la identidad de las mujeres protegidas por el saber letrado y caballeresco del Maestre de Santiago; se amplifica el *De claris mulieribus* de Boccaccio con nuevos retratos femeninos y la construcción de una voz interna de disputador —la del Maestre— firme y segura en las posiciones adoptadas. En el primer libro, dedicado a las figuras bíblicas, se ha destacado el interés de don Álvaro por aquellas mujeres que ejecutan acciones militares, que amparan la justicia, que sostienen con su «fabladura» sus virtudes. En el segundo libro, centrado en el orden de la gentilidad, importan las actitudes de honestidad y limpieza, de continencia y castidad, de franqueza y generosidad, encarecidas las féminas griegas por su esfuerzo caballeresco y sus habilidades elocutivas. En el libro tercero se traza un recorrido hagiográfico para articular un modelo de sacrificio femenino que por sí solo se baste para defender a las mujeres, con los mismos argumentos que se cruzan en los tensos debates que se producen entre las doncellas perseguidas y los representantes del poder terrenal. La defensa de la castidad, asumida en el conjunto entero del *Libro*, otorgará al amor el necesario tratamiento negativo **[→ págs. 3222-3254]**.

El *Tratado en defensa de virtuosas mugeres* de Diego de Valera se adscribe al entorno de la reina doña María; el autor defiende a las mujeres desde su autoridad caballeresca, con razones filosóficas y doctrinales; importan de esta pieza el marco narrativo del *somnium* y la trama de glosas que propicia el descubrimiento de la verdad albergada bajo la corteza literal de las *estorias* **[→ págs. 3254-3266]**.

127ª) Juan Rodríguez del Padrón asimila, de modo completo, el orden de la tratadística de la que va a surgir la ficción sentimental; es, por ello, el autor de la primera obra de esta producción. Se ha indicado que con el *Bursario,* eficaz traslación de las *Heroidas* de Ovidio, comienza el recorrido real de la ficción sentimental; se trata de un repertorio de *estorias* amorosas que contribuye a la definición del entendimiento receptivo que requerirá la primera muestra del género, el *Siervo.* Se advierte en el prólogo sobre el riesgo de adentrarse en el orden de la ficción y, por ello, se mantienen los comentarios de epístolas que se encontraban en el códice latino; ese aparato de glosas ayuda a descubrir los verdaderos sentidos con que deben ser interpretadas estas situaciones aflictivas; no se olvida que la intención de Ovidio era la de «loar» y «reprehender» a las mujeres según se sirvieran del amor lícito o del deshonesto. Además del repertorio de gestos y de reacciones afectivas, se apuntan en el *Bursario* cuatro núcleos importantes para la fijación del imaginario sentimental: la definición del amor, el valor de la imaginación, la exploración de los sentimientos y la concreción del espacio epistolar **[→ págs. 3266-3289]**.

En su *Triunfo de las donas* se acota el espacio letrado de la reina doña María, se asume una nueva posición en defensa de las mujeres y se articula un dilatado prólogo al discurso sobre la nobleza que constituye la *Cadira de onor,* porque sólo cuando se valora y se entiende la dignidad femenina puede asumirse el significado de la verdadera hidalguía. El padronés culpa a la ficción por el descrédito que sobre la mujer ha caído, de donde su empeño por replantear estas *estorias,* por atrapar su verdadero sentido, por servirse de las estructuras narrativas que la ficción posibilita para transmitir un contenido moral que articule el pensamiento literario de la corte. De dos asuntos esenciales para la regulación de la vida cortesana se ocupa en la *Cadira*: la definición del honor y la valoración que haya de darse a las «señales» heráldicas de escudos y banderas; bien que su indagación sobre la hidalguía reposa sobre una mala interpretación de Bartolo, que es la que obliga a Diego de Valera a intervenir con su *Espejo de la verdadera nobleza,* pero uno y otro coinciden en defender el valor de la antigüedad linajística **[→ págs. 3289-3306]**.

128ª) El *Siervo libre de amor* fija los principios esenciales del orden sentimental: estas incursiones por la ficción no pretenden definir o ensalzar el amor, sino mostrar sus efectos negativos, denunciar la destrucción a la que se verán sometidos los que se dejan dominar por esta pasión; tal es el proceso de enseñanza inscrito en el *Siervo*: un amador abre su conciencia para mostrar las aflicciones sufridas en el curso de su servicio amoroso y permitir que los receptores puedan extraer los avisos oportunos, asumir que el amor es una fuerza destructora, imposible de resistir. Al igual que en el *Zifar,* en esta primera muestra de la ficción sentimental se justifica el uso de la ficción que se va a desplegar y se enseña a sus destinatarios a servirse de ese ámbito de conocimiento; se emplean «ficciones» para propagar sus errores, no para honrar a los gentiles; hay que aprender a traspasar la corteza literal para acceder a los sentidos alegóricos; para ello, se requiere que se entrecrucen los discursos teóricos sobre el amor, la mujer y la ficción, a fin de configurar un nuevo molde narrativo que propicie la transmisión de los valores morales perseguidos; para que haga lo propio el receptor externo, el autor «reçita al su propósito» la *Estoria de dos amadores* que acomoda a su circunstancia personal y que le sirve para comprender que el amor ha de sostenerse sobre la lealtad, a fin de que la traición no lo pueda vencer. Puede, por ello, el autor recuperar la discreción, la «sindéresis», convertido en «siervo» por haber amado, pero «libre de amor» por la trayectoria sufrida y las ficciones desveladas [→ **págs. 3307-3324**].

129ª) Don Pedro de Portugal encierra en la *Sátira de infelice e felice vida* una de las incursiones más complejas por el saber de la primera mitad del siglo XV; se funden en esta pieza el aragonesismo linajístico de su autor y la visión letrada del mundo portugués, tamizada por el conocimiento de la producción castellana de don Íñigo o de Fernández de Madrigal. La *Sátira* constituye, por ello, un prodigioso artefacto humanístico en el que se sintetizan las direcciones genéricas con que se trata el tema del amor: la erotología, la exégesis mitológica, la defensa feminista, las fábulas gentílicas. La breve historia sentimental sirve de pretexto para que don Pedro —su «yo» fingido— exponga en las glosas las materias que debían interesar para la formación de un joven noble, ajustadas al género —o «estilo»— de la «sátira» entendida como «reprehensión con ánimo agradable de corregir». De la peripecia amorosa importa la disputa alegórica que el amador mantiene con las virtudes de la dama y que permite describir el amor, con argumentos extraídos de *Las diez qüestiones vulgares*, como pasión y furor que destruye virtudes y cualidades cortesanas [→ **págs. 3324-3340**].

130ª) En el primer modelo cultural de don Álvaro, instigado entre 1428 y 1431, se produce una transformación de la materia caballeresca, ajena a los valores del dominio de la nobleza antigua, definidos por Pérez de Guzmán o por Cartagena. La visión de la caballería del privado queda perfilada en *El Victorial,* en la *Primera parte* de su *Historia* y en la *Crónica sarracina* de Pedro de Corral; esta pieza pretende ser una crónica, compilada con métodos historiográficos y con un tratamiento literario surgido de lecturas caballerescas y hagiográficas con las que se modela la conducta de los personajes que van a ser sometidos a riguroso análisis; el texto se instiga para proyectar sobre su tiempo la lección implacable de la historia: la defensa de la autoridad del rey es el único medio de garantizar la unidad religiosa y la fortaleza social del reino. Pedro de Corral afirma la ficción narrativa en la realidad de la historiografía: se construye, así, el esquema de verosimilitud de los libros de caballerías que llega hasta Cervantes **[→ págs. 3340-3358]**.

131ª) Los orígenes de la ficción alegórica proceden del pensamiento luliano, que se transmite en Castilla en los primeros años del siglo XV, inscrito en el marco de la *devotio moderna* y en la renovación espiritual impulsada por los franciscanos. De las nuevas pesquisas sobre el saber derivadas de las ideas de Llull se han analizado el esquema de predicación definido en el *Comento del dictado*, la contemplación espiritual inscrita en el *Libro del amigo y del Amado* y los mecanismos lógicos de conocimiento del *Arte memorativa*, pieza a la que se une un singular *Coloquio de la Memoria, la Voluntad y el Entendimiento*, tenso diálogo que transmite el conflicto entre las potencias del alma y la realidad corporal del hombre, rodeado de engaños y de peligros **[→ págs. 3359-3377]**.

Del *Libre de Meravelles* de R. Llull deriva la estructura ideológica —el viaje espiritual para descubrir a Dios— del *Libro de Graçián*, si bien el itinerario se aplica a denunciar el estado de corrupción y de degradación en que se hallaba sumido el reino de Castilla en la primera mitad del siglo XV; Gracián, como el Félix luliano, peregrina por el mundo en busca de Dios, pero el autor castellano lo desplaza por la circunstancia concreta de su tiempo, configurando una feroz diatriba contra las clases dirigentes que han arruinado un reino poderoso; se ha valorado, por ello, la posibilidad de que el *Libro* se instigara en el entorno de don Diego de Anaya, arzobispo de Sevilla, expulsado de esta sede por el valido Luna para situar en la misma a su hermanastro Cerezuela; es factible, por ello, que en el marco puramente religioso de Anaya se promoviera la construcción de una obra en la que se integraran intereses tan diversos como la denuncia política, la crítica de los estamentos sociales, además de impulsar la labor pastoral y misionera. Se ha apreciado, sobre todo, el triple sistema de exégesis articulado en esta obra, con un «libro» —entregado al rey de Castilla— en el que se cifra el tercero de los niveles de entendimiento en donde se descubren los engaños de los malos consejeros y se sugieren enmiendas para corregir los yerros que han destruido el reino. En el interior del *Libro* se abren diferentes líneas de aproximación a los asuntos que interesaban en la corte: el valor de la caballería, el caso y la fortuna, la relación entre el monarca y los consejeros, la primacía de la nobleza antigua; la visión negativa del comportamiento del rey encauza una suma de castigos contra privados ambiciosos y monarcas indolentes. Ello no impide que se cumpla el verdadero fin del libro: iluminar el camino de salvación, enseñar al hombre a ver el «mundo» con ojos espirituales para apartarlo de sus engaños y descubrir a Dios en el interior de la conducta humana **[→ págs. 3377-3402]**.

132ª) Los libros de viajes de la primera mitad de la centuria se acomodan a los desplazamientos reales que llevan a caballeros y a prelados a las distintas cortes europeas, registrado el testimonio de esas visitas o embajadas en la propia crónica del rey. El viaje articula experiencias de las que depende la configuración de la identidad de su protagonista; por ello, estos libros se acercan al modelo de las biografías caballerescas. Así ocurre con el *Tractado de las andanças e viajes* de Pero Tafur, un hidalgo sevillano que parte en busca de sus orígenes genealógicos, sólo hallados en la corte de Constantinopla; se ha revelado fundamental el itinerario de formación y de aprendizaje que se inscribe en el libro y que ha de validar el descubrimiento de esas raíces linajísticas; es esa memoria familiar la que pretende preservar con sus evocaciones. Tafur no busca un expertizaje en lides o en batallas, en códigos o en cortesía, sino un provecho social y político, una reflexión también sobre la caballería y el conocimiento del mundo articulada para el destinatario de la obra, Fernán Gómez de Guzmán, comendador de Calatrava; si compila un «tratado» es porque se han acumulado unas experiencias reales de las que deriva una enseñanza y se han ordenado unos «trabajos» que presuponen diversos grados de enfrentamiento a dificultades o pruebas **[→ págs. 3402-3425]**.

Muy diferente es el *Libro del infante don Pedro de Portugal;* presenta un periplo irreal y fantástico, que nada tiene que ver con los verdaderos viajes que emprendiera este infante luso, controvertido regente durante la minoridad de Alfonso V y padre del condestable don Pedro de Portugal. Se ha sugerido que el libro tuvo que ser promovido por su hijo, en el arco de fechas en que, en su condición de nieto de don Jaime de Urgel, era proclamado rey de los catalanes; en ese período de 1464-1466, la peregrinación espiritual a la que se somete su padre —que regresa como portador de una carta del Preste Juan anunciando el advenimiento del Anticristo— servía para amparar sus derechos dinásticos [→ págs. 3425-3439].

12.12: Capítulo XI: Enrique IV (1454-1474): la destrucción del modelo cultural

133ª) El cierre de esta *Historia de la prosa medieval* se fija en este capítulo (págs. 3475-3888) dedicado íntegramente al reinado de Enrique IV; otro será el discurso prosístico que se construya en el período de los Católicos (1474-1516), entramado con la lenta definición de los principios sobre los que se han de sostener los modos genéricos o «estilos» del siglo XVI.

Enrique IV fue un monarca inhábil para presidir un entramado literario; sólo se interesaba por la caza, la música y la construcción de «nobles edifiçios», aun reconocidas por Valera ciertas condiciones letradas, acordes con las «fablas» descritas por el cronista regio, D. Enríquez del Castillo; pero todo su reinado gira en torno a su impotencia, pública desde 1440, y a los problemas derivados de la sucesión del reino y de la sujeción del rey a privados sin escrúpulos. La producción literaria se desplaza a los círculos de Fonseca y Carrillo o rodea al joven príncipe Alfonso en los tres años en que es acatado como rey (1465-1468) [→ págs. 3475-3481].

134ª) La historiografía de este período es sumamente contradictoria. Diego Enríquez del Castillo es el único cronista que se preocupa por registrar los sucesos del reinado y los hechos particulares de la vida del rey; los demás historiadores abordan la cuestión sucesoria y amparan los derechos dinásticos que asisten a los hermanos del monarca. Enríquez configura un relato objetivo en el que alaba a Enrique IV en el primer decenio de su gobierno —el de la «prosperidad del rey»— y lo censura en el segundo cuando claudica ante las exigencias del ambicioso Pacheco. Enríquez se ve obligado a rehacer su crónica cuando le es arrebatada en septiembre de 1467 por los «alfonsinos»; sin apoyatura analística, la primera sección es breve y en ella prevalece la perspectiva desoladora del presente, encarecida la tímida expansión militar lograda; el cronista critica con severidad a Carrillo y a la reina doña Juana; la falsedad de los privados impide la afirmación caballeresca de esta corte; en la segunda parte acusa a los traidores y persigue a los desleales; el cronista recrimina al rey por sus indecisiones y su falta de autoridad, amonestando a los caballeros por no haberse preocupado por salvar el reino; la codicia es el asiento principal de los males que afligen a Castilla. Reescrita en el período isabelino, la crónica contrapone el matrimonio de Fernando y de Isabel con las vergonzosas vistas de Valdelozoya: mientras los príncipes procuran una rápida descendencia para la corona, Enrique IV se ve obligado a jurar, entre dudas, que doña Juana es hija suya, dando una patética imagen de la degradación de la corte. La semblanza negativa que el historiador dedica a Pacheco cuando muere y el retrato final que ofrece del rey aproximan esta crónica al modelo de los regimientos de príncipes, al derivar de la misma lecciones y advertencias para corregir los abusos de los privados y los conflictos nobiliarios **[→ págs. 3481-3508]**.

135ª) Alfonso de Palencia desprecia el relato de D. Enríquez y lo tacha de falsario, a pesar de perseguir los mismos fines que el cronista áulico —reflejar la decadencia moral de la corte y recriminar la conducta de los privados— si bien señalando al monarca como principal culpable de la destrucción del reino. Este historiador humanista se adscribe al entorno del arzobispo Carrillo y defiende los derechos sucesorios de los hermanastros del rey, apoyando sin fisuras la opción política e ideológica representada por Fernando de Aragón; esta actitud de clara misoginia y su negativa a entregar la crónica para que la revisara Mendoza provocará que la reina le retire su favor en 1480 y confíe el asiento cronístico a Fernando de Pulgar. Los *Gesta Hispaniensia* de Palencia se enraizan en la mejor tradición de la historiografía latina, acomodados al modelo de las «décadas» de Tito Livio. Palencia no compila los hechos del reinado de Enrique IV, ya que prefiere perfilar las figuras de los herederos a la corona y denunciar los vicios y pecados que asuelan el reino. Se ha afirmado, por ello, que Palencia no actuaba como un cronista regio, sino como un historiador humanista que se servía de la historia para interpretar y valorar el orden temporal registrado entre 1440 y 1480 **[→ págs. 3508-3517]**.

136ª) La *Crónica castellana,* que no es traducción de los *Gesta* de Palencia sino libre recreación de sus noticias, se centra en el período de 1454-1474, fijada la data de 1468 (la muerte del príncipe don Alfonso) como eje de sus dos bloques. Se ha considerado que pudo ser instigada desde cualquiera de los bandos que defendían los derechos de los hermanastros del rey, convertida la escena de Guisando en una proclama de adhesión isabelina **[→ págs. 3517-3520]**.

137ª) Se ha considerado a Diego de Valera el último cronista de Enrique IV; construye su *Memorial de diversas hazañas* entre 1486 y 1487, manteniendo el diseño de los *Gesta* e incorporando sucesos de la *Cas-*

tellana. El *Memorial* era la pieza central de una ambiciosa trilogía cronística, inaugurada con la visión generalista de la *Crónica abreviada* y cerrada con la metódica y consecuente *Crónica de los Reyes Católicos.* Valera no enjuicia a Enrique IV —aunque inserta una epístola en la que le recuerda sus obligaciones como monarca— pero evidencia la falta de un modelo de autoridad regia, criticando la escasa atención prestada a las campañas militares y la excesiva afición del rey por los árabes; al contrario de Enríquez, salva la actuación de la clase de la caballería, condenando el desmedido reparto de mercedes y el ascenso inopinado de hombres de bajo linaje, como M. Lucas de Iranzo. Valera dedica la mitad del *Memorial* a los últimos cinco años del reinado, fundamentando en ellos los derechos a reinar de los príncipes, contrapuesta la diligencia con que actúa don Fernando con los engaños que enturbian la vida de la corte; del aragonés le interesa su participación en campañas militares en las que manifiesta las virtudes caballerescas de que estaba dotado. De la última semblanza de Enrique IV extrae lecciones aplicables al presente, denunciado el excesivo poder de los privados **[→ págs. 3521-3535]**.

138ª) Se ha indicado que, en la segunda mitad del siglo XV, nobles y caballeros se acercan a la historia para recabar enseñanzas con las que entender el presente o esgrimir justificaciones con las que amparar posturas o banderías comprometidas. Con este propósito, don Carlos de Viana compila una *Crónica de los Reyes de Navarra* para presentarse como legítimo sucesor del reino al que se preocupa por dotar del pasado histórico del que carecía; buscaba, también, afirmar su identidad linajística por encima de la de los Trastámara; por ello, se ha apuntado que el contenido de la crónica se ajusta a la reivindicación sucesoria, ordenando avisos contra la pretensión de los aragoneses por apoderarse de este territorio **[→ págs. 3535-3540]**.

El *Repertorio de príncipes* de Pedro de Escavias, además de la curiosidad y erudición de su formador, revela el interés de la nobleza por la construcción del pasado histórico; el saber cronístico debe involucrarse en la formación nobiliaria. Se propone, con este fin, una imagen de «España» distinta a la del presente en que se halla el compilador **[→ págs. 3540-3545]**.

Se han analizado las dos piezas cronísticas instigadas por Lope García de Salazar; su *Crónica de Vizcaya* es un compendio general y linajístico del territorio vizcaíno; su *Istoria de las bienandanzas e fortunas* es una sorprendente miscelánea historiográfica de veinticinco libros, en la que caben referencias universalistas, noticias particulares de España más episodios localistas de Vizcaya, combinados con libertad relatos oralistas y fuentes literarias diversas [→ **págs. 3546-3553**].

La *Compendiosa Historia Hispanica* de Rodrigo Sánchez de Arévalo, junto a una defensa de Castilla frente a los otros reinos occidentales, acoge las mejores afirmaciones del poder y del prestigio del monarca castellano. Le preocupa a Arévalo cribar la tradición historiográfica anterior, en especial la derivada del Toledano, de la trama de leyendas y de materias poéticas con que el *De rebus Hispaniae* se había difundido. En la sección consagrada al presente, fija esquemas de organización política y apunta un arte de buena gobernación [→ **págs. 3553-3557**].

139ª) Se impulsan en este período relatos biográficos que participan de la historiografía y la narración caballeresca; no son compendios linajísticos, sino registros de sucesos que justifican posturas comprometidas que procede enmarcar en las circunstancias que las requirieron, como ocurre con los *Hechos del Condestable don Miguel Lucas de Iranzo,* hombre de bajo linaje a quien el rey pretendía entregar el maestrazgo de Santiago para vincular la orden militar a la realeza, provocando con ello una de las escisiones más graves en la curia regia. Tras su nombramiento como Condestable del reino, Iranzo se exilia a Jaén en 1458; en este enclave territorial, mantiene sin quiebras su fidelidad a la corona, resistiendo a las intrigas de los hermanos Pacheco y Girón, así como a las conjuras promovidas por F. Mexía y el comendador Juan Pareja, hasta caer asesinado en el curso de la revuelta contra los conversos de 1473. Aunque los *Hechos* se detengan en 1471, el biografiado los instiga para demostrar su poder sobre sus enemigos curiales, a los que impide entrar en Jaén cuando recibe triunfalmente al rey. Se valoran las virtudes militares de Miguel Lucas, junto a las formas de alegría cortesana que procura promover en torno a su figura. A pesar de las hipótesis sobre una doble autoría del texto, se ha señalado que hay rasgos que apuntan a una redacción unitaria, si bien corregida mediante el registro de las noticias posteriores a 1466 [→ **págs. 3557-3579**].

Pero Guillén de Segovia compila una crónica particular del arzobispo Carrillo para ponerla al frente de *La Gaya Ciencia* y solicitar, de este modo, el amparo de su señor para su tratado poético, exhortándole a recuperar la actividad creadora de la poesía, interrumpida por las continuas guerras; pretendía Guillén de Segovia convencer al mitrado de la importancia de restaurar la «alegría cortesana». La biografía alterna materia histórica y exégesis poética, convertido el arzobispo en modelo de prudente gobernante —preocupado por la administración de la diócesis y el estamento de los labradores— y de estratega militar —registradas con fervor sus numerosas «fazañas» bélicas **[→ págs. 3579-3589]**.

140ª) Los *regimina principum* se desligan de la corona; sólo el *Vergel de los príncipes* se dedica a Enrique IV; el resto de opúsculos afirma los derechos dinásticos de don Alfonso y doña Isabel o se dirige a miembros destacados de la nobleza o la caballería. La producción letrada de Diego de Valera, en estas dos décadas, se engasta en estas premisas; envía su *Tratado de las armas* al portugués Alfonso V, el único monarca al que considera depositario de las condiciones y garantías que pueden permitir el mantenimiento y la difusión de un saber caballeresco, regulador de la etiqueta heráldica y del protocolo cortesano. A Juan Pacheco endereza dos opúsculos vinculados a las revueltas que ocasiona la promoción de hombres de bajo linaje como M. Lucas de Iranzo o Beltrán de la Cueva; en el *Tratado de providencia contra fortuna* invita al privado a precaverse contra la adversidad, a concebir la fortuna como suma de contrariedades para prevenirse contra sus inevitables mudanzas; en el *Cirimonial de príncipes*, las instituciones cortesanas se asientan en la antigüedad del linaje, confiada a la «discreción» de Pacheco la regulación de los títulos nobiliarios con el fin de relegar el de «condestable» al último lugar. El *Breviloquio de virtudes* se confía a don Rodrigo Alfonso Pimentel, apuntando así al entorno del infante don Alfonso; en el mismo, la vida palaciega del conde se proyecta en una compleja red de figuras, sometida a una exégesis de implicaciones religiosas que engasta el modelo de buen gobernante al que se ajustaba, por sus virtudes, el cuarto conde de Benavente **[→ págs. 3590-3607]**.

141ª) Los dos únicos textos vernáculos de Rodrigo Sánchez de Arévalo poseen una orientación política. A don Pedro de Acuña, hermano de Carrillo, le envía la *Suma política*, con el primer libro centrado en la disciplina de la «civilidad» —fundación y organización de ciudades y villas— y el segundo dedicado al regimiento de esos ámbitos urbanos, afirmada su armonía con la virtud y amparada con el ejercicio militar. Compuesta esta obra en Roma en 1457, Arévalo formula paradigmas de conducta política —los valores a los que deben obedecer los reyes o consejeros— imposibles de aplicar a la realidad de Castilla, pero que demostraban la maduración a la que había llegado esta disciplina **[→ págs. 3607-3620]**.

El *Vergel de los príncipes* es el único regimiento que se dirige al rey, centrado en los dos «virtuosos exercicios» que le interesaban: la caza y la música; Arévalo pretendía defender la afición de Enrique IV por «deportes» que presuponen el esfuerzo político y militar que garantiza ese marco de ocio. De distribución ternaria, el primero de los libros se dedica a la milicia, ejercicio que requiere el despliegue de los actos de virtud y de nobleza, además de posibilitar la conversión de los hombres plebeyos en nobles e hidalgos, respaldando el favor concedido por el rey a «criados» de su confianza; el segundo libro se ocupa de la práctica cinegética —la de monte—, actividad sustitutoria de la guerra si se ejercita con templanza; el tercer libro convierte a la música, en cuanto arte liberal, en especulación idónea para los reyes y en firme soporte de valoraciones religiosas. Se ha sugerido que el *Vergel* se compone para apoyar la prudente dirección de la guerra contra los moros ordenada por el rey, así como para justificar su «apartamiento» en los cotos de caza o sus aficiones musicales; lejos de ser defectos, eran actividades que lo convertían en un monarca virtuoso [→ **págs. 3620-3628**].

142ª) Conectada a la *Suma política* y a la producción de Valera, la *Qüistión entre dos cavalleros* intenta dirimir si el de las armas o el de las letras es el ejercicio que otorga mayor fama, para convertir la prudencia en molde de la acción política, desechada la aplicación de la fuerza militar. Se pretende enseñar a los caballeros que los asuntos públicos deben ser enfocados desde el consejo y la juiciosa administración, evitada la práctica de la guerra con la que sólo se consigue la devastación de las ciudades y la aniquilación de las virtudes [→ **págs. 3629-3635**].

143ª) Varios opúsculos de reflexión política se ligan al marco letrado que rodea al príncipe don Alfonso en el trienio en que es acatado como rey (1465-1468). Se ha considerado que uno de ellos sería la *Carta al rey sobre el regimiento de su vivienda* a tenor de los paralelismos que presenta con los tratados de Pedro de Chinchilla; esta misiva consta de tres «artículos» que definen tres líneas de afirmación religiosa: los mandamientos a que debe ajustarse la «sana conversaçión» del rey, en cuanto vicario entre Dios y los hombres, el valor que debe conferirse a la caballería espiritual o «miliçia eclesiástica», el modo por último en que deben repartirse los botines de guerra si se han obtenido de una manera justa [→ **págs. 3635-3639**].

Pedro de Chinchilla, el traductor del *Libro de la Historia Troyana* (1443) y servidor de la casa condal de Benavente, afirma en estas mismas ideas sus dos tratados políticos. El primero, la *Carta e breve conpendio*, con forma también epistolar, lo dirige a don Rodrigo Alfonso Pimentel en 1466, cuando el noble se convierte en el principal apoyo del príncipe don Alfonso; es un manual de conciencia nobiliaria, un ordenamiento religioso que justifica la rebelión contra los reyes y tiranos que destruyen a sus pueblos [→ **págs. 3639-3648**]. El segundo, la *Exortaçión o información de buena e sana doctrina*, es instigado directamente por Pimentel para ser entregado al joven rey en 1467 en el año de su mayoridad; se ha señalado que, como hechura de su «criança», se articula un orden de reflexión política y moral de raíz nobiliaria; su objetivo es asegurar la salvación del alma del monarca, a través del cumplimiento de sus obligaciones estamentales; para ello, se fija un retrato de príncipe negativo, con remisiones continuas al presente, a fin de desposeer a Enrique IV de la primogenitura por no asegurar la sucesión al trono. Frente a la degradación de la corte, se dibuja un entramado de virtudes teologales y morales para regular las costumbres curiales, encarecida la amistad —o «eutrapelia»— como medio de preservar la dignidad de la persona del rey. De la producción de Chinchilla se ha destacado el testimonio que ofrece de las formas literarias que interesan a la nobleza y de las transformaciones culturales sufridas en esos ámbitos aristocráticos en el período de 1443 a 1467 **[→ págs. 3648-3661]**.

144ª) La temprana muerte del príncipe don Alfonso en julio de 1468 convierte a su hermana Isabel en heredera de la corona; en este momento, fray Martín de Córdoba le remite un regimiento de príncipes femenino, el *Jardín de nobles donzellas*, con el fin de completar la formación del carácter de la futura reina, enfrentada entonces a las intrigas de Pacheco y sumida en la tesitura de tener que elegir marido entre las varias candidaturas que se le presentan. El agustino se desvía del modelo de los regimientos tradicionales, vinculando la acción de gobierno a los actos prácticos y a la afirmación de un grado de saber basado en la observación de las buenas costumbres, en la piedad del pueblo, en el atrevimiento que se ha de mostrar ante los enemigos. Perfila una sabiduría moral abierta a tres líneas de desarrollo: en la primera parte, la naturaleza femenina se reviste de principios de carácter religioso con los que se construye un regimiento matrimonial, rechazadas las formas de deleite amoroso; en la segunda sección se formula una doctrina moral como asiento del pensamiento político con que se define un modelo de «ética femenina»; en el tercer libro, se reúnen «exemplos» de mujeres notables, paradigmas de comportamiento virtuoso para que la destinataria del *Jardín* aprenda a superar sus limitaciones y a regir sus actos. Fray Martín defiende el acercamiento de la mujer al saber, al orden militar —si manifiesta «ánimo varonil»—, a la castidad, por último, como marco seguro de afirmación femenina. Se han valorado las técnicas discursivas de que se sirve el agustino; actúa como un *magister* que ha de aleccionar a una discípula muy singular, a la que tiene que dotar de precisos y metódicos esquemas de pensamiento [→ **págs. 3661-3677**].

145ª) Fuera del entorno cortesano presidido por el rey quedan las discusiones científicas, los debates sobre materias diversas, el análisis de asuntos filosóficos o religiosos; sólo Juan de Lucena, en 1463 y desde Roma, le dedica a Enrique IV un opúsculo de estas características, el *Libro de vita beata*, primera pieza del diálogo humanístico y recreación, que no simple traducción, del *De vitae felicitate* de B. Facio, puesto que se usa la lengua vernácula y se otorga a los disputadores una nueva identidad, ajustada a la de los tres letrados más importantes de la primera mitad de la centuria: Cartagena, Mena y Santillana, dotado cada uno de ellos de una visión lingüística y filosófica propia. La disputa es presenciada por el monarca, posibilitando la inserción del marco cortesano en la realidad textual; desde el mismo, Lucena quiebra los límites de la escritura para involucrarse en la discusión y encauzarla a la dimensión religiosa en la que se dará respuesta al dilema planteado: la única beatitud reside en el «sumo bien», es decir, en Dios [→ **págs. 3678-3702**].

146ª) Alfonso de Toledo, en su *Invencionario* dedicado a Carrillo, configura una dimensión enciclopédica de implicaciones religiosas para descubrir los designios con que Dios creara el mundo; dividida en dos secciones, la primera se dedica a los inventores de las cosas referidas a la vida temporal, la segunda a las de la vida eterna. Se pretendía figurar una suerte de tránsito desde el «mundo» hacia «Dios» sin la menor indagación por el orden de la naturaleza o por otras disciplinas de cuño humanístico; a pesar de ello, el compendio no es un simple centón de datos, ya que las noticias acogidas se valoran y se critican; A. de Toledo construye un texto que es percibido como viva realidad, como organismo que crece y se despliega en las imágenes alegóricas con que se propicia el recorrido por el dominio del saber [→ **págs. 3702-3717**].

147ª) Al círculo letrado de Carrillo se vinculan las epístolas y los prólogos en prosa a diferentes poemas cancioneriles de Pero Guillén de Segovia; estos paratextos permiten seguir la trayectoria de su autor y determinar los mecanismos de la exégesis letrada de que se ha servido, además de proponer los sentidos concretos con que las obras deben ser leídas. La tercera de estas piezas aprueba el apoyo que Carrillo presta al bando del infante don Alfonso, mientras que la cuarta se conecta a la biografía del arzobispo que Guillén de Segovia coloca al frente de *La Gaya Ciencia*, con el mismo fin de defender el «ocio» letrado y promover la reconstrucción de un ámbito de cortesía en el que quepan el cultivo y la audición de poemas [→ **págs. 3717-3727**].

148ª) Se han analizado los cuatro tratados en prosa incluidos en el *Cancionero de Juan Fernández de Híjar* en 1470, en la tercera fase de su formación **[→ págs. 3727-3728]**. El primero es un tratado de moral, una traslación de un compendio sapiencial de la mitad del siglo XIII, con una ordenación ideológica en la que se examinan las formas de la vida de la corte, el valor de la palabra, las nociones de franqueza y amistad, la buena ventura, contrastadas las edades de la «mançebía» y de la «vejez» **[→ págs. 3729-3732]**. El segundo es un tratado de retórica que pretende sujetar esta disciplina a principios de rectitud moral y de orden religioso, orientado el *ars bene dicendi* a la consecución del bien **[→ págs. 3732-3736]**. El tercero es una *Regla de San Bernardo* referida a los aspectos materiales de los que depende la salvación del alma **[→ págs. 3737-3738]**. El cuarto es la *Flor de virtudes,* traducción del italiano *Fiore di virtù,* una compleja miscelánea de disposiciones relativas a la conciencia del hombre, en la que se contraponen virtudes y vicios, definida y analizada su naturaleza, explicitada mediante «figuras» de animales, verificadas las ideas con «exemplos» escriturarios o históricos; nuevamente se construye un itinerario que lleva al hombre desde el «mundo» hacia Dios, recorrida la escala de virtudes inserta en su interior, además de rechazados los vicios o peligros mundanales **[→ págs. 3738-3744]**.

149ª) Una de las denuncias más severas de la lamentable situación del reino la formula Gómez Manrique en el poema satírico de la *Esclamaçión e querella de la governaçión*, contestado con dureza desde la corte regia, aunque amparado desde el entorno de Carrillo. Pero Díaz de Toledo lo somete a exégesis para destacar las verdades que subyacen tras las disparatadas imágenes de su carnavalesca y paródica visión del mundo; se defiende la actividad letrada que los caballeros pueden promover sin detrimento de sus obligaciones estamentales y se articula una lectura política del texto que descubre bajo su literalidad un meditado regimiento de príncipes, que señala los males y los defectos de la gobernación de la ciudad y del reino **[→ págs. 3744-3754]**.

150ª) También al círculo de Carrillo pertenecía su consejero Hernando de Alarcón, presentado por la historiografía de los Católicos como modelo de privado desleal, responsable de la defección del arzobispo, cuando posiblemente se tratara de un espiritualista, conectado con los mensajes visionarios y apocalípticos, unido no sólo a Carrillo, sino también a la princesa Isabel; como culpable de las banderías que alargan la guerra de sucesión, muere degollado en Toledo en 1480. De Alarcón, se conserva un *Tratado* que es una suerte de arte de bien morir, un opúsculo articulado mediante cláusulas introductorias de un testamento que remite a referencias escriturarias que pretenden salvar la espiritualidad de su autor, aunque posiblemente no fuera más que un ejercicio literario, al que se fiaba la pose literaria de este iluminado [→ **págs. 3755-3760**].

151ª) La ficción narrativa no cabe en el marco cortesano de Enrique IV; a pesar de ello, las tramas y ciclos artúricos siguen su evolución hasta imprimirse algunos de sus títulos a finales de la centuria, vinculados por lo común a entornos nobiliarios [→ **págs. 3760-3761**]. Alfonso de Palencia construye dos «fábulas» humanísticas, ambas en latín y traducidas por él mismo, incardinadas a los ámbitos arzobispales de Fonseca y de Carrillo. De la *Batalla campal de los perros contra los lobos* se conserva la versión vernácula de 1457; en el primer prólogo, considera los problemas derivados de la traducción y apunta los sentidos de este experimento narrativo: más que la «batalla campal» le importan las deliberaciones entre bandos para avisar sobre los engaños de los consejeros, invitando, en el segundo proemio, a descifrar las «figuras de moralidades». Se ha apuntado la posibilidad de que Palencia, con esta fábula, pretendiera justificar la prudente dirección de la guerra que mueve Enrique IV contra Granada y que tan feroces críticas despertaba entre la caballería y la nobleza; prefería el rey acciones rápidas y provechosas, antes que deslumbrantes campañas de resultado incierto [→ **págs. 3761-3769**].

El esquema argumentativo de la segunda de las fábulas, la *Perfeçión del triunfo*, vincula las tradiciones de los viajes alegóricos y de los tratados de caballería; Palencia aborda los asuntos de la disciplina y de la obediencia militares desde el dominio de la ficción; en su estructura narrativa se entremezclan figuras alegóricas, representativas de las cualidades que se quieren proyectar en la vida militar y caballeresca; se ha apreciado la variedad de registros estilísticos con que la obra se arma: viñetas realistas, peripecias cómicas, digresiones morales, discursos retóricos, escenas cortesanas y continuas alegorías enmarcan el viaje del protagonista, «Exerçiçio», desde España hasta Italia en busca del «Triunfo», sólo encontrado en virtud de la peregrinación a la que se somete y que le dota de las virtudes de que carecía, abatidas la soberbia y la codicia, despreciados los bienes terrenales: tales son las vías para alcanzar la perfección caballeresca y convertirla en soporte del humanismo cívico preconizado por Palencia [→ **págs. 3769-3783**].

152ª) Se ha analizado la extraordinaria miscelánea de textos epistolares y poemáticos con que Fernando de la Torre formó su *Libro de las veinte cartas e qüistiones con sus respuestas e algunos metros*, enviado a doña Leonor de Navarra en el arco de años en que su padre, Juan II de Aragón, la designó heredera del trono navarro. El *Libro* es una colectánea de géneros y cuestiones, que revela la práctica real, de nobles y de prelados, de cruzar misivas con el fin de solventar dudas o promover debates sobre asuntos que se estarían tratando en poemas y en opúsculos conectados con la dimensión sentimental; además de publicar sus respuestas a muchas de esas demandas, F. de la Torre preserva la memoria de los emisarios y destinatarios de su correspondencia. En el *Libro* predomina la dimensión amorosa, pero se abordan asuntos políticos —se ha destacado la carta enviada en 1455 al rey—, materias nobiliarias y linajísticas, análisis sobre la amistad y sobre la identidad de la mujer. El núcleo epistolográfico de mayor valor lo mueven las mujeres letradas, un coro de ocho voces femeninas que permite conocer el modo en que las damas se acercaban al saber y a sus fuentes de conocimiento; esta orientación básica se ha conectado al entorno cultural de doña Leonor de Navarra **[→ págs. 3783-3799]**. Por la historia amorosa desarrollada, se ha destacado el *Tratado e despido a una dama de religión,* un título que lo acerca al dominio sentimental; la queja real del autor se convierte en soporte de una larga reflexión sobre la condición femenina, enmarcada en un «modo de fablar», o género, llamado «sátiro» y que acuerda con los esquemas argumentativos desplegados por el condestable de Portugal. Otras misivas analizadas acogen nuevos motivos sentimentales: el error de revelar la identidad de la amada, los *remedia amoris*, el asedio amoroso de la mujer. Se ha indicado que los receptores externos han de obrar a semejanza de las figuras que aparecen en el *Libro*, valorado el engarce de una conciencia de recepción femenina con los discursos literarios y los asuntos temáticos que acabarán configurando el modelo de la ficción sentimental **[→ págs. 3800-3809]**. En este orden, se ha analizado el *Juego de naipes*, un *prosimetrum* que conecta con este mismo fondo de ideas, reguladas las actitudes con que los hombres deben tratar a las mujeres **[→ págs. 3809-3812]**.

153ª) Se ha estudiado la *Triste deleytaçión* como la tercera de las piezas de la ficción sentimental, vinculada al entramado de la cortesía aragonesa y catalana. En su interior se entrecruzan tres historias amorosas y su discurso textual sintetiza las líneas de la producción letrada de la que surge este orden narrativo. Una escueta trama argumental encauza el verdadero objeto del libro: ordenar digresiones y discursos para analizar el amor; en este sentido, se ha destacado que el tratamiento erotológico no resulta tan negativo como los del *Siervo* y la *Sátira;* en *Tris-*

te, la virtud amorosa se antepone al vínculo matrimonial. Se trata de una obra en clave, que obliga al receptor a asimilar unas cualidades intelectivas para desvelar los sentidos encubiertos bajo la corteza literal; el lector es un componente activo del desciframiento de unos significados que se ordenan en dos niveles textuales, separados por los discursos de la prosa —el plano de la realidad— y del verso —el orden alegórico. Se ha destacado el núcleo de los «castigos de buen amor» con los que se forma un curso completo de erotología que gira sobre la idea que otorga cohesión a todas las líneas narrativas: sólo merece ser amado aquel que ha sufrido previamente las penas que el amor reserva a sus servidores **[→ págs. 3812-3832]**.

154ª) En las dos décadas del reinado enriqueño se sientan las bases de la tratadística religiosa que se desarrollará en el reinado de los Católicos; la miscelánea devocional contenida en el códice facticio BN Madrid 8744 agrupa las líneas principales de esa producción: tratados de espiritualidad vinculados a las pautas del movimiento de la *devotio moderna*, sacramentales que inciden en el valor de la penitencia o la eucaristía, análisis de vicios y virtudes que previenen sobre la usura y la lujuria, manuales de reforma eclesiástica y conventual en los que se exhorta a la obediencia regular y monástica, un «arte de bien morir» encauzado como consolatoria, opúsculos de corte apocalíptico, oraciones y plegarias, más tres productos hagiográficos de notable valor: el *Miraglo de Sanct Andrés* —exhorta a los confesores a precaverse de los engaños y arterías de los confitentes, sobre todo si se trata de mujeres—, los *Milagros de Sant Antonio* —valora la penitencia y la dimensión taumatúrgica y predicatoria de la palabra— y la *Vida de la Virgen* —esbozo de las reglas espirituales que se forman para damas de la nobleza y que enseñan a ordenar y a aprovechar el tiempo, ajustándolo a obligaciones y plegarias **[→ págs. 3832-3859]**.

155ª) De la larga vida del dominico Juan López de Salamanca, se ha valorado su magisterio salmantino, su vínculo con el linaje de los Estúñiga y la disputa sostenida con Pedro Martínez de Osma para impugnar sus teorías sobre la penitencia y las indulgencias. De su producción, se ha analizado su *Libro de toda la vida de nuestra Señora*, preludio de las obras de contenido mariológico impresas a finales de la centuria. Es un manual pensado para que una dama de la nobleza pueda construir un estado de meditación religiosa centrado en la figura de María. Se trata de un díptico de dos libros cada uno con cuatro historias marianas; de este conjunto sólo se conserva el primero, con un proemio en el que se sintetiza la organización temática y se fijan los principios de un orden de contemplación que se entrama mediante la técnica del largo diálogo que sostienen doña Leonor Pimentel —destinataria del tratado— y la Virgen; en estos coloquios se pretende instigar en la noble una «piadosa devoción» y propiciar las líneas de pensamiento que la posibiliten. María imparte una doctrina ajustada a una metódica escala de perfección espiritual, acompasado el diálogo al orden de las fiestas marianas y ensayadas diversas combinaciones narrativas y dramáticas que revelan la sutileza y la complejidad contemplativas a que la condesa debe aspirar [→ **págs. 3859-3888**].

12.13: Síntesis final

La anterior tabla de conclusiones se ha acompasado al desarrollo cronológico seguido en esta historia de la prosa medieval castellana, a fin de sistematizar los aspectos esenciales de cada uno de los períodos estudiados [→ **págs. 3889-3969**]. Procede, ya como última síntesis de este conjunto, enlazar esas ideas finales para suscitar otros itinerarios de lectura, ajustados a la evolución de los mecanismos formales y discursivos con que se ha ido transformando el orden de la prosa en la larga andadura que ha llevado de 1206 a 1474.

Se fijan, por tanto, en este epígrafe de cierre, diez ideas de carácter teórico que conectan necesariamente con los diez principios apuntados en las páginas 9-13 de «Presentación» de esta *Historia* [**1**]. Entre corchetes y en negrita, se remite a la tabla de conclusiones de este capítulo, con el deseo de sugerir otras propuestas de consulta de estos cuatro volúmenes, más atentas a los elementos críticos que a los puramente historiográficos ahí enunciados.

1ª) La prosa ha sido concebida como el *discurso* [3] que configura las líneas de pensamiento de la lengua vernácula [4], modela los imaginarios y repertorios temáticos [5], prefigura el ámbito del saber, encauza las técnicas o métodos intelectivos que han de emplearse en ese sistemático proceso de cifrar un sistema lingüístico para describir, con él, un nuevo mundo de relaciones humanas y sociales [**2, 7, 11, 21, 34, 57, 71, 79, 120, 133**].

2ª) El discurso de la prosa posibilita la metódica construcción de un *orden de conocimiento* que permite definir la realidad en todas sus facetas, convertirla en materia —historia, leyes, ciencia, religión— ajustada a las estructuras del nuevo lenguaje [**6, 7**], capacitada para abordar toda suerte de asuntos y de pesquisas practicadas sobre el saber: la cuentística oriental [**9**], la ciencia alfonsí [**12**], la literatura sapiencial [**13**], los diálogos [**14**], las crónicas [**17, 18, 19**], la visión enciclopédica [**22, 23**], el orden de la ficción [**40, 43, 44, 45 46, 128, 151**], los libros de viajes [**61, 78, 132**], la hagiografía [**42, 64**], los libros de linajes [**90**], el humanismo [**92, 96, 103**] y las traducciones [**95**] sirven a este propósito.

3ª) La literatura sapiencial [**13, 14, 75**] engasta los primeros acercamientos vernáculos a las *artes elocutivas* [**2, 10, 11, 18**]; piezas fundamentales de este proceso son el *ars rhetorica* —entendida como arte recitativa: «fablar clerical»— y el *ars logica* —definidora de las operaciones intelectivas—; estas dos *artes* se enhebran en tratados enciclopédicos [**22, 77**] y se convierten en soporte de indagaciones historiográficas [**18**], propiciando el desarrollo de los esquemas de la ficción [**40**].

4ª) La *evolución de la «clerezía»* o «sabieza» —y su impartición en los *studia generalia*— a lo largo del siglo XIII y primeras décadas del siglo XIV ha permitido verificar el tránsito del entorno catedralicio —Alfonso VIII, Fernando III— al cortesano —ya con Alfonso X [**13, 14, 17**] y Sancho IV [**21**]— y la fijación del primer marco cultural nobiliario —don Juan Manuel [**30**]; cada uno de estos dominios requiere una específica forma de organizar la realidad y de servirse del saber para conocerla y encauzarla por medio de las manifestaciones de la «alegría cortesana» [**20, 24, 51, 70, 97, 139**]; este ámbito permite acoger las primeras muestras del humanismo e identificar los problemas a que se enfrenta [**92, 98**], definidos los valores inherentes a la poesía [**94, 95**] y a la exégesis [**93, 95, 100**], las conexiones de los letrados curiales y los círculos universitarios [**99**], las propuestas de *otium* activo para la caballería [**102**], los modos en que el saber prende en la ficción sentimental [**128, 129**].

5ª) Más allá de la poética de composición, implícita en el mismo *ars grammatica* [**3**], ha interesado el modo en que se desarrolla la *poética de recitación* —hay mecanismos intelectivos que se despliegan en su uso [**40**]— y, en especial, la *de recepción* [**13, 29**], que resulta fundamental para configurar el proceso de la ficción —sostenido por la inserción del receptor en el interior del texto— y las diferentes materias por las que debe interesarse [**40, 41, 43, 47, 50**] hasta alcanzar la definición de un preciso entendimiento receptivo, incardinado ya al orden sentimental [**127, 128**].

6ª) Vinculados a esos esquemas de conocimiento, se articulan *modos interpretativos* —la teoría de los cuatro sentidos— que van a permitir el descubrimiento, a receptores sobre todo cortesanos, de significados alegóricos en las «historias literales» que se les dirigen [**9, 19, 127**], articuladas metódicas exégesis [**100, 121, 140, 149**] o exposiciones [**93**]. Paulatinamente, se construye una teoría de la traducción, referida a los modelos textuales y lingüísticos que intervienen en el difícil proceso de trasvasar materias diversas de una lengua a otra [**8, 9, 12, 18, 40, 75, 90, 94, 95, 100, 117**].

7ª) La asimilación o aceptación de esas materias —y de sus estructuras temáticas— ayuda a fijar el desarrollo y transformación de los propios *grupos sociales receptores*: con este fin se han descrito las líneas que intervienen en la formación de la historiografía [**8, 17, 18, 26, 27, 31, 35-38, 58-60, 72-74, 80-84, 97, 101, 134-138**], de la cuentística [**9, 24, 32, 69, 121**], de los tratados sapienciales [**10, 13, 24, 32, 75, 122**], de las leyes [**11, 15, 39, 111**], de la ciencia [**12, 16, 23**] y de la tratadística científica [**100-101, 106-109**] incluida la erotológica [**124**] y la de afirmación femenina [**126-127**], de las disputas [**14**] y diálogos humanísticos [**95, 145**], de las enciclopedias [**22, 77, 93, 109, 146**], de los regimientos de príncipes [**24, 25, 32, 52, 102, 140-144**], nobiliarios [**33, 114**], manuales de formación de consejeros [**25, 32**] y libros de linajes [**33, 90, 102, 132**], de las traducciones [**75-77, 95-96, 103**] y exégesis [**103**], de las diferentes formas de la ficción [**29, 41-47, 128-131, 152-153**], del ancho cauce de la producción religiosa [**28, 33, 53, 62, 117-119**] por citar las más relevantes; se trata de un orden de conocimiento que va desgranándose en asuntos y disciplinas que aumentan en complejidad.

8ª) A lo largo de esta historia se han concretado diferentes *marcos de producción y de recepción literaria*, dotados de precisas normas y pautas de actuación fijadas en los textos requeridos y transformados al compás de la evolución de esos mismos grupos receptores. Los principales ámbitos de creación letrada se han ligado a las cortes de los reyes que han permitido trazar la cronología de estos volúmenes: A) Fernando III y primeros años de Alfonso X (1230-1255) [**7-12**], B) Alfonso X (1255-1284) [**13-20**], C) Sancho IV (1284-1295) [**21-29**] y don Juan Manuel [**30-33**], D) Fernando IV y Alfonso XI (1295-1350) [**34-56**], E) Pedro I (1350-1369), Enrique II (1369-1379) y Juan I (1379-1390) [**57-70**], F) Enrique III (1390-1406) [**71-78**], G) Juan II (1406-1454) [**79-132**] y H) Enrique IV (1454-1474) [**133-155**].

En alguno de estos períodos se han reconocido modelos culturales específicos ligados a la voluntad de los monarcas que los han sustentado y propiciado: se ha hablado, así, de la «clerecía cortesana» de Alfonso X [**13**], del «regalismo aristocrático» de Sancho IV [**21**], de la «cortesía regalista» de Alfonso XI [**52**], del «autoritarismo regalista» de Enrique III [**71**], de la «cortesía letrada» de Juan II [**79**], vinculada a la figura de su madre, doña Catalina de Lancáster, y sostenida en paralelo por su mujer, la reina doña María [**100**].

Marcos ajenos a las curias regias, pero conectados a las mismas, son el del infante don Fadrique [**9**] y el de don Juan Manuel [**30-33**]; la lenta afirmación de una aristocracia letrada se desarrolla en el siglo XV: la «cortesía exegética» de Enrique de Aragón [**93**], el «regalismo validista» de Álvaro de Luna [**113**], los entornos del conde de Haro, del señor de Batres [**90**], del conde de Benavente [**143**], de don Íñigo López de Mendoza y sus descendientes [**94**], de Miguel Lucas de Iranzo [**139**] y de Lope García de Salazar [**138**] dan muestra de este proceso.

Idéntico valor se ha concedido a los ámbitos de producción letrada religiosa, a través del análisis de las figuras de Rodrigo Jiménez de Rada [**8**], Gonzalo Pérez Gudiel [**21**], Gil de Albornoz [**62**], Diego de Anaya [**131**], Sancho de Rojas, Gutierre de Toledo, Alfonso Carrillo [**139**] y Alfonso de Fonseca [**133**].

9ª) El dominio de la *ficción* —articulado en prosa vernácula— se configura siempre en función de los grupos sociales receptores, de la necesidad que tengan de habitar y de reconocerse en unos «mundos posibles» que surgen como complemento o alternativa a las circunstancias históricas y políticas que definen cada uno de esos períodos, aumentado el grado de complejidad de los esquemas de conocimiento que se involucran en las materias narrativas sometidas a continuos cambios y correcciones [**9, 19, 29, 40-50, 94, 123-129, 151**].

10ª) La *conciencia de autoría* es mínima, siempre ligada al trazado ideológico de los marcos letrados —cortesanos o religiosos— a los que la obra se destina; el «auctor» es instigador de textos o representante ideológico de ese mundo [**16, 24, 30, 49, 76, 93, 94**].

Sólo es reconocible una cierta *voluntad estilística* en aquellos autores que ensayan con los mecanismos de la escritura o que prueban los diferentes recursos y posibilidades expresivas con que se va armando la lengua vernácula: son los casos contados de don Juan Manuel [**30**], Pero López de Baeza [**54**], Alfonso de Valladolid [**55**], Pero López de Ayala [**59, 70, 76**], Alfonso Martínez de Toledo [**101**], Juan de Mena [**103**], Juan de Lucena [**145**] o Juan López de Salamanca [**155**]: gracias a ellos puede hablarse de «prosa literaria» medieval.

Apéndices

Apéndice I

Primeras adiciones. Junio de 2006

Cerrados los rastreos bibliográficos del primer volumen en 1997, del segundo en 1998 y del tercero en 2001, en los años transcurridos hasta este 2006 en que se pone el punto final a la *Historia de la prosa medieval castellana* —una vez reservados los materiales relativos a los Reyes Católicos para un nuevo proyecto (ver pág. 3473)—, procede dar cuenta de las novedades más importantes aparecidas desde la publicación de cada uno de los tres libros anteriores, a fin de actualizar, en la medida de lo posible, los apuntes críticos ofrecidos en los diez capítulos que conformaban esos tres primeros tomos. No se van a registrar, aquí, todos los estudios relacionados con los autores y los textos examinados, sólo se van a elegir aquellas monografías —libros y actas, apenas artículos— que se consideran capitales para avanzar en el conocimiento de los períodos descritos y de las obras analizadas; en especial, se atenderá a las ediciones que suponen un avance significativo para entender la transmisión de esos productos textuales.

El orden seguido se atiene al de los epígrafes de esta *Historia de la prosa*, remitiendo en cada caso a la paginación en la que se encuentran las ideas que son ahora complementadas. Si son «primeras adiciones» es porque esta *Historia* se cierra con la voluntad de ofrecer, en las sucesivas ediciones que se hagan de este último tomo, una actualización crítica y bibliográfica de las materias acogidas en el largo recorrido que lleva de 1206 a 1474.

1.1.1: *Los estudios generales* [págs. 21-27]

El discurso de la prosa, en cuanto estructura de pensamiento, se asienta en el desarrollo y transmisión de las artes elocutivas (el *trivium)* enseñadas en las escuelas catedralicias y acogidas como materias propias en los primeros *studia generalia* que se fundan en Castilla y en León en las décadas iniciales del siglo XIII; se ha asociado la gramática a la poética de composición, la retórica a la de recitación y la lógica a la de recepción; sin esas disciplinas triviales el castellano no hubiera alcanzado la madurez necesaria para encauzar obras letradas —primero en verso, después en prosa— que fueran trasunto de los distintos dominios ideológicos que las requerían. De ahí, la importancia de dos publicaciones centradas en el mundo de la enseñanza medieval. La primera de ellas recoge las actas de la «X Semana de Estudios Medievales» najerenses de 1999[1]; varias de sus contribuciones se dedican a los centros del saber y a las técnicas de la pedagogía medieval: José María Soto Rábanos relaciona el fenómeno de «Las escuelas urbanas y el renacimiento del siglo XII» (págs. 207-241), incidiendo sobre todo en el orden de las traducciones; Salvador Claramunt se ocupa de «La transmisión del saber en las Universidades» (págs. 129-149), reparando en los enfrentamientos que se producen entre los *studia* y los poderes religiosos locales, los municipales y el poder real; Mª Isabel del Val Valdivieso traza «El contexto social de las Universidades medievales» (págs. 243-269), desde sus inicios hasta la época de los Reyes Católicos, ligados estos centros al desarrollo de las ciudades y a la administración tanto urbana como real; Francisco Ernesto Puertas Moya se ocupa de «La enseñanza de la retórica en las escuelas medievales» (págs. 383-402), disciplina que acogía la práctica del *ars dicendi,* del *ars scribendi,* del *ars dictaminis* y del *ars versificationis*.

En otro orden, Hipólito Escolar Sobrino plantea la relación entre los libros y las bibliotecas (págs. 269-303), mientras José Jesús de Bustos Tovar atiende a la formación de los glosarios y a su uso particular (págs. 329-355). Para Federico Bravo, el *exemplum* medieval se halla vinculado al «arte de enseñar» y, en su desarrollo, configura su propio «arte de contar» (págs. 303-327). Isabel Beceiro Pita describe la educa-

---

[1] Con el título de *La enseñanza en la Edad Media*, coord. José-Ignacio de la Iglesia Duarte, Logroño, Gobierno de la Rioja-Instituto de Estudios Riojanos, 2000.

ción que recibía un cortesano, considerada como un derecho y un deber (págs. 175-206), asumida la paradoja de que apenas se conserven referencias a este grado de enseñanza existiendo tantos tratados doctrinales —los regimientos de príncipes— sobre el asunto.

De las mismas actas, resulta crucial el panorama sintético que ofrece Susana Guijarro González sobre la formación del clero de las catedrales en las diócesis castellano-leonesas y el mundo de las escuelas entre los siglos XI-XV (págs. 61-95); en el siglo XII una gramática de sesgo moralizante, incardinada a la retórica, dotaba al clérigo de *scientia* y de *mores* suficientes para el desempeño de sus funciones, mientras que en el siglo XIII, la fundación de *studia,* la influencia de los predicadores, la evolución de las ciudades propiciaban que las disciplinas escolares se adaptaran a las exigencias del mundo urbano. Precisamente, a esta autora se debe la segunda de las monografías sobre la enseñanza medieval y la producción cultural a ella ligada[2], centrada de nuevo en el marco de las catedrales castellano-leonesas en el amplio período de los siglos XI al XV en que se entrecruzan y relacionan los dominios de las escuelas y los de las universidades; esta investigadora llega a la conclusión de que esta especial simbiosis entre «los círculos eclesiásticos y laicos» contribuyó «a forjar tres de las grandes aportaciones institucionales del Medievo a la cultura occidental europea: los aparatos administrativos e ideológicos de la Iglesia, la Monarquía y la Universidad» (pág. 326); de este estudio, interesan en especial su capítulo tercero —dedicado a las referencias a los libros en la documentación catedralicia y a sus bibliotecas— y el cuarto en que se analizan las relaciones entre los *magistri* y los cabildos de las catedrales, advirtiendo la escasa representación de los manuales relacionados con las artes liberales.

1.2: La prosa como discurso formal [págs. 37-56]

La consideración de la prosa como discurso formal exigía atender a los aspectos que intervenían en la construcción del nuevo sistema de pensamiento que iba forjándose en torno al romance y a las varias derivaciones que adoptaba en los diferentes reinos peninsulares, de don-

[2] Ver Susana Guijarro González, *Maestros, escuelas y libros. El universo cultural de las catedrales en la Castilla medieval*, Madrid, Universidad Carlos III-Editorial Dykinson, 2004.

de la necesidad de enmarcar el desarrollo del discurso prosístico en los contextos culturales que lo requerían (§ 1.3) y que se servían del mismo para construir y consolidar una precisa identidad política (§ 2.1). Por ello, se fijó el arranque de esta *Historia* en el Tratado de Cabreros (1206) y se marcó la conveniencia de acoger, en este dilatado recorrido diacrónico, cualesquiera de las formas o «estilos» en que el orden discursivo de la prosa llegara a manifestarse; era la mejor manera de definir el proceso de afirmación de una mentalidad nacional, sostenida por las imágenes de la realidad insertas en ese «lenguaje de Castiella» que nombraba Alfonso X y que, en ocasiones, se llamaba «lenguaje de España» (ver págs. 310 y 561).

Desde 1997 han aparecido varias contribuciones que han insistido en estos mismos hechos. Así, Gerold Hilty examina las causas que impulsan la aparición de los primeros documentos en la cancillería regia desde 1194[3], destacando la facilidad con que esos escritos se ajustaban a los modelos latinos; al calcarse los esquemas y formularios del latín, se propicia un fenómeno de estililización de la lengua cancilleresca. Hilty, en correspondencia con los estudios de Lomax, traza una tipología de la documentación cancilleresca según su contenido y su finalidad, distinguiendo cuatro modalidades: cartas, mandatos, pesquisas con juicios del rey, documentos relacionados con la reconquista de Andalucía[4]. Son cuatro aspectos, entonces, los que avalan el uso del romance en estas primeras formas textuales: 1) la conciencia y el deseo de renovación lingüística del que escribe u ordena el acto de escritura (el canciller), 2) la situación comunicativa y la competencia lingüística del lector potencial, 3) el aprovechamiento de formas literarias consagradas, abiertas a nuevos contenidos y 4) la propia materia abordada en esos documentos.

Los primeros textos escritos en castellano no sirven sólo para construir una historia de la lengua, sino también para sentar las bases de la

---

[3] Ver «La aparición del romance en los documentos de la cancillería de los reyes de Castilla en la primera mitad del siglo XIII», en *Kunst und Kommunikation. Betrachtungen zum Medium Sprache in der Romania. Fetschrift zum 60. Geburstag von Richard Baum*, ed. Maria Lieber y Villi Hirdt, Tübingen, Stauffenberg Verlag, 1997, págs. 427-439.

[4] Este último resulta el grupo más interesante, ya que «en el proceso de repoblación y de repartición hacía falta formular por escrito muchos derechos y privilegios, determinar muchos límites, organizar la administración impuesta por los conquistadores», pág. 437; por esta vía, se concretan los libros de repartimiento, los registros de heredades y los fueros.

literaria. Destaca, en este sentido, la publicación del que puede considerarse primer documento en romance castellano en prosa sin latinismos, la *Carta de homenaje por el Castillo de Alcozar,* que puede datarse entre 1154-1155[5]; su lectura demuestra la complejidad que poseía la lengua vernácula en la segunda mitad del siglo XII, por encima de las fórmulas a que estaba obligada la redacción de una carta de pleito-homenaje como la que aquí se transcribe; destacan, en especial, las series sinonímicas con las que se perfila el dominio jurisdiccional reservado para el obispo:

> Et achella heredad d'Alquozar que el obispo prisot o peindrat, terras, vinnas, casas, presas, ortos, eglesias, clérigos et tercias, el obispo fagat d'ello sua voluntad, otrosí la heredad del archidiagno, terras, vinnas, casas, ortos, todo en el mandamiento del obispo et del archidiagno, otrosí de los cano[nibus], cuanto lavran et podrán lavrar en podestad del obispo et de los canónigos (496-497).

La *Carta* se emite en un momento de grave conflicto para Castilla, en el período que corresponde a la minoridad de Alfonso VIII, en los años en que este monarca era custodiado en las ciudades del reino para evitar que su tío, Fernando II de León, se apoderara de él. Considerada desde esta vertiente, la *Carta* encubre una singular valoración de la identidad de Castilla.

Con idénticos propósitos, Robert A. MacDonald ha perseguido el proceso de la «vernacularización» de la cancillería castellana, con un exhaustivo examen de los documentos emitidos en la misma, identificando a los notarios y escribanos involucrados en este desarrollo[6]. Se traza un estudio que mantiene muchos puntos de contacto con el análisis practicado por Roger Wright del Tratado de Cabreros y de las circunstancias en que fuera emitido (ver, enseguida, págs. 3987-3989). MacDonald, buen conocedor de la tradición forística y de los códigos

---

[5] La *Carta*, otorgada por el obispo de Osma a Diag Pedrez por la concesión de ese castillo y de su población, había sido ya editada en 1927 por el canónigo y magistral Timoteo Rojo Orcajo en un periódico local, *El Avisador Numantino*; ahora, Georg Gross la ofrece enmarcada en un valioso estudio de las circunstancias históricas que la rodean: ver «Carta de homenaje por el Castillo de Alcozar. Primer documento en romance castellano en prosa sin latinismos (1154-1155)», *BRAH*, 194:3 (1997), págs. 489-499.

[6] Ver «El cambio del latín al romance en la cancillería real de Castilla», en *AEM*, 27 (1997), págs. 381-414.

legislativos alfonsíes, enmarca en el reinado de Fernando III la época de transición entre el latín y el romance, puesto que los documentos cancillerescos auténticos, expedidos en los reinados de Alfonso VIII —menos el Tratado de 1206— y de Enrique I, empleaban la lengua latina; fija, con este objetivo, una sucinta tipología de esta documentación oficial[7], para centrarse en los casos de los privilegios rodados, de las cartas regias y de los cuadernos de cortes; puede situar, de este modo, el período de cambio del latín al castellano entre 1223 y 1246-1248, usándose ya el vernáculo de una manera casi exclusiva en los últimos años del reinado fernandino[8]. Tras repasar los cancilleres nominales o en funciones de la primera mitad del siglo XIII, MacDonald apunta la posibilidad de que el lugar de origen de los copistas que trabajaban en la cancillería pudiera ponerse en relación con el cambio de lenguas —a él no le interesa la ortografía como a Wright— testimoniado por los documentos, comprobando que seis de los escribas añaden «de Soria» a su nombre y siete se identifican como procedentes «de Segovia». Demuestra, en fin, que el castellano, aun percibido como una lengua popular, para mediados del siglo XIII era también empleado como un cauce efectivo y respetable de escritura, capaz de competir con el latín.

Ayudaba, desde luego, a afirmar la identidad de la lengua vernácula la conciencia lingüística desplegada por los glosistas en los siglos anteriores. Precisamente, con la intención de fijar los orígenes del castellano escrito, se celebró un congreso en octubre de 2001, organizado por el Departamento de Filología de la Univ. de Burgos[9]; de las diversas comunicaciones presentadas, interesa el análisis que Emma Falque Rey dedica a la inserción del romance en la historiografía latina de los siglos XII-XIII, considerando los términos nuevos que se incorporaban al latín medieval, así como la utilización de las glosas para explicar aquellas voces que eran difíciles de comprender; de los documentos notariales se ocupa Pilar Díez de Revenga Torres atendiendo a las dificultades para fijar una norma ortográfica, sobre todo cuando los escri-

---

[7] «Las categorías básicas abarcan privilegios rodados (los diplomas más solemnes y formales), otras cartas, cuadernos de Cortes y códigos legales», págs. 383-384.

[8] «En otras palabras, el proceso de vernacularización en los documentos cancillerescos debe considerarse finalizado aproximadamente un año antes de la muerte de Fernando y del fin de su reinado», pág. 394.

[9] Con las actas ya aparecidas: *Lengua romance en textos latinos de la Edad Media. Sobre los orígenes del castellano escrito*, ed. de Hermógenes Perdiguero Villarreal, Burgos, Universidad-Instituto de la Lengua castellano y leonés, 2003.

bas se enfrentaban ante la forma íntegra de la palabra y las varias maneras de escribirla[10]; esta «ambigüedad grafemática» la achaca Ralph Penny a los cambios introducidos en la práctica eclesiástica, ya que en el período anterior al siglo XII, las variaciones diastráticas en la morfología, en la sintaxis, en el léxico o en la semántica apenas afectaban a la fonología.

1.2.3: La configuración del discurso prosístico [págs. 47-52]

La importancia de considerar la prosa como un «discurso formal», sometido a cambios siempre sujetos a circunstancias receptivas tal y como se planteó en el primero de los volúmenes de esta *Historia de la prosa*, configura una perspectiva de análisis que ha sido aprovechada por el Seminario de Edición y Crítica Textual (SECRIT), aún dirigido por el prof. Germán Orduna, para abordar una amplia investigación centrada en «la variación lingüística y textual del discurso narrativo» en la prosa histórica y ficticia castellana durante los siglos XIII-XVI[11]; se trataba de analizar las manifestaciones del discurso narrativo de la prosa a través de los tres niveles en que podía ser detectable un proceso concreto de creación: a) el lingüístico, en el que se incluye la morfosintaxis, el léxico y la fraseología de cada forma discursiva; b) el prosódico-rítmico, en el que funcionan las pautas organizadoras del discurso en cuanto prosa; c) el de estructuración narrativa, en el que se encuentran los elementos estructurales del relato (narrador, punto de vista, personajes, secuencias narrativas, dimensión temporal-espacial) y en el que los universos narrativos adquieren sus particulares esquemas de motivación y de verosimilitud; a estos tres segmentos, se añade un cuarto referido a la implicación ideológica con que la obra (en cuanto signo cultural) se produce y se recibe, que abarca los componentes doctrinal y filosófico, definidor en suma del imaginario social al que el texto se adscribe. Estas perspectivas de estudio se aplican a diez procesos textuales diferentes que se extienden a lo largo de la diacronía que cubre los

---

[10] Y así indica: «Escribían, pues, en una lengua que no hablaban, que habían aprendido en las escuelas y que, evidentemente, no conocían bien por lo que dejaban traslucir interferencias de su lengua cotidiana, que se traducían en variantes gráficas, morfológicas y cambios en las estructuras sintácticas o textuales», pág. 47.

[11] Con resultados publicados en *Estudios sobre variación textual. Prosa castellana de los siglos XIII a XVI*, Buenos Aires, Secrit, 2001.

siglos XIII-XVI, preferidos los dominios de la historiografía y de la prosa de ficción.

Dos trabajos se centran en las crónicas del canciller Ayala (§ 8.2.2), enfocada su «prosa cronística» por Jorge N. Ferro como «un discurso para la transición» (págs. 92-110), un testimonio que permite analizar las tensiones sociales y políticas de esos decenios de transformación de los que se ocupa el cronista, marcado por una mentalidad doctrinal de corte conservador[12], obligado a registrar hechos y a valorarlos en sus compilaciones, testimoniando en este proceso un temperamento nominalista. Por su parte, José Luis Moure formula una tipología de las adiciones textuales que intervienen en la redacción *Vulgar* de las crónicas ayalinas (págs. 135-156), la construida mediante la reelaboración de la forma original *(Abreviada* o *Primitiva)*, consideradas en el nivel extra-oracional (capítulos enteros, epígrafes o segmentos textuales perceptibles en el interior de un capítulo, incluidas opiniones propias del narrador o ajenas) y en el oracional (tópicos de las formulaciones cronísticas, cuñas informativas sintácticamente homogéneas, especificaciones diversas, explicaciones, refuerzos de marcas sintácticas o sintagmas de reinserción con el discurso principal)[13].

De las derivaciones de la cronística general a lo largo del siglo XIV (§ 7.1.1) se ocupa Leonardo Funes, valorando la dimensión ideológica y narratológica con que evoluciona el paradigma de la crónica general alfonsí (págs. 111-134), partiendo del hecho de que las tres versiones que de este proyecto se impulsaron en la corte del Rey Sabio jamás fueron aceptadas ni comprendidas por los cronistas que continuaron esa labor bajo el auspicio de nuevos ámbitos de poder, ya regalistas, ya nobiliarios[14]; se distinguen las diversas formas de recreación narrativa de

---

[12] Conforme al modelo de F. Sánchez de Valladolid: «Volviendo a nuestro canciller, podríamos decir que éste 'resiste' en la medida en que su *forma mentis* se acuñó en una ética más bien intelectualista, con fuerte influjo dominicano en lo doctrinal», pág. 100, lo que se demuestra con el análisis del arco semántico de la voz «mesura».

[13] El análisis se sostiene en este principio: «Para esta suerte de tipología de los añadidos que determinan la constitución de la versión definitiva de las Crónicas, adoptamos la oración como unidad de análisis, aun a sabiendas de que la autonomía de la oración tiene en la sintaxis medieval límites menos rigurosos que en el registro escrito del castellano moderno», pág. 136.

[14] Así, señala Funes: «No son, pues, crónicas generales, sino *crónicas castellanas,* que reproducen, sí, borradores alfonsíes, pero según otras pautas dispositivas: la sucesión de los reyes y no la historia de los señoríos. A esta peculiaridad estructural habría que agregar la modificación del contenido narrativo sobre la base de la materia cronística prove-

los hechos históricos («fazañas», anécdotas, leyendas) y los mecanismos de inclusión en los modelos derivados de la crónica general, considerando la *Crónica de Alfonso XI* como la forma más acabada de «crónica real» —en cuanto redactada bajo la vigilancia expresa del monarca— y reclamando la existencia de un «grado cero de la escritura historiográfica» —el registro del itinerario y de los actos administrativos del rey— que funciona como rector de la ideología cronística.

Cuatro estudios se consagran al desarrollo de la ficción (§ 7.3 y § 10.7). Carina Zubillaga aborda las variaciones que se suceden en los tres *romances* de reinas injustamente acusadas (págs. 197-213), integrados en el escurialense h-i-13: el *Santa enperatrís* (§ 7.3.2.5), el *Carlos Maynes* (§ 7.3.5.5) y el *Otas de Roma* (§ 7.3.7.2) advirtiendo, en cada uno de estos casos, la confluencia de tradiciones hagiográficas y el diseño de nuevas perspectivas temáticas abiertas a las circunstancias del siglo XIV. Gloria B. Chicote se adentra en las dos líneas de evolución de la materia artúrica (págs. 51-68), contrastando pasajes de los ciclos de la *Vulgata* (§ 7.3.4.2) y de la *Post-Vulgata* (§ 7.3.4.3) para analizar el proceso de traducción y de adaptación de los textos franceses al ámbito hispánico, contando con el apoyo eficaz de las glosas —tan duras y censorias— que jalonan los márgenes del BN Madrid 9611 del *Lanzarote* (ver págs. 1473-1474). Lilia E. Ferrario de Orduna determina las variaciones lingüísticas y textuales del discurso narrativo en la prosa de ficción caballeresca del siglo XVI (págs. 69-92), considerando en especial las desviaciones del paradigma instituido por el *Amadís de Gaula* (§ 7.3.4.5), en virtud de la adscripción inicial de este texto a la materia romana —en consonancia con ideas formuladas por Javier González[15]—, alterados sus principios en la refundición de Montalvo mediante esquemas narrativos propios de la materia artúrica; estas perspectivas temáticas se imponen en el *Palmerín* (1511) y en el *Primaleón*[16]; este mismo proceso puede reconocerse en el modo en que la materia troyana se engarza con la bretona ya en manos de Beatriz Bernal y Jerónimo Fernández.

---

niente de la forma textual más genuinamente nobiliaria: las *historias nobiliarias*. Finalmente, como culminación de la tendencia particularizante del objeto histórico, surge el modelo textual de la *crónica particular*», págs. 122-123.

15 «*Amadís de Gaula:* una historia romana», en *Studia Hispanica Medievalia III*, págs. 285-301.

16 De esta manera, «podemos establecer que un elemento constitutivo de importancia ha dejado de interesar, con lo que se operaría la primera gran variación textual del paradigma que diseña la creación fundacional: la ausencia del referente romano», pág. 88.

Georgina Olivetto se ocupa de la presencia de la tradición epistolar en el *Siervo libre de amor* (págs. 157-168), considerando que la línea ovidiana de las *Heroidas* no es tan influyente en Rodríguez del Padrón como sí lo es, en cambio, el orden de las epistolografías clásica (Séneca) y patrística (San Agustín, San Ambrosio, San Jerónimo); esta línea de conocimiento es recreada por Pedro de Blois en el siglo XII, con una valoración particular del tema del amor y de la amistad, nociones ambas que se perfilan en el marco general del *Siervo*.

María Mercedes Rodríguez Temperley compara dos versiones del *Libro de las maravillas del mundo* de Mandeville (§ 8.3.3), la aragonesa del escurialense M-iii-7 (editado por ella misma: ver, luego, págs. 4052-4056) y la impresa por Jorge Costilla en Valencia en 1524 (págs. 169-195); en los pasajes relativos a los Santos Lugares, advierte que lo que era una guía de peregrinación en el siglo XIV adquiere una significación política diferente, en virtud de los descubrimientos ultramarinos y de la progresión del ejército turco sobre los territorios cristianos europeos; se produce, de esta manera, lo que la autora llama un incremento de lo «dogmático-cristiano-católico», a la par que una amplificación en el orden de los *mirabilia*.

Hugo O. Bizzarri, partiendo de las colecciones sapienciales del siglo XIII (§ 3.4, § 4.1 y § 5.1), describe los rasgos básicos de la «expresión proverbial» encauzada por esas colectáneas del saber (págs. 25-50) con el fin de definir —o mejor, describir— el «estilo proverbial», caracterizado por el despliegue de una variedad de estructuras y tipos de fórmulas que permiten que los conceptos sean acuñados con el sello inconfundible de «lo sentencioso»; el autor adopta estas estrategias discursivas para ajustar su pensamiento a la expresión grave y a la imagen conceptuosa, tal y como le ocurre a don Juan Manuel con el *Libro de los proverbios* (§ 6.3.2.5), en el que logra conferir una nueva expresión a las viejas sentencias, a la par de aprender los procedimientos para crear formas propias de este discurso conceptual (ver, luego, pág. 4060).

También el discurso de la prosa se transmite a través del cauce de la oralidad, configurándose esquemas textuales específicos que han sido reconocidos por Germán Orduna en un estudio diacrónico que avanza desde el siglo XIV hasta el siglo XVII (págs. 1-24) y en el que contrasta el dominio hispánico con el hispanoamericano; realiza una meticulosa descripción de los rasgos lingüísticos que denotan oralidad, requeridos por necesidades mnemotécnicas o por la condición psicodinámica de su expresión, y que se manifiestan en estructuras de enumeración que, a veces, pueden confundirse con recursos retóricos; ello permite hablar de «oralidad elaborada» —examinada en textos cronísticos—, de «oralidad puesta por escrito» —explorada en documentos notariales y en actas judiciales—, de «oralidad espontánea» —advertida en cartas y relatos dirigidos a un receptor implícito.

1.3: Los contextos culturales y el desarrollo del discurso prosístico [págs. 56-62]

Situado el desarrollo del lenguaje de «Castiella» entre los reinados de Alfonso VIII y Fernando III, la construcción del discurso de la prosa, como sistema de pensamiento vinculado al fenómeno de la «clerecía» cortesana, se fijaba en el reinado de Alfonso X, un monarca que, en cierta medida, actúa como un lexicógrafo al acoger en los múltiples proyectos que instiga, atenidos a toda suerte de materias y vertidos por primera vez al castellano, las definiciones de aquellos términos que carecían de equivalencia en la lengua vernácula (revísense n. 308 de pág. 342 y n. 282 de pág. 591). La mejor demostración del proceso de nombrar la realidad a medida que iba siendo compilada en las diferentes producciones prosísticas la ofrecen los tres tomos del *Diccionario de la prosa castellana del Rey Alfonso X* con que el equipo del Hispanic Seminary of Medieval Studies (antes en Madison, hoy en Nueva York) remata una larga andadura de varios decenios de investigación (desde 1935 con la llegada de Antonio García Solalinde a la Univ. de Wisconsin y su encuentro con Lloyd A. Kasten) volcados en la construcción de un exhaustivo diccionario de la lengua española medieval[17].

En 1946, apareció el *Tentative Dictionary of Medieval Spanish* y, en 1971, se adoptó la decisión de diseñar un nuevo proyecto al que se denominó *Dictionary of the Old Spanish Language (DOSL)*, un diccionario de la lengua española desde sus inicios hasta 1500, basado en fuentes «literarias» y compilado con ayuda de los avances tecnológicos de la informática. Al cambiar la sede del H.S.M.S. de Madison a Nueva York, el *DOSL* sigue adelante, pero ampliando su espectro cronológico hasta el año 1700, centrada la atención en todo tipo de documentos, tanto peninsulares como hispanoamericanos. Se trabaja en esta

---

17 Ver *Diccionario de la prosa castellana del Rey Alfonso X*, bajo la dirección de †Lloyd A. Kasten y John J. Nitti, New York, H.S.M.S., 2002, 3 vols.

nueva obra de forma compartimentada, asignados a los colaboradores un período, una materia o un autor —o promotor de obras— como es el caso de Alfonso X. Estos tres gruesos tomos no son más que un adelanto de ese exhaustivo y ambicioso diccionario histórico.

Para compilar el léxico de los textos prosísticos alfonsíes se han elegido las obras instigadas por el monarca entre 1254 y 1284, las conservadas en los códices regios; esta naturaleza es la que les otorga la condición de «textos absolutamente fidedignos» para el propósito aquí perseguido. La amplitud del rastreo de datos ha permitido acoger *El libro de Moamyn*, el *Libro de las leyes* y el cierre cronístico del segundo volumen de la *Estoria de España (EE2)*. En todos los casos se ha procedido a una transcripción directa de los manuscritos conforme al sistema ya fijado en *A Manual of Manuscript Transcription for the Dictionary of the Old Spanish Language.*

Como novedad significativa de este diccionario, la ordenación está fijada por la forma moderna de cada lema, cerrando cada una de las entradas léxicas las variantes gráficas atestiguadas de esa palabra; así, por ejemplo, 'acaudilladamente' remite a «a cabdellada mientre» y 'acaudillador' a «cabdellador» que son los vocablos que figuran en los textos alfonsíes; como en todos los diccionarios, se ofrece una definición del término y la identificación de la categoría gramatical, antes de transcribir el pasaje en que se encuentra esa palabra, con indicación de la obra de la que procede —pautada cronológicamente— y de su foliación; valga de muestra una voz estrechamente ligada a los enfrentamientos entre la corona y los nobles:

> **acaloñamiento.** *sust.* · 1 **Acción de calumniar.** *GE1* (1272-1275) fol. 231r19, de las emiendas & de los sacrifficios fechos segund la uieia ley por el condeseio negado & por **acalonnamiento** & la soberuia. & la cosa perdida & fallada & negada & desi prouada:.
> *Formas atestiguadas:* acalonnamiento.

Para los lingüistas y lexicógrafos, el valor de esas formas atestiguadas es enorme, por cuanto se recogen todas las variantes, tanto grafémicas como morfológicas, de una misma palabra.

2.1.3.1: Del Tratado de Cabreros al *Cantar de mio Cid* [págs. 76-80]

El Tratado de Cabreros (1206) marcó el inicio del recorrido por las diversas formas del discurso prosístico a las que iba a atender esta *Historia de la prosa*, señalando la importancia de este documento cancilleresco en el que por vez primera se utilizaba —además por las dos cancillerías en litigio: la leonesa y la castellana— la lengua vernácula para dirimir una disputa territorial entre ambos reinos, en el marco del afianzamiento de alianzas que permitieran hacer frente al peligro de las invasiones almohades. Ahora este Tratado de Cabreros ha sido debidamente editado por Roger Wright[18] con el fin de analizar la lenta implantación de la reforma ortográfica inherente al uso del vernáculo castellano; no considera Wright que el latín y el romance se percibieran como dos lenguas distintas en el período de *c.*1150-*c.*1250; los copistas habían aprendido a escribir cada palabra de una manera íntegra, sin pararse a distinguir la relación entre lengua y pronunciación; en su trabajo no se utilizaba un alfabeto fonético; fue la reforma del latín medieval la que provocó que esa lengua latina se tuviera que sentir distinta de la vernácula, con una pronunciación en que cada sonido había de corresponderse con una letra de la ortografía tradicional; esta circunstancia es la que ocasionó que en «algunos centros progresistas y afrancesados» (pág. 11) se cambiara la ortografía de las escrituras que debían leerse en voz alta de un modo inteligible para el público; se buscaba una manera de escribir fonográfica, en la que cada letra escrita se relacionara con una unidad fonética del habla; como indica Wright, a lo largo del siglo XII (en las glosas riojanas, por ejemplo) ya hubo tentativas experimentales de escritura fonética en la Península, pero sin que estos usos cuajaran en medios oficiales y cancillerescos al menos hasta la redacción del Tratado de Cabreros. De este modo, entre 1206 y 1207 se elaboraba documentación cancilleresca en forma romance, sostenida por esta nueva escritura fonética que desaparece, de modo drástico, entre 1208 y 1217, el año en el que comienza a reinar Fernando III; las razones no pueden ser más que políticas, de donde el empeño de Wright de denominar a este tipo de estudios con el término de «sociofilología».

[18] *El Tratado de Cabreros (1206): estudio sociofilológico de una reforma ortográfica*, Londres, Department of Hispanic Studies-Queen Mary and Westfield College, 2000.

Para demostrar estas ideas, Wright edita y compara los dos documentos conservados del Tratado, ya que se prepararon copias simultáneas para ser guardadas en las cancillería de cada uno de los respectivos reinos[19]; argumenta el editor que las diferencias entre las dos redacciones se deben a la necesidad de separar las formas escritas tradicionales (las aprendidas de modo logográfico o morfográfico) de las nuevas orientaciones fonográficas que estaban transformando esas mismas unidades léxicas. Contrastadas estas dos versiones con el estado de escritura del *Cantar de mio Cid* (1207), se comprueba que los copistas cancillerescos eran más conservadores que Per Abbat, aun participando todos de un mismo espíritu reformador; puede, incluso, conjeturarse con que el *Cantar* se fijaría por primera vez en escrito en torno a noviembre de 1206 a fin de que lo escuchara Alfonso VIII en las cortes de Toledo celebradas en 1207[20]; estas coincidencias revelan que se estaba impulsando una renovadora y calculada reforma ortográfica en los años iniciales del siglo XIII.

Wright identifica a los artífices de estos cambios; esta reforma ortográfica tuvo que ser impulsada, con plena conciencia de su oportunidad, por el arzobispo de Toledo Martín López de Pisuerga, a quien Alfonso VIII concedía plenos poderes en julio de 1206 para organizar la cancillería del reino como quisiera; ahí es donde debe situarse la decisión de redactar los documentos —este Tratado, también las resoluciones de las Cortes de Toledo de enero de 1207— en romance, con el fin de facilitar su difusión y lograr que fueran entendidos; tuvo que ser el notario Domingo, abad de Valladolid, uno de los hombres de confianza del arzobispo, el que lograra imponer los nuevos modos de escritura, que sobreviven sólo dos años, puesto que en 1208 se recupera la norma tradicional o morfográfica, la latina anterior, con la que se elabora ya el importante Tratado de Valladolid de junio de 1209. Como explica Wright, Martín López había muerto en 1208 y le sucede en la sede toledana don Rodrigo Jiménez de Rada, quien prescinde del notario Domingo poniendo en su lugar a Pedro Ponce; éste desa-

---

[19] La versión castellana (págs. 34-41) se custodia en el Archivo de la Corona de Aragón; esta copia no se ha tomado al dictado, pues «se detectan errores que se deben a la presencia de otro modelo ya escrito», pág. 41; la versión leonesa (págs. 45-52) se conserva en la Catedral de León.

[20] Como ya había apuntado Francisco J. Hernández, «Las Cortes de Toledo de 1207», en *Las Cortes de Castilla y León en la Edad Media*, Valladolid, Cortes de Castilla y León, 1988, págs. 221-263.

rrollaría su trabajo junto al canciller Diego García de Campos en un período de tiempo que se extiende hasta el final del reinado de Alfonso VIII y la breve minoridad de Enrique I; a este nuevo equipo es al que se debe imputar la súbita desaparición de la escritura romance[21]. La ortografía se ajusta a los cambios que sufre la cancillería, incardinada a los problemas políticos que afectan a la corte; fue relevante, en este sentido, el apoyo que el Toledano presta a la reina Berenguela, así como el hecho de que el abad Juan Díaz o Juan de Soria —posiblemente el autor de la *Chronica latina de los Reyes de Castilla*— sea el canciller del reino hasta 1246; justo a partir de este momento es cuando se va a volver a utilizar el castellano, de forma usual, para la preparación de los documentos cancillerescos.

Acierta Wright, por tanto, al presentar las figuras de Diego García y de R. Jiménez de Rada como las de dos conscientes defensores de la ortografía tradicional y de la lengua latina, movidos por el deseo de mantener la unidad política —incluso internacional— y la ortodoxia de pensamiento que tales sistemas —el gráfico y el lingüístico— garantizaban. Con todo, no se olvida que el propio Rada instiga documentos romances a partir de la década de 1220, hasta el punto de extenderse esta práctica —sobre todo si es literaria: la poesía clerical lo demuestra— en el siguiente decenio de 1230.

2.2.1: *Fueros* [págs. 82-94]

El *Fuero de Alcalá*, uno de los más singulares del siglo XIII, eco de una dilatada tradición forística anterior, ha sido ahora editado, con toda suerte de notas aclaratorias, por María Jesús Torrens Álvarez[22]. Se trata de un fuero transmitido en un códice de la primera mitad del si-

[21] Así lo señala Wright: «Podemos interpretar esta reacción conservadora como parte de un movimiento internacional de mayor envergadura, ya que este mismo año de 1210 vio las tentativas de los eruditos de París de presentar defensas en pro de la cultura tradicional y en contra de las nuevas ideas y filosofías que les iban llegando desde Toledo. Tanto Diego como Rodrigo se habían formado parcialmente en París, y de cualquier manera debieron de haberse enterado de las controversias que se despertaban allí, y la mala fama de que gozaban las costumbres toledanas en algunas partes más al Noreste», pág. 102.

[22] Ver *Edición y estudio lingüístico del Fuero de Alcalá (Fuero Viejo)*, Alcalá de Henares, Fundación Colegio del Rey, 2002.

glo XIII, custodiado en el Archivo Municipal de Alcalá de Henares[23]; fue concedido al concejo de la villa por el arzobispo Jiménez de Rada, sin que se pueda —por la falta de sello— precisar la fecha de su otorgación.

Se trata de un documento jurídico en el que se recopilan y amplían los fueros anteriores; el primer núcleo lo constituiría el fuero latino instigado por don Raimundo en 1135 —hoy perdido— y adicionado por los arzobispos posteriores hasta alcanzar las figuras de Martín López de Pisuerga —citado en las leyes 174 y 175— y del Toledano —de quien se habla en la 266. Este proceso compositivo afecta a la disposición del texto, ya que los artículos se agrupan sin sistematización alguna, contradiciéndose o repitiéndose varias normas. Se ha percibido en este documento jurídico, en los 137 artículos iniciales, una influencia del *Fuero de Sepúlveda;* los artículos 138-172 serían de época posterior a la concesión de las ferias de la villa, hasta el 263 serían inspirados por el arzobispo don Martín, mientras que el último núcleo de leyes habría de atribuirse a Jiménez de Rada; se descarta, en cualquier caso, la dependencia que los historiadores del derecho habían establecido con el *Fuero de Cuenca;* sí que hay, en cambio, paralelismos con el que Jiménez de Rada otorga a Brihuega; en cualquier caso, Mª Jesús Torrens explica las similitudes por una tradición formularia común, una suerte de sustrato de ideas que propició la publicación de manifestaciones forísticas parecidas que no exigen presuponer una dependencia directa.

La lengua del *Fuero* se inscribe en el proceso de otorgaciones de fueros y cartas del arzobispo Jiménez de Rada: se usa el latín hasta 1223 y el romance a partir de 1233, como lo demuestran los breves fueros de Cobeña y de Archilla, a los que debían seguir los extensos de Alcalá y Brihuega. Es muy posible que, con ayuda de la trama formularia, estos preceptos se redactaran ya en castellano, con rasgos arcaicos que reflejan la proximidad de la Extremadura castellana a Aragón (los aspectos señalados por Lapesa: formas como *delexar-delesar* o *facieren,* posesivo de tercera persona plural *lur*, preposición *ad* ante vocal, conservación de los grupos latinos *pl-* y *cl-*). A otros arcaísmos —conservación de *l*+yod *(mulier, aliena, filio)*, del grupo *-ct- (nocte, pectet)*, de *n*+yod *(vinea)* o de la *-d-* intervocálica *(fidel, odir, iudez)*— Mª J. Torrens no considera necesario atribuirles una caracterización dialectal.

---

[23] Con la signatura Legajo 825; se ofrece una reproducción facsímil entre págs. 531-649. Fue recuperado en 1981, tras casi cien años de estar en paradero desconocido.

Puede proseguirse la trayectoria del derecho local alcalaíno con los estudios de Rogelio Pérez-Bustamante, a quien se debe la edición del llamado *Fuero «nuevo» de Alcalá de Henares,* concedido por el cardenal Cisneros el 6 de febrero de 1509[24], en el marco de la transformación institucional de la villa a la que había vinculado una de sus empresas más queridas, la de la fundación de la Universidad Complutense. Además, como recuerda Pérez-Bustamante, en 1509 Cisneros es Inquisidor General y toma la villa de Orán, una hazaña bélica difundida en cartas noticieras que reflejarán el espíritu militar de este cardenal *(HPRC,* § 3.8)[25].

2.3.3: *La «Disputa entre un cristiano y un judío»* [págs. 131-137]

Una nueva edición —crítica en lo que respecta a la reconstrucción del texto— de la *Disputa* ha sido publicada por Nicasio Salvador Miguel en su *Debate entre un cristiano y un judío. Un texto del siglo XIII*[26], que incluye importantes novedades. Frente a la opinión de Castro de que la escritura del texto correspondía al primer tercio del siglo XIII, de donde su datación de 1220, Salvador Miguel, por la escritura —«una gótica libraria con suficientes signos de cursividad» (pág. 8)—, sitúa la copia a mediados de la centuria con una «data de composición en torno a 1250-1280» (pág. 14).

---

24 Ver *Cuadernos de Historia del Derecho,* 2 (1995), págs. 265-304. Este investigador había localizado previamente este texto: «Pervivencia y reforma de los derechos locales en la Época Moderna. Un supuesto singular: el Fuero de Alcalá de Henares de 1509», en *La España Medieval, V. Estudios en memoria del profesor D. Claudio Sánchez Albornoz,* Madrid, Univ. Complutense, 1986, II, págs. 743-760.

25 Finalmente, un análisis de la tradición global de los fueros de Alcalá ha sido fijado por Pedro A. Porras Arboleda, «Los fueros de Alcalá de Henares. Introducción histórico-jurídica», en *Homenaje al profesor Alfonso García-Gallo,* Madrid, Ed. Complutense, 1996, II, págs. 131-186, con una útil tabla de concordancias que permite ver la transformación a que es sometido el Fuero Viejo en la regulación —más pautada y orgánica— del Fuero Nuevo, llegando a esta conclusión: «Sus concepciones populares alto y plenomedievales, enmarcadas en ámbitos urbanos escasamente desarrollados, no podían por menos que chocar frontalmente con la mentalidad renacentista de la persona y época del arzobispo Cisneros», pág. 172.

26 Ávila, Caja de Ahorros, 2000, con el texto entre págs. 43-50 y un glosario entre págs. 51-54. El estudio retoma, complementándolas, sus «Consideraciones sobre el *Debate entre un cristiano y un judío*», *AM,* 9 (1997), págs. 43-60.

La valoración global del texto incluye un completo recorrido por la tradición de las disputas entre las distintas religiones: el *Diálogo contra Trifón* de San Justino (d.161), la *Altercatio Simonis Iudaei et Theophili Christiani* de Evagrio (*c.* 423), o las dos más cercanas al texto castellano: la *Disputatio Judaei cum Christiano de fide christiana* del abad Gisleberto (años 1084-1117) y el *Annulus sive Dialogus inter Christianum et Judaeum* del abad Ruberto (d.1124), a los que añade dos casos franceses del siglo XIII; frente a este orden textual[27], singulariza a la *Disputa* la intención apologética de carácter didáctico, por «la defensa polémica de la doctrina cristiana» y por la sátira de «la religión judía» (pág. 27), aspectos que se analizan en un examen exhaustivo de la *dispositio;* tal y como apunta, las treinta y seis líneas conservadas en el escurialense G-iv-30[28] transmiten un tercio del contenido del debate original, al que faltaría una prolongación de la disputa, rematada con una tercera sección en la que se recogerían las conclusiones oportunas.

La estructura del breve fragmento se acomoda, así, a tres núcleos (pág. 28): el primero, con preguntas y respuestas breves, gira sobre las ordenanzas de la ley judía; el segundo centra la disputa en tres preceptos; el tercero corresponde a la interrupción por el judío del parlamento del cristiano; precisamente, una de las aportaciones más singulares de la edición afecta al intercambio de respuestas y preguntas sugerido por A. Castro en 1914; N. Salvador modifica el cierre del diálogo, alargando la intervención del cristiano hasta «...non podrá foír» (ver texto en tomo I, pág. 137 o en su edición, pág. 49), otorgando al judío la réplica final, con los cambios consiguientes que afectan al contenido del debate. Todos los argumentos que se despliegan en la *altercatio* se fundamentan en la tradición que los sostiene y que, a la par, alimentan la caracterización de los disputadores, hábilmente diseñada por medio de una *elocutio* muy medida.

Enzo Franchini Campos dedica un capítulo a esta *Disputa* en su monografía sobre *Los debates literarios en la Edad Media*[29]. Partiendo del análisis de *HPMC I* y de los dos estudios de N. Salvador Miguel, repasa los aspectos más problemáticos del texto, decantándose por una fecha de composición temprana, en virtud del predominio de las formas

---

27 Con esta conclusión: «La construcción, orientación y desarrollo de todos estos textos se muestran, sin embargo, muy disímiles de la obra castellana, con la que no cabe establecer ningún tipo de conexión», pág. 25.

28 No G-iv-4 como erradamente señalé en pág. 131.

29 Madrid, Ediciones del Laberinto, 2001, págs. 81-94.

apocopadas frente a las plenas[30]; considera que el estado de lengua del texto —analiza en especial los imperfectos— corresponde a «un castellano con algunos rasgos propios del aragonés» (pág. 89), sugiriendo la posibilidad de que el autor procediera de una zona nororiental de Castilla. Asumido el análisis de la tradición de las disputas esbozado por Salvador Miguel, piensa que este opúsculo «podría tratarse del reflejo textual de un debate religioso real» (pág. 90), de donde los aspectos literarios que otorgan al texto su principal valor: por una parte, incide en el esfuerzo que realiza su autor por construir la identidad de los disputadores *(HPMC I)*, por otro, destaca el hábil despliegue de los recursos expresivos de la *elocutio* (señalados por Salvador Miguel), para concluir que la obra, por la época en que se compuso (es decir, 1230-1250) «se caracteriza por un acusado antisemitismo de motivación más religiosa que racial» (pág. 92).

Todos estos estudios lo que demuestran es la importancia que debe concederse a estas primeras producciones prosísticas que llevan inscritas en su interior las amplias líneas de desarrollo —antes formal que temático— de las obras alfonsíes posteriores.

3.2.1: *Las traslaciones del Tudense y del Toledano* [págs. 162-170]

A las figuras de estos dos historiadores mediolatinos, en los que Alfonso asienta el cañamazo del recorrido cronístico de sus «estorias», se han dedicado, en los últimos años, renovadoras aportaciones críticas, que atienden no sólo a la producción latina de cada uno de ellos, sino a las traducciones de sus principales textos.

3.2.1.1: Las traducciones del Tudense [págs. 163-166]

Dos ediciones críticas del *Chronicon Mundi* han aparecido casi cuatrocientos años después de su publicación por Andreas Schott (1608); la primera ha sido elaborada por Olga Valdés García y fue presenta-

30 «Pero aun así, y a pesar de que la copia sea la de la época alfonsí, es posible deducir que el texto original fue redactado en un momento en el que la tendencia a suprimir la *-e* final ascendía todavía a cuotas mayoritarias, como ocurrió, con un ritmo linealmente decreciente, durante la primera mitad del siglo XIII», pág. 87.

da en 1987 como tesis doctoral, dirigida por Carmen Codoñer, en la Univ. de Salamanca[31]; la segunda es obra de Emma Falque y ha sido construida a lo largo de un dilatado proceso de investigación; tanto en un caso como en otro, se tiene en cuenta el conjunto de los diecinueve códices en que se transmite la obra, agrupados en dos familias[32]. Entre estas dos fechas, en 1999, en la Univ. de París IV, organizado por Patrick Henriet, se celebró un congreso sobre la figura del Tudense desde estas perspectivas: «Chroniqueur, hagiographe, théologien. Lucas de Tüy (†1249) dans ses oeuvres»[33].

3.2.1.2: Las traducciones del Toledano [págs. 166-170]

También a don Rodrigo Jiménez de Rada, en octubre de 2002 y estrechamente vinculado al de don Lucas, se le dedicó un coloquio con el título de «Rodrigue Jiménez de Rada (Castille, première moitié du XIII^{è} siècle): histoire, historiographie», coordinado por Georges Martin[34]. Procede resumir las principales líneas de investigación allí trazadas. Francisco J. Hernández, sirviéndose de los instrumentos emitidos por su cancillería, valora dos aspectos de la gestión de don Rodrigo como arzobispo: la adquisición insaciable de fondos, a expensas de sus canónigos, y el anhelo de restaurar la grandeza gótica de Toledo, con el consiguiente provecho de esa imagen (págs. 15-71). Rica Amram examina la Concordia de 1219, firmada con los judíos de Toledo, como un intento de conciliar los postulados de Letrán y la situación de la diócesis toledana (págs. 73-85). Peter Linehan interpreta la sustitución

---

[31] *El «Chronicon Mundi» de Lucas de Tuy,* ed. de Olga Valdés García, Salamanca, Universidad, 1999 (microforma, tesis doctoral). La muerte de esta investigadora mejicana frustró el proyecto de su traducción de la crónica del Tudense.

[32] *Lucae Tudensis Chronicon Mundi*, ed. de Emma Falque, Turnhout, Brepols, 2003. Alejandro Higashi ha contrastado los sistemas y criterios de estas dos ediciones en un artículo-reseña, «Ecdótica en textos latinos», a aparecer en *RLM*.

[33] Las actas en *CLCHM,* 24 (2001), págs. 199-309.

[34] Las actas se incluyen en *CLCHM*, 26 (2003), entre págs. 9-307. G. Martin, en la presentación del volumen, enmarca la obra del Toledano en la postración política que sufre don Rodrigo en la década de 1240: «C'est néanmoins dans ces sombres années qu'il bâtit son oeuvre la plus solide et la plus durable, réglant ses comptes avec les uns et les autres, continuant de défendre mordicus les prérogatives des archevêques tolédans, tirant aussi les leçons de sa longue expérience politique», pág. 13.

de don Rodrigo por Juan de Soria en el cargo de canciller entre los años de 1230-1231 como una jugada política para apartarlo del gobierno del reino (págs. 87-99). G. Martin estudia la relación entre el poder nobiliario y el monárquico expresada en el *De rebus Hispaniae*, incardinando el concepto de *dominus naturalis* en el *hominium* (págs. 101-121). Philippe Josserand demuestra que el Toledano concede la misma importancia a las órdenes militares que sus contemporáneos Juan de Osma o Lucas de Tuy (págs. 123-132). Ana Rodríguez contrasta el *De rebus* con la *Crónica latina de los reyes de Castilla*, atribuida a Juan de Osma, con el fin de mostrar la diferente concepción que de las virtudes regias se diseña en una y otra crónica (págs. 133-149). E. Falque compara el uso de las fuentes que realizan el Tudense y el Toledano, afirmando el modo en que don Rodrigo, a partir del libro III, asienta su crónica en el *Chronicon mundi* (págs. 151-161). Amaia Arizaleta se centra en la figura de Alfonso VIII recreada por don Rodrigo, para probar cómo un monarca virtuoso necesitaba pactar —social y culturalmente— con la aristocracia (págs. 163-186). Inés Fernández-Ordóñez se ocupa de los procedimientos de organización del relato en el *De rebus*: la segmentación de nueve libros, obra del humanista Sancho de Nebrija, la conexión de los capítulos con el contenido de la obra, la escasa relevancia, por último, concedida a la cronología (págs. 187-221). Enrique Jerez revisa los romanceamientos medievales del Toledano, precisando el vínculo de cada texto en el *stemma* latino, así como la datación y el ámbito en que fueron construidos (págs. 223-239)[35]. José Javier Rodríguez Toro proyecta la obra del Toledano —también la de las *Heroidas* de Ovidio— en las *estorias* alfonsíes, con el fin de examinar los mecanismos discursivos de su traducción (págs. 241-257). David Pattison atiende a los problemas derivados de la coordinación de las versiones de las historias legendarias —transmitidas por el Tudense y el Toledano— y las encauzadas en las fuentes poéticas más populares (págs. 259-266). F. Gómez Redondo entronca en la *Estoria de los godos* la fundación de Castilla (págs. 267-282). Aengus Ward recorta el perfil de don Rodrigo como autor y «actor» histórico en las traslaciones de su crónica a finales del siglo XIII (págs. 283-294). Jean-Pierre Jardin rastrea la presencia del Toledano como *auctoritas* en los sumarios cronísticos del siglo XV (págs. 295-307).

---

[35] Esta comunicación constituyó, por tanto, el adelanto de la monografía «*Rodericus» romanzado*, que se comenta en este mismo epígrafe.

Con todo, la principal de las aportaciones sobre la figura del Toledano y sus conexiones con la historiografía medieval la ofrecen Diego Catalán —que revisa sus trabajos de n. 30, pág. 168— y Enrique Jerez en la monumental monografía *«Rodericus» romanzado*[36]. Esta investigación obliga a matizar varias de las ideas expuestas en § 3.2.1.2 y en § 7.1.3. Es preciso contar, ahora, con que hubo dos redacciones sucesivas del *De rebus Hispaniae*, ambas controladas por don Rodrigo: la primera se terminaría en 1243 (con las secciones de la *Historia Romanorum* más la *Historia Gothica)*, la segunda completada en 1246 —el Toledano moría en 1247— con las llamadas historias menores —la *Historia Hugnorum, Vandolorum, et Suevorum, Alanorum et Silinguorum*, la *Historia Ostrogothorum*, la *Historia Arabum*— y una serie de correcciones a las dos primeras partes. Esta segunda redacción no se difunde en vida del arzobispo; el original se conservaba en el monasterio de Santa María de Huerta hasta que fue robado en la segunda mitad del siglo XVI, pero del mismo se sacaron antes dos copias: una en el siglo XIII (Ms. 131 de la Biblioteca Provincial de Córdoba), otra de comienzos del siglo XIV (Ms. 143 de la Bibl. de la Universidad Complutense).

Debe contarse, pues, con estas dos redacciones puesto que doble es, también, el proceso de transmisión de la obra del Toledano y de articulación de su pensamiento historiográfico. De este modo, la primera historia de España en lengua vernácula no es la compilada por Alfonso X a partir de 1270 sino la traducción de la *Historia Gothica* (primera redacción del Toledano) preparada en Aragón en torno a 1252-1253 y difundida con el título de *Estoria de los godos* (BN Madrid Ms. 302), en la que su adaptador se hace eco del grave problema sucesorio que se plantea en este reino cuando Jaime I casa con doña Violante comprometiendo los derechos dinásticos de su primogénito Alfonso, habido con doña Leonor, la hija de Alfonso VIII.

La siguiente derivación es una catalana *Cròniqua de Spanya*, redactada en 1268 en latín con materiales en que se combinaban la *Historia Gothica*, la *Historia Romanorum* y la *Historia Arabum*, luego vertida al catalán en el siglo XIV; en esta redacción se defiende una concepción «catalano-céntrica» de «Spanya».

Poco después, en 1276, el año en que muere Jaime I, Pere Ribera de Perpejà termina una nueva versión catalana de las *Historiae* del Toledano,

---

[36] Ver Diego Catalán, con la colaboración de Enrique Jerez, *«Rodericus» romanzado en los reinos de Aragón, Castilla y Navarra*, Madrid, Fundación Ramón Menéndez Pidal, 2005.

basándose en un texto latino cercano al Ms. 143 de la Bibl. de la Universidad Complutense. De esta versión sólo se conserva la noticia que de la misma ofrece Juan Francisco Andrés de Uztarroz en 1638.

De este modo, la traducción que cuaja en la versión aragonesa de la *Estoria de los godos* es la que influye en las primeras crónicas generales del Oriente peninsular (§ 7.1.3): en la *Crónica navarro-aragonesa de Espanya de 1305* y en la redacción de fray García de Eugui. Al hilo de estas derivaciones, se reconocen con claridad, en la trilingüe *Crónica pinatense* o *Crònica real* de Pedro IV, tres «versiones» sucesivas que remontan a un prototipo común que alcanzaba el año de 1369, en que se trasladan los restos de Alfonso IV a Lérida; la primera versión es la catalana en que se reelaboran los *Gesta Comitum Barcinonensium* de Ripoll con datos provenientes de la *Historia Gothica,* empleados en la construcción de una identidad «condal»; en torno a 1360 se acomete una segunda redacción con noticias de la *Estoria de los godos* (1252-1253) y de la *Crónica navarro-aragonesa de 1305*, con amplificaciones que buscaban glorificar los linajes nobiliarios aragoneses, conformándose una redacción «real» de una *Crònica*, que se difunde ahora en lengua catalana (BN Madrid Ms. 1.181) y aragonesa (Escorial N-i-13); la tercera versión —transmitida en aragonés y en latín— reproduce la segunda pero intenta modificar la relación de vasallaje de Aragón con Castilla, invirtiéndola con el propósito de demostrar que el rey feudatario era el castellano. Juan Fernández de Heredia no llega a conocer esta tercera versión, sino la primera de la *Crònica real.*

En la crónica de Eugui —o *Canónicas de los fechos que fueron fechos antiguamente en Espayña (c.* 1387-1390)— se entremezclan la *Estoria de España* alfonsí hasta el reinado de Eurico con la *Estoria de los godos* (1252-1253), convertida en soporte estructural de un relato que se complementa con el *Libro de las generaciones*.

La *Estoria de España* de Alfonso X se asienta, por tanto, en la «segunda redacción» del *De rebus Hispaniae*, la corregida y ampliada con las *Historiae* menores; es factible que el ms. 143 de la Bibl. de la Universidad Complutense se copiara para ser utilizado por los compiladores alfonsíes.

El otro ms. medieval —el 131 de la Biblioteca Provincial de Córdoba— de esta «segunda redacción», complementado con la *Chronica omnium Pontificum et Imperatorum Romanorum* de Gilbertus, se convirtió en el punto de partida de sucesivas copias del *De rebus Hispaniae,* hasta el punto de constituir la «tradición troncal» del texto latino. El Ms. 57-4-20 de la Colombina alberga una traducción en castellano de la versión contenida en el ms. 131 cordobés sin el cronicón referido a los papas y emperadores.

La redacción «toledana» conservada en el BN Madrid 10.046 es un *Sumario analístico* extraído del BN Madrid Ms. 7.104, acabado de escribir en 1256, completado por su formador hasta 1282 y actualizado, posteriormente, por otra mano hasta 1289; el cuerpo de la obra se ve precedido por un bifolio de guardas con datos que se toman en Roma y en Toledo, constituyendo los mal llamados *Anales toledanos terceros*; este códice facticio fue formado por el arcediano de Toledo Jofré de Loaysa, adscrito al círculo del arzobispo Gonzalo Pérez Gudiel. Al interés de Loaysa se debe la integración de historias varias como el *Chronicon* de papas de Martín de Polono o unos *Anales de Tierra Santa*, que son traducción de un texto francés semejante al Ms. fr. 6.447 de la Bibl. Nationale de París.

Una redacción mixta, en la que se entreveran tres compilaciones historiográficas, se conserva en el BN Madrid Ms. 684; en ella, se conjuntan la «primera redacción» (1243) de la *Historia Gothica* y la *Historia Romanorum,* con los materiales de las *Historiae* menores de la «segunda redacción» (BN Madrid Ms. 7.104), rematadas estas informaciones con la *Historia orientalis* de Jacobus de Vitriaco y el *De desolatione et conculcationes civitatis Acconensis et totius Terre Sancte* de Tadeo Napolinano (1291). Esta traducción deriva de una compilación latina (BN Madrid Ms. 1.364) en la que aparecen una *Epistula exulis ad amicum* y una *Satira adversus eos qui uxorem ducunt*; la incultura del traductor ocasiona un progresivo deterioro de los materiales que vierte al vernáculo.

El *Toledano romanzado* (RAH, 9-30-7/6511 y Esc V-ii-5, más la primera sección del BN Madrid 8.213) deriva de la «segunda redacción», de la línea representada por el Ms. cordobés 131; se traduce un original latino emparentado con los manuscritos de la BN Madrid 7.008 y Vª.4-3; su formador yerra gravemente en la forma de copiar el cronicón de Gilbertus. Había, al menos, tres generaciones de textos entre la copia latina de que se sirve Alfonso X y la que da lugar al *Toledano romanzado*, que sigue valorándose por ser cabecera de la *Estoria del fecho de los godos* (§ 9.2.1.1).

Ya no puede hablarse, en consecuencia, de cinco versiones distintas (como se hacía en pág. 169) a la hora de agrupar las traducciones del Toledano, puesto que —salvada la identidad de cada una de ellas— deben ponerse en correspondencia con las dos redacciones (1243 o 1246) con que Jiménez de Rada elaborara su *De rebus Hispaniae*.

A estas novedades sobre don Rodrigo debe añadirse, en fin, la edición de la *Estoria de los godos* a cargo de Aengus Ward[37].

3.3: [Alfonso X]

H. Salvador Martínez ha construido la tercera biografía más importante dedicada a Alfonso X, junto a las clásicas de Ballesteros y de M. González Jiménez[38]. Asentada en un metódico análisis de la obra alfonsí, con el fin de recabar en los prólogos de las obras del Rey Sabio los perfiles de su vida y de su pensamiento, esta extensa biografía se divide en seis núcleos principales. Se dedica el primero a la formación de Alfonso como rey, ajustada a un triple desarrollo: su linaje y su desarrollo físico (cap. I), su educación letrada (cap. II), su preparación para las tareas de gobierno hasta ser proclamado rey en 1252 (cap. III), en una fecha en la que contaba con una amplia experiencia diplomática y militar. El segundo se centra en el «fecho del Imperio» desde la recepción de la embajada pisana (1256) hasta su encuentro en Beaucaire (1275) con Gregorio X (caps. IV-VI). El tercero es de los más singulares por cuanto se consagra a las enfermedades padecidas por el monarca, sobre todo en la década de 1269-1279, y la relación de este estado aflictivo con las obras promovidas durante este período (caps. VII-VIII)[39]. El cuarto se ocupa de las rebeliones nobiliarias a las que el rey tuvo que enfrentarse, con la consiguiente «desnaturación» de varios clanes aristocráticos de su corte y la necesaria renuncia a sus proyectos legislativos (caps. IX-X)[40]. El quinto aborda los problemas derivados de la

---

[37] En Oxford, Society for the Study of Medieval Languages and Literature, 2006.

[38] Ver *Alfonso X, el Sabio. Una biografía*, Madrid, Ediciones Polifemo, 2003. Para las otras referencias ver n. 42 de pág. 180.

[39] Señala, así, cómo «la enfermedad y el dolor le llevaron en determinados momentos a apartarse de la vida pública para sanar de sus enfermedades y al mismo tiempo buscar refugio en la soledad, donde podía más libremente dedicarse a la investigación y composición de sus obras», pág. 235.

[40] Aduce Salvador Martínez la carta de Alfonso a su primogénito para enmarcar estos hechos: «Permeado, como estaba, de su visión absolutista de la realeza, Alfonso no puede, ni remotamente, admitir que también aquellos rebeldes, en su oposición a la visión que él tenía, pudiesen tener una intención recta y unos intereses inspirados en el bien común: "Otrossí por pro de la tierra non lo facen, ca esto non lo querría ninguno tanto como yo cuya es la heredad, e muy poca pro han ellos ende, si non el bien que les nos facemos". Pero, como vamos a ver enseguida, hubo también razones justas, especí-

sucesión del reino, tras la muerte de don Fernando en 1275 y el conflicto que enfrenta a los nietos del rey —apoyados por su abuela y la corona francesa— con su segundogénito Sancho —arropado por la nobleza (caps. XI-XII). El sexto recorre el amargo proceso de la guerra civil entre Alfonso y Sancho, engastada en el injusto olvido y en el abandono a que el Rey Sabio fue sometido, obligado a pactar con el rey de Marruecos para mantener aún un último reducto de su autoridad (caps. XIII-XV). El epílogo conduce estas secuencias de hechos a un «elogio del saber» en el que se recuerda que Alfonso, amén de «Sabio», era llamado *stupor mundi,* en cuanto impulsor de una amplia producción letrada que convirtió en asiento de su programa político; en esa voluntad reside «una visión nueva del saber y de la ciencia» (pág. 567). Varios apéndices —con un cuadro genealógico y tablas cronológicas, además de los pasajes biográficos de sus obras (la carta a don Fernando mencionada)— y una extensa bibliografía (págs. 629-719) cierran esta exhaustiva reconstrucción del reinado alfonsí visto a la luz de su ambiciosa obra.

3.3.2: *El «Sendebar»* [págs. 214-234]

Varias ediciones de esta colectánea de «exemplos» han aparecido en los diez últimos años; debe partirse de la actualización preparada en 1996 por Mª Jesús Lacarra de su ed. de 1989 (ver n. 86, pág. 214), seguida de las elaboradas en 2001 por Veronica Orazi, que incluye la primera traducción al italiano de la obra[41], en 2003 por Pietro Taravacci, con otra traslación italiana[42], en 2006 de nuevo por V. Orazi[43]. Pocas novedades ofrece el texto crítico presentado, por cuanto se sigue trabajando sobre la única versión conservada, la del códice de Puñonrostro, copiada entre 1430 y 1470 *(A),* corregida y modernizada por una mano posterior *(B),* quizá con la pretensión de dar el texto a la imprenta; la diferencia entre las ediciones depende del valor que se conceda a esas intervenciones de *B,* asumida la necesidad de corregir *A* por sus

ficas y particulares por las que la nobleza disentía del monolítico concepto alfonsí del rey y de las relaciones de éste con el reino», pág. 320.

[41] Ver *Sendebar. Il Libro degli inganni delle donne,* Alessandria, Edizioni dell'Orso, 2001.

[42] Ver *Sendebar. Il Libro degli inganni delle donne,* Roma, Carocci Editore, 2003.

[43] *Sendebar. Libro de los engaños de las mujeres,* Barcelona, Crítica, 2006.

numerosos errores[44]; diferente es el estado final del texto ofrecido: P. Taravacci se ajusta a la grafía del códice, con pocas modernizaciones, mientras que V. Orazi ha preferido normalizar cualquier vacilación de carácter gráfico; caracterizan a este trabajo las «enmiendas conjeturales» basadas en el *usus scribendi* no de la centuria en que la copia se fija, sino del siglo XIII; esta postura implica un grado de reconstrucción estilístico y lingüístico; hay decisiones, en fin, que cuajan en pasajes con sentidos divergentes; como muestra de estas variaciones puede contrastarse el cierre del proemio, conforme a las tres ediciones referidas:

> Lacarra (1989 [1996]): «E el omne, porque es de poca vida, e la çiençia es fuerte e luenga, non puede aprender nin saber, mas cada uno aprende qual le es dada e enbiada por la graçia que le es dada e enbiada de suso, de amor, profeçía e fazer bien e merçed a los que l' aman» (63-64).
>
> Taravacci (2003): «E el omne, porque es de poca vida e la çiençia es fuerte e luenga, non puede aprender nin saber más, cada uno aprende qual le es dada e enbiada por la graçia que le es dada e enbiada de suso, de amor, profeçía e fazer bien e merçed a los que·l' aman» (90).
>
> Orazi (2006): «E el omne, porque es de poca vida e la ciencia es fuerte e luenga, non puede aprender nin saber; mas cada uno aprende cual le es dada e enbiada por la gracia que le es dada e enbiada de suso, de amor: de profecía e fazer bien e merced a los que l' aman» (71).

Lacarra y Orazi editan un «mas» adversativo, frente al adverbio de cantidad «más» por el que se decide Taravacci; Orazi, por su parte, piensa que la «gracia» enviada de arriba es «de amor» de donde los dos puntos que dan paso a una enumeración que obliga a restituir una preposición «de» delante de «profeçía». Este párrafo para Lacarra y Orazi constituye una unidad independiente de la siguiente oración —«Plogo e tovo por bien que aqueste libro...»— en la que se refiere la voluntad

[44] Así lo señala P. Taravacci: «Nei casi in cui neppure le correzioni di B sono risultate accettabili, si è emendato il testo, avvalendoci anche dei suggerimenti dei precedenti curatori», pág. 84. Es, también, el modo de obrar de V. Orazi. «En otros casos se ha aceptado la lección de *B*, o sea, la enmienda de la segunda mano, la del revisor del texto (de finales del XV o principios del XVI), por considerarla concluyente y coherente», pág. 66. Tanto en un caso como en otro, se ofrece como apéndice un nutrido aparato de variantes en que se recoge esta labor ecdótica.

del infante don Fadrique de instigar esta obra; en cambio, Taravacci vincula esas dos formas verbales a la anterior disquisición sobre el «saber» y marca la separación con una coma, no con un punto y aparte como Lacarra o con un punto seguido como Orazi. Lacarra y Taravacci mantienen la lección de *A* referida a la intención del libro: «aperçebir a los engañados e los asayamientos de las mugeres», mientras que Orazi se decanta por la corrección de *B*: «para apercebir a los engaños e los asayamientos de las mujeres». Esta editora italiana, en virtud de los criterios fijados, no duda en restituir segmentos de texto que considera perdidos; así, mientras Lacarra y Taravacci se atienen a la datación del códice —«Este libro fue trasladado en noventa e un años»—, Orazi se ajusta a otras fórmulas similares para añadir: «Este libro fue trasladado en la era de mil dozientos e noventa e un años».

Las introducciones de los editores cobran rumbos interpretativos distintos, una vez fijadas las premisas indispensables sobre las cuatro hipótesis que se barajan sobre los orígenes de esta colección, y dilucidadas las dos ramas —la oriental: sólo hay un sabio (Cendubete o «Sendebar») y la occidental: son siete sabios— con sus correspondientes derivaciones, incluidas las diferentes traslaciones hispánicas de los siglos XV-XVI[45]. Tanto Taravacci como Orazi reconstruyen, con mayor o menor detalle, el marco de traducción en que se produce el *Sendebar* en 1253 y atienden al valor de la figura de su promotor, el infante don Fadrique, siguiendo el cauce de análisis que fijara A. Deyermond (ver n. 102, pág. 217) y prosiguiera M. Garcia[46]: Taravacci ahonda en la rivalidad entre hermanos —don Fadrique era el segundogénito de Fernando III, quizá el preferido de la madre— que conduce no sólo a la orden de muerte que Alfonso dicta en 1277 contra don Fadrique, sino al deseo de éste de construir un marco cultural propio —ligado a la ciudad de Sevilla— en que adquirieran sentido sus opciones políticas o su valor estamental, hasta el punto de hablar de «gelosia letteraria e politica» (pág. 15); ya es curioso que cada uno de los dos hermanos asentara una de las facetas de la alegría cortesana en una traslación di-

---

[45] Aunque se mencionan la *Novella* de Diego de Cañizares y el *Libro de los siete sabios de Roma*, Taravacci y Orazi no aprovechan las aportaciones críticas al estudio de estas dos obras de Patricia Cañizares Ferriz; Taravacci sigue utilizando las *Versiones castellanas* de Á. González Palencia (1946).

[46] «Le contexte historique de la traduction du *Sendebar* et du *Calila*», en *Crisol*, 21 (1996), págs. 103-113.

ferente de dos piezas singulares —Alfonso había ordenado el *Calila* en 1251— de la cuentística árabe[47].

A la hora de vincular el *Sendebar* a las tradiciones letradas con las que convive, Taravacci inserta el texto en la literatura sapiencial, en la que da acogida a los diálogos (§ 4.2) que convierten a la corte en marco de enseñanza; esta relación es oportuna por cuanto estas compilaciones de sentencias o las disputas mantenidas por Teodor, Segundo o Epicteto constituyen también traducciones —venidas las más de estas piezas del ámbito oriental— en las que se están ensayando procesos de adaptación de estas estructuras narrativas o temáticas a la nueva lengua de Castilla. Este amplio conjunto de obras —la cuentística oriental, los libros de castigos, los diálogos— gira en torno al «saber» y a la importancia que debe concederse al «consejo» y a la formación del consejero[48]; esta última idea es la que posibilita acercar el *Sendebar* al modelo del *speculum principis*, tal y como plantea Taravacci[49], integrando en su análisis las funciones político-cultural y literaria con que la compilación se concibe. El contenido transmitido por sus *exempla* es ecléctico, como afirma este crítico, pero lo que él llama la «natura dell'informazione» (pág. 31) estriba básicamente en una oralidad construida para fijarse por escrito; en este orden, acerca el *Sendebar* a los *specula* el valor concedido a la palabra —en su dimensión de recrear, traducir o referir— con un fin tanto educativo como edificante, regulado también por la retórica, de donde la importancia que se otorga al motivo del silencio[50]. Orazi, por su parte, ahonda en la misoginia con que se articula una de las tramas narrativas de los «exemplos» contados por los pri-

[47] Así lo indica Taravacci: «Ebbene, se si considera che le opere commissionate da Alfonso e da Fadrique, tanto l'una quanto l'altra, si fondano sull'idea di un perfetto esercizio del potere legittimato dall'acquisizione di un sapere completo, allora si può più agevolmente capire il forte interesse della corte verso queste due raccolte, avvertire appunto come *specula principis*, come modello del perfetto regnante», pág. 13.

[48] Indica Orazi: «Este elemento básico, el consejo, está directamente relacionado con la concepción sapiencial y es un principio fundamental tanto en el *Sendebar* como en el *Calila e Dimna*», pág. 37.

[49] Señala esta diferencia entre el *Sendebar* y el *Calila*: «dobbiamo tuttavia sottolineare che il *Sendebar* non include apologhi e quindi esclude l'esemplarità di natura decisamente *ficta*, differenziandosi così sostanzialmente dal *Calila e Dimna* stesso», pág. 26.

[50] «Il mandato del silenzio (...) è un elemento che mette in movimento la necessità opposta e fondamentale del dire, del raccontare nella sua duplice funzione, ovvero quella puramente strutturale e legata alla cornice di rimandare o accelerare l'ira regia e quella sostanziale di dimostrare la verità e la vera conoscenza», págs. 34-35.

vados y finalmente por el infante; la obra pretende configurar un ámbito del «saber negativo», de carácter social (las intrigas cortesanas) y también personal (verificado en las relaciones conyugales o en los vínculos entre el consejero y el aconsejado), fundidas ambas orientaciones en el personaje de la madrastra[51]; se advierte, a la par, que en el interior del libro hay un tratamiento positivo de la mujer, reservado a la esposa sabia del rey Alcos, tal y como es presentada en el marco inicial, un aspecto que ayuda a matizar la despiadada misoginia que se atribuye al texto[52].

Como se comprueba, este continuo ejercicio de editar el *Sendebar* posibilita la fijación de perspectivas singulares que ayudan a construir el orden letrado de la mitad del siglo XIII y a valorar esta producción como pieza básica del mosaico cultural con que los descendientes de Fernando III se esforzaban por adquirir una imagen política propia.

3.5.3.1: Jacobo de Junta [págs. 358-362]

El conocimiento sobre este legislador alfonsí se amplía, una vez más, gracias a la metódica y exhaustiva labor de investigación desplegada por Jean Roudil. Ha comenzado a aparecer la edición de las *Flores de Derecho,* anunciada en n. 340, pág. 361, con el título de *La tradition d'écriture des «Flores de Derecho»*, proyectada en tres tomos; se ha publicado el primero se divide en cinco volúmenes, fragmentado el quinto en dos tomos (5A y 5B)[53].

Como se indica en el subtítulo, se trata de reflejar el proceso de reescritura de esta compilación, ejecutado por veintidós autores, con cuyas aportaciones, extendidas desde el siglo XIII hasta el final del si-

---

[51] Subraya Orazi: «El texto se sirve, pues, de la figura femenina para condenar la negatividad del saber mal empleado, movido por el interés personal y la avidez», pág. 40.

[52] «De lo dicho se infiere, pues, que la mujer no es siempre el icono de maldad y doblez que parece desprenderse de la obra en un primer momento: el *Sendebar* no niega ni desconoce la posibilidad de connotar positivamente a la figura femenina, hasta el punto de que en ella funda el exordio de la historia principal, contenida en el marco. La misoginia se revela pues como un instrumento, un medio para aleccionar al individuo, enseñándole las maldades del mundo», pág. 42.

[53] La obra completa —es decir los siete volúmenes de los tres tomos— conformará el decimotercero de los «Annexes des cahiers de linguistique hispanique médiévale» (2000); se continúa, así, el cuarto de estos anexos (1986) que daba acogida a la *Summa de los nueve tiempos de los pleitos* (ver n. 332 de pág. 359).

glo XV, se construye un inventario al que se consagra el volumen inicial del tomo I. Este *corpus* de testimonios acoge dieciocho versiones castellanas, dos catalanas, una portuguesa y una híbrida; de cada uno de estos actos de escritura se ofrece una presentación, un marco textual en el que se registra la posición que *Flores* ocupa —con respecto a otras obras— en el códice en que se alberga, la fechación, las particularidades gráficas —con amplio análisis de la letrería, apoyado en reproducciones facsimilares—; se determinan, también, los criterios de las ediciones «yuxtalineal» y sinóptica. Se incluye en el primer volumen la edición sinóptica de las versiones no castellanas, quedando reservados los demás volúmenes (cinco en realidad) del tomo I para la edición «yuxtalineal» de las versiones castellanas[54]. En el tomo II de este magno proyecto se ofrecerá una edición «razonada» de las versiones de Oxford (Holkham Misc. 46: OX), de Madrid (BN Madrid 865: MAe) y de Lisboa (Torre do Tombo Maço 6° de Forais Antigos n° 4: LI); el tomo III reunirá, en fin, todos estos datos para construir un «Traité de la variation», ligado al polimorfismo con que un texto se difunde adquiriendo perfiles muy distintos, ajustados a las épocas y contextos que lo requieren.

3.6.2: «*El libro conplido en los judizios de las estrellas*» [págs. 387-407]

Se dispone ya de la versión completa —los ocho libros— de esta importante compilación astrológica, convertida por Alfonso X en piedra angular del acercamiento al saber que persigue en los primeros años de su reinado, como cifra de una de las pesquisas más complejas que se hayan emprendido jamás sobre este orden judiciario[55]; ya se se-

---

[54] Conviene, cuando menos, presentar los mecanismos de esta singular y paciente labor ecdótica: «Une présentation juxtalinéaire repose sur la transcription, fidèle et respectueuse, de tous les représentants ou composants d'une tradition, connus de celui que la réalise; elle vise à l'exhaustivité pour la période choisie par le chercheur. Elle est linéaire: chaque représentant occupe une ligne, et il y a donc autant de lignes que de représentants, ceux-ci étant minutieusement juxtaposés. Une double vision est alors offerte au lecteur: horizontale, elle permet le suivi d'un acte d'écriture; verticale, à effet paradigmatique, elle facilite la comparaison et la confrontation des formes et des signes de plusieurs actes d'écriture», pág. 21.

[55] Ver Aly Aben Ragel, *El Libro Conplido en los Iudizios de las Estrellas Partes 6 a 8. Traducción hecha en la corte de Alfonso el Sabio*, intr. y ed. de Gerold Hilty con la colaboración de Luis Miguel Vicente García, Zaragoza, Instituto de Estudios Islámicos y del Oriente Próximo, 2005.

ñalaba en pág. 390 que de los ocho libros de que constaba esta miscelánea, la versión castellana editada por Hilty en 1954 (n. 433), basada en el BN Madrid 3.065, reproducía sólo los cinco primeros, conservados los tres últimos del conjunto en la versión judeo-portuguesa albergada en el ms. Laud or. 310 de la Bodleian Library de Oxford.

G. Hilty nunca abandonó la tarea de completar su primera edición, instigada aún más por la aparición de testimonios vernáculos de los libros finales; así, en 1965, Guy Beaujouan informó de que en el ms. B338 del Archivo Capitular de la Catedral de Segovia se conservaba la Parte Octava del *Libro*[56], dando cuenta, poco después, de que en el ms. 253 de la Bibl. de Santa Cruz de Valladolid se encontraban las partes quinta y sexta de este compendio[57]; quedaba, de este modo, fuera de la versión castellana la parte séptima, un hueco que podía ser rellenado con la traslación judeo-portuguesa.

El códice segoviano fue transcrito en 1989 por Luis Miguel Vicente García en una tesis doctoral[58], tomada después por Hilty como base para fijar el texto de su edición; el hispanista suizo —tal y como señala en su introducción— se ha servido también de una transcripción de la parte sexta elaborada por Carmen Ordóñez, a quien se debe una modernización de las cinco primeras secciones. Con todos estos mimbres, Hilty en 2003 presentaba el esbozo de la edición de estos tres libros[59], con una descripción de los nuevos manuscritos, apuntadas conexiones entre los mismos que ahora, en 2005, se concretan en una propuesta de *stemma* (pág. xli); en este cuadro, se tienen en cuenta las dos traducciones latinas de la obra, elaboradas, en la curia alfonsí, sobre la versión castellana de Yehudá ben Mosé; de este modo, se pone de manifiesto que el códice facticio vallisoletano remite a un testimonio del que procede una versión intermedia de la que surge la traducción judeo-portuguesa, la única que contiene la séptima parte; el ma-

---

[56] Ver «Manuscrits scientifiques médiévaux de la cathédrale de Ségovie», en *Actes du XIe Congrès international d'histoire des sciences, Varsovie-Cracovie, 24-31 août 1965*, Varsovie, 1968, III, págs. 15-18.

[57] «L'astronomie dans la Péninsule Ibérique à la fin du Moyen Âge», separata de *Revista da Universidade de Coimbra* 24, Coimbra.

[58] *La astrología en el cristianismo y en la literatura medieval castellana. Edición de la octava parte inédita del «Libro conplido»*, Tesis doctoral inédita, Los Ángeles, Universidad de California, 1989.

[59] «Una nueva edición alfonsí: las partes sexta a octava del *Libro conplido*», en *Actes X Congrés AHLM*, II, págs. 895-903.

nuscrito segoviano se relaciona con otra rama con la que también se conecta el ms. Barb.Lat. 4363 de la Bibl. Apostólica Vaticana, en cuyos fols. 18-41 se copia el arranque de esta misma parte octava, interrumpido el texto en mitad del cap. vi.

Cada uno de los manuscritos posee además particularidades notables; así, el de Valladolid contiene unas noventa notas marginales en hebreo —con las que se forman pequeños títulos o se insertan comentarios o resúmenes—, mientras que el de Oxford tuvo que formarse sobre la redacción castellana completa, finalizada esa versión sumamente literal en 1411, traducido el libro octavo antes que la sección del cuarto al séptimo; por su parte, en el de Segovia, a continuación del Libro Octavo (fols. 8-85), figura una copia del *Libro de las cruzes* (fols. 91-167).

Puede leerse, en suma, ya completa esta colectánea de astrología judiciaria: la parte sexta se centra en «las revoluçiones de los años de las nacençias» (págs. 3-86), la séptima —no castellana, sino judeo-portuguesa— sobre las «electiones» —o «fortunas» e «infortunas» reguladas en especial por la luna— (págs. 87-190), la octava dedicada a descifrar «las revoluciones de los años del mundo» (págs. 191-327)[60].

4.1.1: *El «Libro de los cien capítulos»* [págs. 425-440]

Cuenta, por fin, el *Libro de los cien capítulos* con una excelente edición crítica (ya en prensa en 1997: ver pág. 425, n. 5) a cargo de Marta Haro Cortés[61], la principal conocedora de la literatura sapiencial[62]; queda, de esta manera, superada la ed. de Agapito Rey a partir de la propuesta de un nuevo texto que ofrece una lectura muy diferente de este compendio de sabiduría; A. Rey había adoptado como base de su

---

[60] Del valor de esta obra ha dado cuenta Luis Miguel Vicente García, «La importancia del *Libro conplido en los iudizios de las estrellas* en la astrología medieval (Reflexiones sobre la selección de obras astrológicas del códice B338 del siglo XV del archivo catedralicio de Segovia)», en *RLM*, 14:2 (2002), págs. 117-134. Se debe al mismo autor una monografía sobre esta materia: *Estrellas y astrólogos en la literatura medieval española*, Madrid, Ediciones del Laberinto, 2006.

[61] Ver *Libro de los cien capítulos (Dichos de sabios en palabras breves e complidas)*, Madrid, Iberoamericana, 1998.

[62] A las monografías de n. 63, pág. 188 *(Los compendios de castigos...)* y de n. 306, pág. 341 *(La imagen del poder real...)* debe añadirse ahora *Literatura de castigos en la Edad Media: libros y colecciones de sentencias*, Madrid, Ediciones del Laberinto, 2003.

edición el ms. *A* (BN Madrid 9.216) que «presenta numerosos errores de copia e incomprensiones por parte del copista» (n. 31 de pág. 61), mientras que ahora se construye un texto crítico basado en un códice inédito (Ms. 318, Bibl. Xeral de Santiago de Compostela: *D*), más completo que *C* (BN Madrid 8.405) y *M* (Ms. 108, Bibl. Menéndez Pelayo), con menos innovaciones que *N* (BN Madrid 3.378) y más seguro que *A* (BN Madrid 9.216) y *B* (BN Madrid 6.608).

En el estudio introductorio, la editora se ocupa de situar el *Libro* en la tradición de que procede, destacando la adaptabilidad de estas sentencias a cualquier lengua, así como la fijación de un contenido con principios éticos de carácter universal. Por ello, pone en relación estas obras sapienciales —en especial, este tratado— con los manuales de conducta y educación de príncipes y nobles, en función del análisis que se plantea de las relaciones del individuo con la divinidad, con el reino y consigo mismo.

Importa la tipología de sentencias (págs. 8-10) que establece mediante la distinción de seis grupos: a) sentencia con razón —la que aporta una explicación—, b) sentencia enumerativa —se desgranan en su interior varios términos—, c) sentencia símil —se construye mediante una *similitudo*—, d) sentencia comparativa —se apoya en una comparación de igualdad, de inferioridad o de superioridad—, e) sentencia *interrogatio* —sostenida por una pregunta retórica— y f) sentencia dialogada —con trama de preguntas y de respuestas. El compendio encauza una materia que «se articula a modo de exposición, tal y como se constata en el propio texto: "de lo que dixeron los sabios en palabras brieves e complidas"» (pág. 10), de donde la oportunidad de complementar el rótulo genérico de «cien capítulos» con ese subtítulo.

Se considera, también, el modo en que se agrupan las sentencias en los capítulos, conforme a cuatro pautas: 1) coordinación o yuxtaposición, 2) enumeración, 3) gradación acumulativa de significado y 4) subordinación.

Los datos más relevantes del estudio inciden en la relación que se establece entre *Flores de filosofía* (§ 3.4.2) —y se sigue a la espera de la edición crítica que elaboran José Manuel Lucía Megías y la propia Marta Haro— y el *Libro de los cien capítulos;* tras prolijos cotejos, la editora demuestra que el material de *Flores* es absorbido por completo por el *Libro de los cien capítulos,* afirmando «que la primera funcionó como fuente directa de la otra» (pág. 20); en sí, lo que se produce es una ampliación de *Flores*, examinándose, en consecuencia, las diferentes técnicas de la *amplificatio,* algunas de ellas muy complejas, pues en ocasiones se repite el mismo contenido en forma negativa, o se intensifican los materiales mediante una nueva correlación de ideas o enumeración de conceptos. Se propone, como pauta ordenadora del contenido de *Flores*, la disposición interna con que se articula *Partida II*, ya que aparece el mismo engranaje de temas fundamentales[63].

Tras revisar las distintas propuestas de fechación del *Libro* manejadas por la crítica, sitúa la composición de la obra en los últimos años del reinado alfonsí, en el momento en que la guerra civil quiebra el modelo de autoridad regia construido por el Rey Sabio; se instigaría, así, un tratado que serviría «de propaganda de la monarquía y su poder en el que los conceptos de teoría política se escudan tras los principios éticos» (pág. 39).

La anotación exhaustiva va permitiendo seguir todos los puntos de contacto que el *Libro* mantiene con la literatura sapiencial del siglo XIII, así como con los textos jurídicos y las traducciones de la cuentística oriental.

Un exhaustivo aparato de variantes negativo (pág. 161-212) asegura la fiabilidad del texto crítico ofrecido.

4.2.3: El «Capítulo de Segundo filósofo» [págs. 502-510]

Ya se advertía en este epígrafe que la *vita* de este filósofo llegaba a la Península a través de las versiones del Belovacense, que es la que difunde la *Estoria de España*, y de W. Burley, en su *Liber de vita et moribus philosophorum;* esta compleja transmisión textual ha sido felizmente integrada en la edición preparada por Hugo O. Bizzarri (ver n. 149, pág. 504) con todos estos materiales[64]. En la Introducción, Bizzarri se ocupa de dilucidar los orígenes de este diálogo, situándolo en el siglo II o primeras décadas del siglo III: una vida griega con la biografía del filósofo más una rejilla de veinte preguntas; se ha intentado identificar la figura de este pensador con un sofista perito en ejercicios retóricos,

---

[63] Y así lo apunta: «A pesar de que los Títulos III, IV y V, dedicados a la figura ética del monarca, se condensan en la segunda parte de la obra (de acuerdo con el esquema organizativo seguido por *Flores de filosofía)*, el *Libro de los cien capítulos* refleja la influencia teórica y formal del texto legal alfonsí», págs. 35-36.

[64] Ver *Vida de Segundo. Versión castellana de la «Vita Secundi» de Vicente de Beauvais*, Exeter, University, 2000; entre las págs. 3-21 se ofrece la versión del Belovacense y entre págs. 27-37 las redacciones castellana y latina de Burley.

aunque parece más segura su condición legendaria, asociada a la atracción que Adriano sentía por los filósofos; la popularidad la garantiza su incorporación a los martirologios orientales y su contenido sapiencial. Se repasan, de modo somero, las versiones siria, armenia, etiópica y árabe de la leyenda, recordando que la *vita* influye en la historia marco de *Las mil y una noches* y del *Sendebar;* la difusión occidental depende de la traslación de Willelmus Medicus (segunda mitad siglo XII), que en 1167 aporta a la abadía de Saint Denis libros griegos adquiridos en Constantinopla; de las veintiuna sentencias originales, esta redacción alarga la cifra hasta las setenta y una, con preguntas y respuestas extraídas de otras *altercationes*, sin que sea dable saber si el abad Willelmus fue el responsable de esta amplificación. La versión de Vicente de Beauvais —aparece en el Libro XI de su *Speculum historiale*— reduce la disputa a treinta y cuatro cuestiones; algunos materiales de esta recreación llegan a Roger de Hoveden *(Chronica*, 1201), mientras que la de Willelmus influye en el *Polychronicon* de Ranulf Higden. A Burley se debe, con todo, la versión más divulgada de la *vita*, tomando como modelo la del Belovacense, si bien incrementa las sentencias hasta las sesenta y ocho, sirviéndose de la obra de Willelmus. Los predicadores adoptaron estos esquemas biográficos y sapienciales a sus necesidades, incluyéndolos en manuales como la *Scala coeli* o los *Gesta romanorum*[65].

Existe, por tanto, una doble vía de adaptación castellana de esta *Vita*; la versión del Belovacense se difunde a través de la *Estoria de España*, también de forma aislada y, ya en el siglo XV, como cierre del *Bocados de oro*; la de Burley se liga a la traslación particular, a comienzos del siglo XV, de su *Liber* (§ 9.3.1); al margen de estas dos líneas, la *Vita* es mencionada por fray Gil de Zamora en su *De preconiis Hispaniae*, por Maestre Pedro en su *Libro del consejo*, por el formador del *Speculum laicorum* —el soporte del *Espéculo de los legos*—, por el pseudo-Madrigal en su *Tratado de cómo al hombre es necesario amar.* Don Juan Manuel conoció la versión incluida en la crónica alfonsí. La *Vita* influye también en el marco narrativo del *Diálogo de Epicteto y el empera-*

[65] Resume Bizzarri: «La obra de Burley hizo que Segundo formara parte de la galería de sabios antiguos que conforma su colección; la de Vicente de Beauvais que volviera, como obra autónoma, a los cauces de su primitiva difusión. Pero entonces, formando parte de prestigiosas enciclopedias y habiendo ingresado a crónicas árabes y latinas, ya nadie podía sospechar el carácter ficticio de esta obra», pág. xxix.

dor Adriano impreso en 1540. La más sorprendente de estas remisiones es la que aparece en *El secreto del acueducto* (1922) de Ramón Gómez de la Serna.

La fechación de la versión castellana debe ligarse a su presencia en la *Estoria de España*, que la acoge con una literalidad casi absoluta, aunque en algún pasaje se busque más el sentido que las palabras, tan difíciles de reducir al castellano cuando se trata se sentencias concisas (ofrece Bizzarri ejemplos precisos: «Eternus sompnus» se convierte en «Sueño que dura por siempre», o «Inevitabilis eventus» en «Avenimiento que non puede ser escusado»), obligando en ocasiones a reinterpretaciones que obligan a «dar al texto castellano una diferente formulación sintáctica» (pág. xliii).

Bizzarri traza un exhaustivo análisis de la tradición textual, dando cuenta de los seis manuscritos y tres impresos *(Bocados de oro)* en que se difunde la versión del Belovancense y de los tres códices en que se transmite la de W. Burley; el *stemma* que propone (pág. lxv) se asienta en la conclusión de que sólo hubo una traducción de Vicente de Beauvais, de la que derivan la versión independiente (α), testimoniada por el escurialense h-iii-1 *(h)* y el Ms. 1763 *(S)* de la Bibl. Univ. de Salamanca, y la versión (π) que es la acogida por el cauce textual de *Bocados de oro*.

4.5.2: *La «General estoria»* [págs. 686-796]

Tan magno como el proyecto que auspiciara el Rey Sabio para construir este portentoso friso de historias debe considerarse el empeño de la Biblioteca Castro, coordinado por Inés Fernández-Ordóñez y Pedro Sánchez-Prieto, para editar, en la integridad de las seis partes que la constituyen, la *General estoria*.

De momento, ha aparecido la edición anunciada en n. 530 de pág. 710 de la *Primera parte* bajo el cuidado de Pedro Sánchez-Prieto, en dos volúmenes[66]: el primero dedicado a los libros del *Génesis*, centrado el segundo en *Éxodo, Levítico, Números y Deuteronomio*. De la *Segunda parte* se ocupa actualmente Belén Almeida, en la *Tercera* se integrarán los varios trabajos que a la misma han dedicado P. Sánchez-Prie-

[66] Ver Alfonso X el Sabio, *General estoria. Primera parte*, Madrid, Fundación José Antonio de Castro-Biblioteca Castro, 2001.

to y J. B. Horcajada (ver n. 509, pág. 697)[67], la *Cuarta* la ultima Inés Fernández-Ordóñez, mientras que la *Quinta* surgirá de dos tesis doctorales dirigidas por P. Sánchez-Prieto —con la sección bíblica de Macabeos a cargo de Elena Trujillo y la parte romana de la *Farsalia* elaborada por B. Almeida—; la *Sexta*, por último, será compartida por I. Fernández-Ordóñez, P. Sánchez-Prieto y B. Almeida.

La edición de cada una de las seis partes será crítica en cuanto que se va a realizar un cotejo exhaustivo de los materiales conservados y una depuración de las lecturas ofrecidas en anteriores proyectos: el más sólido el que realizara Antonio G. Solalinde (n. 488, pág. 687), el más inseguro el conjunto de transcripciones del H.S.M.S. (n. 491, pág. 689), como se pone ahora de manifiesto. Con todo, no se trata de la edición ideal a que debería someterse la *General estoria* y que precisaría la confrontación del texto vernáculo con las fuentes que son traducidas en los talleres alfonsíes, tal y como obraron Sánchez-Prieto y Horcajada con los *Libros de Salomón* de la Parte Tercera (n. 552, pág. 732) o T. González-Rolán y P. Saquero Suárez-Somonte en su edición de *La historia novelada de Alejandro Magno* (n. 565, pág. 747). El reconocimiento de los prototipos con que pudieron trabajar los letrados del Rey Sabio es una labor realmente difícil, asequible sólo en parte cuando se trata de una materia como la *Historia de preliis* o en el caso de los romanceamientos bíblicos mediante la reconstrucción de los modelos latinos subyacentes; ha de recordarse que el proceso textual construido en torno a la Biblia se difundía con un aparato de glosas que era también asumido en la traducción vernácula; esa trama de *marginalia* es la que no puede ahora emplearse para dilucidar lecturas o exégesis que aparecen incorporadas a la *General estoria* y que no se sabe a quién deben ser atribuidas: si a los exégetas latinos de los textos sagrados, a los «trasladadores» al vernáculo de esas versiones o a los formadores —ya «ayuntadores»— de la obra alfonsí.

Otro problema a que se enfrentan los editores es el de la irregular transmisión de la *General estoria*. Sólo se conservan dos códices regios: el *A* (BN Madrid 816), con la *Primera parte* pero trunco en su final, y el *U* (Ms. Urb. Lat. 539, Vaticana), con la *Cuarta* y el colofón que cierra ese núcleo en 1280. Sin embargo, como plantea ahora P. Sánchez-Prieto, estas versiones, «autorizadas» por el monarca para ser puestas en

---

[67] A los que se sumarán varios segmentos inéditos, entre los que destaca la narración de los avatares de griegos y troyanos tras la destrucción de Ilión.

limpio y custodiadas en su cámara, ofrecen un texto que, por depuración, no se corresponde siempre al producto ofrecido por los «trasladadores» y elaborado por los «ayuntadores»; muchas de las noticias incorporadas en esta última fase podían omitirse o corregirse al ajustar la versión final a códigos morales o religiosos que los traductores no tenían por qué tener en cuenta, preocupados sólo por conseguir una redacción lo más literal posible; si se compara el texto regio de *A* con los conservados en *E* (Escorial Y-iii-12) y *F* (Escorial O-i-1; traducción gallego-portuguesa) puede constatarse una sistemática eliminación de «pasajes que atentan contra el "decoro" exigible en la obra regia» (pág. lxi); puede hablarse, así, de una «rama textual no censurada» que «remontaría a un estado redaccional previo» (pág. lxxii); tales pasajes, como había hecho ya Solalinde en 1930, han de ofrecerse en el aparato textual, puesto que de algún modo la versión regia representa un punto de llegada en la constitución textual (aunque este último proceso de copia tampoco carezca de errores que sí es preciso corregir).

De los distintos aspectos de que se ocupa Sánchez-Prieto en la «Introducción», interesa su valoración sobre el género a que cabría adscribir la *General estoria;* recuerda que se trata del registro más ambicioso de hechos emprendido en la Edad Media, sólo comparable a la *Historia scholastica* de Pedro Coméstor, en la que, sin embargo, se concedía mayor importancia a la historia bíblica que a la gentílica. La *General estoria* se incardina a la actividad romanceadora que se había iniciado ya en el reinado de Fernando III, en la que participaría el propio Alfonso en cuanto infante; parece, así, que este proyecto historiográfico tiene que conectarse con el empeño anterior de traducir la Vulgata (y en la *Crónica de Alfonso X* se registra la fecha de 1260 para este preciso mandato: «E otrosí mandó tornar después en romance las escrituras de la Brivia e todo el Eclesiástico» *[apud* pág. xlv]); tuvieron que ser los libros históricos de la Biblia los que permitieron utilizarla como patrón historiográfico, sobre todo por los datos ofrecidos en la *Glossa ordinaria* con que se difundía. Como se recuerda ahora, esa historia bíblica no era lineal, presentaba hechos desarticulados, con una progresión cronológica que se perdía en su propio detallismo[68]; la exégesis a que

68 Este apunte sobre el tratamiento del tiempo es sugerente: «en la historia universal alfonsí gran parte del relato se sitúa en la ucronía (lo que no es incompatible con el rigor crónico de los hechos históricos): del monte Atlas se dice "que es en todo tiempo"», pág. xlvi.

fue sometida la Vulgata —presente en los códices que llegarían a los talleres alfonsíes— encubre el esquema de desarrollo de la *General estoria:* el texto vertido al vernáculo debía apostillarse con todas las referencias que se pudieran allegar. Por esa dependencia con la práctica interpretativa de la Biblia, puede afirmarse que la *General estoria* no es exclusivamente una crónica universal, puesto que hay una concepción enciclopédica (revísese § 4.5.2.3, pág. 708) que no puede omitirse y que une el proyecto a los *specula* del Belovacense. Sánchez-Prieto, con razón, afirma que la *General estoria* es la única muestra de un género que nace y acaba en ella misma; es, sobre todo, la traducción de una Biblia que según las secciones puede ser más o menos literal con respecto a los modelos: así, en las Partes Tercera, Cuarta y Quinta la fidelidad con respecto a la Vulgata es notable, mientras que en la Primera, aun sostenida por el Pentateuco, la tradición de los comentarios asegura la incorporación de un buen número de noticias o digresiones; pero no puede obviarse que hay libros bíblicos —los Sapienciales de la Tercera Parte— que se traducen «versículo por versículo, con un alto grado de literalidad, e incluso de servilismo» (pág. xlix), despreciada la glosa en el caso del Cantar de los cantares; ello no ocurre, en cambio, en los libros históricos de los Reyes, complementados de una forma exhaustiva con toda suerte de referencias, hasta el punto de reconocer, en estas secciones, el orden narrativo que los compiladores otorgan a la *Estoria de España*; en esas ocasiones, el relato bíblico se interpola «con los *incidentia* sobre los gentiles coetáneos, a veces según un modelo analístico de larga tradición» (pág. l), que es el que permite «enxerir» los hechos que se consideren necesarios; con todo, ese contenido gentílico no provoca que se escinda el marco garantizado por la Biblia, en buena medida porque la materia profana tiende a adoptar el formato de «estoria unada» (ver págs. 708-709).

La dimensión enciclopédica se halla implícita en el sistema de fuentes consultado y, por lo común, admitido sin mayores problemas que los de distinguir algunas de la narraciones con los términos de «fabliella» o de «maravilla» a fin de afirmar la verosimilitud del conjunto. Por ello, sorprende que se rechacen las digresiones filosóficas (de carácter helénico y oriental) en la Tercera Parte —suministradas por *Las praderas de Oro*— o que vayan menguando los comentarios teológicos, comunes en la Primera Parte, pero ausentes en la Tercera. A pesar de que la trama de contenidos esté condicionada por las fuentes, el proyecto global de la *General estoria* aparece regido por un plan meticuloso, manifestado en comentarios precisos —remisiones entre las Partes— que dan cuenta de la organización trabada con que el conjunto de los libros se acometía, aunque luego cada Parte contara con una estructura propia, ésta sí ajustada a las fuentes y su exégesis. Por ello, en la *General estoria*, en virtud del grado de elaboración de las distintas Partes y del sistema de fuentes usado, es factible reconocer cuatro esquemas textuales: el básico del romanceamiento bíblico, el de la Biblia historial, el mixto de la historia bíblica y profana, más el particular de las historias gentílicas (pág. li).

Subraya, también, Sánchez-Prieto que los compiladores alfonsíes tuvieron que darse cuenta de la imposibilidad de llevar a cabo un plan tan ambicioso, un hecho que resulta fundamental para fijar, con un mínimo de garantías, un «texto» que pueda considerarse crítico; indica que sólo en la Primera Parte «puede hablarse de verdadera combinación y armonización de fuentes, mientras que en el resto, sobre todo en la Tercera, Cuarta y Quinta, más bien hay yuxtaposición» (pág. lvii). El estado fragmentario de la Sexta Parte revela el modo en que el proyecto iría declinando, en correspondencia seguramente con los reveses políticos y personales que su promotor sufriera; en esa última sección no es factibe saber siquiera cuál es el contenido que pudieron elaborar los equipos alfonsíes, a pesar de que se venga repitiendo que esta parte quedaría interrumpida en los padres de la Virgen; con todo, se recuerda que en el escurialense I-i-2 (*Z* para las Partes Cuarta y Quinta) se alberga un romanceamiento parcial del Nuevo Testamento, proveniente de I-i-6, versión vernácula de la Biblia de h. 1250 ajena al escritorio alfonsí[69].

Con respecto al grado de participación del monarca en este proyecto, Sánchez-Prieto matiza muchas de las ideas transmitidas por la crítica, sobre todo la tendente a atribuir a Alfonso cualquier comentario crítico relativo al presente, cuando esas reflexiones podían venir incorporadas al aparato exegético con que se transmitían las fuentes[70];

---

[69] Para las relaciones entre los romanceamientos bíblicos y la Sexta Parte ver P. Sánchez-Prieto, «La Biblia en la historiografía medieval», en *La Biblia en la Literatura Española*, coord. general de G. del Olmo Lete, en el vol. I, *La Biblia en la literatura medieval española*, coord. de P. Cátedra, en prensa.

[70] Advierte, así: «El peligro para el crítico está en interpretar estas palabras como originales alfonsíes, a falta de documentación en las fuentes antiguas y medievales, accesibles a la erudición alfonsí gracias a la glosa. Y, aunque un puñado de pasajes hubieran sido dictados por el monarca, no parece que pueda elevarse tal participación a categoría interpretativa del conjunto de la obra», pág. xliii.

tampoco el «nós» narrativo garantiza una intervención autorial, como lo revelan pasajes de la Tercera Parte en que esa forma del plural designa a los gentiles; al Rey Sabio —tan semejante al paradigma de Salomón inserto en la Tercera Parte— se le reconoce el mérito de haber instigado una producción de esta naturaleza, pero es lógico que su figura se muestre diluida por el carácter mismo de la obra auspiciada: se pretendía definir un saber religioso e histórico que fuera común a todos.

Los materiales en que basa Sánchez-Prieto esta edición crítica son los mismos de que se sirviera Solalinde en 1930, aunque los resultados sean otros. Por supuesto, el soporte fundamental para la fijación del texto es el códice regio *A* (BN Madrid 816), «sobresaliente por su ejecución, de factura muy cuidada» (pág. lxxii), con errores —algunos corregidos sobre raspaduras— que obligan a la enmienda textual; no es factible saber siempre si estas lecturas erradas correspondían al último proceso de copia o venían ya transmitidas por el texto que los «ayuntadores» habían elaborado sobre las traslaciones que a ellos llegaban. Como se ha indicado, *A*, por pérdida de un cuaderno, se interrumpe en el fol. 342*v*, de modo que es necesario completar la última sección según el testimonio de *G'* (Escorial Y-i-4) del siglo xv, rematado por un colofón que se rechaza por espurio. Sánchez-Prieto no transcribe sin más los manuscritos; le preocupa ofrecer un texto crítico que resulte fácilmente legible[71]; por ello, se renuncia al paleografismo de Solalinde o a las rígidas —pero poco seguras— transcripciones fijadas por el H.S.M.S.[72] En el aparato crítico con que se cierra el tomo segundo (págs. 985-1002) se da cuenta de las lecciones de *A* y de *G'* rechazadas en el establecimiento del texto; del escrúpulo con que ha sido elaborado dan cuenta las indicaciones sobre las dudas del editor a la hora de adscribir algunas variantes al original [*rectius?*] o el complejo sistema de que se sirve para reflejar las correcciones que van incorporadas a los propios manuscritos, distinguidas las diversas manos que han intervenido en ese proceso (ver págs. 987-988).

No hay más que desear —vistos los resultados de esta *Primera Parte*— que aparezca prontamente el resto de los volúmenes consagrados a este

---

[71] Y aplica, para ello, el método fijado en su *Cómo editar los textos medievales. Criterios para su presentación gráfica*, Madrid, Arco/Libros, 1998.

[72] «Simplemente hemos pretendido hacer accesible a los interesados por la lengua, la literatura, la cultura, en suma, de la Edad Media, un texto que haga justicia (siempre según nuestra hipótesis) al proceso intelectual por el que la *General estoria* nació», pág. lxxv.

proyecto, con el fin de poder contar —pasados más de siete siglos— con una edición que permita leer y conocer la producción textual más importante auspiciada en la Edad Media. De momento, las pautas para editar el proyecto entero han sido sintetizadas con claridad —con el *stemma* de los testimonios conservados para las cinco primeras partes— por Inés Fernández-Ordóñez en la entrada «1.12. *General estoria*» del *Diccionario filológico* (págs. 42-54) y desplegadas, de forma particular para el caso de la Segunda Parte, en un estudio de rigurosa disciplina ecdótica[73], en el que desmonta las arbitrarias relaciones fijadas por Kasten y Oelschläger, los dos discípulos de Solalinde (que murió en 1937), para editar esta sección en dos volúmenes, el primero en 1957 y el segundo en 1961 (n. 513, pág. 698); Solalinde —también para la Primera Parte— siguió el método del francés Dom Henri Quintin, sin aplicar los resultados obtenidos ni en la edición que preparara él solo ni en la que dejó orientada de la Segunda Parte, pues tanto en un caso como en otro se optó por seleccionar un códice base para fijar el sistema lingüístico del texto; se acertó en la Primera Parte —puesto que se contaba con *A*— y en la primera sección (la de 1957) de la Segunda Parte —se eligió *K* (BN Madrid 10237)—, pero no en el caso de la segunda sección (la de 1961), ofrecida conforme al testimonio de *N* (Escorial, O-i-11), con un texto en el que se contaminan varias versiones; como demuestra Fernández-Ordóñez, el formador de *N* copió un prototipo que presentaba ya lagunas por pérdida de folios sueltos y actuó con cautela dejando espacios en blanco, que fueron luego rellenados, por una mano posterior, recurriendo a un códice distinto; además, debe contarse con que este códice sufrió una extensa interpolación de veinte folios, con 93 capítulos que suplirían seguramente una laguna del original; esta circunstancia es la que pone en entredicho el volumen publicado en 1961[74]; como señala, se tenía que haber tenido presente el ms. π (V-ii-1), a pesar de ser tardío, puesto que conserva en solitario pasajes del original perdidos en *R* (Évora, CXXV2-3), sólo con la parte bíblica, y que tampoco transmite *N* por faltar en el subarquetipo de que deriva.

---

[73] «Antes de la *collatio*. Hacia una edición crítica de la *General estoria* de Alfonso el Sabio (segunda parte)», en *Teoría y práctica de la historiografía hispánica medieval*, ed. de Aengus Ward, Birmingham, University of Birmingham Press, 2000, págs. 124-148.

[74] «Aunque los editores de la segunda parte se percataron de la existencia de varias letras en *N*, no especificaron los fragmentos copiados por cada una ni creyeron conveniente distinguirlas como intervenciones sucesivas sobre el códice, precaución necesaria ante la posibilidad de que derivaron de varios modelos», págs. 132-133.

La edición de la Parte Segunda y, sobre todo, de la Parte Tercera se va a beneficiar por el hallazgo de un manuscrito del que no se tenía noticia alguna —ni siquiera como testimonio perdido— hasta fechas muy recientes[75]; comprado por el librero Luis Crespí a una familia abulense integra hoy los fondos de la Biblioteca Nacional (Ms. Res. 279); conforme a la descripción que ofrece Sánchez-Prieto y en virtud de una signatura vieja (III.A.6) es dable pensar que proceda del Escorial; se trata de un códice de la primera mitad del siglo XV, copiado por una sola mano, con letra muy similar al de Y-i-8 (el ms. *S* de la Parte Tercera); este testimonio transmite sólo materia gentílica de la Parte Segunda —un fragmento dedicado a la guerra de Troya— y Tercera —algunos de estos episodios eran ya conocidos por el citado *S* y por *T* (BN Madrid 7563), otros son enteramente nuevos; si bien el manuscrito no va a alterar el proceso textual de la Parte Segunda[76], resulta en cambio fundamental para reconstruir las líneas de contenido desconocidas de la Parte Tercera y por el aporte de sus lecturas para la constitución del aparato crítico centrado en la historia de los gentiles. Sánchez-Prieto distingue siete núcleos argumentales en el códice: 1) los hechos de griegos y troyanos acabada la guerra de Troya; 2) la historia de los godos; 3) los datos sobre los templos de los gentiles; 4) una versión de la *Historia regum Britanniae;* 5) la historia del rey Polo; 6) las noticias relativas a la India, extraídas de la «estoria de Egipto»; y 7) el «fecho de los gentiles que fueron en tiempo de Josafat» y de los otros reyes de Judá y de Israel. Caracteriza al formador de este códice la voluntad de prescindir de manera sistemática de la materia bíblica, llegando a fragmentar capítulos con el propósito de copiar únicamente los hechos de la gentilidad. En consecuencia, no sólo es importante este testimonio para cotejarlo con los otros dos que transmiten esta misma materia de un modo deficiente (*S* y *T*), sino porque con el mismo se completa la Parte Tercera, la correspondiente a la cuarta edad, que alcanza hasta el reinado de Sedequías, justo en el punto en que el códice termina[77].

---

[75] Ver el análisis y valoración que del mismo ofrece Pedro Sánchez-Prieto, «Hallazgo de un manuscrito con nuevos segmentos de la Tercera Parte de la *General estoria*», *RLM*, 12 (2000), págs. 247-272.

[76] «El cotejo que hemos llevado a cabo de unos pocos capítulos de la Segunda Parte no nos ha revelado ninguna lección aprovechable para una edición crítica», pág. 252.

[77] Y que puede leerse en la selección de pasajes que de modo paleográfico edita Sánchez-Prieto en el cierre de su trabajo; el remate de este códice reza como sigue: «Así se acaban aquí las razones de los gentiles que acaesçieron en tienpo de Sedechías, rey de

Puede unirse, ahora, el hilo cronográfico que quedaba interrumpido al comenzar la Cuarta Parte con la quinta edad, que comenzaba con la historia de Nabucodonosor (§ 4.5.2.3.4, pág. 747); precisamente esta Cuarta Parte remite a algunas de las noticias rescatadas por este nuevo testimonio; con este aporte, Sánchez-Prieto trabaja ahora mismo en la que será «una edición íntegra de la Tercera Parte» (pág. 256).

4.5.3.1: La materia troyana [págs. 798-817]

La evolución de esta materia narrativa a lo largo del siglo XIII cuenta ahora con una importante monografía de Juan Casas Rigall[78], en la que analiza el despliegue de estas líneas temáticas —debidamente reconocidas en sus fuentes primarias[79]— en el *Libro de Alexandre,* el *Libro de las generaciones,* la historiografía alfonsí y la *Polimétrica,* proveniente del *Roman de Troie.* Interesa sintetizar, aquí, algunos de los aspectos más destacados de este análisis. Así, en lo que atañe a la *General estoria,* Casas Rigall ratifica la importancia de esta materia que se encuentra presente en todas las Partes de esta magna compilación, menos en el fragmentario cuaderno de la sexta; la verdadera «Estoria de Troya» se inserta entre las Partes Segunda —con el relato de las sucesivas guerras que provocan la destrucción de Ilión— y Tercera —en que se sigue el itinerario de los dánaos y frigios tras la toma de la ciudad; la compilación allega materiales diversos: el modelo de la Parte Segunda es la *Histoire ancienne jusqu'à César,* complementado con Dares y el *Roman de Troie,* convertido en guía de desarrollo de la Parte Tercera; Ovidio aporta interpolaciones para ambas secciones, filtradas sus fábulas por los comentarios de Arnulfo de Orléans y Juan de Garland; se utilizan, también, la *Aquileida* de Estacio y el *Excidium Troiae,* quizá fundidas ambas obras en un texto híbrido; no cree que la *Ilias latina* fuera usada por los compiladores alfonsíes, mientras que desgrana los núcleos

---

Judá, en los onze años del su regnado», pág. 270 (adapto el texto a los criterios de esta *Historia de la prosa).*

[78] *La materia de Troya en las letras romances del siglo XIII hispano,* Santiago de Compostela, Universidade, 1999.

[79] Y así se indica que «serán Ovidio, la *Ilias latina,* Dares, el *Excidium Troiae,* Benoît de Sainte-Maure y la *Histoire ancienne jusqu'à César* los que ocupen un lugar de privilegio como modelos de los autores ibéricos en lengua vernácula del siglo XIII», pág. 38.

principales del *Libro de Alexandre* que aparecen en la *General estoria:* además del juicio de Paris, el sueño de Hécuba, la transformación de la corte de Licomedes en monjía, las penas amorosas de Briseida, el conflicto entre Agamenón y Aquiles, la atribución a Néstor de la argucia del caballo de madera, los guerreros escondidos en su interior, la muerte de Aquiles; por lo común, se trata de fuentes declaradas por los compiladores, salvo en las ocasiones en que puede verse comprometido el decoro de la obra. Lo cierto es que «no hay una sola *Estoria de Troya,* sino diversos modelos así denominados en la *GE*» (pág. 201), a los que se remite en determinados lugares con nombres que pueden cambiar; si se crea el rótulo de «Estoria de Troya» es para preservar una materia difundida a veces en fuentes anónimas y, siempre, ajustadas a las directrices de la compilación que les da acogida: la *Aquileida* se refunde casi por completo, las *Heroidas* son menos limadas que las *Metamorfosis.* Se observa, también, que la adaptación de estos materiales en la Parte Segunda es más afortunada que la de la Parte Tercera, lo que invita a pensar en colaboradores distintos para una y otra sección.

La *General estoria* participa de la dimensión antihomérica con que el conflicto se recrea con el fin de reducir la importancia de los dioses en el desarrollo de los acontecimientos; este aspecto valoró el relato de Dictis y Dares, en cuanto supuestos testigos oculares de los hechos, o propició que la guerra de Troya se engastara en otros ámbitos narrativos —el viaje de los argonautas—, que en el caso de la compilación alfonsí se retrotraen hasta la historia de Frixo y Hele. Hay un empeño sostenido de construir una unidad narrativa a partir de retazos dispersos; este hecho en la Parte Segunda produce resultados estimables, mientras que en la Parte Tercera da lugar a errores de interpretación que luego son difíciles de subsanar.

Por estas razones, considera Casas que la materia troyana constituye un eficaz dominio para analizar la técnica compilatoria de la *General estoria,* sobre todo en lo que respecta a la compleja integración de fuentes diversas en sentido y finalidad, ya marcadas además por lenguas y estilos variados. La importancia que los compiladores conceden a la historia troyana la convierte «en una suma de acontecimientos excepcionales, los más sobresalientes después de los hitos del cristianismo, de ahí que sea necesario conferirles un tratamiento particularmente detallado» (pág. 207).

Por su parte, la *Historia troyana polimétrica* le permite a Casas analizar la adaptación del *Roman de Troie* en las letras peninsulares, teniendo muy presente la versión de este poema instigada por Alfonso

XI. Los dos testimonios conservados de la *Polimétrica* (n. 617, pág. 804: *M* y *E* [aquí *M'*]) no derivan uno de otro, sino que remiten a un arquetipo común como lo demuestran las deturpaciones compartidas y los errores (separativos) que ambos códices evitan; estos dos manuscritos complementan la sección propia de la *Polimétrica* con la *Versión de Alfonso XI*, que se conserva íntegra en *A* (Escorial h-i-6) de 1350 y en *G* (BN Madrid 10233), traducción gallega de 1373; *A* y *G*, al contrario de lo que pensaba Solalinde, son independientes tal y como había demostrado R. Lorenzo; en consecuencia, *A* no es el original de Alfonso XI, sino que deriva de alguna de las traducciones que del *Roman* se habría impulsado en la corte de este monarca, asumida la tradición textual de la *Polimétrica*. Lo importante es que tanto este *prosimetrum* como la versión de Alfonso XI remiten a un modelo que sería iberorrománico, complementado ya con la interpolación de las razas portentosas, refranes, glosas heráldicas, traducciones extrañas de tecnicismos bélicos y musicales, omitidas las alusiones al leopardo.

Se discute la fechación para la *Polimétrica (c.* 1270) propuesta por Menéndez Pidal y aceptada en el análisis incluido en § 4.5.3.2; argumenta Casas que se esgrimen vocablos que no eran utilizados en el siglo XIII —el más claro el de «guitarra»— y se recuerda que los poemas están mediatizados por la tradición gallego-portuguesa, de métrica regular; sin embargo, no se rechaza «frontalmente» (pág. 216) la teoría pidalina, aunque se prefiera situar la *Polimétrica* en el mismo marco del que surge la *Versión de Alfonso XI*, si es que no fue posterior a esta recreación; en cualquiera de los casos, el *prosimetrum* es menos fiel al poema de Benoît de Sainte-Maure, un hecho que avala la hipótesis del prototipo iberorrománico del que derivarían ambas refundiciones; en el caso de la versión de Alfonso XI el hecho es evidente y, como propusiera R. Lorenzo, sus lusismos y galleguismos parecen remitir a un original gallego o portugués; se recuerda, así, la influencia de la leyenda troyana en Portugal, puesta de manifiesto en la misma fundación de Lisboa por Ulises o en la acogida de Aquiles en la corte de Licomedes; la materia troyana presta, de este modo, líneas de afirmación para la historia fundacional de Portugal y de Galicia; Casas Rigall aplica este mismo análisis a la *Polimétrica* y percibe también huellas del gallego o portugués, algo que en este caso parece obvio por el conocimiento de la poesía gallego-portuguesa que tuvo que tener su formador, al que además hay que suponerle rasgos dialectales leoneses. Esa combinación de elementos leoneses y galaico-portugueses advertida en la *Polimétrica* podría provenir de un modelo ibérico perdido[80].

5.1: La escuela catedralicia y el molinismo [págs. 856-863]

Imprescindible para la reconstrucción del ámbito letrado y religioso que se instiga en torno a la Catedral de Toledo es el monumental estudio emprendido por Ramón Gonzálvez Ruiz, con el título de *Hombres y libros de Toledo*, del que ha aparecido un primer volumen centrado en los siglos XII y XIII y que da acogida, por tanto, al período de afirmación del modelo cultural del «molinismo»[81]. Se pretende, en esta obra, reconstruir la historia de la Biblioteca capitular de Toledo, ligada a los hombres y comunidades sucesivas que encargaron los libros en ella custodiados y que participaron en las labores y técnicas de su confección material: el pergaminero, el fabricante de papel, el copista, el rubricador, el corrector, el iluminador y el encuadernador. De este modo, desde la restauración de la iglesia en Toledo en 1085 hasta finales del siglo XVI (el inventario de 1591 marca el límite de la pesquisa) se recrea la cultura del libro ligada al marco catedralicio, analizando básicamente el Antiguo Fondo Toledano, es decir el conjunto de códices que formaron parte de la biblioteca medieval y renacentista del cabildo.

De las figuras examinadas en este tomo inicial interesan, por la relevancia de su obra y de su influjo en la vida cortesana, las figuras de los arzobispos don Rodrigo Jiménez de Rada y don Gonzalo Pétrez o Pérez Gudiel.

Enmarcada en las noticias biográficas pertinentes, del Toledano se recuerdan la querella dirigida contra él por el cabildo y la avidez del arzobispo por hacerse con los libros del traductor Juan Hispano; se reconstruye la biblioteca de don Rodrigo en virtud de su obra y de las

[80] Casas alcanza, en fin, esta síntesis de ideas: «Esta hipótesis, en definitiva, lleva a suponer que el mismo texto gallego o portugués que sirvió de modelo al ms. A de *Alfonso XI* fue también la fuente de la *Polimétrica*. Entre el *RT* de Benoît de Sainte-Maure y las dos adaptaciones ibéricas hubo, por tanto, una obra gallega o portuguesa, hoy perdida. A raíz de lo visto, es ésta la propuesta que mejor concilia los diferentes indicios de muy diverso rango que hemos estado analizando», pág. 236.

[81] La referencia completa es *Hombres y libros de Toledo (1086-1300)*, Madrid, Fundación Ramón Areces, 1997; añádase F. J. Hernández y P. Linehan, *The mozarabic Cardinal. The live and times of Gonzalo Pérez Gudiel*, Florencia, Sismel-Edizioni del Galluzzo, 2004.

fuentes declaradas; se analizan la cuestión de la primacía de Toledo, los litigios movidos directamente por el arzobispo y la repercusión de los mismos en la formación de la biblioteca capitular[82].

Más exhaustiva resulta la revisión de la vida y hechos de don Gonzalo Pétrez. R. Gonzálvez sigue su educación y su itinerario en la corte de Alfonso X, su participación en los proyectos letrados que este monarca instigara, sus labores como notario de la cancillería y su promoción a las dignidades episcopales de Cuenca (1273-1275) y de Burgos (1275-1280), hasta ser provisto en mayo de 1280 del arzobispado de Toledo[83]. Examina, después, su pontificado toledano[84], envuelto en la contienda civil que enfrentaba a Alfonso con su segundogénito, aún ausente de la sede episcopal a causa de los pleitos movidos en su contra en la curia romana, a cuenta de las numerosas deudas contraídas en el desempeño de sus cargos. Ya en los meses finales de la guerra apoyaba sin ambages al infante rebelde, de modo que la subida al trono de Sancho IV impulsó la plena restauración de la Iglesia de Toledo[85]; a partir de este punto, se examina con detalle su actividad pastoral entre 1290 y 1295, centrada sobre todo en la reforma del clero diocesano, en los ordenamientos de clérigos, en la revisión de las estructuras parroquiales, en las disposiciones capitulares, en la fundación del *studium* de Alcalá en 1293. Las amarguras sufridas en los últimos años de su vida y su nombramiento como cardenal en 1298 lo conducen a Roma en donde morirá en 1299; se recuerda que su traslado a Toledo está ligado a la trama de *estorias* con que se arma el *Zifar*[86].

Tras este recorrido histórico, R. Gonzálvez dedica cuatro capítulos a los inventarios de libros de don Gonzalo Pétrez (págs. 417-582) y dos

---

[82] Ver «Capítulo III. El arzobispo don Rodrigo Jiménez de Rada (1209-1247)», págs. 163-202.

[83] «Capítulo VII. Don Gonzalo Pétrez, arzobispo de Toledo (1280-1299) (I)», págs. 297-333.

[84] Y se apunta: «La especial atención que dedicamos a este prelado toledano viene justificada, no solamente por el destacado relieve del personaje en sí mismo, sino, sobre todo, en razón de nuestros propósitos, dada la peculiar significación de sus libros, muchos de los cuales ingresaron en la Biblioteca Capitular y algunos de ellos son hoy testigos de primer orden en ciertos aspectos de la filosofía medieval», pág. 337.

[85] «Las buenas relaciones del monarca con el arzobispo se hacen patentes continuamente en los años sucesivos a través de la documentación emanada de la cancillería real. El rey secunda siempre favorablemente las peticiones del prelado», pág. 362.

[86] Ver «Capítulo IX. El pontificado toledano de don Gonzalo Pétrez (III)», págs. 373-416.

al grupo de intelectuales que trabajaron en el entorno del arzobispo, considerados primero los españoles —Hermann el Alemán y el traductor Álvaro de Oviedo (págs. 583-616)—, tratados después los clérigos de Toledo: el maestro Jofré de Loaysa, arcediano de la catedral, y los deanes don Miguel Ximénez y Esteban Alfonso (págs. 617-658).

Como se comprueba, casi la mitad de esta obra está dedicada a don Gonzalo Pérez Gudiel y a sus afanes por dotar a Toledo de la significación religiosa y política —también literaria— que como sede primacial le correspondía.

5.1.3: *Los «Castigos de Sancho IV»: la corte como ámbito moral* [págs. 913-943]

Varias novedades importantes han contribuido a la revalorización crítica de esta pieza consiliaria, clave para entender el alcance del modelo cultural patrocinado por el rey Sancho y amparado, después de su muerte, por su esposa, doña María de Molina. Se trata de dos ediciones que permiten leer, con plenas garantías, las dos versiones que de este compendio se formaron: la breve o de cincuenta capítulos, instigada directamente por el monarca en el año 1292 y de la que se conserva un testimonio que remite a un primer estadio redaccional de 1293, ha sido editada por Hugo O. Bizzarri, mientras que de la extensa o de noventa capítulos, la que se difunde a partir de 1350 con la adición de la glosa castellana al regimiento de príncipes de Egidio el Romano, se ha ocupado con esmero Ana Mª Marín.

La primera de estas dos ediciones, la crítica de Hugo O. Bizzarri, se anunciaba ya en n. 98 de pág. 913 y partía de una larga investigación que había cuajado en una tesis doctoral presentada en Buenos Aires en 1996[87]; Bizzarri coincide con A. García de la Fuente y A. Rey (ver n. 114, pág. 917) en adoptar como base el escurialense Z-iii-4 *(E)*, rechazando *C* (BN Madrid 3995) por tratarse de un texto reelaborado; este testimonio es el que había sido postulado por B.R. Weaver (n. 114, pág. 917) como descendiente directo del original perdido[88] y había sido elegido

[87] Ver, ahora, *Castigos del rey don Sancho IV,* ed. Hugo Oscar Bizzarri, Frankfurt am Main-Madrid, Vervuert-Iberoamericana, 2001.

[88] De donde mi afirmación de que este códice contenía la versión más fiable de *Castigos* de finales del siglo XIII: ver pág. 918.

por Dennis P. Seniff para un proyecto editorial truncado por su muerte. Bizzarri establece tres estadios redaccionales: el original de 1292 (Ω) del que derivaría α (1293) representado por *E* y una línea interpolativa (δ) de 1350, de donde proceden *A* (BN Madrid 6559) y su copia del siglo XVIII *(I)*, por otro lado π que se difunde en una línea β (1353) a la que estarían conectados *C* y *B*, más los dos fragmentos *S* y *J*, y en paralelo *G*. Del análisis ecdótico que practica resulta claro que no hay posibilidad de reconstruir *Castigos*, porque no hay término de comparación con *E*[89]; se tiene muy en cuenta que de *Castigos* no se transmite esa versión original, sino las reelaboraciones que lo adaptaban a circunstancias y contextos muy diferentes; tal y como se indica, el mismo ms. *E* perteneció a la reina Isabel que debía de apreciarlo hasta el punto de guardarlo en su cámara; por ello, se custodiaba en Granada, en 1526, de donde pasó al Escorial en 1591. Bizzarri desmonta, también, la relación establecida por la crítica entre *B* y *C;* uno y otro provienen, pero como ramas diferentes, de una copia erudita (β) que se caracteriza por añadir citas latinas y por restituir la forma latina de los nombres de algunos personajes de la Antigüedad: mientras que *C* mantiene el grado de erudición del subarquetipo, *B* adopta una dirección vulgarizante al omitir ese juego de referencias clásicas; en cualquier caso, esta rama β reinterpreta la frase y trata de embellecerla.

Tras discutir los varios títulos otorgados al libro, y en consonancia con el estudio de J.M. Cacho Blecua (n. 109, pág. 916), elige una denominación asegurada al menos por la transmisión de la obra, puesto que la avala el testimonio de *C:* «Este libro fizo el muy alto señor rey don Sancho (...) el cual es llamado *Castigos que dava a su fijo...*» (1*r*).

Bizzarri dedica, y ya es bastante, el «Estudio preliminar» de su edición crítica de 2001 (págs. 7-67) a los problemas derivados de la compleja transmisión manuscrita de la obra, así como a la valoración de los testimonios de que se va a servir y a la fijación de los criterios de edición. Tres años después ofrece una monografía *—Los «Castigos del rey don Sancho IV»: una reinterpretación*[90]— que viene a completar su análisis del compendio. Dividida en dos apartados, define en el primer epígrafe «la nueva política cultural de Sancho IV» (págs. 7-46), identifican-

[89] «Por lo tanto, el único camino que nos queda disponible es el de servirnos de *E* y tratar de reconstruir esa copia de 1293. *A*, limpio de las amplificaciones, debe ser utilizado como texto de referencia para corregir a *E*», pág. 61.

[90] Londres, Queen Mary and Westfield College, 2004.

do dos períodos en la producción de la obra que se adscribe a su nombre: el inicial (1284-1289) en el que continuaría algunas empresas auspiciadas por su padre —la *Versión amplificada de 1289*— y revisaría otras —la *Partida II,* conforme a los testimonios del escurialense Y-iii-4 y del BN Madrid 6.725—, formándose entonces el *Libro de los cien capítulos*, y el de madurez literaria (1289-1295) en el que se incluirían el *Lucidario,* el *Libro del consejo,* el *Libro del tesoro,* el *Libro de la ira,* los *Castigos,* más la *Gran conquista,* ya al final de su reinado. Como rasgo de este ámbito cultural, destaca la adopción de fuentes occidentales (con incidencia en la lengua latina y la francesa) en detrimento de las orientales.

Cree Bizzarri (pág. 18) que el *Libro del tesoro* imprimió en *Castigos* su carácter enciclopédico; cuando menos, de la colectánea de Latini provienen la descripción de las edades del mundo (vi), la disputa entre Pedro Lombardo y Joachin de Fiore (vii) y el lapidario (xvi). Más significativa —y lógica dentro de las nuevas orientaciones de la política internacional— es la huella ejercida por los *Enseignements* preparados por San Luis para su hijo —visible en la misma fórmula de encabezamiento de *chiers filz*— y que tuvieron que tener en cuenta los letrados de que se rodearía Sancho; el tono es muy parecido, aunque otra sea la estructura; es, desde luego, sugerente la hipótesis (pág. 21) de que las cincuenta amonestaciones de los *Enseignements* sirvieran de base estructural para *Castigos.* Con el *De regimine principum* de Egidio el Romano, el primer *Castigos* comparte la predilección por la nueva temática religiosa, vinculada a las órdenes mendicantes.

El contenido de la compilación debe ligarse a un saber filosófico, muy cercano al que se desarrollaría en las universidades, ajeno por tanto a los modelos del *adab* árabe o del meticuloso proceso de aprendizaje inscrito en un regimiento de príncipes. Esto no quiere decir que haya un sistema filosófico implícito en estas colecciones de sentencias, pero sí que resulta posible extraer de las mismas una concepción del hombre; de este modo, la dimensión hilemórfica del hombre trazada en *Bocados de oro* se mantiene en *Castigos,* encauzada desde el principio con argumentos de carácter tomista cuando se pone en boca del rey la afirmación de que él sólo había engendrado carnalmente a su hijo, porque el alma provenía de Dios. Estas líneas de pensamiento le permiten a Bizzarri proponer una progresiva «escolastización» de las obras sapienciales, un proceso que requeriría la inclusión de la disputa entre Pedro Lombardo (defensor de la Trinidad) y el abad de Fiore (al que se imputa la herejía de la cuaternidad) o la inserción de la materia de los diez mandamientos, convertido el tercero de ellos en pretexto para acoger un nuevo debate universitario: la valoración del amor del padre y de la madre hacia sus hijos.

Bizzarri considera que la elaboración de *Castigos* la llevó a cabo un grupo de letrados que trabajaría bajo la vigilancia y la atención personal de Sancho, al que se puede atribuir la redacción del último capítulo, el que muestra una calidad literaria menor. Se valora la posible colaboración en el proyecto de fray Gil de Zamora —como propusiera A. Rey— o de P. Gómez Barroso —según creía Weaver—; lo cierto es que Sancho se menciona a sí mismo hasta siete veces, pero ello no tiene que hacer pensar que de su mano salieran esos pasajes, sino que instigaría su inserción en el libro de una manera más especial; destacan, en este sentido, los dos milagros referidos en el cap. xix, sobre todo el de Johán Corbalán, encauzado desde la dimensión «autorial» del propio rey con el propósito de valorar su enseñanza (revísese el pasaje en pág. 937). Bizzarri propone un triple proceso de formación de los capítulos de *Castigos:* habría una primera etapa de redacción, que dependería de los «scientíficos sabios» de la corte, otra de corrección, en la que participaría el rey, y una final de homogeneización del estilo: «Esto, en rasgos generales, era lo que don Sancho había aprendido de su padre» (pág. 46).

Dedica el segundo epígrafe de la monografía a definir «los modelos de organización de la prosa sentenciosa» (págs. 49-70), término que define el cauce requerido por la sistematización del saber y que impone la división de los tratados en capítulos temáticos; esta circunstancia exige una específica exposición doctrinal que cuaja en un calculado discurso escolástico, con fórmulas que articulan el proceso de transmisión de la enseñanza y que afirman esa tan directa y cercana voz discursiva de un padre que amonesta a su hijo. Esta exposición sentenciosa requiere imágenes y «semejanzas» que ayuden a comprender los asuntos abordados; tales líneas explicativas no pretenden configurar sólo una dimensión erudita, se interesan, a la par, por configurar un orden de vida cotidiana, sirviéndose de los mismos elementos que utilizaban los predicadores: las *similitudines*, los refranes, la plática y los *exempla*.

La influencia del estilo escolástico en la construcción de *Castigos* impone a este compendio una fuerte racionalización del discurso[91]; de

[91] «La gran rectora del discurso escolástico fue la razón, que trajo como consecuencia una prosa en la que aflora por sobre todo lo conceptual, creada sobre la base de estructuras que permitían la exposición del pensamiento», pág. 68.

este modo, se explica la arquitectura lógica con la que son elaborados los capítulos del libro, con argumentos medidos y calculados que propician la «expresión sentenciosa», sin que se pretenda crear por ello un sistema filosófico, en buena medida porque la influencia de las órdenes de predicación —en especial, la de los dominicos— es perceptible en la definición de los principios sobre los que se asienta *Castigos.*

La versión extensa de los *Castigos de Sancho IV*

Los valores específicos de la versión interpolada de *Castigos* han sido puestos de manifiesto por Ana Mª Marín Sánchez en una tesis doctoral[92] que incluye un amplio estudio de la transformación que sufre este compendio sapiencial y regimiento de príncipes a lo largo del siglo XIV, así como la edición de un texto —el del ms. *A*— que ya había sido publicado en 1860 por Pascual de Gayangos, pero en virtud de otras ideas y otros criterios.

La versión interpolada de los *Castigos* demuestra la continua serie de reelaboraciones a que las obras más significativas en la transmisión del saber fueron sometidas para adaptarlas a otros procesos de recepción o bien para incorporar nuevas líneas de contenido, consideradas pertinentes en virtud de la inicial estructura de ideas que se construye. Es un proceso parecido al que ocurre con la inacabada *Crónica de Alfonso XI,* que se rehace en el reinado del primer trastámara, como firme puntal del nuevo tiempo, o con la misma *Estoria de España,* tantas veces reconstruida en función de otros intereses ideológicos. Es factible analizar estos cambios en las crónicas, a tenor de los manuscritos conservados, pero no en los libros de castigos o en los *specula principum,* ya que suele sobrevivir un solo testimonio y siempre el más tardío. No ocurre esto con *Castigos;* como ya se ha indicado, perdido el original de 1292, perduran códices que permiten hablar de dos versiones distintas: la breve, vinculada al ámbito molinista, con origen en una copia de 1293, cuyo mejor representante sería *E,* el escurialense Z-iii-4, y esta extensa, alargada hasta noventa capítulos, transmitida por el ms. *A,* el BN Madrid 6.559, amén de su copia dieciochesca de *I.*

---

[92] *La versión interpolada de los «Castigos» de Sancho IV: edición y estudio*, Zaragoza, Universidad, 2003, dirigida por María Jesús Lacarra; versión en CD, Prensas de la Universidad de Zaragoza, 2004.

Esta nueva redacción de *Castigos* pasa de cincuenta a noventa capítulos, incorporando materiales provenientes de diversas fuentes; su análisis —como ha demostrado Ana Mª Marín— se revela fundamental para comprender el proceso de reelaboración que se lleva a cabo e intentar ajustarlo a un período determinado. La principal amplificación proviene de la *Glosa* —de su versión extensa— con que fray Juan García de Castrojeriz adapta el *De regimine principum* de Egidio el Romano; ello permitía situar la interpolación de *Castigos* en un momento posterior a 1345-1350; sin embargo, se demuestra ahora que *A* y, a la vez, *E* son adicionados también con pasajes provenientes de la traducción del *Libro de las donas* de Francesc Eiximenis, realizada a finales del siglo XIV o principios del siglo XV; gracias a este dato, debe situarse esta reelaboración de los *Castigos* en ese cambio de siglos como una pieza clave en la construcción de la ideología política y religiosa de las dos primeras décadas de esa centuria. Además de estas dos líneas de recreación textual, se incorporan materiales religiosos de naturaleza homilética —sermones o colaciones— o catequética —confesionales o sacramentales— que se avienen con el juego inicial de sentidos, pero lo orientan hacia una dimensión más cercana al proceso de revisión espiritual —no tanto de reforma conventual o monástica— que comienza a instigarse a finales del siglo XIV. Parece clara la impronta franciscana en la selección de un contenido que no es sólo doctrinal, por cuanto se incorporan nuevos *exempla* y dos amplios episodios narrativos extraídos de la versión concisa de la *Estoria de España* alfonsí —de un ms. hoy perdido y que estaría emparentado con *TGZ*— y referidos al milagro del vado de Cascajares y a las circunstancias que concurrieron en la muerte del «infant García».

Otra ha de ser, por tanto, la estructura de esta versión extensa, en virtud de la amplificación tan extraordinaria de materiales que se produce; ha de tenerse en cuenta que, a partir del cap. liv, la obra ya es nueva y que lógicamente se ajusta a las fuentes —sobre todo a la *Glosa* extendida hasta el cap. lxxxii— que se están incorporando al primer soporte textual. Ana Mª Marín distingue varios núcleos de contenido en el conjunto resultante: prólogo, avisos para conocer a Dios (i-viii), consejos para que el gobernante se conozca a sí mismo y se convierta en espejo de la sociedad que rige (ix-lxxxii), adoctrinamiento religioso (lxxxiii-lxxxxix) y epílogo (xc).

Aunque todos estos materiales procedan de una fuente determinada o de códices misceláneos, a veces difíciles de identificar, es posible reconocer una determinada voluntad de estilo asociada a esta labor de compilación; esta dimensión es apreciable en las fórmulas de enlace y transición, en los cambios de redacción que impone o en las omisiones intencionadas de la fuente; cada uno de esos ajustes sólo persigue el propósito de anudar con coherencia el hilo discursivo; tiende, también, a servirse de estructuras bimembres o trimembres, a incluir nuevos calificativos, a requerir información complementaria para amplificar algunos pasajes.

Si se sitúa esta remodelación de *Castigos* en ese cambio de siglos, hay que contar con un contexto cortesano —porque esto sigue siendo un regimiento de príncipes— lo suficientemente proclive a la dimensión religiosa que se está incluyendo en la obra. Argumenta, con razón, Ana Mª Marín que no se realiza una defensa de la monarquía absoluta tal y como se fijará tras Olmedo en 1445, con la construcción de un amplio imaginario de defensa del poder monárquico. Ello es cierto y tiene que llevar esta redacción de *Castigos* a las dos primeras décadas de la centuria en las que se produjo una verdadera eclosión de líneas de pensamiento político-religioso; baste con recordar el mesianismo de que se rodeó el regente Fernando de Antequera, la predicación vicentina de 1412, la piedad que doña Catalina de Lancáster inculcó a su hijo, la entrega a don Pablo de Santa María de la cancillería del reino, la misma redacción de la *Crónica de Juan II* encomendada a don Álvar, la influencia que durante la minoridad ejerció el arzobispo de Toledo don Sancho de Rojas; en verdad, entre 1406 y 1419 la corte castellana se envuelve de tal modo en fervores religiosos que parece éste el momento más adecuado para situar esta reconstrucción de una obra que había nacido alentada por similares intenciones. No desentona, además, la presencia de Eiximenis en el ámbito de una curia que está gravitando sobre la ideología aragonesista, transmitida por el de Antequera desde el momento en el que marcha a hacerse cargo de la corona de ese reino.

A tenor de los abundantes *marginalia* de *A*, esta versión interpolada tuvo que gozar de notable aceptación, ya que se pueden reconocer, al menos, notas de diez lectores diferentes. Lo que no resulta factible es señalar si el códice sería instigado para formar a algún príncipe, ya que el único posible sería Juan II; sin embargo, *A* es un ms. proveniente de una biblioteca nobiliaria, la de don Pedro Núñez de Guzmán, conde de Villaumbrosa, que además se complementa con una copia del *Libro del consejo y de los consejeros* de Pedro Gómez Barroso.

Con todo, esta versión interpolada ayuda a seguir el fenómeno particular de la transmisión de los regimientos de príncipes a lo largo de la Edad Media; se elige para complementar uno de los frutos más importantes de la afirmación regalista de finales del siglo XIII y se adiciona con amplios fragmentos de literatura doctrinal y religiosa en virtud de unas expectativas de recepción que no debían de ser muy diferentes a las de la época en que se construye la obra original: unos monarcas que saben sujetar a la nobleza —Sancho IV y Enrique III— dejan tras sí a unos herederos —Fernando IV o Juan II— que no van a saber continuar su empresa.

No debe, en fin, olvidarse que en esta nueva recreación de *Castigos* se anticipan los núcleos devocionales que se desarrollarán con profusión a finales del siglo XV: la «contemplación» de la vera cruz, las llagas de la Pasión, los esquemas oracionales.

6.3.2: *El «Libro del conde Lucanor»* [págs. 1148-1183]

El *Libro del conde Lucanor* ha sido analizado por Salvatore Luongo en una monografía en la que ordena y articula diversos trabajos anteriores[93]. Partiendo de una descripción del «marco autorial», perfila la gradación del saber inserta en este compendio por medio de una escala que lleva de los «enxienplos» a los «proverbios», afirmada en la prudencia que debe intervenir en la acción misma de aconsejar y en los esquemas por los que se ha de regir el buen consejo; surge de estas nociones una red de ejes temáticos relacionados con el «alma» y el «cuerpo» —establecida la conexión entre el «estado» y la «salvación», la «penitencia» y las «obras»— en un plan de vida puesto enteramente al servicio de Dios. Otro de los núcleos de este ensayo define el modelo de ética nobiliaria a que se ajusta don Juan Manuel, asentada en la *fortitudo* y la *sapientia*, encauzada narrativamente a través de los motivos del valor, del miedo, de la enemistad, aspectos todos que confluyen en el análisis de la lealtad.

Con todo, la doctrina fundamental del *Libro* gira sobre el engaño y la mentira, hasta el punto de que estos dos conceptos son convertidos por Luongo en el *axis libri*. Se puede pasar, así, al orden de la naturaleza interior, en una pesquisa que permite reconocer las virtudes del «omne en sí», conferir al mundo la «textualidad» necesaria para poder representarlo, para garantizar también el conocimiento del «otro» y lo-

---

[93] Ver *«En manera de un grand señor que fablava con un su consegero»: il Conde Lucanor di Juan Manuel*, Nápoles, Liguori, 2006.

grar apercibirse de sus engaños; cabe, aquí, el análisis del «mejor omne et el más conplido» como síntesis del proceso de entendimiento propiciado por la lectura del libro. Por último, Luongo acomete la relación que se establece entre el «mundo», el «hombre» y «Dios» a través de la escala de las criaturas.

De la transmisión del *Libro del conde Lucanor* y más en concreto del ms. *P* (códice Puñonrostro, R.A.E. ms. 15) vuelve a ocuparse María Jesús Lacarra para estudiar el fenómeno de los «copistas cuentistas» y editar —con prolijo análisis— los dos cuentos ajenos a la tradición juanmanuelina y que aparecen numerados correlativamente como los Ex. LIII y LIV, marcados además con rúbricas en rojo[94]. La preparación de un códice —e incluso de algunos impresos— podía deparar alteraciones de las obras que se iban copiando, ya porque el volumen tuviera que ajustarse a unas precisas necesidades receptivas, ya porque el copista considerara oportuno añadir nuevos materiales para complementar los que hasta él habían llegado[95]. Este proceso de sucesivas transformaciones sufridas por los textos copiados afecta prácticamente a toda la cuentística medieval, glosando Lacarra el caso extraordinario del traductor que es capaz de mejorar su modelo, como lo demuestra el cuento lxxiii de las *Cien novelas de Juan Bocacio* (Sevilla, 1496). En el caso del testimonio *P* del *Libro del conde Lucanor*, su formador era un buen conocedor de cuentos y aplica esa memoria narrativa para introducir interpolaciones —la más efectiva afecta al Ex. XLVIII— o bien para insertar dos nuevas unidades ejemplares: la LIII, referida a «la emaginaçión que puede sacar a omne de entendimiento», correspondiente al esquema del «muerto imaginario», y la LIV, que es una versión del «durmiente despierto», ofrecida sólo de modo parcial porque queda interrumpido su desarrollo por pérdida de un folio[96].

[94] Ver «Los copistas cuentistas: los otros ejemplos de *El conde Lucanor* en el códice de Puñonrostro», en *'Entra mayo y sale abril': Medieval Spanish Literature and Folklore Studies in Memory of Harriet Goldberg*, ed. de Manuel Da Costa Fontes y Joseph T. Snow, Newark, Delaware, Juan de la Cuesta, 2005, págs. 231-258.

[95] Amén de otras causas: «No es extraño, pues, que los copistas, al transcribir obras de contenido didáctico, religioso o moralizante, aprovecharan los espacios en blanco para añadir algún relato, cuya temática podían considerar afín a la del conjunto del códice o decidieran ampliar o rectificar la narración que copiaban, bien porque no se ajustara exactamente a los contenidos que recordaban, bien para corregir los fallos o lagunas de su modelo», pág. 231.

[96] Los dos cuentos son, en fin, estimables como señala su editora: «A diferencia de lo que ocurre con el ejemplo 51, incluido sólo en el manuscrito S, en estos dos no se

6.4.1: *El «Libro enfenido»* [págs. 1184-1191]

Atesoraba don Juan Manuel, con su experiencia del mundo, con su conocimiento de la realidad —la política y la religiosa siempre unidas—, un saber linajístico para entregárselo a su hijo, don Fernando Manuel, una vez convertido en eficaces pautas de actuación que le habían de permitir mantener la dignidad estamental que, a la par, le descubría y le confería. Más que un tratado de *regimen principum,* don Juan Manuel construye un «regimiento nobiliario», ajustado a las líneas fundamentales con las que ha ido enhebrando su obra entera, configurando un pensamiento aristocrático que lo situaba, a él y a sus descendientes, por encima de cualesquiera de los grandes señores de su tiempo. Esa visión del mundo se sintetiza en este compendio educativo, el *Libro enfenido* o *infinido*, debidamente editado ahora por Carlos Mota[97]; tras una detallada revisión biográfica (págs. 12-35), se analiza una tradición manuscrita que depende del BN Madrid 6376 *(S)*, formado un siglo después de la muerte de su autor; el *Libro enfenido* se inserta entre los fols. 31*v*-43*r* y presenta lagunas que se encontrarían ya en su modelo; para datar esta copia, Mota recuerda la nota final del códice, descifrada por Ayerbe-Chaux, en la que se remite a un lance de la guerra contra Granada, fechable en 1483; es factible que los descendientes de don Juan Manuel, en esas dos últimas décadas del siglo XV, se preocuparan por formar en Sevilla este testimonio, si bien, como apunta Mota, ese apunte puede ser «una simple marca de posesión, más informativa sobre las manos en que anduvo el códice a esas alturas del siglo XV que sobre el momento de su efectiva factura» (pág. 37). Del tratado se conserva otra copia en el BN Madrid 19146 *(N)*, simple *codex descriptus*, que reproduce sistemáticamente los errores de *S* y moderniza la ortografía.

Mota analiza la posición que ocupa el *Libro enfenido* en el conjunto de la obra del noble, atendiendo a las dos listas construidas por don

---

mantiene el marco dialogado, con la presencia de Lucanor y Patronio; tampoco el estilo recuerda en nada al de don Juan Manuel (...) Sin embargo, el que se pueda claramente descartar su atribución a don Juan Manuel, no supone que estos cuentos carezcan de valor. Antes al contrario, especialmente el primero me parece uno de los cuentos más originales y novedosos de nuestra literatura medieval», pág. 243.

[97] Ver *Libro infinido (con los pasajes del «Libro de los estados» a los que remite)*, Madrid, Cátedra, 2003.

Juan Manuel e incidiendo en el valor de los tratados perdidos, para señalar las dos ideas directrices de esta producción: por una parte, la obligación de mantener su estado, acrecentando la propia honra y precaviéndose de los engaños del mundo, por otra, la necesidad de procurar la salvación del alma. Estas preocupaciones se plasman en sus libros más representativos, los que instiga en el decenio de 1327-1337, el período en el que se recrudecen las disputas con Alfonso XI. La visión del mundo que, según Mota, se afirma en el *Libro del cavallero et del escudero* y el *Libro de los estados*, se afina y matiza (pág. 44) después en el *Libro del conde Lucanor* y el *Libro enfenido;* estas cuatro obras se hallan sostenidas por núcleos de ideas de raigambre agustiniana y tomista; en esta evolución, el *Libro enfenido* se asienta sobre las bases ideológicas del *Conde Lucanor*, abordando los mismos conflictos y situaciones morales —de donde el valor de las relaciones amistosas—, pero sin el cuidado estilístico y la elaboración retórica ensayadas en las cinco partes de su libro más conocido. Recuerda Mota la defensa que don Juan Manuel realiza de su condición de escritor, en el cap. xxvi del propio *Libro enfenido*, para advertir el radicalismo con que mantenía una postura que para él representaba «una actividad dignificadora, paliativa de su paulatina marginación y, en última instancia, vindicativa» (pág. 49). Por ello, el noble ajusta la transmisión de sus obras a los esquemas usuales de la cultura universitaria[98], facilitando la elaboración de copias fiables de sus libros, las llamadas *peciae*, derivadas de un ejemplar validado por el propio autor. Se explica, así, la presencia continua del «yo» del noble en toda su producción, hasta alcanzar las complejas combinaciones montadas en el *Libro de los estados* (es un personaje de ficción, Julio, el que recuerda a su amigo castellano «don Johán») y en el *Libro del conde Lucanor* (en donde aparece en el cierre de los «exemplos» para sancionar su enseñanza); en cambio, como indica Mota, este proceso se interrumpe en el *Libro enfenido* por cuanto don Juan Manuel regresa al ámbito de la representación empírica, «evitando la narración y sus técnicas, quedándose en el extracto seco de las lecciones derivadas de esa misma experiencia» (pág. 52); y ello se produce porque el noble asume, de forma decidida, la posición de *magister* —confiada, hasta ahora, a personajes muy cuidados— y porque se

[98] Atendiendo a las pautas fijadas por F. Rico en «Crítica del texto y modelos de cultura en el *Prólogo general* de don Juan Manuel», en *Studia in honorem prof. Martín de Riquer*, págs. 409-423.

otorga a la figura del receptor implícito toda la carga ideológica de defensa de su pensamiento.

La adjetivación del libro —«enfenido», es decir 'infinito' o 'inacabado'— sirve para señalar que se trata de una obra abierta, concebida «como la vida» (pág. 52), susceptible de acoger nuevos asuntos en virtud de la experiencias allegadas; de ahí que quepa pensar en una composición dilatada y extendida desde al menos 1334 —don Juan Manuel menciona a su hijo con dos años de edad— hasta 1337 o quizá 1339; este límite lo fijan las relaciones mantenidas por el autor con su familia política, los Lara, más en concreto con su suegra doña Juana Núñez «la Palomilla», a la que trata con dureza ya en su testamento de 1340, mientras que en este libro le recomendaba a su hijo que confiara al máximo en este linaje.

A la hora de considerar el género al que el *Libro* se ajusta, precisa Mota que no se trata de «una miscelánea de fragmentos más o menos trabados, sino [de] un conjunto bien estructurado de temas» (pág. 60), lo que casa con su voluntad didáctica. La unidad de la obra depende del horizonte de expectativas vitales en que se hallaba inserto don Juan; se recuerda que, en 1333, requerido el noble por Alfonso XI para levantar el cerco de Gibraltar, solicitaba a cambio el título de duque, que obtenía solamente por concesión de Pedro IV de Aragón en 1336. Esta trama de circunstancias envuelve la composición de un «regimiento» que atiende sólo a lo esencial, lejos de las prerrogativas del género por construir una teoría jurídico-política (para ello había elaborado la primera parte del *Libro de los estados)* o un ámbito narrativo enmarcador de sentencias (que es como funciona el *Libro del conde Lucanor).* Frente a esas variaciones del modelo de los regimientos de príncipes, el *Libro enfenido* «es un ejemplo de libro de destinatario personalizadísimo, en algunas de sus enseñanzas —como las relativas a la elección de médico o al tratamiento de parientes— del todo intransferible, y caracterizado por una evitación tan sistemática de toda expansión gnómica o narrativa que se diría un contramodelo de los *Castigos de Sancho IV*» (pág. 65); asumiendo Mota, en efecto, que don Juan Manuel pueda ser estudiado como «autor molinista», piensa que el *Libro enfenido* sería una obra «escrita *de vuelta* del molinismo» (íd.), alejado de muchos de los fundamentos con que había afirmado el noble su visión del mundo, cuando en realidad puede tratarse de la obra más radicalmente «molinista» de don Juan, no por la *dispositio* practicada, sino por el contenido entregado a su descendiente.

Se recorren los principales asuntos por que se interesa don Juan para construir esa dimensión linajística que considera conforme a la dignidad de su estado; en el prólogo se inserta un elogio del «saber», entendido como «ser y manifestación de Dios» (pág. 66), el medio más certero de que puede servirse el hombre para acercarse a la divinidad, para conseguir la salvación del alma; con todo, lo que le importa aquí es plantear la búsqueda del saber por las implicaciones éticas que comporta; no es tanto una definición de ese conocimiento, como la transmisión de un contenido que ha de resultar provechoso en virtud de unas condiciones estamentales; por ello, se remite a las «cosas» probadas, al conjunto de sus hechos (la «fazienda»), a las experiencias adquiridas en el curso de una vida; en todo momento se evitan las digresiones letradas o eruditas, proponiéndose, en su lugar, una trama de consejos esenciales, pensada no sólo para su hijo, sino también para unos destinatarios plurales —«ca yo non lo fiz sinon para los que non fuesen de mejor entendimiento que yo» (118)— que permiten enmarcar el orden social en que se encuentran instalados el autor y el receptor principal del libro, porque, a partir de ese punto un anafórico «Fijo don Ferrando» va propiciando la ordenación de la materia por capítulos; se centra el primero en el alma, para ocuparse, ya en el siguiente, del cuerpo y de los cuidados básicos que merece recibir; Mota considera que este desarrollo acoge una de las exposiciones más claras dedicadas por el autor a la antropología, muy mediatizada por ideas tomistas; en todo momento, don Juan mantiene una postura de ortodoxia religiosa: asume los dogmas eclesiásticos —y podía conocer textos catequéticos impulsados en el concilio de Vienne (1311)— y predica una obediencia filial a la Iglesia; pero este libro no es un catecismo, simplemente define «el fundamento básico del amor y del temor de Dios que debe albergar el cristiano» (pág. 72). En este sentido, el regimiento de la salud inserto en el cap. ii se articula con una voz más confidencial, surgida de sus experiencias y dirigida a los intereses personales representados en su hijo, a los que se acomoda ya la materia del tratado, con continuas remisiones al *Libro de los estados*, pues no en vano se advierte que se ocupa de «la criança de los grandes omnes como vós, et los fijos de los reys et de los grandes señores» (135).

Este orden educativo lo remata el cap. xxvi, escrito con posterioridad al conjunto, en realidad un breve opúsculo en el que se definen las distintas maneras de *amor* a las que pueden ajustarse las relaciones sociales; recuerda Mota que esta materia *de amicitia* ya había sido ilustrada en los «exemplos» del *Libro del conde Lucanor;* ahora, don Juan extrae estas reflexiones de su propia experiencia personal, porque, tras avisar que no ha conocido jamás el «amor complido» o perfecto, comienza a desplegar las maneras de amor probadas a lo largo de su vida.

Como se comprueba, Carlos Mota realiza uno de los análisis más completos que se hayan practicado sobre este libro, que es editado con exhaustiva anotación y con un apéndice final en el que se incluyen los pasajes del *Libro de los estados* a los que se remite desde el interior de este tratado.

7.3.4: *«Romances» de materia caballeresca: el ciclo artúrico* [págs. 1459-1469]

El conocimiento de la materia artúrica se ha enriquecido con ediciones recientes, a las que deben añadirse otras de inminente aparición y algún estudio global que vale para todo el conjunto de la producción caballeresca como es el caso de la monografía de Emilio José Sales Dasí, *La Aventura Caballeresca: Epopeya y Maravillas*[99], metódico examen de los personajes centrales (el caballero y la dama) y secundarios (divididos en ayudantes y antagonistas), proyectados en los espacios en que se mueven (corte, castillo, floresta, mar, isla) y engastados en la ficción de la escritura que les presta verosimilitud; este proceso de estudio llega a la conclusión de que el género caballeresco, en el siglo XVI, representa el triunfo de la ficción y la maravilla[100].

7.3.4.2: Los materiales de la *Vulgata* [págs. 1470-1475]

Preparada por Harvey L. Sharrer y Antonio M. Contreras, ha aparecido por fin, en 2006, casi treinta años después de la primera noticia referida a este proyecto (ver n. 362 de pág. 1471), la edición del *Lanzarote* custodiado en el BN Madrid 9611[101].

---

[99] Alcalá de Henares, C.E.C., 2004.

[100] «El sueño del heroísmo, afán imperecedero, se materializa en unas obras donde los personajes, buenos o malos, se describen mediante el recurso a lo hiperbólico y lo extraordinario; unas historias donde predomina la acción en un intento de demostrar el dominio del caballero sobre el escenario en que se desarrolla su biografía», pág. 157.

[101] Alcalá de Henares, C.E.C., 2006 («Los libros de Rocinante»).

7.3.4.3: Derivaciones de la *Post-Vulgata* [págs. 1475-1478]

Dos fragmentos gallego-portugueses del *Livro de Tristan* y del *Livro de Merlin* han sido editados por Pilar Lorenzo y José Antonio Souto, con criterios básicamente lingüísticos que les han exigido simultanear una transcripción paleográfica y otra crítica[102]. El volumen se inscribe en el proyecto de recuperar la «prosa literaria galega medieval». La transcripción del *Tristan* se realiza sobre la reproducción fotográfica incluida en la ed. de J.L. Pensado (ver n. 403, pág. 1509), puesto que el códice se encuentra hoy perdido; la del *Livro de Merlin* toma como base el ms. 2434 de la Biblioteca de Catalunya, por el que se había interesado antes Soberanas (ver n. 370 de pág. 1477). Con un detallado estudio lingüístico, estos dos textos ofrecen un testimonio inapreciable para entender el desarrollo de la materia artúrica en la Península[103].

7.3.4.3.2.2: El *Baladro del sabio Merlín* [págs. 1485-1492]

Del proceso de creación y transmisión del *Baladro del sabio Merlín* se han ocupado Pedro Cátedra y Jesús Rodríguez Velasco[104]; trazan, en el primer capítulo —«Merlín y familia»— las vías de penetración de este orden literario en la Península Ibérica, incidiendo en el valor de las *Profetiae Merlini* de 1135, engastadas por Monmouth en su *Chronica;* en el segundo capítulo, consideran el proceso compositivo de la obra, ligado a diversas «recepciones coyunturales parciales» (pág. 35) que comienzan a fijarse a partir del reinado de Alfonso XI, asociado Merlín a sus profecías, como lo demuestran la *Crónica de Pedro I* y *El Victorial;* de hecho, el Merlín novelesco no se difunde hasta el *Baladro,* propuesto el arco de años de 1468-1470 para su gestación, por la posible alusión

---

[102] Ver *Livro de Tristan e Livro de Merlin. Estudio, edición, notas e glosario*, ed. de Pilar Lorenzo Gradín y José Antonio Souto Cabo, Santiago de Compostela, Centro Ramón Piñeiro, 2001.

[103] «A importancia destas narracións acrecéntase, ademais, cando se comproba que cada un deles foi composto nas beiras opostas do río Miño, o *Tristan* no norte e o *Merlin* no sur. Deste xeito vénse demostra-la similar fortuna que tanto en Galicia como en Portugal tiveron as lendas sobre o famoso rei Artur e os seus cabaleiros», pág. 25.

[104] Ver *Creación y difusión de «El Baladro del sabio Merlín» (Burgos, 1498)*, Salamanca, Seminario de Estudios Medievales y Renacentistas, 2000.

a los «bolliçios» e «infortunios» sufridos por Enrique IV a causa de sus pretensiones de casar a su hermana Isabel o a su hija Juana con Carlos, duque de Berry; en el tercer capítulo, se examina la importancia de la figura del mago al pasar del manuscrito al impreso, perdida su condición de personaje histórico y adquirida, entonces, la identidad literaria. Al margen de las menciones a Merlín en textos religiosos de diferente naturaleza —y destaca su presencia probatoria en las *Çinco figuratas paradoxas* de Fernández de Madrigal—, hay testimonios de una *Demanda* en la biblioteca del conde de Haro, otra en la del conde de Benavente, además de una referencia a una traducción tripartita de la *Demanda* en un inventario del Alcázar de Segovia de 1503; este conjunto de volúmenes parece remitir al reinado de Juan II. Mayor valor tiene la biblioteca del regidor y comendador santiaguista, don Francisco de Santisteban, con sesenta y cuatro entradas de materia histórico-caballeresca, de las que dos corresponden a la *Demanda del sancto grial;* esa colección de libros resulta fundamental para seguir el rastro de las primeras impresiones de los textos caballerescos; se recuerda, así, que el Comendador era amigo de Garci Rodríguez de Montalvo y que Juan de Burgos se trasladaba a Valladolid para publicar el *Tristán de Leonís* y el *Oliveros de Castilla*, siendo, a la par, el responsable de la impresión del *Baladro*[105].

7.3.4.3.3: La *Demanda del Santo Grial* [págs. 1492-1505]

Ya se indicaba en n. 384 de pág. 1492 que de la *Demanda* impresa en Toledo en 1515 por Juan de Villaquirán sólo se conservaba la segunda parte, encuadernada con una copia del *Baladro* de 1535; esa sección permanecía inédita, pero ha sido, ahora, rescatada en una brillante tesis doctoral por José Ramón Trujillo[106]. Como acaba de precisarse,

[105] Se apunta esta importante hipótesis: «Juan de Burgos produjo nuestro hermoso *Baladro*. Pero también una porción de libros en los que la manipulación textual ha llamado mucho la atención. Las adiciones y cambios que se realizan en estos libros de Juan de Burgos requieren un cierto expertizaje literario. No sé si el impresor lo tenía, pero sí era capaz de eso y más el Comendador», pág. 91.

[106] Ver *La versión castellana de «La Demanda del Sancto Grial»*, Universidad Autónoma de Madrid, 2004. Está previsto que el texto aparezca en la colección «Los libros de Rocinante» del Centro de Estudios Cervantinos en 2007, siendo inminente la publicación de la Guía de lectura (Alcalá, C.E.C.).

es factible que existiera una *Demanda* en 1500 —en la cámara de la reina— de la que derivaría ésta de 1515, a la que se devuelve aquí su singularidad frente al resto de las versiones conocidas de este tercer brazo de la *Post-Vulgata;* para ello, se reconstruye la evolución de la materia del Grial en su contexto artúrico desde los orígenes franceses medievales hasta estos impresos castellanos de comienzos del siglo XVI. De la *Demanda*, como se recuerda, no se conserva un original francés completo, sino fragmentos y episodios dispersos; precisamente, los textos hispánicos —como demostrara Bogdanow— se encuentran más cerca del arquetipo. Una de las conclusiones importantes a que llega Trujillo en su estudio surge del cotejo del impreso de 1515 con los otros textos de las versiones hispánicas de la *Post-Vulgata:* el *Lançarote*, inserto en el códice 1877 de la B.Univ. de Salamanca, y *A Demanda do Santo Graal,* conservada en el ms. 2594 de la Österreichische Nationalbibliothek de Viena; se trata de versiones diferentes, sin filiación entre sí, pero descendientes de un original único, trasladado del francés, aunque no sea dable saber la lengua peninsular que lo acogería. Lo cierto es que esta *Demanda* es diferente a la gallego-portuguesa y que en la forma conservada debe contarse con una preparación de la misma, al menos para dos públicos: primero para la nobleza de comienzos del siglo XIV con un espíritu cercano al marco de recepción generado por el molinismo, después para el lector castellano que compra libros de caballerías en los primeros decenios del siglo XVI; para este destinatario es para quien se preparan los paratextos que permiten encuadrar la obra dentro del subgénero de los libros de entretenimiento. Trujillo insiste en que esta *Demanda* no es una traducción —sobre todo por el alejamiento ideológico y formal del impreso toledano de «su inexistente original francés»— sino una versión evolucionada del ciclo que permite tratarla como obra original. En cualquier caso, era la versión más antigua de la *Demanda* que permanecía hasta la fecha sin edición moderna; si ésta surge, además, de una ambiciosa colación de más de cuatrocientas páginas entre las versiones gallego-portuguesa y castellana y de un análisis minucioso del estado de lengua, puede afirmarse que este trabajo ecdótico no sólo devuelve al texto su valor esencial, sino que, por sí mismo, se convierte en modélico para acometer empresas similares.

7.5.1.1: Martín Pérez, *Libro de las confesiones* [págs. 1739-1744]

Casi veinticinco años se han necesitado para que aparezca la tan esperada edición crítica y reconstructiva del *Libro de las confesiones* de Martín Pérez, de cuyas etapas iniciales se informaba en la n. 705 de pág. 1740. Se cuenta, ahora, por fin, con el primer gran manual de formación religiosa y catequética, instigado en el marco de una de las operaciones de reforma religiosa más consistentes; este adoctrinamiento requiere de una incipiente tratadística romance, encauzada mediante el discurso de la prosa, aunque se siga utilizando también, como ocurriera en los primeros decenios del siglo XIII, los esquemas estróficos de la cuaderna vía. Con todo, el *Libro de las confesiones* excede a cualesquiera de los catecismos que desde estratégicas sedes episcopales se instigan en la primera mitad del siglo XIV; ya se advertía que, en su interior, se contenía uno de los mosaicos más abigarrados de las formas de vida y de las líneas de pensamiento de su época; Martín Pérez, amén de su expertizaje como canonista y decretalista, contempla muy de cerca el mundo en el que vive, para describirlo con todo lujo de detalles y someterlo al riguroso análisis que el sacramento de la penitencia prescribe; su *Libro* es, en efecto, una de las más ambiciosas *Summae confesorum* alumbradas en los siglos medios; al menos, dentro del ámbito hispánico, una vez vista la amplitud de la casuística a que se da acogida, no se encuentra obra que pueda compararse a este profundo examen que se realiza de la sociedad y de sus diversos estados; desde luego no en lo que respecta a los tratados penitenciales —con la salvedad del *Confesional* del Tostado (§ 10.6.3.5)— que son concebidos como breves piezas doctrinales que han de servir para preparar la confesión, guiarla, apuntar la penitencia correspondiente a cada una de las faltas apuntadas; resultaba, así, que estos manuales solían reducirse a la práctica y eficaz rejilla de pecados y de admoniciones consiguientes; precisamente, para iluminar las culpas posibles en que podían incurrir los cristianos se solían esbozar rápidas viñetas que funcionaban a modo de *similitudo* o de *exemplum* de la situación sobre la que se prevenía; esta breve materia narrativa podía configurar una suerte de trama literaria, dependiente de las dotes o del interés con que cada uno de los autores acometiera la preparación de su manual: se han apreciado, en este sentido, las escenas —casi costumbristas— del *Libro de la justiçia de la vida espiritual* (§ 8.4.4.2) del arzobispo sevillano don Pedro Gómez Álvarez de Albornoz o la colectánea de *exempla* con que se complementa el llamado *Libro de confesión de Medina de Pomar* (§ 10.6.3.4.2); estos procesos, que no corresponden más que a la voluntad de fijar secuencias prácticas y demostrativas de los diferentes pecados, se encuentran ya en el *Libro de las confesiones* de Martín Pérez, vinculados además a una cuidadosa descripción de carácter estamental; sólo Rodrigo Sánchez de Arévalo acomete una evaluación similar de los grupos humanos y sociales en su *Speculum vitae humanae,* publicado en Roma en 1468 [*HPRC,* § 8.3.2].

Era fundamental, por tanto, que se publicara este *Libro de las confesiones*[107] y se entiende la larga espera una vez vistos los resultados alcanzados y los problemas a que los editores han tenido que enfrentarse; en efecto, no se conserva un sólo testimonio en que se transmita completo el manual de Martín Pérez, aunque sí quede noticia de que al menos en la catedral de Palencia, en torno a 1481, se custodiaba una versión íntegra de la obra; en total, perviven ocho manuscritos castellanos con alguna de las tres partes en que se divide el cuerpo del *Libro,* más dos fragmentos, amén del rastro de cuatro códices hoy perdidos. Ante esta dispersión, los editores han optado por elegir, para cada una de las tres secciones principales del *Libro,* un códice que han convertido en testimonio base de su edición, complementado con el aparato de variantes —muchas de ellas consideradas erratas— de los otros manuscritos. La primera parte de la obra procede del Ms. 23 de la Real Colegiata de San Isidoro de León, la segunda del Ms. 21 de la misma biblioteca y la tercera del Ms. 7-7-2 de la Colombina; se valora, también, el BN Madrid Ms. 9.264 —carente de prólogo y de las dos últimas partes de la obra— que fue el utilizado para el análisis de § 7.5.1.1. Los editores reconstruyen el *Libro de las confesiones* con todas las dificultades y riesgos que ese proceso comporta, hasta el punto de preguntarse si el ensamblaje final del *Libro* conseguido se correspondería o no con el que redactara, en torno a 1316, Martín Pérez[108].

---

[107] Ver Martín Pérez, *Libro de las confesiones. Una radiografía de la sociedad medieval española,* ed. crítica, introducción y notas de Antonio García y García, Bernardo Alonso Rodríguez, Francisco Cantelar Rodríguez, Madrid, B.A.C., 2002, con un «Estudio lingüístico de los manuscritos base de la edición», por Mª Nieves Sánchez González de Herrero, págs. xxxiii-xli.

[108] La respuesta a esta cuestión es prudente: «Pues bien, en medio de todas estas limitaciones y problemas, creemos que si Martín Pérez pudiese leer el texto de nuestra edición, lo reconocería como fundamentalmente suyo y, además, aprobaría casi todas o la mayor parte de las interpretaciones que hacemos de su texto con nuestra puntuación y suplencias», pág. xxviii.

Por otra parte, se tiene en cuenta la versión portuguesa de la obra, preparada a finales del siglo XIV, de la que se conservan tres códices que transmiten la primera y tercera parte del *Libro;* el Ms. de la B.Nacional de Lisboa 377 está estrechamente relacionado con el BN Madrid 9.264; dos de los códices conservados fueron preparados por fray Roque de Thomar, monje de Alcobaça, en 1399; se trata de una traducción casi literal de la redacción castellana, de modo que permite confirmar algunas de las lecciones del texto crítico. Paradójicamente, el número mayor de referencias portuguesas al *Libro* remite a la segunda parte, de la que no se conoce ningún testimonio, quizá, como conjeturan los editores, porque fuera la más utilizada.

Se analiza, además, la abreviación a que fue sometido el *Libro* para ajustarlo a los límites usuales de estas *summae confitendi;* esta versión se conserva en el Ms. 9/2179 de la R.A.H. y es la que analiza H. Thieulin-Pardo en la tesis recogida en n. 695 de pág. 1737. El rasgo más llamativo de este compendio consiste en insertar las *auctoritates* en el cuerpo del texto, sacadas de los *marginalia* en que las fuentes se declaraban en la versión extensa de Martín Pérez.

Se valoran, por último, las remisiones al *Libro* conservadas en otras obras doctrinales y que revelan la aceptación e influencia ejercida por la compilación penitencial de Martín Pérez; así, en un *Speculum peccatoris et confessoris* de mediados del siglo XV —Ms. 37, Real Colegiata de San Isidoro— el *Libro* de Martín Pérez es comparado con el *Speculum Ecclesiae* de Hugo de San Caro o con el *Manipulus Curatorum* de Guido de Monterroqueiro. Es, asimismo, destacable la valoración que el rey don Duarte —el mismo al que Cartagena dirigiera su *Memoriale virtutum*— concedía a las exhortaciones que Martín Pérez dedicaba «os pecados que perteecem aos senhores de mayor e mais somenos estados» (pág. xxiii) tal y como lo refleja su *Leal Conselheiro*.

Para complementar el análisis de § 7.5.1.1, conviene apuntar aquí dos ideas cuando menos. La primera se refiere a la inserción del libro en el amplio movimiento de reforma religiosa que la escuela catedralicia toledana impulsa desde el reinado de Sancho IV; se explica, así, el sesgo doctrinal de los poemas clericales, la producción catequismal (con la extraordinaria apertura del *Diez Mandamientos*: § 5.3.2) y, sobre todo, la acogida que se presta a la materia penitencial en los textos esenciales que han permitido definir la ideología del molinismo: los *Castigos de Sancho IV,* el *Lucidario,* el *Barlaam*, además de los productos literarios en que se sintetizan las claves de este pensamiento cortesano: el *Zifar*, el *Libro del conde Lucanor* y el *Libro de buen amor;* todas estas obras participan del espíritu reformador que cuaja en el Concilio de Valladolid de 1322, de donde la oportunidad de aprovechar el mayor número de cauces posibles para instruir no sólo a los legos, sino de manera especial a los clérigos que carecían de la suficiente ciencia como para administrar los sacramentos que se les confiaban. Ésa es la principal preocupación que se declara al frente del *Libro* de Martín Pérez:

> Comiénçase el pobre *Libro de las confesiones*, dicho así porque es fecho e cunplido para los clérigos menguados de sçiençia, e porque es así como mendigado de los libros del derecho e de las escripturas de la santa teología, do es riqueza e cunplimiento de sabiduría para la carrera d'esta vida, de la cual sabiduría se contiene en este libro alguna pobre partezilla (3).

Al margen de los tópicos proemiales, Martín Pérez se está dirigiendo al mismo público en que parece pensar Juan Ruiz y lo hace sirviéndose de la lengua vernácula como medio de garantizar la difusión doctrinal:

> Por ende, ruego a ti, leedor, que si fallares en ti sçiençia e letradura, que non muerdas nin despreçies esta poca limosna, sacada de las letras, en lengua comunal, non para ti, farto de sçiençia, mas para los fanbrientos d'ella, porque aquellos que non salieron al restrojo de la escuela a coger las espigas de la escriptura, que puedan, si ál que non, aver en sus casas los granos del trigo linpio, sin las pajas e las aristas de la disputaçión (3-4).

Una declaración de estas características acuerda con las pautas esenciales de la poética de recepción vertidas en los prólogos de don Juan Manuel o de Juan Ruiz[109], dirigidas a la necesaria división de receptores, al modo en que las obras presentadas debían servir para formar a aquellos que carecían de «sçiençia», desechada cualquier pretensión de ahondar en un conocimiento religioso debidamente interpretado y articulado por decretos y cánones. De modo expreso se afirma que no se pretende suscitar disputa alguna, advertido el peligro de debates de esta naturaleza, tal y como se señalaba en el *Lucidario* (ver § 5.1.2.2, págs. 899-900).

---

[109] He examinado estos principios en «El *Libro de buen amor:* las líneas de pensamiento poético», ver *«El Libro de buen amor» de Juan Ruiz, Archiprêtre de Hita*, ed. de Carlos Heusch, París, Ellipses, 2005, págs. 159-174.

En segundo lugar, la conciencia de autoría se revela en el proceso de división estructural del libro, en los elementos que se refieren a la *dispositio* de la materia. El cuidado de Martín Pérez es extraordinario en este sentido; se preocupa, así, de sintetizar las tres partes de que consta la obra y de apuntar las relaciones internas que entre las mismas se perciben:

> Este libro es partido en tres partes. En la primera fabla de los pecados comunales a todos los estados. En la segunda fabla de los pecados en que pueden caer espeçialmente algunas personas de algunos estados señalados. En la terçera fabla de los sacramentos. E comoquiera que esta terçera se pudiera ençerrar so las primeras amas, enpero por el matrimonio, que es tratado luengo e pusiera grand alongamiento en las razones e grand departimiento de las materias, por eso se puso por sí en su parte (11).

Este cuidado es extremo incluso en los detalles de la formación física y material del *Libro* para que el que lo consulte pueda saber en cada momento en qué parte o sección se encuentra; a ello ha de ayudar no sólo la capitulación sino las propias marcas de división de los cuadernos, así como la correspondencia entre la numeración de los capítulos de la tabla principal y los epígrafes concretos de los tres libros; esta labor la debe verificar o completar el poseedor de alguna de las copias que se hicieran de la obra:

> E deven las rúbricas del libro ser emendadas por las rúbricas de las tablas, e deven esos mismos cuentos ser puestos en ellas. E puede cada uno en su libro fazer otro inventario más çierto, ca puede contar las fojas e poner en cada una su cuento; e puede poner, en cada verso escripto de prieto de los que están en la tabla, el cuento de la foja do es aquella razón escripta; e puede poner en cada verso de fuera una letra tal *a, b, c, d,* e poner aquella misma letra en aquella foja do es aquella razón escripta e póngala de fuera en aquel derecho do comiença aquella razón, e cuando fueren todas las letras del *a, b, c* espendidas, torne a ponerlas otra vegada con senos puntos e con dos cuentos, e así adelante fasta que tenga cunplimiento. Por esta manera sabrá catar mucho aína, aquel que el libro non oviere usado, las cosas que demandare que se contienen en este libro (11-12).

Son datos preciosos para diseñar una historia de la lectura en la Edad Media, que ha de estar necesariamente ligada a los destinatarios de los libros que se copian.

Considerada ya la totalidad de la obra, merece la pena destacar algunos de los aspectos que inciden directamente en la construcción del imaginario letrado o narrativo de comienzos del siglo XIV. Hay situaciones descritas con vivacidad y dinamismo, ajustadas a la forma de los *exempla*, como ocurre con I.xli en donde se advierte sobre las mujeres que conciben en adulterio o que fingen partos maravillosos; en otras ocasiones, se ofrecen directamente «ejemplos» para ilustrar los pecados de que se habla, como en I.lxiv a cuento de referir los «fechos que semejan usura», con una importante justificación del empleo de estas unidades descriptivas[110]; en este orden, en el Libro segundo se incluye un breve oracional entre II.lxxxvii-xci, precedido de una sintética exposición sobre los tres sentidos que subyacen en los textos sagrados[111], todo ello con el propósito de advertir el riesgo de no traspasar —por las palabras halagueras o el son de la música— el primer nivel literal[112]; por supuesto, entre los pecados de la lengua —enumerados en I.clxiii— se encuentra el «torpe fablar», el que acoge las «caçorrías e otras palabras suzias» que además de afectar a quien las dice, comprometen gravemente a quien las escucha[113]; no cabe aquí el «jugar de palabra» que se toleraba en *Partida II* como medio de construir la «alegría» cortesana

110 «Asaz cunplían las cosas dichas para conosçer el pecado de la usura, que llaman algunos logro, e para se guardar d'él e para los confesores entendidos saber consejar. Mas porque la cobdiçia çiega a muchos e non ven las foyas en que caen, conviene que gelas muestren con la mano, que las palpen, poniendo algunos de los engaños e de las sotilezas que fazen los omes para encubrir la usura por que non paresca», 87-88. Las argumentaciones son similares a las que despliega Juan Ruiz en su prólogo en prosa con el pretexto de amparar la materia relativa al «loco amor del mundo».

111 «Esta devoçión de alegría dizen los santos que puede ser en tres maneras. La primera es en las palabras que dizen e en los ofiçios que fazen. E la segunda es en el seso de las palabras e en las cosas por los ofiçios demostradas. La terçera es Dios, a quien las Horas se dizen e los ofiçios se fazen. Semejança d'estas cosas: un ome llevava un presente al rey, o iría cuidando en la apostura de fuera suya o del presente que lleva, o cuidara en la del presente que lleva cubierto por que le guarde e que le sepa poner honor, o cuidara en la persona del señor delante quien ha de paresçer», 349.

112 «Otros ay que se deleitan en el seso de las palabras que dizen e cantan. Estos bien paran mientes que lean e canten verdadero, mas más paran mientes en el entendimiento que so las letras yaze ascondido», 350. Juan Ruiz envuelve con avisos similares las fábulas más arriesgadas de su libro.

113 «E d'este pecado conviene saber que tanto se pueden en ello deleitar los omes, que pecaran mortalmente, demás que dan ocasión de pecar a muchos por el su vano fablar, así como cuando el ome dize palabras oçiosas en que non ha bien nin pro, salvo que espienden los omes su tienpo en balde en fablar de vanidades», 199-200.

(revísese el texto de pág. 1744); en correspondencia con esta preocupación, la segunda forma de simonía de que se habla en II.xxxv se refiere al «don de lengua», es decir a los «ruegos e lisonjas» (282) mal intencionados; por ello, se exhorta a los predicadores a que no utilicen «palabras blandas e lisongeras e falagueras» (391) con las que pueden no sólo elogiar a aquellos que obran mal, sino falsear las Escrituras[114]; en similar culpa incurren los maestros y los letrados (II.cxxxi) que pueden transmitir «a sus disçípulos pecados e malas costunbres abueltas de la sçiençia» (437), amén de que haya «doctores» interesados en esas materias sólo «por se gloriar en tal cátedra e en tal ofiçio» (íd.); por ello, en II.xlii se enumeran las disciplinas convenientes a los clérigos y los límites a que deben ajustarse:

> La cuarta cosa es que sea prudente, que quiere dezir sabio, ca deve saber algo de la santa Escriptura de Dios para predicar e para enseñar a las almas a bivir e guardarse de pecado, e deve saber gramática para leer sin falso en la iglesia. E de las otras sçiençias que pueden ayudar para la santa sçiençia aprender, así como son lógica e retórica, si quisiere saber puede saber, en tanto que le ayude para oír la sçiençia de piedat (294).

Se trata de un aspecto capital en estos decenios iniciales del siglo XIV en los que sigue denunciándose la incuria intelectual de muchos clérigos, como en el mismo proemio de este *Libro* se pone de manifiesto, pero a la par se avisa también sobre la «soberbia» derivada del «deleite de saber» (íd.), aún más si se emplea para «ferir de la lengua» (295); en este sentido, y frente a la tradición de los aguerridos mitrados de la sede toledana, en II.ix se recomienda a los clérigos que no vayan a la frontera a luchar contra los moros, invitándoles a abrazar las «armas espirituales» (244) y a dejar las que son ajenas a su verdadera misión; esta promoción de la «caballería espiritual» frente a la militar es una constante de las obras instigadas en el marco del molinismo *(Barlaam, Castigos de Sancho IV* o *Zifar* así lo demuestran).

No se olvide, en fin, que en el *Libro de las confesiones* se encuentra una completa tipología de los oficios juglarescos (revísese n. 714 de pág. 1743) entre II.cxxxv-cxxxviii, en donde se habla de los histriones

---

114 «Mas algunos predicadores por consejo del diablo fazen de las piedras pan, tornando las palabras ásperas en palabras blandas», 392.

que con sus cuerpos adoptan otras semejanzas, incluidas figuras diabólicas, de los «albardanes e profaçadores e dezidores e trobadores de mal» (444), de los «juglares» —algunas de cuyas interpretaciones sí eran permitidas[115]— y de los «salvajes», que son aquellos «que se rieptan para lidiar» (447). Por supuesto, los clérigos tienen prohibido el asistir a cualesquiera de estos pasatiempos, sobre todo si se trata de torneos.

Bastan estos apuntes para ratificar lo que ya se afirmara en pág. 1744: el *Libro de las confesiones*, al margen de su contenido teológico, es un completo repertorio de los signos y las formas de la vida cotidiana de las primeras décadas del siglo XIV, sumamente útil para acercarse a la producción literaria de este período, en especial a la alumbrada por don Juan Manuel y por Juan Ruiz, con quienes Martín Pérez comparte las líneas esenciales del pensamiento molinista.

8.3: Los libros de viajes [págs. 1821-1852]

Posiblemente, el grupo genérico de los libros de viajes sea el que haya conocido un incremento mayor de estudios en los últimos años; no sólo han aparecido monografías dedicadas al conjunto de esta tradición textual (ver, luego, n. 128 de pág. 4056), sino varias e importantes ediciones, ya aplicadas a un repertorio global de obras —los dos volúmenes de *Viajes medievales* de la Biblioteca Castro—, ya consagradas a títulos individuales que han sido recuperados con todas las garantías filológicas; ocurre, así, que de alguna de estas piezas —el *Libro de las maravillas del mundo* y el *Libro del conoscimiento*—, desatendidas durante largo tiempo por la crítica, se cuenta hoy con dos ediciones estimables, fijadas en el margen de pocos años. Procede, por orden, señalar los rasgos más importantes de estas novedades bibliográficas.

---

115 «Otra manera ay de estriones, que llaman juglares, e traen vihuelas e çítolas e arrabees e otros instrumentos, e estos juglares son en dos maneras. Si son tales juglares que cantan cantares de los santos o de las faziendas e de las vidas de los reyes e de los prínçipes, e non cantan otros cantares locos que mueven a los omes a amor mundanal, e cantan en lugares honestos e non en lugares deshonestos, bien podemos a estos tales juglares dar vagar a bivir de tales ofiçios, tanto que se confiesen e bivan en otra manera en penitençia. Ay otros juglares que cantan cantares suzios e de caçorrías e otros cantares vanos de amor, que mueven a los omes a luxuria e a pecado cuando los oyen», 445.

8.3.1: *El «Libro del conosçimiento»* [págs. 1824-1828]

Del nuevo ms. de este libro (el *Z*, Múnich, Bayerische Staatsbibliothek, Cod. hisp. 150, ver n. 144 de pág. 1825) ha aparecido una cuidada edición facsimilar a cargo de la propia Mª.J. Lacarra, de María del Carmen Lacarra Ducay y de Alberto Montaner[116]. El facsímil va precedido de cuatro estudios; Mª.J. Lacarra y A. Montaner trazan el «Análisis codicológico y tradición del manuscrito Z» (págs. 9-29), señalando que su letra —una gótica híbrida— es muy similar a la de otros manuscritos del siglo XV, datándolo a finales de esta centuria, advertida su procedencia aragonesa o navarra. Se verifica la relación del testimonio *Z* con el de *S*, que pertenecía a don Íñigo, posiblemente por contaminación. Se fijan, a la vez, las pautas de la transmisión textual de la obra: el texto tuvo que concluirse en 1390, ya que entre 1440 y 1454 se preparó un ejemplar de lujo para regalárselo a Juan II; de su modelo deriva la copia que sirve de base a *R*, *N* y *S;* del ms. de Juan II, en torno a 1475 se realiza en Aragón este nuevo testimonio que acabó en manos de Zurita.

La ornamentación policromada del códice es estudiada por Mª del Carmen Lacarra Ducay en «Las ilustraciones figurativas del manuscrito *Z* del *Libro del conosçimiento*» (págs. 31-42), valoradas porque incrementan el catálogo de los dibujos coloreados aragoneses del siglo XV; su autor manejaba una variada iconografía, proveniente de los repertorios que circulaban por Europa desde el siglo XIV, interpretada de manera personal, con acusada intencionalidad y con buen gusto.

La tradición vexilológica del *Libro* es examinada por Alberto Montaner en «El *Libro del conosçimiento* como libro de armería» (págs. 43-69), vinculando la vexilología medieval con la heráldica tal y como precisara Martín de Riquer (ver n. 146 de pág. 1826). Se aprecia la originalidad de presentar los emblemas bajo la forma de un libro de viajes, acogidas las armerías de los reyes del mundo conocido, así como las de las principales localidades recorridas. Se funden en el texto los componentes geográficos y armoriales, integradas las fuentes cartográficas con las heráldicas; se encarece la voluntad del autor de relacionar los datos

[116] Zaragoza, Institución «Fernando el Católico» (C.S.I.C.)-Excma. Diputación de Zaragoza, 1999.

que manejaba para extraer de los mismos nuevas atribuciones, apoyado por lo común en su imaginación[117].

El estudio propiamente literario del texto lo realiza María Jesús Lacarra en «El *Libro del conosçimiento:* un viaje alrededor de un mapa» (págs. 77-93), apuntando al soporte —hoy perdido— de un mapa mundi o de un portulano, ejecutado por algún cartógrafo judío, del estilo del *Atlas de 1375;* en estos mapas se apuntan leyendas y tradiciones que le pudieron servir al autor para ofrecer los escuetos apuntes de los lugares de los que habla; destaca, en cambio, el conocimiento minucioso que tiene del norte de África, posible recuerdo de algún viaje real o de otra fuente, oral o escrita, de donde las noticias que se ofrecen sobre las islas Canarias, con una descripción tan detallada como la que figura en el mapa del mallorquín Guillermo Soler de 1385; este aspecto es el que recomienda datar el *Libro* en torno a 1390[118]. Del análisis de la transmisión de la obra, encuadrada en otros testimonios del género, deduce que los libros de viajes, al igual que los tratados geográficos, al margen de las leyendas y de los *mirabilia* que transmitieran, eran consultados por su contenido didáctico, científico y sapiencial. La concepción enciclopédica avalaba estas producciones y suscitaba el interés de los nobles y regios poseedores de estos libros.

Otra edición del *Libro del conosçimiento* cierra el tomo de los *Viajes medievales 1*, preparada por Joaquín Rubio Tovar[119] siguiendo el testimonio del ms. *S* (BN Madrid 1997), el editado por Marcos Jiménez de la Espada (n. 144 de pág. 1825). Reconoce el editor, en las páginas introductorias, que la prosa del *Libro* no es de gran calidad, señaladas como causas de su éxito «la información que suministra, su relación con la cartografía y la particularidad de unir relato de viajes e información heráldica» (pág. lxix).

---

[117] «En este sentido, la mayor originalidad del *Libro del conosçimiento* consiste en haber ensartado la exposición de las señales al hilo de un relato, aprovechando al máximo la capacidad estética de las armerías, y en haber creado un híbrido de libro de viajes y de repertorio emblemático, ofreciendo una categoría nueva y única en el ámbito de las fuentes heráldicas y vexilológicas medievales: un armorial portulano», pág. 69.

[118] «Si consideramos el *Libro* escrito en el último cuarto del siglo XIV, la obra se enmarcaría en un momento importante en la Península, en el que también se despierta el interés por los espacios lejanos», pág. 84.

[119] *Viajes medievales, I. Libro de Marco Polo. Libro de las maravillas del mundo de Juan de Mandavila. Libro del conoscimiento*, Madrid, Biblioteca Castro, 2005. El *Libro* ocupa las págs. 347-404.

8.3.2: *El «Libro de Marco Polo»* [págs. 1829-1831]

El mismo volumen de *Viajes medievales 1* lo inaugura el *Libro del famoso Marco Polo veneciano* (págs. 1-147), que J. Rubio edita conforme a la impresión de Logroño, 1529. En su introducción, considera las hipótesis fijadas en torno al grado de verdad de este incierto y dilatado viaje, para señalar que no importa tanto la experiencia personal del mercader veneciano, cuanto el relato de esa experiencia y la aventura textual que propicia, sobre todo si se tiene en cuenta que la redacción no es ejecutada por Polo, sino por Rustichello de Pisa, que aplica en su trabajo paradigmas caballerescos. Los diversos títulos que de la obra se conservan demuestran que el texto no fue recibido sólo como un libro de viajes o un manual para un mercader; sorprende, de nuevo, la dimensión enciclopédica de su abigarrado contenido y la atención que se presta al ámbito de lo maravilloso, soporte de las miniaturas y xilografías con que el *Libro* se difunde, influyendo en el *Atlas* (1375) del judío mallorquín Abraham Cresques; no se olvida el interés de Juan Fernández de Heredia por este relato ni la conexión con los viajes colombinos a través de la traducción de Rodrigo Fernández de Santaella *(HPRC,* § 12.2.3).

8.3.3: *El «Libro de las maravillas del mundo»* [págs. 1831-1833]

La pieza central de *Viajes medievales 1* la forma el relato de Mandeville (págs. 149-346), editado según el testimonio del impreso valenciano de 1524. J. Rubio valora el libro como un repositorio de la tolerancia religiosa medieval, glosando la influencia ejercida en toda suerte de lectores, tanto letrados como humildes trabajadores, artistas o nobles, de donde la amplia difusión que alcanzó en las principales lenguas europeas. Se trata de un viaje de gabinete, forjado con libros y mapas[120], pero transformado en las sucesivas traducciones que se fijaban y en las

[120] Con esta salvedad: «Conviene señalar que Mandeville no se limitó a hilvanar una fuente detrás de otra, sino que es un narrador inteligente, con una idea muy clara de lo que quería escribir. El autor propone, a base de trenzar y destrenzar fuentes, una organización literaria en la que geografía e historia se combinan de manera novedosa», pág. xlvii.

adaptaciones exigidas por los lectores a sus nuevas circunstancias; prevalecen, así, del *Libro* tres núcleos: la descripción de Tierra Santa, los datos sobre los tártaros y el ámbito de prodigios del Este; sin embargo, la sensación de un viaje realizado se mantiene a lo largo de todo el *Libro*, ofrecidas cifras y mediciones astronómicas en la redacción francesa, además de acogidas observaciones sobre la geografía física y humana que supuestamente se recorre. La obra alterna una dimensión enciclopédica sobre el pasado —esa *imago mundi* festoneada con noticias generalmente escriturarias— y una clara concepción sobre el presente, articulada con referencias coetáneas; ello provoca que la organización de la historia se vuelva fragmentaria, pero siempre con una cuidada relación entre tiempo y espacio, que favorece la inclusión de apuntes de crítica social y religiosa[121]. J. Rubio insiste, por último, en el proceso de cambios que sufre el *Libro* desde el original francés de 1360, pasando por la versión aragonesa de finales del siglo XIV, hasta alcanzar el estadio de los impresos castellanos del siglo XVI, acomodado a dominios receptivos distintos que implican la supresión de pasajes y exigen la inclusión de nuevas informaciones; así, por ejemplo, en la impresión aquí editada, la de 1524, se eliminan las ilustraciones sobre Mahoma y las creencias islámicas, favorecida en cambio la presencia de lo monstruoso en el plano icónico por medio de las viñetas dedicadas a las diferentes razas[122].

Se debe a María Mercedes Rodríguez Temperley una ambiciosa edición del relato de Mandeville, con un análisis exhaustivo de todos los problemas que plantea a la crítica este extraño libro[123]; con razón, indica que el interés del libro no estriba tanto en los datos geográficos que proporciona como en la influencia que ejerce sobre lectores posteriores, siendo el más famoso Cristóbal Colón, a quienes transmite sus

---

121 «Lo interesante es que el autor no recurre a ningún procedimiento literario, a ningún elemento que disimule sus críticas, como las visiones o los sueños reveladores. El narrador denuncia con absoluta claridad que los cristianos no vivían como tales y que la corrupción reinaba en todas partes», pág. liv.

122 El tomo de *Viajes medievales 1* contiene dos reproducciones de mapas que se antojan fundamentales para reconstruir los itinerarios imaginados o recorridos por los viajeros medievales: el *Atlas* de 1375, ejecutado por Abraham Cresques, y un mapa que reproduce el intrincado y laborioso viaje de Marco Polo (sacado de Louis Hambis, *La description du monde*, París, Klincksieck, 1955).

123 Ver Juan de Mandevilla, *Libro de las maravillas del mundo (Ms. Esc. M-III-7)*, Buenos Aires, Secrit, 2005. Uno de los estudios previos de la editora ha sido ya reseñado en pág. 3984.

originales ideas sobre la redondez de la tierra (revísese la cita de pág. 1832), las costumbres y ritos de pueblos lejanos o desconocidos, la configuración del mito del buen salvaje, la crítica con las jerarquías eclesiásticas y los malos cristianos o la tolerancia con otras creencias religiosas. Estas nociones no las aprende su autor en el curso de un viaje nunca realizado, sino que provienen de una prodigiosa acumulación y combinación de fuentes varias, que la editora incardina perfectamente a su estudio con el fin de precisar el grado de novedad que deba atribuirse al formador del libro[124].

Considera, en especial, la influencia del *Libro de las maravillas* en el imaginario fantástico medieval, examinando su aportación a la cuentística europea; Mandeville reunió en su obra un interesante conjunto de cuarenta y nueve relatos, ligados a los distintos lugares que supuestamente visitó (se catalogan, con indicación del origen y de los motivos, entre págs. xxvi-xxxii). Rodríguez Temperley examina, en particular, dos de estas narraciones —«La dama del castillo del gavilán» y «Ejemplo de las flechas»— por sus implicaciones políticas, ya que ilustran sobre el modo en que debe aprenderse a gobernar y aconsejan a conservar lo ganado; las variaciones que introduce Mandeville con respecto a las fuentes conocidas de que pudiera tener noticia se conectan a dos de los objetivos con los que había formado el libro: las críticas al comportamiento de la cristiandad y la necesidad de recuperar los Santos Lugares; ya es curioso, por ejemplo, que los Reyes Católicos acudieran al simbolismo de las flechas para marcar su escudo con las mismas ideas de unidad y de fortaleza que se predican en la segunda de estas piezas, proveniente de la *Flor de las historias de Oriente*, redactada en francés por el armenio Haytón de Gorigos en torno a 1307 y que había sido trasladada por Juan Fernández de Heredia (revísense págs. 1652 y 1829)[125].

---

[124] Y así indica Rodríguez Temperley: «...el autor, a pesar de haber trabajado con materiales textuales previos, logra una asombrosa originalidad, tanto en el nivel del discurso (en el que alterna hábilmente el uso de la primera persona), como en el nivel narrativo, gracias a la inclusión de temas no habituales para este tipo de relatos», pág. xx.

[125] Importa la conclusión que saca la editora del análisis de estas dos unidades: «El cuento de la "Dama del castillo del gavilán" y el "Ejemplo de las flechas" se inscriben dentro de esta temática al referirse a conductas que han ocasionado la pérdida de imperios, reinos y señoríos (el rey de Armenia, la orden del Temple, la cristiandad en general) y a cómo evitarlas (consejos del Gran Khan a sus hijos). Si consideramos una faceta propagandística dentro del *Libro de las maravillas del mundo* destinada a promover la reconquista de los Santos Lugares, estos cuentos no harían más que reforzar esa idea», pág. xlii.

Es, también, significativa la contribución del *Libro* al género de la utopía, realmente precursora si se tiene en cuenta que se trata de una obra difundida con amplitud en los siglos medios; la unidad textual que participa de este orden de ideas es una carta (83*v*-85*r)* en la que un pueblo que va a ser atacado por Alejandro defiende su identidad[126]; los rasgos que caracterizan este relato son la narración de un viajero en primera persona, la geografía utópica descrita, el modelo de sociedad ideal presentado, además de la tolerancia religiosa que asegura la paz en esta isla de Bragmep, llamada también «tierra de fe».

Se demuestra, así, la dimensión enciclopédica que Mandeville otorga a su libro y que depende de las descripciones centradas en los pueblos visitados, las costumbres analizadas, la flora y la fauna descubiertas, así como las razas monstruosas entrevistas; apunta Rodríguez Temperley «que los libros de viajes registran *otra forma de organizar el saber* distinta de la conocida en la época» (pág. l), comparando el *Libro* con las compilaciones de Isidoro de Sevilla, Alexandre Neckham, Bartolomeus Anglicus, el Belovacense, Thomas de Cantimpré o el *Compendium philosophiae (c.* 1300); como indica el propio Mandeville en el cierre de su *Libro*, él pretendía hablar de «cosas nuevas», «cosas estranias» y «nuevas diversidades», pero acudiendo a «libros viejos» de donde saca datos que, engastados en diferentes marcos narrativos, adquieren otro sentido; se recuerda, en fin, que a partir de 1320 se dejan de componer recopilaciones enciclopédicas, aunque asumidas algunas de sus líneas y funciones por los libros de viajes. A esta preocupación hay que atribuir la inserción en el cuerpo de la obra de cinco alfabetos: egipcio, hebreo, árabe, persa y caldeo, que Rodríguez Temperley encuadra en la inquietud del autor por el lenguaje y sus signos[127]; no cree, como la crítica ha señalado, que el cauce del que toma estos sistemas de letras sea el *De inventione linguarum* de Rabano Mauro, con el que coincide sólo

---

[126] Como indica la editora, este fragmento se hermana con la «Letra enviada por Díndimo rey de los Bragamanos a Alejandro» del *Libro de los ejemplos* y con la «Letra de los escitas a Alejandro» que aparece en el *Cancionero de Herberay des Essarts;* ambos textos han sido estudiados por F. López Estrada.

[127] «Por nuestra parte, consideramos que existe un interés sistemático de nuestro autor por el tema del lenguaje, dado no solamente por la mencionada inclusión de alfabetos sino por la traducción de vocablos en otras lenguas, por la explicación etimológica de palabras y por las referencias a las lenguas vistas como identidad de un pueblo, así como sus descripciones o relatos que incluyen noticias sobre el lenguaje gestual y sobre la carencia de la palabra en los salvajes», pág. lv.

en las descripciones del hebreo y el griego; la deturpación de las letras transcritas por Mandeville y los errores de los alfabetos son hechos que permiten suponer que el autor no pretendía enseñar estos lenguajes, sino desmitificarlos, a fin de que los receptores del *Libro* perdieran el miedo a unos símbolos que encerraban «una concepción del mundo y un sistema religioso diferentes de los conocidos» (pág. lix).

Tras revisar las hipótesis planteadas por la crítica acerca de la identidad del enigmático Mandeville, se describen las tres redacciones en que se transmite el libro, compuesto originalmente en anglonormando: la versión insular de la que proceden las traslaciones latina, inglesa e irlandesa, la versión de Lieja amplificada con interpolaciones de Ogier el Danés, la versión continental difundida por medio de traducciones latinas, italianas, españolas, alemanas, danesas y checas; se comprueba, así, que el manuscrito aragonés Esc. M-iii-7 (el que se edita) procede de esta última rama textual, mientras que los impresos castellanos del siglo XVI reciben la influencia de un subarquetipo insular francés a partir de la segunda parte (pág. lxxiv).

La penetración de Mandeville en la Península Ibérica depende, por tanto, de la corona de Aragón y de los intereses políticos ligados a las cortes de Pedro IV y Juan I; se trata de dos marcos curiales en los que se promueve la búsqueda de libros centrados en Tierra Santa y en las regiones de Oriente, así como de instrumentos de medición geográfica y astronómica, que acabarían revertiendo en un notable desarrollo de la cartografía, tal y como lo demuestra el mapamundi de Abraham y Jehuda Cresques.

Por último, el examen que practica Rodríguez Temperley del manuscrito aragonés Esc. M-iii-7 es exhaustivo; tras una minuciosa descripción, y estudiada con detalle su letrería, comprueba que el códice es obra de dos copistas, no de uno solo como pensaba Liria Montañés (n. 153 de pág. 1831), reconociendo también seis manos diferentes en los *marginalia*, descritos los asuntos por que se interesa cada uno de esos lectores. Las voces francesas que se mantienen en el texto permiten afirmar que el modelo sobre el que se practica la traducción fuera también francés; en este sentido, el texto del escurialense es muy similar al ms. de la Bibl. Nacional de Francia, Nouv. Acq. 10723, del último cuarto del siglo XIV; ello le ha permitido a la editora subsanar lagunas, malas lecturas y errores de traducción; precisamente, en el primer anexo se utiliza este testimonio (1*r*-8*v*), junto al impreso de Valencia de 1521 (2*v*-7*r*), para ofrecer —en edición a dos columnas— el contenido que falta en el arranque del códice aragonés.

Las notas y comentarios con que se acompaña el texto, así como los otros anexos referidos a las imágenes, los mapas y los topónimos, su glosario y los ocho índices diversos que se ofrecen, convierten, sin duda, esta edición de Rodríguez Temperley en la definitiva para acercarse al primer Mandeville que entra en la Península, guiado por las empresas políticas y los intereses económicos de las cortes aragonesas en las tierras orientales.

9.2.2: *El «Sumario del Despensero»* [págs. 2092-2099]

La edición crítica de este sumario, elaborada por Jean-Pierre Jardin (ver n. 44 de pág. 2093), puede consultarse ya en el Portal «École ouverte» de la E.N.S. (École normale supérieure Lettres et Sciences humaines, Lyon): http://ecole-ouverte.ens-lsh.fr/rubrique.php3?id rubrique=365 y en http://sirem.ens-lsh.fr/article.php3?id article=171.

9.4.1: *La «Embajada a Tamorlán»* [págs. 2172-2190]

Se debe a Miguel Ángel Pérez Priego —uno de los principales conocedores de esta materia[128]— el segundo volumen que la Biblioteca Castro dedica a los *Viajes medievales*[129] en el que se incluyen las ediciones de la *Embajada a Tamorlán* (págs. 1-210) y de las *Andanças e viajes de Pero Tafur* (págs. 211-379), los dos textos canónicos del siglo XV, a los que se añaden los *Diarios de Colón* (págs. 381-561). En la introducción, recuerda Pérez Priego los elementos temáticos y formales que otorgan cohesión a este conjunto de relaciones: en ellas, lo que importa es la descripción, procedimiento que tiene que conseguir que el receptor pueda recrear y sentirse partícipe de las experiencias registradas; en torno a ese hilo conductor se ordenan los demás rasgos: el itinerario, el orden cronológico, el ámbito espacial, la narración lineal en primera persona, las repeticiones y digresiones.

De la *Embajada* destaca su pertenencia al género de las relaciones de embajadores para enmarcarla en las circunstancias históricas que la

---

[128] A las n. 134 de pág. 1823 y 137 de pág. 1824 añádase, ahora, la monografía *Viajeros y libros de viajes en la España medieval*, Madrid, UNED, 2002.

[129] Madrid, Fundación José Antonio de Castro, 2006. Para el primero, revísense págs. 4050-4052.

propiciaron; es uno de los pocos libros de viajes que no está contado en primera persona, puesto que «ofrece una narración más impersonal y objetiva en tercera persona» (pág. x), a tenor del carácter cronístico y oficial que posee la obra, acompasada a un protagonista colectivo; se valora el riguroso orden cronológico, confiado a eficaces fórmulas de transición temporal que prestan al libro su condición de diario, de crónica cotidiana de los sucesos y escenarios del viaje[130]; las descripciones de ciudades configuran los núcleos más importantes de la relación, ajustadas a los esquemas de la retórica que recomendaba atender a la antigüedad y fundación de la ciudad, su situación y fortificaciones, la fecundidad de los campos y la salubridad de las aguas, las costumbres de los habitantes, los edificios y monumentos, los hombres famosos; una vez verificada la *descriptio urbis*, se procede a la amplificación y a la digresión, complementadas con los necesarios *mirabilia*, entre los que se incluyen las reliquias veneradas. Pérez Priego opta por editar el texto publicado por G. Argote de Molina en 1582[131], que no había sido publicado en época moderna.

10.4.2: Don Íñigo López de Mendoza [págs. 2516-2540]

Para el análisis de la producción prosística de don Íñigo se utilizó, con preferencia, la edición de Ángel Gómez Moreno y Maxim P.A.M. Kerkhof de 1988 (ver n. 489 de pág. 2521), descatalogada ya hace tiempo, pero que ha sido ahora recuperada, con las correspondientes actualizaciones bibliográficas, si bien dedicada sólo a los textos poéticos[132]; faltan los escritos morales y políticos —la *Lamentaçión de Spaña*, la *Qüestión* a Cartagena con la *Respuesta* del obispo—, incluyéndose dos de los literarios en un apéndice: la *Carta a doña Violante de Prades*

[130] «Cada día viene a formar así una unidad narrativa en la que se insertan las correspondientes descripciones de lugares y relación de sucesos, y que variará en su extensión según el número y la importancia de estos», pág. xiii.

[131] Y aduce «dos razones principales: porque el de Argote fue el texto que difundió la imprenta y, por tanto, el que en realidad se leyó y divulgó en la posteridad, y también porque de la tradición manuscrita hay una buena edición a cargo de Francisco López Estrada», pág. xxxvi. (para esta última referencia ver n. 158 de pág. 2173).

[132] Ver *Poesías completas*, Madrid, Castalia, 2003. La edición «se basa, fundamentalmente, en el manuscrito 2.655 de la Biblioteca Universitaria de Salamanca (SA8 en el sistema de catalogación de cancioneros de Brian Dutton)», pág. 79.

(págs. 637-640) y el *Prohemio e carta* (págs. 641-660); a ellos deben añadirse los proemios a los *Proverbios*, con la correspondiente trama de glosas (págs. 367-439), y al *Bías contra Fortuna*, que dirige a su primo el conde de Alba (págs. 439-446).

10.4.2.1.1.5: Los *Refranes que dizen las viejas tras el fuego* [págs. 2533-2534]

Se cuenta, ahora, con una edición crítica de este importante compendio paremiológico elaborada por Hugo O. Bizzarri, a quien no le cabe duda alguna sobre la atribución de la colectánea al Marqués de Santillana, confirmando la autoría declarada en la cabecera de los impresos quinientistas[133]; tras resolver los varios errores de las dos ediciones anteriores —la de 1852 de Amador y la de 1911 de Foulché-Delbosc—, Bizzarri incorpora dos nuevos testimonios a la *collatio* con que fija el texto: un impreso sevillano de Cromberger de 1522 y una copia manuscrita de la ed. de 1508, efectuada en el siglo XVIII por Juan de Iriarte. El *stemma* propuesto deja claro que *Refranes* se difunde en dos ramas diferentes; de la primera se conserva una impresión *(A)* sin lugar y año que suele datarse en torno a 1510; de la segunda se constata la independencia con que se transmite el texto de 1508 *(B)* del conjunto que forman 1522 *(S)*, 1541 *(C)* y 1542 *(D)*; en la copia de Iriarte *(I)* de *B* se anotan al margen variantes de *A*.

Estas dos líneas de transmisión diferentes remiten a versiones anteriores que deben situarse en el siglo XV[134], tal y como lo demuestra el hallazgo por el propio Bizzarri de una versión manuscrita de los *Refranes* inserta en una recopilación más amplia de sentencias de carácter humanístico con dichos de Aristóteles, Séneca y Salomón[135]; esta colección *(Z)* surge de la fusión de textos diferentes, uno de los cuales era el de la miscelánea de Santillana con la que se encabeza cada una de

---

[133] Ver Íñigo López de Mendoza, Marqués de Santillana, *Refranes que dizen las viejas tras el fuego*, ed. de Hugo Oscar Bizzarri, Kassel, Ed. Reichenberger, 1995.

[134] «La conclusión más importante que se desprende de este cotejo es la de haber detectado la existencia de copias subarquetípicas anteriores a la impresión de 1508. Esto nos hace pensar que para esta fecha la tradición de Ω ya era antigua y bastante difundida, de otra manera no se explica la temprana bifurcación de la tradición», pág. 58.

[135] Ver «El manuscrito Zabálburu de los *Refranes que dizen las viejas tras el fuego*», en *Inc*, 24 (2004), págs. 75-99.

las secciones alfabéticas, sin atribuir estas paremias a don Íñigo; es factible que el conjunto de los *Refranes* sirviera de base para organizar este nuevo repertorio, en el que se integran la paremiología clásica, la bíblica y la popular. *Z* transcribe todos los refranes y sus omisiones se deben antes a descuidos de copia que a expurgos conscientes; las veinte paremias nuevas incluidas, más que una voluntad innovadora testimonian una fuente anterior (**Z*). En la configuración del *stemma*, *Z* se vincularía a la segunda rama, pero no en la derivación de *B* sino en la línea de la que surgen los impresos de *SCD*. Con ayuda de este testimonio, Bizzarri ensaya la reconstrucción de esa copia manuscrita perdida (**Z*), limpiando *Z* de las sentencias que su formador había adicionado; así lo hace con las cinco primeras letras del alfabeto[136], editando después la totalidad de este manual paremiológico[137], singular por la combinación de fuentes que lo integran: primero se ofrecen los refranes del Marqués (ochenta y cinco en la «A»), seguido de un amplio conjunto de proverbios de Aristóteles, Séneca y Salomón que comienzan con la misma letra, siendo éste el procedimiento de ordenación general.

Bizzarri abriga el proyecto de construir un amplio diccionario con todos los refranes medievales; desde 1987 lleva recogidas más de cinco mil entradas; ha aparecido, de momento, un primer tomo dedicado a las paremias —o sentencias— del siglo XIII[138], en la que atiende a las diversas compilaciones sapienciales —desde el *Libro de los doze sabios* a los *Castigos de Sancho IV*— que en esta centuria encauzan estos esquemas sintéticos de sabiduría que acaban integrándose en la *Partida II,* amén de difundirse en los poemas clericales. En este diccionario el material proverbial se distribuye en seis secciones, ajustadas a las diferentes direcciones en que se encauza la enseñanza transmitida por estas obras: a) regimiento del reino, b) regimiento del alma, c) pecados capitales, d) cuidado del cuerpo, e) filosofía natural, f) historia sagrada y profana. Cada uno de estos núcleos se va abriendo en distintos subtemas, conectados los asientos del registro con referencias cruzadas que

---

136 *Ibídem*, págs. 90-97.

137 «*Refranes y dichos de Aristóteles de toda la filosophía moral:* Manuscrito Zabálburu IV-206», *Inc*, 24 (2004), págs. 129-184. Ofrece la primera parte, hasta alcanzar la paremia 1123: «El consejo del viejo o del moço no se á de tener en más de cuanto la gravedad de su persona» (182).

138 Ver *Diccionario paremiológico e ideológico de la Edad Media (Castilla, siglo XIII)*, Buenos Aires, Secrit, 2000.

permiten vincular entre sí las diferentes obras en que se engastan esas sentencias.

Estos casi veinte años de investigación consagrados al refrán se sintetizan en *El refranero castellano en la Edad Media* del propio Bizzarri[139], una monografía que pretende devolver a las paremias peninsulares de los siglos medios la importancia que tuvieron en la construcción de diferentes discursos literarios; no se había emprendido un estudio global de esta importancia desde el análisis de Louis Combet[140], si bien aplicado al *Vocabulario de refranes y frases proverbiales* (1627) de Gonzalo Correas; el ámbito cronológico de Bizzarri alcanza, en cambio, el límite del año de 1542 en que aparece impresa por última vez la colección de Santillana, centrándose por ello en el «primitivo estado de evolución del saber proverbial en el que existe en toda su plenitud esa 'mentalidad proverbial'» (pág. 8) que acota, con razones de don Juan Manuel, en el primer capítulo; se ocupa después de la definición del refrán, de las relaciones entre oralidad y escritura, del tradicionalismo inherente a estas formas de sabiduría. Estos principios teóricos enmarcan la evolución del refranero hispánico, siguiendo el rastro de los orígenes de estas formas paremiológicas por las que comienzan a interesarse los letrados castellanos a partir del siglo XIV, formadas las primeras compilaciones en la centuria siguiente: la de los *Refranes que dizen las viejas tras el fuego* y la de los *Romancea proverbiorum, glosario escurialense J.III.20, Seniloquium*. Pero más allá de este panorama histórico, importa el análisis que Bizzarri dedica a la función de las paremias en las compilaciones legislativas, en las narraciones breves[141], en la historiografía —desde la *Estoria de España* hasta las crónicas particulares del siglo XV—, en las composiciones poéticas —tratado en especial el caso de don Íñigo López de Mendoza—, en el lenguaje dramático finalmente, con *La Celestina* como la obra maestra en la que la expresión proverbial y el estilo culto se entrelazan ya de manera inextricable.

---

[139] Madrid, Ediciones del Laberinto, 2004.

[140] *Recherches sur le 'Refranero' castillan*, París, Société d'Édition 'Les Belles Lettres', 1971.

[141] Porque, entre otros casos, hay «refranes enmarcados por una narración» (7.4), «refranes originados en narraciones» (7.6), «narraciones originadas de refranes» (7.7), «refranes diluidos» (7.8) cuando se conserva el fondo doctrinal de la paremia pero no su formulación.

10.5.2.2: Alfonso Fernández de Madrigal [págs. 2643-2661]

A la emblemática figura del Tostado ha dedicado *La Corónica* un número monográfico coordinado por Roxana Recio y Antonio Cortijo Ocaña[142], en el que se han analizado su poliédrica producción letrada y su prodigiosa capacidad creadora, incardinada a su actividad cortesana y eclesiástica[143]. Engastada su obra en el reinado de Juan II, el cardenal Cisneros se preocupó por recuperarla y convertirla en referente básico de su personal labor reformadora y educativa.

Cuatro son las líneas maestras que integran este volumen. Se estudia, en primer lugar, el pensamiento religioso de Madrigal, concretado en su postura conciliarista, su valoración de la penitencia, sus críticas a las prácticas externas y formales de la religiosidad, así como a los excesos cometidos en el culto de los santos[144]; se recuerda que dos discípulos suyos, Pedro Martínez de Osma[145] y Fernando de Roa, serán censurados por mantener este espíritu reformador, que paradójicamente encauzará Cisneros para apoyar sus propios proyectos.

El segundo núcleo de estudios se centra en su labor teológica y exegética, valorados sus comentarios escriturísticos y su intención de ampliar esta labor al conjunto de los libros de la *Vulgata*. El Tostado abordó materias de mariología y cristología, asuntos relativos a la Trinidad y a la salvación de las almas, acercando la exégesis al pensamiento cor-

---

[142] «Critical Cluster: Alfonso Fernández de Madrigal, el Tostado», *LC*, 33:1 (2004), págs. 5-162.

[143] Valga de muestra esta enumeración de facetas señaladas por los editores: «se le ha tildado de promotor del humanismo en Castilla, sabio, exegeta, comentarista bíblico y escriturista, teólogo original, canonista y disputador, apoyo teórico de la revolución comunera, filósofo moral, intérprete de Aristóteles, colegial de San Bartolomé, filósofo político, teórico de la traducción, reformista eclesiástico, etc. Cada uno de estos epítetos sería excusa más que suficiente para justificar un estudio detallado de la figura del obispo», pág. 7.

[144] Gregory B. Kaplan, «Imágenes de santidad y poderes imaginados: la teología reformista de El Tostado», *LC*, 33:1 (2004), págs. 99-112. Señala: «Como una extensión de esta actitud, Madrigal insiste repetidas veces —en su escepticismo hacia los mitos en *In Eusebium*, su condena del aojamiento y sus explicaciones de las apariciones de Dios en el Antiguo Testamento en *Las çinco figuratas paradoxas*, así como en la discusión del tema de las imágenes que lloran en *Confesional*— en desacreditar las creencias populares con explicaciones basadas en la lógica», pág. 110.

[145] Ana Cebeira Moro, «La escuela humanista salmantina: Pedro Martínez de Osma, discípulo de "El Tostado"», *LC*, 33:1 (2004), págs. 53-65.

tesano al vincular *Las çinco figuratas paradoxas* al marco de la reina doña María (§ 10.5.2.2.1)[146]; le asistía el propósito de humanizar a Cristo, de alejarlo de los esquemas escolásticos, cuya ampulosa verbosidad atacará siempre.

La tercera línea de análisis se ocupa de la filosofía moral, de la recepción de Aristóteles propiciada por Madrigal en las primeras décadas del siglo XV, enfrentado de nuevo a la estrecha visión del filósofo griego transmitida por la escolástica; participó, por ello, en la amplia configuración tratadística que rodea a Juan II y que cuajará en los opúsculos dedicados al amor y a la amistad, que sirven de germen de ideas y de actitudes para la ficción sentimental[147]. Es, también, significativa su labor de teórico político, que se prolonga en pensadores como Fernando de Roa y P. Martínez de Osma, articulando reflexiones sobre *optima politia*, la aplicación de las leyes, la justificación del tiranicidio, la monarquía, la democracia, el concepto de la guerra justa[148]; se anticipa, impulsándolas, a muchas de las ideas de la escuela salmantina de derecho internacional que se desarrolla en el siglo XVI, sirviendo también de referente para los teóricos de la historia de fines del siglo XV y principios del siglo XVI.

La cuarta faceta a considerar explora el humanismo filológico instigado por el Abulense, destacadas sus reflexiones sobre la traducción y el valor otorgado a los tratados morales, políticos y económicos del Estagirista; del orden boccacciano procede su *Tratado de los dioses de la gentilidad* y se le ha considerado pieza relevante del ataque de Nebrija contra la «barbarie» o de la especulación filológica con que el Comendador Griego explora las *Trescientas;* se le debe, también, la articulación

---

146 Carmen Parrilla, «En torno a las versiones de *Las çinco figuratas paradoxas:* diversidades y "fermosuras" de un traslado», *LC*, 33:1 (2004), págs. 125-143.

147 Antonio Cortijo Ocaña, «Notas sobre el Tostado *De amore*», *LC*, 33:1 (2004), págs. 67-83, en donde llega a esta conclusión: «Resaltaré una vez más que la línea de Agustín a Petrarca y El Tostado y de ellos a la novela sentimental viene sobre todo marcada por la preocupación por el individuo y su sentido individual del pecado, por la "self-importance" que este individuo adquiere (...) y por la incorporación de la sociedad en la definición de los efectos del amor. Es decir, que lo deberemos analizar en la oposición (crisis) del efecto del amor en la relación individuo-sociedad y en la oposición (crisis) del efecto del amor en la relación individuo-Dios», págs. 81-82.

148 Nuria Belloso Martín, «Sobre la guerra y la paz en Alfonso de Madrigal, el Tostado», *LC*, 33:1 (2004), págs. 17-38, con un importante apéndice de fuentes primarias en que se ordenan las «Obras de Alfonso de Madrigal», págs. 32-37. Ver, luego, § 10.7.2.1.1, págs. 4074-4075.

de un coherente vocabulario poético[149]. Sus conocimientos del griego y del hebreo sirven de impulso para la reivindicación del estudio de estas lenguas[150], un orden de conocimientos que sostiene el proyecto de la Biblia políglota cisneriana. Se enmarcan en este ámbito sus ideas sobre la traducción, consideradas extrañas para la Castilla de su época, al preconizar la necesidad de conocer ambas lenguas, valorar los productos traducidos, exigir claridad en el lenguaje, contar con el público al que la obra iba destinada. En su *Eusebio* la lengua castellana se equipara en dignidad a la latina[151].

10.5.2.3.2: El *Arcipreste de Talavera* [págs. 2665-2694]

Una de las aproximaciones más certeras a la heterogénea realidad definida por Alfonso Martínez en su *Libro* ha sido trazada por Rebeca Sanmartín Bastida incidiendo en las conexiones que, en esta obra, se plantean entre «teatralidad y textualidad», dos categorías que, aun pareciendo contrapuestas, acaban descubriendo relaciones extraordinarias en «textos» que deben ser oídos y vistos en el proceso de voces y de imágenes del que depende la enseñanza —o la suma de avisos— que ha de ser transmitida a su público[152]; es cierto, como señala la autora, que buena parte de estos rasgos se ha achacado al supuesto realismo de los *exempla* y, de hecho, ya se ha valorado la gestualidad (ver pág. 2682) que confiere a los personajes una dimensión individual, alejándolos del mundo de las apariencias; las técnicas de las *artes praedicandi* afirman, también, la naturaleza dramática de aquellas secciones

---

149 Roxana Recio, «La propiedad del lenguaje: poeta y poesía según Alfonso de Madrigal, el Tostado», *LC*, 33:1 (2004), págs. 145-162.

150 Santiago García, «La competencia hebraica de Alfonso de Madrigal», *LC*, 33:1 (2004), págs. 85-98.

151 Valga, como cierre de este apunte, la valoración final que los editores de este «Critical Cluster» ofrecen de Madrigal: «Las temáticas amorosa, teológica, filosófico-moral y filológica, pues, sitúan al Tostado como hijo de su tiempo. Inserto en el clima de renovación de los estudios humanistas, y especialmente vinculado al desarrollo intelectual de la Universidad de Salamanca y al de los *letrados* humanistas de corte, el Tostado vivirá igualmente entre los que podríamos tildar con cierta exageración de sus epígonos. Ellos son los maestros de humanidades de Salamanca de finales del siglo XV y comienzos del XVI», págs. 11-12.

152 Ver Rebeca Sanmartín Bastida, *Teatralidad y textualidad en el «Arcipreste de Talavera»*, Londres, Department of Hispanic Studies, Queen Mary and Westfield College, 2003.

del *Arcipreste* articuladas conforme a los esquemas homiléticos; conjuntando estas dos perspectivas, R. Sanmartín centra su análisis en el «desarrollo imaginario de una representación» (pág. 8) a fin de señalar las conexiones que se producen entre el cuerpo del sermón —es decir, la parte del texto en que el autor expone su lección moral— y el orden demostrativo de los *exempla*[153]. Ello no significa que el Arcipreste pretendiera construir una obra teatral, sino que se sirvió de estrategias de composición plenamente dramáticas, tanto en la concepción orgánica y textual de su *Libro* como en la definición de unos precisos mecanismos de recepción de los que depende la condición performativa que en esta monografía se describe; para ello, se eligen las secuencias carentes de causalidad y de trama, aquellas en las que predomina el dinamismo de su producción; en las mismas, frente a la línea argumental, se recrean los aspectos de la acción y de la enunciación, resueltos en factores de clara teatralidad: la puesta en escena, el engaño, la materialidad, la corporalidad y la percepción sensorial; estos factores cuajan en un proceso fruitivo de la escritura (revísese pág. 2662) que aquí se concreta en el placer performativo que deriva de su dicción. Puede hablarse de escena porque hay canales de percepción visual y porque se cuenta con un receptor del texto al que se invita a escuchar y a mirar, pero también a participar en ese abigarrado compendio de narraciones para completar los sentidos sugeridos: tal es el valor de los monólogos, de los apartes y de los «dobles planos» que permiten entrever una figuración dual de la realidad.

El predominio de lo teatral posibilita que el sermón se libere de sus sujeciones genéricas y descubra nuevos esquemas de realización formal[154]; son los sentidos encubiertos los que mueven al Arcipreste a presentar, de manera previa, el orden de apariencias, gestos o palabras que ha de trascenderse; de ahí que el texto adquiera la dimensión de un espacio simulador, emergido de la tensión entre códigos y voces diversas; su contenido discursivo y el funcionamiento de los *exempla* invita a traspasar la primera línea de lo que se ve y de lo que se oye, incluida su propia apariencia dramática: «La obra del Arcipreste desen-

[153] Así indica: «La consideración de la obra como una suerte de puesta en escena, adoptando la teatralidad como metáfora de su escritura, se revela especialmente fructífera, y *des-vela*, como manera de lectura, los rasgos que propician su visión escénica», íd.

[154] «Si el texto exhibe su construcción (y es el espectador el encargado de reconstruirlo), pone de relieve sus mecanismos, y pretende realizar antes que contar, se acaba convirtiendo él mismo en *exemplum*», pág. 11.

mascara, por medio de esta mirada, la condición especular atribuida a los géneros escénicos: el predicador se refleja en sus propios personajes, y su sermón en los *exempla*. Al final, la propia arquitectura de la representación acaba disolviendo el sentido» (pág. 12).

Tales son las premisas con que R. Sanmartín analiza el *Arcipreste de Talavera:* identifica, para ello, los diferentes niveles de representación que sirven para reconocer la armadura dramática del texto; se concretan, después, los elementos teatrales de que se sirve el Arcipreste: el cuerpo, el artificio, los gestos; se incide en el modo en que su ejecución desequilibra el orden de la realidad y de la apariencia; se valora la aportación a este universo escénico de los recursos del lenguaje; se examina la profunda renovación a que son sometidos los discursos del sermón y de los *exempla;* se describen, por último, las conexiones entre oralidad y escritura, revelando los diferentes mecanismos gestuales y las complejas operaciones de movimiento que dan vida y prestan ser a los personajes por los que se interesa el autor. Queda descubierto, de esta manera, el modo en que el *Libro* no sólo inventa el proceso de su realización y transmisión, sino que lo trasciende al subvertirlo desde el mismo momento en que se ofrece un mensaje cuya verdad última depende de la capacidad de entendimiento de su público, no de la voluntad de un autor simplemente moralista.

10.5.4.2.1: Traducciones [de tratados teóricos de caballería] [págs. 2862-2864]

La traducción del *Strategematon* de Frontino, preparada por Diego Guillén de Ávila e impresa en 1516 (ver pág. 2862), ha sido ahora editada por el principal conocedor de la tratadística militar medieval, Ángel Gómez Moreno (revísese n. 1017, pág. 2861)[155]. En la introducción, analiza la evolución de esta materia desde sus orígenes (y ahí están Frontino y Vegecio) hasta cuajar en precisos manuales que adquieren especial relieve en el siglo XV; en efecto, antes que considerar la recepción de estas obras como reflejo de una limitada y reducida mentalidad (tal y como proponía F. Rico), Gómez Moreno, en la línea ya sugerida por Lawrance, advierte que «la lectura de los clásicos en pos de

[155] Ver Sexto Julio Frontino, *Los Cuatro Libros de los Enxemplos, Consejos e Avisos de la Guerra («Strategematon»)*, Madrid, Ministerio de Defensa-Secretaría General Técnica, 2005.

hazañas bélicas era una más entre otras posibles en clave estética, histórico-filológica y moral» (pág. 19); imprescindibles, por tanto, para la formación de la conciencia nobiliaria (revísese pág. 2861), estas traducciones y nuevas refundiciones pretenden no sólo otorgar firmeza a una disciplina que debe ser aprendida teóricamente, sino configurar un orden de ideas que se asiente sobre una visión ética de raíces humanísticas, tal y como lo demuestran los contactos que se producen entre Bruni, Santillana y Cartagena con traslaciones y epístolas de por medio (pág. 2863).

Frontino, como apunta Gómez Moreno, tuvo que comenzar a difundirse en la Península Ibérica a finales del siglo XIV; del *Strategematon* se conocen doce testimonios peninsulares, de los que cinco son manuscritos castellanos, si bien uno sea datable en el siglo XVII. La materia de la obra, en esta versión vernácula, se distribuye en cuatro libros y no en tres como ocurría en el original; hay una línea de transmisión aragonesa que parte de la versión catalana y que penetra en Castilla cuando el de Antequera asume la corona de Aragón, junto a otra que es la que tiene que considerarse puramente castellana y que impone su presencia y mantiene su validez hasta que aparece, impresa en 1516, la traducción de Guillén de Ávila, preparada por encargo del segundo conde de Haro, Pedro Fernández de Velasco; ya el primer conde de Haro poseía en su librería un ejemplar de Frontino, que parece no satisfacer al hijo cuando encarga esta nueva traslación[156]; sin duda, se buscaba un ajuste de esta materia a las diferentes circunstancias en que se movía el sucesor del buen conde de Haro y decidió fiar esa adaptación a la pericia y al saber del canónigo palentino, Diego Guillén de Ávila, posiblemente hijo de Pero Guillén de Segovia (revísese § 11.3.2.1), adscrito al círculo letrado del arzobispo Carrillo; este vínculo, como apunta Gómez Moreno, explica que D. Guillén entre luego al servicio del sobrino de Carrillo, el obispo de Pamplona llamado también Alfonso Carrillo, para acabar su vida como canónigo de Palencia; mantuvo relación epistolar con Gómez Manrique, a quien dedica la trasla-

[156] «No puede extrañar la presencia del *Strategematon* en la colección de un *miles vir*, como tampoco el hecho de que lo destinase a la residencia que, para acoger a doce hidalgos ancianos y a otros tantos menesterosos, había fundado en la localidad burgalesa de Medina de Pomar, en el corazón de las Merindades. Lo que sí sorprende, y mucho, es que, habiendo en la colección de su padre un códice de la que hemos etiquetado con razón de vulgata cuatrocentista en romance, el hijo hubiese de encargar una nueva traducción», pág. 34.

ción de los *Libros teosóficos* o *Libro de la potencia y sapiencia de Dios*, atribuidos a Hermes Trimegisto, a través de la versión de Marsilio Ficino (1474); también puede ser suyo el romanceamiento de las *Historiae* de Herodiano de Siria, que parte del texto fijado por Poliziano. Fue, asimismo, Diego Guillén poeta laudatorio —de la reina Isabel, del arzobispo Carrillo— y autor de una pieza dramática —la *Égloga interlocutoria (c.* 1502-1504)— dirigida al Gran Capitán[157].

Este impreso de 1516 devuelve, por tanto, a Frontino la importancia capital que llegó a tener en la construcción de la ideología caballeresca que, desde la Edad Media con unas primeras menciones en los cantares de gesta, alcanza en las primeras décadas del siglo XVI, desplegándose en las estrategias militares de los libros de caballerías y en la producción específica que atiende a registrar los sucesos de armas y peripecias bélicas en tratados que se imprimen en ese mismo compás de años, con el punto de llegada de 1516, el año en que muere el rey Fernando (ver *HPRC*, § 3.8).

10.6.1.4.3: Juan López de Salamanca *[Evangelios moralizados]* [págs. 2972-2973]

Partiendo de la tesis doctoral anunciada en n. 1185, pág. 2973, y a cargo de Arturo Jiménez Moreno, ha aparecido la edición de los *Evangelios moralizados* de Juan López de Salamanca[158]. Como se indicaba en pág. 2972 y en n. 636 de pág. 3860, este compendio exegético lo forman dos libros, impreso el primero en Zamora por Antonio de Centenera en 1490, custodiado el segundo en el archivo de la Catedral de Salamanca; no se cubría —con las treinta y seis exposiciones conservadas— el ciclo litúrgico completo, faltando dos períodos, que irían del jueves de Pentecostés hasta el final de la fiesta de Corpus Christi; López de Salamanca remite, en ocasiones, a un tercer libro que, como señala Jiménez Moreno, pudo quedar entre los «escritos en pergamino y otros en papel» que pasaron, a la muerte del autor, a manos de los Condes de Plasencia; la única noticia cierta es que don Fernando Ál-

[157] Merece, desde luego, la pena seguir la pista de este letrado como sugiere Gómez Moreno: «Si no por esta traducción de Frontino, deficiente en muchos sentidos, sí por el conjunto de su obra, nuestro autor precisa de una monografía que le haga justicia», pág. 43.

[158] Salamanca, Ediciones Universidad, 2004.

varez de Toledo, el primer conde de Oropesa, en 1504 contaba con estos dos libros tal y como hoy son conocidos: el primero en letra de molde, el segundo en forma manuscrita.

Por referencias internas y remisiones al contexto de recepción, considera Jiménez Moreno que esta exégesis evangélica la tuvo que componer López de Salamanca entre 1454 y 1468 para uso personal de doña Leonor Pimentel, la destinataria del *Libro de toda la vida de nuestra Señora* (§ 11.7.2.1). Poco después, el autor la rehace con el propósito de que los religiosos dispusieran de modelos para construir sus sermones; circulan, así, estas moralizaciones de forma manuscrita, hasta que por la utilidad del conjunto se decide imprimir el primero de los libros en 1490.

Como indica Jiménez Moreno, se trata de la obra más ambiciosa de su autor, ya que en ella «acumula casi todo su pensamiento y su arte literario» (pág. 61); contó, además, con la circunstancia de haber sido impresa y de haber servido, a la vez, para el regimiento nobiliario (la condesa de Plasencia, el de Oropesa) y el eclesiástico.

En síntesis, los *Evangelios* constituyen un extraordinario material de predicación; son homilías con apariencia de sermón escolástico; su autor no parte de un *thema* concreto, sino que asume íntegro el evangelio litúrgico, pero no para ofrecer un discurso que pueda ser expuesto de modo directo, sino para presentar núcleos de ideas organizadas con los que construir las prédicas.

Al insertarse en la tradición de las *artes praedicandi*, López de Salamanca para amplificar la trama discursiva se sirve de *auctoritates* —la Biblia, junto a San Gregorio y San Agustín principalmente—, de *quaestiones* —se proponen «preguntas de cuyas respuestas se extraiga información para el público» (pág. 65)—, de analogías —*exempla, similitudines* y pláticas[159]—, además de figuras etimológicas o de *interpretationes nominum;* se valora, en especial, el uso de las cláusulas rimadas, es decir de estructuras sintácticas paralelas, ajustadas a una misma consonancia[160], además de los períodos rítmicos o de las estructuras bimembres antitéticas.

---

[159] Conviene precisar este recurso: «La plática tiene su fundamento retórico en la figura de la *evidentia*, esto es, la descripción viva y detallada de un objeto o situación con el fin de impresionar la imaginación del receptor», pág. 67; se sitúa en el presente, se utilizan adverbios y demostrativos de valor deíctico, más el diálogo (o *sermocinatio).*

[160] «Servían tanto para retener en la memoria la estructura de un sermón o una parte de él como para adornar la prosa», pág. 68.

El contenido de estas exposiciones perfila un mensaje pastoral, ligado a la ortodoxia cristiana, pero abierto a los problemas por los que pasa Castilla en la mitad del siglo XV; López de Salamanca incide básicamente en tres órdenes de ideas: advierte sobre el pecado, exhorta a la vida penitencial, anuncia las postrimerías del hombre; junto a ello, se encuentran bastantes pasajes en los que denuncia la falsedad de otros credos religiosos o se opone a tendencias reformistas de carácter espiritual.

Al margen de estos aspectos, los *Evangelios moralizados* conforman un interesante documento plagado de detalles de la vida cotidiana de la época, sin que, en ningún caso, llegue a perfilarse un cuadro completo de alguna faceta de la realidad o de grupos precisos de personajes; López de Salamanca habla de las circunstancias temporales en las que vive —y a las que remite con expresiones como «agora» o «en este tiempo»—, pero también da cuenta de lo visto y de lo experimentado[161]; sólo, por ello, merece la pena leer estas exposiciones, verdadero semillero de ideas y principios doctrinales.

10.6.4.2: Sor Constanza [págs. 3071-3074]

Lamentablemente, cuando se realizó el análisis del devocionario compuesto por la nieta de Pedro I y priora de Santo Domingo el Real, conservado en el BN Madrid 7495, se desconocía que el texto había sido ya editado por Constance L. Wilkins con el título de *Libro de devociones y oficios*[162], por ello se citó directamente del códice y se desaprovechó la oportunidad de remitir a esta esmerada y minuciosa edición. Pocos datos, sin embargo, pueden añadirse al estudio de § 10.6.4.2; en una breve introducción, C.L. Wilkins repasa la singular biografía de esta descendiente de Pedro I, incidiendo en el conocimiento que tuvo

[161] Valga, como cierre, esta conclusión del editor: «En definitiva, es posible que el origen de muchas de esas vivas escenas que se nos presentan haya que rastrearlo en fuentes escritas, pero también es verdad que Juan López es un testigo de su tiempo. En todo caso, el mero hecho de incluir determinados detalles, escenas o descripciones —sacados de una fuente escrita o de su propia experiencia— es síntoma de que no se consideraban extraños o arcaicos para sus lectores u oyentes», pág. 71.

[162] Ésta es la referencia completa: Constanza de Castilla, *Book of Devotions. Libro de devociones y oficios*, ed. de Constance L. Wilkins, Exeter, University, 1998; para otro estudio de esta editora sobre esta «voz femenina medieval» ver n. 1303, pág. 3073.

que adquirir junto a su prima, la reina Catalina de Lancáster, de una vida cortesana que hubo de resultarle especialmente ingrata, ya que desde su niñez —al igual que ocurriera con su hermano don Pedro de Castilla, obispo de Palencia— fue consagrada a la vida religiosa; esta circunstancia no le llevó a olvidar sus vínculos familiares, a los que remite una y otra vez en su *Libro* de oraciones (revísese pág. 3072), o a perder el contacto con los «negoçios del mundo en que yo me ocupo» (8)[163]. Wilkins se esfuerza por enmarcar este oracional en el doble ámbito que lo define: por un lado, se reconstruye el espíritu de la vida monástica en que se engasta la construcción de esta colectánea de preces, por otro, se atiende a los rasgos de una conciencia de autoría femenina, que aunque no se expresa en componentes estilísticos sí se deja ver en decisiones que afectan a los pasajes traducidos o a las citas o referencias escriturarias incluidas porque las destinatarias del libro han de convertirlas en líneas de afirmación espiritual[164].

La editora, en el análisis codicológico, valora la cuidada factura del manuscrito, que no considera salido directamente de la mano de su autora, sino preparado por un copista profesional, dada la «regularity and calligraphic nature of the letters» (pág. xv), reconocidas al menos cuatro manos; muchas de las páginas se muestran festoneadas con enmiendas, inserciones interlineales y notas al margen. La iluminación del manuscrito había de reflejar la autoridad —letrada y monástica— de su instigadora, de donde el cuidado en el empleo de las tintas y en la decoración de las letras capitales y de la primera de las páginas.

Una de las oraciones más importantes de este devocionario —la de las *Oras de los clavos* (ver pág. 3073)— ha sido estudiada por Ronald E. Surtz[165]; inscrita en el ciclo de la Pasión, se valora en especial el motivo de la *compassio* de la Virgen, es decir el sufrimiento que lacera su co-

---

[163] Así, señala la editora: «It was a period of growth of the city of Madrid, already an important urban center and the habitual residence of the monarchs who ruled during Constanza's lifetime. Constanza had permission to conduct business at the royal palace, located near Santo Domingo el Real», pág. ix.

[164] Concluye Wilkins: «The prayer book reflects behaviors and attitudes that are the result of personal and spiritual development in response to the monastic life surrounding Constanza. This prayer book, written by a woman to be used primarily by herself and by other women, provides moving evidence of the beliefs, experience, and expression of a religious woman in Spain of the later Middle Ages», pág. xiv.

[165] Ver «Las *Oras de los clavos* de Constanza de Castilla», en *Caballeros, monjas y maestros en la Edad Media*, ed. Lillian von der Walde, Concepción Company y Aurelio González, México, UNAM-El Colegio de México, 1996, págs. 157-167.

razón al contemplar la agonía de Cristo; esta larga plegaria, ofrecida en latín y traducida por la propia priora[166], adquiere una disposición ternaria, con una primera lección para los maitines dedicada a los sucesos de la Pasión, una segunda centrada en los clavos y la tercera ya —la más importante— en el dolor de María, en las reacciones padecidas al ver la sangre de su Hijo derramada sobre su cabeza estando al pie de la cruz, sintiendo sus entrañas desgarradas por los tres clavos que laceraron el cuerpo de Jesús; esta parte de la oración es la más interesante por el recurso del «pseudo-diálogo» entre el plural colectivo de las monjas (un explícito «nosotras») y el Tú de la Virgen; indica Surtz que este artificio le permite a Sor Constanza no sólo controlar el contenido de la lección, sino definir su propia autoridad, en una línea de pensamiento muy parecida a la que Teresa de Cartagena moviera para justificar el hecho de que una mujer podía ocuparse de asuntos religiosos (§ 10.6.4.1.2); tal es lo que ocurre en este caso, por cuanto la priora se siente autorizada para componer y trasladar un oficio litúrgico, respaldada por la alegoría de la misma vida de la Virgen, que traspasa también los límites inherentes a su condición femenina[167]. De ahí que se señale la importancia de las tres funciones asumidas por la autora, inesperadas en el caso de una mujer: su conocimiento del latín, su capacidad para componer una obra en esta lengua, su labor traductora por último.

10.6.6.1: El *Libro de los exemplos por a.b.c.* [págs. 3096-3103]

A las cinco ediciones anteriores del *Libro,* debe añadirse ahora la preparada por Andrea Baldissera, verdaderamente «crítica» en lo que

---

166 «Constanza misma tenía suficientes conocimientos de latín como para redactar oficios litúrgicos en ese idioma y traducir sus propios escritos, y los de otros, del latín al castellano. Sin embargo, el hecho mismo de que decidiera traducir dichos textos sugiere que al menos algunas de sus compañeras no sabían latín», pág. 160.

167 «Tanto para la Virgen María como para Constanza, el entrar en un espacio masculino no es un fin en sí mismo, sino un medio para lograr un fin. La Virgen María deja el espacio femenino de su hogar para entrar en el espacio masculino de una ejecución pública donde, gracias a su *compassio,* sufre la experiencia "meta-femenina" de la Pasión a través de su identificación con la sufriente carne femenina de Cristo. Constanza deja metafóricamente el espacio cerrado del claustro para entrar en el espacio "masculino" de la escritura. Sin embargo, ese espacio resulta ser "meta-femenino" a su vez porque, en última instancia, Constanza se ocupa de la femenina actividad de la crianza y el cuidado de sus compañeras por medio de sus escritos», pág. 164.

concierne al método empleado y a los resultados obtenidos[168], superando a las dos de Keller (ver n. 1396 y 1397 de pág. 3096), sobre todo por el examen que realiza de la tradición manuscrita y por las decisiones adoptadas a la hora de fijar el texto crítico; Keller tuvo el mérito de ser el primero en ofrecer «l'intera serie di *exempla* transmessa da due codici» (págs. 48-49), pero escogiendo como base de su trabajo el ms. *P* (BN París Esp 432) ya que le parecía más completo y cubría íntegra la ordenación alfabética de los «exemplos», acogiendo lecciones de *M* (BN Madrid 1182) para corregir errores del códice parisino, pero sin un criterio claro; en cambio, Baldissera procede a un análisis exhaustivo de los dos manuscritos, partiendo de la estructura que el *Libro* adopta en cada uno de estos testimonios, considerando el orden de los capítulos y la disposición de los «exemplos»; tras examinar los errores conjuntivos y separativos de los dos códices («nessuno dei due è *descriptus*», pág. 39), se valoran las posibles variaciones con respecto al modelo latino que pudo tener presente Clemente Sánchez para configurar su *Libro:* comprueba, de este modo, que *M*, el códice que podía parecer más imperfecto para fijar el texto crítico, es el más seguro por su fidelidad a las fuentes, mientras que *P* se caracteriza por las transformaciones a que son sometidas las secuencias latinas, quebrando así la voluntad de traslación literal que caracteriza el trabajo de Clemente Sánchez; además, *P* tiende a complementar el texto con comentarios finales de tono moral, ajenos a los *exempla* latinos[169].

La valoración de *M* le lleva a Baldissera a distinguir dos secciones *(M1 + M2)* en este códice, formada la segunda por tres copistas, mientras que la primera presenta rasgos comunes —tanto gráficos como lingüísticos— con el *Libro de los gatos*, que aparece al final del manuscrito; estos tres niveles de lengua que se reconocen en los testimonios no implican una separación entre los mismos, más allá de los caracteres propios del leonés antiguo o de los numerosos arcaísmos que singularizan la versión de *M1*.

---

168 Ver Clemente Sánchez, *Libro de los exemplos por A.B.C.*, Pisa, Edizioni ETS, 2005.

169 La conclusión que alcanza incide en la necesidad de tener en cuenta las fuentes para elaborar una edición crítica: «Vista poi la 'tradizione attiva' di *P*, rappresentato da un manoscritto completo e caratterizzato da una buona uniformità linguistica (dunque, apparente candidato ideale per l'edizione), solo lo studio dei modelli latini può impedire di offrire un testo (probabilisticamente) assai poco corretto, zeppo di interpolazioni, glosse e ritocchi estranei alla volontà dell'autore», pág. 44.

De este modo, de las tres posibles formas de editar el *Libro* que Baldissera señala elige una fórmula ecléctica, que le lleva a mantener la unidad lingüística y formal de *P*, pero ofreciendo un texto fijado con las lecciones de *M* (lógicamente en el tramo de los epígrafes 72-467) siempre que la fuente lo requiera o que el códice presente significativas diferencias sintácticas o semánticas; para Baldissera es preferible el *ordo verborum* de *M* al de *P*, salvo discordancias con respecto a los modelos reconocidos.

En el estudio que ofrece del *Libro*, al margen ya de los datos actualizados que ofrece sobre el autor y la tradición de la que surge esta colectánea de «exemplos», Baldissera insiste en que se trata de una compilación formada para servir de «strumenti utili per la predicazione» (pág. 9), aspecto al que debe añadirse el de la formación sacerdotal; recuerda, así, que otras obras de Sánchez de Vercial son manuales estructurados mediante *alphabeta*[170]. La dificultad de reconocer las fuentes de los *exempla* que logra reunir el arcediano de Valderas es notable, puesto que, tal y como él señala, había recolectado esas unidades ejemplares de diferentes libros que pudo reunir (ver pág. 3097); ello es lo que llevó a la crítica a espigar ecos e influencias de repertorios y tratados reconocibles en el *Libro*; Baldissera había dedicado ya un examen exhaustivo a esta cuestión (ver n. 1347, pág. 3099), valorando el trasvase de materiales del *Antidotarius anime* o *Summa de poenitentia* del minorita Servasanctus de Faenza, en la línea ya propuesta por C. Guardiola (n. 1341, pág. 3098), para incidir en las semejanzas de la estructura narrativa e incluso del léxico y de la fraseología[171]; sobre el *Ludus scachorum* (n. 1345, pág. 3098) reconoce que hay anécdotas comunes entre este tratado moral y el *Libro* de Vercial como para sospechar una utilización cierta y real de esta fuente, aunque no sea posible reconocer la versión que pudo manejar Clemente Sánchez; otras tradiciones activas en el *Libro* que se consideran le llevan a Baldissera a examinar la transmisión del *Barlaam* (incardinada a la *Legenda aurea* y al *Speculum historiale)* y la corriente de los *Miracula Beatae Mariae Virginis*. Pre-

[170] «Il LDE non è allora forse soltanto un repertorio per l'omiletica ma anche una fonte di *exempla* sfruttabili nell'insegnamento morale, anche nelle scuole», pág. 11.

[171] «L'*Antidotarium* mostra peraltro una distribuzione dei materiali esemplari, radunati per gruppi o gruppetti paralleli a quella dell'*alphabetum* di Clemente Sánchez, così come eguale trattamento lessicale, sintattico, concettuale, sì da far credere a un utilizzo diretto per la stesura del LDE», pág. 29.

cisamente, uno de los principales méritos de esta edición lo constituye el amplio repertorio de notas (págs. 341-460) en el que se van señalando, para los 467 «exemplos», las diferentes fuentes que se han identificado, distinguiendo entre «directas», «próximas» y «remotas», remitiendo también a los testimonios emparentados («testi vicini») con cada una de las unidades ejemplares. Si a esto se añade el abundante aparato crítico —sólo con «le varianti essenziali dei codici»: págs. 293-339— puede constatarse el valor de esta edición que presenta, por fin, un texto fiable y seguro de una de las colecciones ejemplares más importantes del siglo XV.

10.7.2.1.1: El *Breviloquio de amor y de amiçiçia* [págs. 3167-3169]

A la espera de que se concreten los proyectos de edición anunciados en n. 1498 de pág. 3167, se cuenta ahora con una antología de esta obra preparada por Nuria Belloso Martín[172], a quien se debe también una traducción del *De Optima Politia*[173]. N. Belloso considera al Madrigalense el iniciador de la llamada escuela humanista salmantina, a pesar de su progresiva asimilación del pensamiento tomista[174]; por ello, el *Breviloquio* se asienta en un sólido despliegue de autores de la antigüedad como Platón —es una exégesis a un comentario suyo sobre la amistad—, Aristóteles, Cicerón, Ovidio y Séneca, ignorando, en cambio, los textos y los autores contemporáneos suyos. La selección practicada por N. Belloso toma como base el escurialense h-ii-15, del siglo XVI, confrontado con el Bibl.Univ. de Salamanca 2.178, copiado a finales del siglo XV; también se tiene presente la redacción latina original (conservada en la Biblioteca Catedralicia del Burgo de Osma) sobre la que el Tostado preparó esta versión romance[175]. La obra com-

---

[172] Ver Alfonso de Madrigal, "El Tostado", *Brevyloquyo de amor e amiçiçia (1437/1444)*, Pamplona, Universidad de Navarra, 2000.

[173] Ver *De Optima Politia. El mejor sistema de gobierno. Alfonso de Madrigal el Tostado. Introducción, texto con aparato crítico y citas y traducción,* Pamplona, Universidad de Navarra, 2003.

[174] «Si en su propósito coincidía con la actitud de Santo Tomás, no por eso su adhesión al mismo era incondicional. Sabía discrepar, con la independencia de criterio que caracterizaba también al Aquinate», pág. 24.

[175] «Si su latín es ágil y expresivo, también maneja con destreza la lengua castellana, que había alcanzado, ya en su tiempo, una sólida madurez tal y como aparece en el *Brevyloquyo*», pág. 29.

pleta consta de ciento treinta y siete capítulos, divididos en tres partes muy desiguales entre sí; en la primera (caps. i-xlii) se diferencia entre «amiçiçia» y «amaçión», para tratar luego del amor y sus clases, con un núcleo dedicado al «amor carnal» (caps. xxxv-xlii), que es el que incide directamente en la tratadística erotológica; en la segunda (caps. xliii-cxxviii) se habla de la amistad, de sus especies y características y de los diferentes grados de amor; en la tercera (caps. cxxix-cxxxvii), se da respuesta al proverbio atribuido a Platón, el que recomendaba «no ser enemigo del enemigo del amigo» (caps. cxxix-cxxxvii).

N. Belloso selecciona de la primera parte los núcleos dedicados a la «amiçiçia y amaçión» (caps. i-ii) y el del amor y sus clases (caps. iv-ix)[176]; de la segunda, los consagrados a la amistad (caps. xliii-xlv), a las especies de amistad (caps. xlvi-xlix) y a los principios que rigen el obrar humano (caps. lxxxvii-lxxxviii); de la tercera, el desarrollo derivado de la cuestión que Juan II le había formulado (caps. cxxix-cxxxvi), alcanzando esta conclusión:

> E cuando somos enemigos de alguno fazemos contra nós mismos, ca así como nós fazemos contra alguno así como contra enemigo, así tiene él razón de fazer contra nós así como contra enemigos, ca las enemistanças son para proseguir alguna cosa así como a mala, pues cuantos más amigos fiziéremos, tantos más bienes para nós aparejamos e cuanto contra más fiziéremos así como contra enemigos, tanto en más males nos enbolbimos. Enpero ser abastado de bienes es cosa mucho de desear; estar cercados de males si la nesçesidad non nos fuerça es contra razón (128).

Parecen palabras recortadas al hilo de las rivalidades y banderías que propiciaron la vuelta de los infantes de Aragón a Castilla (1439), la toma de Medina por el infante don Juan (1442) y el secuestro de Rámaga (1443); en este arco de años, es cuando Madrigal compone y traduce un tratado que pudo requerir Juan II para saber cómo actuar en las inciertas alianzas políticas que se le presentaban.

---

[176] Se desconocen las dos ediciones de Pedro Cátedra a la *repetitio* sobre el amor humano, engastada en este tratado: ver § 10.7.2.1.2 y n. 1502 de pág. 3170.

10.10.1: *El «Tratado de las andanças e viajes» de Pero Tafur*
[págs. 3402-3425]

Como pieza central del segundo volumen de *Viajes medievales*, editado por M.Á. Pérez Priego (ver págs. 4056-4057), las *Andanças* se enfocan como «un típico relato viajero de aventuras» (pág. xx); se enumeran las escasas noticias que se conservan de Tafur, provenientes de su propio libro, enmarcada su biografía en las relaciones que mantuvo con figuras como Nuño de Guzmán (§ 10.4.4) —otro viajero que de Tierra Santa se traslada a Borgoña y de ahí a Florencia—, Juan de Mena —y se reconocen ecos de su poesía en pasajes de este libro— y Fernán Gómez de Guzmán, el destinatario de la obra, para quien se modela el doctrinal caballeresco que se desgrana en las reflexiones de Tafur; se justifica, así, la larga digresión con la que vincula su linaje al del emperador de Constantinopla. El itinerario que se sigue conduce al hidalgo sevillano a lugares múltiples y diversos, tanto por mar como por tierra, en cuatro etapas; se trata de un viaje «más bien azaroso y de aventura» (pág. xxiii) pues raras son las ocasiones en que haya un destino fijo, permitiéndose Tafur cambiar de dirección o dirigirse a algunos lugares de que ha tenido noticia; quizá, por ello, el orden cronológico no sea muy estricto, aunque exista un tiempo real que avanza de otoño de 1436 a primavera de 1439. Pérez Priego edita el ms. 1985 conservado en la Bibl. Univ. de Salamanca; es un testimonio del siglo XVIII, ya usado por Marcos Jiménez de la Espada y reproducido después en diversas ediciones; se corrigen, ahora, errores de lectura y pasajes que habían sido mal interpretados, teniendo siempre presente que no es fácil saber «hasta qué punto intervino y lo alteró el copista de entonces» (pág. xxxvii).

APÉNDICE II

Cuadros de relaciones genéricas

Más allá del cañamazo diacrónico que sostiene esta *Historia de la prosa,* en este segundo apéndice se agrupan los títulos estudiados en función de las relaciones genéricas compartidas; de este modo, cualquier investigador podrá seguir el hilo temático de una pesquisa interesada sólo en un asunto o en un «estilo» —o género— particular del desarrollo de la prosa medieval. El avance por los textos de cada uno de estos casilleros es cronológico por remitir a la progresión temporal fijada en estos cuatro volúmenes.

Salvo el de la historiografía, los otros siete epígrafes no poseen una identidad genérica precisa; fijan, antes, pautas de ordenación de unos modos específicos de acuñar o de acotar el saber o el conocimiento requerido por los grupos de recepción de las obras analizadas.

El orden de la distribución temática de estos ocho grandes apartados sí se corresponde con el seguido en el interior de los capítulos II al XI de esta *Historia:* se realizaba, primero, un recorrido por las crónicas compiladas en cada uno de esos períodos (**I**), para reparar después en los fueros y las promulgaciones jurídicas reguladoras del presente (**II**); el marco del saber atendía a la relación entre los castigos y la cuentística (**III**) y se proyectaba en una amplia tratadística ligada a la reflexión política y a la ordenación de la cortesía (**IV**). Los inciertos caminos de la ciencia descubrían, sobre todo, los intereses de los marcos cortesanos por asuntos surgidos de disputas o cuestiones preliminares y que requerían vías específicas de difusión como las epístolas o los proemios, así como complejos métodos de indagación de sentidos, además de la instigación de oportunas y necesarias traducciones (**V**). Por supuesto, la literatura religiosa configuraba el mosaico más abigarrado de asuntos y de títulos, concebidos con el propósito de garantizar la propagación de las verdades de las que depende la salvación del alma y que, en su difusión, habían de llegar a un número cada vez más amplio de destinatarios (**VI**). El orden de la ficción, vinculado al fenómeno de la «alegría cortesana» (**VII**), poseía en todos los casos una orientación doctrinal: la construcción de los «mundos posibles» perseguía solamente transmitir unas pautas morales de actuación y garantizar concretas interpretaciones de las circunstancias del presente. Por último, los libros de viajes (**VIII**) se consideraban como singular crisol de géneros, abierto a la indagación religiosa y a la negociación diplomática.

Basta, en fin, seguir el recorrido de la paginación de cada uno de los sesenta y cuatro grupos genéricos acogidos en estos ocho epígrafes temáticos para poder valorar la historia individual de esos «estilos» letrados o modos genéricos en que se manifiesta la «letradura» medieval. Repárese en que algunos de los títulos pueden aparecer repetidos o remitir sólo a los apartados que se ajustan a la modalidad genérica apuntada; estas referencias aparecen marcadas entre corchetes para diferenciarlas del encuadre principal otorgado a cada obra.

I. La historiografía

1.1: ANALES. PRIMERA HISTORIOGRAFÍA

Anales castellanos: 96-97.
Anales toledanos: 97.
Anales navarro-aragoneses: 98-100.
Liber regum: 101-104.
Libro de las Generaciones: 104-110.
Crónica de la población de Ávila: 170-180.

1.2: CRÓNICAS GENERALES

Lucas de Tuy, *Chronicon Mundi [Crónica de España]*: 163-166, 3993-3994.
Rodrigo Jiménez de Rada, romanceamientos del *De rebus Hispaniae:* 168-170, 3994-3999.

Estoria de España de Alfonso X: 645-686.
Versión amplificada de 1289 (Estoria de España): 961-964.
Crónica abreviada (don Juan Manuel): 1103-1108.
Crónica de veinte reyes (derivación de *Versión crítica)*: 1228-1229.
Crónica de Castilla: 1230-1231.
Crónica General Vulgata: 1232-1233.
Crónica de 1344: 1233-1236.
Crónica fragmentaria: 1236-1237.
Crónica de fray García Eugui: 1285-1287.
Crónica de los Estados Peninsulares: 1287-1288.
Crónica de San Juan de la Peña: 1288-1290.
Grant Crónica de Espanya de Juan Fernández de Heredia: 1290-1291.
Estoria del fecho de los godos: 2084-2085.
Crónica de 1404: 2085-2087.
Crónica del moro Rasis: 2087-2089.
Crónica de los Reyes de Navarra de Carlos de Navarra: 3535-3540.
Repertorio de Príncipes de Pedro de Escavias: 3542-3545.
Crónica de Vizcaya de Lope García de Salazar: 3547-3549.
Istoria de las bienandanzas e fortunas de Lope García de Salazar: 3549-3553.
Compendiosa Historia Hispanica de Rodrigo Sánchez de Arévalo: 3554-3557.

1.3: CRÓNICAS UNIVERSALES

General estoria de Alfonso X: 686-796, 4011-4019.
Gran Conquista de Ultramar: 1029-1080.
Mar de historias de F. Pérez de Guzmán: 2424-2434.
Las Siete edades del mundo de don Pablo de Santa María: 2590-2593.

1.4: CRÓNICAS REALES

Crónica de Alfonso X: 971-976.
Crónica de Sancho IV: 976-979.
Crónica particular de Fernando III: 1238-1248.
Crónica de Fernando IV: 1248-1260.
Crónica de Alfonso XI: 1263-1284.
Gran Crónica de Alfonso XI (1376-1379): 1816-1820.
**Corónica verdadera* (historiografía petrista): 1777-1783.
Crónica del rey don Pedro y del rey don Enrique de P. López de Ayala: 1789-1808.

Crónica de Juan I de P. López de Ayala: 1808-1816.
Crónica de Enrique III de P. López de Ayala: 2099-2110.
Crónica de Juan II: 2207-2268; *Primera parte* de Álvar García de Santa María: 2212-2231; *Segunda parte* de Álvar García de Santa María: 2231-2240, 2887-2900; *Refundición* y «revisión» de Lorenzo Galíndez de Carvajal: 2240-2268.
Crónica del Halconero de Juan II de Pero Carrillo de Huete: 2268-2294.
Hechos de Juan II (BN Madrid 9445) de Lope de Barrientos: 2294-2306.
Crónica de Juan II (Escorial X-ii-13): 2306-2322.
Abreviación del Halconero: 2322-2333.
Crónica de Enrique IV de Diego Enríquez del Castillo: 3482-3508.
Gesta Hispaniensia de Alfonso de Palencia: 3511-3517.
Crónica castellana anónima: 3517-3521.
Memorial de diversas hazañas de Diego de Valera: 3521-3535.

1.5: SUMARIOS

Cuento de los Reyes (Victorial): 2090-2092.
Sumario del Despensero: 2092-2099.
Suma de las crónicas de España de Pablo de Santa María: 2593-2596.
Anacephaleosis o *Genealogia Regum Hispanorum* de Alfonso de Cartagena: 2620-2624.
Atalaya de las Corónicas de A. Martínez de Toledo: 2694-2700.

1.6: LIBROS DE MEMORIAS. RELATOS O CRÓNICAS PARTICULARES NOBILIARIAS. BIOGRAFÍAS

Libro de las tres razones de don Juan Manuel: 1191-1198.
Memorias de doña Leonor López de Córdoba: 2334-2350.
El Victorial de Gutierre Díaz de Games: 2350-2396.
Seguro de Tordesillas: 2397-2410.
Libro del Passo Honroso: 2410-2420.
Corónica [de] ... don Alonso Pérez de Guzmán el Bueno: 2459-2470.
Historia del ínclito don Álvaro de Luna: 2900-2935.
Hechos del Condestable don Miguel Lucas de Iranzo: 3558-3579.
Hechos del arzobispo don Alfonso Carrillo de Pero Guillén de Segovia: 3579-3589.

1.7: LIBROS DE LINAJES. NOBILIARIOS

Generaciones y semblanzas de F. Pérez de Guzmán: 2434-2459.
Tratado sobre el título de duque de Juan de Mena: 2741-2745.
Memorias de algunos linages de Juan de Mena: 2745-2747.

II. El orden jurídico y cancilleresco

2.1: FUEROS Y LEYES

Libro de los fueros de Castilla: 295-297.
Fuero Viejo de Castilla: 297-300.
Fuero Real: 300-303.
Setenario: 304-330.
Espéculo: 330-357.
Siete Partidas: 511-596.
Leyes del Estilo: 1295-1297.
Ordenamiento de Alcalá de 1348: 1302-1312.
Ordenamiento de Nájera: 1313-1314.
Ordenamiento Real de Medina del Campo (1433): 2855-2858.
Ordenanzas de Corte (1436): 2858-2860.

2.2: TRATADOS POLÍTICOS

Tratado de Cabreros (1206): 76-80, 3987-3989.

III. La literatura sapiencial: sentencias y «exemplos»

3.1: LIBROS DE CASTIGOS

Libro de los doze sabios: 241-260.
Flores de filosofía: 260-273.
Poridat de las poridades: 273-286.
Secreto de los secretos: 286-294.
Libro de los cien capítulos: 425-440, 4007-4009.
Libro de los buenos proverbios: 440-455.
Bocados de oro: 455-470.
Castigos de Sancho IV: 913-943, 4024-4031.

Libro del consejo e de los consejeros: 943-959.
Libro de los proverbios (Libro del conde Lucanor): 1179-1181.
Castigos del rey de Mentón (Zifar): 1439-1457.
Refranes que dizen las viejas tras el fuego: 2533-2534, 4058-4059.
Dichos de sabios y filósofos de J. Çadique de Uclés: 3120-3121.
Dichos de sabios: 3121-3123.
Dichos por instruir a buena vida: 3123-3125.
Dichos e castigos de profetas e filósofos: 3125-3127.
Proverbios o sententias breves espirituales y morales: 3127-3130.
Castigos de la *Suma de virtuoso deseo:* 3130-3133.
Castigos y dotrinas que un savio dava a sus hijas: 3134-3139.
Capítulo cómo los fijos deven onrar al padre: 3139-3140.
Floresta de filósofos: 3140-3143.
Dichos de Séneca en el acto de la caballería: 3143-3148.
Hechos y dichos memorables de V. Máximo: 3148-3151.
Tratado de moral *(Cancionero de Juan Fernández de Híjar)*: 3729-3732.
Tratado de retórica *(Cancionero de Juan Fernández de Híjar)*: 3732-3737.
Flor de virtudes (Cancionero de Juan Fernández de Híjar): 3738-3744.

3.2: CUENTOS Y «EXEMPLOS»

Calila e Dimna: 182-213.
Sendebar: 214-234, 4000-4004.
[Castigos de Sancho IV: 931-938].
Barlaam e Josafat: 980-1009.
Libro del conde Lucanor (don Juan Manuel): 1148-1184, 4031-4032 *[Libro de los exemplos:* 1159-1179].
Libro de los gatos: 2012-2024.
Enxemplos que pertenesçen al Viridario: 2032-2035.
Libro de los exemplos por a.b.c.: 3096-3103, 4071-4074.
Espéculo de los legos: 3103-3109.
Exemplos muy notables: 3109-3118.

IV. La reflexión política

4.1: REGIMIENTOS DE PRÍNCIPES

[Partida II: 551-557].
[Castigos de Sancho IV: 919-927].
De Regno o *Regimiento de príncipes* (Santo Tomás de Aquino): 1700-1703.

Glosa castellana al «Regimiento de príncipes» de Egidio el Romano: 1704-1725.
Avisaçión de la dignidad real: 1725-1730.
Tratado de la comunidad: 1730-1735.
Exhortación de la paz de Diego de Valera: 2723-2727.
Vergel de príncipes de Rodrigo Sánchez de Arévalo: 3620-3628.
Carta al rey sobre el regimiento de su vivienda: 3635-3639.
Exortaçión o información de buena e sana doctrina: 3648-3661.
Jardín de nobles donzellas de fray Martín de Córdoba: 3661-3677.

4.2: TRATADOS DE FORMACIÓN NOBILIARIA

Libro enfenido (don Juan Manuel): 1184-1191, 4033-4037.
Libro del regimiento de los señores de fray Juan de Alarcón: 2936-2943.
Cirimonial de príncipes de Diego de Valera: 3601-3605.
Breviloquio de virtudes de Diego de Valera: 3605-3607.
Carta e breve conpendio de Pedro de Chinchilla: 3639-3647.

4.3: TRATADOS DOCTRINALES Y POLÍTICOS

Libro de los estados (don Juan Manuel): 1122-1148.
Duodenarium de Alfonso de Cartagena: 2618-2619.
Suma política de Rodrigo Sánchez de Arévalo: 3608-3620.
Qüistión entre dos cavalleros: 3629-3635.

4.4: TRATADOS CABALLERESCOS

Libro del cavallero et del escudero (don Juan Manuel): 1110-1116.
Qüestión de don Íñigo López de Mendoza y *Respuesta* de Alfonso de Cartagena: 2526-2527 y 2865-2870.
Doctrinal de los cavalleros de Alfonso de Cartagena: 2870-2881.
Tratado de las armas de Diego de Valera: 3592-3598.

4.5: ORACIONES O PROPOSICIONES POLÍTICAS

Proposición contra los ingleses de Alfonso de Cartagena: 2624-2627.
Allegationes super conquesta Insularum Canariae de Alfonso de Cartagena: 2627-2630.
Oraçión de miçer Ganoço Manety de Nuño de Guzmán: 2583-2586.

4.6: TRATADOS SOBRE LA NOBLEZA

Espejo de verdadera nobleza de Diego de Valera: 2718-2723.
Cadira de honor de Juan Rodríguez del Padrón: 3300-3306.

V. El orden del conocimiento

5.1: TRATADOS ENCICLOPÉDICOS

Semejança del mundo: 140-156.
Libro del tesoro: 863-890.
Lucidario: 890-913.
[Etimologías de San Isidoro romanceadas: 2158-2162].
Visión deleitable de Alfonso de la Torre: 2831-2849.
Invencionario de Alfonso de Toledo: 3703-3717.

5.2: LIBROS DE CIENCIA

Lapidario: 365-387.
Libro conplido en los iudizios de las estrellas: 387-407, 4005-4007.
Libro de las cruzes: 407-422.
Libro del saber de astrología: 597-620.
Libro de las formas et de las imágenes: 620-626.
Libro de Picatrix: 627-629.
Tratados de astrología mágica (Alfonso X): 629-637.
Tablas alfonsíes: 637-640.

5.3: TRATADOS DE MEDICINA

[Secreto de los secretos: 286-294].
Cirugía mayor de Lanfranco de Milano: 2760-2761.
Lilio de medicina de Bernardo Gordonio: 2761-2762.
Espejo de medicina de Alfonso de Chirino: 2765-2766.
Menor daño de medicina de Alfonso de Chirino: 2766-2768.

5.4: *QUAESTIONES*

Tratado de la lepra de don Enrique de Aragón: 2487-2489.
Tratado de fascinación de don Enrique de Aragón: 2497-2500.

5.5: PROEMIOS Y GLOSAS

Proemio a los *Proverbios* de don Íñigo López de Mendoza: 2527-2530.
Proemio al *Bías contra Fortuna* de don Íñigo López de Mendoza: 2530-2533.
Glosas a los *Proverbios de Séneca* de Pero Díaz de Toledo: 2551-2553.
Glosas a los *Proverbios* de Santillana de Pero Díaz de Toledo: 2553-2556.
«Prólogos» en prosa de Pero Guillén de Segovia: 3717-3727.

5.6: EXÉGESIS

Exposición del salmo «Quoniam videbo» de don Enrique de Aragón: 2507-2510.
Exposición del soneto de Petrarca de don Enrique de Aragón: 2510-2511.
Libros de Tulio de Alfonso de Cartagena: 2604-2610.
Las çinco figuratas paradoxas de A. Fernández de Madrigal: 2646-2655.
Tostado sobre el Eusebio de A. Fernández de Madrigal: 2655-2659.
Comentario de Juan de Mena a la *Coronación:* 2730-2734.
Introduçión al dezir que conpuso el noble cavallero Gómez Manrique de Pero Díaz de Toledo: 3744-3754.

EXÉGESIS MITOLÓGICAS

Los doze trabajos de Hércules de don Enrique de Aragón: 2482-2487.
Las diez qüestiones vulgares de A. Fernández de Madrigal: 2659-2661.

5.7: TRATADOS DE CASO Y FORTUNA

[«Parte cuarta» del *Arçipreste de Talavera* de A. Martínez de Toledo: 2686-2694].
Tractado de caso y fortuna de fray Lope de Barrientos: 2777-2784.
Compendio de la fortuna de fray Martín de Córdoba: 2784-2797.
Tratado de providencia contra fortuna de Diego de Valera: 3599-3601.

5.8: TRATADOS SOBRE PREDESTINACIÓN

Diálogo sobre la predestinación, atribuido a Gonzalo Morante de la Ventura: 2798-2803.
Tratado de la predestinación de fray Martín de Córdoba: 2803-2811.

5.9: TRATADOS SOBRE ADIVINACIÓN

Tractado de los sueños e de los agüeros de fray Lope de Barrientos: 2812-2820.
Tractado de la adivinança de fray Lope de Barrientos: 2820-2829.

5.10: TRATADOS APOCALÍPTICOS

Lamentaçión de Spaña de don Íñigo López de Mendoza: 2523-2526.
Libro de la consolaçión de España: 3075-3084.
Libro del conoscimiento del fin del mundo: 3085-3089.
Libro de las tribulaciones de Jean de Roquetaillade: 3089-3094.
Opúsculos de la miscelánea BN Madrid 8744: 3846-3847.

5.11: TRATADOS DE CONSOLACIÓN

Tratado de la consolación de don Enrique de Aragón: 2493-2497.
Lamentación de don Álvaro de Luna: 2943-2947.
[*La consolaçión natural* de Boecio: 2974-2982].
Libro de las consolaçiones de la vida humana de Pedro de Luna: 2985-2997.
Libro de las tribulaciones, atribuido a fray Lope Fernández de Minaya: 3008-3015.
[*Exemplos muy notables:* 3109-3118].

5.12: DIÁLOGOS O DEBATES

Diálogo de Epicteto y el emperador Adriano: 471-481.
Historia de la donzella Teodor: 482-502.
Capítulo de Segundo filósofo: 502-510, 4009-4011.
Visión de Filiberto: 1761-1769.
Diálogo e razonamiento en la muerte del marqués de Santillana de P. Díaz de Toledo: 2568-2581.
[*Lamentación de don Álvaro de Luna:* 2943-2947].
[*Libro de la consolaçión de España:* 3075-3084].
Coloquio de la Memoria, la Voluntad y el Entendimiento: 3374-3377.
Libro de vita beata de Juan de Lucena: 3684-3702.

5.14: DISPUTAS RELIGIOSAS O CONTROVERSIAS

Disputa entre un cristiano y un judío: 131-137, 3991-3993.
Mostrador de Justiçia de Alfonso de Valladolid: 1753-1756.
Libro del zelo de Dios de Alfonso de Valladolid: 1756-1759.
Instrucción del Relator de F. Díaz de Toledo: 2634-2643.

CONTROVERSIAS HUMANÍSTICAS

Controversia Alphonsiana: 2610-2614.

5.14: TRADUCCIONES

Vidas y dichos de filósofos antiguos de Walter Burley: 2113-2131.
Décadas (Tito Livio) de Ayala: 2135-2142.
Caída de prínçipes de Ayala: 2142-2150.
Flores de los «Morales sobre Job» de Ayala: 2152-2155.
Abreviación de los *Morales* de Ayala: 2155-2157.
Etimologías de San Isidoro romanceadas: 2158-2162.
Del soberano bien: 2163-2171.
Basilio de la reformación de la ánima de P. Díaz de Toledo: 2556-2563.
Libro llamado «Fedrón» de P. Díaz de Toledo: 2563-2568.
Sumas de la Ilíada de Omero de Juan de Mena: 2734-2740.
La consolaçión natural de Boecio: 2974-2982.
[Confesión del amante de John Gower: 3208-3218].
[Bursario de Juan Rodríguez del Padrón: 3272-3289].
Comento del dictado de R. Llull: 3360-3363.

5.15: EPISTOLOGRAFÍA

[Poridat de las poridades: 273-286].
Epístola a Suero de Quiñones de don Enrique de Aragón: 2500-2502.
Epistula directa ad Petrum Fernandi de Velasco de Alfonso de Cartagena: 2615-2617.
Epístolas de Diego de Valera: 2716-2718.
Correspondencia del Arcediano de Niebla: 2747-2756.
Cartas de batalla: 2881-2885.
Libro de las veinte cartas e qüistiones de Fernando de la Torre: 3788-3809.

VI. Literatura religiosa

6.1: ROMANCEAMIENTOS BÍBLICOS

Fazienda de Ultramar: 111-122.
Biblias medievales (siglo XIII): 122-131.

6.2: TRATADOS DOCTRINALES RELIGIOSOS

Barlaam e Josafat: 980-1009.
«Epílogo» del *Libro del conde Lucanor:* 1181-1183.

6.3: TRATADOS CATESQUIMALES

Catecismo de Gil de Albornoz: 1853-1856.
Catecismo de Gutierre de Toledo: 1856-1859.
Miscelánea del Ms. 77 de la Bibl. Menéndez Pelayo: 1859-1875.
Libro de la justiçia de la vida espiritual de Pedro Gómez Álvarez de Albornoz: 1875-1897.
Miscelánea del BN Madrid 8744: 3832-3859.

6.4: SACRAMENTALES

[*Setenario:* 326-330].
Estoria de la fiesta del Cuerpo de Dios: 3034-3037.
Sacramental de Clemente Sánchez de Vercial: 3048-3053.

6.5: CONFESIONALES. TRATADOS DE PENITENCIA

Diez Mandamientos: 1009-1017.
Libro de las confesiones de Martín Pérez: 1739-1744, 4041-4048.
Tractado breve de penitencia de fray Lope Fernández de Minaya: 3006-3008.
Libro de confesión de Medina de Pomar: 3037-3043.
Confesional de A. Fernández de Madrigal: 3043-3047.
Opúsculos de la miscelánea BN Madrid 8744: 3836-3840.

6.6: TRATADOS DE ORACIÓN

Oracional de Alfonso de Cartagena: 3015-3028.
Compendio de oraciones de Sor Constanza: 3071-3074, 4069-4071.

6.7: TRATADOS DE ESPIRITUALIDAD

Soliloquios de fray Pedro Fernández de Pecha: 2003-2011.
Viridario o *Vergel de la consolaçión:* 2025-2035.
Espejo del alma de fray Lope Fernández de Minaya: 2998-3006.
Arboleda de los enfermos de Teresa de Cartagena: 3057-3066.
Admiraçión operum dey de Teresa de Cartagena: 3066-3071.
Libro del amigo y del Amado de R. Llull: 3363-3368.
Arte memorativa: 3368-3373.
Tratado que fizo Alarcón: 3755-3760.
Opúsculos de la miscelánea BN Madrid 8744: 3833-3836.

6.8: HAGIOGRAFÍA

Pero Marín, *Miráculos romançados:* 1018-1022.
Cantigas prosificadas: 1024-1029.
Istoria de Sant Alifonso: 1921-1926.
De Sant Lorenço e de Sant Sisto (BN Madrid 10252): 1926-1936.
Miraglos de Santiago (BN Madrid 10252): 1930-1936.
Vida de Santa María Madalena (Escorial h-i-13): 1937-1946.
Vida de Santa Marta (Escorial h-i-13): 1946-1952.
Santa Catalina (Escorial h-i-13): 1953-1962.
Leyenda de San Amaro: 1962-1971.
Vida de San Alejo: 1972-1980.
Vida de Santa Pelagia: 1981-1985.
Vida de Santo Domingo de Guzmán: 1987-1994.
Leyenda de Santo Tomás de Aquino: 1995-2001.
«Vida de San Isidoro»: 2159-2161.
Vidas de San Ildefonso y de San Isidoro, atribuidas a A. Martínez de Toledo: 2700-2713.
Miraglo de Sanct Andrés (BN Madrid 8744): 3847-3849.
Milagros de San Antonio (BN Madrid 8744): 3850-3855.

6.9: TRATADOS MARIANOS

Tractado de la Asunçión de la Virgen María (don Juan Manuel): 1198-1202.
Vida de la Virgen (BN Madrid 8744): 3855-3858.
Libro de toda la vida de nuestra Señora de fray Juan López de Salamanca: 3860-3888.

6.10: SERMONÍSTICA

Qué significa el ábito que traen los freires de Santiago de Pero López de Baeza: 1904-1907.
Sermón de Pedro de Luna: 1907-1914.
Sermón político aragonés: 1914-1916.
Sermonario de la B.Univ. de Salamanca, 1854: 2949-2953.
Sermones de San Vicente Ferrer: 2953-2961.
Sermones atribuidos a Pedro Marín: 2961-2966.
Homilías del ms. 49 de la Catedral de Pamplona: 2967-2970.
Sermón sobre el Corpus Christi: 2970-2972.
[*Libro de los evangelios moralizados* de Juan López de Salamanca: 2972-2974, 4067-4069].

6.11: GLOSAS Y EXÉGESIS

Apología sobre el salmo «Judica me Deus» de Alfonso de Cartagena: 3028-3030.
Declaración sobre San Juan Crisóstomo de Alfonso de Cartagena: 3031-3034.
Evangelios moralizados de Juan López de Salamanca: 3972-2973, 4067-4069.

6.12: TRATADOS DE REFORMA ECLESIÁSTICA Y CONVENTUAL

Opúsculos de la miscelánea BN Madrid 8744: 3841-3845.

6.13: ARTES DE BIEN MORIR

[*Diálogo e razonamiento en la muerte del marqués de Santillana* de P. Díaz de Toledo: 2568-2581].
De los bienes que se siguen de la remenbrança de la muerte (BN Madrid 8744): 3844-3845.

6.14: REGLAS

ÓRDENES MILITARES Y RELIGIOSAS
Dichos de los santos padres (Pero López de Baeza): 1744-1750.

REGLAS Y CRÓNICAS MONÁSTICAS
Regla de San Benito (1246): 137-139.

Crónicas anónimas de Sahagún: 1022-1024.
Regla de San Bernardo (Cancionero de Juan Fernández de Híjar): 3737-3738.

VII. El marco de la alegría cortesana

7.1: LIBROS DE JUEGOS

Libros de acedrex, dados e tablas: 820-838.

7.2: TRATADOS DE ETIQUETA CORTESANA

Arte cisoria de don Enrique de Aragón: 2489-2493.

7.3: ARTES POÉTICAS Y PRÓLOGOS LITERARIOS

Arte de trovar de don Enrique de Aragón: 2503-2506.
Prohemio e carta de don Íñigo López de Mendoza: 2535-2537.
Epístolas poéticas de don Íñigo López de Mendoza: 2537-2540.
[*Basilio de la reformación de la ánima* de P. Díaz de Toledo: 2556-2563].
[Comentario de P. Díaz de Toledo a la *Esclamaçión* de Gómez Manrique: 3748-3749].

7.4: TRATADOS DE EROTOLOGÍA

Epístola a Suero de Quiñones de don Enrique de Aragón: 2500-2502.
Arçipreste de Talavera o *Corbacho* de A. Martínez de Toledo: 2665-2694, 4063-4065.
Breviloquio de amor y de amiçiçia de A. Fernández de Madrigal: 3167-3174, 4074-4075.
Tratado de cómo al hombre es necesario amar, atribuido a A. Fernández de Madrigal: 3174-3181.
Tratado de amor, atribuido a Juan de Mena: 3181-3190.
[El Victorial, I.xxxiv: 3190-3193].

7.5: TRATADOS EN DEFENSA DE LA MUJER

Libro de las claras e virtuosas mugeres de Álvaro de Luna: 3222-3254.
Tratado en defensa de virtuosas mugeres de Diego de Valera: 3254-3266.
Triunfo de las donas de Juan Rodríguez del Padrón: 3289-3300.

7.6: LAS NARRACIONES CORTESANAS (o *ROMANCES)*

7.6.1: MATERIA CAROLINGIA

Berta (Gran Conquista de Ultramar): 1081-1084
Mainete (Gran Conquista de Ultramar): 1084-1092.
Flores y Blancaflor: 1582-1593.
Berta (Crónica fragmentaria): 1593-1597.
Mainete (Crónica fragmentaria): 1597-1604.
Cuento del enperador Carlos Maynes: 1605-1616.
Historia de Enrique fi de Oliva: 1617-1630.

7.6.2: MATERIA HAGIOGRÁFICA

Estoria de Santa María Egiçiaca: 1343-1350.
El Cavallero Pláçidas: 1350-1357.
Estoria del rrey Guillelme: 1357-1365.

7.6.3: MATERIA CABALLERESCA

Estoria del Cavallero del Çisne (Gran Conquista de Ultramar): 1055-1080.
Libro del Cavallero Zifar: 1371-1459.

7.6.4: MATERIA ARTÚRICA

Lanzarote del Lago: 1470-1475.
Libro de Josep Abarimatía (B.Univ. Sal. 1877): 1478-1481.
Estoria de Merlín (B.Univ. Sal. 1877): 1483-1485.
Baladro del sabio Merlín: 1485-1492, 4038-4039.
Demanda del Santo Grial: 1492-1505, 4039-4040.
Muerte de Arturo: 1503-1505.
Cuento de Tristán de Leonís (finales del siglo XIV): 1513-1523.
Tristán de Leonís (1501): 1511-1513 y 1523-1527.
Tristán (fragmentario, siglo XV): 1527-1535.
Amadís de Gaula: 1540-1577.

7.6.5: MATERIA HISTORIOGRÁFICA

Historia troyana polimétrica: 803-816, 4020-4022.
Sumas de Historia Troyana: 1632-1649.
Crónica sarracina de Pedro de Corral: 3342-3358.

7.6.6: MATERIA DE LA ANTIGÜEDAD

Otas de Roma: 1658-1674.
Ystoria del noble Vespesiano: 1674-1680.
Historia de Apolonio: 1680-1682.

7.6.7: FICCIÓN SENTIMENTAL

Confesión del amante de John Gower: 3208-3218.
Bursario de Juan Rodríguez del Padrón: 3272-3289.
Siervo libre de amor de Juan Rodríguez del Padrón: 3307-3324.
Sátira de infelice e felice vida de don Pedro de Portugal: 3325-3340.
[*Tratado e despido a una dama de religión* de Fernando de la Torre: 3800-3806].
Juego de naipes de Fernando de la Torre: 3809-3812.
Triste deleytaçión: 3812-3832.

7.6.8: FICCIÓN ALEGÓRICA

Libro de Graçián: 3377-3401.
Batalla campal de los perros contra los lobos de Alfonso de Palencia: 3762-3769.
Perfeçión del triunfo de Alfonso de Palencia: 3769-3783.

7.7: LIBROS DE CAZA

Libro de las animalias que caçan: 842-846.
Libro de la caza de don Juan Manuel: 1116-1121.
Tratado de cetrería del halconero Gerardo: 1685-1686.
Libro de cetrería del rey Dancos: 1686-1687.
Libro de los halcones del maestro Guillermo: 1688-1689.
Libro de los açores: 1689-1690.
Tratado de cetrería: 1690-1691.
Libro de la montería: 1692-1696.
Libro de la caza de las aves de Pero López de Ayala: 2036-2049.
Libro de las aves que cazan de Juan de Sahagún: 2850-2852.

7.8: TRATADOS DE ALBEITERÍA

Libro de fecho de los cavallos: 847-852.

VIII. Libros de viajes

8.1: LIBROS DE VIAJES Y GUÍAS DE PEREGRINACIÓN

Fazienda de Ultramar: 111-122.
Libro del conosçimiento: 1824-1828.
Libro de Marco Polo: 1829-1831.
Libro de las maravillas del mundo (Johan de Mandeville): 1831-1833, 4051-4056.
Embajada a Tamorlán: 2172-2190.
Tratado de las andanças e viajes de Pero Tafur: 3402-3425.
Libro del infante don Pedro de Portugal: 3425-3439.

8.2: VIAJES ALEGÓRICOS. VISIONES ESCATOLÓGICAS

Escala de Mahoma: 234-240.
Visión de don Túngano: 1834-1842.
Purgatorio de San Patricio: 1843-1852.

APÉNDICE III

Tablas genealógicas

Para situar cada uno de los modelos culturales descritos, se ha considerado oportuno configurar un apéndice de tablas genealógicas tanto de la realeza como de los linajes nobiliarios implicados en la transmisión o producción de la cultura libresca.

Las tablas se han vinculado al desarrollo de los capítulos de esta *Historia de la prosa;* adquieren, así, un sentido unitario advertido en la cronología y en los títulos con que se identifican; las figuras principales van en negrita, destacadas en cajas en que se señalan, para el caso de los monarcas, las fechas de su reinado, enviando a las páginas en que se estudian los marcos letrados conectados a esas figuras regias. Apenas hay abreviaturas: los signos ↔ y ↕ apuntan la unión matrimonial, las cifras entre paréntesis (1), (2) ordenan esos enlaces, lo que permite derivar de cada uno de ellos la correspondiente línea de descendencia; las ramas bastardas se indican con trazo discontinuo; la † fija la fecha de fallecimiento.

No sólo se ha atendido a la sucesión castellana [Tablas 1-3], sino a las de los otros reinos peninsulares vinculados a la corona de Castilla mediante alianzas matrimoniales; se desglosan, por ello, las genealogías de Aragón [Tablas 5-6], de Navarra [Tabla 7] y de Portugal [Tabla 8].

Las tablas dedicadas a los linajes nobiliarios son muy desiguales y dependen de la atención dedicada por genealogistas e historiadores a estas familias; además de los vínculos fijados por Luis de Salazar y Castro en su *Historia genealógica de la casa de Lara* [Madrid, 1616], repr. facsímil: Bilbao, Wilsen, 1988, 6 vols. o por Alonso López de Haro en su *Nobiliario Genealógico de los Reyes y Títulos de España* [Madrid, 1622], repr. facsímil: Bilbao, Wilsen, 1996, 2 vols., se han tenido en cuenta los siguientes estudios, ofrecidos aquí por orden de tabla: para los Lara [Tabla 9] el de Simon R. Doubleday, *Nobleza y monarquía en la España medieval* [2001], Madrid, Turner, 2004; para los Ayala [Tabla 11] y los Álvarez de Toledo [Tabla 12], Carlos Alvar, «Promotores y destinatarios de traducciones en Castilla durante el siglo XV», *Cahiers de linguistique et de civilisation hispaniques médiévales*, 27 (2004), págs. 127-140, además de Juan Ramón Palencia Herrejón, *Los Ayala de Toledo: desarrollo e instrumentos de poder de un linaje nobiliario en el siglo XV*, Toledo, Concejalía de Cultura, 1995; para los Santa María [Tabla 13], el de Francisco Cantera Burgos, *Álvar García de Santa María y su familia de conversos: Historia de la judería de Burgos y de sus conversos más egregios*, Madrid, Instituto Arias Montano, 1952; para los Mendoza [Tabla 14], el de Ana Belén Sánchez Prieto, *La casa de Mendoza hasta el tercer duque del Infantado (1350-1531): el ejercicio del alcance del poder señorial en la Castilla bajomedieval*, Madrid, Palafox&Pezuela, 2001; para el de los Pimentel [Tabla 16], el de Isabel Beceiro Pita, *El Condado de Benavente en el siglo XV*, Benavente, Centro de Estudios Benaventanos «Ledo del Pozo»-C.S.I.C., 1998; y para el de los Manrique [Tabla 17], el de Rosa María Montero Tejada, *Nobleza y sociedad en Castilla: el linaje Manrique (siglos XIV-XVI)*, Madrid, Caja Madrid, 1996. El de los Haro [Tabla 10] y el de los Estúñiga o Zúñiga [Tabla 15] se arman en función de los nexos familiares conocidos; el de los Manuel [Tabla 4] aprovecha el cierre de la ed. de *El libro de los estados* de Ian R. Macpherson y Robert B. Tate, Madrid, Castalia, 1991. También en el caso de estas genealogías nobiliarias, con negrita se destacan las figuras principales estudiadas en esta *Historia de la prosa*, señaladas, cuando se conocen, las fechas de su vida y de su muerte, así como los enlaces más importantes.

TABLA 1

**De Alfonso VII a Alfonso X (1126-1284):
La configuración de Castilla: la construcción de la realidad castellana
[Capítulos II-III]**

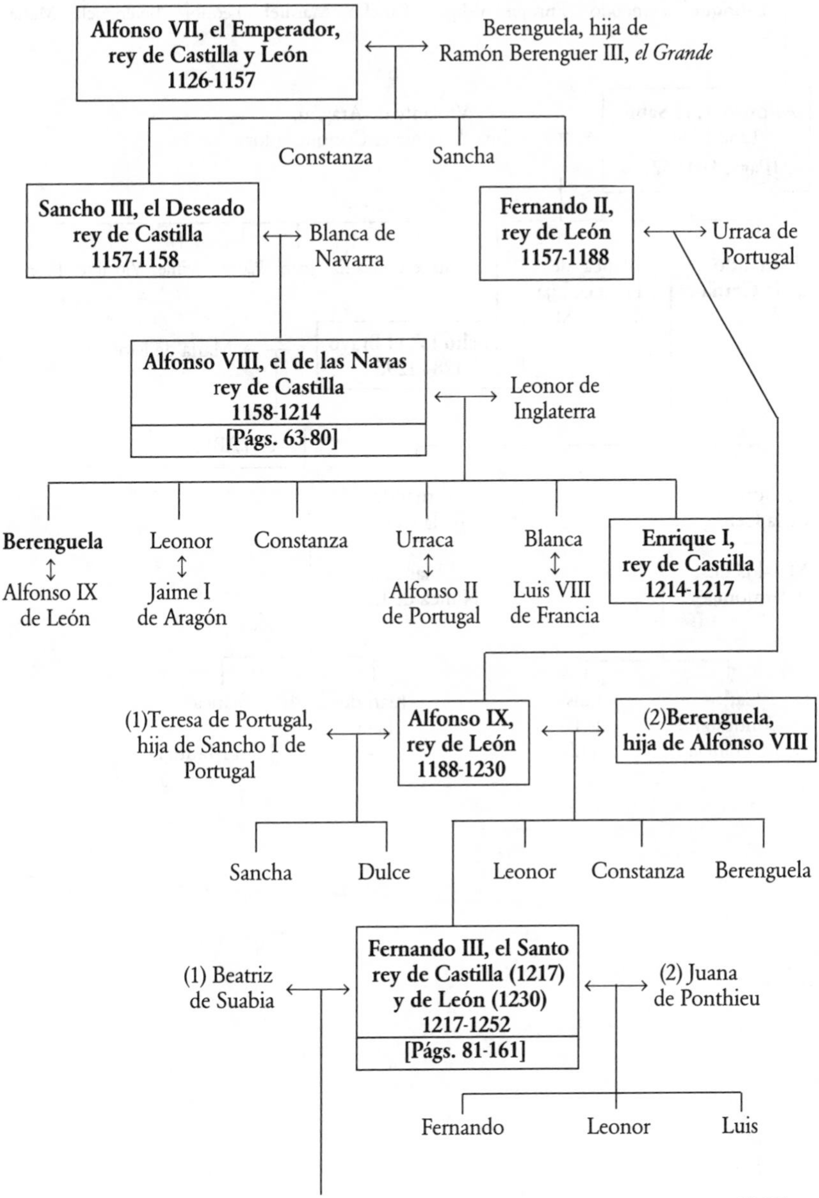

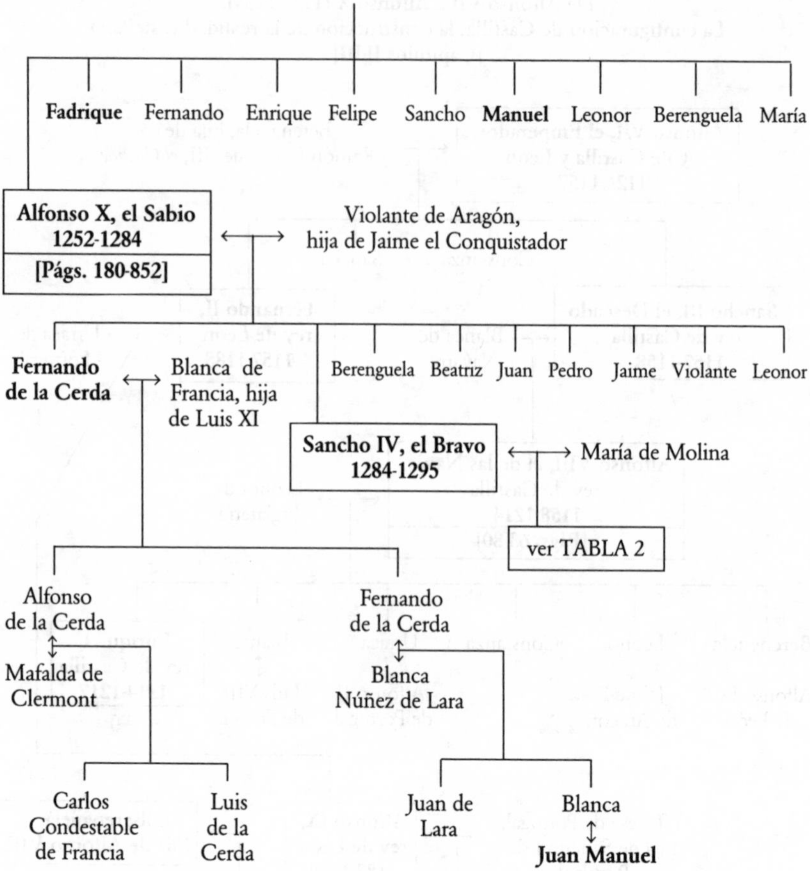
Fadrique
Fernando
Enrique
Felipe
Sancho
Manuel
Leonor
Berenguela
María
Alfonso X, el Sabio
1252-1284
[Págs. 180-852]
Violante de Aragón,
hija de Jaime el Conquistador
Fernando
de la Cerda
Blanca de
Francia, hija
de Luis XI
Berenguela
Beatriz
Juan
Pedro
Jaime
Violante
Leonor
Sancho IV, el Bravo
1284-1295
María de Molina
ver TABLA 2
Alfonso
de la Cerda
Mafalda de
Clermont
Fernando
de la Cerda
Blanca
Núñez de Lara
Carlos
Condestable
de Francia
Luis
de la
Cerda
Juan de
Lara
Blanca
Juan Manuel

TABLA 2

De Sancho IV a Pedro I (1284-1369):
El molinismo
[Capítulos V y VII]

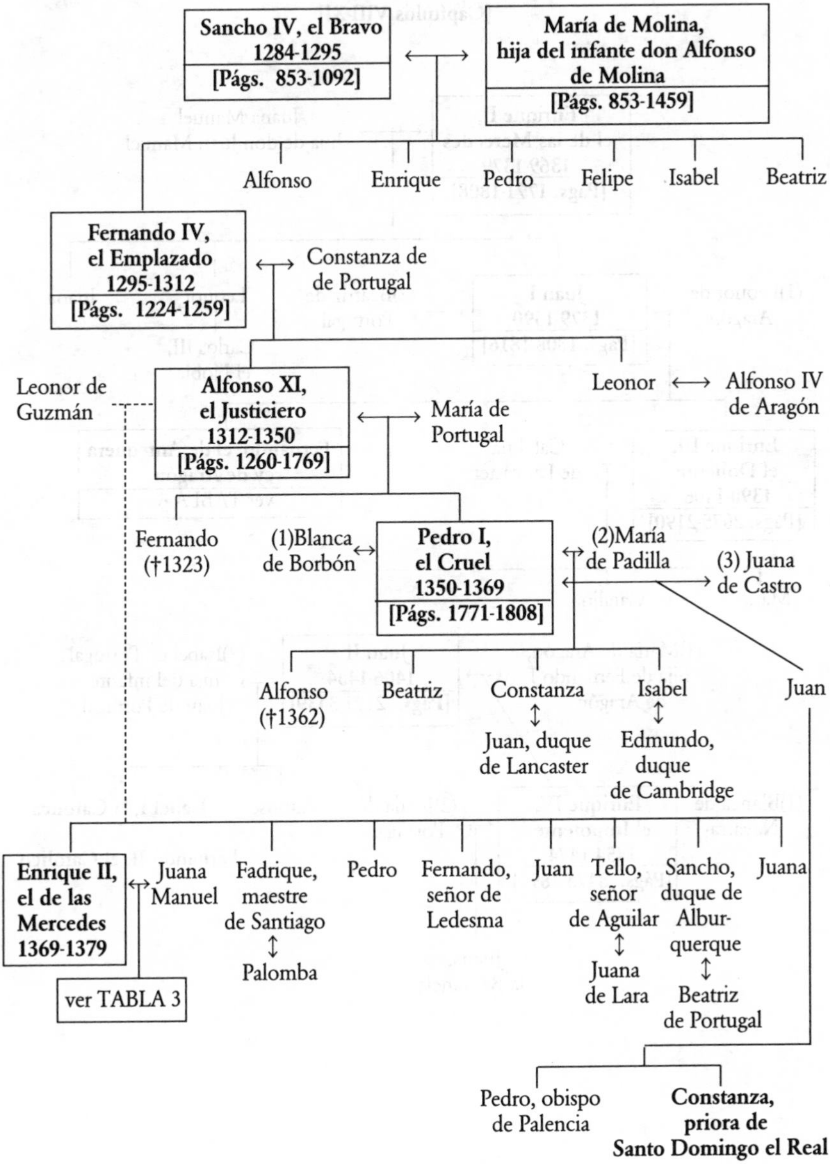
Sancho IV, el Bravo
1284-1295
[Págs. 853-1092]
María de Molina,
hija del infante don Alfonso de Molina
[Págs. 853-1459]
Alfonso
Enrique
Pedro
Felipe
Isabel
Beatriz
Fernando IV,
el Emplazado
1295-1312
[Págs. 1224-1259]
Constanza de
de Portugal
Leonor de
Guzmán
Alfonso XI,
el Justiciero
1312-1350
[Págs. 1260-1769]
María de
Portugal
Leonor
Alfonso IV
de Aragón
Fernando
(†1323)
(1)Blanca
de Borbón
Pedro I,
el Cruel
1350-1369
[Págs. 1771-1808]
(2)María
de Padilla
(3) Juana
de Castro
Alfonso
(†1362)
Beatriz
Constanza
Isabel
Juan
Juan, duque
de Lancaster
Edmundo,
duque
de Cambridge
Enrique II,
el de las
Mercedes
1369-1379
Juana
Manuel
ver TABLA 3
Fadrique,
maestre
de Santiago
Palomba
Pedro
Fernando,
señor de
Ledesma
Juan
Tello,
señor
de Aguilar
Juana
de Lara
Sancho,
duque de
Albur-
querque
Beatriz
de Portugal
Juana
Pedro, obispo
de Palencia
Constanza,
priora de
Santo Domingo el Real

TABLA 3

De Enrique II a Enrique IV (1369-1474):
La dinastía trastámara
[Capítulos VIII-XI]

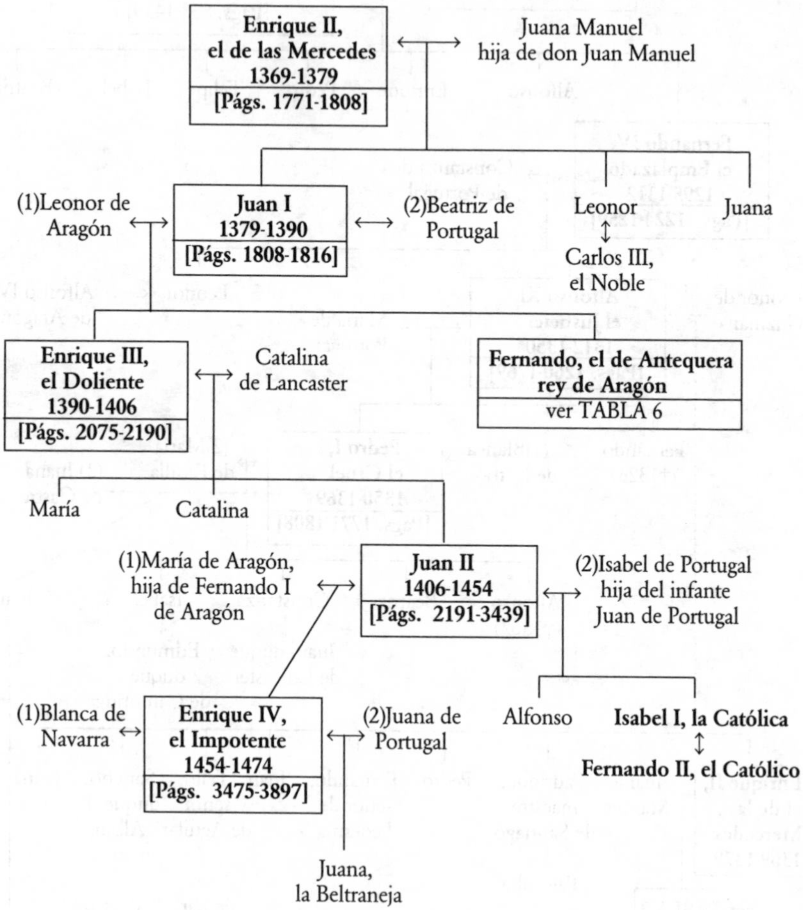

TABLA 4

El linaje de los Manuel.
[Capítulo VI]

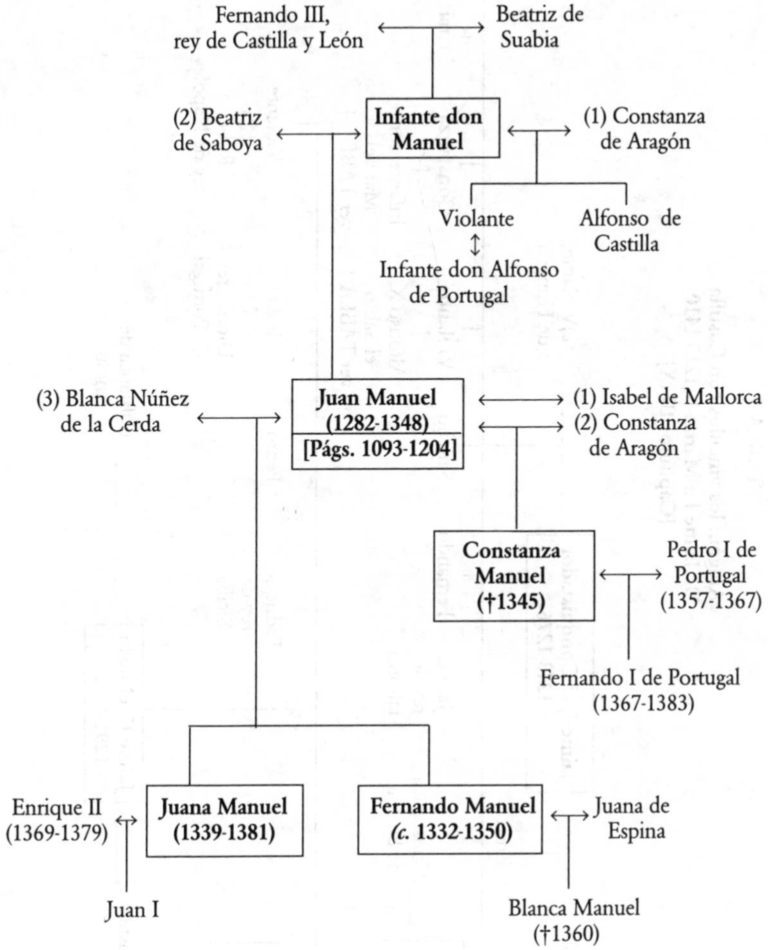

Fernando III,
rey de Castilla y León
Beatriz de
Suabia
(2) Beatriz
de Saboya
Infante don
Manuel
(1) Constanza
de Aragón
Violante
Alfonso de
Castilla
Infante don Alfonso
de Portugal
(3) Blanca Núñez
de la Cerda
Juan Manuel
(1282-1348)
[Págs. 1093-1204]
(1) Isabel de Mallorca
(2) Constanza
de Aragón
Constanza
Manuel
(†1345)
Pedro I de
Portugal
(1357-1367)
Fernando I de Portugal
(1367-1383)
Enrique II
(1369-1379)
Juana Manuel
(1339-1381)
Fernando Manuel
(c. 1332-1350)
Juana de
Espina
Juan I
Blanca Manuel
(†1360)

TABLA 5

Aragón: los vínculos con Castilla.
De Jaime I a Martín I (1213-1410).
[Capítulos III-IX]

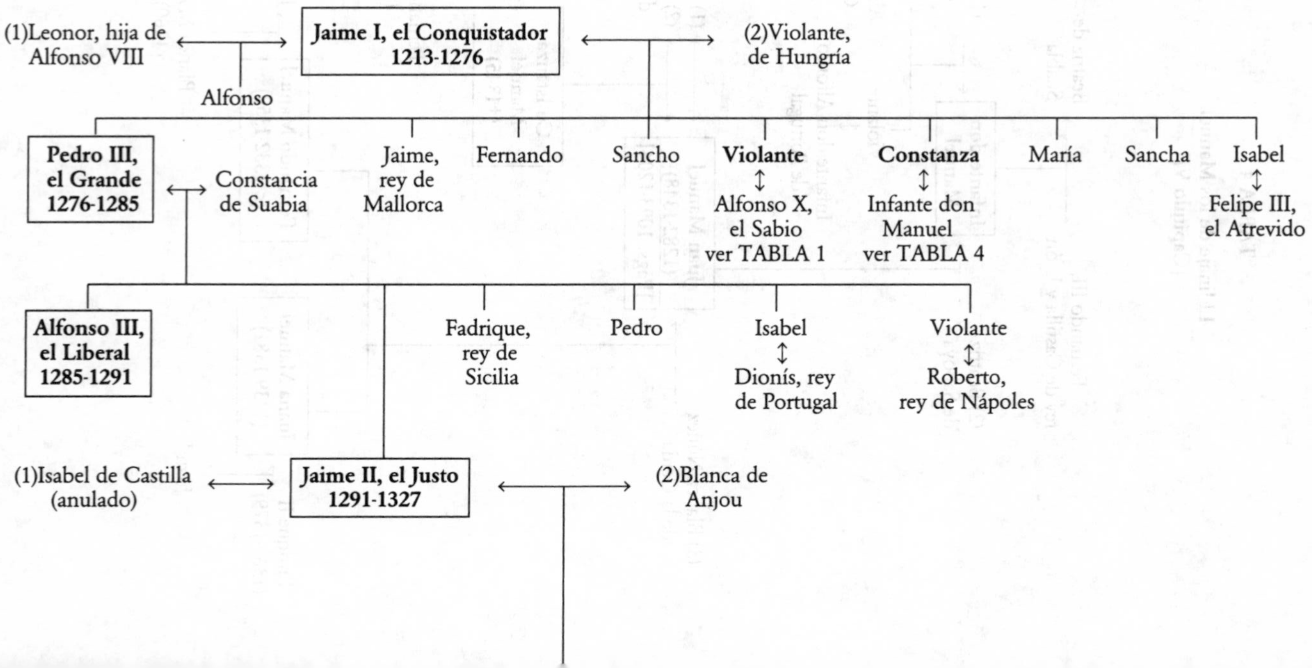

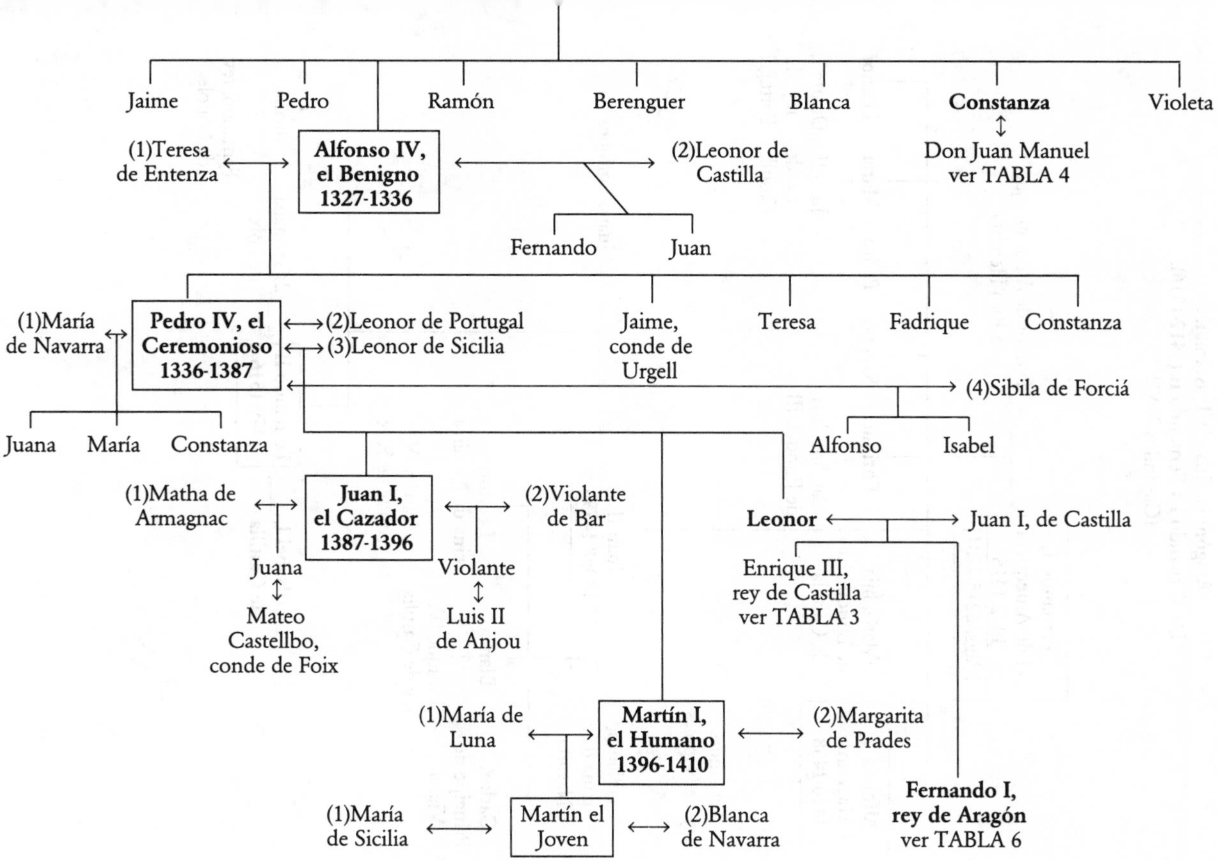
Jaime
Pedro
Ramón
Berenguer
Blanca
Constanza
Violeta
Don Juan Manuel
ver TABLA 4
(1)Teresa
de Entenza
Alfonso IV,
el Benigno
1327-1336
(2)Leonor de
Castilla
Fernando
Juan
(1)María
de Navarra
Pedro IV, el
Ceremonioso
1336-1387
(2)Leonor de Portugal
(3)Leonor de Sicilia
(4)Sibila de Forciá
Jaime,
conde de
Urgell
Teresa
Fadrique
Constanza
Juana
María
Constanza
Alfonso
Isabel
(1)Matha de
Armagnac
Juan I,
el Cazador
1387-1396
(2)Violante
de Bar
Juana
Mateo
Castellbo,
conde de Foix
Violante
Luis II
de Anjou
Leonor
Juan I, de Castilla
Enrique III,
rey de Castilla
ver TABLA 3
(1)María de
Luna
Martín I,
el Humano
1396-1410
(2)Margarita
de Prades
(1)María
de Sicilia
Martín el
Joven
(2)Blanca
de Navarra
Fernando I,
rey de Aragón
ver TABLA 6

TABLA 6

Aragón: la dinastía Trastámara.
De Fernando I a Fernando II (1412-1516).
[Capítulos X-XI]

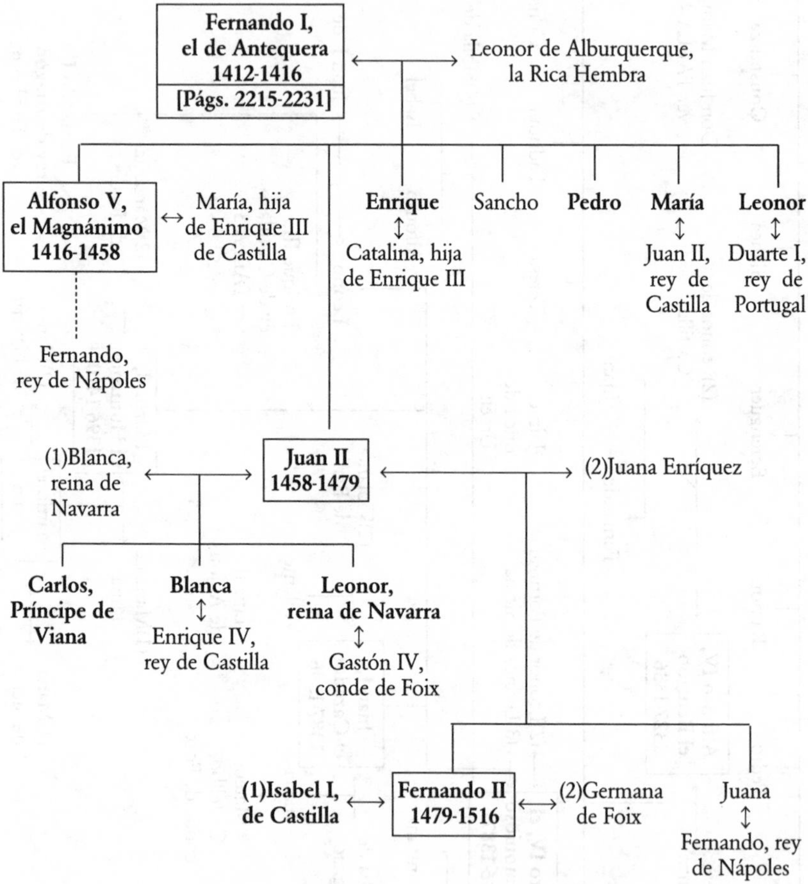

TABLA 7

Navarra: relaciones dinásticas.
De García Ramírez IV a Catalina de Foix (1134-1518).
[Capítulos I-XI]

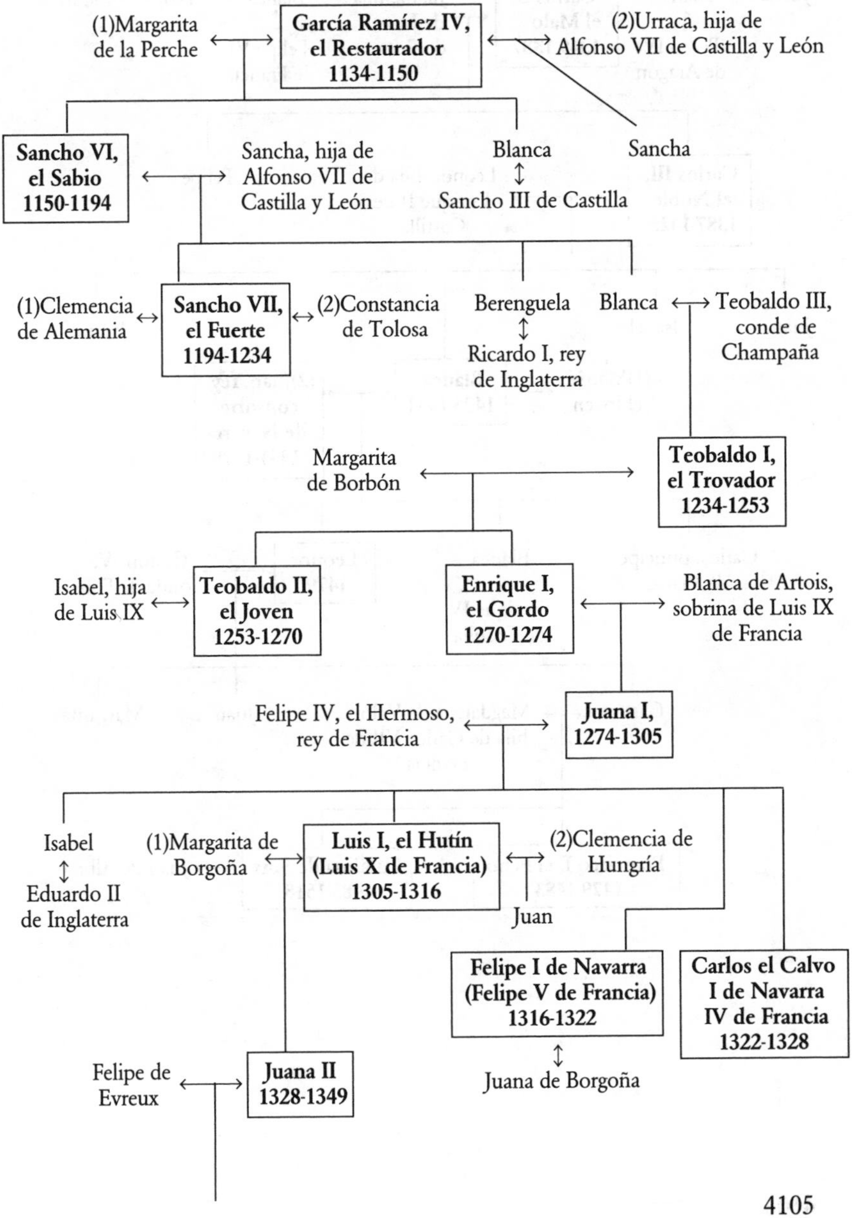

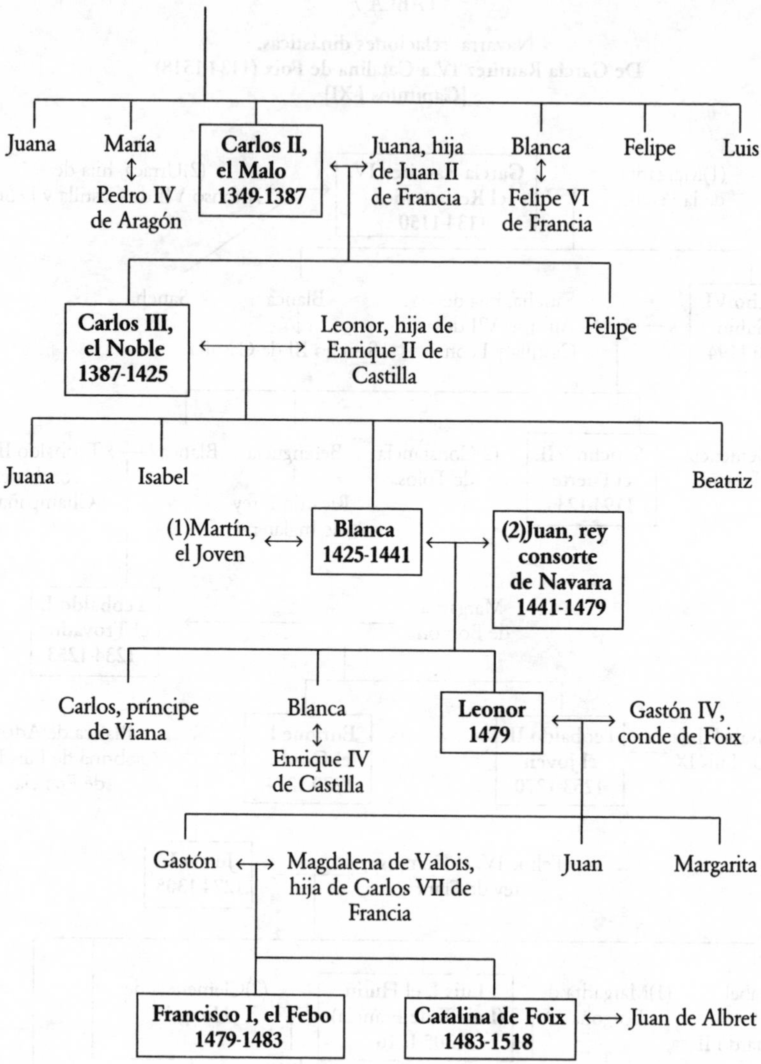
Juana
María
Pedro IV de Aragón
Carlos II, el Malo 1349-1387
Juana, hija de Juan II de Francia
Blanca
Felipe VI de Francia
Felipe
Luis
Carlos III, el Noble 1387-1425
Leonor, hija de Enrique II de Castilla
Felipe
Juana
Isabel
Beatriz
(1)Martín, el Joven
Blanca 1425-1441
(2)Juan, rey consorte de Navarra 1441-1479
Carlos, príncipe de Viana
Blanca
Enrique IV de Castilla
Leonor 1479
Gastón IV, conde de Foix
Gastón
Magdalena de Valois, hija de Carlos VII de Francia
Juan
Margarita
Francisco I, el Febo 1479-1483
Catalina de Foix 1483-1518
Juan de Albret

TABLA 8

Portugal
De Afonso I a Manuel I (1139-1521).
[Capítulos I-XI]

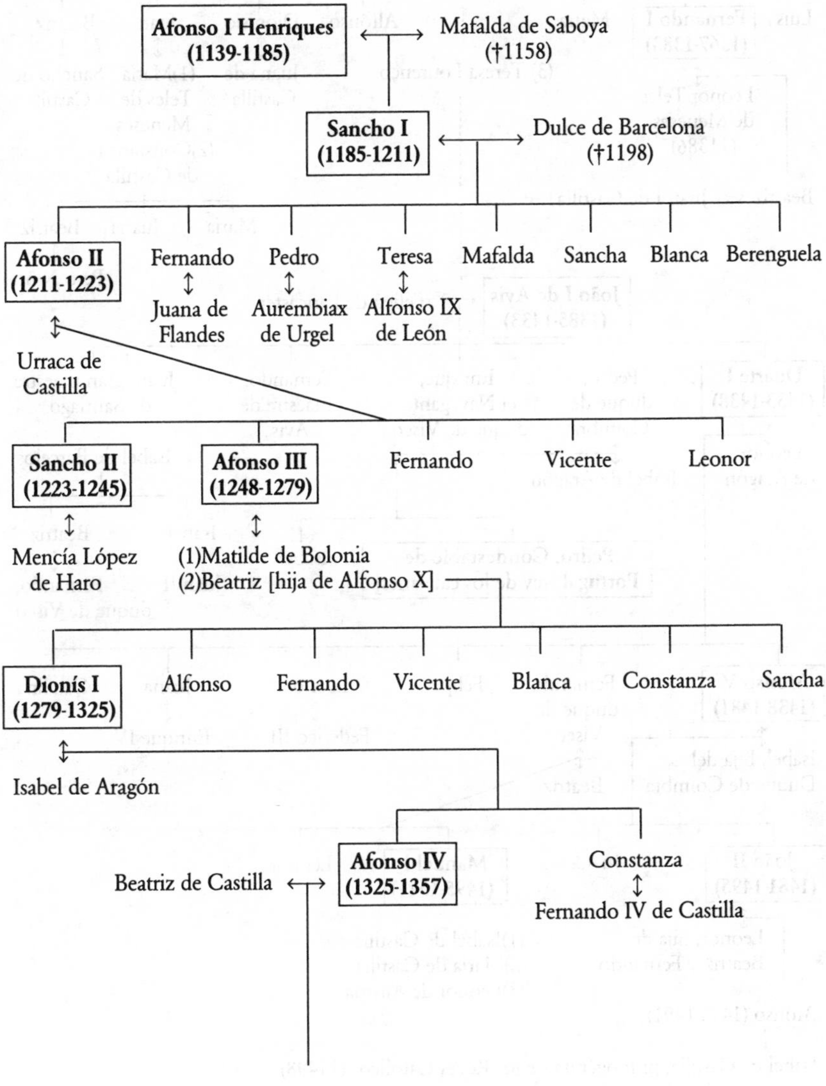

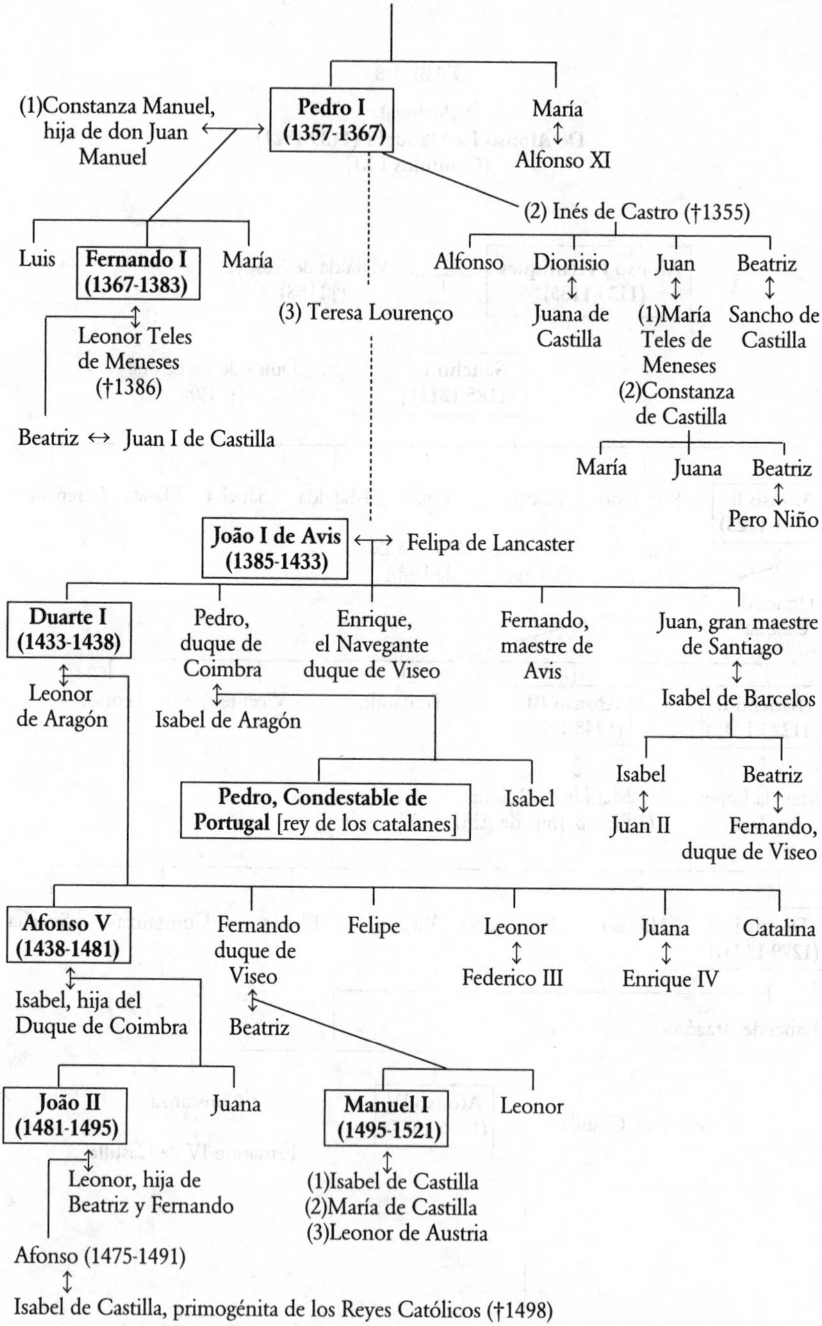
(1)Constanza Manuel, hija de don Juan Manuel
Pedro I (1357-1367)
María
Alfonso XI
(2) Inés de Castro (†1355)
Luis
Fernando I (1367-1383)
María
Leonor Teles de Meneses (†1386)
Beatriz ↔ Juan I de Castilla
(3) Teresa Lourenço
Alfonso
Dionisio
Juana de Castilla
Juan
(1)María Teles de Meneses
(2)Constanza de Castilla
Beatriz
Sancho de Castilla
María
Juana
Beatriz
Pero Niño
João I de Avis (1385-1433)
Felipa de Lancaster
Duarte I (1433-1438)
Leonor de Aragón
Pedro, duque de Coimbra
Isabel de Aragón
Enrique, el Navegante duque de Viseo
Fernando, maestre de Avis
Juan, gran maestre de Santiago
Isabel de Barcelos
Pedro, Condestable de Portugal [rey de los catalanes]
Isabel
Isabel
Juan II
Beatriz
Fernando, duque de Viseo
Afonso V (1438-1481)
Isabel, hija del Duque de Coimbra
Fernando duque de Viseo
Beatriz
Felipe
Leonor
Federico III
Juana
Enrique IV
Catalina
João II (1481-1495)
Leonor, hija de Beatriz y Fernando
Juana
Manuel I (1495-1521)
(1)Isabel de Castilla
(2)María de Castilla
(3)Leonor de Austria
Leonor
Afonso (1475-1491)
Isabel de Castilla, primogénita de los Reyes Católicos (†1498)

TABLA 9

El linaje de los Lara
[Capítulos II-VII]

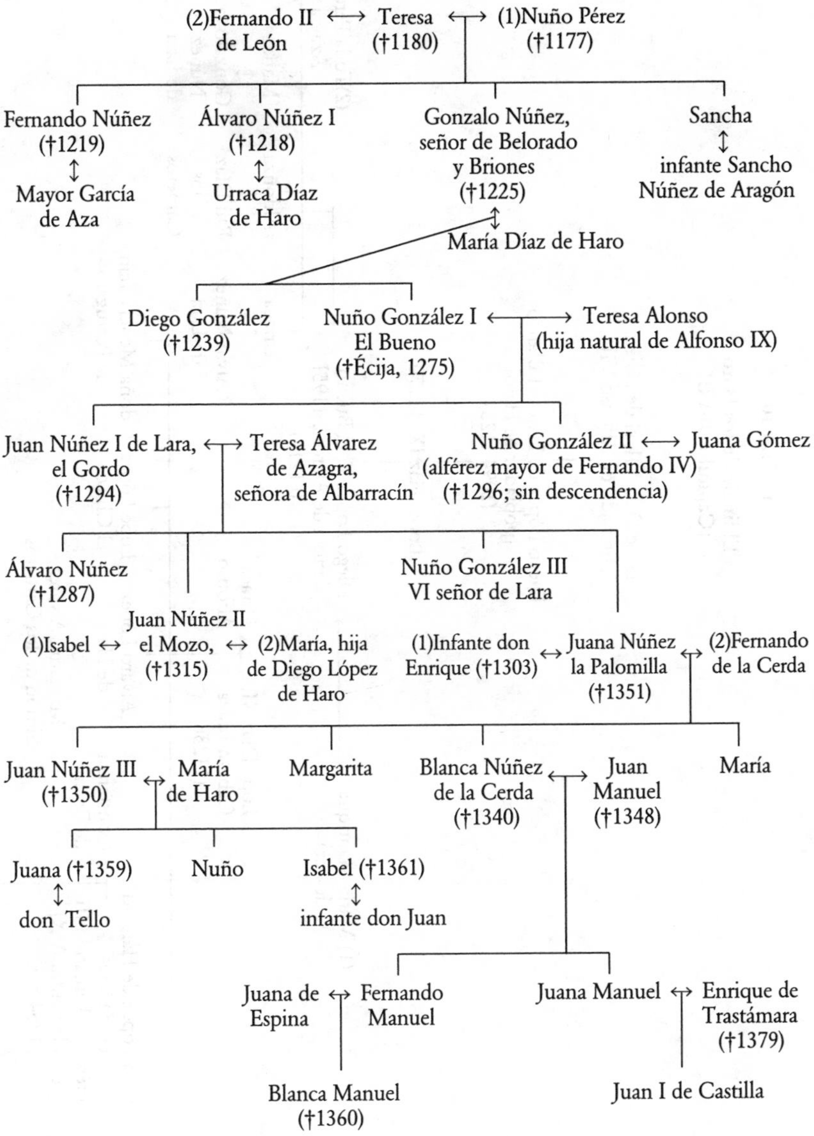

TABLA 10

El linaje de los Haro
[Capítulos II-VII]

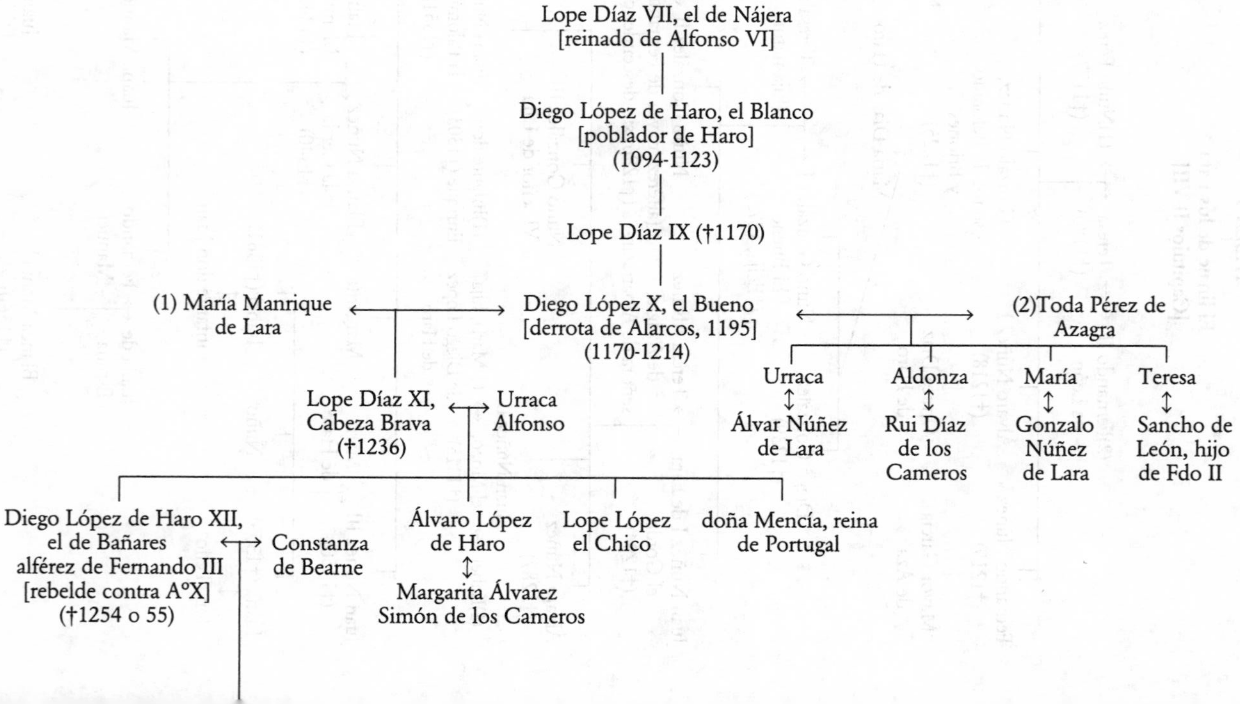

Lope Díaz VII, el de Nájera [reinado de Alfonso VI]
Diego López de Haro, el Blanco [poblador de Haro] (1094-1123)
Lope Díaz IX (†1170)
(1) María Manrique de Lara
Diego López X, el Bueno [derrota de Alarcos, 1195] (1170-1214)
(2)Toda Pérez de Azagra
Lope Díaz XI, Cabeza Brava (†1236)
Urraca Alfonso
Urraca
Álvar Núñez de Lara
Aldonza
Rui Díaz de los Cameros
María
Gonzalo Núñez de Lara
Teresa
Sancho de León, hijo de Fdo II
Diego López de Haro XII, el de Bañares alférez de Fernando III [rebelde contra AºX] (†1254 o 55)
Constanza de Bearne
Álvaro López de Haro
Margarita Álvarez Simón de los Cameros
Lope López el Chico
doña Mencía, reina de Portugal

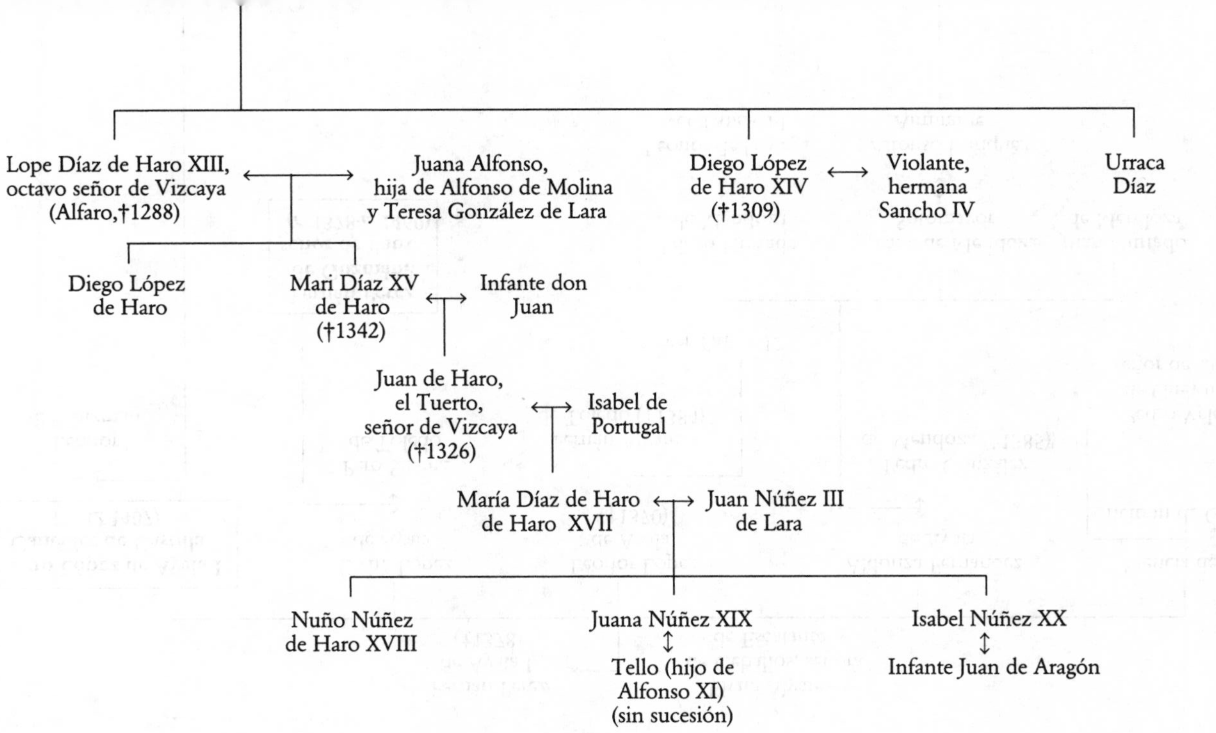
Lope Díaz de Haro XIII, octavo señor de Vizcaya (Alfaro,†1288)
Juana Alfonso, hija de Alfonso de Molina y Teresa González de Lara
Diego López de Haro XIV (†1309)
Violante, hermana Sancho IV
Urraca Díaz
Diego López de Haro
Mari Díaz XV de Haro (†1342)
Infante don Juan
Juan de Haro, el Tuerto, señor de Vizcaya (†1326)
Isabel de Portugal
María Díaz de Haro de Haro XVII
Juan Núñez III de Lara
Nuño Núñez de Haro XVIII
Juana Núñez XIX
Tello (hijo de Alfonso XI) (sin sucesión)
Isabel Núñez XX
Infante Juan de Aragón

TABLA 11

El linaje de los Ayala
[Capítulos VII-X]

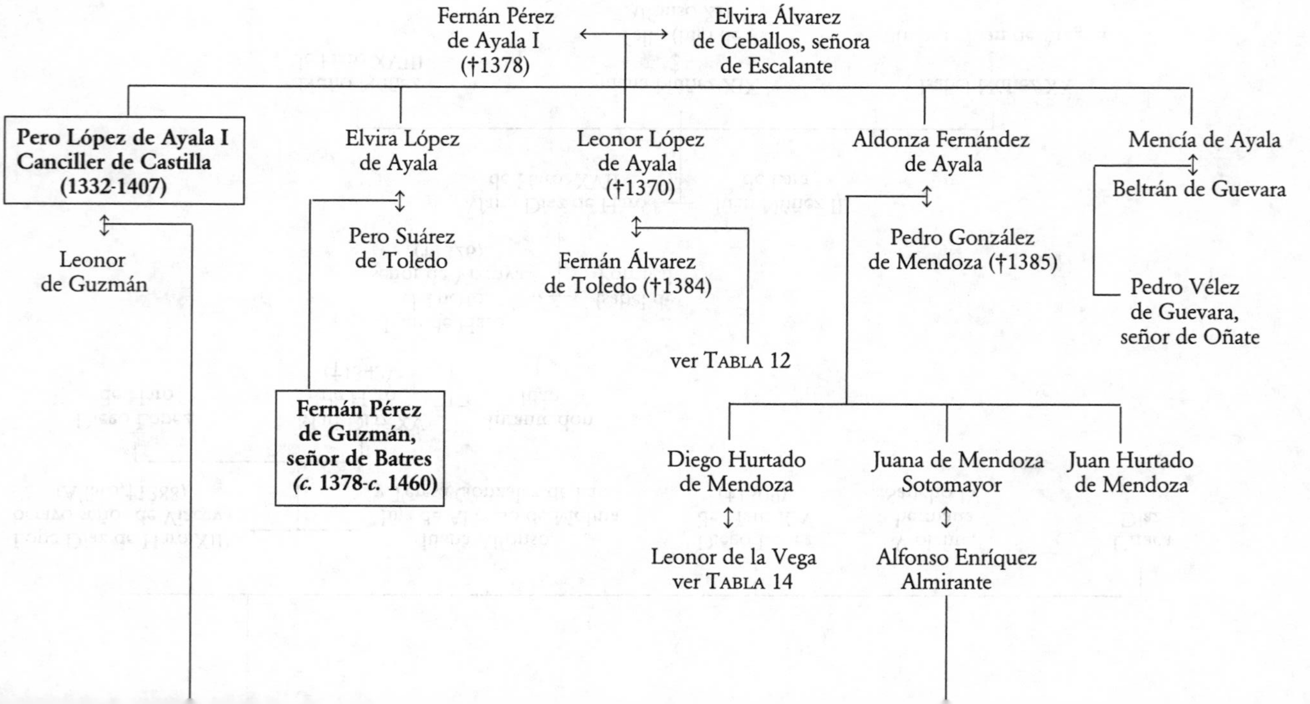

Fernán Pérez de Ayala I (†1378)
Elvira Álvarez de Ceballos, señora de Escalante
Pero López de Ayala I Canciller de Castilla (1332-1407)
Leonor de Guzmán
Elvira López de Ayala
Pero Suárez de Toledo
Fernán Pérez de Guzmán, señor de Batres (c. 1378-c. 1460)
Leonor López de Ayala (†1370)
Fernán Álvarez de Toledo (†1384)
ver TABLA 12
Aldonza Fernández de Ayala
Pedro González de Mendoza (†1385)
Mencía de Ayala
Beltrán de Guevara
Pedro Vélez de Guevara, señor de Oñate
Diego Hurtado de Mendoza
Leonor de la Vega ver TABLA 14
Juana de Mendoza Sotomayor
Alfonso Enríquez Almirante
Juan Hurtado de Mendoza

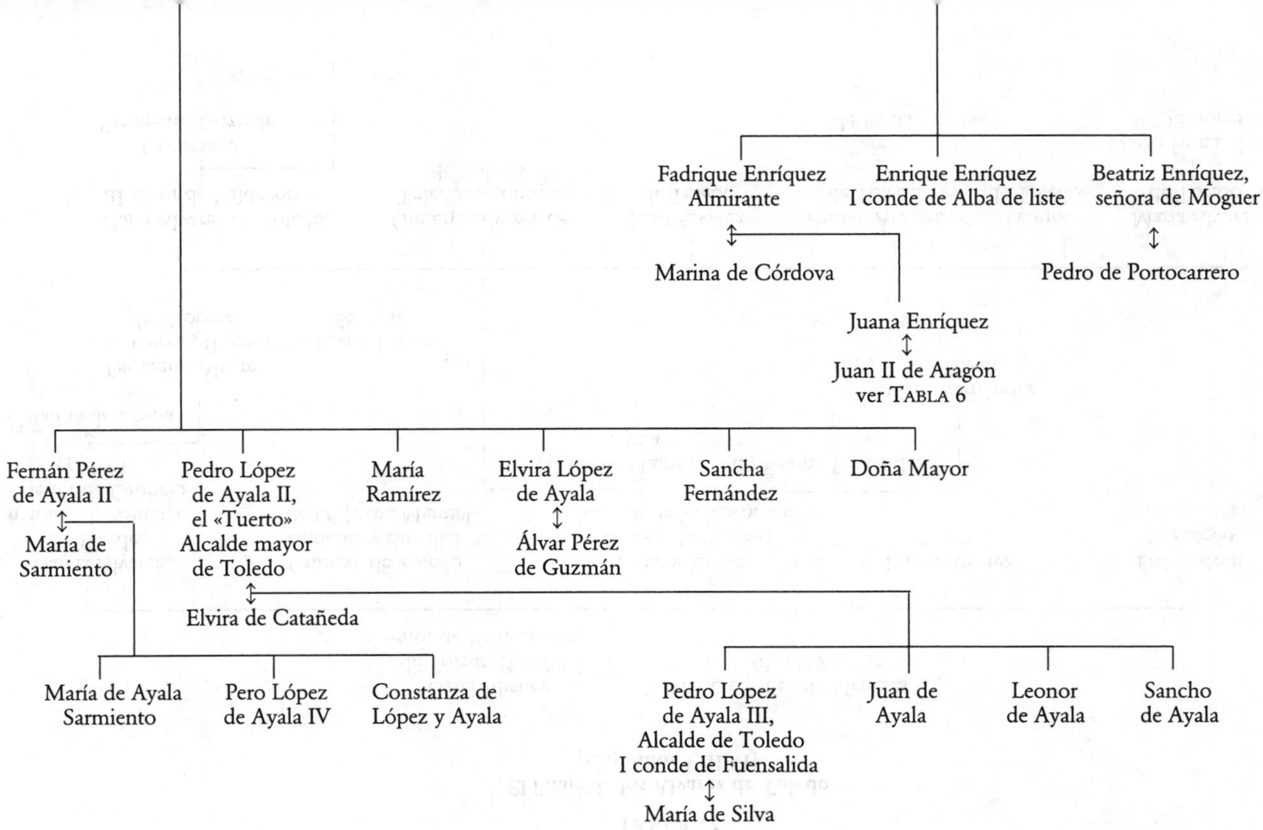
Fadrique Enríquez
Almirante
Marina de Córdova
Enrique Enríquez
I conde de Alba de liste
Beatriz Enríquez,
señora de Moguer
Pedro de Portocarrero
Juana Enríquez
Juan II de Aragón
ver TABLA 6
Fernán Pérez
de Ayala II
María de
Sarmiento
Pedro López
de Ayala II,
el «Tuerto»
Alcalde mayor
de Toledo
Elvira de Catañeda
María
Ramírez
Elvira López
de Ayala
Álvar Pérez
de Guzmán
Sancha
Fernández
Doña Mayor
María de Ayala
Sarmiento
Pero López
de Ayala IV
Constanza de
López y Ayala
Pedro López
de Ayala III,
Alcalde de Toledo
I conde de Fuensalida
María de Silva
Juan de
Ayala
Leonor
de Ayala
Sancho
de Ayala

TABLA 12
El linaje de los Álvarez de Toledo
[Capítulos VIII-XI]

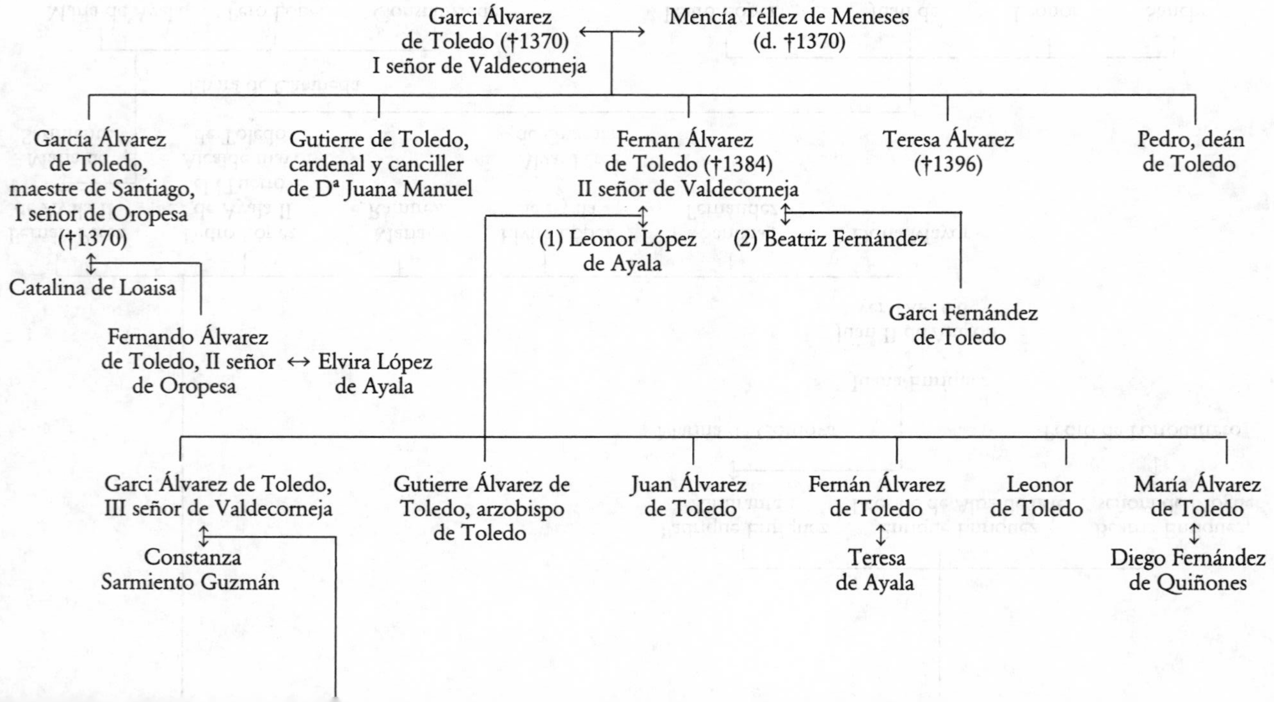
Garci Álvarez de Toledo (†1370) I señor de Valdecorneja
Mencía Téllez de Meneses (d. †1370)
García Álvarez de Toledo, maestre de Santiago, I señor de Oropesa (†1370)
Gutierre de Toledo, cardenal y canciller de Dª Juana Manuel
Fernan Álvarez de Toledo (†1384) II señor de Valdecorneja
Teresa Álvarez (†1396)
Pedro, deán de Toledo
Catalina de Loaisa
(1) Leonor López de Ayala
(2) Beatriz Fernández
Fernando Álvarez de Toledo, II señor de Oropesa
Elvira López de Ayala
Garci Fernández de Toledo
Garci Álvarez de Toledo, III señor de Valdecorneja
Gutierre Álvarez de Toledo, arzobispo de Toledo
Juan Álvarez de Toledo
Fernán Álvarez de Toledo
Leonor de Toledo
María Álvarez de Toledo
Constanza Sarmiento Guzmán
Teresa de Ayala
Diego Fernández de Quiñones

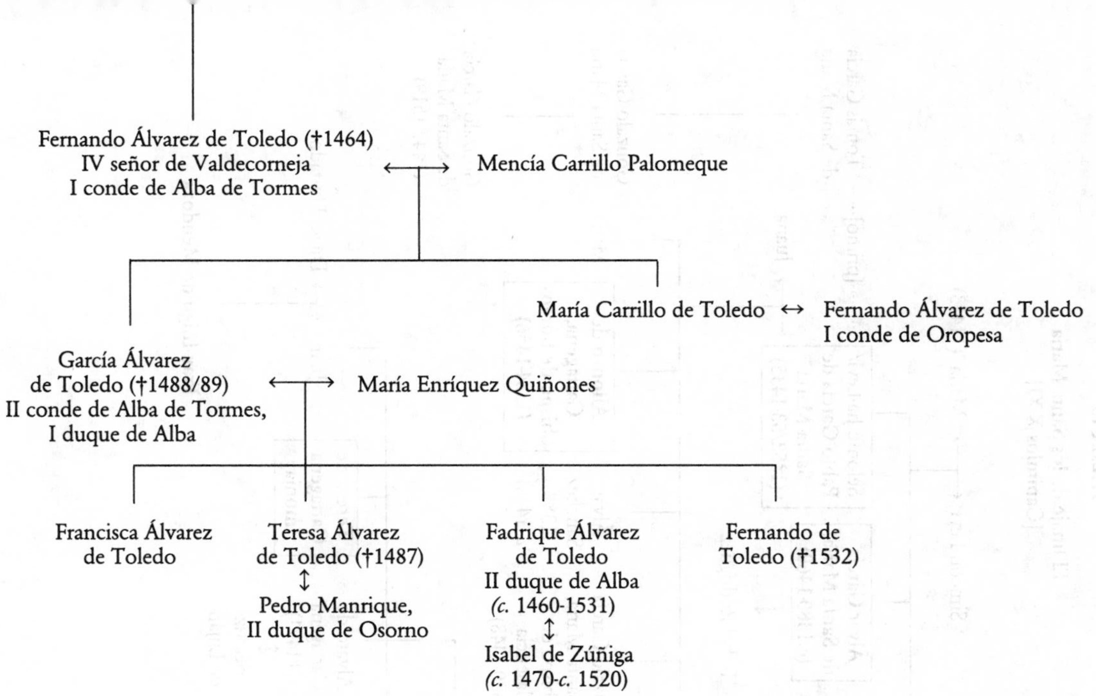
Fernando Álvarez de Toledo (†1464)
IV señor de Valdecorneja
I conde de Alba de Tormes
Mencía Carrillo Palomeque
María Carrillo de Toledo
Fernando Álvarez de Toledo
I conde de Oropesa
García Álvarez
de Toledo (†1488/89)
II conde de Alba de Tormes,
I duque de Alba
María Enríquez Quiñones
Francisca Álvarez
de Toledo
Teresa Álvarez
de Toledo (†1487)
Pedro Manrique,
II duque de Osorno
Fadrique Álvarez
de Toledo
II duque de Alba
(c. 1460-1531)
Isabel de Zúñiga
(c. 1470-c. 1520)
Fernando de
Toledo (†1532)

TABLA 13

El linaje de los Santa María
[Capítulos X-XI]

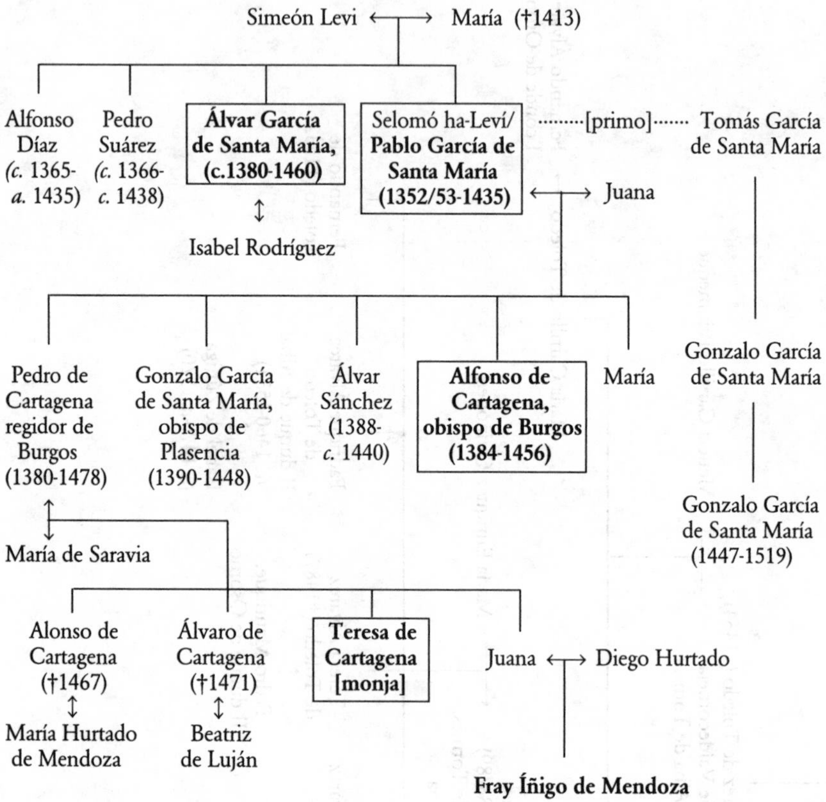

TABLA 14

El linaje de los Mendoza.
[Capítulos X-XI]

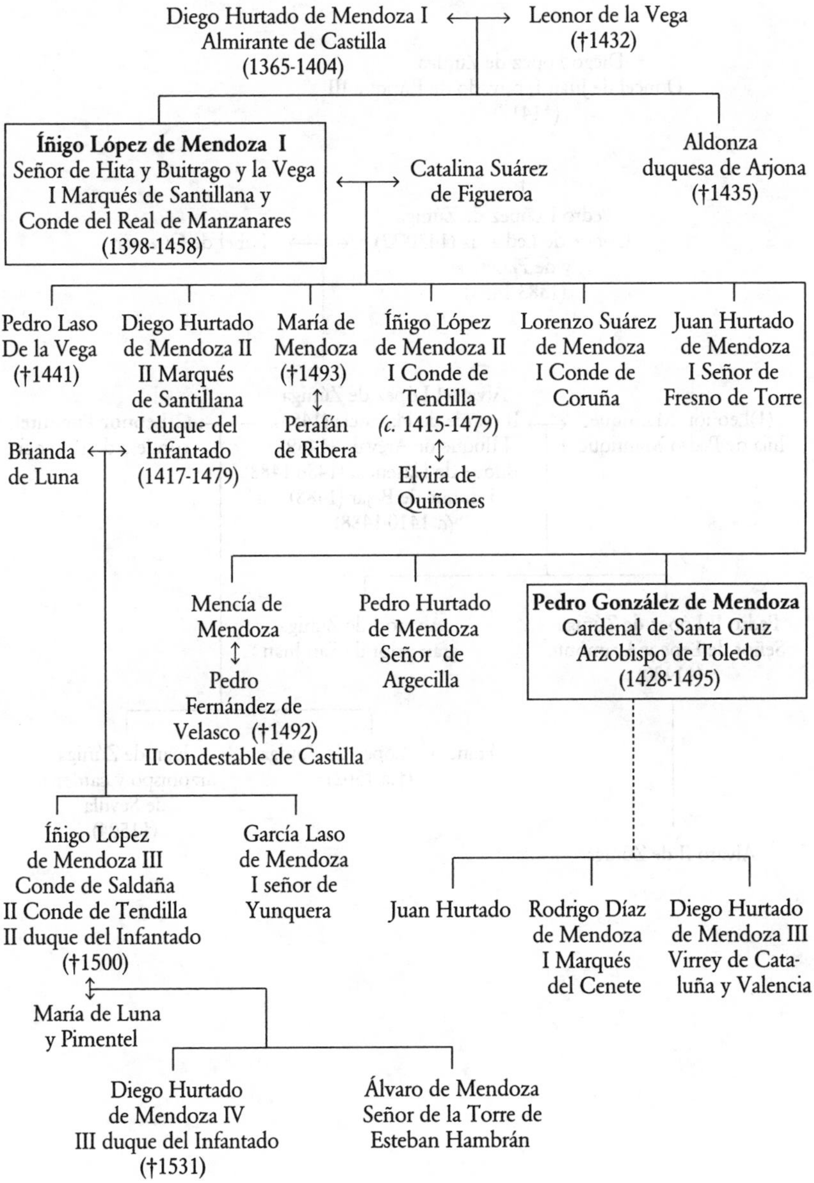

TABLA 15

El linaje de los Estúñiga/Zúñiga.
[Capítulos X-XI]

Diego López de Zúñiga
Doncel de Juan I, privado de Enrique III
(†1417)

Pedro I López de Zúñiga
Conde de Ledesma (1430-32)
y de Plasencia
(1383-1453) ←→ Isabel de Guzmán

(1)Leonor Manrique, ←→ Álvaro I López de Zúñiga ←→ (2)Leonor Pimentel,
hija de Pedro Manrique I | II conde de Plasencia (1453), | condesa de Plasencia
| I duque de Arévalo (1469),
| I duque de Plasencia (1486-1488),
| I duque de Béjar (1488)
| (c. 1410-1488)

Pedro II López de Zúñiga
Señor de Lepe y Ayamonte
(†1480)

Álvaro I de Zúñiga
gran prior de San Juan

Francisco López de Zúñiga
(†.a.1502)

Juan de Zúñiga
arzobispo y cardenal
de Sevilla
(†1504)

Álvaro II de Zúñiga

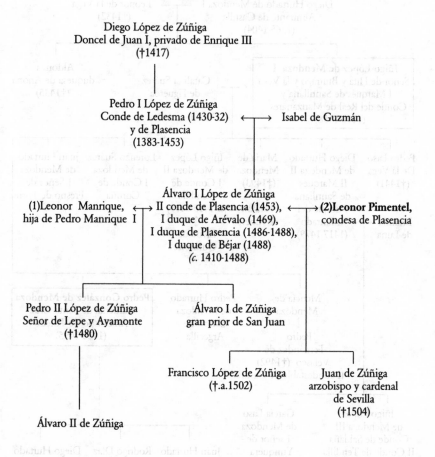

TABLA 16

El linaje de los Pimentel
[Capítulos X-XI]

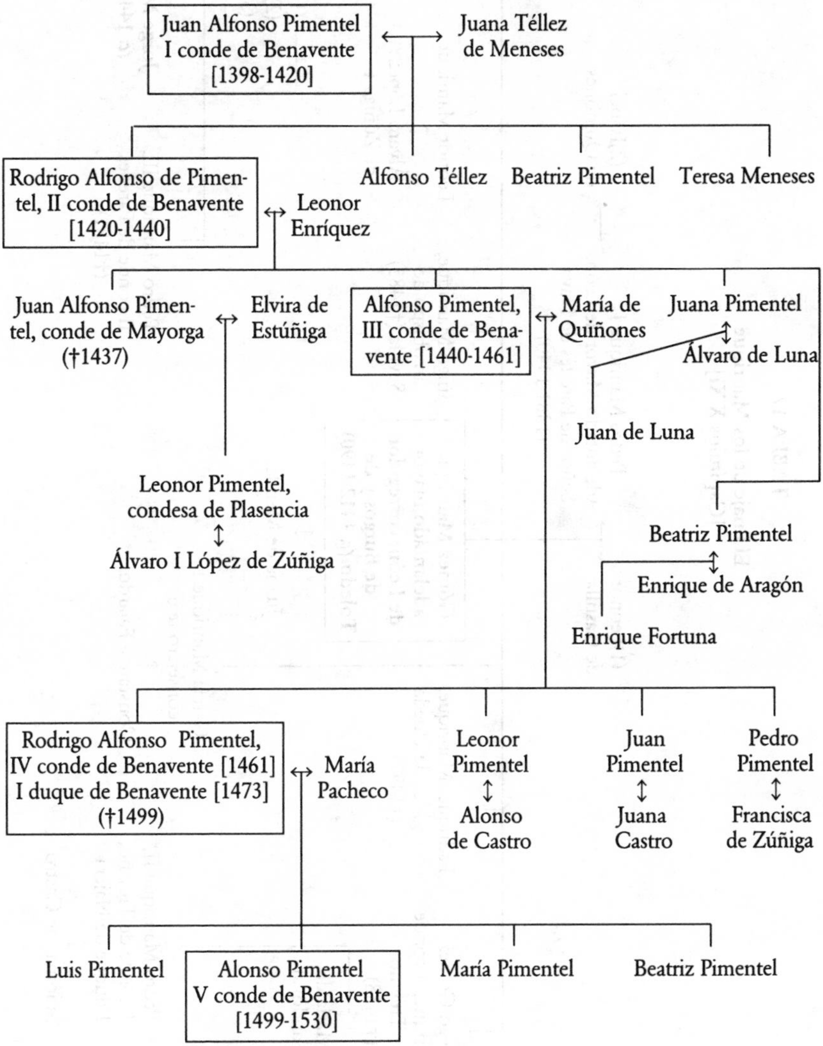

TABLA 17

El linaje de los Manrique
[Capítulos X-XI]

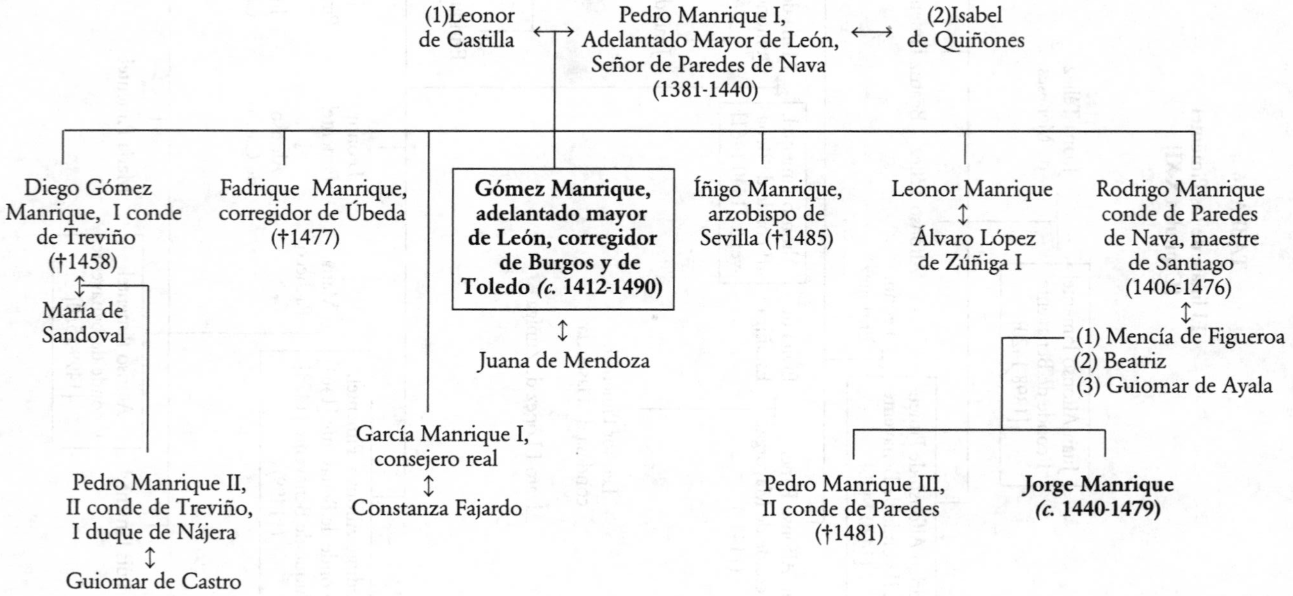
(1)Leonor de Castilla
Pedro Manrique I, Adelantado Mayor de León, Señor de Paredes de Nava (1381-1440)
(2)Isabel de Quiñones
Diego Gómez Manrique, I conde de Treviño (†1458)
María de Sandoval
Fadrique Manrique, corregidor de Úbeda (†1477)
Gómez Manrique, adelantado mayor de León, corregidor de Burgos y de Toledo (c. 1412-1490)
Juana de Mendoza
Íñigo Manrique, arzobispo de Sevilla (†1485)
Leonor Manrique
Álvaro López de Zúñiga I
Rodrigo Manrique conde de Paredes de Nava, maestre de Santiago (1406-1476)
(1) Mencía de Figueroa
(2) Beatriz
(3) Guiomar de Ayala
García Manrique I, consejero real
Constanza Fajardo
Pedro Manrique II, II conde de Treviño, I duque de Nájera
Guiomar de Castro
Pedro Manrique III, II conde de Paredes (†1481)
Jorge Manrique (c. 1440-1479)

Índices

Presentación

Esta *Historia de la prosa medieval* se cierra con tres índices: el general, el onomástico de críticos modernos, más el dedicado a bibliotecas y manuscritos con adición de algún incunable.

En el «Índice general» (págs. 4127-4406) se ordenan voces referidas a autores, figuras históricas, personajes, temas, motivos, géneros, términos literarios, seleccionados los topónimos significativos, las batallas célebres y los sucesos históricos relevantes. Se ha procurado identificar a todas las figuras históricas nombradas, especificando su ocupación principal, sus relaciones familiares, los títulos y los cargos desempeñados, así como el lapso temporal de su biografía o la época aproximada en que sus vidas pueden situarse. En el caso de reyes y papas, también en el de algunos prelados, entre corchetes se marca el año de inicio de los distintos mandatos; si la primera fecha va sólo entre corchetes es porque se ignora la data de nacimiento; en estos casos, se han utilizado muy pocas abreviaturas y son las usuales: a.: antes, d.: después, *c.*: *circa* y m.: muerto.

Las entradas principales se destacan con versalita; las cifras en negrita advierten de las páginas específicas dedicadas a esos autores y a su producción; en todos estos casos, la indicación de SÍNTESIS Y CONCLUSIÓN remite al último de los capítulos de este cuarto tomo, a fin de que se pueda comenzar la lectura con una rápida sinopsis de las ideas esenciales que permita encuadrar cada una de las cuestiones tratadas.

Se ha pretendido que la entrada no sea un simple rimero de cifras; se ha buscado, para ello, un sentido o un valor a casi todos los números de las páginas, remitiendo a la obra, al autor o al asunto abordado en las mismas, de modo que se pueda identificar con rapidez el objeto de la consulta; dentro de cada entrada, estas referencias menores vuelven a ordenarse alfabéticamente conforme a los criterios del índice general: los apellidos prevalecen sobre los nombres, salvo en los casos en que se conozca sólo el topónimo; debe buscarse, así, MARTÍNEZ DE TOLEDO, ALFONSO para el autor del *Arcipreste de Talavera,* pero ALFONSO DE TOLEDO (y no TOLEDO, ALFONSO DE) para el del *Invencionario;* sin embargo, se ha creado un aparato de remisiones internas para resolver estas ambigüedades. Los títulos y cargos —siempre especificados— no se han utilizado para la ordenación alfabética, sí las preposiciones de los apellidos. Los monarcas se agrupan, por lo común, por reinos (con la unidad de los ordinales para Asturias, León y Castilla) y se ordenan cronológicamente; los infantes se distinguen por el topónimo del reino al que pertenecen (Pedro **de Aragón o** Pedro **de Castilla)** con los vínculos familiares que los identifican.

Algunas entradas acogen apartados menores que sirven para ordenar las obras de los autores y distinguir la creación propia de las traducciones o adaptaciones realizadas. En el caso de materias amplias —el «amor» o la «caballería» por ejemplo— se procede a un desglose de epígrafes ajustados a una distribución tematológica.

El «Índice onomástico» (págs. 4407-4438) arranca de la bibliografía dispuesta en las notas a pie de página; en la medida de los catálogos consultados de las distintas bibliotecas nacionales, se ha procurado resolver las abreviaturas de los nombres propios; no sólo se ha devuelto la identidad genérica a cada crítico, sino que se han podido detectar errores —propios y ajenos— advertidos en su correspondiente fe (págs. 4461-4464).

El «Índice de bibliotecas y de manuscritos» (págs. 4439-4459) se ajusta a los análisis de la transmisión textual de las principales obras estudiadas en esta *Historia de la prosa,* remitiendo a los distintos testimonios en que ese proceso se ha verificado. En este tercer índice se ordenan esas referencias de modo que se puedan realizar búsquedas específicas guiadas por el emplazamiento de las bibliotecas o las signaturas conocidas de los manuscritos; el orden se ajusta a los criterios fijados en el *Diccionario filológico de literatura medieval española,* editado por Carlos Alvar y José Manuel Lucía Megías: las bibliotecas se distribuyen alfabéticamente por países y ciudades, con ordenación alfanumérica de códices; a diferencia del *Diccionario*, aquí cada signatura remite a los textos acogidos en ese manuscrito, con las páginas en que se ha valorado el fenómeno de su transmisión; si el título de la obra lleva una sigla ésta proviene del *stemma codicum* fijado por los editores de cada texto.

Para la identificación cronológica de las figuras históricas del «Índice general» se han utilizado las siguientes obras:

ALVAR, Carlos y LUCÍA MEGÍAS, José Manuel, «Una veintena de traductores del siglo XV: Prolegómenos a un repertorio», en *Essays on Medieval Translation in the Iberian Peninsula,* ed. Tomàs Martínez Romero y Roxana Recio, Castelló-Omaha, Univ. Jaume I-Creighton University, 2001, págs. 13-44.

— «Repertorio de traductores del siglo XV: segunda veintena», *Literatura y transgresión. Homenaje al profesor Chivite*, Ámsterdam, Rodopi, 2004, págs. 89-113.

— «Repertorio de traductores del siglo XV: tercera veintena», en *Traducción y práctica literaria en la Edad Media románica. Traducció i pràctica literària a l'Edat Mitjana romànica,* ed. de Rosanna Cantavella, Marta Haro y Elena Real, Valencia, Universitat, 2003 *[Quaderns de Filologia. Estudis Literaris*, 8 (2003)], págs. 1-40.

The Cambridge Dictionary of Philosophy, ed. Robert Audi, Cambridge, Cambridge University Press, 1995.
DELGADO CASADO, Juan, *Diccionario de impresores españoles (siglos XV-XVII)*, Madrid, Arco Libros, 1996, 2 vols.
Deutscher Biographiscer Index, Múnich-Londres-Nueva York-Oxford-París, K G Saur, 1986, 4 vols.
Diccionari de la Literatura Catalana, dir. Joaquim Molas i Josep Massot i Muntaner, Barcelona, Edicions 62, 1979.
Diccionario de Historia de España, dir. por Germán Bleiberg, Madrid, Alianza, 1981, 2ª ed., 3 vols.
Diccionario de Historia Eclesiástica de España, dir. por Quintín Aldea Vaquero, Tomás Marín Martínez y José Vives Gatell, Madrid, CSIC-Instituto Enrique Flórez, 1972 (t. I y II), 1973 (t. III), 1975 (t. IV) y 1987 (Suplemento I).
Diccionario de Literatura Española e Hispanoamericana, dir. Ricardo Gullón, Madrid, Alianza, 1993, 2 vols.
Diccionario Enciclopédico de la Biblia [1987], Barcelona, Herder, 2003 (2ª ed.).
Dictionary of the Middle Ages, ed. Joseph R. Strayer, New York, [American Council of Learned Societies]-Charles Scribner's Soon, 1982-1989, 14 vols.
DUTTON, Brian, *El cancionero del siglo XV (c.1360-1520). VII. Índices*, Salamanca, Universidad-Biblioteca Española del Siglo XV, 1991.
HOWATSON, M. C., *Diccionario de la Literatura Clásica* [1989], Madrid, Alianza, 1991.
Index Biographique Français, ed. Helen y Barry Dwyer, Londres-Melbourne-Múnich-New Jersey, K G Saur, 1993, 4 vols.
Índice Biográfico de España, Portugal e Iberoamérica, ed. de Víctor Herrero Mediavilla, Múnich, K G Saur, 2000, 10 vols.
Índice Biográfico Italiano [2ª ed.], München, K G Saur, 1997, 6 vols.
LÓPEZ DE HARO, Alonso, *Nobiliario Genealógico de los Reyes y Títulos de España* [Madrid, 1622], repr. facsímil, Bilbao, Wilsen, 1996, 2 vols.
RIVERO, Casto M. del, *Índice de las personas, lugares y cosas notables que se mencionan en las tres Crónicas de los Reyes de Castilla: Alfonso X, Sancho IV y Fernando IV*, Madrid, CSIC-Instituto Jerónimo Zurita, 1942.
SALAZAR Y CASTRO, Luis de, *Historia genealógica de la casa de Lara* [Madrid, 1616], repr. facsímil, Bilbao, Wilsen, 1988, 6 vols.
TATE, Brian y LAWRANCE, Jeremy, «Índice onomástico», en *Gesta Hispaniensia. Ex annalibus suorum dierum collecta*, Madrid, R.A.H., 1999, tomo II, págs. 555-643.

Índice general

Aarón, sumo sacerdote (1574-1452 a.C.): *Castigos de Sancho IV:* 927n.; *General estoria I:* 717; *Invencionario:* 3710
Abboul-Abbas, naturalista árabe (m.1239): 369 (ver Aboláys)
Abbreviatio Braulii (hagiografía isidoriana): 2159
Abdullā ben Omar el-Bayzar, halconero: atribución del *Libro de Moamín:* 843
Abelardo, Pedro (1079-1142): *Historia calamitatum:* 3206n.
Aben Ragel: ver ʿAlī ibn ar-Rigāl
Abenbúcar, caudillo árabe derrotado por don Juan Manuel: 1197
Abencerrajes, linaje: *Hechos de Lucas de Iranzo:* 3564
Abenjacob: ver Abū Yaqūb Yusūf
Abenruis: *Visión deleitable:* 2845
Abia, rey de Judá ([*c.* 914-912]): *General estoria III:* 735
Abiés de Irlanda, rey: *Amadís:* 1544, 1557
Abigail, esposa de Nabal: *Libro de toda la vida de nuestra Señora:* 3874
Abimelech, rey de Israel (siglo XII a.C.): *Espéculo de los legos:* 3108n.
Abisag, mujer santa: *Libro de toda la vida de nuestra Señora:* 3874
Abner de Burgos: ver Valladolid, Alfonso de
Aboláys: atribución primer *Lapidario:* 368-369; *Estoria de Aboláys:* 369-372, 385; *Libro de las formas:* 623-624, 636 (ver Abboul-Abbas)
Abomelique: ver Abū Malik
Abraham de Toledo, traductor alfonsí: 842
Abraham el Barchilón, judío, tesorero de Sancho IV (siglo XIII): 858
Abrahán, primer patriarca (*c.*1850 a.C.): *Castigos y dotrinas:* 3136; *Diálogo e razonamiento en la muerte del marqués de Santillana:* 2573; *General estoria:* 704, 711; *Suma de virtuoso deseo:* 3131
Abrahem, alfaquí de Alfonso X: traductor del *Libro de la açafeha* (1278): 615
Abrahén, trovador: *Historia de la donzella Teodor:* 494-495, 500
Abrahín/Abrahén, rey de Zaragoza: *Mainete. Crónica fragmentaria:* 1602; *Mainete. Gran Conquista de Ultramar:* 1085, 1088
Abrahén Aben Zarzal, judío: profecía Pedro I: 2096

ABREVIACIÓN DEL HALCONERO: 2271n., 2273, 2287, 2288n., 2302n., 2311n., 2319n., **2322-2333**; *Abreviación perdida:* 2273n., **2323-2324**; relación con el escurialense X-ii-13 y el *Halconero:* 2324-2330; relato de hechos: 2327-2333; SÍNTESIS Y CONCLUSIÓN: 3933

abreviación del texto *(abbreviatio): Amadís:* 1555, 1560; *Demanda del Santo Grial:* 1494; García de Santa María, Pablo: 2591; *General estoria V:* 782; *Istoria de las bienandanzas e fortunas:* 3552; *Libro de las cruzes:* 420; *Libro enfenido:* 1187; *«Morales»:* 2155-2157; *Santo Domingo de Guzmán:* 1987; *Sátira de infelice e felice vida:* 3335

Absalón, hijo del rey David (siglo XI a.C.): *Historia de don Álvaro de luna:* 2920 (ver Asarón)

abstinencia, motivo: *Espéculo de los legos:* 3104; *Flor de virtudes:* 3743; *Libro de las consolaçiones:* 2994

Abū Ishaq Ibrahim ibn Yahya o Azarquiel, astrónomo hispanoárabe (1029-1100): *Tablas de Zarquiel:* 641-642

Abū l-Hasán Alī, Muley Hacén, sultán de Granada ([1464-1482; 1483-1485]): Lucas de Iranzo, Miguel, enfrentamientos: *Hechos de Lucas de Iranzo:* 3559, 3572

Abū l-Qāsim Maslama, madrileño, atrib. *Ghāyat al-hakīm* (mitad siglo XI): 627-628

Abū l-Wafā' al Mubashshir ibn Fātik, médico y filósofo sirio: autor *Mukhtār al-hilam* (*Bocados de oro*) (mitad siglo XI): 455

Abū Malik 'Abd al-Wahid, hijo de Abū l-Hasan 'Alī (Albohacén): *Crónica de Alfonso XI:* 1266, 1275, 1277, 1281, 1300; *Gran Crónica de Alfonso XI:* 1818

Abū Marwān 'Ubayd Allāh b. Jalaf al-Istīŷī, autor del *Libro de las Cruzes* (Oveidalla el Sabio): 408, 410-411, 411n., 420, 421

Abū 'Ubayd al-Bakrī, historiador árabe: fuente *General estoria:* 703n., 743n.

Abū Ya'qūb Yusūf, hijo de Ibn Yúçuf, VI emir benimerín ([1286-1307]): guerra con Sancho IV: 859

Abū Yusūf: ver Ibn Yúçuf

Abū Yusūf Ya'qūb al-Mansūr, califa almohade (victoria de Alarcos) (m.1199): 68-70

Acab/Ajab, rey de Israel ([874-853 a.C.]): *General estoria III:* 743

«açafeha» de Azarquiel: 614-615

accesus ad auctores: *Bursario:* 3273, 3275; *La consolación natural:* 2977; *Siervo libre de amor:* 3309n.; *Tratado en defensa de virtuosas mugeres:* 3258; *El Victorial:* 2372

Acciaiuoli, Andrea, condesa de Altavilla (siglo XIV): destinataria del *De claris mulieribus* (1362): 3256

Accursio: ver Acursio, Francesco

aceites/bálsamos prodigiosos: *Santa Catalina:* 62

acidia, motivo: *Arboleda de los enfermos:* 3064; *Espejo del alma:* 3000, 3004-3005; *Libro de toda la vida de nuestra Señora:* 3875

Acosta, rey: *Crónica sarracina:* 3346, 3349, 3354

acrósticos: *Libro de toda la vida de nuestra Señora:* 3874-3876, 3879

***actio/pronuntiatio* retórica**: *Exortaçión* de Pedro de Chinchilla: 3657-3658; Ferrer, fray Vicente: 2959; *Flor de virtudes:* 3743; *Jardín de nobles donzellas:* 3677n.; *Libro del consejo:* 955-956, 955n.; *Libro del tesoro:* 885-886; Tratado de retórica: 3736

  «ordenamiento de las manos»: *Jardín de nobles donzellas:* 3671

  peligrosidad: *Vidas y dichos de filósofos antiguos:* 2130-2131

Acuña, Lope de, posible sobrino del arzobispo A. Carrillo (siglo XV): destinatario de la traducción de *Macabeos:* 3130
Acuña, Pedro de, hermano del arzobispo A. Carrillo, conde de Buendía (m.1482): destinatario de la *Suma política:* 3590, 3608; *Historia de don Álvaro de Luna:* 2932-2933
Acursio, Francesco, jurista (1225-1293): 359n., 2869
Acuti: *Bursario:* 3272
y Çedipe: *Bursario:* 3282
adab árabe: 4026
Adagaro, rey inglés: *Vergel de los príncipes:* 3625
Adán, figura bíblica: *Caída de príncipes:* 2148; *Castigos de Sancho IV:* 933; *General estoria:* 704, 710; *Invencionario:* 3703; *Jardín de nobles donzellas:* 3665, 3675n.; *Libro de las claras e virtuosas mugeres:* 3227; *Libro de toda la vida de nuestra Señora:* 3867; sermonística: 2951; *Suma de virtuoso deseo:* 3131; *Tractado de la adivinança:* 2825
Adelfa, madre de Madreselva: epístolas Rodríguez del Padrón, Juan: 3287n.
adivinación: ver adivinanza y tratados sobre adivinación
adivinadores/adivinos: catecismo de Gutierre de Toledo: 1858; Ferrer, fray Vicente: 2960; *General estoria V:* 784; noción: 2811; *Tractado de la adivinança:* 2826; *Tractado de los sueños e de los agüeros:* **2819**
adivinanza, noción: Alfonso X: 629; Barrientos, Lope de: 2819-2829; Gómez Álvarez de Albornoz, Pedro: 1883
Adolsi: ver Dolfos, Vellido
Adonías, cuarto hijo del rey David: *General estoria III:* 732, 739
Adriano, Publio Elio, emperador romano (76-[117]-138): *Cavallero Pláçidas:* 1351, 1354; *Diálogo de Epicteto:* 471-472, **473**, 474-475, 501; *Invencionario:* 3715n.; *Segundo filósofo:* 502-510, 4010
Adrianus et Epictetus: 471
Aduarte, San, rey de Dacia: *Castigos de Sancho IV:* 932
adynata: *Esclamaçión* de Gómez Manrique: 3745; *Introduçión* de P. Díaz de Toledo: 3750
aegritudo amoris: *Bursario:* 3280; *Elegia di madonna Fiammetta:* 3205, 3207; *Flores y Blancaflor:* 1586, 1586n.; *Sátira de infelice e felice vida:* 3329, 3332
aeromancia, adivinación con aire: 2827
afabilidad: *Jardín de nobles donzellas:* 3671-3672
Afán de Ribera, Pero: ver Ribera, Perafán de
afeites: 2762; deshonestos, reprehensión: 3112, 3117, 3137, 3671, 3869n.
aforismos-amphorismos, término: *Exhortación de la paz:* 2723; Fernández de Madrigal, Alfonso: 3165; *Libro de los judizios:* 400, 403; tratados de medicina: 2757, 2765
Afranio Nepote, Lucio, legado de Pompeyo en España (m.46 a.C.): *General estoria V:* 786
África, campañas militares y cruzada (Alfonso X): 312-313, 324-325, 424
Agamenón, rey legendario de Argos y Micenas: *Caída de prínçipes:* 2148; *General estoria III:* 738, 4020; *Historia troyana polimétrica:* 808-811; *Sumas de Historia Troyana:* 1643, 1645; *Sumas de la Ilíada:* 2740n.
Agapito, San (m.536): *De Sant Lorenço e Sant Sisto:* 1929
Agata, Santa (siglo III): *Libro de las claras e virtuosas mugeres:* 3241-3243

Agathodaemon, tratado de magia: 627
Agatón Abad, San: *vitae* del Ms. 77, Bibl. Menéndez Pelayo: 1875
Ageo, profeta menor (*c*.537 a.C.): *General estoria IV:* 759
Agrajes: *Amadís:* 1552, 1558-1560, 1568, 1575
Agraváin: *Baladro:* 1496; *Demanda:* 1501, 1504; *Otas:* 1581, 1670-1671
Agricultura caldea: *Tratado de la lepra:* 2489
agüeros: *Crónica de la población de Ávila:* 171; *Libro de la justiçia de la vida espiritual:* 1883-1884; *Tractado de la adivinança:* 2821
Agustín, San (354-430): Alarcón, Juan de: 2936; Barrientos, Lope de: 2819, 2823, 2825; *Berta. Crónica fragmentaria:* 1595-1596; Burley, Walter: 2125n.; Carlomagno: 1713; *Castigos y dotrinas:* 3137; comentarios: 698, 716; *Del soberano bien:* 2171; Díaz de Toledo, Pero: 3750-3751; Fernández de Madrigal, Alfonso: 2655, 3169; Fernández de Pecha, Pedro: 2003, 2005n., 2006; *Flores y Blancaflor:* 1585; *Libro de confesión de Medina de Pomar:* 3040; *Libro de las claras e virtuosas mugeres:* 3232, 3236; *Libro de las tribulaciones:* 3013; *Libro de los exemplos por a.b.c.:* 3097; Luna, Pedro de: 2987; Marín, Pedro: 2962; Martín de Córdoba, fray: 2789, 2791, 2804, 2806n., 2807; predicación: 4068; *Qüistión entre dos cavalleros:* 3630; recuperación de Platón: 2565; regimientos de príncipes: 1706, 1713; retórica: 1897; tradición epistolar: 3984; tratados penitenciales (Ms. 77, Bibl. Menéndez Pelayo): 1863n.; Valera, Diego de: 2724; *vita:* 1869
OBRAS:
Confesiones: 38, 3205n.
De Trinitate: 2999n.
De vita beata: 2550
Libro de la verdadera penitencia: 2027/*Libro de penitençia:* 3836
Ahmad b. Jalaf al-Murādī: *Kitāb al-asrār fī natā'iý al-afkār:* 643
Aigolante, rey: Pseudo-Turpín: 1581
Aimerique de Narbona, padre de Blancaflor: *Cuento de Carlos Maynes:* 1616
Aitana, viuda, mujer de Mahoma: *Castigos de Sancho IV:* 933
Ajaçitón, noble: *Libro de las claras e virtuosas mugeres:* 3244
Ajax/Ayax, héroe griego, guerra de Troya: *General estoria III:* 737; *Historia troyana polimétrica:* 806-807; *Sumas de la Ilíada:* 2739
ajedrez y tablas, juegos de: Alfonso X: **820-838**; *Arte cisoria:* 2491; *Castigos de Sancho IV:* 937; *Castigos del rey de Mentón:* 1449; *Crónica de Juan II:* 2262; *De ludo scachorum:* 3098; *Estoria del Cavallero del Çisne:* 1076; *Estoria del infante Roboán:* 1428; *Invencionario:* 3708; *Lanzarote:* 1474; *Libro de Graçián:* 3398, 3398n.; *Mainete. Crónica fragmentaria:* 1601; *Mainete. Gran Conquista de Ultramar:* 1088; *Mar de historias:* 2432n.; *Partida II:* 553, 1333-1334; *Tristán:* 1518 (ver Jacobus de Cessolis)
Alain de Lille (h.1128-1202): *Defunsión de don Enrique de Villena:* 2480; estructura del sermón: 1900; *Visión deleitable:* 2848
OBRAS:
Anticlaudianus: 2834, 2837
Summa de arte praedicativa: 1902
Alanus de Insulis: ver Alain de Lille
Alanzuri, historiador ficticio: *Crónica sarracina:* 3358

Alarcón, Hernando de, consejero de Carrillo (m.1480): **3755-3760**; ajusticiamiento: 3756-3757; síntesis y conclusión: 3965-3966
obras:
Tratado que hizo Alarcón: 3755-3760
Alarcón y Díaz, fray Juan (siglo xv): **2935-2943**; marco letrado de Á. de Luna: 2784, 2886-2887, 2998; síntesis y conclusión: 3946
obras:
Libro del regimiento de los señores: **2936-2943**, 3128, 3790
Alarcos, batalla de (1195): construcción de la identidad de Castilla: 68-69; *Crónica de la población de Ávila:* 177; *Doctrinal de los cavalleros:* 2876; «exemplo» de *Castigos de Sancho IV:* 933; formación de la curia castellana: 72.
Alarico I, rey visigodo (*c.*370-[395]-410): prólogo de traducción *Décadas* de Tito Livio: 2138-2139
Alarico II, rey visigodo ([484]-507): *Estoria de España:* 663
Alataba: ver Cava
alba, motivo: 3367, «aurora»: 3872n.
Albadán, gigante: *Amadís:* 1558
albeitería: 562 (ver tratados de albeitería)
Albertano da Brescia (m.*c.*1270): *Dotrina del fablar e del callar:* 1730n., 2027
obras:
De arte tacendi et loquendi (1245): 3123, 3123n., 3732, 3743
Liber consolationis et consilii: 945n., 954, 1441n.
Alberti, Leon Batista (1404-1472): 2481n., 3761
obras:
Momus sive de Principe: 3761
Alberto II de Habsburgo, duque de Austria, emperador germánico (1397-[1438]-1439): Cartagena, Alfonso de: 2601, 2869, 3402; Sánchez de Arévalo, Rodrigo: 3607; Tafur, Pero: 3422; Valera, Diego de: 2714-2715, 3254
Alberto: ver Humberto de los Romanos
Alberto Magno, San (*c.*1200-1280): *Epístola a Suero de Quiñones:* 2502; *Tractado de caso y fortuna:* 2777; *Tratado de fascinación:* 2499; *Visión deleitable:* 2845
obras:
De animalibus: 1685n.
De somno et vigilia: 2818
Albohacén: ver Abū Malik
Albornoz, Gil de, arzobispo de Toledo y cardenal (1310-1367): batalla del Salado: 1278-1279; curia letrada de Alfonso XI: 1303; literatura catequismal: 1852; relación con Pedro Gómez Barroso: 1876; síntesis y conclusión: 3923; tratados de penitencia: 1737
obras:
Catecismo: **1853-1856**, 1857
Albornoz, Juan de, señor de Torralba y Beteta, padre de María de Albornoz (siglo xiv): 2476-2477
Albornoz, María de, mujer de Enrique de Aragón (siglos xiv-xv): 2476-2478
Alburquerque, Juan Alfonso de, preceptor de Pedro I, aliado de Enrique II (m.1354): *Crónica de Pedro I:* 1799-1801; *Cuento de los reyes:* 2091

Alcalá, Antonio de, franciscano, obispo de Ampurias (m.1465): defensa de la deposición de Enrique IV: *Memorial de diversas hazañas:* 3528
Alchibiades/Alcibiades, discípulo de Sócrates, político y general ateniense (*c.*450-404 a.C.): *Vidas y dichos de filósofos antiguos:* 2129
alcora, noción alfonsí: 610
Alcorán/ Corán: 234
Alcos, rey: *Sendebar:* 218, 4004
Aldaire, turco: *Embajada a Tamorlán:* 2174
Aldeano, figura alegórica: *Perfeçión del triunfo:* 3776-3777
Aldigón: *Enrique fi de Oliva:* 1625, 1630
Aldonza, duquesa de Arjona, hermana de Í. López de Mendoza (m.1435): *Crónica de Juan II:* 2519; *Crónica del Halconero:* 2290
alegoría: 1841, 2482, 2486; ficción: 3197-3201, 3213; ficción sentimental: 3310, 3313-3314, 3317; juego de naipes: 3809-3810; litúrgica: 1849-1851, 2035; marco narrativo: 3290-3291; política: 2191; «por cosas místicas»: 2157; por palabras: 2157; técnicas: 2472, 2962, 2979, 3070, 3715-3716 (ver ficción; figura; lenguaje figurativo)
alegría cortesana: Alfonso VIII: 72-73; Alfonso X: 406-407, 553, 797n.; Alfonso de Castilla, infante: 3656; Aragón, Enrique de: 2478, 2491, 2503-2506; Carrillo, Alfonso de: 3582-3583; *Confesión del amante:* 3212; consolación contra: 2994-2995; corte alfonsí: **817-852**; definición: 820-821, 824; desaparición: 3320; *Estoria del Cavallero del Çisne:* 1056, 1070, 1076; Fernández de Velasco, Pedro: 2409; Fernando I de Aragón: 2219, 2220, 2478, 3814; *Glosa castellana al «Regimiento de príncipes»:* 1713; Isabel I: 3661, 3670; Juan II: 2202-2205, 2244, 2277, 2451n., 2471, 2587, 2911-2912, 3162, 3164; Leonor de Navarra: 3789-3790; *Libro de las confesiones:* 4047; López de Mendoza, Íñigo: 3325; Lucas de Iranzo, Miguel: 3566, 3568, 3577-3599; Luna, Álvaro de: 2907-2909, 2919-2922, 3222; negación: 2605, 3039; orden de la ficción: **1324-1328**, 1333, 1335, 1437, 1449, 1692, 1775, 2040; peligrosidad: 3189, 3386, 3394, 3838n.; Sánchez de Arévalo, Rodrigo: 3612; Sancho IV: 881-882; SÍNTESIS Y CONCLUSIÓN: 3900-3901, 3905-3906, 3926, 3940; *El Victorial:* 2363, 3159
Alejandro IV, papa (1199-[1254]-1261): Alfonso X, «fecho del Imperio»: 423-424; infante don Manuel: 1095
Alejandro V, papa (*c.*1339-[1409]-1410): cisma, resolución: 2984
Alejandro VI, papa (1431-1492]-1503): enfrentamiento con Pío II: 3681
Alejandro de Ashby, autor *De modo praedicandi* (*c.*1200): 1899, 1899n., 1900
ALEJANDRO MAGNO (356-[336]-323 a.C.): *Bocados de oro:* 253n., 459-460, 461n., 465, 468-469; clerecía, siglo XIII: 892n.; *Dichos de sabios:* 3122; *Dichos e castigos de profetas e filósofos:* 3126; *Embajada a Tamorlán:* 2177; *Flor de virtudes:* 3741-3743; *Floresta de sabios:* 3142n.; *General estoria:* 688, 706; *General estoria IV:* 747n., 750, 761-762, 768-772, 778, 780; *Glosa castellana al «Regimiento de príncipes»*: 1725; *Historia de la donzella Teodor:* 486n.; *Historia troyana polimétrica:* 797, 804; *Libro de las maravillas del mundo:* 4054; *Libro de las veinte cartas:* 3791; *Libro de los buenos proverbios:* 442; *Libro de los exemplos por a.b.c:* 3098, 3098n.; *Libro del consejo:* 959n.; *Libro del tesoro:* 876n.; *Mar de historias:* 2428; Martín de Ávila: 2542; narraciones alfonsíes: 1318; *Qüistión entre dos cavalleros:* 3634; *Res gestae:* 2541; *Suma de virtuoso deseo:* 3131-3133; *Sumas de Histo-*

ria Troyana: 1639; Tratado de moral: 3730n.; *Triunfo de las donas:* 3298; *El Victorial:* 2375n., 2376, 3192; *Vidas y dichos de filósofos antiguos:* 2125-2126 (ver Aristóteles; *Libro de Alexandre*)
Alejandro Severo, emperador romano (208-[222]-235): *Mar de historias:* 2428
Alejo, San (siglo v): *Vida:* **1972-1981**
Alejo Commeno IV, emperador de Trebisonda (m.1453): *Andanças e viajes* de Pero Tafur: 3415, 3418
alevosía, motivo: *Cuento de Carlos Maynes:* 1611; *Doctrinal de los cavalleros:* 2879
Alexandre, nombre de Paris: *Sumas de Historia Troyana:* 1642
Alexandre, rey de Épiro (362-330 a.C.): *General estoria IV:* 768
Alexio Commeno: *Crónica de los Emperadores:* 1654
alfabetos: árabe: 4054; caldeo: 4054; desmitificación: 4055; egipcio: 4054; hebreo, escritura: 3713; persa: 4054
 pauta ordenadora: *General estoria:* 729, 755; *Libro de las maravillas del mundo:* 4054-4055; *Libro de los exemplos por a.b.c.:* 3101, 4073
Alfaro, magnicidio (1288): consecuencias: 891; justificación: 976; muerte de Lope Díaz de Haro: 859; paz interior: 914; señorío de Vizcaya, pleito: 1257; sujeción de la nobleza: 962-963, 1064, 1772
Alfonso I de Aragón, el Batallador, esposo de Urraca de Castilla (1073-[1104]-1134): ataque contra Ávila: 170 *(Crónica de la población de Ávila)*; conquista de Zaragoza: 3538 *(Crónica de los Reyes de Navarra)*; muerte: 3538; relación con Sahagún: 1023
Alfonso II de Aragón, el Casto (1154-[1162]-1196): relación con Alfonso VIII de Castilla: 67-69
Alfonso III de Aragón, el Liberal (1265-[1285]-1291): protección a los infantes de la Cerda: 859
Alfonso IV de Aragón, el Benigno (1299-[1327]-1336): Fernández de Heredia, Juan: 1650; muerte del rey: 1183, 3997; relación con don Juan Manuel: 1124, 1149, 2037; vínculos con Alfonso XI de Castilla: 1109, 1121
ALFONSO V DE ARAGÓN, el Magnánimo (1396-[1416]-1458): caza: 849n.; círculo letrado: 2482; enemigo de Álvaro de Luna: 2263, 2894-2896; enlace con doña María, hermana de Juan II: 2351, 2907, 3156n.; guerras contra Castilla: 2238, 2594, 2621; guerras en Italia: 3409; humanistas italianos: 3680n.; infante don Pedro de Portugal: 3425, 3428; intrigas contra Castilla: 2604; liberación del infante don Enrique: 2192, 2394, 2421, 2599, 2752, 2883-2884; libros: 3684n.; López de Mendoza, Íñigo: 2517; Lucena, Juan de: 3681; Palencia, Alfonso de: 3511, 3779n.; príncipe de Gerona: 2199; rey de Nápoles: 2783; sucesión Trastámara: 3491, 3511; *Triste deleytaçión:* 3815
Alfonso II de Asturias, el Casto (759-[783/791]-842]): Bernardo del Carpio y *Estoria de España:* 674, 678, 1577; Carlomagno: 1091; *Crónica fragmentaria:* 1237
Alfonso III de León, el Magno (848-[866]-910): Bernardo del Carpio: 676n.; cronística: 104; *Estoria de España:* 1577; profecías y *Crónica sarracina:* 3345, 3357
Alfonso IV de León, el Monje ([925-931]-934): *Crónica General Vulgata:* 2082
Alfonso VI de León y de Castilla, el Bravo (1040-[1065]-1109): Cid: 2095, 2457n., 3538; creación del reino de Portugal: 2629; *Crónica de Castilla:* 1230n.; *Estoria de España:* 664, 676, 963; fueros: 86; *Miraglos de Santiago:* 1933; moce-

dades: 1087, 1598, 2462; monasterio de Sahagún: 1023; Sagrajas (1086): 69; *Versión crítica:* 1228n.
Alfonso VII, el Emperador (1105-[1126]-1157): *Crónica de 1344*: 1234; *Crónica de Castilla*: 1230; *Crónica de la población de Ávila*: 170, 172-173; división de reinos: 65, 2623; enterramiento: 963; *Estoria de España*: 664, 679; fueros: 83n.; nacimiento, señales: 97; *Ordenamiento de Nájera*: 1313; redacción *Codex Calixtinus*: 1579
Alfonso VIII, el de las Navas (1155-[1158]-1214): Alfonso X: 644, 681, 817; Berenguela: 863; canciller Diego de Campos: 2432; *Castigos de Sancho IV*: 933; Cid: 79-80; construcción identidad de Castilla: 57-58, 1316, 1327, 3980, 3985; corte letrada: 72, 74-76; cortes de Toledo (1207): 3988; *Crónica de Castilla*: 1231; *Crónica de la población de Ávila*: 177; *Crónica fragmentaria*: 1237, 1239; disputas con León: 68; *Estoria de España*: 665, 968; Fernando III: 157, 159, 161; fueros: 88, 295, 298; Jiménez de Rada, Rodrigo: 3995; Leonor de Inglaterra: 241, 1460; *Liber regum*: 102; literatura sapiencial: 260; mayoridad: 67-68; minoridad: 65-66, 3979; modelo de «rey letrado»: 140; *Ordenamiento de Nájera*: 1313; SÍNTESIS Y CONCLUSIÓN: 3891; *studium* de Palencia: 364
Alfonso IX de León (1171-[1188]-1230): Alfonso VIII: 68-70; Alfonso X: 72; Berenguela: 1053; corte letrada: 74, 76; *Crónica de Castilla*: 1229-1230; *Crónica de la población de Ávila*: 178; Fernando III: 157-159; fueros: 294; *studium* de Salamanca: 364
Alfonso X, el Sabio (1221-[1252]-1284): **180-852**; artes mercuriales: 323n.; biografía: 159-160, 180-182, 423-424, 688-689, 817-820, 822-823, 829-830, 853-856, 3999-4000; *Calila* y noción de «saber»: **187-193**, 217, 234-235, 238, 4003; candidatura imperial: 60, 237, 313-314, 331, 335, 357, 409, **423-424**; carta a su hijo don Fernando: 972n., 3999-4000n.; cazador: 839-840; *Compendiosa Historia Hispanica*: 3556; corrección de su pensamiento: 554-557, 1450-1452; corte como espacio de la ciencia: **597-643**, 2756; corte como sede imperial: **511-596**; corte letrada: **423-852**, 2471; *Crónica de Alfonso X*: **971-976**; crónicas generales: 1232, 1235, 1289-1291, 2084, 2089, 2207; década de 1270-1280: 688-689; defensa de la autoridad real: 334-336; defensor de la Iglesia: 319, 325, 330; «despaladinador» de la ley: 354; disputas: 485; Domingo de Silos, Santo: 1021-1022; enfermedades: 3999; escuelas alfonsíes: **364-422**; formación jurídica: 361; *Gran Conquista de Ultramar:* 1029-1035, 1053-1054; historiografía alfonsí: **643-796**, 2270, 3341; imagen del «saber»: 337; infante: 159-160, 162, 163n., 165, 170, 173-174, 178-179, 1021; infante don Fadrique, rivalidad: 4002; Isidoro, San: 2159; Jiménez de Rada, Rodrigo: 3996-3998; lexicógrafo: 3985; libros de juegos y de caza: **817-852**, 1692n., 2037; libros sapienciales y clerecía cortesana: **424-470**; limitación de su autoridad: 547-550; *magister historiarum*: 646; materia artúrica: 110, 1318, 1461; modelo cultural: 91, 98, 123, 132-133, 140, 156, 1021-1023, 1650, 2625; «narraciones cortesanas»: 796-817; orientación religiosa de la *General estoria*: 795; pensamiento político y literatura sapiencial: **241-294**, 250-253, **257**, 266, 274, 285; Pérez Gudiel, Gonzalo: 4023; primeros años de reinado: **180-182**; problema sucesorio: **817-820**, **822-823**, 829-830, **853-856**, 4000; prodigalidad: 975, 3132n.; *Qüistión entre dos cavalleros*: 3634, 3634n.; relación con el *Libro del tesoro*: 864-867; relación con el molinismo: 1225-1226; rela-

ción con la Iglesia a través de *Partidas*: 517-519, 528-532; retrato en *Libro conplido*: 405; «rey letrado»: 331, 344, 410-411, 658, 687-689, 825, 892, 4000; rey mago: **636-637**, 731; Sahagún: 1023-1024; Sancho IV, guerra civil: 62, 668, 683-687, 817-820, 822-823, 829-830, 853-856, 891-892, 971, 972n., 1019, 1025, 1095, 2462, 3999-4000, 4009, 4023; sentido de la autoría («el rey faze un libro»): 692; SÍNTESIS Y CONCLUSIÓN: 3893-3901; testamentos: 821n., 855-857, 919, 919n.; textos propagandísticos: 3074; traducciones latinas de obras científicas: **642-643**, 2111; tratados políticos: 1697-1698; Valera, Diego de: 3527; vínculos de don Juan Manuel con Alfonso X: 1093, 1095, 1102-1121, 1131, 1151, 1154, **1195-1198**

OBRAS:

ver *Calila*; *Espéculo*; *Estoria de España*; *Fuero Real*; *General estoria*; *Lapidario*; *Libro conplido en los judizios de las estrellas*; *Libro de fecho de los cavallos*; *Libro de las animalias que caçan*; *Libro de las cruzes*; *Libro de las formas et de las imágenes*; *Libro de Picatrix*; *Libro del saber de astrología*; *Libros de acedrex, dados e tablas*; prólogos alfonsíes; *Setenario*; *Siete Partidas*; *Tablas alfonsíes*

ALFONSO **XI**, el Justiciero (1311-[1312]-1350): Albornoz, Gil de: 1852-1853; autoridad política y «cortesía nobiliaria»: 976, 978, 1226, 1249, 1259, 1772, 2036, 2077, 2191; caza: 846-847, 1683; historiografía: 516n., 964, 966, 971, 977n., 1228, 1237, **1260-1284**, 2133, 2696; legitimidad dinástica: 979n.; literatura cortesana: 1683, 3197; López de Córdoba, Leonor: 2340; materia artúrica: 1475, 1537, 1546, 1554-1555, 1563; materia carolingia: 1619-1620; materia de la Antigüedad: 1631, 1655-1656; materia troyana: 801, 4020-4021; mayoridad: 1265, 1297, 1442, 3649; minoridad: 863, 1266, 1444, 2023; muerte: 1771; *Poema de Alfonso XI*: 1817; producción jurídica: **1297-1314**; relación con don Juan Manuel: 1093, 1098, 1102, **1109**, **1121-1124**, **1148-1150**, 1183-1184, 1196-1197, 1202-1204, 3379, 4034-4035; SÍNTESIS Y CONCLUSIÓN: 3904-3905; *Sumario del despensero*: 2096; tratados políticos: 1698-1699, 1726, 1728-1730; tutorías: 1268-1270; *Zifar*: 1379, 1381n., 1414n., 1424, 1459 (ver *Crónica de Alfonso XI*)

OBRAS:

Libro de la montería: 1692-1696

Alfonso I Enríquez de Portugal (1109/11-[1139]-1185): transmisión del *Poridat:* 275n.

Alfonso II de Portugal, el Gordo (*c.*1185-[1211]-1223): Navas de Tolosa: 70

Alfonso III de Portugal, el Reformador (1210-[1248]-1279): Alfonso X, hostilidades: 312n.; materia artúrica: 1461n.

Alfonso IV de Portugal, el Bravo (1291-[1325]-1357): Alburquerque, Juan Alfonso de: 1801; vínculos con don Juan Manuel: 1149-1150, 1183

ALFONSO V DE PORTUGAL, el Africano (1432-[1438]-1481): arengas cortesanas: 1726n., 2541; dedicatario del *Tratado de las armas*: 3592-3594; «Encubierto»: 3757, 3757n.; enlace con Isabel de Portugal: 3211, 3326; infante don Pedro de Portugal, tutor del rey: 3428; posible enlace con Isabel I: 3530, 3667, con Juana de Castilla: 3505-3506; Valera, Diego de: 3526

Alfonso, Esteban, arcediano de Toledo (siglo XIII): Pérez Gudiel, Gonzalo: 4024

Alfonso, fray Juan, dominico, posible escribano de don Juan Manuel, dedicatario del *Libro de las tres razones* (siglos XIII-XIV): 1186, 1190-1192

Alfonso, maestro (siglo XV): epístolas, «oración» de Enrique de Aragón: 2507n.
Alfonso, P., bachiller y alcaide de Trujillo (siglo XV): *Crónica de Juan II*: 2896; *Historia de don Álvaro de Luna*: 2903, 2912
Alfonso, Pedro (*c.*1062-*c.*1140): *Dialogi inter Petrus Christiani et Moysi Judaei*: 1750n.
Alfonso Coronel, María, esposa de Alonso Pérez de Guzmán (m.1332): *Corónica de A. Pérez de Guzmán*: 2461, 2464, 2466, 2469n.
Alfonso de Algezira, fray: traductor de las *Postillae* de N. Lira (1422): 2564
Alfonso de Aragón o de Navarra, hijo bastardo de Juan II de Aragón, VI conde de Ribagorza, (*c.*1415-1485): apoyo a Juan II de Aragón, guerra de Cataluña: 3531; asedio de Cuenca (1449): 2267, 2301; pretendiente al maestrazgo de Calatrava: **2327**
ALFONSO DE CASTILLA, infante, hijo de Juan II e Isabel de Portugal, hermanastro de Enrique IV, hermano de Isabel I (1453-1468): Carrillo, Alfonso de: 3494-3495n., 3580, 3586, 3720, 3760; *Carta al rey sobre el regimiento de su vivienda*: 3639; Chinchilla, Pedro de: 3639-3661; corte letrada: 3481, 3502n., 3510, 3589, **3649-3650**, 3754; *Crónica castellana*: 3518-3519; *Crónica de Juan II*: 2194; custodia de Gonzalo Chacón: 2919n.; derechos sucesorios: 3476, 3482, 3494, 3525, 3560; liga nobiliaria: 3494, 3607; Maestre de Santiago: 2260, 3492, 3558; Martín de Ávila: 3482n.; Martín de Córdoba, fray: 3661-3662; mayoridad: 3640, 3649; muerte: 3502 (*Crónica de Enrique IV*), 3514 (*Gesta*), 3522, 3529 (*Memorial de diversas hazañas*), 3661-3662; Palencia, Alfonso de: 3478, 3510; Pimentel, Rodrigo Alfonso: 3639-3659; regimientos de príncipes: 3590; reivindicación de Álvaro de Luna: 2886, 2903n.; rey en litigio, «Alfonso XII» [1465-1468]: 2242, 2550, 3527, 3586; segunda batalla de Olmedo (1467): 3650, 3650n.; SÍNTESIS Y CONCLUSIÓN: 3962-3963; Torre, Fernando de la: 3787
Alfonso de Córdoba, Martín: ver Martín de Córdoba, fray
Alfonso de la Cerda: ver Cerda, Alfonso de la
Alfonso de Medina, jerónimo, bachiller en Teología (siglo XV): poeta del *Cancionero de Baena*: 2798
Alfonso de Molina, infante, hermano de Fernando III, padre de María de Molina (1203-1272): cabalgada de Jerez: 1241, **1241n.**; linaje de María de Molina: 857, 1251; unidad de reinos: 243n.
Alfonso de Noreña: ver Enríquez, Alfonso
Alfonso de Portugal, infante, esposo de la infanta Isabel de Castilla (1475-1491): posible intervención en el *Amadís*: 1553n.
Alfonso de Portugal, infante, hermano del rey don Dionís (1262-1312): cuñado de don Juan Manuel, 1095; intervención en el *Amadís*: 1475, 1552-1554
Alfonso de Robles, Fernán: ver Robles, Fernán Alfonso
ALFONSO DE TOLEDO, letrado (siglo XV): círculo de Carrillo: 3581n., 3760; SÍNTESIS Y CONCLUSIÓN: 3964
OBRAS:
Espejo de las istorias: 3703
Invencionario: **3703-3717**; estructura: 3705; miscelánea religiosa: 3706-3712; proemio: 3706; transmisión: 141, 183n., 186n., 3703-3704
Alfonso de Valladolid, fray, vicario (mitad siglo XV): Miscelánea, BN Madrid, 8744: 3833

Algarve, disputas entre Castilla y Portugal: 312n., 357, 511
Algunas cosas contra la luxuria: Miscelánea, BN Madrid 8744: **3840-3841**
Ali: *Libro de las formas*: 624
ʿAlī ibn ar-Rigāl, autor del *Libro de los judizios* (*c.*965-*c.*1040): composición: 389-390; construcción de planos internos: 398, 403, 843, 843n.; prólogos: 392, 396
Alicante, moro: *Crónica de 1344*: 1235, 1235n.
Alifonso, San: ver Ildefonso, San
Aliso/Eliso: *Triunfo de las donas*: 3299, 3337n.
Alix de Blois (1140-1206): corte poética: 1464
Alixandra y Lucano: *Tratado e despido a una dama de religión*: 3802
Alixandre peripatético: *Visión deleitable*: 2845
aljamas: asalto de 1391: 2076, 3361; controversias religiosas: 1751; traducción de la Biblia: 123
Aljubarrota (1385): *Crónica de Juan I*: 1809-1810, **1813-1814**, 2141; declive del gallego-portugués: 3153; *Embajada a Tamorlán*: 2190; García de Santa María, Pablo: 2588; López de Ayala, Pero: 1546-1547, 1711, 1787, 2103, 2138; sermones, B. Univ. de Salamanca, 1854: 2950; Torre, Fernando de la: 3786; Valera, Diego de: 2715
allegoria: *Libro de los gatos*: 2015 (ver alegoría)
alma: de la Virgen: 3871-3872; indisposición: 2996; motivo: 2963; tribulaciones: 3008-3010
Almanzor (940-1002): *Crónica de 1344*: 1235
Almatea, virgen de: *Libro de las claras e virtuosas mugeres*: 3239
ALMERICH, arcediano de Antioquía (m.1187): carta de petición de la *Fazienda*: 112, 114; descripción geográfica de Ultramar: 116, 118, 120; «poridad» de las Escrituras: 121 (ver *Fazienda de Ultramar, La)*
Almerique de Narbona: *Cuento de Carlos Maynes*: 1616
almirante: oficio: *Cirimonial de príncipes*: 3604
Almocaxí: ver Mohamad Alcaxí
almohades: 22, 68-71
Almorante: *Tristán*: 1519, 1536
Alonso de Córdoba (siglo XV): autor de la *Conmemoraçión breve de los Reyes de Portugal* (*c.*1461): 2970n.
Alonso de Fuentidueña, fray (siglo XV): *Título virginal de nuestra Señora*: 3856, 3861, 3876
Alonso/Alfonso de Paredes, maestre, traductor y físico (fin. siglo XIII): formación del *Lucidario*: 891, 891n.; prólogo del *Libro del tesoro*: 866
Alprão, Alfonso d', autor de *Ars praedicandi, conferendi, collationandi* (*c.* 1397): 1902
alquerque, juego alfonsí: 835-837
alquimia-nigromancia: Alarcón, Hernando de: 3755-3757; Aragón, Enrique de: 2479; *Lapidario*: 367; *Libro de las formas et de las imagenes*: 624; *Libro de los iudizios*: 396, 1334; Lulio, Raimundo: 3359; *Mar de historias*: 2433; *Poridat*: 276, 280
altercatio: ver disputas
Altercatio animae et corporis: 1762n.
Álvarez, Fernán, asedio de Huelma: *Crónica de Juan II*: 2411

Álvarez, García, liberación de Juan II: *Crónica de Juan II*: 2888
Álvarez de Alarcón, García, judío converso: poeta del *Cancionero de Baena*: 2797
Álvarez de Albornoz, Fernando, arzobispo de Sevilla ([1371-1378]): 1876
Álvarez de Asturias, Rodrigo, señor de Noreña (1326-1396): *Generaciones y semblanzas*: 2455
Álvarez de Osorio, Juan, señor de Villalobos (*c.*1360-1417): enemigo de Álvaro de Luna: 2907-2908, 3163-3164 (*Historia de don Álvaro de Luna*); privado de Catalina de Lancáster: 2339
Álvarez de Toledo, Alfonso, Contador Mayor, converso (m.1457): correspondencia del Arcediano de Niebla: 2747, 2750, 2755
Álvarez de Toledo, Antonio, poseedor de un *Sumario* de crónica de Juan II («Abreviación del Halconero»): 2323, 2333
Álvarez de Toledo, Fernando, primer conde de Alba de Tormes, señor de Valcorneja (m.1464): caída de Álvaro de Luna: 2254; carta de batalla: 2882-2883; destinatario del *Bías contra Fortuna* de Í. López de Mendoza: 2530-2531; enemigo de Álvaro de Luna: 2453; Higueruela: 2898, 2914; investidura caballeresca de Diego de Valera: 2714; liberación: 3488; oposición a Enrique IV: 3488; prisión de 1448: 2194, 2263-2264, 2267, 2305, 2411, 2520, 2549n., 2725, 2747; prisión de Gutierre de Toledo de 1432: 2281, 2289, 2332-2333, 2399, 2422, 2518; promotor del *Diálogo e razonamiento en la muerte del Marqués de Santillana* de P. Díaz de Toledo: 2550, 2568-2581, 2654
Álvarez de Toledo, Fernando, primer conde de Oropesa (s. XV): biblioteca: 4067-4068
Álvarez de Toledo, García, segundo conde de Alba de Tormes, I duque de Alba (m.1488-1489): críticas: 3500n.; duque de Alba: 3505; enemistad con Álvaro de Luna: 2254; oposición a Enrique IV: 3500; oposición a Pacheco: 3505; Palencia, Alfonso de, secretario: 3510, 3770-3771
Álvarez de Toledo, Gutierre, obispo de Palencia y arzobispo de Toledo (m.1446): Álvarez de Toledo, Fernán: 2579; carta contra Álvaro de Luna: 2318; detención (1432): 2192, 2281, 2289, 2305, 2317, 2518, 2853, 3340, 3379; enlace de don Enrique y doña Catalina: 3157; *Historia de don Álvaro de Luna*: 2898, 2913-2914; marco letrado de Juan II: 2206; mayoridad del rey, intrigas: 2315, 2325; muerte y sucesión (Alfonso Carrillo): 2296, 2300; Niño, Pero: 2393, 2397-2398; Pérez de Guzmán, Fernán: 2332-2333, 2421-2422, **2449-2450**, 2453; sermonística: 2961; Valera, Diego de: 2717
Álvarez de Toledo (Alba), linaje: 2420n.
Álvarez de Villasandino, Alfonso (*c.*1345-*c.*1424): debates poéticos: 2776, 3361; poeta del *Cancionero de Baena*: 45n.; Torre, Fernando de la: 3798
referencias a autores y textos: *Calila*: 186n., 204; *Enrique fi de Oliva*: 1620-1621, 1630; profecías de Merlín: 3094; Rocacisa, fray Juan de: 3089
Álvarez de Zapata, Fernand, notario regio (siglo XV): Lucena, Juan de: 3682
Álvarez Gato, Juan, poeta cortesano, mayordomo de Isabel I (*c.*1445-*c.*1510): círculo letrado de Carrillo: 3581n.; corte letrada del infante don Alfonso: 3650
Álvaro, camarero del infante don Fernando: *El Victorial*: 2351
Álvaro de Córdoba, San, hermano de Leonor López de Córdoba (1360-1430): 2349

Álvaro de Oviedo, traductor (siglo XIII): Pérez Gudiel, Gonzalo: 4024
Álvaro de Zamora (siglo XV): amigo de Fernando de la Torre: 3785; cruce epistolar sobre la amistad: 3793-3794
ama:
intrigas de, motivo: *Berta. Gran Conquista de Ultramar*: 1082; *Crónica de Juan II*: 3157
enseñanzas: *Fiammetta*: 3187; *Triste deleytaçión*: 3824-3826
amada:
aflicciones: *Triste deleytaçión*: 3822-3823
crueldad: *Sátira de infelice e felice vida*: 3331-3333
Amadeo IV de Saboya, padre de Beatriz de Saboya, mujer del infante don Manuel (1197-1253): 1095
AMADÍS DE GAULA: **1540-1577**; «amadises»: 1572n.; *Crónica sarracina*: 3354; Elisabad: 1634; *Glosa castellana al «Regimiento de príncipes»*: 1545, 1724n.; *Gran Conquista de Ultramar*: 1043; infante Alfonso de Portugal: 1475-1476; *Libro de las veinte cartas*: 3796n.; materia artúrica: 1525; materia de la Antigüedad: 1657-1658; materia troyana: 1641; medieval: 1372n., 1462, 1528; primer *Amadís*: 1514, **1554-1563**; revisión de Montalvo: 1359, 1485, **1570-1577**, 1637-1638, 2418, 3670; SÍNTESIS Y CONCLUSIÓN: 3916; transmisión textual: 1487, **1541-1554**, 1621, 3983; versión trastámara: 1263, 1490, **1563-1570**, 1573, 1775, 2388, 3153, 3255n., 3308n.
y Oriana: 1548, 1557, 1559, 1561
amador:
aflicciones: *Cadira de honor*: 3307; *Flor de virtudes*: 3740; *Sátira de infelice e felice vida*: 3331, 3333, 3335-3336; *Triste deleytaçión*: 3819, 3822
condiciones: *Libro del amigo y del Amado*: 3367
cortesano como: *Cancionero de Baena*: 3194-3197
falacias/fingidos sufrimientos: *Bursario*: 3282; *Carta e breve conpendio*: 3648; *Triste deleytaçión*: 3824
retrato del: *Breviloquio de amor y de amiçiçia*: 3171; *Tratado de cómo al hombre es necesario amar*: 3180
selección: *Triste deleytaçión*: 3824-3825
torpeza: *Otas de Roma*: 1668-1669
amamantamiento prodigioso, motivo: *Libro de las claras e virtuosas mugeres*: 3243; *Santa María Madalena*: 1942-1943
Amán, favorito del rey Asuero (siglo V a.C.): *General estoria IV*: 766; *Libro de las claras e virtuosas mugeres*: 3230; *Tratado en defensa de virtuosas mugeres*: 3262
«segundo Amán», expresión: *Instrucción del Relator*: 2639
amanecer, motivo: *Triunfo de las donas*: 3291
Amanric: ver Amauri I
Amaro, San: 1834, **1962-1971**, 2123
Amauri I, rey de Jerusalén, hermano de Baldovín III (1138-[1163]-1174): *Gran Conquista de Ultramar*: 1048-1049
amazonas: *General estoria II*: 722; *General estoria III*: 735, 739; *Libro del infante don Pedro*: 3437; *Sumas de Historia Troyana*: 1642
ambigüedad, motivo: *Libro del conde Lucanor*: 1178; *Libro del Passo Honroso*: 2415

Ambrosio: ver Corintia
Ambrosio, San (*c*.339-397): atribución de *De conflictu viciorum*: 3840; caza: 877n., 2853n.; Patrística: 2655, 3137; signos de santidad: 2710n.; tradición epistolar: 3984
Amesia: *Libro de las claras e virtuosas mugeres*: 3234, 3247
Amete, rey: *Tratado en defensa de virtuosas mugeres*: 3261, 3262n.
«amiçiçia»: 3168
amigo: amigo/Amado: 3363-3368; amigo entero: 3101n.; avisos para recobrar al amigo: 2138n.; buen amigo: 3278; confidente de relación amorosa: 3270-3271, 3291, 3308, 3315, 3323, 3806; consolación por pérdida de amigo: 2993-2994; debates con amigo: 3291-3292, 3300; definición: 3366; destinatario de obras: 3257-3260, 3264-3266, 3267, 3309-3311, 3313; falsos amigos, motivo: 1166-1167, 2170; medio amigo, «exemplo»: 934; tres amigos, «exemplo»: 996, 996n., 3108, 3113, 3113n.; relaciones: 3737; reprehensión contra el amor: 3176, 3178; verdadero amigo: 3124
Amigo *(Aº)*: *Triste deleytaçión*: 3813-3832
Amílcar Barca, padre de Aníbal (290-228/229 a.C.): *Décadas*, traducción Ayala: 2140; *Grant Crónica de Espanya*: 1652
amistad, noción de: amor-amación: 3168; amor-amistad/amor, materia: 1186, 1190-1191, 1202, 1733, 3168, 3183-3184, 3792-3793, 4036-4037, 4075; *Calila*: 199; clases de amistad: 2576; definición alfonsí: **585-586**, 596n.; *Diálogo e razonamiento en la muerte del marqués de Santillana*: 2577; *Dichos de sabios*: 3122-3123; *Doctrinal de los cavalleros*: 2879-2880; *Glosa castellana al «Regimiento de príncipes»*: 1716; *Libro de las veinte cartas*: 3792-3795; *Libro de los cien capítulos*: 439; *Libro del consejo e de los consejeros*: 954; naturaleza de: 2577; Sancho IV: 954; *Tratado de la comunidad*: 1733; Tratado de moral: 3731; valor: 3122; *Vidas y dichos de filósofos antiguos*: 2122-2123; *Zifar*: 1454
Amite, hija del rey Pelés: *Lanzarote*: 1473
Amnón y Tamar, hijos del rey David: *Breviloquio de amor y de amiçiçia*: 3172; *General estoria II*: 732; *Tratado de cómo al hombre es necesario amar*: 3179
Amonia, hija de Chiro: *Tratado en defensa de virtuosas mugeres*: 3261
AMOR:
- ***amor hereos***: *Breviloquio de amor y de amiçiçia*: 3170, 3172; *Elegia di madonna Fiammetta*: 3205; *Estoria del Cavallero del Çisne*: 1079; *General estoria*: 701n.; *Libro de las claras e virtuosas mugeres*: 3253; *Lilio de medicina*: 2775n.; *Santa enperatrís*: 1368
- **análisis**: *Bursario*: 3282-3284; *Sátira de infelice e felice vida*: 3327; *Siervo libre de amor*: 3308; *Triste deleytaçión*: 3813-3814
- **clases**: *Breviloquio de amor y de amiçiçia*: 4075; *Flor de virtudes*: 3740, 3740n.
- **contrario a la caballería**: *Tristán*: 1537
- **crítica al amor desordenado**: *Breviloquio de amor y de amiçiçia*: 3173; *Castigos de Sancho IV*: 928-929; *Libro de toda la vida de nuestra Señora*: 3883
- **de súbditos**: *Tratado de providencia contra fortuna:* 3600
- **definición**: *Bursario*: 3280-3282; *Flor de virtudes*: 3739-3740; *Libro del amigo y del Amado*: 3366-3367; *Tratado de amor*: 3184; *El Victorial*: 3191
- **diatribas contra el amor**: *Arcipreste de Talavera*: 2666, 2668, 2686-2687; *Caída de príncipes*: 2149; *Estoria del infante Roboán*: 1430; *Santa enpe-*

ratrís: 1368; *Sumas de Historia Troyana*: 1642, 1644; *Tratado de amor*: 3188-3190
efectos negativos del amor: *Castigos de Sancho IV*: 928-929; *Espejo del alma*: 3005; *Partida IV*: 573; *Siervo libre de amor*: 3307, 3312; *Tratado de cómo al hombre es necesario amar*: 3178-3181
elogio del amor de los enamorados: *Triste deleytaçión*: 3814
fuerza destructiva: *Carta e breve conpendio*: 3647; *Santa enperatrís*: 1368; *Sátira de infelice e felice vida*: 3333; *Sumas de Historia Troyana*: 1637-1638; Torre, Fernando de la: 3783; *Tratado en defensa de virtuosas mugeres*: 3266; *Tristán*: 1518
grados de amor: *Breviloquio de amor y de amiçiçia*: 4075: *El Victorial*: 3159
loco: *Breviloquio de amor y de amiçiçia*: 3168; *Libro de la justiçia de la vida espiritual*: 1893-1894; *Tratado de amor*: 3186
locura amorosa: *Libro del amigo y del Amado*: 3366
materia teórica: *Libro enfenido*: 1190-1191, 4036-4037; tratadística: **3165-3193**
necesidad de amar: *Tratado de cómo al hombre es necesario amar*: 3176-3181
propiedades: *Sátira de infelice e felice vida*: 3338
sentimental: noción: 3152-3153
triunfo del amor: *Elegia di madonna Fiammetta*: 3204; *Triste deleytaçión*: 3829-3830
vínculos: Tratado de moral: 3731
visión negativa: *Historia troyana polimétrica*: 812-814; *Libro de toda la vida de nuestra Señora*: 3873; *Lucidario*: 912-913
y amar: *Libro del amigo y del Amado*: 3367
y mar: *Bursario*: 3285
Amor, dios del: 3155n., 3162-3163, **3173**, 3184, 3187, 3214, 3321n., 3815; engaños: 3201, 3213; victoria: 3314 (ver Cupido)
AMOR CORTÉS: *Amadís*: 1547, 1555, 1562; *Fiammetta*: 3202; materia artúrica: 1465, 1498, 1505; materia carolingia: 1602; materia de la Antigüedad: 1664-1670; materia troyana: 800, 804, 804n., 812, 1637, 1644-1645; *Zifar*: 1373
amor vasallático: Alfonso X: 586; *Zifar*: 1447
Amorante: *Tristán*: 1522
amputaciones en combate:
mano: *Estoria del Cavallero del Çisne*: 1072; *Mainete. Gran conquista de Ultramar*: 1088; *Zifar*: 1419
nariz: *Cuento de Carlos Maynes*: 1612; *Estoria del Cavallero del Çisne*: 1072
piernas y brazos: *Cuento de Carlos Maynes*: 1610
Ana, madre del profeta Samuel: *Libro de las claras e virtuosas mugeres*: 3229
Ana, Santa, madre de la Virgen: *Libro de las claras e virtuosas mugeres*: 3239, 3248; *Libro de toda la vida de nuestra Señora*: 3886 (ver Joaquín, San)
Anacarsis (siglo VI a.C.): *Vidas y dichos de filósofos antiguos*: 2125
Anacleto I, papa ([76/79-88/91]): *Sacramental*: 3051
anagnórisis: *Amadís de Gaula*: 1544, 1557; *Berta. Crónica fragmentaria*: 1594; *Berta. Gran Conquista de Ultramar*: 1082; *Cavallero Pláçidas*: 1353-1354; *Cuento de Carlos Maynes*: 1614; *Estoria del Cavallero del Çisne*: 1066; *Estoria del rrey Guillelme*: 1361; *Historia de Apolonio*: 1681; *Segundo filósofo*: 507

analepsis o retrospecciones: 1117
anales: **96-98**, 112, 161, 1460
Anales castellanos: 96
Anales castellanos segundos: 97
Anales complutenses: 97
Anales de Tierra Santa: 3998
Anales navarro-aragoneses: 98, 104, 3536
Anales sevillanos: 2084
Anales toledanos: 97, 169; *Anales toledanos terceros*: 3998
Anarrizec, tratado de magia: 2499
Anás, sumo sacerdote ([6-15]): *Libro del infante don Pedro*: 3436
Anastasia, Santa (siglo I): *Libro de las claras e virtuosas mugeres*: 3241, 3248
Anaxágoras (*c*.500-*c*.428): *Visión deleitable*: 2845
Anaximandro (*c*.610-*c*.547): *Visión deleitable*: 2845
Anaya, Diego de, arzobispo de Sevilla (1357-1437): marco literario: 3378-3379, 3389, 3394, 3396, 3401
Ancario: *Batalla campal de los perros contra los lobos*: 3768
Ancelín, merino: *Estoria del Cavallero del Çisne*: 1074-1075
Anchises: ver Anquises
Anchos, sabio: «exemplo»: 445-448; *Libro de los buenos proverbios*: 445, 450
ancianidad/vejez, motivo: *Barlaam*: 981, 991; *Capítulo cómo los fijos deven onrar al padre*: 3139; *Estoria del Cavallero del Çisne*: 1071; *Fazienda de Ultramar*: 114; *General estoria III*: 741; *General estoria V*: 768; *Glosa castellana al «Regimiento de príncipes»*: 1715; *Libro del consejo*: 954; *Oracional*: 3017; *Poridat*: 277; *Santa enperatrís*: 1368; *Secreto de los secretos*: 293n.; *Segundo filósofo*: 509; *Tratado de la consolación*: 2495; *Tratado en defensa de virtuosas mugeres*: 3265n.; *Vidas y dichos de filósofos antiguos*: 2123, 2127 (ver caballero anciano)
Ancus Marcius (640-616 a.C.): *Libro de las claras e virtuosas mugeres*: 3232
Andalo de Nigro/Andalone di Negro, maestro (1271-1334): 2693n.
Andreas Capellanus (siglos XII-XIII): *Amadís de Gaula*: 1553; influencia *De amore* en el *Arcipreste de Talavera*: 2670, 2670n., 2671n., 2672-2675, 2677-2678; traducción catalana: 3215n.
Andrés, San, apóstol: *Embajada a Tamorlán*: 2180n.; materia hagiográfica: 3847-3849
Andrés de Li (siglos XV-XVI): *Reportorio de los tiempos* (1492): 498, 2770, 3844n.
Andrés de Uztarroz, Juan Francisco de, cronista de Aragón (1606-1653): 3997
Andriana, doncella: *Tratado e despido a una dama de religión*: 3803
Andrómaca, esposa de Héctor: *Historia troyana polimétrica*: 816
Andubete: *Tratado e despido a una dama de religión*: 3803 (ver *Sendebar*)
Anemur, rey: ver Avenir, rey (*Barlaam*)
Anfronia: *Libro de las claras e virtuosas mugeres*: 3234, 3247
ángeles/arcángeles: *Andanças e viajes* de Pero Tafur: 3419; *Barlaam*: 982; *Castigos de Sancho IV*: 926; *Del soberano bien*: 2165; *Diálogo de Epicteto*: 481; *Diálogo e razonamiento en la muerte del marqués de Santillan*: 2578; *Enrique fi de Oliva*: 1621, 1626; *Escala de Mahoma*: 235, 239-240; *Estoria del Cavallero del Çisne*: 1064, 1066, 1068; *Exemplos muy notables*: 3116; *Flor de virtudes*: 3742; *Flores*: 1590; *General estoria IV*: 753, 760; *Lapidario*: 379; *Libro de la Ochava espera*:

604; *Libro de las claras e virtuosas mugeres*: 3243; *Libro de toda la vida de nuestra Señora*: 3867, 3872n., 3878, 3880n., **3881-3882**, 3884; *Libro del cavallero et del escudero*: 1113, 1115; *Libro del tesoro*: 872; *Lucidario*: 896-897, 908-909, 911-912; Ms. B.Univ. de Salamanca, 1854: 2950; *Oracional*: 3018; *Partida I*: 528; *Revelaçión e consejo de los ángeles*: 3835; *San Alejo*: 1978-1979; *San Amaro*: 1968; *Sant Lorenço*: 1930; *Santa Catalina*: 1959, 1961; *Santa María Madalena*: 1944-1945; *Santa Marta*: 1950-1951; *Santo Tomás de Aquino*: 1997-1998; *Setenario*: 322, 327; *Tractado de la adivinança*: 2824; *Tristán*: 1526; *Vespesiano*: 1677; *Vida de la Virgen*: 3856; *Viridario*: 2027, 2030

Angelina de Grecia (1378-1445): *Embajada a Tamorlán*: 2175n.

Angriote de Estraváus: *Amadís*: 1558-1559

Aníbal, general cartaginés (247-183/181 a.C.): *Claros varones*: 2520; *Décadas*: 2140; *Floresta de filósofos*: 3142n.; *Grant Crónica de Espanya*: 1652; *Mar de historias*: 2427

anillo:

- **prodigioso**: *Enrique fi de Oliva*: 1624, 1630; *Flores y Blancaflor*: 1586, 1591, 1593; *San Alejo*: 1974, 1975n.
- **signo de anagnórisis**: *Amadís*: 1556
- **y matrimonio**: *Invencionario*: 3716

animales: abejas: 501, 876, 1702, 1734, 2024, 2566, 2710n., 3389, 3436, 3742, 3882; abubilla: 1647-1648, 3742; águila: 1362, 2015, 2649, 2654, 3306, 3354, 3742; alano: 1435, 1437, 1695; alcaraván: 2048; alcotán: 1691; alondra: 3872n.; araña: 501, 3052; asno: 501, 3743; atunes: 3110; ave de San Martín: 2015; avutarda: 2043; azor: 877n., 1435, 1437, 1685, 1689-1691; bueyes: 2275; buitre: 3743; caballo: 501, 876-877n., 1400-1401, 1404, 1435, 1437, 1615, 1617, 1668, 1695, 2378; calandria: 1445-1446, 3872n.; camello: 3413n., 3743; can o perro: 501, 846, 876n., 1691, 1695, 2018, 3042, 3099-3100, 3732n., 3762-3769; carnero: 377, 2021; castor: 3741; chinche: 501; cierva/ciervo: 479, 501, 834, 1065, 1354, 1356, 1365, 1465, 3310, 3380; cigüeña: 876n., 1716, 2043, 2045; cisnes: 501, 1065-1068, 1264, 2043, 2566, 2573; «cocatriz»/cocodrilo: 375, 834, 3412; cordero: 2649, 2652, 3743; cuervo: 1716, 2048, 3293, 3741; culebra de dos cabezas: 3356; delfines: 876; dromedarios portentosos: 3431; elefante: 2182, 2737, 3413; erizo: 501; «ermino»: 3743; escarabajo: 2848; esmerejón: 1691; galápago: 2015; galgo: 1610, 1612-1613, 2043; gallina: 1688, 1766, 2047, 2678, 2680-2681; gallo: 501, 2681, 3741; garza: 2048; gatos: 2013-2015, 2016; gavilanes: 877n., 1689, 1691; golondrinas: 876n.; grulla/«grúa»: 446, 933, 1686, 1702, 2043, 2045, 2048, 3742; gusanos/«busanos»: 1765; halcones: 1118, 1686-1689, 1811, 2042-2043, 3743, gerifaltes: 2044-2045, 3742, neblíes: 2042, 2044, 2046-2049, sacres: 1691; hienas: 877n.; hormigas: 877n., 1702, 3742; hurón: 501; jirafa/«xarafia»/«zaraffa»: 834, 2182, 3412-3413; lechuza: 2048; león/leona: 501, 834, 933, 935, 1007, 1355, 1400, 1405, 1465, 1559, 1567, 1968, 2019, 2461, 2463, 2465-2466, 2524, 2649, 2651-2652, 2737, 2950-2951, 3116, 3306, 3352, 3367, 3525, 3732n., 3742; leopardo: 4021; liebre: 501, 3110; lobo: 501, 1362, 1409, 2015, 2017-2018, 3099, 3732, 3742, 3762-3769, lobo/ovejas: 3100, lobo/raposa: 1307; lombrices: 1765; martinete: 2048; mosca: 974, 2020; mulo: 3851, 3854; mur: 2016, 2848, 3052, 3765; «mustella»: 3743; «oroneta»: 3742; oveja: 501, 1567n.; oso: 1007, 1695-1696, 3354, 3741; paloma: 933, 1871, 1984; pavo: 501, 1085-1087, 2580, 3742; perdiz: 933, 2016, 2275, 3742; «pez de la laguna»: 375, peces: 3852; piojo: 910; podencos: 1064, 1066; puerco/jabalí: 501, 1695-1696, 2018, 2278, 2384; pulga: 910; quebrantahuesos: 2016; rana: 3765; raposo/raposa: 501, 3742, 3765-3769; ruiseñor: 995, 3872n.; sabueso: 1695; sapo: 3742; serpiente/sierpe: 375, 501, 1007, 1841, 1848, 1871, 2461, 2466, 2649, 2652, 2828; tejón: 501; tigres: 2737; topo: 501, 3742; tordo: 501; toro: 3043, 3742; tórtola: 1716, 3235n., 3743; venado: 1692-1693, 1695, 2278; «ximio»: 501, simia: 3845; zorra/uvas: 3114

bestias apocalípticas: *Libro del conoscimiento del fin del mundo*: 3087-3088; *Visión de don Túngano*: 1839-1841

heráldicos: *Tratado de las armas*: 3598

iconografía: *Crónica del Halconero*: 2277

metáforas: *Las çinco figuratas paradoxas*: 2649

prodigiosos: «aanca» ('ave Fénix'): 834, 3742; basilisco: 1007, 1637, 3291n., 3742; «bestia ladradora»: 1490; grifo: 1007; sagitario: 810, 811; sirena: 876, 3742; «spingos»: 2737; «tarasçio»: 3244; unicornio: 834, 912, 996, 2023-2024, 3117, 3743; «vacares»: 2363 (ver dragón)

Anjou, casa de: *El Victorial*: 2385

Anquises, padre de Eneas: *Andanças e viajes* de Pero Tafur: 3424; *Sumas de Historia Troyana*: 1645

Anselmo de Cantérbury, San (1033/34-1109): 2005n.

OBRAS:

Cánticos: 3107

Antartón, rey: *Batalla campal de los perros contra los lobos*: 3765, 3768-3769

Anteneor/Antenor, príncipe troyano: *General estoria III*: 737; *Historia troyana polimétrica*: 811; *Sumas de Historia Troyana*: 1645

Anteo de África, gigante: *General estoria I*: 714

ANTICRISTO: Ferrer, fray Vicente, predicación: **2956-2957**, 2959; identidad masculina: 3298; Luna, Álvaro de: 2887, 2942; mensajeros: 3395; Preste Juan: 3430, 3438; tratadística: 3075, **3084-3094**; vaticinios: 2811

antifeminismo: ver misoginia

Antígono: limosnas: *Flor de virtudes*: 3742

Antígoras: ver Pitágoras

«antiguo autor» de *La Celestina*: 2667, 3826

Antíoco III, *Megas*, rey de Siria (242-[223]-187 a.C.): *Décadas*: 2140; *Exhortación de la paz*: 2724n.; *General estoria V*: 779

Antíoco IV, *Epifanes*, rey de Siria (215-[175]-164 a.C.): *General estoria V*: 779, 780-781

Antíoco, amador: *Sátira de infelice e felice vida*: 3338

Antíoco, rey: *Historia de Apolonio*: 1681

ANTISEMITISMO: Díaz de Games, Gutierre: 2390; disputas y controversias: 134-137, 1750-1760, 1998; fractura convivencia cultural: 124, 2148; legislación: 303, 347, 354n., 575, 580; puniciones: 1811; *Vespesiano*: 1678-1680 (ver judíos; tratados apologéticos y de controversia)

Antístenes (*c.*444-*c.*365 a.C.): *Vidas y dichos de filósofos antiguos*: 2128

Antonia: *Libro de las claras e virtuosas mugeres*: 3233-3234
Antonino Pío, emperador romano (86-[138]-161): *Mar de historias*: 2424n., 2428
Antonio Abad, San (251-*c*.356): *Libro de las consolaçiones*: 2989
Antonio de Padua, San (1195-1231): canonización: 3855; materia hagiográfica: **3850-3855**
«aojamiento»: ver Aragón, Enrique de, *Tratado de fascinación*
Apanágoras: *Vidas y dichos de filósofos antiguos*: 2119
Apicio: invención de instrumentos de cocina: *Invencionario*: 3717
Apolo: *Cavallero Pláçidas*: 1355; *Las diez qüestiones vulgares*: 2659-2661; *Historia troyana polimétrica*: 805; *Libro del grant açedrex*: 838
Apolodro: *Libro llamado «Fedrón»*: 2567
Apolonio, rey: clerecía, siglo XIII: 892n.; *Historia de Apolonio*: 1680-1682; *Libro de Apolonio*: 1333, 1341-1342, 1627, 1941; materia: 804, 1318; «rey clérigo»: 703, 797
aprender:
«de cor»: *Partida I*: 534
«de oída»: *Partida II*: 563, 797n., 1400
ingenio en: *Flores y Blancaflor*: 1586
Apuleyo, Lucio (*c*.123-*c*.180): *Vidas y dichos de filósofos antiguos*: 2120
Aquiles: *Andanças e viajes* de Pero Tafur: 3415; *Cancionero de Baena*: 1548; *General estoria*: 4020; *Glosa castellana al «Regimiento de príncipes»*: 1545; *Historia troyana polimétrica*: 4021; *Sumas de la Ilíada*: 2739; *Triunfo de las donas*: 3298; vencido por el amor: 3173
planctus: 803n., 805, 807, 809, 811, 814, 817
y Policena: *Sumas de Historia Troyana*: 1637-1638, 1643-1644; *Tratado de cómo al hombre es necesario amar*: 3179
Arábigo, Rey: *Amadís*: 1565
Aragón, Alfonso de, marqués de Villena, primer condestable de Castilla, duque de Gandía, abuelo de don Enrique de Aragón (1332-1412): 2475, 2475n., 2476
ARAGÓN (O VILLENA), ENRIQUE DE, maestre de Calatrava en litigio y señor de Iniesta (*c*.1382/84-1434): **2473-2516**; astrología: 2756; ataques contra supersticiones: 2687; Barrientos, Lope de: 2824; Chirino, Alfonso de: 2765; conocimiento de la Antigüedad: 2112, 2470, 2473; corte de Juan II: 2231; *Crónica del Halconero*: 2293; escrutinio de su biblioteca: 2293n., 2294, 2310n., 2317, 2480, 2500, 2811, 2820, 2824; exégesis: 2730, 3199, 3335; lenguaje figurativo: 3246, 3312; *Libro de la guerra* (atribución): 2862; López de Mendoza, Íñigo: 1914, 2516-2517, 2524, 2541; Pérez de Guzmán, semblanza: 2449, 2605; SÍNTESIS Y CONCLUSIÓN: 3937-3938; traducción de la *Divina comedia*: 2481; *Tratado de Astrología*, atribución: 2500; vínculos con cortesía aragonesa: 2472, 2475-2476, 2482-2506, 3155-3156, 3813
OBRAS:
Arte cisoria: **2489-2493**, 3788
Arte de trovar: 2478, 2481, 2484, **2503-2506**, 2516, 2535
Los doze trabajos de Hércules: 2479, 2481, **2482-2487**, 2513n., 3379n.
Epístola a Suero de Quiñones: **2500-2502**, 3342n.
Exposición del salmo «Quoniam videbo»: **2507-2509**, 3089

Exposición del soneto de Petrarca: **2510-2511**
Tratado de fascinación o de aojamiento: **2497-2500**, 2653
Tratado de la consolación: **2493-2497**, 2974, 3788
Tratado de la lepra: **2487-2489**, 2507
TRADUCCIONES:
Divina comedia: 2515-2516
Eneida: 2149, 2439n., 2471, 2512-2515, 2537, 3640n.
Aragón, Pedro de, marqués de Villena, padre de don Enrique de Aragón (1362-1385): 2475
Aragón, rey de armas de Juan II: *Crónica de Juan II*: 2882
aragonesismo cronístico: *Crónica de Juan II*: 2215-2231; *Crónica de los Estados Peninsulares*: 1287-1288; *Gesta Hispaniensia*: 3511
Aranassium/Aransante, hijo del rey Galaçianus: *Libro de cetrería*: 1687; *Libro de las aves que cazan*: 2850
árbol: de la divina ciencia: 3380-3381; del bálsamo: 3437n.; del «conorte»: 1969; del mundo, «semejança»: 912, 912n., 996, 2960n., 3117; eclesial: 1839; figura alegórica: 3026, 3887n.; seco que reverdece: 2181; simbología: 2744
Siervo libre de amor: 3309-3310, arrayán: 3315-3316, del Paraíso: 3316, 3323, oliva: 3316, 3323
arboleda, símbolo: *Arboleda de los enfermos*: 3059-3060 (ver vergel)
Arca de Noe: *Libro del infante don Pedro*: 3435
Arcaláus: *Amadís*: 1559-1560
Archemínides: ver Arquímedes
Archileus/Archelaus, hijo de Herodes I (22 a.C.-*c.*18 d.C.): *Vespesiano*: 1678-1679
Archis, consejero: *Barlaam*: 1001
Archistrate, rey: *Historia de Apolonio*: 1681-1682
Arcipreste de Hita: ver Ruiz, Juan
Arcipreste de Talavera: ver Martínez de Toledo, Alfonso
arcos prodigiosos: *Memorias* de Leonor López de Córdoba: 2344
Ardanlier: *Siervo libre de amor*: 2412, 3317-3322, 3337
ardimiento, noción: 1572, 2913
arenga/proposición cortesana: *Arte de trovar*: 2505; *Avisación de la dignidad real*: 1726n.; Cartagena, Alfonso de: 2600, 2613, 2624-2630; *Crónica de Juan I*: 1809-1810, 1813, 1815-1816; *Crónica del Halconero*: 2280; *Crónica del rey don Pedro*: 1801; *Exortaçión* de Pedro de Chinchilla: 3659; *Generaciones y semblanzas*: 2436; *Hechos* de Lope de Barrientos: 2294; *Lamentaçión de Spaña*: 2526; *Mar de historias*: 2426-2427; *Oración de miçer Ganoço Manety*: 2584; Pérez de Guzmán, Fernán: 2421; sermonística: 2949 (ver «fablas»)
Arenga ante Alfonso V de Portugal: ver Jouffroy, Jean
arenga militar: *Batalla campal de los perros contra los lobos*: 3768; *General estoria V*: 785; *Historia troyana polimétrica*: 807
Areteo, médico (siglo I d.C.): 2757
Argia: *Libro de las claras e virtuosas mugeres*: 3238, 3247n.
Argos: *Sátira de infelice e felice vida*: 3330, 3334
Argote de Molina, Gonzalo (1549-1596): editor de *La Embajada a Tamorlán*: 2173, 2175, 4057, 4057n., del *Libro del conde Lucanor*: 1150-1152, 1152-1153n.

OBRAS:
Discurso sobre la poesía castellana: 1025n., 1102n., 1153n.
Escarmientos de Amor: 3270
Nobleza del Andaluzía: 3270
argumentos *(argumentum)*: *Etimologías* romanceadas: 1326-1328; *Libro del tesoro*: 887
Ariadna/Adriagna: *General estoria I*: 725; *Triste deleytaçión*: 3819
y Teseo: *Bursario*: 3286
Arias, Mayor, esposa de García Fernández (siglo XIII): educación de Alfonso X: 180
Arias, Mayor, esposa de González de Clavijo (siglos XIV-XV): poesía cancioneril: 2175
Arias Dávila, Diego, converso segoviano, contador de Enrique IV (m.1466): epístola de Gómez Manrique: 3723; *Libro de vita beata*: 3695, 3695n.
Arias Dávila, Juan, obispo de Segovia (m.1497): *Crónica de Enrique IV*: 3497
Arias Dávila, Pedro, contador de Enrique IV, hermano de Juan Arias Dávila (siglo XV): entrega de Segovia al bando alfonsino: *Crónica de Enrique IV*: 3497-3498, 3500
Arias de Balboa, Vicente, glosador, obispo de Plasencia (m.1414): 1307n., 2218n.
Arias de Quiñones, Gómez, juez (siglo XV): *Libro del Passo Honroso*: 2415
Ariosto, Ludovico (1474-1533): *Orlando furioso*: 1582
Aristippus, H., traductor de Platón (siglo XII): 2563
aristocratismo: consiliario: 1163, 1169, 1171-1175, 1178, 1183; historiografía: 2333-2470, 3535; saber nobiliario: 1185, 1236
ARISTÓTELES (384-322 a.C.): Alfonso X: 410 (*Libro de las Cruzes*), 586 (*Partidas*), 686 (*Libro de Picatrix*), 630, 633 (Ms. Vat.lat.reg. 1283), 915; Barrientos, Lope de: 2814; Bruni-Cartagena, controversia: 2481n., 2602, 2610-2614, 2868; Cartagena, Alfonso de: 2624, 3032; Chinchilla, Pedro de: 3655n.; diálogos: 500 (*Historia de la donzella Teodor*); Díaz de Toledo, Pero: 2565, 3751-3752; Fernández de Madrigal, Alfonso: 2853n., 3169, 4061n., 4062, 4074; *Flor de virtudes*: 3740n.; glosas: 2552; Guillén de Segovia, Pero: 3724; hagiografía: 1954 (*Santa Catalina*); *Istoria de las bienandanzas e fortunas*: 3553n.; *Libro de las claras e virtuosas mugeres*: 3227, 3244; Martín de Ávila: 2542; Martín de Córdoba, fray: 2807, 3665, 3668; misceláneas enciclopédicas: 874, 883 (*Libro del tesoro*); molinismo: 1377, 1452 (*Zifar*); naturalismo: 410, 2489, 2771, 3167, 3171, 3227; regimientos de príncipes: 1700-1701 (*De Regno*), 1710-1711 (*Glosa castellana al «Regimiento de príncipes»*); Sánchez de Arévalo, Rodrigo: 3612, 3617n., 3623-3625; sentencias: 4058-4059; sermonística: 2972; Torre, Alfonso de la: 2833, 2842n., 2845; traducciones: 126n.
Aristoteles hispanus: *Chronicon mundi*: 166n.; *General estoria IV*: 766-767
literatura sapiencial: *Bocados de oro*: 459, 462, 465, 467, 869; *Castigos y dotrinas*: 3138n.; *Dichos de sabios y filósofos*: 3120; *Dichos e castigos de profetas e filósofos*: 3126n.; *Floresta de filósofos*: 3141n.; *Libro del consejo*: 945, 947, 957; *Proverbios* de Í. López de Mendoza: 2529; *Vidas y dichos de filósofos antiguos*: 2114-2116, 2121n., 2130
y Alejandro: *Bocados de oro*: 453-454, 466-468; *Castigos del rey de Mentón*: 1439; *Flor de virtudes*: 3742; *General estoria IV*: 770; *Libro de Alexandre:* **29**-

37, 42, 50; *Libro de los buenos proverbios*: 442n., 443, 445, 449-451; *Partida II*: 541n., 543, 554; *Poridat*: **273-294**, 277, 289-291; *Qüistión entre dos cavalleros*: 3634; *Secreta secretorum*: 1653; *Suma de virtuoso deseo*: **3133**; *Vidas y dichos de filósofos antiguos*: **2131**
y Platón: *Bocados de oro*: 457n.; *Libro de los buenos proverbios*: 448; *Vidas y dichos de filósofos antiguos*: 2127; *Visión deleitable*: 2849
OBRAS:
De anima: 628
De buena fortuna: 2790
De sophisticis: 33
Económica: 2846
Éticas: 865, 878-882, 947, 1377n., 1712-1713, 2040, 2043, 2528, 2549, 2583, 2610-2614, 2766, 2831, 3168, 3609, 3631, 3656, comentarios: 3655n.
Física: 908, 2777, 2780-2781, 2786-2787, 2791
Libro de las animalias: 1716
Política: 889, 1723, 2846, 3609, 3616, 3753-3754
Retórica: 38, 2771, 3668
Topica: 33
aristotelismo: 861, 861n., 907
aritmética: Alfonso X: 862; *General estoria I*: 713; *Partida I*: 534n.; *Setenario*: 317, 334n.
Arjona:
duque de: ver Fadrique
duquesa de: ver Aldonza
Armagnac, Jean d', conde de Comminges, vasallo de Juan II (1428-1473): embajada a Enrique IV: *Crónica de Enrique IV*: 3492n.; linaje de los Quiñones, enfrentamientos: 2410; recepción de Enrique IV: 3478; Valera, Diego de: 2723
armas: armas/amor: 2369-2370; armas/letras: 2487n., 2529, 2584-2585, 2616, 2865, 2881, 3249, 3795, 3806; armas/señales heráldicas: 3305-3306, 3416, 3592-3598; armas y valores religiosos: 1905-1906; ejercicio de armas, deporte: 3623-3625; origen: 3707 *(Invencionario)* (ver heráldica)
armellas-armilla, noción alfonsí: 617
Armiñaque: ver Armagnac
Arnaldo de Isenburg, arzobispo de Tréveris (siglo XIII): 423-424
Arnao, bandolero: *Crónica sarracina*: 3354
Arnoldo de Lieja, dominico (m.1345): *Alphabetum Narrationum* (1308): 3111
Arnoldo de Serrano, maestro de teología (siglo XIV): *Chronica XXIV Generalium Ordinis Minorum*: 3850; *Liber miraculorum*: 3850
Arnulfo de Orleans (siglo X): transmisión de la materia troyana: 4019
Arpago, consejero de Astiages: *General estoria IV*: 751
Arpián: *Demanda*: 1501
Arquímedes (287-212 a.C.): *Vidas y dichos de filósofos antiguos*: 2124
Arredondo y Alvarado, fray Gonzalo de (m.*c.*1522): *Crónica*: 1151, 1151n.
Arreglo Toledano de 1460, derivación de *Crónica de 1344*: 1231, 2085
Arrión, tañedor de arpa: *Confesión del amante*: 3212
ars dictaminis/dictandi: *Confesión del amante*: 3216; Gil de Zamora, Juan: 862n.;

gramática siglo XII: 32, 37, 40, 43; *Libro de Alexandre*: 32; *Libro del tesoro*: 886, 888; literatura sapiencial: 263n. (ver cartas; epístolas)
ars grammatica: *Confesión del amante*: 3218n.; corte de Juan II: 2203; desarrollo siglo XIII: 30-32; dimensión negativa: 2168-2169; discurso formal de la prosa: 41-43; dominio de la escritura: 54, 56; educación caballeresca: 2617; *General estoria I*: 698; guarda del saber: 2154; *Historia de la donzella Teodor*: 494; *Partida I*: 535; *Setenario*: 317; Valera, Diego de: 3258; *Visión deleitable*: 2837, 2848
ars logica, dialéctica: *Confesión del amante*: 3218n.; educación caballeresca: 2617; educación de hijos: 1718; *General estoria*: 699; *Historia de la donzella Teodor*: 494; Lulio, Raimundo: 3370-3371; orden de la ficción: 1316; *Setenario*: 317; *Visión deleitable*: 2838
ars moriendi: *Capítulo de las preguntas que deven fazer al omne desque está en punto de muerte*: 3074; *De los bienes que siguen de la remenbrança de la muerte*: 3844-3845; *Diálogo e razonamiento en la muerte del marqués de Santillana*: 2569n., 2571-2575; *Exemplos muy notables*: 3113; *Libro de los exemplos por a.b.c.*: 3103n.; *Suplicatio in die mortis*: 3074; *Tratado que hizo Alarcón*: 3757-3758
ars narrandi: Chrétien de Troyes: 1464
ars poetriae: discurso formal de la prosa: 41-42; *Libro de Alexandre*: 32; *Libro de las claras e virtuosas mugeres*: 3236
Ars praedicandi de metro in planum stilum extracta: 1902
ars rhetorica: «buena retórica»: 2438n., 2454; Cartagena, Alfonso de: 2617; *Confesión del amante*: 3218n.; corte de Juan II: 2203; defensa: 2131n., 2149-2150, 2150n., 3258; desarrollo siglo XIII: 34-35; dimensión negativa: 2128-2130, 2168-2169, 2958, 3007n., 3665n., 3733; discurso formal de la prosa: 50, 54, 56; disputas: 2800; «divinal»: 2958; enseñanza: 3976; ficción, modelos: 1316-1317, **1325-1327**; *Flor de virtudes*: 3743-3744; *Floresta de filósofos*: 3142n.; *General estoria*: 699; *Glosa castellana al «Regimiento de príncipes»*: 1709, 1709n., 1718; guarda del saber: 2154; «guardar la retórica»: 2146; *Hechos y dichos*: 3148; *Libro de las tribulaciones*: 3014; *Libro de los cien capítulos*: **438-439**; *Libro de vita beata*: 3686, 3693, 3696; *Libro del tesoro*: 868, 881-882, **883-890**; Palencia, Alfonso de: 3513, 3764; sermonística: 1897, 2015, 2795n.; *Setenario*: **317**; Torre, Fernando de la: 3799, 3805n.; Tratado de retórica: **3732-3737**; *Triste deleytaçión*: 3819-3820; *Visión deleitable*: 2838-2839, 2848; *Visión de Filiberto*: 1766
Arsames/Arsamo, rey de Persia (*c.*454-404 a.C.): *General estoria IV*: 768
Arsenio, San (350-445): *Mar de historias*: 2431
Artábano, rey de Armenia: *General estoria IV*: 763
Artajerjes II, rey de Persia (404-358 a.C.): *General estoria IV*: 758, 762, 764
Artal de Claramunt, Fra, comendador de la Guardia (siglo XV): posible autor de *Triste deleytaçión*: 3830
arte amatoria: delitos sexuales: 1308-1309, 1348, 3841; herejías: 1446; homosexualidad: 2691; lujuria: 1479-1480, 3840-3841; sexualidad: 595, 1016-1017, 1716-1717, 2762; sexualidad femenina: 493, 498n., 500, 3295, 3295n., 3667, 3676; tratados religiosos: 3052-3053, 3840-3841; unión de héroes: 1561 (ver «castigos de buen amor»; tratados de erotología)
arte consolatoria: *Libro de los buenos proverbios*: 445, 450 (ver tratados de consolación)

arte de bien morir: ver *ars moriendi*
«arte de la caça»: 838-841 (ver caza; libros de caza)
arte de trovar: *Historia de la donzella Teodor*: 499-500; *Libro del grant acedrex*: 838
ARTE MEMORATIVA: **3368-3373** (ver Lulio, Raimundo)
arte militar: *General estoria IV*: 761; *Partida II*: 565-567; *Zifar*: 1418-1419, 1455
y caballeresco: *Dichos de Séneca*: 3147; *Regimiento de príncipes*: 1724-1725; *Suma política*: 3613-3615 (ver *de re militari*)
Artemisa, enamorada de Mauseol: epístola de J. Rodríguez del Padrón: 3287n., 3318n.
Artemisa, esposa de Mausolo (m.351 a.C.): *Libro de las claras e virtuosas mugeres*: 3238; *Tratado en defensa de virtuosas mugeres*: 3261
ARTES:
cuadriviales: ver *quadrivium*
decorativas: *Libro de las claras e virtuosas mugeres*: 3237
elocutivas: Cartagena, Alfonso de: 2609; composición textual: 10; defensa: 465-467, 2130; dimensión negativa: 203; 387, 425, 472, 533, 534n., 568n., 1954, 1974-1975, 2000, 2128-2129, 2614, 2620; discurso formal de la prosa: 49; estudios generales: 3976; *Etimologías* romanceadas: 2162; ficción: 1316, 1324, 1327; hagiografía: 1948, 1954, 1955n., 1956, 2159-2160; lengua vernácula: 58; Sancho IV: 955; sermonística: 1897; SÍNTESIS Y CONCLUSIÓN: 3891
liberales: Alfonso X: 27-28, 315, 366, **436-440**; *Arte cisoria*: 2491; *Arte memorativa*: 3372; *Barlaam*: 991; Carrillo, Alfonso de: 3721; *Confesión del amante*: 3218; definición: 27-37; educación de príncipes: 28, 317, 991, 3069; *Etimologías* romanceadas: 2159; Ferrer, fray Vicente: 2957-2958; *Floresta de filósofos*: 3142; *Glosa castellana al «Regimiento de príncipes»*: 1713, 1718; Guillén de Segovia, Pero: 3722; *Libro de los judizios*: 387; *Oración de miçer Ganoço Manety*: 2585; *San Alejo*: 1975, 1975n.; *Semejança del mundo*: 149; *Vergel de los príncipes*: 3626; *Visión deleitable*: 2837-2845 (ver *trivium*; *quadrivium*)
mecánicas: 2491, 3421
naturales: 2491
poeticae: *Arte de trovar* de E. de Aragón: **2503-2506**; artes provenzalistas: 2530n., 2531, 2534; *Bocados de oro*: 465; *Cancionero de Baena*: 3196, 3621; *La Gaya Ciencia* de P. Guillén de Segovia: 3581; *Generaciones y semblanzas*: 2442n.; López de Mendoza, Íñigo: **2534-2540**; siglo XII: 884; Torre, Fernando de la: 3793n.
praedicandi: *Arcipreste de Talavera*: 4063; *La Fazienda de Ultramar*: 117; literatura sapiencial: 263n.; López de Salamanca, Juan: 4068; *Partida I*: 530, **535**; sermonística: 2950, 2954n., 2968; siglo XII: 1898; técnicas, don Juan Manuel: 1147, 1200
triviales: ver *trivium*
artículos de la fe: *Catecismo* de Gil de Albornoz: 1854; catecismo de Gutierre de Toledo: 1857; *Libro de la justiçia de la vida espiritual*: 1887-1889; Lulio, Raimundo: 3359; Sánchez de Vercial, Clemente: 3050-3051
ARTUR/ARTURO/ARTÚS/ARTUSO, REY: *Amadís*: 1561; *Anales navarro-aragoneses*: 100; *Baladro del sabio Merlín*: 1489-1491; *Caída de prinçipes*: 2146, 2150; Car-

lomagno: 1578; corte alfonsí: 1318; *Demanda*: 1497, 1499, 1501; *Estoria de Merlín*: 1483; *Historia regum Britanniae*: 1463-1464, 2972; *Istoria de las bienandanzas e fortunas*: 3552-3553; *Lancelot*: 1472-1473; *Libro del conosçimiento*: 1826; *Libro del tesoro*: 872, 1337; *Mar de historias*: 2434; *Muerte de Arturo*: 1503-1504; paradigma caballeresco: 3433n.; Tristán, materia: 1506, 1509, 1523-1524, 1530-1531, 1538; *Zifar*: 1416
Arzobispo de Canturbel: *Post-Vulgata*: 1504
Arzobispo de Tiro: ver Guillermo de Tiro
Asa/Asá, rey de Judá ([911-870 a.C.]): *General estoria III*: 735, 742-743
Asaraco, nieto de Aquiles: *Sumas de Historia Troyana*: 1646
Asarón, sabio: *Bocados de oro*: 459, 462; *Dichos e castigos*: 3126n., 3127n.
ascharitas: *Visión deleitable*: 2842n.
Ascholi, Checo d': ver Cecco d'Ascoli
Asclepiodoto, tirano británico: *Proposición contra los ingleses*: 2625
Asdrúbal Barca, militar cartaginés (245-207 a.C.): *Libro de las claras e virtuosas mugeres*: 3238
asonadas, noción: *Doctrinal de los cavalleros*: 2877-2878
Astiages, rey de los medos ([585-550 a.C.]): *General estoria IV*: 751-753
astrolabio: plano: 614-615; redondo: 612
astrología: Carrillo, Alfonso de: 3722; compilaciones alfonsíes: 61, 364, 390, 408, 412-416, **597-629**, 4005-4007; *Confesión del amante*: 3218; contemplación religiosa: 3838n.; corte de Juan II: 2756, 2788-2789, 2813-2814; determinismo: 3172; diferencia con astronomía: 598; 599, 602-603, 667-668; *General estoria I*: 713; Guillén de Segovia, Pero: 3722; *Historia de la donzella Teodor*: 498; *Libro de toda la vida de nuestra Señora*: 3873n.; predicciones: 1756, 2096-2097, 2119, 2330; *Sátira de infelice e felice vida*: 3337; *Secreto de los secretos*: 293; *Setenario*: 317; *Visión deleitable*: 2840, 2843; visión negativa: 1883, 2107, 2449, 2788-2789, 3708
astrólogos: *Barlaam*: 989-990
astronomía: Alfonso X: 598; diferencia con astrología: 598; *Etimologías* romanceadas: 2162; instrumentos: 393, 598, 604, **609-620**; *Invencionario*: 3708; juego del ajedrez: 836-838; *Libro de las cruzes*: 410, 412-413; *Libro de los judizios*: 390, 392, 403; *Sátira de infelice e felice vida*: 3337; *Suma de virtuoso deseo*; 3131
astucia femenina: *Arcipreste de Talavera*: 2679, 2684-2685; *Sendebar*: 230
Asturias, faraute de D. de Valera: 2716
Asuero (Jerjes I), rey de Persia (*c.*519-[486]-465 a.C.): *Bías contra fortuna*: 2532; *General estoria IV*: 765-766; *Libro de las claras e virtuosas mugeres*: 3230; *Tratado en defensa de virtuosas mugeres*: 3262
atacir, noción alfonsí: 611
Atalaba: ver Cava
Atalante de Calidonia, virgen: *Tratado en defensa de virtuosas mugeres*: 3261
Atalaya de las Corónicas: ver Martínez de Toledo, Alfonso
Ataliqui: *Dichos e castigos*: 3126n.
Atanarico/Amalarico, rey godo ([526-531]): *Anacephaleosis*: 2621
Athanágora: *Historia de Apolonio*: 1681-1682
Athlant, estrellero: *General estoria I*: 713; *Qüistión entre dos cavalleros*: 3634

Atila, rey de los hunos (*c.*385-[434]-453): *Grant corónica de los conquiridores*: 1654
Atreo, rey de Micenas: *Caída de príncipes*: 2148
atrevimiento: Alfonso X: 587; *Batalla campal de los perros contra los lobos*: 3765-3766; *Zifar*: 1417
Auberi: *Cuento de Carlos Maynes*: 1609-1610, 1612, 1616-1617
Aucassin et Nicolette (siglo XII): 804
auctores gentiles: 320
auctorista: 327
Augusto, Cayo Julio César Octavio, primer emperador romano (63 a.C-[43]-14 d.C.): *General estoria IV*: 764; *General estoria V*: 777, 786, **791-793**, 793-795; *General estoria VI*: 706-707; *Mar de historias*: 2428
Aureliano, Lucio Domicio, emperador romano (*c.*215-[270]-275): *Mar de historias*: 2429, 3237n.
Aurelio Alexandre: ver Alejandro Severo
Aurelio Ambrosio, príncipe de Bretaña: *Mar de historias*: 2433-2434
Aurelius Prudentius: ver Prudencio
Ausim, Juan de: hipotética fuente del *Arçipreste de Talavera*: 2670, 2670n.
Ausonio, Décimo Magno, poeta latino (*c.*310-*c.*395): 248n.
auspición: *Tractado de la adivinança*: 2827
«auto», término literario: *Triste deleytaçión*: 3815, 3815n.
Auto de los Reyes Magos (siglo XII): 77
autobiografía: *Elegia di madonna Fiammetta*: 3203, 3205; evocaciones: 2040; fingidas autobiografías amorosas: 3328-3330; *Libro de las tres razones*: 1191-1198; *Memorias* de Leonor López de Córdoba: 2334-2350; Torre, Fernando de la: 3783-3784
autómatas: cabezas parlantes: 2653; *Estoria del Cavallero del Çisne*: 1071
«Autor»: 3813-3832 (*Triste deleytaçión*)
autor/autoría: convertido en receptor: 1158; figuras de autor: 3290; proyección en personajes: 1120, 1130-1131, 1141, **1144-1145**, 1153, **1155-1156**, 1159-1160, 1185, 1198, 3310-3313, 3333
  múltiple: ver composición progresiva de un texto
autoras religiosas del siglo XV: **3053-3074**, **4069-4071**; SÍNTESIS Y CONCLUSIÓN: 3948-3949
auxilium: *Zifar*: 1401n., 1404
Auximus, Nicolaus, tratadista de derecho canónico (siglos XIV-XV): fuente del *Arçipreste de Talavera*: 2670n.
avaricia: *Carta e breve compendio*: 3642; *Dichos por instruir a buena vida*: 3125; *Espejo del alma*: 3004-3005; *Exemplos muy notables*: 3115; *Flor de virtudes*: 3743; *Libro de toda la vida de nuestra Señora*: 3875; *Regla de San Bernardo*: 3737; *Viridario*: 2027
  y mujer: *Arcipreste de Talavera*: 2679
Avenir, rey (o Anemur): *Barlaam*: 984-985, 987-991, 1000-1003, 1005-1007, 1125, 1330, 1954, 1960
aventura: *Dichos de Séneca*: 3147; *Estoria del Cavallero del Çisne*: 1063; *Libro del tesoro*: 878-879, 882; materia artúrica: 1464, 4037; materia troyana: 800; modelo: 1536-1537, 1654; *Zifar*: 1455
«aver»/riqueza: ver economía; riquezas

Averçó, Luis de, autor del *Torcimany* (m.1412/15): 3156n., 3581
Averroes: ver Ibn Rushd
Avicena, filósofo y médico árabe (980-1037): *Embajada a Tamorlán*: 2180n.; medicina siglo XV: 2764n., 2772-2773
Ávila, Martín de: ver Martín de Ávila
Aviñón: Boccaccio, Giovanni: 2142-2143; centro cultural: 2113, 2135-2136, 2424, 2974-2975, 3089, 3149; «fecho de»: 2108-2109; Luna, Pedro de: 1907
AVISAÇIÓN DE LA DIGNIDAD REAL: **1725-1730**, 3636; «cortesía nobiliaria»: **1728-1730**; núcleos temáticos: **1727-1728**; relación cuerpo-reino: 1702; SÍNTESIS Y CONCLUSIÓN: 3919
Axántipo, mujer de Sócrates: *Libro llamado Fedrón*: 2566
Ay Jherusalem (siglo XIII): 51
Ayala, Leonor de (siglo XV): destinataria del *Vencimiento del mundo*: 3861
Ayala, linaje: 2420n.
Ayax: ver Ajax
Aybar, fray Sancho de, bachiller en teología (siglos XIV-XV): *Diálogo sobre la predestinación*: 2798-2799
Aymes, duque: *Cuento de Carlos Maynes*: 1612, 1614
Azaray, Juan de, sermonística: 1904n., 2974
Azarquiel: ver Abū Ishaq Ibrahim ibn Yahya

Bachiller de la Torre, converso (m.1485): 2830-2831
Baco: *Sumas de Historia Troyana*: 1641
Bacon, Roger (*c.*1214-1294): *Secretum secretorum*: 276n.; transmisión del *Libro del tesoro*: 867, 867n.
BAENA, JUAN ALFONSO DE (*c.*1375-*c.*1434): *General estoria*: 3274; Niño, Pero: 2395n.; poeta: 3089, 3195n.; *Prologus*: 1916, 2149, 2198, 2489-2490, 2535, 2590-2591, 3155, 3194-3197, 3213, 3621; SÍNTESIS Y CONCLUSIÓN: 3951 (ver *Cancionero de Baena*).
BALADRO DEL SABIO MERLÍN, EL (1498 y 1535): **1485-1492, 4038-4039**; contexto de recepción: **1486-1487**; estructura narrativa: **1487-1492**; historias de Merlín: 1482, 1492n., 1494; materia artúrica: 1469; SÍNTESIS Y CONCLUSIÓN: 3915
Balaís: *Amadís*: 1559
Balán: *Amadís*: 1543
Balán, almirante: *Historia del emperador Carlomagno*: 1582
Balarte, rey: *Libro de las aves que cazan*: 2850
Baldovín/Baldovino: ver Balduino
Baldovín, sobrino del rey de Saxoña: *Mainete. Gran Conquista de Ultramar*: 1091
Balduino I de Rouax, rey de Jerusalén (1058-[1100]-1118): *Andanças e viajes* de Pero Tafur: 3411; *Gran Conquista de Ultramar*: 1041-1042, 1046-1047, 1073n.
Balduino II de Bort, rey de Jerusalén ([1118-1131]): *Gran Conquista de Ultramar*: 1047
Balduino II de Courtenay, emperador de Constantinopla, casado con María de Brena (1217-[1228-1261]-1273): 974n.
Balduino III, rey de Jerusalén (1131-[1143]-1162): *Gran Conquista de Ultramar*: 825n., 1048

Balduino IV, el Leproso, rey de Jerusalén (1161-[1174]-1185): *Gran Conquista de Ultramar*: 1043, 1049
Baltasar, rey de Babilonia (m.539 a.C.): *General estoria IV*: 751-752
Bamba, rey: ver Wamba, rey
Ban/Van, rey: *Baladro*: 1492; *Demanda*: 1494, 1499; *Lanzarote*: 1472; *Muerte de Arturo*: 1503
Banborsio, mastín: *Batalla campal de los perros contra los lobos*: 3766-3767
Bandemagus, rey: *Lanzarote*: 1472
Bandoval, privado: *Estoria del Cavallero del Çisne*: 1064, 1066
banquete espiritual, motivo: 3062-3063; viandas: 3063
Báquides, dignatario seléucida (siglo II a.C.): muerte de Judas Macabeo: *General estoria V*: 781
Barachías, cristiano: *Barlaam*: 1002, 1007-1008
Baralides, santa dueña: *San Amaro*: 1969
Barba, Constanza, doncella pobre: *Historia de don Álvaro de Luna*: 3164
Barba, Pero, juez: *Libro del Passo Honroso*: 2415
barbarismos (*ars grammatica*): 32
Barbarroja: ver Federico I Hohenstauffen
Barcelos, conde de: ver Pedro Afonso, don
barco/batel:
  alejamiento en: *Estoria del Cavallero del Çisne*: 1063; *Santa Marta*: 1951; *Siervo libre de amor*: 3323-3324
  de las Doce Donzellas: *Lanzarote*: 1475
  (ver nao/nave)
Bardaxí, Berenguel de, letrado aragonés (siglos XIV-XV): 2198, 2632n.
Bargas/Vargas, linaje: 2746-2747
Barisen/Belisenda, doncella: *Tristán*: 1516, 1535
Barlaam/Berlan, ermitaño: 984, 987, 992-999, 1007-1009
BARLAAM E JOSAFAT: **980-1009**; caballería espiritual: 922n., 1906, 1979; cuentística oriental: 214, 483, 891n., 932, 980, 1330; *De los bienes que se siguen de la remenbrança de la muerte*: 3845, 3845n.; dimensión penitencial: 4043; *Espéculo de los legos*: 3107; estructura: **984-1009**, 1010, 1060n., 1125; formación de la leyenda: **980-982**; hagiografía: 1954; *Libro de los estados*: 1125-1127, 1134, 1138, 1172n., 1358n., 1835; *Libro de los exemplos por a.b.c.*: 4073; materia artúrica: 1342, 1477; molinismo: 862, 1357, 1375, 1394, 1847, 1916, 1960, 1963, 2024; SÍNTESIS Y CONCLUSIÓN: 3905; transmisión peninsular: **983-984**; *Zifar*: 1390n.
baronía: dignidad: *Cirimonial de príncipes*: 3604
Barrabás: *Vespesiano*: 1678-1679
barraganas: Alfonso X: 596
Barrasa, criado de Enrique IV: 2256, 2329
BARRIENTOS, LOPE DE, confesor de Juan II, preceptor de Enrique IV, obispo de Segovia [1438], Ávila [1441] y Cuenca [1445] (1382/95-1469): *Abreviación del Halconero*: 2326-2327, 2332; Alfonso de Toledo: 3703; ascendencia judía y ayuda a los conversos: 2640, 2642; cronista de Juan II: 2194, 2211, 2272-2273, 2287, **2294-2306**, 2322, 2324, 2411, 2694; enfrentamiento con Enrique IV: 2638, 2642; escrutinio de la biblioteca de Enrique de Aragón o Villena:

2293n., 2294, 2310, 2480, 2480n., 2500, 2820, 2824; estructura de la crónica: 2302-2306; *Generaciones y semblanzas*: 2452; *Instrucción del Relator*: 2634-2643, 2822; liberación de Juan II (1444): 2193, 2259, 3475; Lucas de Iranzo, Miguel: 3559; maldición a Enrique IV: 3494, 3534; Ms. X-ii-13: 2309, 2309n., 2312-2313, 2318; obispo y defensor de Cuenca: 2267, **2300-2301**, 2919-2920; preceptor del príncipe: 2291n., 2294, 2297, 2310, 2556, 3677n.; *Refundición*: 2273, 2273n., 2276, 2396n., 2410, 2647, 2647n.; servidor de Juan II: 2247, 2259, 2262, 2265-2266, 2599, 2601, 2630, 2948; SÍNTESIS Y CONCLUSIÓN: 3932, 3943-3944; sublevación de Toledo de 1449: 2301, 2549n., 2634-2643

OBRAS:

Clavis Sapientiae: 2297n., 2779n., 2948n.

Contra algunos cizañadores de la nación de los convertidos del pueblo de Israel: 2635

Hechos de Barrientos (BN Madrid 9445): **2297-2306**, 2309-2310, 2312-2313, 2318-2319, 2326, 2333, 2901

Tractado de caso y fortuna: **2777-2784**, 2785, 2790, 2821

Tractado de la adivinança: 2811, 2813, **2820-2829**, 3075

Tractado de los sueños e de los agüeros: 2686, **2812-2820**, 2821, 2825, 3075

Tractado del dormir e despertar: 2812

Barroquer: *Cuento de Carlos Maynes*: 1610, 1613-1615

Bartolo de Sassoferrato, jurista boloñés (1313/14-1357): Alfonso de Toledo: 3707, 3713; Cartagena, Alfonso de: 2625; Egidio el Romano: 1706; Rodríguez del Padrón, Juan, *Cadira de onor*: 2905n., 3302-3305; Valera, Diego de: 2718, 2721-2722, 3390, 3597; Sánchez de Vercial, Clemente: 3049n.

OBRAS:

De dignitatibus: 2718

De insigniis et armis: 2715, 2718, 3305n., o *Devisas e armas*: 2863

Bartolomé, San (siglo I): 1383, 1390, 1390n.

Bartolomé da Lucca, obispo de Torcello (1236-1325): *Historia Ecclesiastica Nova*: 3704

Bartolomeo Anglicus (*c.*1190-*c.*1250): enciclopedismo: 4054

OBRAS:

Liber de propietatibus rerum: 2136, 2852, 2972, 3105

Baruch, profeta, escriba de Jeremías (siglo VII a.C.): *General estoria IV*: 753-756

Basagante: *Amadís*: 1562

Basalisco: ver dragón

Basilio, San, el Grande (*c.*329-379): *De libris gentilium legendis* o *Basilio de la reformación de la ánima*: **2556-2563**, 2604; homilías: 2550-2551

Basilisco, alegoría de 'rey': *Siervo libre de amor*: 3291

bastardía, motivo: *Corónica de A. Pérez de Guzmán*: 2460, 2460n.; *Espejo de verdadera nobleza*: 2720; *Historia de don Álvaro de Luna*: 2921

batalla, noción de: *Árbol de batallas*: 2545, 2864-2865, 2886; combate singular: 1071; *Dichos de Séneca*: 3147-3148 (ver guerra)

Batrachoniomachia, atribuida a Homero: *Sumas de la Ilíada*: 2740

[al-] Battānī, astrónomo árabe: 639, 641

Baudegamus: *Baladro*: 1491

bautismo, sacramento: *Barlaam*: 987, 994-995, 999, 1005-1006; catecismo de Gutierre de Toledo: 1857-1858; *Cavallero Plácidas*: 1354; *Confesional*: 3044; *Diálogo de Epicteto*: 479; *Diálogo e razonamiento en la muerte del Marqués de Santillana*: 2578; *Instrucción del Relator*: 2637; *Libro de la justiçia de la vida espiritual*: 1888-1889; *Libro de los estados*: 1135; *Mar de historias*: 2431; *Sacramental*: 3052; *Sant Lorenço*: 1929; *Santa Marta*: 1948; *Santa Pelagia*: 1984; sermones de Pedro Marín: 2964; *Setenario*: 320, 327-328, 330; *Vespesiano*: 1677-1678; *Visión de Filiberto*: 1764; *Zifar*: 1390

Bayaceto I, sultán otomano (1347-1403): *Embajada a Tamorlán*: 2173-2174

Bayan Baque: *Embajada a Tamorlán*: 2186

Béatrix: 1057n., 1061, 1061n.

Beatriz, esposa del Caballero Cisne: *Estoria del Cavallero del Çisne*: 1044-1045, 1060, **1068-1077**, 1077-1079

Beatriz, hija de Terrín: *Otas de Roma*: 1672

Beatriz, hija del infante don Dionís: glosa de Zurita: 2331

Beatriz Alfonso, hija natural de Alfonso X y Mayor Guillén de Guzmán, esposa de Alfonso III de Portugal, madre de Dionís I (1242-1303): cesión del Algarve a Portugal: 241, 974n.; Constanza de Portugal: 1253n.; enlace: 597

Beatriz de Castilla, hija de Alfonso X y doña Violante (*c.*1254-1280): enlace con Guillermo VII, marqués de Monferrato: 597

Beatriz de Portugal, hija del infante don Juan de Portugal, esposa de Pero Niño (m.1446): conquista: 2374, 2391-2393; disputa con el infante don Fernando: 2357, 2359, 3160-3161; grados de amor: 3192-3193; muerte: 2374; servicio amoroso: 2370

Beatriz de Portugal, reina de Castilla, esposa de Juan I (1372-1409): enlace: 1812

Beatriz de Saboya, esposa del infante don Manuel, madre de don Juan Manuel (*c.*1245-1290): enlace: 1095

Beatriz de Suabia, primera esposa de Fernando III (1205-1236): madre de Alfonso X: 159, del infante don Manuel: 1095; muerte: 160

Beaumont, Carlos de, hijo de Luis de Beaumont (siglo XV): apoyo a Carlos de Navarra: *Crónica de los Reyes de Navarra*: 3540

Beaumont, Juan de, prior de San Juan de Jerusalén, canciller y camarero mayor del reino (siglo XV): pacificación de Cataluña: 3429; proclamación de D. Carlos como rey de Navarra: 3784n.; respuesta a D. Enríquez del Castillo: 3497n.; Torre, Alfonso de la: 2830, 2833-2835, 2846, 2848

Beaumont, Luis de, conde de Lerín y condestable de Navarra (siglo XV): *Crónica de los Reyes de Navarra*: 3540

beber cenizas, motivo: *Libro de las claras e virtuosas mugeres*: 3261

Beccadelli, Antonio, el Panormita, humanista italiano (1394-1471): disputa del *De vitae felicitate* de B. Facio: 3680, 3680n., 3687n.

Becket, Santo Tomás (*c.*1118-1170): martirio: *Gran Conquista de Ultramar*: 1049

Beda el Venerable, San (672/673-735): exégesis bíblica: 698; Fernández de Madrigal, Alfonso: 2853n.; Sánchez de Vercial, Clemente: 3097

OBRAS:

De arte metrica: 39

beguinos/bigardos: 2014, 2691

behetría: *Crónica del rey don Pedro*: 1796; *Doctrinal de los cavalleros*: 2880
Belangas, mosén de, padre de Jeannette de Bellengues (siglo XIV-XV): *El Victorial*: 3160
Belet: *Calila*: 2940n.
Belienus: atribución del *Lapidario*: 369, del *Libro de las formas*: 623
Belisario, general bizantino (*c.*505-565): epístola de Justiniano: 2743
Bellengues, Jeanne de, «madama de Xirafontaina» (m.1419): *El Victorial*: 2386, 2388, 2390-2391, 3160, 3192-3193, 3220
belleza femenina, motivo: admiración: 3422; cuerpo de la Virgen: 3868-3872; defensa: 3295; peligrosidad: 1347, 1940, 1982, 2496n., 3121, 3186, 3188-3189, 3242, 3283, 3338n.; tentaciones: 3350-3351, 3355, 3673
Belmonte, caballero: *Estoria del infante Roboán*: 1476n. (*Estoria de Belmonte*)
Belovacense: ver Vicente de Beauvais
Beltenebros (nombre de Amadís): *Amadís de Gaula*: 1562
Beltrán de la Cueva: ver Cueva, Beltrán de la
Benahatín, moro: ver Ibn Al-Jatib de Loja
Benamarín, rey de: ver Ibn Yúçuf
Benavente, duque de: ver Fadrique, don y Pimentel, Rodrigo Alfonso de
Benavente, fray Jacobo de: ver Jacopo da Benevento
Benavente, linaje: 3476
Benavides, Juan Alfonso, caballero (*c.*1300): 1259
Benedicto III, papa ([855-858]): *Invencionario*: 3710
Benedicto VII, papa ([974-983]): leyenda de San Alejo: 1972
Benedicto XIII, antipapa: ver Luna, Pedro de
Benedicto XIV, papa (1675-[1740]-1758): beatificación de Álvaro de Córdoba: 2349
Benedictus Anianensis (*c.*750-821): comentarios a la *Regula*: 138
Beneficiado de Úbeda (siglos XIII-XIV): 1338n., 1339n., 1922, 1926, 2709
OBRAS:
Vida: 2702
Benjamín, hijo de Jacob y de Raquel: *General estoria III*: 742
Benoît de Sainte-Maure (siglo XII): *Roman de Troie*: 800-802, 804-805, 812, 1632-1633, 1638, 1645, 4019, 4019n., 4020-4021, 4022n.
Benvenuto da Imola (*c.*1330-*c.*1390): comentario del *Purgatorio*: 2547
Berceo, Gonzalo de (*c.*1196-d.1252): conciencia de autoría: 52; devoción mariana: 3102n.; elegancia expresiva: 35n.; hagiografía: 1339, 1916, 1986-1987; lectura de poemas: 1933; lengua vernácula: 45, 55, 63, 111, 142, 1017, 1317; poemas narrativos: 140, 1460n.; *studium* de Palencia: 29, 148, 1009; visiones alegóricas: 1478
OBRAS:
Martirio de San Lorenzo: 1927
Milagros de nuestra Señora: 44n., 45n., 1937n., 1970
Sacrificio de la misa: 1332
Signos del Juicio Final: 754
Vida de San Ildefonso: 1926
Vida de San Millán: 1332
Vida de Santo Domingo de Silos: 45, 55, 63, 1018, 1019n.

Berenguela de Castilla, hija de Alfonso X: alianza matrimonial con Luis IX de Francia (1255): 424
BERENGUELA DE CASTILLA, reina de Castilla y León, hija de Alfonso VIII, madre de Fernando III (1180-1246): *Crónica de la población de Ávila:* 178; *Crónica particular de Fernando III*: 1245-1246; educación de Alfonso X: 180; Jiménez de Rada, Rodrigo: 3989; Lucas de Tuy: 74, 163, 670; matrimonio con Alfonso IX: 69; monasterio de Las Huelgas: 138n.; Pérez de Guzmán, Fernán: 2619; pleito de sucesión de Castilla: 157-158, 1237; unidad de reinos (1230): 64, 863
Berenguela de León, hermana de Fernando III (1198-1237): enlace con Juan de Brienne: 1053; madre de María de Brena: 974n.; unidad de reinos: 243n.
Berenguer, Ramón, conde de Ampurias, suegro de don Juan Manuel (1308-1364): 1202
Bermejo, rey: ver Muhammad VI
Bermúdez, Cristóbal (siglo XV): toma de Canales: *Memorial de diversas hazañas*: 3589n.
Bermudo III de León (1016-[1028]-1037): *Crónica abreviada*: 1107; *Crónica de 1404*: 2085; *Crónica general vulgata*: 1232, 2082; *Estoria de España*: 664, 668, 675-676, 679-680, 682, 685, 962
Bernabé, obispo de Osma (1329-1351): *Glosa castellana al «Regimiento de príncipes»*: 1704, 1708
Bernal, Beatriz (siglo XVI): libros de caballerías: 3983
Bernáldez, Andrés, «cura de los Palacios» (1450-1513): *Memorias del reinado de los Reyes Católicos*: 3831n.
Bernaldo, maestre, clérigo alfonsí: *Libro de la açafeha*: 615
Bernardo de Brihuega, clérigo de Alfonso X, canónigo de Sevilla (segunda mitad del siglo XIII): transmisión alfonsí de la *Legenda aurea*: 862n., 983, 1917n.
Bernardo de Clairvaux, San (1090-1153): Aragón, Enrique de: 2494; *Dichos e contemplaçiones de Sanct Bernardo*: 3834-3835; *Epistola de gubernatione rei familiaris*, atribución: 3738n.; *Floresta de filósofos*: 3141, 3143n.; sermones: 2965; tratados penitenciales: 1864, 3836; Valera, Diego de: 3599
Regla: 3728, **3737-3738**
Bernardo del Carpio: *Chronicon mundi*: 165; *Estoria de España*: 674, 674n., 963n., 1334; propaganda anticarolingia: 1091, 1577, 1598n.
Bernardo el Tesorero, abreviador de Ernoul (1231-1232): 1038
Béroul (segunda mitad siglo XII): *Tristan en vers*: 1507
Berry, duque de: ver Valois, Jean de
Bersuire, Pierre, benedictino (fin siglo XIII-1362): traducción de las *Décadas* de Tito Livio al francés: **2135-2137**
OBRAS:
De reductione fabularum et poetarum poematibus: 2136
Ovidius moralizatus: 2136, 2545, 3279, 3279n.
Reductorium morale: 2136
BERTA: apartamiento de la corte: **1594-1596**; estructura díptico: 1622; molinismo: 1361; regreso a la corte: **1596-1597**; SÍNTESIS Y CONCLUSIÓN: 3906, 3916; versión de *Crónica fragmentaria*: 1584, 1589, **1593-1597**; versión de *Gran Conquista de Ultramar*: 1080, **1081-1084**

Berta, condesa, madre de Blancaflor: *Flores y Blancaflor*: 1585, 1588
Berta, madre de Carlomagno (m.783): *Berta. Crónica fragmentaria*: 1236, 1580, 1588, 1593-1597; *Berta. Gran Conquista de Ultramar*: 1080-1081; paradigma de sufrimiento femenino: 1059
Berte aux grans pies (siglo XII): 1039, 1041, 1082, 1580, 1583, 1594
Berzebuey: *Calila*: 188, **191-195**, 370n., 636, 2799n.
beso, investidura caballeresca: *Enrique fi de Oliva*: 1628
Bessarion, Joannes, cardenal (1403-1472): Palencia, Alfonso de: 3509
Bestia Grata Sangre: *Tristán*: 1522
Bestia Ladradora: *Baladro del sabio Merlín*: 1490, 1490n.; *Demanda*: 1517
Bestiario de Gubbio: sermonario B.Univ. Salamanca, 1854: 2951
bestiarios: *Libro del cavallero et del escudero*: 1115; *Libro del conosçimiento*: 1828; *Libro del grant açedrex*: 833-834; *Libro del tesoro*: 869-870, **876-877**; *Lucidario*: 910; *Poridat*: 273, 280; *Sumas de la Ilíada de Omero*: 2737; Tratado de moral: 3732; *Visión deleitable*: 2845
Béthencourt, Juan/Jean de, conquistador de las Canarias (*c*.1395-1425): 2172, 2388
Béziers, Guillermo de, médico y maestro (siglos XIII-XIV): 2758
Biante/Bías: *Bías contra Fortuna*: 2532-2533; *Vidas y dichos de filósofos antiguos*: 2118
Biblia de Alba (1422-1423): 123
Biblia de Ferrara (1533): 123
Biblias: autoridad máxima: 2018; *estorias*: 3643; fuente: 2494, 2822, 3120, 3124, 3177-3178, 3263, 3550n., 3704, 3741-3743, 3751, 4068; libros: 2649; Lucena, Juan de: 3694; relación con la *General estoria*: 690, **694-697**, 705, 720, 801n., 1009, 4013-4015; siglo XIII: **122-131**; SÍNTESIS Y CONCLUSIÓN: 3891; tradición textual: **123-125**, traducciones de la mitad del siglo XIII: **125-131**, 167, 327, 477, 479, 501, 505, 669n.; versificación: 3236, 3748
Bíblida: *Breviloquio de amor*: 3172
bibliotecas: Capitular de Toledo: 4022-4024; de Isabel I: 3661, 3661n., 3662, 3669; de letrados curiales: 2598, 2754-2756; del Alcázar segoviano: 3760n., 4039; del emperador de Constantinopla: 3419; nobiliarias: 2470, 2470n., 2481, 2541, 2562, 2615, 2735n., 3221, 3549-3550, 3550n., 3605, 3832, 3860; y universidades: 3977
bien común, noción jurídica: *De Regno*: 1702; *Dichos de sabios*: 3122
«bien hablar», motivo: *Castigos del rey de Mentón*: 1454
Bien-Mal, motivo: 1175
bienandanza, noción: *Glosa castellana al «Regimiento de príncipes»*: 1711
bienaventuranza, estado: *Bursario*: 3227
«bienfazer», motivo: *Castigos del rey de Mentón*: 1454
Bilia: *Libro de las claras e virtuosas mugeres*: 3233
BIOGRAFÍAS: caballeresca borgoñona: 2460; europeas: 2382; humanística (de Inés de Torres): 2583n.; libros de viajes: 1823; primera mitad del siglo XV: **2333-2470**; sapienciales: 462-463, 2117; segunda mitad del siglo XV: **3557-3589**; SÍNTESIS Y CONCLUSIÓN: 3933-3935, 3960-3961 (ver *Generaciones y semblanzas*; Guillén de Segovia, Pero; López de Córdoba, Leonor; Lucas de Iranzo, Miguel; *Origen de la casa de Guzmán*; *El Victorial*)

[al-] Birunī, farmacólogo árabe: 2757
Bisticci, Vespasiano da (1421-1498): 2582
OBRAS:
Vite d'uomini illustri: 2581
[al-] Bitriq, compilador del saber: *Poridat*: 277
Bivas/Vivas, Juan, adaptador de la materia artúrica (siglo XIV): 1461, 1468, **1492-1493**, 1494
Blanca I de Navarra, esposa del infante don Juan (1385-[1425]-1441): compromiso con el infante don Juan: 2230, 2368 *(El Victorial)*, 3158 (Ms. X-ii-13); enlace, consecuencias: 2397
Blanca II de Navarra, esposa de Enrique IV (1424-1464): acuerdo matrimonial: 2290; desposesión de los derechos sucesorios: 3784n.; enlace con el príncipe don Enrique (1440): 2193, 2317, 3475; impotencia del príncipe: 2258 *(Crónica de Juan II)*; muerte: 3528 *(Memorial de diversas hazañas)*; recepción en Castilla por Alfonso de Cartagena: 2601, por Fernando de la Torre: 3785-3786, por P. Fernández de Velasco: 2413
Blanca, infanta, nieta de Alfonso X (segunda mitad siglo XIV): traducción del *Libro de las Batallas de Dios*: 1752
Blanca de Anjou, reina de Aragón, esposa de Jaime II (m.1310): traducción del *Regimen sanitatis*: 2758
Blanca de Borbón, esposa de Pedro I (*c.*1335-1361): muerte: 1807, 1807n., 1808n.; reprobación de la conducta del rey: 1801, 2091; repudio: 1774
Blanca de Castilla, hija de Alfonso VIII, regente de Francia (1188-1252): enlace con Luis VIII de Francia: 1237
Blanca de Francia, hija de Luis IX, esposa de Fernando I de la Cerda (1253-1320): enlace (1269): 597, 857; regreso a Francia: 819
Blanca de la Cerda, hija del infante Fernando II de la Cerda: ver Núñez de la Cerda, Blanca
Blancaflor, abuela de Carlomagno: 1080-1084 (ver Flores, rey)
Blancaflor, esposa de Luis: *Enrique fi de Oliva*: 1616
Blandud, rey: 744 (*General estoria III*)
Blanquerna, figura luliana: 3363-3368
blasfemia del Rey Sabio, leyenda: Eugui, fray García: 1286n.; orígenes, pesquisa del saber: 389n., 892, 892n., 915n.; Pedro Afonso: 1233-1234n.; profecías de Merlín: 1487, 1487n.
Blaxe/Blaisen (*Baladros*): *Estoria de Merlín*: 1484, 1490-1491, 1575
Bobadilla, Beatriz, dama de Isabel I, esposa de Andrés Cabrera, marquesa de Moya (1440-1511): apoyo a la infanta Isabel: *Crónica de Enrique IV*: 3506, **3506n.**
Bocados de oro: **455-470**; Alejandro Magno, filósofo: 253n., 443n., 453, 453n., 459, **466-470**, 1439, 2126, 2131, 3730n.; Aristóteles: 448n., 767, 869, 915; *Castigos de Sancho IV*: 4026; *Dichos e castigos*: 3125-3126; Fernández de Madrigal, Alfonso: 3167; *Historia de la donzella Teodor*: 487; impresos: 3118 (ver *Bonium*); marco narrativo: 249n., 430, 505, 2114; misoginia: 2121, 3137n., 3178n.; palabra del rey: 352n.; *Partida II*: 541; regimiento de príncipes: **463-470**, 485, 486n., 503, 1323, 3791; relación textos sapienciales: 260-261, 276, 426, 426n., 427n., 444-445, 447n., 449n., 2155, 3175, 3337n., 3368n.; *Se-*

gundo filósofo: 4010-4011; SÍNTESIS Y CONCLUSIÓN: 3896; transmisión manuscrita: **455-458**; tres versiones: 262-264
BOCCACCIO, GIOVANNI (1313-1375): defensa de la poesía: 2157, 3198-3201; discurso formal de la prosa: 52; lectura de cuentos: 1151; López de Mendoza, Íñigo: 3201; Martínez de Toledo, Alfonso: 2667; Mena, Juan de: 2740n.; SÍNTESIS Y CONCLUSIÓN: 3951; Torre, Fernando de la: 3796, 3803; tratadística moral: 2527, 3119; *Triste deleytaçión*: 3828
OBRAS:
De casibus virorum illustrium: 2134n., 2135, 2142-2150, 2603, 2670, 2693, 2720, 2754, 2795n., 3645
Caída de príncipes (traducción): 248n., 1564n., 2132, 2134, 2158, 2257, *Libro de caídas*: 3718
De claris mulieribus: 3221, 3228n., 3229n., 3235, 3236n., 3239n., 3240n., 3247n., 3249n., 3250, 3256-3257, 3261, 3265, 3293; ficción sentimental: 3201-3208, 3307
Il Corbaccio: 3201n., **3206-3208**, 3221, 3257, **3293**, 3294n., 3296, 3802n., 3803, 3821; traducción catalana: 2664
Decamerón: 3136, *Cien novelas de Juan Bocacio*: 4032
Elegia di madonna Fiammetta: **3201-3206**, 3272, 3307n.
Filocolo: 1583-1584, 1589, 3299, 3299n.
Genealogiae deorum gentilium: 2149, 2436n., 2504, 2522, 2529, 2536, 2541-2542, 2550, 2557, 2561, 2659, 2839, 3198-3199, 3236n., 3312
bodas, motivo: *Enrique fi de Oliva*: 1624-1626; *Sumas de Historia Troyana*: 1645
Bodel, Jean (segunda mitad siglo XII-*c.*1210): *Chanson des Saisnes*: 1091n.
Boecio, Anicio Manlio Severino (475/480-524): Aragón, Enrique de: 2480, 2494; «caso», noción: 2788; comentarios: 27; Egidio el Romano: 1706; glosas: 2483n.; Guillén de Segovia, Pero: 3724; *Libro del consejo*: 947, 949; lógica-retórica, disputa: 33; Luna, Pedro de: 2987; Martín de Córdoba, fray: 2791; santidad: 2977; sentencias: 2753, 3120, 3141n., 3227n., 3278; SÍNTESIS Y CONCLUSIÓN: 3947; Torre, Fernando de la: 3796-3798; traducciones: 2112, 2132-2134, 2158, 2776, 2798n., 2974; Zamora, Juan Alfonso de: 2603n.
OBRAS:
De la consolaçión de la filosofía: 2026, 2134n., 2257, 2446n., 2837, 3124
La consolaçión natural (traducción): **2974-2982**
Boiardo, Matteo Maria (1434-1494): *Orlando enamorado*: 1582
Boimonte de Antiocha, yerno de Balduino II: *Gran Conquista de Ultramar*: 1047
Bonajunta, hijo de Jacobo de Junta (mitad siglo XIII): 362
bondad: «de coraçón»: 1572; de Dios: 2960; humana: 3125
Bonifacio VIII, papa (*c.*1235/40-[1294]-1303): defensa poder temporal de los papas: 1705; legitimidad matrimonial de Sancho IV y María de Molina: 914n., 1253-1254, 1384, 1737; *Liber VI*: 1739; *Milagros de San Antonio*: 3854
Bonifacio IX, papa (*c.*1355-[1389]-1404): cisma: 2984
Bonifacio, legado del papa en Germania: *Mar de historias*: 2431
Bonifacio, San (*c.*675-754): 1976
Bonium (versión impresa de *Bocados de oro*, 1495): 456, 504
Bonium de Persia, rey: *Flores*: 262; rama *B* de *Bocados*: 456, 504

Bonsenyor, Jafudà (siglos XIII-XIV): *Paraules de Savis e de Philòsofs*: 3729
Boores de Gaunes: *Demanda*: 1496, 1502-1503; *Lanzarote*: 1472, 1474; *Muerte de Arturo*: 1504
Borbolla, Johán Alfonso de la, canónigo de Sigüenza, destinatario del *Libro de los exemplos por a.b.c* (primera mitad siglo XV): 3096, 3102
Borgognoni de Lucca, Teodorico, obispo de Cervia (1205-1296): 2758
OBRAS:
Practica equorum: 849
Borgoña, duque de: *Mainete. Crónica fragmentaria*: 1600, 1602-1603; *Mainete. Gran Conquista de Ultramar*: 1085, 1090
Borgoña, Juan de, médico belga (mediados siglo XIV): atribución *Libro de las maravillas del mundo*: 1831
Borja, Alfonso de: ver Calixto III
Borja y Doms, Rodrigo de: ver Alejandro VI
Boron, Robert de (m.1210): 1461, 1466-1468, 1492-1493
Boscán Almogáver, Juan, poeta (*c.*1487/92-1542): *Cancionero de Juan Fernández de Híjar*: 3728
botín de guerra:
reparto: *Carta al rey sobre el regimiento de su vivienda*: 3635, 3638-3639; *Castigos del rey de Mentón*: 1455
saqueos, concepto negativo: Ms. X-ii-13: 2314
Boucicaut: ver Jean le Meingre
Bouillón/Bullón, Godofredo de: ver Godofredo de Boullon
Bourbon, Étienne de (*c.*1190/95-1261): *Libro del conde Lucanor*: 1762n.
OBRAS:
De septem donis: 3111n.
Tractatus de diversis materiis praedicabilibus: 2960n.
Bouvet, Honoré de (1345-1405): *Arbre des batailles*: 2545, 2863-2864, 2886, 3148
Bracciolini, Poggio (1380-1459): *Controversia Alphonsiana*: 2611, 2613; modelo de humanista: 2481; Palencia, Alfonso de: 3509; Sánchez de Arévalo, Rodrigo: 3555
OBRAS:
Historiae de varietate fortunae: 3414, 3415n.
Bramante, don, encantador: *Atalaya de las corónicas*: 2698-2699
Brandán, San: 3433n.
Brangen/Brangain/Branjen, doncella de Iseo: *Tristán*: 1517-1518, 1520, 1526, 1530, 1595
Braulio, San (m.646): discípulo de S. Isidoro: 2711; epístolas: 2712; hagiografía isidoriana: 2159, 2159n., 2162
«Bravo», sobrenombre: *Estoria del Cavallero del Çisne*: 1063
Bravor el Brun («cavallero ançiano»): *Amadís*: 1543; *Tristán*: 1525
Breçayda: ver Briseida
Brescia, Albertano da: ver Albertano da Brescia
Bretaña, fundación de: 730
Breve forma de confesión: ver Fernández de Madrigal, *Confesional*
Brienne, Isabel II de, reina de Jerusalén, esposa de Federico II (1212-1228): *Gran Conquista de Ultramar*: 1053

Brienne/Brena, María de, emperatriz de Constantinopla (1224-1275): ayuda de Alfonso X: 424, 974, 974n., 975n. (*Crónica de Alfonso X*), 3132n.
Brígida, Santa (452-525): *San Amaro*: 1969
Brihuega, Bernardo de: ver Bernardo de Brihuega
Briolanja: *Amadís*: 1552-1553, 1556, 1559, 1562, 1566, 1570, 1575-1576
Brisaine: *Lanzarote*: 1473
Briseida: *Bursario*: 3280, 3283, 3286; *General estoria*: 4020
  y Diomedes: *Bursario*: 3287-3288; *Historia troyana polimétrica*: 814, 816-817; *Sumas de Historia Troyana*: 1644
  y Troilo: *Historia troyana polimétrica*: 811-813; *Istoria de las bienandanzas e fortunas*: 3550n.; *Sumas de Historia Troyana*: 1644
Brisena, reina: *Amadís*: 1558, 1561
«brocardicos»/refranes: 2534, 2924
Broncadán: *Amadís*: 1564
brujería: *Libro de la justiçia de la vida espiritual*: 1892; *Tractado de la adivinança*: 2828
Brun, Pedro, impresor (activo entre 1477-1516): 1676
Brunetto Latini: ver Latini, Brunetto
Bruni, Leonardo (*c.*1370-1444): Aragón, Enrique de: 2481, 2481n.; Cartagena, Alfonso de: 2602, 2604, 2604n., 2610-2614, 2868, 3023, 4066; Díaz de Toledo, Pero: 2549-2550; Palencia, Alfonso de: 3509; Sánchez de Arévalo, Rodrigo: 3555
  OBRAS:
  Conparación de Gayo Jullio Çésar: 2541
  De bello ytalico: 2267n.
  De militia o *De re militari*: 2526, 2540, 2863, 2865-2866, 2881, 3143n.
  TRADUCCIONES:
  De libris legendis: 2557-2558
  Ética a Nicómaco: 2582-2583, 2610-2614
  Ilíada: 2538
  Phaedo: 2563-2566, 3141n.
Bruno, Giordano (1548-1600): *Liber Picatrix*: 628
Brunor: *Tristán*: 1517, 1540
Bruto, nieto de Eneas: *General estoria V*: 790; *Grant Crónica de Espanya*: 1291; *Sumas de Historia Troyana*: 1640, 1646, 1657; *El Victorial*: 2385-2386, 3219-3220
Bucéfalo, caballo de Alejandro: *General estoria IV*: 770; *Libro del tesoro*: 876n.
Buda, Siddharta Gautama (*c.*563-*c.*480 a.C.): *Barlaam*: 981, 985, 991; *Libro de los estados*: 1125
Buen Arquero: *Tristán*: 1539
buen ladrón: *Libro de confesión de Medina de Pomar*: 3040
Buenaventura, San (1221-1274): Fernández Pecha, Pedro: 2005n.; *Viridarium*: 2025
Buendía, Tello de, arcediano de Toledo (siglo XV): consejero de Carrillo: 3756
Buenos dichos de filósofos por instruir los omes a buena vida: 3119n., 3123 (ver *Dichos por instruir a buena vida*).
Bueso, hermano de Bernardo del Carpio: materia carolingia: 1577
«bufa cortesa»: noción alfonsí: 833

búhos-cuervos, «exemplo»: *Calila e Dimna*: 206-207; *Libro del conde Lucanor*: 1168
Bulgaria, duque de: *Castigos de Sancho IV*: 932
Buqratis-Biqratis: *Kiranides*: 628
burgués, representación de clase: *Crónica de la población de Ávila*: 173; *Crónicas anónimas de Sahagún*: 1023; *Cuento de Carlos Maynes*: 1610; *Estoria del rrey Guillelme*: 1362; *Libro de Graçián*: 3381-3383; *Libro del tesoro*: 875; materia artúrica, público: 1460; *Santa María Madalena*: 1940-1942; *Zifar*: 1405, 1411, 1420
Burlaeus, Gualterus: ver Burley, Walter
BURLEY, WALTER (1275-1345): conocimiento de Platón: 2563; *Segundo filósofo*: 4009-4011; SÍNTESIS Y CONCLUSIÓN: 3928
OBRAS:
Liber de vita et moribus philosophorum: 503n., 504-505, 507, 509, 2111, 2155, 2424, 2532, 2564
Vidas y dichos de filósofos antiguos (traducción): **2113-2131**, 2152, 3337n., 3338n.
Busiris: *General estoria II*: 722
Bustos, Pedro, autor de linajes (siglo XV): 2746n.

Caba: ver Cava
cábala, valor: *Visión deleitable*: 2830
CABALLERÍA:
caballeros, institución caballeresca: Alfonso X: 525, 539, 545-546, 553, 556, **559-567**, 847n.; Aragón, Enrique de: : 2482-2484; Cartagena, Alfonso de: 2865-2881; *Crónica de Juan II*: 2215-2219; *Crónicas* de Ayala: 1803-1808, 1816; *Décadas*: 2140-2141; desidia: 3496; destrucción: 3087; *Dichos de Séneca en el acto de la caballería*: 3145; Fernando de Antequera: 2221; formación letrada: 3747-3748; *Glosa castellana al «Regimiento de príncipes»*: 1720-1721, 1724-1725; hagiografía: 1934; *Hechos de Lucas de Iranzo*: 3572-3573; *Invencionario*: 3706-3707; justas y competiciones: 2261, 2277, 2289, 2412-2417, 2919, 3138, 3160-3161, 3163, 3195, 3199-3200, 3342; *Libro de vita beata*: 3689, 3691, 3693-3694; Luna, Álvaro de: 2195, **2904-2918**; materia sentimental: 3194, 3197, 3218-3220; *Memorial de diversas hazañas*: 3523; Mena, Juan de: 2737; molinismo: 969, 1263; moral: 2483; mujeres caballerescas: 3229-3230, 3235-3239; Palencia, Alfonso de: 3769-3783; privilegios: 587-588; *Qüistión entre dos cavalleros*: 3629-3635; relación con los labradores: 3754, 3776; Rodríguez del Padrón, Juan: 3303-3305; Sánchez de Arévalo, Rodrigo: 3615; Tafur, Pero: 3403-3406, 3425; *Tratado de la comunidad*: 1733; Valera, Diego de: 2713-2714, 2721-2722; *El Victorial*: 2375-2381, 3193, 3694; *Zifar*: 1389-1390, **1410**, **1427-1433**, 1443-1444, **1454-1457**
cortesana: Alfonso X: 745-746; Alfonso XI: 1273-1275, 1297; materia artúrica: 1491
letrada: *Libro del tesoro*: 889
manceba: *Amadís*: 1550; *Árbol de batallas*: 2547; *Batalla campal de los perros contra los lobos*: 3767, 3769; *Cadira de honor*: 3306; *Crónica de Enrique IV*: 3488; *Crónica de Juan I*: 1814; *Crónica de Juan II*: 2227; *Décadas* de Tito Livio: 2141; *Dichos de sabios*: 3122; *Dichos de Séneca en el acto de caballería*:

3144-3146; *Espejo de verdadera nobleza*: 2718; *Glosa castellana al «Regimiento de príncipes»*: 1715; *Historia de don Álvaro de Luna*: 2913, 2924-2925; *Libro del consejo*: 950, 956; *Setenario*: 313-314n.; *Visión de don Túngano*: 1837; *Visión de Filiberto*: 1763; *Zifar*: 1411-1420, 1423, 1427-1433, 1441n.
caballería antigua: *Batalla campal de los perros contra los lobos*: 3765, 3767, 3772; *Doctrinal de los Cavalleros*: 2877-2878
nobiliaria: *Libro de los cien capítulos*: 430-431; *Partida II*: 556-557
religiosa/ espiritual: *Amadís*, revisión de Montalvo: 1566; *Barlaam*: 984; *Libro de las confesiones*: 4047; *Libro de las consolaçiones*: 2990; López de Baeza, Pero: 1905-1906; Martín de Córdoba, fray: 3670; materia artúrica: 1467; «miliçia eclesiástica»: 2869-2870 (*Respuesta* de Cartagena), 3638 (*Carta al rey sobre el regimiento de su vivienda*); *Purgatorio de San Patricio*: 1847; *San Alejo*: 1979; *Santa Catalina*: 1960; *Santo Domingo de Guzmán*: 1989-1990; *Tratado de la comunidad*: 1733; «vestidura de tribulaçión»: 3115; *Zifar*: 1375, 1379
urbana: *Andanças e viajes* de Pero Tafur: 3409; *Crónica de la población de Ávila*: 174, 179
Caballero Amigo: ver Ribaldo
caballero anciano: *Crónica de Juan I*: 1814; *Libro de Graçián*: 3382, 3391-3392, 3397; Manuel, don Juan: 1111-1114, 1116, 1155, 2379; *Tratado de las armas*: 3597n.; *Tristán de Leonís*: 1525, 1533, 1543-1544
«caballero antiguo»: *Libro del Passo Honroso*: 2418
Caballero Atrevido: *Zifar*: 1417, 1423n., 1834
Caballero de la Verde Espada (nombre de Amadís): *Amadís*: 1566, 1567n.
Caballero de Ybernia: 1836 (ver Túngano, don).
Caballero del Cisne: *Estoria del Cavallero del Çisne*: 1030-1032, 1040, 1044, 1059, 1067-1077, 1088
caballo: caída del y muerte: 1048; cualidades: 562; doma: 3707; herrado al revés: 1090; muerto a los diez días de ser montado: 1400, 1404; pérdida: 1076; valoración del: 2378 (ver tratados de albeitería)
cabellos, motivo: arrancados y restituidos: 3242n., 3853; atadura del demonio: 3244; crítica: 3869-3870; de la dama: 3271; simbología: 3870n.
cabeza cortada, motivo: 1072, 1088, 1539; de hombre, aparición: 1023
Cabrera, Andrés, alcaide de Segovia, marqués de Moya (1430-1511): defensa del Alcázar segoviano: 3506, 3506n. *(Crónica de Enrique IV)*; encuentro entre Enrique IV e Isabel: 3533
Cabrera, Nuño de, caballero de la Orden de San Juan (primera mitad siglo XV): *Andanças e viajes* de Pero Tafur: 3415
Cadino: *Caída de príncipes*: 2148
Cadmo, rey griego: *General estoria II*: 722, 722n.
Çadique de Uclés, Jacob, físico catalán (siglos XIV-XV): *Dichos de sabios y filósofos*: **3120-3121**, 3125
Çagalquius: *Bocados de oro*: 459, 462; *Dichos e castigos*: 3126n.
Caída de príncipes (traducción de Pero López de Ayala): 248n., 2132-2133, **2142-2150**, 2902; SÍNTESIS Y CONCLUSIÓN: 3928-3929 (ver Boccaccio)
caídas de príncipes, tema: *Compendio de la fortuna*: 2794-2795; *Crónica del Halconero*: 2329; *Lamentación de don Álvaro de Luna*: 2944
Caifás, sumo sacerdote judío ([18-36]): *Demanda*: 1500

Caín: fundación de ciudad: *Invencionario*: 3714n.
hijas de: *Breviloquio de amor y de amiçiçia*: 3168
Caitif, Li (siglo XII): *Gran Conquista de Ultramar*: 1039n., 1041
Calamicleo: 2732 (ver *Coronación* de Juan de Mena)
calandria y cazador, «exemplo»: *Zifar*: 1445
Calderón de la Barca, Pedro (1600-1681): *El Purgatorio de San Patricio*: 1844
Calderones de Nograro, linaje: 3548
Calestia, reina de las amazonas: *El Victorial*: 3192
Calidina, raposa: *Batalla campal de los perros contra los lobos*: 3765-3769
CALILA E DIMNA: **182-213**; cortes: **204-210**; cuentística oriental: 181, 214, 931; *Estoria de Berzebuey*: **191-195**, 370n.; estructura: **187-195**; fechación: 183-184, 366n., 842; marco narrativo: **196-198**, 1317; noción de «saber»: **189-191**, 240, 277n., 744, 825, 996n., 1009, 1687n., 2023, 2799n.; saña del rey: 199-200, 1448, 2890, 2940n.; SÍNTESIS Y CONCLUSIÓN: 3893; técnicas narrativas: **211-213**; tradición y transmisión: 141, **183-187**, 215n., 484; valor del consejo: **198-204**, 990n., 1168; versión hebrea: 3368n.
Calístenes (360-327 a.C.): *Vidas y dichos de filósofos antiguos*: 2126
Calisto: *La Celestina*: 2775n.
Calixto II, papa ([1119-1124]): *Codex Calixtinus*: 1931
Calixto III, papa (1378-[1455]-1458): *Crónica de Enrique IV*: 3489; *Memorial de diversas hazañas*: 3523; Sánchez de Arévalo, Rodrigo: 3607, 3620
callar, ventajas del: *Libro de las consolaçiones*: 2995
Cámara, Fernando de la: ver Ribadeneira, Fernando de
Cámara Defendida, aventura: *Amadís*: 1575
Cambises II ([529]-522 a.C.): *General estoria IV*: 756
Camelot: *Demanda del Santo Grial*: 1496, 1500-1501, 1503-1504; *Lanzarote*: 1474; *Tristán*: 1518-1519, 1522-1525, 1531, 1538
Camero, linaje: 161, 2077
Camila, reina de los Vosclos: *Tratado en defensa de virtuosas mugeres*: 3261
campañas marítimas: *Doctrinal de los cavalleros*: 2874; *General estoria IV*: 761; *Glosa castellana al «Regimiento de príncipes»*: 1725; *El Victorial*: 2350, 2356-2357, 2360-2364, 2370, 2374, 2380, 2387
Campos Eliseos: *Siervo libre de amor*: 3317
Can de las tres bocas: *Sátira de infelice y felice vida*: 3337n.
Canaçe/Canaces y Macareo, incesto: *Breviloquio de amor y de amiçiçia*: 3172; *Bursario*: 3286
Canals, Antoni, dominico y traductor de Valerio Máximo (1352-1419): 2603n., 3149; *Tractat de confessió*: 3215n.
Canarias, islas: Cartagena, Alfonso de: 2600, 2626-2630; conquista: 2080, 2172; *Crónica de Enrique III*: 2106; *Libro del conosçimiento*: 4050; Palencia, Alfonso de: 3512
cancillería letrada/regia: Alfonso X: 582, 591; cancillerías castellana y leonesa, modelos culturales: **71-74**, **75-80**, 82, **3978-3981**, 3987-3989; crónicas: 1282-1284; documentación, tipología: 3978, 3980; Enrique IV: 3678; Fernando III: 161; formación: 57, 59-60; Juan II: 2205, 2291-2294, **2586-2947**; letrados de la corte castellana: **75-80**; Pedro I: 1777; *Seguro de Tordesillas*: 2401-2403; *Zifar*: 1456

Cancionero da Vaticana: 944
Cancionero de Baena: *Amadís de Gaula*: 1547-1549, 1569n.; *Calila*: 186n.; debates: 2797, 2803-2804n.; ficción sentimental: 3193, 3276-3277; López de Córdoba, Leonor: 2339n.; Luna, Álvaro de: 2775n., 3222; materia caballeresca: 3340; prólogo: 2605, 3154-3155, 3174, **3194-3197**; Rocacisa, fray Juan de: 3094n.; sátiras: 3361 (ver Baena, Juan Alfonso de)
Cancionero de Estúñiga: Hugo de Urriés: 3150; Torre, Fernando de la: 3783
Cancionero de Herberay des Essarts: «Letra de los escitas a Alejandro»: 4054n.; transmisión de la obra de Í. López de Mendoza: 2524n.
CANCIONERO DE JUAN FERNÁNDEZ DE HÍJAR: *Flor de virtudes*: 3738-3744; *Regla de San Bernardo*: 3737-3738; SÍNTESIS Y CONCLUSIÓN: 3965; Tratado de moral: 3729-3732; Tratado de retórica: 3123n., 3732-3737; tratados en prosa: 3119n., **3727-3744**
Cancionero de Martínez de Burgos: colecciones de sentencias: 3119n.
Cancionero de Oñate-Castañeda: atribución a Pedro de Escavias: 3541
Cancionero del British Museum: reinado de Enrique IV: 3480
Cancionero del Marqués de Barberá: amores de Juan Rodríguez del Padrón: 3269
Cancionero general (1511): «Invenciones y letras de justadores»: 2881n.
Cancionero general de muchos y diversos autores: reinado de Enrique IV: 3480
cancioneros: canción en alabanza del Condestable Iranzo: 3569; ficción sentimental: 3314; formación: 3480, 3541, 3727-3728; materia troyana: 1649; poesía cancioneril: 2536, 2666, 3005, 3193, 3195n., 3197, 3255, 3366, 3759, 3868; proverbios: 3119
Candace: *General estoria IV*: 769
candado, motivo amoroso: *Siervo libre de amor*: 3318
canibalismo de hijos, motivo: *Castigos de Sancho IV*: 932; *Estoria del rrey Guillelme*: 1363; *Partida IV*: 596; *Sumas de Historia Troyana*: 1642-1643, 1647; *Vespesiano*: 1676-1677, 1679
Cánones de Albateni: **641-642**
cánones penitenciales: Ms. 77, Bibl. Menéndez Pelayo: 1862-1863
***Cansó d'Antiocha* provenzal**: 1039, 1039n., 1041
cantar/cantares, término genérico: *Libro de los exemplos por a.b.c.*: 3100
Cantar de Alfonso VI: mocedades toledanas: 72n.
Cantar de Fernando I: defensa del castellanismo: 72n.; *Sumario del Despensero*: 2095
Cantar de la campana de Huesca: *Crónica de San Juan de la Peña*: 1290
Cantar de la mora Zaida: *Chronicon mundi*: 165
Cantar de las mocedades: *Crónica de Castilla*: 1230
Cantar de los cantares: *General estoria III*: 732-733, 740; *Libro de los cantares*: 3178; *Libro de toda la vida de nuestra Señora*: 3869, 3869n.; sermones sobre: 2974
Cantar de los siete infantes de Lara: *Crónica General Vulgata*: 1235; *Estoria de España*: 648; fueros: 89; *Istoria de las bienandanzas e fortunas*: 3551
Cantar de mio Cid: afrenta de Corpes: 1671, 1671n.; antisemitismo: 136; Cortes de Toledo (1207): 20, 3988; *Crónica de Castilla*: 1231, 1231n.; defensa del castellanismo: 72n.; *Fazienda de Ultramar*: 112; fueros: 88, 299; *Partidas*: 563n.; *Tratado de Cabreros* (1206): 76, 80n.
Cantar de Sancho II: leonesismo: 72n.; *Liber regum*: 102; *Sumario del Despensero*: 2097

***Cantar refundido del Cid*: 677**
cantares:
paralelísticos: *Crónica de Enrique IV*: 3496; *Crónica de la población de Ávila*: 165, 174-175
tradicionales: *Refranes que dizen las viejas tras el fuego*: 2534
cantares-poemas, audición cortesana: *Estoria de España*: 1334; *Historia troyana polimétrica*: 803; *Partida II*: 553, 563n., 1324
cantares de gesta: crónicas: 652, 1055-1056, 1631, 3346; enfrentamiento Castilla-León: 72n.; Frontino: 4067; fueros: 82; identidad castellana: 57, 1316; lectura: 563n., 797; modelo de realidad: 1316; pervivencia siglo XV: 2083; «romance», prosificaciones: 1335, 1577, 1598
Cántico de Ana: *General estoria III*: 732
Cantigas de Santa María: *Castigos de Sancho IV*: 933; devoción mariana: 324, 3229; hagiografía: 1916-1917; infante don Manuel: 840; miniaturas: 1373n.; prosificación: 1024, 1026; *Santa enperatrís*: 1367; testamento Alfonso X: 821n.
CANTIGAS PROSIFICADAS: **1024-1029**; SÍNTESIS Y CONCLUSIÓN: 3905
Cantinella de Sancta María Magdalena (poema): 1937n.
canto de aves: *Libro del amigo y del Amado*: 3366
cantus/ cantilena, diferencia: 803n.
Cañizares, Diego de (mediados siglo XV): *Novella*: 3274n.
Capella, Marciano: ver Marciano Capella
Capellanus, Andreas: ver Andreas Capellanus
capilla de flores, motivo: *Amadís*: 1549, 1549n.
capitulación de un texto: *Barlaam*: 984; *Castigos de Sancho IV*: 939-940; *Crónica abreviada*: 1108; *Crónica particular de Fernando III*: 1243; división en libros: 1040; *Enrique fi de Oliva*: 1623; *Espéculo de los legos*: 3104, 3107; *Estoria de España*: 647, 659, 672, 674, 680, 694; *General estoria*: 752; *Lanzarote*: 1472-1473; *Libro de la caza*: 1117; *Libro de las claras e virtuosas mugeres*: 3228n.; *Libro de las cruzes*: 412, 418, 420; *Libro de los cien capítulos*: 425-426, 426n., **427**; *Libro de los doze sabios*: 255-256; *Libro de los estados*: **1128-1129, 1131-1133**; *Libro de los exemplos por a.b.c.*: 4072; *Libro de los judizios*: 399-400; *Libro del astrolabio redondo*: 613; *Libro del consejo*: **949**; *Libro del zelo de Dios*: 1757; *Lucidario*: 906-907; *Mostrador de Justiçia*: 1754-1755; *Otas de Roma*: 1663-1664; *Tractado de la adivinança*: 2826; *Tractado de la Asunçión*: 1199, 1201; *Tristán de Leonís*: 1525n.; *Zifar*: 1372, 1397-1398n., 1443n.
CAPÍTULO CÓMO LOS FIJOS DEVEN ONRAR AL PADRE: **3139-3140**, SÍNTESIS Y CONCLUSIÓN: 3950
Capítulo de las quinze señales que serán antes del Juicio Final: Miscelánea, BN Madrid 8744: **3846**
CAPÍTULO DE SEGUNDO FILÓSOFO: **502-510**, **4009-4011**; debate: **508-510**; *Lucidario*: 899; marco narrativo: **505-508**, 825; orígenes y transmisión textual: 485, **503-504**, 2114, 3368n.; SÍNTESIS Y CONCLUSIÓN: 3897; tradición escolar: **504-505** (ver Segundo, filósofo)
Caradoc: *Lanzarote*: 1471
Caraotoman: *Embajada a Tamorlán*: 2189
cárcel: alegoría: 2966; penitencia: 1959; prisión amorosa: 3314, 3367-3368; «vida cuitada»: 3759

cardenal de San Pedro: ver Cervantes, Juan de
Cárdenas, Gutierre de, maestresala de Isabel I (m.1503): Palencia, Alfonso de: 3511
Cardiana, ninfa: *Sátira de infelice e felice vida*: 3330, 3332, 3337; *Triunfo de las donas*: 3299
Cardiel, Blasco: *Crónica de la población de Ávila*: 174
Cardona, mosén, legado catalán (siglo XV): ofrecimiento de la corona de Aragón a Enrique IV: *Crónica de Enrique IV*: 3491-3492
Carestes, historiador ficticio: *Crónica sarracina*: 3357
Cargora, rey de Egipto: *General estoria III*: 745
cargos cortesanos: cancillería leonesa: 74; Cartagena, Alfonso de: 2599; Enrique III: 2077; Fernández de Heredia, Juan: 1649; Fernando III, cancillería: 161; *Flores de filosofía*: 266; García de Santa María, Pablo: 2590; Juan II, letrados: 2648, 2728; *Lapidario*: 382; letrados de la corte castellana: 76, 3987-3989; *Libro de los gatos*: 2020; *Libro del conde Lucanor*: 1161; López de Ayala, Pero: 2007; Luna, Álvaro de: 2885, 2891, 2905; Manuel, don Juan: 1098; molinismo: 1225; *El Victorial*: 2379 (ver oficiales áulicos; oficios cortesanos)
caridad, motivo: *Barlaam*: 997; *Castigos del rey de Mentón*: 1448; *Demanda*: 1501; *Espéculo de los legos*: 3106n.; *Espejo del alma*: 3006; *Espertamiento de la voluntad de Dios*: 3834; *Exortaçión*: 3660; *Flores de filosofía*: 265; *General estoria IV*: 757; *Historia de la donzella Teodor*: 489; *Libro de las claras e virtuosas mugeres*: 3234; *Libro de toda la vida de nuestra Señora*: 3875; *Partida II*: 552; *San Amaro*: 1966; *Santa María Madalena*: 1941; *Santo Domingo de Guzmán*: 1989; *Santo Tomás de Aquino*: 2000; Tratado de moral: 3732; *Vida de la Virgen*: 3856; *Vidas* del Arcipreste de Talavera: 2702
Carlomagno, rey de los francos y emperador de Occidente (742-[768]-814): *Anales navarro-aragoneses*: 100; *Atalaya de las corónicas*: 2698-2700; doce pares: 3433n.; *Grant corónica de los conquiridores*: 1654; *Istoria de las bienandanzas e fortunas*: 3550n.; *Liber regum*: 103; *Libro del tesoro*: 873; *Mar de historias*: 2424n., 2428, 2430; *Roncesvalles* navarro: 1503; *El Victorial*: 2377
  propaganda carolingia: *Crónica de los Estados Peninsulares*: 1288n.; *Estoria de España*: 674
  «romances» de materia carolingia: 1080-1092, 1577-1630, 3153
  semblanza: *Glosa castellana al «Regimiento de príncipes»*: 1712-1713
Carlón: *Berta. Crónica fragmentaria*: 1595; *Mainete. Crónica fragmentaria*: 1598
Carlos I de España (1500-[1517]-1558): cartas de desafío: 2885; instigador de libros: 2645n.; receptor de crónicas: 2208-2209, 2242-2243, 2251, 2257, 2322, 2859; título de conde de Orgaz: 2459
Carlos III de España (1716-[1759]-1788): cargo de cronista real: 3482n.
Carlos II de Anjou, rey de Sicilia (1248-[1289]-1309): *Gran Conquista de Ultramar*: 1054
Carlos II de Francia, el Calvo (823-[840]-877), emperador de Occidente: 1288n.
Carlos V de Francia, el Sabio (1338-[1360]-1380): traducción de V. Máximo: 3151n.
Carlos VI de Francia, el Bienamado (1368-[1380]-1442): Christine de Pizane: 3662n.; enfrentamiento con Benedicto XIII (1398): 2228, 2382n., 2984; guerra con Inglaterra: 3220 *(El Victorial)*

Carlos VII de Francia, el Bien servido (1403-[1422]-1461): Sánchez de Arévalo, Rodrigo: 3607; Valera, Diego de: 2723
Carlos II de Navarra, el Malo (1322-[1349]-1387): Eugui, fray García: 1285, 1287
Carlos III de Navarra, el Noble (1361-[1387]-1425): compromiso matrimonial con el infante don Juan: 2230; continuidad dinástica: 3535-3536, 3539 (*Crónica de los Reyes de Navarra*); Eugui, fray García: 1285; Luna, Pedro de: 1907-1908, 1910-1911, 2983
Carlos de España, infante, condestable de Francia, hijo de Alfonso de la Cerda, gobernador de Languedoc (d.1326-1354): *Crónica valeriana*: 2469n.
Carlos de Francia, duque de Guyena y duque de Berry, hermano de Luis XI (1446-1472): casado por poderes con Juana de Castilla, hija de Enrique IV, jornada de Valdelozoya: 3476, 3504-3505, 3531; muerte por envenenamiento: 3522, 3532; rechazo de la infanta Isabel: 3504, 3667, 4039
CARLOS DE NAVARRA, príncipe de Viana (1421-1461): desposado con Leonor de Velasco: 2254; glosas: 3335; muerte: 3428, 3490 (*Crónica de Enrique IV*), 3525 (*Memorial*); posible enlace con Isabel I: 3831n.; programa político: 3554n.; rebelión contra Juan II: 3525, 3533 (*Memorial de diversas hazañas*), 3535, 3777, 3784n., 3790, 3812-3813; SÍNTESIS Y CONCLUSIÓN: 3959; Torre, Alfonso de la: 2829, 2832n., 2833, 2846; tratamiento hagiográfico: 3525n., 3830n.
OBRAS:
Carta exhortatoria a las letras: 2833
Crónica de los reyes de Navarra: 2833, **3535-3540**, contenido: 3537-3540
Carlos Martel (*c.*688-[715]-741): *Crónica de los Estados Peninsulares*: 1288n.; *Gran Conquista de Ultramar*: 1084; *El Victorial*: 2377
Carlos o «Carlos el Grande»: ver Carlomagno
carne, pecados de: *Bursario*: 3278; *Castigos de Sancho IV*: 923, 928, 942; *Crónica sarracina*: 3351; *Espejo del alma*: 2999-3000; *Libro de la justiçia de la vida espiritual*: 1894; *Libro de las consolaçiones*: 2996; *San Amaro*: 1966; *Santa enperatrís*: 1368; *Santo Tomás de Aquino*: 1998; *Visión de Filiberto*: 1766; *Zifar*: 1452
Carnero, Pedro (siglo XV): *Libro del Passo Honroso*: 2416
carpe diem: Guillén de Segovia, Pero: 3726
Carrillo, Alfonso, sobrino de Alfonso Carrillo y obispo de Pamplona (m.1491): *Crónica de Enrique IV*: 3497n.; Guillén de Ávila, Diego: 4066
Carrillo, Guiomar, suegra de M. Lucas de Iranzo (siglo XV): *Hechos de Lucas de Iranzo*: 3578n.
Carrillo, Pero (mitad siglo XIV): *Crónica de Pedro I*: 1803
CARRILLO [DE ACUÑA], ALONSO/ALFONSO, arzobispo de Toledo (1412-1482): acusación de don Álvaro de Luna: 2601, 2932; afrenta de Simancas: 3495-3496, 3496n.; Alarcón, Hernando de: 3755-3760; Alfonso de Toledo: 3702-3717; apoyo a Juana de Castilla: 3589, a la infanta Isabel: 3504-3505; astrología: 3722; biografía: 3579-3580; círculo letrado: 2541, 2550, 3274n., 3277n., 3481, **3580-3583**, 3678, **3704-3706**, 3721, 3747-3748, 3760; *Crónica castellana*: 3519, 3519n.; enlace de Fernando e Isabel: 3530, 3585, 3587; Guillén de Ávila, Diego: 4066; *Hechos del arzobispo don Alfonso Carrillo*: 2839n., **3579-3589** (ver Guillén de Segovia, Pero); *Historia de don Álvaro de Luna*: 2922, 2932-2933; instigador del comentario en prosa a la *Esclamaçión*: 3746; inter-

venciones políticas: 2305, 3429; Juan II, «hechos»: 3585; Juana de Castilla: 3490; liberación del marqués de Villena: 3507; Lucas de Iranzo, Miguel: 3560; Lucena, Juan de: 3682; Luna, Álvaro de: 3580; Olmedo, primera batalla (1445): 3580, segunda batalla (1467): 3529, 3587; oposición a Enrique IV: 3491, 3494-3495n., 3495, 3511., a Fonseca: 3490, a Pacheco: 3495, 3527; Ortiz, Alfonso de: 3581n.; Palencia, Alfonso de: 3482, 3510, 3770-3771, 3773-3774, 3782; promoción eclesiástica: 2233, 2296, 2300; SÍNTESIS Y CONCLUSIÓN: 3964; «suplicaciones» de Guillén de Segovia: 3717-3724; Vázquez de Acuña, Lope, hermano: 2099

semblanza: Guillén de Segovia, Pero: 3583; Palencia, Alfonso de: 3782; Pulgar, Fernando de: 3582

Carrillo de Albornoz, Alonso, obispo de Sigüenza, cardenal de San Eustaquio, tío de Alfonso Carrillo de Acuña (*c.*1384-1434): semblanza: 2293 (*Crónica del Halconero*); sucesión: 2233, 3579-3580 (*Crónica de Juan II*)

Carrillo de Albornoz, Gómez: *Historia de don Álvaro de Luna*: 2276n.

Carrillo de Albornoz, Pero: 2271, 2332 (ver Carrillo de Huete, Pedro)

CARRILLO DE HUETE, PERO, halconero mayor de Juan II (primera mitad siglo XV): **2268-2294**; *Abreviación perdida:* 2324, 2326; *Atalaya de las corónicas*: 2694, 2696; caza: 2852n.; estructura de la crónica: **2287-2291**; extensión de la crónica: 2192; fiestas caballerescas: 3162, 3200; «hechos» del Halconero: 2098, 2297, 2411, 2421-2422; ideología del cronista: **2282-2287**, 2396; liberador del rey: 2274-2275, 2910n.; López de Mendoza, Íñigo: 2518; mensajero del rey: 2246, 2270, 2275-2276, 2283-2285; relación con el Ms. X-ii-13: 2310-2311, 2317-2319, 2322, 2326; relación con la crónica de Barrientos: 2302-2303, 2326-2327; semblanzas: 2479, 2480n.; SÍNTESIS Y CONCLUSIÓN: 3932; «sumario» cronístico y documentos: 2211-2212, 2261n., **2270-2294**, 2309, 2332, 2717, 2859, 3255; transmisión manuscrita: 2272

OBRAS:

ver *Abreviación del Halconero; Refundición del Halconero*

CARTA AL REY SOBRE EL REGIMIENTO DE SU VIVIENDA: **3635-3639**; regimiento religioso: 3637-3639; SÍNTESIS Y CONCLUSIÓN: 3962

***Carta de homenaje por el Castillo de Alcozar*: 3979**

Carta de Iseo y Respuesta de Tristán: 1521, 1521n.

CARTAGENA, ALFONSO DE, obispo de Burgos (1384-1456): **2598-2630**; Aristóteles: 2583n.; atribución de tratados apocalípticos: 3076; círculo letrado: 3508-3509; Concilio de Basilea: 2644, 3607; converso: 2643, 3694-3695; corte de Juan II, producción letrada: 2203, 2206, 2523, 2587n., 2948; *Crónica Sarracina*: 3341; defensa de los conversos: 3683; *Dichos de Quinto Curcio*: 3144; *Dichos de Séneca en el acto de la caballería*: 2604, 2861-2862, **3143-3148**; estancia en Portugal: 2557; Fernández de Velasco, Pedro: 2966n.; humanismo de los letrados: 2957, 3017-3021, 3023; *Libro de las mujeres ilustres* (atribución): 3221; Palencia, Alfonso de: 3773, 3783; Pérez de Guzmán, Fernán: 2423, 2518-2620, 2865; personaje del *Libro de vita beata* de Juan de Lucena: 2729n., 3249n., 3678, 3686-3687, 3689-3701, 3764n.; polémica con Bruni: 2481n., 2557, 2610-2614, 2869, 3023, 4066; proposiciones políticas: 2600; relaciones familiares: 2588-2589, 3055; romanceamientos y traducciones: 2112, 2145-2147, 2603-2614, 2833, 3144, 3149-3150, 3335n., 3802n.; Sánchez

de Arévalo, Rodrigo: 3554-3555; SÍNTESIS Y CONCLUSIÓN: 3940-3941, 3945, 3947-3948, 3950; Tafur, Pero: 3402, 3420, 3422; Torre, Fernando de la: 3785; *Tratado de las sesiones* (atribuido): 2720; tratado en defensa de las mujeres: 3221, 3803; tratados doctrinales y políticos: **2618-2630**; Valera, Diego de: 2715; virtudes elocutivas: 2600
semblanza: *Libro de vita beata*: 3692; Pulgar, Fernando de: 2599, 2601-2602
OBRAS:
Allegationes super conquesta Insularum Canariae o derecho de conquista de las islas Canarias: 2627-2630
Anacephaleosis o *Genealogia Regum Hispanorum*: 2592, 2618n., **2620-2624**, 2625, 2629, 3555
Apología sobre el salmo «Judicame Deus»: 3016, **3028-3030**
Contemplación: 2986n.
Controversia Alphonsiana: **2610-2614**
Declaración sobre San Juan Crisóstomo: 3030, **3031-3034**
Declinationes: 2559
Defensorium unitatis christianae: 2638, 2948n.
Doctrinal de los cavalleros: 2448n., 2616, 2619, 2861, **2870-2881**, 3773
Duodenarium: 2618-2620, 2865, 3015
epístolas: 2615-2617, 2865, 3018, 3344
glosas a salmos: 3028-3034
Memoriale virtutum/Memorial de virtudes: 2603, 2618, 2623n., 2948n., 3023n., 4043
Oracional: 2423, 2433, 2602, 2612, 2618n., 2620, 2865, 2974, 2986n., **3015-3028**, 3788
Proposición contra los ingleses o discurso sobre la preeminencia de Castilla: 2239-2240, 2458n., **2624-2627**, 3299
Qüestión de don Íñigo y *Respuesta* de Cartagena: 2521, **2526-2527**, 2861, **2865-2870**, 2871n., 2881, 3143, 3147, 3615n., 3636
TRADUCCIONES:
Libros de Séneca: 2603, 3175, 3221, 3692, 3803
Libros de Tulio: **2604-2610**, 2617
Oraçión pro Marçello: 2603
Cartagena, Álvaro de, hijo de Pedro de Cartagena (m. 1471): *Historia de don Álvaro de Luna*: 2931
Cartagena, Pedro de, hermano del obispo de Burgos (1380-1478): detención de don Álvaro de Luna: 2328 (*Abreviación*), 2595 (*Suma de las crónicas de España*), 2601, 2887, 2927 (*Historia de don Álvaro de Luna*); padre de Teresa de Cartagena: 3055
CARTAGENA, TERESA DE, hija de Pedro de Cartagena (1420/25-¿?): **3054-3071**, 3115; SÍNTESIS Y CONCLUSIÓN: 3948
OBRAS:
Admiraçión operum dey: 3057, **3066-3071**
Arboleda de los enfermos: 2997n., 3055, **3057-3066**
cartas: adormideras: 1624, 1630; cambiadas: 1064; consolatorias: 445, 449-450, 3274n., 3682, 3728, 3794; de acusación: 2929, 3082; de batalla: 2413n., **2881-2885**; de desafío: 2261, 2420, 2879; de envío de obras: 3328, 3334,

3794; de fe: 1931.; de instigación de traducciones: 2976; de la verdad: 1980, 2328; de petición: 3019; de pleito-homenaje: 3979; de relación: 2279, 2289, 3311n.; de reproche amoroso: 1521; del Preste Juan: 3427, 3430, 3432, 3439; documentación cancilleresca: 2212, 2261, 2279, 2413; echadas al fuego: 1989; entrega de cartas amorosas: 3820-3821; mensajeras: 2747, 3015n.; milagrosas: 1997; personificación: 3286 (ver epístolas)
Cartie, caballo del duque de Galatas: *Libro del tesoro*: 876-877n.
***cartillas* escolares**: 1859
cartujos, fundación: 1874
Carvajal, Juan y Pedro (m.1312): emplazamiento al rey: *Crónica de Fernando IV*: 919n.
casa de Hércules: *Crónica sarracina*: 3349-3350, 3354
Casa de la Sabia Doncella: *Tristán*: 1520
Casa de Luna, señorío: 2932n.
Casandra, profecía: *Bursario*: 3281; *Historia troyana polimétrica*: 803n., 808; *Triunfo de las donas*: 3297
Casanova, Juan de, cardenal de San Sixto (1387-1436): Martínez de Toledo, Alfonso: 2664
Casibelano/Cassivelaunus, caudillo bretón derrotado (54 a.C.) por César (siglo I a.C.): *General estoria V*: 790
Casio, Cayo (m.42 a.C.): *Mar de historias*: 2428
Casiodoro, Flavio Magno Aurelio (*c.*490-*c.*585): *Flor de virtudes*: 3743; *General estoria III*: 736; *Libro del consejo*: 954-955; *Oracional*: 3024
caso y fortuna: *Arcipreste de Talavera*: 2690-2691; *Las diez qüestiones vulgares*: 2661; *Libro de Gracián*: 3388; tratadística: **2775-2797**, 2811
casos/caídas: 2150
Cassiano, Juan (siglos IV-V): *Defunsión de don Enrique de Villena*: 2480
OBRAS:
Conlationes: 1998n.
Castalio, ninfas del monte: *Triunfo de las donas*: 3296n.
castellanismo lingüístico: 1271, 3812-3813
castellano «drecho»: *Ochava espera*: 602
Castellnou, Joán de (mitad siglo XIV): *Arte de trovar*: 2503
castidad: Alfonso X: 575; *Castigos de Sancho IV*: 929-931, 932; *Castigos y dotrinas que un sabio dava a sus hijas*: 3137; *Corónica de A. Pérez de Guzmán:* 2464-2465; *Crónica sarracina*: 3351; *Cuento de Carlos Maynes*: 1617; *Dichos por instruir a buena vida*: 3124; *Espejo del alma*: 3005; *Flor de virtudes*: 3743; *Hechos y dichos memorables*: 3148; *Jardín de nobles donzellas*: 3178n., 3667, 3673; *Libro de las claras e virtuosas mugeres*: 3231-3235, 3241-3242, 3253; *Libro de los exemplos por a.b.c.*: 3101; *Libro de toda la vida de nuestra Señora*: 3872, 3876; *Libro del tesoro*: 882; *Milagros de San Antonio*: 3855; Ms. 77, Bibl. Menéndez Pelayo: 1872-1874; *San Alejo*: 1974-1975; Sancho IV: 1060; *Santa enperatrís*: 1368; *Santo Tomás de Aquino*: 1997-1998; *Soliloquios*: 2006; *Tratado en defensa de las mugeres*: 3261, 3263; *Tristán*: 1521, 1524; *Triunfo de las donas*: 3295-3296, 3298; *Vida de la Virgen*: 3857; *Viridario*: 2030; *Vitae* de Martínez de Toledo: 2702, 2705-2709; *Zifar*: 1406, 1411, 1419, 1445-1446, 3052n.

castigos: *Barlaam*: 1007; *Calila*: 213; *Castigos de Sancho IV*: 926, 937; colecciones de sentencias del siglo XV: 3118-3151; *Crónica de Juan II*: 2197; *Crónica del Halconero*: 2286; *Cuento de Carlos Maynes*: 1606; *Flores de filosofía*: 265; *General estoria*: 697; *Glosa castellana al «Regimiento de príncipes»*: 1709; *Hechos* de Lope de Barrientos: 2303; *Libro de los buenos proverbios*: 442, 444; *Libro del regimiento de los señores*: 2939; *Libro enfenido*: 1188; *Partida II*: 543; *Proverbios* de Í. López de Mendoza: 2528; regimientos de príncipes: 1697; *Tractado de la Asunçión de la Virgen María*: 1199; *vitae*: 1341; *Zifar*: 1407

«castigos de buen amor»: *Triste deleytaçión*: 3818, **3823-3825**

Castigos de Catón: 462n., 953

Castigos de los sabios y filósofos: 2114

CASTIGOS DE SANCHO IV: **913-943, 4024-4031**; autoría: 866; autoridad del monarca: **925-927**, 989n.; caballería espiritual: 1060n., 1906; castidad: 1049n.; *Castigos del rey de Mentón*: 1439-1440, 1442, 1446n., 1447, 1449; contextos: 1545; *De regimine principum*: 1705; defensa de las mujeres: **927-931**, 1368n., 1718; dimensión penitencial: 1861-1862, 4043; dimensión religiosa: 316n., 870, 890-891, 894n., 912, 993n., 999n., 1847; disputas religiosas: 894-895, 1751; doble prólogo: 1380; estructura: **938-943**; «exemplario»: **931-935**, 951, 1254n., 1837, 3042n.; filósofo como contador de exemplos: 958; Gil de Zamora, Juan: 861n.; legitimación de derechos dinásticos: 898n., **921-922**; Manuel, don Juan: 4035; molinismo: 984, 1252n., 1343, 1377, 1394, 1916, 2121n.; receptores de textos de ficción: 1341n.; refranes: 4057; relación corte/rey: **919-920**; rey como contador de exemplos: **935-938**; rey como *magister*: 250, 462n., 737, 862, 3128, 3134; símbolos: 876n.; SÍNTESIS Y CONCLUSIÓN: 3902-3903; toma de Tarifa (1292): 1036; transmisión textual: 892n., **916-918**, 944, 1373n., 1375; unidad entre Dios y rey: **922-925**, 1358n.; versión extensa de *Castigos de Sancho IV*: **4028-4031**

CASTIGOS DEL REY DE MENTÓN (*Zifar*): **1439-1457**; estamento de la caballería: **1454-1457**, 1699, 1727; estamento de la nobleza: **1444-1451**; estamento de la realeza: **1451-1454**; *Estoria del infante Roboán*: 1420-1422; estructura: **1442-1444**; *Flores de filosofía*: 260, 273, 426n., 3118; molinismo: 1375, 1394; redacción: 1379; rey como *magister*: 862, 914, 1399n., 3128, 3134; «seso natural»: 1388n.; SÍNTESIS Y CONCLUSIÓN: 3914-3915; tradición: 3730

CASTIGOS Y DOCTRINAS QUE UN SABIO DAVA A SUS HIJAS: 3127, **3134-3139**; SÍNTESIS Y CONCLUSIÓN: 3950

Castilla, Diego de, deán de Toledo (m.1584): historiografía petrista: 1781

Castilla, Diego de, hijo de Pedro I (*c.*1362-1458): *Crónica del Halconero*: 2289

Castilla, faraute: *Hechos de Lucas de Iranzo*: 3563

Castilla, Francisco de (siglo XVI): *Práctica de las virtudes de los reyes de Castilla*: 1780-1781

Castilla, Juan de, obispo, canonista (*c.*1460-1510): historiografía petrista: 1781

Castilla, Juana, madre de don Enrique de Aragón, hija ilegítima de Enrique II (siglo XIV): 2476

Castilla, Pedro, hijo del obispo de Palencia, Pedro de Castilla, y amante de la reina Juana de Portugal (*c.*1439-¿?): Constanza, sor: 4070; *Crónica de Enrique IV*: 3502

Castilla, rey de armas de Juan II: cartas de batalla: 2882

castillo: Castil Perdido: 1661, 1671 (*Otas*); de la Encantadora: 1534 (*Tristán*); del rey de los Cien Caballeros: 1534 (*Tristán*); follón: 1501 (*Demanda*); resplandeciente: 1970
Castillo, Luis del, secretario de M. Lucas de Iranzo (siglo XV): atribución de los *Hechos de Lucas de Iranzo*: 3576
Cástor y Polus: *Sumas de Historia Troyana*: 1643
Castrillo, Juan de, corsario: *El Victorial*: 2387
Castro, Fernando de (m.1441): *Livro do amante*: 3210n.
Castro, Inés de (1320/25-1355): relación con Pedro I de Portugal: 2331
Castro/Castromocho, Juan de, obispo de Jaén, petrista y posible autor de la **Corónica verdadera* (m.1382): **1779-1783**
Castro, Juana de, viuda de Diego de Haro, esposa de Pedro I (m.1374): Constanza, sor: 3071; enlace con el rey (1354): 1797
Castro, Lieta de, dama zaragozana: relación con Pedro de Luna y Fernando de la Torre: *Libro de las veinte cartas*: 3808
Castro, linaje: 65-66, 72, 3548
Castro, Pedro de, impresor (activo entre 1536-1550): 3685n.
Castronuño, concordia (1439): *Crónica de Juan II. Refundición*: 2246, 2252, 2263; *Crónica del Halconero*: 2290; *Libro de Graçián*: 3389; *Seguro de Tordesillas*: 2408
Castrovol, Pedro, tratadista político (m.*c.*1500): 3554n.
casulla de San Ildefonso: *Istoria de Sant Alifonso*: 1923, 1926; *Vida de San Ildefonso*: 2705-2709
Catalina, duquesa: *Estoria del Cavallero del Çisne*: 1068-1069, 1073
Catalina de Alejandría, Santa (siglo V): doncella sabidora: 483; *Glosa castellana al «Regimiento de príncipes»*: 1716; *Libro de las claras e virtuosas mugeres*: 3239, 3243-3244; *Libro del infante don Pedro*: 3437; modelo narrativo: **1955-1957**; monasterio: 3413; *passio*: **1953-1962**, 3228n.; *Sátira de infelice e felice vida*: 3336, 3339; vida celestial: **1959-1962**, 1979
Catalina de Castilla, infanta, hermana de Juan II, esposa del infante don Enrique, marquesa de Villena (1403-1439): disputa entre los infantes don Enrique y don Juan: **2235-2237** (*Crónica de Juan II*), 2333, 2367-2368 (*El Victorial*); enlace con el infante don Enrique (1420): 2192; «realidad sentimental»: 3156-3158, 3165; reclamación del señorío de Villena: 2321, 2421; Rojas, Sancho de: 2315
Catalina de Lancáster, reina de Castilla, esposa de Enrique III, madre de Juan II (1373-1418): Constanza, sor: 3071-3072, 4070; crianza y educación de Juan II: 2204, 2333, 2397, 2587, 2947, 4030; Díaz de Games, Gutierre: 2364; enlace con Enrique III: 1787, 3210; linaje petrista: 1781-1783, 2096; López de Córdoba, Leonor: 2337-2340, 2346, 2348-2349; muerte: 2199, 2594, 2596n.; Niño, Pero: 2392; regencia de Castilla: 2100, 2192, 2315, 2588, 2908; relación con Fernando de Antequera: 2225; semblanza: 2444
Catalina de Siena, Santa (1347-1380): 1954n.
Catálogo de los Reyes Godos: 669
Catecismo explicado: 2027
catecismos, enseñanza catequismal: 481, 1017, 1933, 1946 (ver literatura catequismal)
Catholicon: fuente del *Sacramental*: 3049n.

Cathoniana confectio: biblioteca del conde de Haro: 2615
Catilina, Lucio Sergio (*c.*108-62 a.C.): *Libro del tesoro*: 872, 886; *El Victorial*: 2376
Catón, Marco Porcio, el Censor (234-149 a.C.): Aragón, Enrique de: 2494; Burley, Walter: 2118; *Dichos de Séneca*: 3144; dísticos: 1325, 1388n., 3124; epístolas poéticas: 2538; *Libro de los gatos*, título: 2014; *Qüestión* de Í. López de Mendoza: 2866; *Qüistión entre dos cavalleros*: 3629 (*De officiis* de Cicerón); Tratado de retórica: 3734
Catón de Útica, Marco Porcio, patriota romano (95-46 a.C.): Catón y Lucrecia: 2619; *Diálogo e razonamiento en la muerte del Marqués de Santillana*: 2573; *General estoria V*: 787; *Libro de las claras e virtuosas mugeres*: 3247n.
Catón glosado: 2027
Catones, linaje: 3251
cautivos: consolación de: 2995; liberación de: 1934
Cava/Caba, La o Atalaba, hija del conde don Julián: *Crónica del moro Rasis*: 1234; *Crónica sarracina*: 3350, 3353-3356, 3358; *Tratado e despido a una dama de religión*: 3804; *El Victorial*: 2377
Cavalcanti/«Cavalgante», Guido (*c.*1250-1300): epístola de Santillana: 2537
Cavalcanti, Mainardo (siglo XIV): destinatario del *De casibus*: 2144.
«cavallero ançiano»: *Tristán*: 1525, 1533, 1543
CAVALLERO PLÁÇIDAS, EL: **1350-1357**; molinismo: 1960; Ms. h-i-13: 1342n., 1936, 1953; relación con *Estoria del rrey Guillelme*: 1359-1361; *Santa enperatrís*: 1366; SÍNTESIS Y CONCLUSIÓN: 3913
CAZA: arte: 3237; contraria a la caballería: 815; crítica: 3776; de amor: 1063, 1082; de vanidad: 3381; del ciervo maravilloso: 1354, 1356, 1364-1365, 1465, 1520; deporte cortesano: 26, 838-841, 990, 1683-1684, 1692-1694, 2036, 2384, 3319; elogio: 844; Enrique IV: 3394n., 3401, 3478-3479, 3678; símil: 2867-2868, 3608; SÍNTESIS Y CONCLUSIÓN: 3901, 3918, 3926, 3945; *Suma política*: 3612; tentación: 1255, **1255n.**, 1362, **1435-1436**, 1607, 1692, 1803, 2017, 2308, 3386; traición: 2926-2927; *Vergel de los príncipes*: 3590, 3620, 3623, 3625-3626 (ver cetrería; libros de caza; montería)
Cebrián, San: *Mar de historias*: 2433
Cecco d'Ascoli, Francesco (1269-1327): epístola de Santillana: 2357
Çedipe: *Bursario*: 3282
Celestina: 3827
Celestina, La: ver Rojas, Fernando de
celos, motivo: *Bursario*: 3284; *Castigos y dotrinas*: 3138; *Tratado de amor*, atribuido a Mena: 3187
Celso (*c.*170-¿?): tratados de medicina (siglo XV): 2757
Çendubete: *Sendebar*: 215, 218-224, 231-232, 411n., 507n.
Centenera, Antonio de, impresor (activo entre 1482-1492): 3685n., 4067
«Çerçes»: ver Circe
Cerda, Alfonso de la, hijo de Fernando I de la Cerda y Blanca de Francia (*c.*1271-*c.*1325): candidatura al trono de Castilla: 818-819; coronación en Aragón: 859; *Crónica abreviada*: **2469n.**; infante don Juan, apoyo: 1239, 1284; Manuel, don Juan: 1095-1097; María de Molina: 1256
Cerda, Fernando I de la, infante, hijo de Alfonso X (1253-1275): bodas con

Blanca de Francia: 597; carta de Alfonso X: 972n.; derechos dinásticos: 817-818; Manuel, don Juan: 979n.; María de Molina: 1284; muerte (1275): 687, 973; padre de Blanca Núñez de Lara: 1124; revuelta nobiliaria (1272): 644; Sancho IV: 856-857

Cerda, Juan de la, señor de Gibraleón (m.1358): derrota de 1357 contra las tropas del rey don Pedro: 1778; poeta mencionado en *Prohemio e carta*: 2536

Cerda, Luis de la, conde de Medinaceli (segunda mitad siglo XV): apoyo a Enrique IV: *Crónica de Enrique IV*: 3499

Cerda, Luis de la, hijo de don Alfonso de la Cerda (1290-1351): *Corónica de A. Pérez de Guzmán*: 2469

ceremoniales: *Cirimonial de príncipes*: 3601-3605; *Perfeçión del triunfo*: 3780; *Prehe-minencias y cargos de los oficiales de armas*: 2882; *Tractado de los gualardones*: 2882

Ceres: *Libro de las claras e virtuosas mugeres*: 3236, 3247

Cerezuela, Juan de, hermanastro de don Álvaro de Luna, obispo de Osma, arzobispo de Sevilla y de Toledo (m.1442): concepción negativa: 2708; guerra contra Í. López de Mendoza: 2519; promoción eclesiástica: 2289, 2317, 2948, 3379; sepultura: 2903n.

Cerrato, fray Rodrigo de: ver Rodrigo de Cerrato, fray

Cervantes, Juan de, cardenal de San Pedro (1382-1453): Rodríguez del Padrón, Juan: 3267, 3307, 3310, 3317; Tafur, Pero: 3420, 3422

Cervantes, Miguel de (1547-1616): *Cuento de Carlos Maynes*: 1605; Manuel, don Juan: 1151; técnicas narrativas: 3358

OBRAS:

Don Quijote: 1540, 1582, 1618, 2088

Cerverí de Girona: ver Guilhem de Cervera

César, Cayo Julio (100-44 a.C.): *Diálogo e razonamiento en la muerte del Marqués de Santillana*: 2573; *Dichos de sabios*: 3122; *Estoria de España*: 660-661; *Exposición del salmo «Quoniam videbo»*: 2509n.; *General estoria*: 706, 762, 772, 777, 782-788, **788-791**, 793; *Grant Crónica de Espanya*: 1652; *Libro del tesoro*: 873; López de Mendoza, Íñigo: 2525, 2530; *Mar de historias*: 2424n., 2428; Palencia, Alfonso de: 3513; *Santo Tomás de Aquino*: 2000n.; *Suma política*: 3614; *El Victorial*: 2376;

OBRAS:

De bellum civile: 777, 788 *(General estoria V)*

César Augusto: ver Augusto, Cayo Julio César Octavio

cetrería: Alfonso X: 838; Alfonso XI: 1275; *Libro de Moamín*: **842-846**; *Libro del tesoro*: 877; *Siervo libre de amor*: 3321n.; siglo XIV: **1684-1691**, **2036-2049**; siglo XV: **2850-2853**

Chacón, Gonzalo de (segunda mitad siglo XV): *Abreviación del Halconero*: 2329; hechura de don Álvaro: 2924n.; intervención en la *Historia de don Álvaro de Luna*: 2886, 2903, 2903n., 2904-2905, 2918; personaje de la *Historia*: 2917, 2921, 2924, 2928-2932; protector de Isabel I: 2919n.; reivindicación de don Álvaro: 2202, 2935

Chanson d'Antioche, La: 1039n., 1041

Chanson de Florence: 1659-1660

Chanson de la reine Sebile: 1580, 1605

Chanson de Roland: 1581
Chanson des Saisnes: 1581
Chartres: 43
Chaucer, Geoffrey (1342/43-1400): 3221n.
Chaves, Pedro de (1470-1537): 1946
Chevalier au Cygne: 1057
Chevalier de la Charrette, Le: 1465
Chilam balam: 482n.
Chinchilla, Pedro de, letrado (siglo xv): actividad letrada: 3646-3648; biografía: 3639-3640; círculo letrado del príncipe don Alfonso: 3502n.; criado de Rodrigo Alfonso Pimentel: 3605; regimientos de príncipes: 3590; SÍNTESIS Y CONCLUSIÓN: 3962-3963; traductor de la materia troyana: 802, 2134
OBRAS:
Carta e breve conpendio: 3605, **3639-3648**, 3649; definición de un pensamiento nobiliario: 3640-3642; formación de los nobles: 3642-3646
Exortaçión o información de buena e sana doctrina: 3590, 3640-3641, 3645-3646, **3648-3661**; «Exortaçión»: 3652-3653; «informaçión de buena e sana doctrina»: 3653-3659; proemio: 3650-3651
Chirino, Alfonso de, maestre, médico de Juan II, padre de Diego de Valera (m.1429/31): marco letrado de Juan II: 2643; relación con Villena: 2487, 2487n., 2507; Valera, Diego de: 2714, **2764-2768**
OBRAS:
Espejo de medicina: 2488n., 2765
Menor daño de medicina: 2765-2768
Replicaçión del espejo de medeçina: 2765
Chrétien de Troyes (siglo xii): **1464-1466**; materia caballeresca: 1460-1461; teoría de la ficción: 1316
OBRAS:
Cligès: 1465
Erec et Énide: 1365, 1464-1465, 1570n.
Guillaume d'Angleterre: 1359-1360
Lancelot: 1472
Christine de Pizan (1364-*c.*1430): Boccaccio, Giovanni: 3221n.
OBRAS:
Le livre des trois vertus: 3211, 3662n.
Chronica Adefonsi Imperatoris: 63, 95
Chrónica del rey don Guillermo: 1359-1360
Chronica Najerense: 80n., 95, 164
***Chronicon* de San Isidoro**: 101, 163
Chronicon Domini Johannis Emmanuelis: 1103
Chronicon mundi: ver Lucas de Tuy
«çibo del ánimo»: *Compendio de la fortuna*: 2785; *Prohemio e carta*: 2536
Cicerón, Marco Tulio (106-43 a.C.): Burley, Walter, *Vidas y dichos de filósofos antiguos*: 2114, 2116, 2118, 2123, 2130; dialéctica: 34, 2628; diálogos: 2570; *Dichos de Séneca*: 3144; discurso prosístico: 49, 703n.; Fernández de Madrigal, Alfonso: 4074; *Flor de virtudes*: 3743; García de Castrojeriz, Juan: 1725; Latini, Brunetto: 54, 869, 883-890, 955n., 1326; lenguaje figurativo: 2651;

Libro del consejo: 945, 958; López de Mendoza, Íñigo: 2480, 2538; modelo de sabio: 3235n.; Ortiz, Alfonso de: 3581n.; *Partida IV*: 596n.; predestinación: 2806; *Qüistión entre dos cavalleros*: 3629-3631; *Tractado de la adivinança*: 2823; traducciones de Alfonso de Cartagena: 2145, 2602, 2606-2610; Tratado de retórica: 3733-3734

OBRAS:

De amicitia: 586, 2126, 3123

De inventione: 869, 873, 876, 883-884, 888, 929

De officiis: 2603, 2866, 3142n., 3629, 3631

De oratore: 38, 2582

De senectute: 2603, 2606

Retórica nueva: 2555, 3014, 3335n.

Tusculanae: 2582

ciclos litúrgicos: *Evangelios moralizados*: 4067-4069; fiestas marianas: 3862, 3865; *Ritual y cómputo eclesiástico*: 3843-3844

Cicrops, rey: *General estoria I*: 691

ciencia: Alfonso X: 181, 184, 234, **364-422**, **597-643**, 687; ámbito de relaciones sociales: 2605; Bolonia: 3409n.; Carrillo, Alfonso de: 3678; «divinal»/«humanal»: 2958; Juan II: 2576-2853; libros de viajes: 375, 1823; noción negativa: 1389, 1683, 2205; orígenes: 3706; Sancho IV: **890-913**; SÍNTESIS Y CONCLUSIÓN: 3898

política: *Cadira de honor*: 3303-3304; *Libro del tesoro*: 880; *Qüistión entre dos cavalleros*: 3635; *Suma política*: 3609, 3616-3620

«ciencia cierta», fórmula cancilleresca: 2858

Cildadán, rey: *Amadís*: 1562

Çilla, infanta: *Tratado de cómo al hombre es necesario amar*: 3179

Cilli, Ulrich II von (*c.*1406-1456): Valera, Diego de: 2714-2715 (*Crónica de Juan II*), 3254

Çinaras: *Breviloquio de amor*: 3172; *Tratado de amor*: 3187

cinco sentidos: *Confesional*: 3046; *Diez Mandamientos*: 1015; *Libro de confesión de Medina de Pomar*: 3039; *Lucidario*: 909n.; *Secreto de los secretos*: 291, 293; *Siervo libre de amor*: 3314

Cipora: *Tratado en defensa de virtuosas mugeres*: 3262

Circe/Çerçes: *Ephemeris belli Troiani*: 800; *Sumas de Historia Troyana*: 1645; *Tratado de amor*: 3187; *Triunfo de las donas*: 3298

círculos literarios: Anaya, Diego de: 3389, 3396; Carrillo, Alfonso: 2550, **3580-3583**, **3588**, **3760**; familia Santa María: 2588, 3015; femeninos: 3059, 3066, 3784-3785n.; Guzmán, Nuño de: 2582; infante don Alfonso («Alfonso XII»): 3481, 3502n., 3510, 3589, **3649-3650**; Juan II: 2630, 2727, 2829, 3174; Leonor de Navarra: 3784; López de Mendoza, Íñigo: 2112, 2479, 2538, **2540-2547**, 2564; Luna, Álvaro de: 3304; Pérez Gudiel, Gonzalo: 860-861, 4023-4024; universitarios: 2643, 2648, 3182

Ciriaco, papa: «Once Mil Vírgenes»: 1873

Cirilo de Alejandría [San] (*c.*375-444): *Libro del conoscimiento del fin del mundo*: 3086, 3088

Ciro II, el Grande, rey de Persia (*c.*590/580-*c.*529): *Exhortación de la paz*: 2724; *General estoria IV*: 749n., 752-753, 758, 762; *Triunfo de las donas*: 3298; *Vidas y dichos de filósofos antiguos*: 2123

Ciruelo, Pedro (1470-1548): 1901n.
cisma religioso: Enrique III: 2076-2077; Fernando de Aragón: 2192, 2228; Inocencio VII: 2563; *Libro de las tribulaciones*: 3090, 3092-3094; *Libro del conoscimiento del fin del mundo*: 3085, 3088; López de Ayala, Pero: 1791, 1795, 2143; Luna, Pedro de: 2983-2985; *Mare historiarum*: 2424; transformación del *Amadís*: 1547
Cisneros, Mencía de, abuela de Í. López de Mendoza (siglo XIV): 2517
ciudad:
  ciudad-estado: *Gesta Hispaniensia*: 3515
  concordia: *Suma política*: 3618-3620
  defensa: *Suma política*: 3611-3615
  descripciones: *Andanças e viajes* de Pero Tafur: 3408-3409, 3412, 3420-3421, 3423-3424, 4057
  fundación: *Invencionario*: 3706; *Suma política*: 3608-3611
  noción: *Glosa castellana al «Regimiento de príncipes»*: 1722-1723
«civilidad»: *Glosa castellana al «Regimiento de príncipes»*: 1722; *Suma política*: 3609, 3706
Cixila, esposa de Égica (siglo VII): *vita* de San Ildefonso: 1922n.
Claquín, mosén Beltrán de: ver Guesclin, Bertrand du
Claramonte, Erbete de, caballero aragonés (siglo XV): *Libro del Passo Honroso*: 2419
Clarenbaut, ladrón: *Otas*: 1664, 1672
Clarisa, doncella: *Vespesiano*: 1679
clases sociales: ver estado
Claudia, Quinta (siglo II a.C.): *Libro de las claras e virtuosas mugeres*: 3234; *Tratado en defensa de virtuosas mugeres*: 3261
Claudiano, Claudio (*c.*370-*c.*404): *Vidas y dichos de filósofos antiguos*: 2117n.
claustro amoroso: *Libro del amigo y del Amado*: 3367
clausulae: 42, 49, 55
cláusulas rimadas/rítmicas: ver versificación rítmica
Clave de Salomón: *Tractado de la adivinança*: 2825
clavos de Cristo, motivo: 3073, 4070-4071
clemencia: *Breviloquio de virtudes*: 3606-3607
Clemente I, San, papa ([88/92-97/101]): *Vespesiano*: 1678
Clemente IV, papa ([1265-1268]): Alfonso X, «fecho del Imperio»: 511
Clemente V, papa (*c.*1260-[1305]-1314): constituciones (1298): 1739; eucaristía, liturgia: 3035
Clemente VII, antipapa (1342-[1378]-1394): cisma: 1791, 1795, 1812, 1814, 1870, 1897, 1907-1908, 2102, 2983; rebelión de Pedro Tenorio: 2109
Cleóbola: *Vidas y dichos de filósofos antiguos*: 2121
Cleóbolo/Cleóbolus de Rodas (siglo VI a.C.): *Vidas y dichos de filósofos antiguos*: 2121
Cleopatra: *Apolonio*: 1682
Cleopatra VII, reina de Egipto (69-[51]-30 a.C.): *General estoria V*: 788, 790-791
clerecía:
  catedralicia: 1450
  «clerecía», contexto cultural: 26, 37, 47

cortesana: Alfonso X: 47, 53, 57, **60-61**, 235, 290, 362, 386, 388, **405**, **424-470**, **470-510**, 644, 703, 713, 795, 1656, 1697, 3634, 3985; molinismo, oposición: 1396, 1450
escolar: **139-156**, 144, 146, 156, 400, 421, 698, 1009, 1143n., 1326, 2667, 2757
juglaresca: 1018
molinista: 953, 953n.
rabínica: 1776
clérigo-caballero: *Libro de los estados*: 1127
clérigos: definición: 1868n.; disciplinas: 4047; estado: 1149; formación: 3049-3052, 3102, 3118; héroe: 1682; inmoralidad: 2973, 3000, 3212
Cliçie: *Sátira de infelice e felice vida*: 3338
Clocestre, duque de, mítico rey de Inglaterra: *Proposición contra los ingleses*: 2625
Clodia, romana, esposa de Quinto Metelo (siglo I a.C.): *Tratado en defensa de virtuosas mugeres*: 3261, 3262n.
Clodoveo I, rey de Francia (*c*.466-[481]-511): *Santa Marta*: 1950, 1952
cobertura poética: ver *integumenta*
Coci, Jorge, impresor (activo entre 1499-1537): 1541
Coclia: *Libro de las claras e virtuosas mugeres*: 3246
Codex Calistinus: libros de viaje: 115n.; materia carolingia: 1579; *Miraglos de Santiago*: 1930-1931
Codex Toletanus: 125
códices facticios, misceláneas de obras: BN Madrid 5626: 3112; BN Madrid 6052: 3274, 3274n., 3287, 3308; BN Madrid 8744: 3832-3859; BN Madrid 9611: 1471; B. Univ. de Salamanca 1877: 1477; Escorial h-i-13: 1341-1342, 1357
códices regios alfonsíes: *Estoria de España*: 646n., 649, 654n., 675, 3986; *General estoria IV*: 689, 734; *Lapidario*: 368; *Libro de las cruzes*: 408-409, 409n.; *Libro de las leyes*: 3986; *Libro de los judizios*: 389; *Libro de Moamín*: 842, 3986; *Libro del saber de astrología*: 599-600, 638, 2828n.; *Libros de acedrex, dados e tablas*: 821-822; *Partidas*: 512; tratados de magia: 2811
codicia, motivo: caballeresca: 1435; concupiscente: 3177, 3181; eclesiástica: 3000, 3501n.; humana: 3005; militar: 3632, 3781; nobiliaria: 3500, 3515, 3567, 3573n., 3746n.; regalista: 2445, 2933, 3657
Coel, rey: *Tristán*: 1520
cohecho: *Ordenamiento de Alcalá de 1348*: 1308
cola: 49-50
Colcas: *Historia troyana polimétrica*: 805, 811; *Sumas de Historia Troyana*: 1644
colecciones de sentencias: ver castigos; sesos
«collaçión» (exégesis): 2169
Collaçiones de los Santos Padres: 1989n., 1998n., 2993
colon: 49-50
Colón, Cristóbal (*c*.1451-1506): *Libro de Marco Polo*: 1654, 1830-1831, 4052
OBRAS:
Diarios: 4056
Colón, Fernando (1488-1539): biblioteca: 3684n.; *Regestrum*: 1835n., 1836n.
Colonna, Egidio (*c*.1247-1316): 1545

Colonna, Giovanni della (1300-1344): *Mare historiarum*: 2423-2426, 2432, 2434
Colonna, linaje: 2984
Colonna, Prospero, cardenal (m.1463): Lucena, Juan de: 3681
Colonna de Chartres, Landolfo (1275/80-1331): 2137
Colonne, Guido de: ver Guido de Columna
Coloquio de la Memoria, la Voluntad y el Entendimiento: 2580n., 2999n., 3070n., 3369, **3374-3377**, 3835; SÍNTESIS Y CONCLUSIÓN: 3955
color, empleo del: «amarillo», enfermedad amorosa: 3280, 3821; cabellos: 3870n.; de la ira: 3352; halcones: 2044-2045; negro: 3318, 3320; pecados: 3004; símbolos heráldicos: 3597-3598
colores rhetorici: «coloradas palabras»: 3819; «colorar» las palabras: 35, 593
Colupna, fray Juan de: ver Colonna, Giovanni della
Comedes, rey: *Libro de los buenos proverbios*: 445
comedia, estilo/género literario: comentario a la *Coronación*: 2732-2733; glosas a la *Eneida*: 2537
Comedia de Calixto y Melibea: ver Rojas, Fernando de
Comedieta de Antioco: *Sátira de infelice e felice vida*: 3338
Comenge, conde de: ver Comminges, Jean de
comentario textual: *ars grammatica*: 32; *Bursario*: 3275, 3277-3279; doctrinal: 2381-2382, 2614; *La Fazienda de Ultramar*: 116; *General estoria II*: 722-723; Pedro de Portugal: 3327-3328; *Semejança del mundo*: 146; símbolos morales: 3106; *Sumas de la Historia Troyana*: 1636
comentarios críticos, valoraciones literarias: comentario a la *Coronación*: 2730-2734; *Libro de los estados*: 1145-1146
Comento del dictado, traducción de Lulio: 3360-3363
Coméstor, Pedro: ver Pedro Comestor, maestre
Comite, Roland of: atribución del *Viridario*: 2025
commata: 49-50
Comminges, Jean de: ver Armagnac, Jean d', conde de Comminges
comparatismo religioso: *Barlaam*: 1002; *Escala de Mahoma*: 238; *Estoria de la fiesta del Cuerpo de Dios*: 3034; *Setenario*: 320, **321-325**
compassio: *Oras de los clavos*: 4070-4071
compendios educativos del siglo XV: 3133-3140
Compendium philosophiae (*c.*1300): 4054
compilador:
- **libros alfonsíes**: *General estoria I*: 4015; *General estoria IV*: 748, 754, 759, 762, 768, 775; *General estoria V*: 792; *Libro de los judizios*: 401, 410
- **libros de Sancho IV**: *Libro del consejo*: 949

composición progresiva de un texto: *Amadís*: 1542-1551; *Libro del consejo*: 949-950; *Zifar*: 1375-1376, 1378 1421-1423, 1425, 1438, 1442
compromiso de Caspe (1412): bibliografía: 2195n.; Ferrer, fray Vicente: 2948, 2954; ms. X-ii-13: 2306-2307
comunidad: 1702, 1715-1716, 1722, 1730-1735; definición: 1732
conciencia:
- **crítica**: Alfonso de Toledo: 3713-3714
- **estilística**: Manuel, don Juan: 1154 (ver voz de la autoría)

concilios:
Basilea (1434): 2112, 2234-2235, 2239, 2289, 2589, 2599-2601, 2613, 2615n., 2618, 2623-2624, 2628, 2642, 2644, 3267, 3299n., 3402, 3415, 3420, 3422, 3603, 3607, 3615n., 3785
Cartagena (1323): 1735
Constanza (1414-1418): 2985, 3844
Letrán IV (1215): 25-26, 58, 76, 110, 112-113, 319, 1009, 1018, 1991, 2013, 2016, 2020, 3836n., 3994
Lyon (1274): 363
Tarragona (1233): 124
Toledo (1323): 1735
Tolosa (1223): 124
Valladolid (1228): 25
Valladolid (1322): 1735
Vienne (1311): 4036
conclusio: epístola, 3216; sermón: 1900, 1906
Concordia Novi ac Veteris Testamenti: 1751n.
conde, dignidad: *Cirimonial de príncipes*: 3604; *Vergel de los príncipes*: 3624
conde de Foix: ver Gaston IV de Foix
conde de Lan: *Zifar*: 1433n.
conde de San Pol, «el Bastardo»: ver Juan de Luxembourg
conde de Tolosa, esposo de Ida: *Estoria del Cavallero del Çisne*: 1044
conde de Turbia: *Zifar*: 1432-1433, 1802n.
conde Farán: ver Ribaldo
conde Lucanor: *Libro del conde Lucanor*: 903n., 1156-1183
condesa de Altavilla: ver Acciaiuoli, Andrea
Condesa Traidora: *Crónica General Vulgata*: 1233; *Istoria de las bienandanzas e fortunas*: 3551
condestable: oficio: *Cirimonial de príncipes*: 3604-3605
CONFESIÓN DEL AMANTE: 3201, **3208-3218**; SÍNTESIS Y CONCLUSIÓN: 3952 (ver Gower, John)
confesionales: ver tratados de confesión
«confirmamiento» (término de retórica): *Libro del tesoro*: 887
conjointure, noción: Chrétien de Troyes: 1464
«conorte», noción de: 553
«conplisiones de los onbres»: *Arcipreste de Talavera*: 2683-2686
Conquête de Jérusalem, La: 1039n., 1041-1042
Conquista, faraute del infante don Pedro de Aragón: cartas de batalla: 2882-2883
Conquista de Troya, La: 3218-3219
Conradín/[Conrado V], duque de Suabia, hijo de Conrado IV (1252-1268): *Gran Conquista de Ultramar*: 1054
Conrado III, emperador de Alemania (1093-[1138]-1152): *Gran Conquista de Ultramar*: 1048
Conrado IV, rey de Alemania [1237] y de Sicilia [1251] y Jerusalén (1228-1254): *Gran Conquista de Ultramar*: 1054
consejo/consejero:
ars rhetorica: *Batalla campal de los perros contra los lobos*: 3764

buen consejero: *Bocados de oro*: 466; *Calila*: 201, 209; *Castigos del rey de Mentón*: 1453; *Crónica de Sancho IV*: 978; *Exhortación de la paz*: 2725; *Exortaçión*: 3658; *Libro del conde Lucanor*: 1155-1156, 4031; *Libro del consejo*: 946-948, 950-951, 951-959; *Mainete. Gran Conquista de Ultramar*: **1089-1091**; Manuel, don Juan: 1097; *Proverbios o sententias breves*: 3129; *Secreto de los secretos*: 291; *Sendebar*: 224, 226, 4003; *Tratado de la comunidad*: 1733; *Tratado de providencia contra fortuna*: 3600
consejero interior: *Barlaam*: 990, 990n.
falsos consejeros: Alarcón, Hernando de: 3755; *Crónica de Alfonso X*: 854; *Libro de Graçián*: 3382, 3386
Libro del conde Lucanor, manual de consejeros: **1161-1179**
mal consejo: *Estoria de Roboán*: 1433
regimiento: *Suma política*: 3617-3618 (ver privado)
Consejos de Aristóteles a Alejandro: 275n., 286
consilium: 1401n.
consolaciones/consolatorias: *Arboleda de los enfermos*: 3060-3063; *Epístola de consolaçión*: 3274n.; epístola de Gómez Manrique a don Pedro González de Mendoza: 3728; *Exemplos muy notables*: 3110-3113; *Gran Conquista de Ultramar*: 1052; *Lamentación de don Álvaro de Luna*: 2944; *Libro de Graçián*: 3392; *Libro de la consolaçión de España*: 3075, 3078, 3080-3082; *Libro de las veinte cartas*: 3794; libros de consolación: **2974-3015**; «suplicación» de P. Guillén de Segovia: 3719; *Tratado de la consolación*: 2493-2497 (ver tratados de consolación)
constancia: *Flor de virtudes*: 3742; *Jardín de nobles donzellas*: 3673; *Tratado e despido a una dama de religión*: 3800-3804; *El Victorial*: 2392; *Zifar*: 1455
Constancia, esposa calumniada: 3136n.
Constantino I (*c.*280-[306]-337): *Andanças e viajes* de Pero Tafur: 3410, 3418; *Libro del tesoro*: 873; *Mar de historias*: 2428-2429, 2431; *Santa Catalina*: 1955
Constantino V (718-[741]-775): *Crónica de los Emperadores*: 1654
Constantino XI Paleólogo («Dragas») (1404-[1449]-1453): *Andanças e viajes* de Pero Tafur: 3417
Constantinopla, ciudad mítica: *Amadís*: 1566, 1572-1573, 1576; *Andanças e viajes* de Pero Tafur: 3403, 3417, 4076; *Crónica de Enrique IV*: 3489; *Embajada a Tamorlán*: 2183-2184; *Enrique fi de Oliva*: 1621, 1623, 1627, 1629; *Gran Conquista de Ultramar*: 1043, 1053
Constantinopla, emperatriz de (María de Brena): ver Brienne, María de
Constanza, hija de Pero Niño (siglo XV): *El Victorial*: 2396
Constanza, mujer de Pero Niño: ver Guevara, Constanza
Constanza, sor, hija de Juan de Castilla, nieta de Pedro I (m.1478): 3054, **3071-3074**; SÍNTESIS Y CONCLUSIÓN: 3949
OBRAS:
devocionario: **3071-3074, 4069-4071**
Oraçión de tu vida e passión: 3072
Oras de los clavos: 3072-3073, 4070-4071
Oras de tu encarnaçión: 3072
Constanza de Aragón, esposa de Federico II Hohenstaufen (1179-1222): *Liber regum*: 104

Constanza de Aragón, infanta, hija de Jaime I, esposa del infante don Manuel (1239-m.*c.*1266): descendencia: 1095; enfrentamiento con doña Violante: 1195-1196 (*Libro de las tres razones*)
Constanza de Aragón, infanta, mujer de don Juan Manuel (1300-1327): enlace y alianza con Aragón: 1097-1098; muerte: 1109
Constanza de Castilla, hermana de Fernando III (1200-1242): unidad de reinos: 243n.
Constanza de Castilla, hija del rey Pedro I (1354-1394): enlace con Juan de Gante, duque de Lancáster: 1814, 1814n.; madre de Catalina de Lancáster: 2346-2347
Constanza de Portugal, reina, hija del rey D. Dionís, esposa de Fernando IV (1290-1313): enlace: 859; María de Molina: 1252; parentesco con Fernando IV: **1253n.**
consumación de matrimonio, prueba: *Memorial de diversas hazañas*: 3530
contadores de «exemplos»: *Barlaam*: 995; *Castigos de Sancho IV*: 935-938; *Castigos del rey de Mentón*: 1456; *Crónica de Fernando IV*: 1251; *Estoria del infante Roboán*: 1427, 1433; *Exemplos muy notables*: 3111-3114; *Historia de don Álvaro de Luna*: 2927; *Libro del consejo*: 958; siglo XV: 3095
contar, cómputo, cuento: 354, 609, 1331 (ver numerología).
contemplación espiritual/*contemplatio*: *Libro de toda la vida de nuestra Señora*: 3880-3881; Ms. 49, Catedral de Pamplona: 2970; realidad social negativa: 3391; Reyes Católicos, producción religiosa: 3834; *Vida de la Virgen*: 3855-3856
Contención que se finge entre Aníbal e Scipión: 2541
contes dou Graal, Li: 1331, 1465n.
contextos culturales, desarrollo de la prosa: 56-62
contextos de producción literaria: Alfonso VIII: 80, 110; *Amadís*: 1542, 1548; cancillerías: 71; *Castigos de Sancho IV*: 920; colecciones sapienciales: 2155; *Cuento de Carlos Maynes*: 1605-1606; desarrollo del discurso prosístico: **56-65**; *Espéculo*: 332; ficción sentimental: 3159; *Flores de filosofía*: 262, 266; *Gran Conquista de Ultramar*: 1029; humanismo: 2470; *Libro de la consolaçión de España*: 3076-3077; Lulio, Raimundo: 3361; noción: 11; *Partida I*: 540; *San Amaro*: 1962-1964; traducción de V. Máximo: 3149 (ver receptores)
contextos de recepción: crónica real: 1239, 1243, 1245-1248, 2697; cuentística: 2016; disputas religiosas: 131; ficción de la primera mitad del siglo XV: **3152-3153**; ficción en la corte alfonsí: **796-798**, 803; ficción medieval, contextos de origen: 1327; hagiografía: 1935-1936; historiografía romance: 162; Manuel, don Juan: 1118; materia artúrica: 1486-1487, 1528, 4040; materia caballeresca: 1541, 1545, 1547, 1568; molinismo: 935-936, 948, 958, 1037-1038, 1040, 1055-1057, 1069, 1361, 1366, 1378, 1457-1459; siglo XIII: 56, 58, 76; traducciones: 182-183, 187, 214, 263, 273, 277, 325, 428, 436, 442, 471, 473, 482, 667; tratados de predestinación: 2803
Contreras, Vasco de (siglo XV): toma de Perales: *Memorial de diversas hazañas*: 3589n.
controversias: cancioneriles: 3746; políticas: 3785 (ver tratados apologéticos y de controversia)
conversión de seres humanos en animales: *Estoria del Cavallero del Çisne*: 1061, 1065
conversiones religiosas: *Barlaam*: 981-982, 987-988, 994, 1003, 1006, 1172n.;

controversia sobre conversiones: 2636-2637; *Del soberano bien*: 2165-2166; *Demanda*: 1502; *Enxemplos que perteneşçen al Viridario*: 2033; familia Santa María: 2588-2589, 2592; *Flores y Blancaflor*: 1588, 1592; *Generaciones y semblanzas*: 2449; *Historia del emperador Carlomagno*: 1582; *Libro de Josep de Abarimatía*: 1481; *Libro de los estados*: 1139, 1143; Lulio, Raimundo: 3369-3370; *Santa Catalina*: 1960-1962; *Santa Marta*: 1952; Valladolid, Alfonso de: 1752, 1754; *Vida de San Ildefonso*: 2708

copa de oro, motivo: *Flores y Blancaflor*: 1586-1587

Copín, figura alegórica: *Perfeçión del triunfo*: 3777

copistas:

cuentistas: Ms. 15, R.A.E.: 4032

intervenciones de: *Estoria de España*: 646-647; *Libro de los buenos proverbios*: 442; *Libro de los doze sabios*: 255, 255n.

lengua/*usus scribendi*: cancillería regia: 3980, 3987-3989

«coplas de disparates»: *Triste deleytaçión*: 3828, 3828n.

Coplas de la Panadera: 2633n., 3744

Coplas de Mingo Revulgo: 3744

Coplas del Provincial: 3744

Corbalán, Juan/«Johán», caballero navarro (siglo XIII): *Castigos de Sancho IV*: 930, 933, 937, 4027

Corberic, castillo: 1473, 1496, 1500-1503, 1970, 3438

Cordí, el: *El Victorial*: 2390

cordura, noción: Alfonso X: 826, 831; Sancho IV: 954

Corintia y Ambrosio: *Tratado e despido a una dama de religión*: 3803

Coriolano, Cayo Marcio (siglo V a.C.): *Sátira de infelice e felice vida*: 3339

Corisanda: *Amadís*: 1570

Cornelia, doncella: *Tratado e despido a una dama de religión*: 3803

Cornelia, mujer de Pompeyo (siglo I a.C.): *General estoria V*: 786-787; *Libro de las claras e virtuosas mugeres*: 3232

Cornelio, centurión: *Estoria de España*: 1351

Cornelio Escipión, Cneo (m. 212 a.C.): muerte en España: *Décadas*: 2140

Cornelio Escipión, Publio (m. 212 a.C.): muerte en España: *Décadas*: 2140

Cornet, fray Ramón de: *Doctrinal*: 2503 *(Arte de trovar)*

Cornificia: *Libro de las claras e virtuosas mugeres*: 3236

Cornomarán: *Gran Conquista de Ultramar*: 1041, 1045

Cornualla: *Amadís de Gaula*: 1544; *Libro de las generaciones*: 108; *Mar de historias*: 2434; *Sumas de Historia Troyana*: 1646; *Tristán*: 1506, 1512, 1515-1519, 1522-1523, 1530-1531, 1538

corona: ceremoniales: 2744, 3303; símbolo: 1913

coronación de la señora Gracisla, La: 2409, 3831

Coronel, Aldonça, mujer de Álvar Pérez de Guzmán (siglo XIV): *Crónica de Pedro I*: 1797

Coronel, María, esposa de Juan Alfonso de la Cerda (m.*c.*1409): *Tratado en defensa de virtuosas mugeres*: 3264

CORÓNICA DE A. PÉREZ DE GUZMÁN: **2459-2470**; construcción del linaje: 2466-2470; estructura: 2460-2461; formación del héroe: 2461-2466; SÍNTESIS Y CONCLUSIÓN: 3936-3937

Corónica de los reyes: 3218
Corónica de los reyes de Angliaterra: *El Victorial*: 2386n., 3218
CORÓNICA VERDADERA (Pedro I): **1777-1779**, 1782, 2098n.
Corónicas de Castilla: *El Victorial*: 2358
Corpus iuris canonici: 2628
Corpus iuris civilis: 2628
Corral, fray Juan de, corresponsal del Arcediano de Niebla (m.1432): 2750, 2754-2756
Corral, fray Pedro de, corresponsal del Arcediano de Niebla (mitad siglo XV): 2755
CORRAL, PEDRO DE (siglos XIV-XV): **3342-3358**; *Amadís*: 1555n., 1556; críticas contra: 2438, 3341, 3344; *Crónica del moro Rasis*: 2088; historiografía y ficción: 2083; Luna, Álvaro de: 3340, 2370n.; mención de Enrique de Aragón: 2501, 3342n.; orden de la ficción: 2083; *romances* de materia historiográfica: 1632, 1634; SÍNTESIS Y CONCLUSIÓN: 3955
OBRAS:
Crónica sarracina: 2202, 2460, 2501, 2900, 3193, 3218, 3222, 3340, **3343-3358**; cronistas: 799; estructura y contenido: 3347-3356; orígenes de la leyenda: 3345-3346; penitencia del rey don Rodrigo: 3355-3356; «Primera parte»: 3348-3352; «Segunda parte»: 3352-3354; técnicas narrativas: 3356-3358; tradición textual: 3343-3344
Çorraquín Sancho: *Crónica de la población de Ávila*: 174
Correa, Pelayo, maestre de Santiago (1243-1275): *Crónica particular de Fernando III*: 1243n.
Correas, Gonzalo (1571-1631): *Vocabulario de refranes y frases proverbiales* (1627): 4060
corrupción, casos: 3378
Corsates, clérigo: *Santa Catalina*: 1960
CORTE: ámbito consiliario: 1071; ceremonias: 2283, 2742-2743, 2883; corte letrada: 348-353, 356n., 405-407, **423-852**, 915, **2195-2206**, 2503-2506; «cursar cortes»: 2907, 3196, 3254-3255, 3307; definición legislativa: 556, 1071, 1302-1303, 3754n.; degradación: 3377-3401; escenografía justicia: 2296, 2308; halagos de la corte: 496, 3348-3349; marco de enseñanza: **470-510**; marco de persecuciones: 985-986, 988-992, 1958-1959; noción: 161, 218, 258, 290, 345, 347; peligros: 3116-3117; servicios (Á. Luna): 2907-2909
corte aragonesa: aragonesismo y poder nobiliario: 2232; cortesía: 3813, 3820; enfrentamiento con corte castellana: 2112, 2195-2206, 2288-2289, 2316, 2472, 2751; ficción sentimental: 3155-3156, 3812-3813; hagiografía: 1937; Luna, Pedro de: 1914
corte portuguesa: modelo cultural: 2146; vínculos con la castellana: 3210
cortes:
Madrigal (1476): 3840n.
Toledo (1207): 20n., 3988
Toledo (1480): 3512, 3515, 3658, 3679, 3756, 3832
Zamora (1274): 333, 1291-1292
cortesía:
humanística, nobleza: **2470-2586**

nobiliaria: *Avisaçión de la dignidad real*: 1728-1730; *Cancionero de Baena*: 3195; *Crónica de Fernando IV*: 1258; ficción: 3152-3153; *Hechos de Lucas de Iranzo*: 3566, **3577-3579**; *Libro del consejo e de los consejeros*: 954-955; *Libro del tesoro*: 868, 881-882; Manuel, don Juan: 1102; molinismo: 1656; *Ordenamiento de Nájera*: 1313; *Purgatorio de San Patricio*: 1847; sentencias: 3140-3151; *El Victorial*: 2370n.; *Zifar*: 1396, 1411-1420, **1414**, **1448-1450**, 1475
portuguesa: Cartagena, Alfonso de: 2606
regalista: *Crónica sarracina*: 3351-3352; *Crónicas* de Ayala: 1803, 1815, 2036-2049; *Glosa castellana al «Regimiento de príncipes»*: 1720-1721; regimientos de príncipes: 1700
(ver «saber» y «cortesía»)
corteza literal: ver sentido literal
Corvalán, rey: *Gran Conquista de Ultramar*: 1041
Costilla, Jorge, impresor (activo entre 1502-1532): *Libro de las maravillas del mundo*: 3984
Costituçión fecha en el Conçilio de Costançia: Miscelánea, BN Madrid 8744: **3844**
Costo, rey: *Santa Catalina*: 1955n.
costumbres:
caballerescas: *Espejo de verdadera nobleza*: 2722; *Lamentaçión de Spaña*: 2525; *Partida II*: 562; *Partida VII*: 594; *Zifar*: 1404
linajísticas: *Castigos del rey de Mentón*: 1444, 1450, 1454; *Estoria del infante Roboán*: 1428, 1434, 1476; *Generaciones y semblanzas*: 2440; *Zifar*: 1395-1397, 1403, 1411-1420
políticas: *Glosa castellana al «Regimiento de príncipes»*: 1711, 1714-1715, 1719
Cota, Alfonso, contador de don Álvaro de Luna, converso (mitad siglo XV): rebelión de Toledo de 1449: 2635
Cota, Rodrigo de, poeta cortesano (*c.*1450-d.1504): círculo letrado de Carrillo: 3581n.
cotidianidad: ver vida cotidiana
Covarrubias, Diego de (1512-1577): fechación de *Flores*: 260
Crátero/Crateres de Macedonia, príncipe (m.321a.C.): *Mar de historias*: 2428n.
Crates (siglo III a.C.): *Vidas y dichos de filósofos antiguos*: 2120
creación del mundo, La (título de *Las siete edades del mundo*): 2590
Creón: *Libro de las claras e virtuosas mugeres*: 3238
Crescencia, Emperatriz: 1369
Crescentia: 1367n.
Cresques, Abraham (m.1385): *Atlas* (1375): 1829, 1830n., 4050-4051, 4052n., 4055
Cresques, Jehuda, hijo de Abraham Cresques (*c.*1350-*c.*1427): *Atlas* (1375): 1830n., 4055
Crèzy, batalla (1346): Bersuire, Pierre: 2138; decadencia de la caballería: 1564; relación con Aljubarrota: 1809
criados: ficción sentimental: *Triste deleytaçión*: 3820
crianza de niños: Alfonso X: 596
Crisida: rapto de Agamenón: *Sumas de la Ilíada de Omero*: 2740n.
Crispina: *Libro de las claras e virtuosas mugeres*: 3243

Cristina de Noruega (1234-1262): ceremonia de petición de mano: 363; compromiso con el infante don Felipe: 424, 424n., 974
Cristóbal, San: esbozo hagiográfico: 3858n.; *Libro del infante don Pedro*: 3432; oración: 3858
cristología: *Barlaam*: 989; *Castigos de Sancho IV*: 923-925; *General estoria IV*: 756; *Libro de las çinco figuratas paradoxas*: **2648-2655**, 4062; *Libro de las consolaçiones*: 2990-2991; *Libro de los estados*: 1129; *Libro del infante don Pedro*: 3433; Miscelánea BN Madrid 8744: **3832**; *Mostrador de Justiçia*: 1755; símbolos: 3852; *Vida de Santo Domingo de Guzmán*: 1992
  vida de Cristo: ver Jesucristo
crítica:
  eclesiástica: *Libro de Graçián*: 3385-3386; *Libro de vita beata*: 3696-3697; *Mar de historias*: 2429, 2430n.;
  social: *Libro de Graçián*: 3382, 3390-3401
crítica feminista: 2336; tratados feministas y misóginos: 3220-3340
crítica textual: 1783-1784
Croes de Mondoya, rey, padre de Ardanlier: *Siervo libre de amor*: 3316-3317, 3319-3320, 3322
Cromberger, Jacobo, impresor (m.1528): 1373, 2533, 2831n.
crónica, término générico: 2536-2537, 2900, 3337n.
Crónica abreviada: ver Juan Manuel
Crónica abreviada de los emperadores: 3592
***CRÓNICA CASTELLANA* (Enrique IV): 3517-3520**; Alarcón, Hernando de: 3755; cronística de Enrique IV: 3482; relación con los *Gesta* de Palencia: 3517-3519; SÍNTESIS Y CONCLUSIÓN: 3958; transmisión: 3518-3519; Valera, Diego de: 3521-3522
Crónica Chacón: 2902n. (ver *Historia de don Álvaro de Luna*)
Crónica de 1344: ver *Crónica general de 1344*
CRÓNICA DE 1404: **2085-2087**; cronística general: 649, 1776, 2082, 2085n.; materia artúrica: 104n., 107, 108n., 110, 1460; SÍNTESIS Y CONCLUSIÓN: 3927
CRÓNICA DE ALFONSO X: **971-976**; autoridad del rey: 350n.; «estorias cortesanas»: 424, 973-975; formación: **972-976**; guerra civil: 853-855, 973, 975, 977-979; modelo de crónica real: 964; rebeldía nobiliaria: 973, 974-975; SÍNTESIS Y CONCLUSIÓN: 3904; traducciones alfonsíes: 4013; transmisión manuscrita: 973n., 1261
CRÓNICA DE ALFONSO XI: **1263-1284**; carta del sultán de Bagdad: 1286n.; caza: 1692; derivaciones: **1261-1262**, 2696; estructura: **1263-1267**, 2224; *Grant Crónica de Espanya*: 1291; historiografía trastámara: 1777, 1817, 1819; influencia: 2084; nuevo discurso cronístico: **1282-1284**, 3983; prólogo: **965-968**, 1191; Sánchez de Valladolid, Ferrán: 967; SÍNTESIS Y CONCLUSIÓN: 3911; *Sumario del despensero*: 2096; tiempo de justicia: **1271-1274**; tiempo de la conquista: **1280-1281**; tiempo de la expansión militar: **1276-1279**, 1906; tiempo de las guerras: **1275-1276**; tiempo de tutorías: **1268-1270**; *Versión vulgata*: 1261
CRÓNICA DE CASTILLA: **1230-1231**; *Atalaya de las corónicas*: 2696; *Crónica abreviada*: 1108; *Crónica de 1344*: 1234-1236; *Crónica General Vulgata*: 1232; cronística general: 649-650, 652, 1151; *Estoria del fecho de los godos*: 2084; **Grande estoria de los reyes moros*: 1585n.; *Historia hasta 1288 dialogada*: 972n.,

975n., 978; redacción abreviada: 1231; redacción no abreviada: 1231; SÍNTESIS Y CONCLUSIÓN: 3910; *Versión crítica*: 961, 1229
Crónica de cuatro reyes: 1261-1262, 2696
Crónica de don Álvaro de Luna: ver *Historia de don Álvaro de Luna*
Crónica de Enrique III: ver López de Ayala, Pero
Crónica de Enrique IV: ver Enríquez del Castillo, Diego
CRÓNICA DE FERNANDO IV: **1248-1259**; *Crónica de Alfonso XI*: 979, 1261, 1268; *Crónica particular de Fernando III*: 1248; estructura: **1249-1250**; modelo de crónica real: 971; retrato de María de Molina: **1250-1254**; retrato del monarca: **1254-1259**, 2095; SÍNTESIS Y CONCLUSIÓN: 3910-3911; *Zifar*: 1385n., 1397n., 1415n.
CRÓNICA DE JUAN II: **2207-2268**; *Abreviación del Halconero*: 2322-2333; Alarcón, fray Juan de: 2936n.; Aragón, Enrique de: 2474, 2477, 2479, 2490, 2516; Cartagena, Alfonso de: 2599; crónica real: 2110; Díaz de Games, Gutierre: 2364-2365; Ferrer, fray Vicente: 2955, 2961n., 2984-2985; García de Salazar, Lope: 3551; García de Santa María, Álvar: 2597, 3080; intervención del Relator: 2199, 2210, 2264, 2276, 2288, 2311, 2886; López de Mendoza, Íñigo: 2516-2520, 2530; Luna, Álvaro de: 2202, 2776, 2886, **2887-2900**, 2934. 3340; marco de la ficción sentimental: 3155-3158; Mena, Juan de, cronista: 2269-2270, 2270n.; Ms. Bibl. Santa Cruz 434: 2269n., 2271n., 2272n., 2276; Ms. Escorial X-ii-13: 2211, 2269n., 2272n., 2273, 2294, 2302, **2306-2322**, 2327n., 2909, 3158; Niño, Pero: 2350-2354, 2381, 2390; orden caballeresco: 3761; *Ordenanzas de Corte*: 2857-2860; partes: **2207-2212**; Pérez de Guzmán, Fernán: 2211-2212, 2240-2243, 2269, 2312, 2332, 2421, 2436, 2438n.; Quiñones, Suero de: 2410-2411; *Refundición del Halconero*: **2294-2306**; seguros de guerra: 2884; SÍNTESIS Y CONCLUSIÓN: 3931-3932, 3945; trama narrativa de la *Primera parte*: **2224-2231**; trama narrativa de la *Segunda parte*: **2234-2240**; Valera, Diego de: 3255-3256, 3595; viajeros: 3402; vida de Leonor López de Córdoba: 2337-2340
Primera parte: 2192, 2196-2197, 2199, 2203-2205, **2212-2231**, 2274, 2306, 2319-2320, 2325n., 2331, 2443, 2593, 3393
Refundición: 2194, 2196, 2200, 2212, **2211-2212**, 2231, **2240-2268**, 2275-2276, 2281, 2292n., 2296n., 2297, 2354, 2400, 2477, 2519, 2531, 2590n., 2595, 2616, 2630, 2633, 2714, 2776, 2901, 2930n., 2932n., 2943, 3324-3325, 3408, 3428n., 3437n.
Segunda parte: 2192, 2196, 2200, 2205-2206, **2231-2240**, 2245, 2264, 2268, 2275-2276, 2280, 2312, 2319, 2366, 2450, 2523, 2593-2594, 2600, 2630, **2887-2900**, 2903, 2912, 2934, 3379, 3425
CRÓNICA DE LA POBLACIÓN DE ÁVILA: **170-180**; acciones militares: **174-178**; Alfonso X: 241, 1021n.; «exemplos»: 175-177; fundación de la ciudad: **171-172**; historiografía romance: 162; identidad de la villa: **172-174**; memorial de servicios: **178-180**; SÍNTESIS Y CONCLUSIÓN: 3892-3893
CRÓNICA DE LOS ESTADOS PENINSULARES: **1287-1288**; SÍNTESIS Y CONCLUSIÓN: 3911
Crónica de los Reyes de Castilla: 181n.
Crónica de los Reyes de Navarra: ver Carlos de Navarra
Crónica de once reyes: 1229n. (ver *Crónica de veinte reyes* y *Versión crítica*)
***Crónica de Portugal de 1419*, Fernão Lopes**: 2088

Crónica de San Juan de la Peña: **1288-1290**; síntesis y conclusión: 3911; versiones: **3997**
Crónica de Sancho IV: **976-979**; Alfonso XI: 971, 1261; «exemplos»: 858n., 951, 1249n.; regalismo: 859; síntesis y conclusión: 3904-3905
Crónica de tres reyes: *Atalaya de las Corónicas*: 2696; *Estoria del fecho de los godos*: 2084; formación: 516n.; molinismo: 1260-1261; Sánchez de Valladolid, Ferrán: 964, 977n., 1248
Crónica de veinte reyes (o *Versión crítica*): **1228-1229**; *Crónica particular de San Fernando*: 970n.; cronística general: 649-651; *Estoria de España* (*Versión crítica*): 664, 682, 684, 798n., 961; manuscritos: 1228-1229n., 1230 (ver *Versión crítica*)
Crónica del Campeador: 1231 (ver *Crónica de Castilla*).
Crónica del Conde Fernán Gonçález: 3614n.
Crónica del Despensero de la reina doña Leonor: 248n. (ver *Sumario del Despensero*)
Crónica del famoso cavallero Cid Ruy Díez: 2084
Crónica del Halconero: ver Carrillo de Huete, Pedro
Crónica del moro Rasis: **2087-2089**; Corral, Pedro de: 3345-3346; *Crónica de 1344*: 1234; *Liber regum*: 104; síntesis y conclusión: 3927
Crónica fragmentaria: **1236-1237**; cronística general: 2082; materia carolingia: 1581, 1583-1584, 1585n., 1598, 2087, 2698; síntesis y conclusión: 3910
crónica general: árbol de crónicas generales: 649-650; *Atalaya de las Corónicas*: 2696-2697; concepto: 964, 2081n.; derivaciones en el siglo xiv: **1227-1237**, 3982-3983, 3997-3998; derivaciones en el siglo xv: **2081-2089**, 3341, **3535-3557**; discurso prosístico: 61; *Estoria de España*: **645-686**; evolución a crónica real: 959-979, 1238; modelo pidalino: 649; nuevos modelos: 1285-1291; síntesis y conclusión: 3898-3899, 3911, 3927, 3959-3960
Crónica general de 1344: **1233-1236**; Cartagena, Alfonso de: 2621; *Compendiosa Historia Hispanica*: 3557; *Crónica de 1404*: 2085n., 2086, 2088; *Crónica de Castilla*: 1231; cronística general: 649-650, 2081, 3346; *Estoria del fecho de los godos*: 2085; García de Santa María, Pablo: 2590, 2596; *Istoria de las bienandanzas de fortunas*: 3551; *Repertorio de Príncipes*: 3544; síntesis y conclusión: 3910
Crónica General Toledana: 2085
Crónica General Vulgata: **1232-1233**; cronística general: 652; derivaciones: 2082; Ocampo, Florián de: 1151, 1231; síntesis y conclusión: 3910; *Versión crítica*: 682-684, 1228n.
Crónica Geral de Espanha de 1344: 650
Crónica manuelina: 649, 978, 1104n., 1107-1108; *interpolada*: 972n.
Crónica martiniana: 3592
Crónica navarro-aragonesa: 1287, 3997 (ver *Crónica de los Estados Peninsulares*)
Crónica Ocampiana: 682, 1230-1232
crónica particular: concepto: 2356; primera mitad del siglo xv: **2333-2470**; segunda mitad del siglo xv: **3557-3589**; sumarios: 2081, 2097
Crónica particular de San Fernando: **1238-1248**; *Crónica abreviada*: 1108; crónica real: 964, 969; *Estoria de España*: 157-158, 678-680; «original»: **1241-1245**; raíces del molinismo: 970n., **1239-1241**; significado: hagiografía y política: **1245-1248**; síntesis y conclusión: 3910; *Versión crítica*: 1229-1230
Crónica particular del Cid: 1231
Crónica Pinatense: 1289 (ver *Crónica de San Juan de la Peña*).

crónica real: construcción del género: **968-971**, 1227, 1237, **1238-1284**, 1260, 1282-1284, 1377; Enrique III: **2099-2110**; Enrique IV: **3482-3508**; formación: 959-979; García de Salazar, Lope: 3551; Juan II: **2207-2333**; modelo: 3357; primeras crónicas reales: **964-979**; SÍNTESIS Y CONCLUSIÓN: 3910-3911, 3921-3922, 3927-3928, 3931-3933, 3957-3959; Trastámara: 2081
crónica rimada: *Poema de Alfonso XI*: 1262, 1817
CRÓNICA SARRACINA: ver Corral, Pedro de
Crónica Troyana (Burgos, 1490): 802
crónica universal: *Chronicon Mundi*: 164-165; *General estoria*: 61, 320, 686-796; *Mar de historias*: 2424; *Las siete edades del mundo*: 2590-2594; SÍNTESIS Y CONCLUSIÓN: 3899-3900, 3936, 3940; *Suma de virtuoso deseo*: 3130; *Tostado sobre el Eusebio*: 2657-2659
Crónica Valeriana: ver Valera, Diego de, *Crónica de España*
Crónicas de Sahagún: 1017, **1022-1024**
Crónicas navarras: ver *Anales navarro-aragoneses*
Cronicón de Valladolid: Lucas de Iranzo, Miguel: 3564n.
Cronicón Villarense: ver *Liber regum*.
Crònìqua de Spanya: derivación catalana del *De rebus Hispaniae*: 3996
cronista real: acusador: 2226, 3500-3501, 3503, 3507; cargo: 965, 1238, 2269-2270, 3482, 3482n., 3508; conciencia historiográfica: 1263-1264, 1797-1800, 3522n.; Mena, Juan de: 2729, 3225; Palencia, Alfonso de: 3762-3763; valor del: 2438
crueldad: de la dama: 3331-3333, 3803; noción alfonsí: 574; regimiento nobiliario: 3645; vicio: 3743
cruzadas: 1051-1055 (ver *Gran Conquista de Ultramar*).
Ctesifonte, orador ateniense (siglo IV a.C.): 2604n.
cuadernos de viaje: 2172, 2176
cuadrivio: ver *artes* cuadriviales
Cuarta Crónica General: 2084
cuatro sentidos: ver exégesis; sentidos anagógico, literal, moral, tropológico
Cuenca, toma de (1177): 67
CUENTÍSTICA: siglo XIII: **182-234**, **980-1009**; siglo XIV: **2011-2024**; siglo XV: 2112, **3094-3118**; SÍNTESIS Y CONCLUSIÓN: 3893, 3903, 3908, 3926, 3941-3942, 3948, 3949
«cuento», término genérico: *Barlaam:* 998n.; *Crónica* de Ayala: 1805; *Cuento de Tristán de Leonís*: 1513n.; ficción, modelos: 1329-1331, 1341; *Glosa castellana al «Regimiento de príncipes»*: 1719; *Libro del conde Lucanor*: 1156; *Libro del tesoro*: 1326; *Otas*: 1659; *El Victorial*: 2382, 2395
Cuento de Bruto y Dorotea: *El Victorial*: 2363n., 2385n., 3219-3220
Cuento de los Reyes: *El Victorial*: 1782, **2090-2092**, 2098, 2342n., 2373, 2383, 3218
CUENTO DE TRISTÁN DE LEONÍS: **1513-1523**; derivaciones: 1508, 1511, 1534
CUENTO DE UNA SANTA ENPERATRÍS: **1366-1370**; belleza negativa: 1982, 3242n.; hagiografía: 1662; mercader: 489n.; molinismo: 1252n., 1361; reina calumniada: 1594, 1659, 1670-1672, 1936, 3983; SÍNTESIS Y CONCLUSIÓN: 3913
CUENTO DEL ENPERADOR CARLOS MAYNES: **1605-1617**; *Atalaya de las corónicas*: 2698; caballería cortesana: **1605-1607**; estructura: **1607-1617**, 1659, 1662-1664, 1667, 1672, 1936; hagiografía: 1366; molinismo: 1361; reina Sevilla: 1581, 1604, 3983; SÍNTESIS Y CONCLUSIÓN: 3916-3917

«cuento» ['cómputo'] simbólico de letras de nombres: Alfonso X: 307-308, 310, 316; Saturno: 383
cuerno mágico: *Estoria del Cavallero del Çisne*: 1070, 1078-1079; *Estoria del rrey Guillelme*: 1362; *Libro de confesión de Medina de Pomar*: 3043; *Libro del conoscimiento del fin del mundo*: 3087-3088; *Libro del grant açedrex*: 834; *Lucidario*: 912; *Tristán*: 1519, 1530, 1536
cuerpo: cuerpo/alma: 2692, 3374-3377; cuerpo/saber: 3667n.; cuerpo de la Virgen, descripción: 3868-3871; cuidados del: 4934; engaños del: 2963, 3834-3835; imagen alegórica de la comunidad: 1731-1732; indisposición: 2997; lenguaje del: 2682; motivo: 1172-1174, 1187-1188
Cueva, Beltrán de la, duque de Alburquerque, favorito de Enrique IV (m.1492): ascenso cortesano: 3490; cerco de Molina: 3587; conde de Ledesma: 3490; dominio sobre Enrique IV: 3476; duque de Alburquerque: 3603n.; fiestas caballerescas: 3678; *Glosas*: 2039, 2852-2853; maestre de Santiago: 3485n., 3492, 3494, 3526, 3558-3559, 3567; mayordomo mayor del reino: 3558; relación con Juana de Portugal: 3520 (*Crónica castellana*); señorío de Úbeda: 3560
Cueva, Juan de la (*c.*1543-1610): 3765n.
cueva, motivo: *Estoria del rrey Guillelme*: 1362-1363; *Purgatorio de San Patricio*: 1845-1846; *Santa María Madalena*: 1944; *El Victorial*: 2377
Cum ad sacerdotem: 1010, 1012-1013
Cupido: *Breviloquio de amor*: 3173; *Confesión del amante*: 3214, 3217; *Las diez qüestiones vulgares*: 2659; *Estoria de dos amadores*: 3318; *Jardín de nobles donzellas*: 3675n.; *Sátira de infelice e felice vida*: 3337n., 3338, **3338n.**; *Tratado de amor*: 3184, 3187; *Triste deleytaçión*: 3819 (ver Amor, dios del)
curación milagrosa, motivo: *Otas*: 1673; *Santa Marta*: 1950-1952; *Vespesiano*: 1676-1678
Curcio, Quinto (siglo I d.C): Decembrio, Pier Candido: 2582; *Floresta de filósofos*: 3141n., 3142n.; *Libro de los exemplos por a.b.c.*: 3098
Curcios, linaje: 3251
Curineo: *Sumas de Historia Troyana*: 1646
curiosidad: femenina: 1078; riesgo de saber excesivo: 869; soberbia: 1639
curso rimado: *Istoria de Sant Alifonso*: 1922; prosa: 46, 80; versificación clerical: 44, 1333
cursus: *De rebus Hispaniae*: 167; *dictamen*: 41-42; prosa rítmica: 52; Rodríguez del Padrón, Juan: 3289 (ver isocolon)
Cygnus: *Estoria del Cavallero del Çisne*: 1057n.

Dacia, reina de: *Crónica de Juan II*: 2716
Daimira/Daynira, mujer de Hércules: *Bursario*: 3282-3283, 3286; *Sumas de Historia Troyana*: 1642; *Tratado de cómo al hombre es necesario amar*: 3179
Daites y Licores: *Flores y Blancaflor*: 1587
Dalila, mujer filistea (siglo XII a.C.): *Libro de las consolaçiones*: 2997
Dama/Dueña del Lago: ver Nemina/Niviana
Danae: *Tratado de amor*: 3186
Danao, rey de Argos: *Bursario*: 3278; *General estoria II*: 722
Dancos, rey: ver *Libro de cetrería*

Dancus rex: 1685, 1688, 1688n.
Daniel, profeta (*c.*600 a.C.): *Castigos de Sancho IV*: 933; epístola de Alfonso de Valladolid: 1759; *General estoria IV*: 750, 752-754; *Libro del conoscimiento del fin del mundo*: 3086
Dante Alighieri (1265-1321): comentaristas: 2537; *Escala de Mahoma*: 238-240; *Exortaçión*: 3659n.; fortuna, imagen: 3601n.; Latini, Brunetto: 863, 865n., 884; López de Mendoza, Íñigo: 2480-2481, 2521, 2524n.; Lucena, Martín de: 3680
OBRAS:
Convivio: 1706
Divina Commedia: 238, 2481, 2515-2516, 2547, 3308n., 3828
Vita nuova: 2980n., 3202
Danza de la muerte: 2024n.
Dardán, «el Soberbio»: *Amadís*: 1558-1559
Dárdano, primer rey de Troya: *General estoria I*: 717; *Sumas de Historia Troyana*: 1641
Dares, el Frigio: *De excidio Trojae historia* (siglo VI): 702, 720, 737, **799-801**, 1677, 3358, 4019, 4019n., 4020
Darío III, rey persa, rival de Alejandro ([336-330 a.C.]): *Bocados de oro*: 461n., 468-469; *General estoria IV*: 768-770; *Mar de historias*: 2428
Darío, disquisición sobre reyes con este nombre: *General estoria*: 752-753, 760, 765
Darío, hijo de Ydaspo: *General estoria IV*: 761
Darioleta: *Amadís*: 1543
David, rey de Judá y de Israel ([*c.*1010-*c.*970 a.C.]): *Carta e breve conpendio*: 3648; *Crónica* de Ayala: 1807; *Crónica de Juan II*: 2218-2219; *Crónica de los Reyes de Navarra*: 3537; *Estoria del Cavallero del Çisne*: 1058; *Exposición del salmo*: 2507; *General estoria*: 704, 711, 719, 731-732, 735; *Invencionario*: 3707; *Libro de las tribulaciones*: 3009; *Libro del tesoro*: 873; *Lucidario*: 898; *Proverbios* de Santillana: 2530; *Tratado de cómo al hombre es necesario amar*: 3177, 3179; *El Victorial*: 2377
y Urías: *Flor de virtudes*: 3741
Davio, Per, caballero (s. XV): *Libro del Passo Honroso*: 2416
Daynira: ver Daimira
De arte venandi cum avibus: 843
De bestiis et aliis rebus: 877n.
«de casibus virorum illustrium», modelo: 449
de contemptu mundi, tema: *Coloquio de la Memoria, la Voluntad y el Entendimiento*: 3375n., 3376-3377; Miscelánea, BN Madrid 8744: 3834; *Tratado* de Alarcón: 3758; *Triste deleytaçión*: 3814n.
De la consolaçión de la theología: 2987-2988, o *Libro de las consolaçiones* (ver Luna, don Pedro)
De las medicinas: 2773
De las sentencias: 2164
De las tachas de las mugieres: Miscelánea, BN Madrid 8744: **3841**
De las usuras: Miscelánea, BN Madrid 8744: **3840**
De naturis rerum: 840n.

de re militari: *Décadas*: 2140; *Dichos de sabios*: 3122; *Dichos de Séneca*: 3144; *General estoria IV*: 761; *Invencionario*: 3707; *Memorial de diversas hazañas*: 3532-3533; *Oraçión de miçer Ganoço Manety*: 2586; *Partida II*: 565-567; *Perfeçión del triunfo*: 3782; *Suma política*: 3612-3615; *Vergel de los príncipes*: 3624-3625
De rebus Hispaniae: ver *Historia de rebus Hispaniae*
De viii° escaleras para sobir al çielo: Miscelánea, BN Madrid 8744: **3837-3838**
De virtutibus herbarum: 2773
De vita et honesta clericorum: 1852
deán de Santiago y don Yllán de Toledo: *Libro del conde Lucanor*: 1166
«debdo»-parentesco: Alfonso X: 578, 583, **583n.**, 585; *Andanças e viajes* de Pero Tafur: 3405; Boecio: 2991; *Crónica de Juan II*: 2518; *Crónica del Halconero*: 2717; *Crónicas* de Ayala: 1801; *General estoria III*: 737; *General estoria VI*: 794; *Libro del conde Lucanor*: 1166; Manuel, don Juan: 1101; *Sacramental*: 3052
***Décadas* de Tito Livio**: ver López de Ayala, Pero
Decembrio, Angelo (1415-m.d.1467): 2522
Decembrio, Pier Candido (1399-1477): *Controversia Alphonsiana*: 2610n., 2611, 2613, 2613n., 2614n.; *Floresta de filósofos*: 3141n.; Guzmán, Nuño de: 2582, 2582n.; Sánchez de Arévalo, Rodrigo: 3555; versión latina de la *Ilíada*: 2538, 2734-2736, 2740; *Vita Homeri*: 2740n.
Decretales: ver Gregorio IX
Dédalo: *Invencionario*: 3715n.
  «arte dedálica»: *Perfeçión del triunfo*: 3778
dedicatoria del libro, motivo: 3292-3293, 3298-3300
defensores, estado: *Libro de los estados*: 1138; *Libro enfenido*: 1188-1190; *Partida II*: 560
«defirmamiento» (término de retórica): *Libro del tesoro*: 887
Deguileville/Digulleville, Guillaume (1295-d.1358): *Le Rommant de Trois Pèlerinages*: 3308n.
Del loor de la confessión: Miscelánea, BN Madrid 8744: **3837**
Del soberano bien: ver Isidoro, San
Délbora/Déhbora/Dévora, profetisa (siglo XII a.C.): *Libro de las claras e virtuosas mugeres*: 3230, 3245n., 3251; *Tratado en defensa de virtuosas mugeres*: 3261-3262; *Triunfo de las donas*: 3297
deleites: *Castigos y dotrinas*: 3137-3138; *Declaración sobre San Juan Crisóstomo*: 3031; *Dichos por instruir a buena vida*: 3124-3126; *Espejo del alma*: 2999; *Espertamiento de la voluntad de Dios*: 3834; *Exemplos muy notables*: 3114; *Exortaçión*: 3656; *Hechos y dichos memorables*: 3148; *Libro de las consolaçiones*: 2995; *Libro del tesoro*: 869, 3656; *Proverbios o sententias breves*: 3129; *Suma política*: 3611-3612; *Vergel de los príncipes*: 3623
  rechazo del deleite formal: *Libro de toda la vida de nuestra Señora*: 3863
  vida rústica: *Libro de vita beata*: 3694
Dels auzels cassadors: 1685
demanda caballeresca: 1425
DEMANDA DEL SANTO GRIAL: 1469, **1492-1505**, 3336, **4039-4040**; estructura narrativa: **1495-1503**, 1510, 1525; SÍNTESIS Y CONCLUSIÓN: 3915; transmisión: **1493-1495**, 3760, 4039-4040
Demanda do Santo Graal: 1461n., 1469, 1477, 4040

Demócrito (460-370 a.C.): *Declaración sobre San Juan Crisóstomo*: 3032; *Tratado de caso y fortuna*: 2781; *Vidas y dichos de filósofos antiguos*: 2125; *Visión deleitable*: 2845
Demofón: *Bursario*: 3282, 3284
demonstratio per hypothesim: *Comento del dictado*: 3362
Demóstenes (384-322 a.C.): Cartagena, Alfonso de: 2604n.; *General estoria III*: 49; *Vidas y dichos de filósofos antiguos*: 2125, 2129, 2131n.
«departimiento»:
  exégetico: *Del soberano bien*: 2169
  término de retórica: *Crónica de Alfonso XI*: 1279; *Estoria de España*: 673; *General estoria V*: 783-784, 791; *Libro conplido en los judizios de las estrellas*: 399; *Libro del tesoro*: 887; *Semejança del mundo*: 146; *Setenario*: 323; *Sumas de Historia Troyana*: 1647
«departir»: *Estoria de España*: 673, 969; *Libro de los judizios*: 400; *Partida II*: 555
«deportarse», acción cortesana: Alfonso X: 61, 407; Luna, Álvaro de: 2928; Sancho IV: 935, 937; Tafur, Pero: 3405
deportes:
  cortesanos: Alfonso X: 817-852; *Castigos de Sancho IV*: 937-938; *Historia de don Álvaro de Luna*: 2928; *Jardín de nobles donzellas*: 3670; Juan II: 2203; *Libro de Graçián*: 3394; *Vergel de los príncipes*: 3623-3628; *El Victorial*: 2363
  de damas: *Andanças e viajes* de Pero Tafur: 3420; prohibición: 932
  halagos: *Crónica de la población de Ávila*: 176
  lecturas: *Andanças e viajes* de Pero Tafur: 3405; *Partida II*: 563n.; *Prologus baenensis*: 3195
  origen: *Andanças e viajes* de Pero Tafur: 3706, 3708
  torneos/bohordos: cartas de batalla: 2882; *Castigos del rey de Mentón*: 1449; *Crónica de Alfonso XI*: 1276-1277; *Crónica sarracina*: 3349, 3351; *Doctrinal de los cavalleros*: 2878; *Espéculo de los legos*: 3105; *Estoria del infante Roboán*: 1428; «fazañas»: 88-89; *Historia de don Álvaro de Luna*: 2908-2909, 2911-2912, 2919, 2927; *Lanzarote*: 1474; *Libro de las confesiones*: 4048; *Libro de vita beata*: 3691; *Libro del Passo Honroso*: 2412, 2414; *Partida I*: 531; *Tristán*: 1512, 1514, 1516, 1523-1524, 1529, 1531; *El Victorial*: 3159
  (ver caza; juegos)
deprecación: *Libro de vita beata*: 3692
derecho:
  canónico y romano: 86, 111, 301, 305, 330-331, 335, 358, 514, 525, 532, 570, 576, 716, 796, 1010, 1442, 1739, 1740, 1742, 3716 (ver *Partida I*)
  comunal o común: 85, 361, 528, 1311-1312
  matrimonial: 303, 571-572 (ver *Partida IV*)
  mercantil: 571-572, 1306-1307, 1309 (ver *Partida V*)
  nobiliario: 570, 572, 576, 1306, 1312, **1313-1314**, 1442 (ver *Partida II*)
  penal: 303, 571-572, 1306 (ver *Partida VII*)
  procesal: 303, 570, 572, 1306 (ver *Partida III*)
  testamental: 303, 571-572, 1306-1307 (ver *Partida VI*)
desafío: Alfonso X: 590; Alfonso XI: 1313; Cartagena, Alfonso de: 2876-2880; Juan II: 2882-2885, 3254 (ver «riepto-reto»)
descensus ad inferos: *Visión de don Túngano*: 1840

descripciones: ajedrez: 829, 831; amanecer: 1669; amas: 1602; armas: 88, 1667; artes liberales: 2836-2841; aves: 1691, 2042, 2043-2046; banderas: 1826; biblioteca: 3419; brial: 811; caballeros: 1391, 1394, 1400, 1667, 2384, 3145; caza: 1119; cielos/planetas: 235, 240, 406, 608, 635; ciudades: 115, 3408, 3412, 3775, 3775n.; clerecía: 528; comunidad: 1731; corte: 258-259, 267, 821; desierto: 3413; dragón: 1949; ejércitos: 801, 809; enano: 1609; encuentros militares: 172, 1082, 1090, 1538; estados: 1128, 1731, 2170; geográfica: 140, 145-146, 153, 479, 1234, 1365, 1696, 1829, 2088, 2428; hombres: 2683-2684; *hortus admirabilis*: 2840; infierno: 2031; investidura caballeresca: 1427; islas: 722, 2106; juegos: 1600; libros de viajes: 1824; *locus amoenus*: 1970; muerte: 3001; muerte de Cristo: 1892; mujeres: 1347, 1400, 2682; natura/Naturaleza: 143, 874-877, 2844-2845, 3364; nobles: 1070; oficiales/oficios cortesanos: 302, 937; paraíso: 2031; pecado: 2963; peligros del mundo: 478; *planctus*: 1818; prisión: 2342; rey soberbio: 1664; sabiduría/sabio: 278; tierra: 240; torre: 1591; villano: 1611
descriptio: *Libro de los gatos*: 2015
Descriptiones Terrae Sanctae: 115n.
deshonra: Alfonso X: 590, 592; *Crónica de Juan II*: 2260; *Crónica sarracina*: 3346; *Declaración sobre San Juan Crisóstomo*: 3031; *Demanda*: 1498; *Espejo del alma*: 3003; *Estoria del Cavallero del Çisne*: 1066; *Hechos de Lucas de Iranzo*: 3564; *Historia de don Álvaro de Luna*: 2910; *Historia de la donzella Teodor*: 494; *Libro de Gracián*: 3393; Luna, Álvaro de: 2945; *Mainete. Crónica fragmentaria*: 1600; *Mainete. Gran Conquista de Ultramar*: 1085, 1089; *Memorias* de Leonor López de Córdoba: 2346; *Siervo libre de amor*: 3319; *Sumas de historia troyana*: 1643; *Tratado de las armas*: 3595; *Tristán*: 1517; *El Victorial*: 3164
desierto, símbolo:
  de vida masculina: *Estoria del Cavallero del Çisne*: 1063-1064
  de vida religiosa: *Barlaam*: 984-986, 1000-1001, 1006-1009; *Exemplos muy notables*: 3118; *Purgatorio de San Patricio*: 1845
«desnaturar»: Alfonso X: 583; *El Victorial*: 2392
desnudez:
  prueba de elección matrimonial: *Berta. Crónica fragmentaria*: 1594-1595
  signo de penitencia: *Cuento de Carlos Maynes*: 1616, **1616n.**; *Tractado de cómo es figurada la imagen de la penitençia*: 3836n.
  signo de vergüenza cortesana: *Enrique fi de Oliva*: 1627-1628; *Estoria del Cavallero del Çisne*: 1070; *Historia de la donzella Teodor*: 494, 501
desobediencia, motivo: *Arcipreste de Talavera*: 2679; *Caída de príncipes*: 2148; *Exhortaçión a la obediençia regular y monástica*: 3842; *Suma política*: 3614
«despaladinar»: Alfonso X: 623; Alfonso XI: 1312
  ley: Alfonso X: 594 (*Partidas*)
despedida literaria: Juan Rodríguez del Padrón: 3301
destierro, motivo: *Hechos de Lucas de Iranzo*: 3567; *Libro de las consolaçiones*: 2987
desventura, noción: *Caída de prínçipes*: 2148
determinismo: *Declaración sobre San Juan Crisóstomo*: 3033
devotio moderna: *Libro de toda la vida de nuestra Señora*: 3885; lulismo: 3360; Miscelánea, BN Madrid 8744: 3833; *Oracional*: 3016; orígenes: 2002
devotos, resurrección de: *Miraglos de Santiago*: 1934; *Santa Marta*: 1949

Deydomia: *Sumas de Historia Troyana*: 1643
«dezir» en castellano, conciencia lingüística: *Espéculo*: 353-354; *Estoria de España*: 1335; *Libro del saber de astrología*: 602-603; *Partida II*: 61; *Partidas*: **591-594**
«día del Juizio», motivo: *Bursario*: 3279; *Del soberano bien*: 2164; *Diálogo e razonamiento en la muerte del marqués de Santillana*: 2574; *Diez Mandamientos*: 1016n.; *Exemplos muy notables*: 3113; *Libro del arçobispo*: 1878; *Libro del infante don Pedro de Portugal*: 3433; *Lucidario*: 909; *Viridario*: 2031
diablo: animal: 3742; aspecto: 3002; castigos: 1869n., 1984-1985, 2022, 2034, 2171, 2952; ciudadanos: 997; comparación: 2463; confusión con: 1063; desengaños: 3116; diablo/Dios: 2938, 2969, 3093n.; disfrazado de animal: 1007, de caballero: 1007, de ermitaño: 3355, de mujer: 1427, 1435, 1437, 3848-3849, 3853, de rey: 932; disputas con santos: 1874-1875, 1950-1951, 3849; «don Martín» (*Libro del conde Lucanor*): 2674; engaños: 1483, 1766, 1994n., 2674, 3040, 3102, 3117; existencia: 3130; *filiae diaboli*: 2950-2951, 3742; gato: 2015; habla por boca de sabios: 1958-1959; Inquíbides: 3552; Lucifer: 1838-1839, 1841, 1875, 2893, 2951, 3619, 3743; mensajero: 3351; muerte: 994; pecados: 3038; penas: 3041-3043; personaje irónico: 1847-1850, 1977-1978; profecías: 2712; Satanás: 3638, 3697; soberbia: 2165; tentaciones: 1007, 1368, 2706, 3011, 3103, 3117-3118, 3350-3351, 3355, 3842-3843, a prelados: 3395; torpeza: 3107; vencido por la oración: 3834, por San Antonio: 3853, por santas mujeres: 3244; y Teófilo: 1027-1028
DIÁLOGO: epistolar: 3287-3289; género: **470-510**, 899, 2568-2581, **3678**, 3762, 4003; humanístico: 3684-3702; religioso: 3860-3888; SÍNTESIS Y CONCLUSIÓN: 3896, 3939, 3964; término genérico: **2570**
DIÁLOGO DE EPICTETO: **471-481**; debate: **476-481**, 485, 505, 899; marco narrativo: **472-476**; SÍNTESIS Y CONCLUSIÓN: 3896; transmisión y versiones: 471-472, 4010-4011
Diálogo entre el prudente rey y el sabio aldeano: 3776n.
DIÁLOGO SOBRE LA PREDESTINACIÓN: **2798-2803**
diálogos/estructuras dialógicas: *Arcipreste de Talavera*: 2681; *Calila*: 183, 195-196, 202, 211; *La consolación natural*: 2980-2981; *Crónica de Alfonso XI*: 1283; crónicas generales siglo XV: 2083; cuentística siglo XV: 3095, 3101; *De perfectione militaris triumphi*: 3509; *Diálogo e razonamiento en la muerte del marqués de Santillana*: 2565-2566, 2574; *Espéculo*: 353; *Exhortaçión a la obediençia regular y monástica*: 3842n.; *Gran Conquista de Ultramar*: 1052; *Lamentación de don Álvaro de Luna*: 2943; *Libro de confesión de Medina de Pomar*: 3041; *Libro de la consolaçión de España*: 3075; *Libro de las tribulaciones*: 3010; *Libro de los estados*: 1133-1134; *Libro de toda la vida de nuestra Señora*: 3877; *Libro del cavallero et del escudero*: 1115-1116; *Mar de historias*: 2426-2427; *Mostrador de Justiçia*: 1756; *Oras de los clavos*: 4071; *Perfeçión del triunfo*: 3776n.; *Triste deleytaçión*: 3819n.; *Visión deleitable*: 2848
Dialogus inter corpus et animam: 1761
Diana: *Las diez qüestiones vulgares*: 2659; *General estoria II*: 730; *Libro de toda la vida de nuestra Señora*: 3874; *Sátira de infelice e felice vida*: 3335; *Triunfo de las donas*: 3297
  y Acteón: *General estoria II*: 723

diarios de a bordo: 2172, 2357
Díaz, Gutierre, escribano del rey: ver Díaz de Games, Gutierre
Díaz, Juan, canciller: ver Soria, Juan de
Díaz, Manuel, mayordomo de Alfonso V (siglo XV): 849n.
DÍAZ DE GAMES, GUTIERRE (*c.*1378/79-d.1443): **2350-2396**; *Castigos de Sancho IV*: 918n.; conciencia de autoría: 2350, **2360-2369**, 2416; Pero Niño, personaje histórico: 2350-2354; SÍNTESIS Y CONCLUSIÓN: 3927, 3934-3935, 3951
OBRAS:
El Victorial: 1510, 1782, 2077n., 2100, 2172, 2217n., 2219n., 2236n., 2417, 2428n., 2460-2461, 2596, 2722, 2776, 2900, 2904, 2976n., 2984n., 3162, 3222, 3258, 3335n., 3349n., 3402, 3420, 3579; composición y fechación: 2356-2360; *Cuento de Bruto y Dorotea*: 3219-3220; *Cuento de Eduardo III*: 3220; *Cuento de los Reyes*: 2090-2092, 2342n., 3218; discurso sobre el amor: **3190-3193**, 3213; doctrinal de caballerías: 2138, 2375-2381, 2861, 2905n., 3193, 3304; estructura cuaternaria: 2372-2374; estructura y sentido: 2369-2381; materia sentimental: 3157-3158, **3158-3162**; Merlín: 4038; *Proemio*: 2366, 2369, 3342n.; transformación de materia caballeresca: 3218-3220; transmisión manuscrita: 2354-2356; *Tratado*: 2381-2396
Díaz de Haro, Lope, octavo señor de Vizcaya (m.1288): apoyo a Sancho IV: 818; magnicidio de Alfaro: 858-859; rebeldía contra Alfonso X: 1021; señorío de Vizcaya, pleito: 1257
Díaz de Haro, Mari, hija de don Lope Díaz de Haro, mujer del infante don Juan (m.1342): reclamación del señorío de Vizcaya: 1257
Díaz de Mendoza, Ruy (m.*c.*1455): coalición contra Á. de Luna: 2927; derrota de Í. López de Mendoza (1429): 2517-2518
Díaz de Montalvo, Alfonso, jurista (1405-1499): 2232n., 2519, 2549; *Ordenamiento*: 1314, 2098n.
DÍAZ DE TOLEDO, FERNAND, «el Relator» (*c.*1395-1457): **2631-2643**, 3679; Cartagena, Alfonso de: 2610; *Crónica de Juan II*: 2199, 2210, 2231-2234, 2237-2238, 2244n., 2264, 2268, 2288, 2353, 2358n., 2523, 2548, 2597-2598, 2630-2634, 2886-2887, 2891, 2899, 2903, 2933-2934, 2812; *Crónica del Halconero*: 2277, 2279n.; *Historia de don Álvaro de Luna*: 2903n., 2933-2934; impartición de la justicia: 2205-2206; Mena, Juan de: 2728; muerte: 3754; Pérez de Vivero, Alfonso: 2926; relaciones familiares: 2558, 2747-2748, 2755; semblanza: 2632; SÍNTESIS Y CONCLUSIÓN: 3941; Valera, Diego de: 2717
OBRAS:
Instrucción del Relator: 2194, 2196, 2302n., **2634-2643**, 2822, 2856n.
Notas del Relator: 2634, 2634n.
Díaz de Toledo, Fernando, el Arcediano de Niebla (m.1452): 2643, **2747-2756**, 3106n., 3150; SÍNTESIS Y CONCLUSIÓN: 3943
Díaz de Toledo, Pedro, hijo del «Relator», obispo de Málaga ([1487-1494]): 2548
DÍAZ DE TOLEDO, PERO, sobrino de Fernand Díaz de Toledo, letrado y traductor (*c.*1415-1466): **2548-2581**, **3744-3755**; Ávila, Martín de: 2542n.; círculo letrado de Carrillo: 3581n., 3760; exégesis: 2730; López de Mendoza, Íñigo: 2112, 2519-2520, 2547; marco letrado de Juan II: 2643; SÍNTESIS Y CON-

CLUSIÓN: 3938-3939, 3965; traductor de Íñigo López de Mendoza: 2541, 2556-2557
OBRAS:
Diálogo e razonamiento en la muerte del Marqués de Santillana: 2520, 2548, 2550-2551, **2568-2581**, 2646, 2654, 3376n., 3678, 3751
Enchiridion: 2550, 3747
glosas a los *Proverbios* de Santillana: 2530, 2550, 2553-2556, 3119, 3133, 3690, 3747, 3750
glosas a los *Proverbios de Séneca*: 2551-2553, 3119, 3747
Introduçión al dezir que conpuso el noble cavallero Gómez Manrique: 3744-3754
TRADUCCIONES:
Axioco: 2554, 2558
Basilio de la reformación de la ánima: **2556-2563**
Libro llamado Fedrón: 2549-2551, 2554, 2558, **2563-2568**, 2573-2574, 2576
Díaz de Vivar, Rodrigo, *el Cid* (*c.*1043-1099): *Anacephaleosis*: 2623n.; *Crónica de Castilla*: 1230, 1230n.; *Crónica de los Reyes de Navarra*: 3538; *Estoria de España*: 677; fueros: 82; *Libro de las claras e virtuosas mugeres*: 3233; *Memorial de diversas hazañas*: 3479, 3524; *Mocedades*: 1670-1671, 2095, 3551; modelo de heroísmo: 1598, 1601, 2462-2463; *Repertorio de Príncipes*: 3544; *El Victorial*: 2377
linaje: *Anales navarro-aragoneses*: 99; *Generaciones y semblanzas*: 2457, 2457n.; *Liber regum*: 104
Díaz Palomeque, Gonzalo, arzobispo de Toledo (m.1310): vínculos familiares: 861; *Zifar*: 1385-1386
dichos: *Bocados de oro*: 459, 460-461; compilaciones del siglo XV: 3120-3133; contenido moral: 56, 415, 2608; de poetas: 2972; Escorial, &-ii-8: 1730n.; *Flores de los «Morales sobre Job»*: 2152; *General estoria*: 700; *Libro de las cruzes*: 411, 420n.; *Libro de los cien capítulos*: 426, 427, 428-429; *Libro de los estados*: 1144; *Libro de los judizios*: 400, 403; *Mar de historias*: 2428; *Partidas*: 522; *Sumas de Historia Troyana*: 1633; *Tratado de la comunidad*: 1734; Valera, Diego de: 3265; *Vidas y dichos de filósofos antiguos*: 2116, 2127
Dichos de frey Gil conpañero de Sant Francisco: Miscelánea, BN Madrid 8744: 3850
Dichos de los sabios en palabras breves: 249n.
DICHOS DE SABIOS (atribuidos a López de Ayala): 2155, **3121-3123**
Dichos de Séneca en el acto de la caballería: ver Cartagena, Alfonso de
Dichos del abtor Leomarte: 1633, 2155n.
Dichos e castigos de profetas e filósofos: **3125-3127**
Dichos e contemplaçiones de Sanct Bernardo: Miscelánea, BN Madrid, 8744: **3834-3835**
DICHOS POR INSTRUIR A BUENA VIDA: **3123-3125**
dicta: 459 (ver dichos)
dictamen: ver *ars dictaminis*
***dictamen* prosaico y métrico**: 41
Dictis de Creta (siglo IV): *Ephemeris belli Trojani*: 702, 720, 737, **799-801**, 1677, 3358, 4020
Dídimo, teólogo griego (siglo IV): *Mar de historias*: 2431

Dido: *Bursario*: 3285-3286; *Castigos de Sancho IV*: 934; *Estoria del Cavallero del Çisne*: 1073n.; *General estoria II*: 725; *Juego de naipes*: 3811; *Libro de las claras e virtuosas mugeres*: 3236, 3253; *Sumas de Historia Troyana*: 1645-1646; *Triunfo de las donas*: 3298

y Eneas: *Bursario*: 3284; *Confesión del amante*: 3210; *Tratado de amor*: 3187; *El Victorial*: 3192; *Zifar*: 1436

Didot-Perceval: 1466

Died: *Dichos e castigos*: 3126n. (ver Sed)

Diego de la Guardia, fray (siglo XV): *Hechos de Lucas de Iranzo*: 3568

Diego de Valencia, fray (mitad siglo XV): *Árbol de batallas*: 2863; debates sobre la predestinación: 2798; *Libro de Graçián*: 3379n.

Diego el Covo (siglos XIV-XV): *Cirugía rimada*: 2763; *Tratado de las apostemas*: 2772

DIEZ MANDAMIENTOS: **1009-1017**; materia penitencial: **1012-1017**, 1737-1738, 4043; SÍNTESIS Y CONCLUSIÓN: 3905; transmisión textual: **1011-1012**

difamación, motivo: *Cavallero Plácidas*: 1351; *Cuento de Carlos Maynes*: 1607-1609; *Enrique fi de Oliva*: 1624, 1629; *Mainete. Crónica fragmentaria*: 1603-1604; *Santa enperatrís*: 1369; *Triunfo de las donas*: 3296

difusión juglaresca: debates clericales: 131; *Historia troyana polimétrica:*, 804

«joglerías»: *Libro conplido en los judizios*: 406-407; *Partida II*: 563n. (ver juglares)

Digesto: 2629

«Digna»/Diná, hija de Jacob y de Lía: violada por Siquem: *Tratado de cómo al hombre es necesario amar*: 3177

dignidad:

femenina: *Libro de las veinte cartas*: 3789

nobiliaria: *Cirimonial de príncipes*: 3601-3605; *Espertamiento de la voluntad de Dios*: 3834

regia: *Exortaçión*: 3658

***dilatatio/amplificatio* (sermón)**: 1899, 3107

«dilectión» o amistad: *Tratado de amor*: 3183-3184; *El Victorial*: 3191-3192

Dinadán el Rojo: *Tristán*: 1526, 1531, 1534, 1537, 1537n.

Diocleciano, Cayo Aurelio Valerio, emperador (245-[284]-313): *Santa Catalina*: 1955n.

Diocles, rey de Atenas: *General estoria IV*: 757

Diógenes el Canino (413-327 a.C.): *Bocados de oro*: 459, 463-464, 469; *Dichos e castigos*: 3126n.; *Libro de las consolaçiones*: 2992; *Libro de los buenos proverbios*: 445, 450; *Tratado de cómo al hombre es necesario amar*: 3178n.; *Vidas y dichos de filósofos antiguos*: 2116, 2125

Diógenes Laercio (siglo III): *Bocados de oro*: 455; Burley, W.: 2121, 2124, 2128

OBRAS:

Vitae o *Vida y opiniones de los filósofos ilustres*: 248n., 2114-2115

Diomedes, rey de Argos: *General estoria III*: 738; *Historia troyana polimétrica*: 809, 811, 813-814

y Briseida: epístolas de Juan Rodríguez del Padrón: 3287-3288; *Historia troyana polimétrica*: 814, 816, 817

Dionís I, el Justo, rey de Portugal (1261-[1279]-1325): Alfonso de Portugal, hermano: 1095; cesión del Algarve: 511, 974n.; *Crónica de Fernando IV*: 1250,

1252, 1253n., 1257; *Crónica del moro Rasis*: 2088; glosas de Zurita: 2331; Pedro Afonso: 1233; Sancho IV: 857-858; temor: 3742 *(Flor de virtudes)*
Dionís de Portugal, infante, hijo de Pedro I y de Inés de Castro (1351/53-*c.*1403): glosa de Zurita: 2331
Dionisio, San, papa ([259-268]): *Libro de la çelestial jherarchía*: 1878
Dionisio de Santo Burgo (mitad siglo XIV): glosas Valerio Máximo: 3151
Dionisio de Siracusa, tirano (430-368 a.C.): *Exortaçión*: 3652
Diotima, filósofa griega (siglo V a.C.): *Vidas y dichos de filósofos antiguos*: 2121
diplomacia cortesana: 2403-2405
dípticos, estructuras narrativas: *Barlaam e Josafat*: 986-987; *Cavallero Pláçidas*: 1353-1355; *Corónica de A. Pérez de Guzmán*: 2461; *Crónica sarracina*: 3347, 3354, 3356-3357; *Diálogo e razonamiento*: 2569; *Enrique fi de Oliva*: 1622, 1624; *Estoria de dos amadores*: 3321-3322; *Estoria* de Zifar y Grima: 1397-1398, 1406; *Estoria del Cavallero del Çisne*: 1061-1062; *Libro de toda la vida de nuestra Señora*: 3861-3862; *Mar de historias*: 2426; *San Alejo*: 1974, 1977; *San Amaro*: 1964; *San Isidoro*: 2710; *Sant Lorenço*: 1929; *Santa Catalina*: 1956-1957; *Santa María Madalena*: 1939; *Santa Marta*: 1946-1947; *Santa Pelagia*: 1983; *Santo Domingo de Guzmán*: 1992; *Soliloquios*: 2004; *Vespesiano*: 1676
Directorium humanae vitae, versión latina del *Calila*: ver Juan de Capua
disciplina:
  militar: *Cirimonial de príncipes*: 3601-3605; *De perfectione militaris triumphi*: 3509, 3773-3783; *Doctrinal de los cavalleros*: 2876; *Espertamiento de la voluntad de Dios*: 3834; *Oraçión de miçer Ganoço Manety*: 2585-2586; *Suma política*: 3614
  monástica: *Exhortaçión a la obediençia regular y monástica*: 3842
  religiosa: *Carta al rey sobre el regimiento de su vivienda*: 3637-3638
Disciplina clericalis: ver Pedro Alfonso
discípulo ingrato, motivo: *Vidas y dichos de filósofos antiguos*: 2128n.
discordia: *Sumas de Historia Troyana*: 1642
discreción:
  figura alegórica: *Perfeçión del triunfo*: 3774-3783; *Sátira de infelice e felice vida*: 3329, 3331-3332; *Siervo libre de amor*: 3313n., 3314-3315, 3323-3324
  virtud: *Exortaçión*: 3656
discurso forense: 2628
discurso formal de la prosa: *Calila*: 182; castellano: 63; ficción, modelos: 1316; *General estoria III*: 736; *General estoria V*: 782; *Libro del tesoro*: 864; Manuel, don Juan: 1093; *Setenario*: 304; significado de «prosa»: **37-56**, 3977-3985
disfraz, motivo: *Andanças e viajes* de Pero Tafur: 3410-3411; *Cuento de Carlos Maynes*: 1614; *Embajada a Tamorlán*: 2176, 2187; *Enrique fi de Oliva*: 1623, 1630; *Historia de don Álvaro de Luna*: 2932; *Triste deleytaçión*: 3827; *Zifar*: 1409
disparates: ver *adynata*
dispersión/unión familiar, motivo: *Cavallero Pláçidas*: 1354-1355; *Cuento de Carlos Maynes*: 1615-1617; *Enrique fi de Oliva*: 1628; *Estoria del rrey Guillelme*: 1362-1364; *Historia de Apolonio*: 1681-1682; *Santa Catalina*: 1953; *Zifar*: 1378-1379, 1403n., 1404-1405, 1410, 1419
***dispositio* retórica**: *Disputa entre un cristiano y un judío*: 3992; ficción, modelos: 1316; *General estoria II*: 727; *Libro de las confesiones*: 4045; *Libro de los estados*: 1130; *Libro del tesoro*: 884-885, 886-888; Tratado de retórica: 3734

Disputa de Elena y María: 74n., 131
Disputa del alma y el cuerpo: 76, 1762n., 1834
DISPUTA ENTRE UN CRISTIANO Y UN JUDÍO: **131-137, 3991-3993**; contenido: 134-137, 321n.; debates: 111, 1009, 1751; fechación: 131-134; SÍNTESIS Y CONCLUSIÓN: 3891; valoración lingüística y literaria: 133-134
Disputa que fue fecha en la çibdad de Fez: 3728
disputador: *Controversia Alphonsiana*: 2628; *Jardín de nobles donzellas*: 3675-3676; *Libro de los estados*: 1141; *Libro de vita beata*: 3690-3693; *Libro del tesoro*: 872; *Libro del zelo de Dios*: 1757; *Lucidario*: 895; *Mostrador de Justiçia*: 1755; *Suma política*: 3608-3609; *Visión de Filiberto*: 1768
disputas: *Arcipreste de Talavera*: 2687-2692; *Barlaam*: 999-1006; *Calila*: 208, 211; *Castigos de Sancho IV*: 933, 938; clerecía escolar: 30; corte de Juan II: 3193; corte de Sancho IV: 894-896, 933, 938; empleo de la prosa: 131; Facio, Bartolomeo: 3680-3681; *Glosa castellana al «Regimiento de príncipes»*: 1721-1723; hagiografía: 1954; *Invencionario*: 3717; *Libro de la consolaçión de España*: 3081-3084; *Libro de las claras e virtuosas mugeres*: 3250-3252; *Libro de vita beata*: 3690-3693; *Libros de acedrex*: 826; *Lucidario*: 894-896; Lulio, Raimundo: 3366; Manuel, don Juan: 1113, 1129, 1141, 1154, 1198-1202; marco cortesano: 132; *Miraglo de Sanct Andrés*: 3849; peligrosidad: 4044; *Santa Catalina*: 1958-1959; *Sendebar*: 218, 263, 321, **470-510**, 825; sermón, estructura: 1900; siglo XV: 3095; SÍNTESIS Y CONCLUSIÓN: 3920; sobre la poesía: 3721-3722; *Soliloquios*: 2009-2011; *Tristán*: 1522; Valladolid, Alfonso de: 1752-1759; virtudes contra pecados: 2166; *Visión de Filiberto*: 1761-1769; *Zifar*: 1428-1429
  «Exerçiçio», «Orden» y «Obediençia»: *Perfeçión del triunfo*: 3782
  López de Ayala y Sánchez de Talavera: 2797-2799
  Pobreza y Fortuna: *Arcipreste de Talavera*: 2670, 2693; *Caída de príncipes*: 2149; *Carta e breve conpendio*: 3644-3645; *Compendio de la fortuna*: 2792
  «Razón» y «Apetito»: Guillén de Segovia, Pero: 3726
  «Razón» y «Voluntad»: *Triste deleytaçión*: 3818-3821
  Viento y Fortuna: *El Victorial*: 2776
  Voluntad y Entendimiento: *Visión deleitable*: 2835
Disticha Catonis: 3124
dísticos, fórmulas de versificación: *Espéculo de los legos*: 3103; *Libro del conde Lucanor*: 1157-1159
Dit de Guillaume d'Angleterre: 1360
Diurloc, castillo artúrico: sermón sobre el Corpus Christi: 2972
divisas: cartas de batalla: 2882-2883; *Crónica de Juan I*: 1816; *Historia de don Álvaro de Luna*: 2916; Valera, Diego de: 2715
***divisio* (sermón)**: *extra/intra*: 1882, 1899, 1902, 1908-1909, 1913, 1915, 2677, 2964, 2970-2971; *per verba*: 2017; tratados: 3184, 3191
divorcio fingido, motivo: *Corónica de A. Pérez de Guzmán*: 2464
Doctrina de hablar e de callar hordenada por Marcho Tullio: 3123, 3732 (ver Tratado de retórica)
Doctrina e instrucción de la arte de la cavallería: ver Cartagena, *Doctrinal de los cavalleros*
doctrinal caballeresco: *Historia de don Álvaro de Luna*: 2904-2905; *Libro de los cien capítulos*: 430, 435; *Partida II*: 560-564; *El Victorial*: 2359, 2368-2369, 2370n., **2375-2381**, 2381

doctrinal moral: *Flores de los «Morales sobre Job»*: 2152
«documentos», término: *Jardín de nobles donzellas*: 3673
Dolfos, Vellido: *Anales navarro-aragoneses*: 100; *Crónica de los Reyes de Navarra*: 3538; *Sumario del Despensero*: 2097n.
Dolopathos: 1057n.
dolor consolatorio: *Libro de la consolaçión de España*: 3082-3084
Domingo, notario del arzobispo Martín López: ver *Dominicus*, abad de Valladolid
Domingo de Guzmán, Santo (1170-1221): fundación de Santo Domingo el Real: 1986; *Libro del conde Lucanor*: 1742, 3042; linaje de los Guzmán: 2462
Vida: **1987-1995**
y San Francisco: Ferrer, fray Vicente: 2960; *Libro del conoscimiento del fin del mundo*: 3086-3087; *Mar de historias*: 2432; *Santo Domingo de Guzmán*: 1994 (ver *duo viri*)
Domingo de Silos, Santo (1000-1073): 1018-1022, 1024
Dominicus, abad de Valladolid (siglos XII-XIII): *Tratado de Cabreros*: 78, 3988
don caballeresco, motivo: *Amadís*: 1559-1560, 1561n.; *Demanda del Santo Grial*: 1498-1499; *Tristán*: 1517, 1519, 1530, 1540
Donato, Elio, gramático y retórico romano (siglo IV): *Ars minor*: 31, 32n.
Doncel del Mar (nombre de Amadís): 1556-1557
doncella de Antiocha: *Libro de las claras e virtuosas mugeres*: 3238
doncella de las manos cortadas, leyenda: *Istoria de las bienandanzas e fortunas*: 3553n.; *El Victorial*: 2385n.
Doncella del Arte: *Tristán*: 1522, 1530
doncellas:
amonestadas: *Demanda del Santo Grial*: 1498
andantes: *Amadís*: 1559
cautivas: *Flores*: 1586-1587
defensa de: *Gran Conquista de Ultramar*: 1045
falsas: *Demanda del Santo Grial*: 1499; *Tristán*, 1519, 1559
injuriadas: *Crónica sarracina*: 3354; *Estoria del Cavallero del Çisne*: 1072
«leyentes»: *Estoria del infante Roboán*: 1434
rechazadas: *Andanças e viajes* de Pero Tafur: 3422; *Crónica sarracina*: 3353-3354; *Demanda del Santo Grial*: 1516
«sabidoras»: *Anacephaleosis*: 2621; *General estoria III*: 745; *Glosa castellana al «Regimiento de príncipes»*: 1717; *Historia de la donzella Teodor*: 483-484, 486-487, 492; *Lanzarote*: 1476; *Libro de las claras e virtuosas mugeres*: 3244; *Otas de Roma*: 1665; *Santa Catalina*: 1954; *Sumas de Historia Troyana*: 1646; *Tristán*: 1516; *Vidas y dichos de filósofos antiguos*: 2121; *Zifar*: 1409-1410, 1417-1418n.
Doon de la Roche: 1580, 1619, 1620
Dorotea (y Bruto): *El Victorial*: 3219-3220
dos espadas, imagen del poder real: *Castigos del rey de Mentón*: 1452; *Espéculo*: 342, 343n.; *Partidas*: 548, **548n.**, 556, **572-574**
dote, motivo: *Castigos y dotrinas*: 3135
Dotrinal (Jacobo de Junta): 360, 362
Dragas, hermano del Emperador de Constantinopla: ver Constantino XI
dragón: *Sumas de Historia Troyana*: Aspido, 1637, Basalisco: 1637; *Tristán*: 1506; *Vida de San Isidoro*: 2712; *Vida de Santa Marta*: 1948-1950

Drust: *Tristán*: 1506
Duarte I, rey de Portugal (1391-[1433]-1438): biblioteca: 3210; Cartagena, Alfonso de: 2603, 2618; infante don Pedro de Portugal: 3426, 3428; *Leal Conselheiro*: 4043; treguas de Majano: 2289; valoración del *Libro de las confesiones*: 4043
Dueña del Espino: *Tristán*: 1517
Dueña Gallarda: *Zifar*: 1427, 1429-1430, 1449
dueña muerta: *Lanzarote*: 1474
Dueñas, Johán de (*c.*1400-*c.*1460): mención del *Amadís*: 1548, 1549n.
Dulce, infanta, hermanastra de Fernando III (1194-1243): unidad de reinos: 157, 159, 243n.
Dumuallio, rey de Bretaña: *General estoria IV*: 762
duo viri (Santo Domingo y San Francisco): *Libro del conosçimiento del fin del mundo*: 3087; *Mar de historias*: 2432; sermones fray Vicente Ferrer: 2960
duque:
  dignidad: *Cirimonial de príncipes*: 3603; *Vergel de los príncipes*: 3624
  título: *Tratado sobre el título de duque*: 2741-2745
duque Creonte: *Tratado e despido a una dama de religión*: 3802
duque de Milán: ver Visconti, Felipe María
duque de York: ver Edmundo de Langley
Durandarte: ver espada

Eberardo el Alemán (mitad siglo XIII): 40n.
Echécrates: *Libro llamado Fedrón*: 2566
Eclesiastés: *Castigos y dotrinas*: 3137; *General estoria III*: 732-734, 740-741; *Libro de las claras e virtuosas mugeres*: 3227; *Libro del zelo de Dios*: 1758; *Libro llamado «Fedrón»*: 2564; Ms. 77, Bibl. Menéndez Pelayo: 1869; *Tratado e despido a una dama de religión*: 3804
Eco: ver Narciso y Eco
economía: administración de rentas: 3737; banqueros: 3409, 3428; círculos comerciales del siglo XV: 3403, 3405, 3418, 3421-3422; ciudad: 3611; crisis económicas: 2076, 2093-2094; cuestiones de: 411, 423-424, 597, 875-876, 1256-1257, 1456, 3556; desprecio de la riqueza: 2119-2120, 3657, 3758; familiar: 3138; gastos/«despensas»: 3656; prudencia económica: 3633; recaudaciones por cruzada: 2230; regimiento político: 1703; valor de la riqueza: 1397, **1397n.**, 1417, 1455
Ecozías: ver Ocozías
edades:
  del hombre: *Arboleda de los enfermos*: 3062; *Las diez qüestiones vulgares*: 2659; *Espéculo*: 30; *Glosa castellana al «Regimiento de príncipes»*: 1714-1715, 1719-1720; *Libro de los doze sabios*: 247, 251; Ms. 77, Bibl. Menéndez Pelayo: 1862; *Sátira de infelice e felice vida*: 3337n.; *Tratado de la comunidad*: 1733; *El Victorial*: 2379; *Visión de don Túngano*: 1837
    niñez: *Libro de toda la vida de nuestra Señora*: 3876 (ver *Septem etates hominis*)
  del mundo: *Castigos de Sancho IV*: 4026; *Crónica* de fray García Eugui: **1285-1286**; *Estoria de España*: 672; *General estoria*: **704-707**, 708, 712, 734-

735, 749, 776-777, 793-794; *Invencionario*: 3706-3707; *Libro del conosçimiento del fin del mundo*: 3086; *Libro del tesoro*: 872; *Siete edades del mundo*: 2592
edificios: arquitectura alegórica: *Perfeçión del triunfo*: 3778; edificación de casas: *Regla de San Bernardo*: 3737; moradas de las artes liberales: *Visión deleitable*: 2837-2840; «nobles», construcción: *Memorial de diversas hazañas*: 3479, 3534; obras urbanas: *Hechos de Lucas de Iranzo*: 3566; prodigiosos: *Otas de Roma*: 1669, 1669n.; residencia de «Discreçión»: *Perfeçión del triunfo*: 3778, 3780; ruinas: *Perfeçión del triunfo*: 3780
Edipo: *General estoria II*: 724; *Sumas de Historia Troyana*: 1640, 1645, 1648
Edmundo de Langley, primer duque de York, hijo de Eduardo III, esposo de Isabel de Castilla (1372), hija de Pedro I (1341-1402): *Crónica de Juan I*: 1812
Eduardo I de Inglaterra (1239-[1272]-1307): investidura caballeresca: 597; *Proposición contra los ingleses*: 2625
Eduardo de Woodstock, príncipe de Gales, «el Príncipe Negro» (1330-1376): *Crónicas* de Ayala: 1796, 1804-1805; *Cuento de los reyes*: 2091
educación:
clerical: estudios generales: 3977; *Etimologías* romanceadas: 2159; manuales de confesión: 1737-1738; *Planeta*: 26
cortesana: estudios generales: 3976-3977; *Libro de los cien capítulos*: 436-440
de hijas: *Castigos y dotrinas que un sabio dava a sus hijas*: 3134-3139; *Glosa castellana al «Regimiento de príncipes»*: 1719
de hijos: *Capítulo cómo los fijos deven onrar al padre*: 3139-3140; *Dichos de sabios y filósofos*: 3121; *Glosa castellana al «Regimiento de príncipes»*: 1718-1719; *Libro de los exemplos por a.b.c.*: 3103; *Libro enfenido*: 4036; *Proverbios o sententias breves*: 3128; *Tratado de la comunidad*: 1733
nobiliaria: *Basilio de la reformación de la ánima*: 2560; *Epistula* de Cartagena sobre la educación: 2615-2617; *Perfeçión del triunfo*: 3771; Tratado de moral: 3730
valoración: *Libro de las veinte cartas*: 3795
Egas, linaje: *Crónica de Juan II*: 2632
Egidio: *Vida de la Virgen*: 3857
Egidio el Romano (1247-1316): Barrientos, Lope de: 2823; Cartagena, Alfonso de: 2617; *Glosa castellana al «Regimiento de príncipes»*: 1708-1730, 1731n., 2111n.; *Libro de los cien capítulos*: 432n.; Sánchez de Arévalo, Rodrigo: 3613n.; Vegecio: 2862
OBRAS:
De regimine principum, análisis: 916n., 1700, 1703-1704, **1705-1707**
Egidius de Thebaldis, copista alfonsí (mitad siglo XIII): *Libro de los judizios*: 390
Egisto/Gisto/Egistro: *Bursario*: 3277n., 3278; *Tratado de amor*: 3187; *Tratado de cómo al hombre es necesario amar*: 3179
y Elemestra: *Sumas de Historia Troyana*: 1645
Eiximenis, Francesc (*c.*1325-1409): Alfonso de Aragón: 2476; configuración estamental: 1128; *Exemplos muy notables*: 3112, 3118; ideología política: 3554n.; Martínez de Toledo, Alfonso: 2664, 2689
OBRAS:
De la predestinación de Cristo: 2670
De vita Christi: 2670, 2689n., 3112

Libro de las donas: 3112, 3662n., 4029-4030
Natura Angelica: 2545
ejemplaridad: *Compendiosa Historia Hispanica*: 3556; *Crónica de Enrique IV*: 3488-3489, 3498, 3508; *Crónica de Fernando IV*: 1249, 1259; *Crónica de Juan II (Refundición)*: 2250; *Crónica particular de Fernando III*: 1245, 1247; *Crónicas* de Ayala: 1800, 1815; *Enrique fi de Oliva*: 1631-1632; *Estoria del rrey Guillelme*: 1359; *General estoria*: 749-754, 756, 774, 780, 784; *Leyenda de Santo Tomás de Aquino*: 2000; Manuel, don Juan: 1104; *Memorial de diversas hazañas*: 3524, 3527; narraciones cortesanas: 796 (Alfonso X); *Partidas*: 595; Sánchez de Valladolid, Ferrán: 966; *Santa enperatrís*: 1369; *Semejança del mundo*: 154; *Zifar*: 1390
Elbidio, hereje: *Vida de San Ildefonso*: 2706
Eldois, hermanastro de Carlomagno: *Gran Conquista de Ultramar*: 1600
Eleastras, ficticio historiador: *Crónica sarracina*: 3358
Elena, Santa (*c*.248-*c*.328): *Andanças e viajes* de Pero Tafur: 3410
Elena/Helena de Troya: *Bursario*: 3281, 3283-3284; *Confesión del amante*: 3219; *Diálogo de Epicteto*: 481n.; *Embajada a Tamorlán*: 2180n.; *Historia troyana polimétrica*: 808-810, 815, 817; *Mar de historias*: 2426; *Santa Catalina*: 1955; *Sumas de Historia Troyana*: 1643-1644
Eleno: *Sumas de Historia Troyana*: 1646
y Casandra: *Sumas de Historia Troyana*: 1643
Eliap, esposa de Josep Abarimatía: *Libro de Josep Abarimatía*: 1479
Elías, profeta (*c*.860 a.C.): *General estoria III*: 743
Eliata, hija del rey de África: *Crónica sarracina*: 3349
Eligurio: *Tratado de la comunidad*: 1734
Elioxe: 1057n., 1061, 1061n.
Elisa Dido: ver Dido
Elisabad: *Amadís*: 1634
Elisabed, Santa: ver Isabel, Santa
Elisabet de Jerusalén: ver Brienne, Isabel de
Eliseo, profeta de Israel (850-798 a.C.): *General estoria III*: 746
elocuencia:
dulce: *Exortaçión* de Pedro de Chinchilla: 3651
engaños: *Arboleda de los enfermos*: 3064
femenina: *Libro de las claras e virtuosas mugeres*: 3234, 3235-3239, 3244
noción: *Libros de Tulio*: 2609; *Respuesta de Cartagena*: 2866
elocutio:
escrituraria: *Del soberano bien*: 2165n.
retórica: *Disputa entre un cristiano y un judío*: 3992-3993; ficción, modelos: 1316; *Libro del tesoro*: 885-886, 888-889; Tratado de retórica: 3734
Elogio de Fernando III: **307-315**, 1002n. (ver *Setenario*, leyes i-xi)
Elvira, hija de Martín Fernández Portocarrero (siglo XV): *Crónica de Juan II*: 2199-2200
EMBAJADA A TAMORLÁN: **2172-2190, 4056-4057**; composición de la obra: **2176-2182**; descripciones: 3412; estructura narrativa: **2183-2190;** *Libro del infante don Pedro*: 3432; memorial: 3402; Prólogo: 2174-2176; SÍNTESIS Y CONCLUSIÓN: 3929-3930

Emilia: *Libro de las claras e virtuosas mugeres*: 3234
Empédocles (*c*.490-430): *Visión deleitable*: 2845
emperador: Alfonso X: 540, **547-549**; dignidad: 3602-3603 (*Cirimonial de príncipes*); emperador/rey, diferencia: 2619, 3790
Emperador de Alemania: *Siervo libre de amor*: 3317-3318, 3322
emperador de Constantinopla: *Cuento de Carlos Maynes*: 1608, 1615
  Garsir: *Otas*: 1662, 1664-1668, 1670
  Manuel: *Enrique fi de Oliva*: 1621, 1627
Emperador de Roma: *Muerte de Arturo*: 1504
Emperador de Trapisonda/Trebizonda: ver Alejo Commeno IV
emperatriz romana, «exemplo»: *Castigos de Sancho IV*: 929
emplazamiento, motivo: *Crónica de Fernando IV*: 1259
empresas heráldicas: cartas de batalla: 2883
Enalviello: *Crónica de la población de Ávila*: 175-177
Enamorado (Eº): *Triste deleytaçión*: 3813-3832
enanos: *Cuento de Carlos Maynes*: 1607-1611; *Tristán*: 1516
  descripción: *Cuento de Carlos Maynes*: 1609
enarratio poetarum: *ars grammatica*: 32; *Bursario*: 3276; Díaz de Toledo, Pero: 3748-3749; discurso formal de la prosa: 46; *Vidas* del Arcipreste de Talavera: 2701
encantamientos: *Baladro del sabio Merlín*: 1489; *Enrique fi de Oliva*: 1621, 1624; *Sumas de Historia Troyana*: 1637
Enchelao: *Vidas y dichos de filósofos antiguos*: 2128n.
enciclopedismo: *Confesión del amante*: 3217-3218; *Décadas*: 2136; *General estoria*: 710-713; *Invencionario*: 3703-3717; *Libro de las animalias que caçan*: 846; *Libro de las maravillas del mundo*: 4054; *Libro de toda la vida de nuestra Señora*: 3888; libros de viajes: 1822; *Mostrador de Justiçia*: 1753; *Setenario*: 320, 323; tratadística siglo XV: 2756-2757
Endriago: *Amadís*: 1574, 1948
Eneas: *Bursario*: 3284; *Castigos de Sancho IV*: 934; *Confesión del amante*: 3219; *Décadas*: 2139; ficción, modelos: 1318, 1657; *General estoria II*: 730; *General estoria V*: 790; *Historia troyana polimétrica*: 806; *Libro de las claras e virtuosas mugeres*: 3236; narraciones cortesanas: 797; *Sumas de Historia Troyana*: 1640, 1645; *Tratado de amor*: 3187; *El Victorial*: 3192-3193; *Zifar*: 1436 (ver Dido)
Eneas Silvio, rey de los latinos: *General estoria II*: 730
Eneo: ver Séneca
Enesio: *Bocados de oro*: 459, 462; *Dichos e castigos*: 3127n.
Enfances de Godefroi de Bouillon: 1039n., 1041, 1045n., 1057
Enfances du Chevalier au Cygne: 1057
Enfant Sage: ver *Diálogo de Epicteto*
enfermedad: amor: 3332; castigo de Dios: 3061; motivo: 2797; relación con pecados: 2997; signos del amor de Dios: 3117; soporte de experiencia religiosa: 3055-3056, 3059, 3117
engaño: Alfonso X: 593; Manuel, don Juan: 4031
  engaño con la verdad: *Sendebar*: 229-230; *Libro del conde Lucanor*: 1177
Enico, poeta: *Glosa castellana al «Regimiento de príncipes»*: 1545
enmienda textual, noción molinista: 1244, 1376, 1379, **1387-1389**, 1411, 1458, 1542, 1545

«enmiendas/erechas» de guerra: *Doctrinal de los cavalleros*: 2875-2876
Ennio, Quinto (239-169): *Vidas y dichos de filósofos antiguos*: 2118
«Hemio»: *Introduçión* de P. Díaz de Toledo: 3749n.
Enrique I de Castilla (1203-[1214]-1217): documentos cancillerescos: 3980, 3989; *Estoria de España*: 968; minoridad: *Crónica de la población de Ávila*: 71, 178; muerte accidentada: *Anales toledanos*: 97; sucesión: 157
ENRIQUE II (*c.*1333-1379):
conde de Trastámara: ayuda del linaje Luna: 2899, 2906, 2983n.; bando linajístico: 1772-1774; guerra civil, romances históricos: 1778
rey de Castilla, el de las Mercedes ([1369-1379]): Alfonso XI, historiografía: 1261-1262, 1264n., 1816-1817, 1820; *Amadís* trastámara: 1547; Aragón, Enrique de: 2475; *Atalaya de las corónicas*: 2700; *Compendiosa Historia Hispanica*: 3556; crónicas generales: 1776; Juan de Gante, relaciones familiares: 3210; leyes: 2873; López de Ayala, Pero: 1786, 1789-1795, 1798; represión de petristas: 2383, 2341, 2343, 2349; SÍNTESIS Y CONCLUSIÓN: 3920-3922
ENRIQUE **III de Castilla**, el Doliente (1379-[1390]-1406): **2075-2190**; *Abreviación del Halconero*: 2324; Aragón, Enrique de: 2476-2477; *Atalaya de las corónicas*: 2695-2696; Barrientos, fray Lope de: 2783; Chirino, Alfonso de: 2764-2765; Constanza, sor: 3071; cortesía trastámara: 2036, 2798 (disputas teológicas), 2862, 3210 (vínculos portugueses); familia Santa María: 2587-2588; Fernando de Antequera: 2212, 2215, 2225-2226, 2307, 2727; leyes: 2857; López Dávalos, Ruy: 2889n., 2976; López de Ayala, Pero: 1786-1788, 1809, 2208; López de Córdoba, Leonor: 2348; minoridad de Juan II: 2192; Niño, Pero: 2350, 2356, 2379, 2384, 2388, 2393, 2395; Pérez de Guzmán, Fernán, educación: 2420, *Generaciones*: 2435, 2442n., 2443, 2445, 2447, 2451, 2516n., 2619; SÍNTESIS Y CONCLUSIÓN: 3926-3930; sujeción de la nobleza: 4031; testamento: 2197, 2204, 2397
semblanza: *Generaciones y semblanzas*: 2441n., 2446n.; glosas de Zurita: 2332-2333; Ms. X-ii-13: 2314, 2320-2321
ENRIQUE **IV de Castilla**, el Impotente (1424-1474):
príncipe (1424-1454): *Abreviación del Halconero*: 2327, 2329, 2332; análisis de su conducta: 3475; Barrientos, desengaño: 2211, preceptor: 2777, 2784; bautismo: 2893; boda con doña Blanca de Navarra: 2409, 2413, 3513-3514, 3786; corrupción: 2402; crónica de Barrientos: 2294-2295, 2297-2298, **2301-2301**, 2303-2305, 2310; *Crónica de Juan II*: 2242, 2246-2248, 2253, **2258-2260**, 2261-2262, 2264-2265; *Crónica del Halconero*: 2272, 2286, 2288, 2290-2291, 2293; Cueva, Beltrán de la: 2852; detención nobiliaria de 1448: 2411; Díaz de Toledo, Pero: 2549, 2553; ficción sentimental: 3193; García de Salazar, Lope: 3546n.; *Generaciones y semblanzas*: 2435; impotencia: 2258-2259, 3476, 3482, 3514, 3520; López de Mendoza, Íñigo: 2519, 2527, 2530, 2532, 3141; Luna, Álvaro de: 2925; Ms. X-ii-13: 2309, 2313, 2317; nacimiento: 2237, 2604, 2753; oposición a su padre: 2304-2305, 2554n., 2556, 2634, 2647, 2695, 2717, 2922, 3387, 3401; Pacheco, Juan: 2196; regimientos de príncipes: 3590; reinado de Juan II: 2192-2194; seguro de Tordesillas (1439): 2407; sublevación de Toledo (1449): 2636-2637, 2640; Valera, Diego de: 2713, 2723, 2727

rey ([1454-1474]): **3475-3887**; *Anacephaleosis*: 2621, 2623; antijudaísmo: 3394-3395; Beltrán de la Cueva, maestre de Santiago, rebeliones (1464): 3485n.; Carrillo, Alfonso de, «hechos»: 3586; *Carta al rey sobre el regimiento de su vivienda*: 3636, 3638-3639; consejeros: 2786; corona de Cataluña, ofrecimiento: 3428-3429, 3435, **3490-3492**, 3777; corte caballeresca: 3489-3490; *Crónica* de D. Enríquez del Castillo: 3482-3508; dejación de autoridad: 3672; deportes cortesanos: 3612, **3620-3628**, 3776; deposición (farsa de Ávila): 2886, 3495, 3510, 3522, 3526-3530, 3653; destinatario del *Libro de vita beata*: 3684-3685, 3688-3689, 3702; diagnóstico clínico sobre su enfermedad: 3476-3477; distribución de cargos: 2935; división del reinado en dos decenios: 3485-3487, 3526; Escavias, Pedro de: 3541; ficción narrativa: 3760-3832, 4039; guerras: 2550; Lucas de Iranzo, Miguel: 3558-3575; maldición de Barrientos: 2295n., 3494, 3534; Manrique, linaje: 3745; marco literario: 3274; materia caballeresca, evolución: 1373, 1550; modelo cultural: **3477-3481**, 3678; muerte: 3084, 3507-3508, 3522, 3534; música: 3621, 3696n.; perfil historiográfico: 3475-3481; primer decenio (1454-1464): 2581, 2595, **3487-3493**, 3526, 3622, 3678, 3689, 3744; proverbios: 3128; relación con la Iglesia: 3071-3072; *Repertorio de Príncipes*: 3544-3545; Sánchez de Arévalo, Rodrigo: 3554, 3556-3557, 3620-3628; segunda batalla de Olmedo (1467): 3499-3500, 3529; segundo decenio (1464-1474): 2171, **3493-3508**; SÍNTESIS Y CONCLUSIÓN: 3957-3969; sujeción a Pacheco: 3502-3506; Torre, Fernando de la: 3785; Valera, Diego de: 3590-3591; vistas de Bidasoa: 3491, 3494, 3526, 3558

semblanza: *Crónica de Enrique IV*: 3507-3508; *Exortaçión* de Pedro de Chinchilla: 3651; *Libro de vita beata*: 3688; *Memorial de diversas hazañas*: 3678

Enrique I de Navarra, el Gordo (1249-[1270]-1274): muerte: 644

Enrique II de Plantagenet, rey de Inglaterra (1133-[1154]-1189): arbitraje de 1177: 68; enlace de Leonor de Inglaterra y Alfonso VIII: 67

Enrique III de Inglaterra (1207-[1216]-1272): Ricardo de Cornualles: 423

Enrique VII de Inglaterra (1457-[1485]-1509): enlaces matrimoniales: 3831

Enrique, fi de Oliva: **1617-1630**; amador: 3197; peligros: 1667; penitencia: 1979; relaciones carolingias: 1580

Enrique de Alemania: *Gran Conquista de Ultramar*: 1054

Enrique de Aragón, infante, hijo de Fernando I (1400-1445): Anaya, Diego de: 3379; apartamiento de la corte (1428): 2238; Cartagena, Alfonso de: 2623; coronación de Juan II: 2231; derrota de 1432: 2193; Díaz de Toledo, Fernand: 2633; disputa y enlace con la infanta doña Catalina: 2315, 3156-3158 *(Crónica de Juan II)*; García de Santa María, Álvar: 2597; *Historia de don Álvaro de Luna*: 2888, 2890, 2895-2897, 2901, 2909-2912, 2916; liga nobiliaria: 2196, 2199-2200, 2236, 2307, 2962; López de Mendoza, Íñigo: 2517; Luna, Álvaro de: 2202, 2264, 3324; maestre de Santiago: 2217, 2227, 2445n., deposición: 2316-2317; María de Aragón: 2647; muerte: 2252, 2304 (*Refundición*), 3324 (Olmedo), 3796 (*Libro de las veinte cartas*); Niño, Pero: 2351-2352, 2354, 2357, 2358n., 2365, 2367-2368, 2371, 2392n., 2393-2394, 2395n., 2396n., 3161; Olmedo (1445): 2263-2264; Pérez de Guzmán, Fernán: 2320, 2421-2422, 2426, 2435, 2445n., 2446, 2453; primer exilio de Álvaro de Luna:

2282-2283, 2289, 2890; prisión (1422): 2748, 2883, 2976; regreso de los infantes de Aragón (1439): 2245-2247, 2252, 2265, 2331-2333; Santa María, Pablo de: 2594; secuestro de Rámaga (1443): 2298; secuestro de Tordesillas (1420): 2098 (*Sumario del Despensero*), 2192, 2201, 2235-2237 (*Crónica de Juan II*), 2288 (*Crónica del Halconero*), 2307-2308 (Ms. X-ii-13), 2325-2326 (*Abreviación del Halconero*), 2587, 2888 (*Historia de don Álvaro de Luna*); seguro de Tordesillas (1439): 2397-2398, 2402, 2404-2405; Villena, Enrique de: 2479

Enrique de Aragón o de Villena: ver Aragón, Enrique de

Enrique de Castilla, infante, hermano de Alfonso X (1225-1303): *Crónica de Fernando IV*: 1257, 1683; exilio: 250n.; imagen de tutor insidioso: 2102; linaje de los Pecha: 2002; María de Molina, relación: 1252-1254; minoridad de Fernando IV: 863; peripecias caballerescas: 974 (*Crónica de Alfonso X*), 1054 (*Gran Conquista de Ultramar*); rebelión contra Alfonso X (1255): 170, 216n., 241, 244, 312

Manuel, don Juan, relación: donaciones: 1096; matrimonio con Blanca Núñez de Lara: 1124; personaje *Libro del conde Lucanor*: 1118; «Razón de las armas»: 1195-1196

Enrique de Portugal, infante, duque de Viseo, el Navegante (1394-1460): *Allegationes* de Cartagena: 2628

Enrique «Fortuna», hijo del infante don Enrique y Beatriz Pimentel, duque de Segorbe (1445-1522): posible enlace con Juana de Castilla: *Crónica de Enrique IV*: 3506

Enríquez, Alfonso, Almirante, adelantado mayor de León, padre de Enrique y Fadrique (1354-1429): caza: 2852n.; *Generaciones y semblanzas*: 2446; Niño, Pero: 2392; partidario del infante don Enrique: 2307; regimiento del reino: 2315

Enríquez, Alfonso, conde de Noreña y de Gijón, hijo bastardo de Enrique II, hermanastro de Juan I (1355-d.1395): apoyo de la corte francesa: 2108; guerra contra Enrique III: 2384; rebeldía y justicia cortesana (Juan I): 1812-1813, 1815; salida de la prisión: 2077-2078, 2103-2104

Enríquez, Enrique, conde de Alba de Liste, hermano del Almirante, tío de Fernando el Católico (m.1481): detención nobiliaria de 1448: 2305, 2411, 2530

Enríquez, Fadrique, Almirante, conde de Trastámara y duque de Arjona, padre de Juana Enríquez, abuelo de Fernando de Aragón (m.1475): apoyo a la infanta Isabel: 3504; bando del infante don Alfonso: 3607; carta acusatoria del Adelantado y del Almirante contra Luna: 2290, 2318; crisis política de 1440: 2265, 2275, 2558, 2731; *Crónica del Halconero*: 2293; detención nobiliaria de 1448: 2305; enemigo de Álvaro de Luna: 2200, 2252, 2254, 2923; huida de la corte (1437): 2193, 2317, 2399, 2519, 2716, (1448): 2531; Niño, Pero: 2394n.; oposición a Pacheco: 3494-3495, 3505; partidario del infante don Juan: 2199, 2307, 2411, 2895; príncipe don Enrique: 2258; seguro de Tordesillas (1439): 2406

Enríquez, Fadrique, duque de Benavente, hijo bastardo de Enrique II y Leonor Ponce de León (m.d.1395): *Crónica de Enrique III*: 2078, 2103-2105, 2107-2108

Enríquez, fray Juan: *Crónica de Juan II*: 2477

Enríquez, Juan, doctor: *Secretos de la medicina*: 2772

Enríquez, Juana, hija de Fadrique Enríquez, esposa de Juan II de Aragón, madre de Fernando el Católico (1425-1468): enlace con Juan de Aragón: 2193, 3813; lugarteniente de Cataluña: 3830; muerte: 3529 (*Memorial*); muerte de Carlos de Viana: 3525, 3525n., 3830-3831
Enríquez, Mencía, hermana de Fadrique Enríquez, condesa de Castañeda: destinataria del *Juego de naipes*: 3809
ENRÍQUEZ DEL CASTILLO, DIEGO, capellán y cronista real (*c.*1443-1503): **3482-3508**; Carrillo, Alfonso de: 3580, 3582; carta a Isabel I: 3485n.; censuras al rey: 3498-3500; críticas a la nobleza: 3500, 3515; cronista real, cargo: 3485-3486, 3510-3511; embajadas: 3497n.; Escavias, Pedro de: 3545; López de Mendoza, Íñigo: 3697; Lucas de Iranzo, Miguel: 3558; prisión de Segovia (1467): 3483-3484, 3500, 3510-3511, 3519, 3529; semblanza de Enrique IV: 3476, 3478-3481, 3628; SÍNTESIS Y CONCLUSIÓN: 3957-3958
OBRAS:
Crónica de Enrique IV: **3482-3508**; doble estructura: 3485; doble redacción: 3483-3486; imagen de Isabel I: 3485; primer decenio, «prosperidad del rey» (1454-1464): 3487-3493, 3769; prólogo: 3483-3485; regimiento de príncipes: 3508; segundo decenio, «duras adversidades» (1464-1474): 3493-3508; transmisión: 3484-3485; versión larga: 3484
Enseñamientos de Aristóteles: 286
enseñanza, técnicas: *Arboleda de los enfermos*: 3065; *Jardín de nobles donzellas*: 3675-3677; *Libro de Alexandre*: 29, 32; *Lucidario*: 900-907; *Partida I*: 532-533; *Partida II*: 569; *El Victorial*: 3191; *Vidas y dichos de filósofos antiguos*: 2128-2131
enseñas: ver señales
entendimiento: *Declaración sobre San Juan Crisóstomo*: 3033; *Espéculo*: 331, 337-338, 346-348, 352; ficción, modelos: 1320, 1323, 1325; *Flores de filosofía*: 272; *Historia troyana polimétrica*: 817; *Leyenda de Santo Tomás de Aquino*: 2000; *Libro de las cruzes*: 411; *Libro de las tres razones*: 1192; *Libro de los estados*: **1142-1143**; *Libro de los judizios*: 387; *Libro del amigo y del Amado*: 3364-3365; *Libro del cavallero et del escudero*: 1113; *Libro del conde Lucanor*: 1155, 1157-1158, 1167-1169, 1171-1174, 1177, 1179, 1181; *Libro del consejo*: 958; *Lucidario*: 908; Manuel, don Juan: 1105; *Partida I*: 522, 531; *Partida II*: 542, 544, 562; *Partida III*: 576-577; *Partidas I-III*: 571; *Setenario*: 312, 314, 316, 324, 327; *Tractado de la Asunçión de la Virgen María*: 1200; *Tratado en defensa de virtuosas mugeres*: 3259; *El Victorial*: 3195-3196; *Visión de Filiberto*: 1767; *Zifar*: 1408, 1434, 1446
«Entendimiento», figura alegórica: *Arte memorativa*: 3371-3373; *Coloquio de la Memoria, la Voluntad y el Entendimiento*: 3369, 3374-3377; *Sátira de infelice e felice vida*: 3329; *Siervo libre de amor*: 3313n., 3316-3317, 3322-3324; *Visión deleitable*: 2836-2849, 3774
entendimiento linajístico: Manuel, don Juan: 1105-1106, 1194-1195
entendimiento receptivo: *Barlaam*: 998; *Bursario*: 3276; *Calila*: 189, 211; ficción, modelos: 1327; *Flores de filosofía*: 263; *Historia de don Álvaro de Luna*: 2920; *Historia troyana polimétrica*: 803, 813, 816-817; *Lapidario*: 386; *Libro del conde Lucanor*: 1158; *Libro del grant açedrex*: 834; *Libro de los judizios*: 400; *Partida II*: 563; *Poridat*: 279, 284; *Sendebar*: 231; *Siervo libre de amor*: 3311; *Zifar*: 1391-1392

entierro milagroso, motivo: *Santa María Madalena*: 1944
Entrée en Espagne, L': 1578n.
entrelazamiento narrativo: *Amadís*: 1557; *Crónica sarracina*: 3348; *Otas de Roma*: 1661
entremeses: *Doctrinal de los cavalleros*: 2878; *Historia de don Álvaro de Luna*: 2911-2912
envidia: *Carta e breve conpendio*: 3642; *Crónica de Enrique IV*: 3490; *Del soberano bien*: 2170; *Espejo del alma*: 3004; *Flor de virtudes*: 3741; *Libro de toda la vida de nuestra Señora*: 3875; sermones de fray Vicente Ferrer: 2960; *El Victorial*: 2381n.; *Viridario*: 2027
Enxiemplos muy provechosos: Miscelánea, BN Madrid 8744: **3836-3837**
Enzo/Enzio, hijo natural de Federico II de Sicilia (1224-1272): *De arte venandi cum avibus*: 843
Epicteto: adivinanzas: 501; debates: 211, 3244; marco narrativo: 482n.; saber: 4003; *Santa Catalina*: 1954; Segundo, filósofo: 503-504, 508 (ver *Diálogo de Epicteto*)
Epicuro (341-270 a.C.)/**epicúreos**: *Declaración sobre San Juan Crisóstomo*: 3032; *Vidas y dichos de los filósofos antiguos*: 2116; *Visión deleitable*: 2842n.
Epimalión: *Sumas de Historia Troyana*: 1646
Epiménides (siglo VI a.C.): *Vidas y dichos de filósofos antiguos*: 2123
Epistola Alexandri ad Aristotelem: 443-444
epístolas: amorosas: 738, 1521; Aragón, Enrique de: 2479n., 2500-2502; *Carta al rey sobre el regimiento de su vivienda*: 3635-3639; Cartagena, Alfonso de: 2615-2617; *Crónica de Juan II*: 2218n.; *Crónicas* de Ayala: 1802, 1811-1812; Díaz de Toledo, Fernando: 2747-2756; «Epístola de la Virgen»: 3875 (*Libro de toda la vida de nuestra Señora*); *Etimologías* romanceadas: 2159; ficción sentimental: 3154, 3216, 3804-3805; *Libro de los buenos proverbios*: 443-444 (Alejandro-Aristóteles); literatura cortesana: 3095; López de Mendoza, Íñigo: 2535-2540; Palencia, Alfonso de: 3509, 3762; Rodríguez del Padrón, Juan: 3272-3289; SÍNTESIS Y CONCLUSIÓN: 3966-3967; *Sumas de Historia Troyana*: 1641-1642 (Medea-Jasón), 1646 (Dido); Torre, Fernando de la: 3783-3812; *Triste deleytaçión*: 3826-3827; Valera, Diego de: 2716-2718, 3255, 3257-3258, 3525, 3525-3526n.; Valladolid, Alfonso de: 1759; *Vida de San Isidoro*: 2712 (ver cartas)
  consolatorias: 2988n.
  expurgativas: *Tratado de cómo al hombre es necesario amar*: 3175-3177
  familiares: *Libro de las veinte cartas*: 3794
  nuncupatorias: *Admiraçión operum dey*: 3066; *Caída de príncipes*: 2143; *La consolaçión natural*: 2978; *Exposición del soneto de Petrarca*: 2512
  ovidianas: *Bursario*: 3272-3287; *Sumas de Historia Troyana*: 1641-1642
Epístolas de las dueñas: o *Bursario* (ver Juan Rodríguez del Padrón)
Epistula exulis ad amicum: transmisión del Toledano romanzado: 3998
epitafios: *Corónica de A. Pérez de Guzmán*: 2461; *Etimologías* romanceadas: 2159; *Siervo libre de amor*: 3320
Epitrofo: *Historia troyana polimétrica*: 810
Epitus: ver Epicteto
Eracles (1248): 1038

eras: relaciones entre eras: 639; supresión de la era de César: 1811
Erasistrato, médico (304-257 a.C.): *Sátira de infelice e felice vida*: 3338n.
Erasmo (1469-1536): 2002
Erchílogo: *Vidas y dichos de filósofos antiguos*: 2116
Erec: *Demanda*: 1499
Erec et Énide: ver Troyes, Chrétien de
Erifola/Erichea, sibila: *Tratado en defensa de virtuosas mugeres*: 3261
Erigone: *General estoria III*: 738
Eritonio, rey: *Sumas de Historia Troyana*: 1641
ermitaño: *Amadís*: 1567; *Crónica sarracina*: 3354-3355; *Cuento de Carlos Maynes*: 1614; *Exemplos muy notables*: 3116; *Flor de virtudes*: 3742; *Libro de Graçián*: 3381; *Libro del amigo y del Amado*: 3363; *Mar de historias*: 2433n.; *Otas*: 1671; *San Amaro*: 1968; *Santo Tomás*: 1997; *Viridario*: 2032-2033; *Visión de Filiberto*: 1763, 1768; *Zifar*: 1407
  «ermitaño tentado»: Ms. 49, Catedral de Pamplona: 2969
Ernoul (siglo XII): 1038, 1042
Ero de Armenteira, San: 1971, 2123
Erop, rey de Arabia: *Recetas* de Gilberto: 2773
erotismo: *Bursario*: 3283-3284; *Crónica sarracina*: 3350-3351, 3355; *General estoria III*: 740n.; *Libro del amigo y del Amado*: 3367; *Santa María Madalena*: 1938n.
Erutea: *Libro de las claras e virtuosas mugeres*: 3238
escala de amor: *Triste deleytaçión*: 3818, 3822
ESCALA DE MAHOMA: **234-240**; escatología: 1833; estructura y contenido: **239-240**; intolerancia religiosa: 894, 931n., 934; prólogo: **237-239**; recepción: 181; SÍNTESIS Y CONCLUSIÓN: 3893
escalas de perfección: *Arte memorativa*: 3370-3371; *De viii° escaleras para sobir al çielo*: 3837-3838; *Libro de toda la vida de nuestra Señora*: 3864-3865; *Libro del conde Lucanor*: 4032
Escalibor: ver espada
Escalona: corte de don Álvaro: 2919-2922, 2924-2925, 3222; posesión de Pacheco: 3505; relaciones nobiliarias: 2246, 2329-2330, 2885, 2885n., 2933
escatología, revelaciones místicas: *Barlaam*: 1008; *Capítulo de las quinze señales que serán antes del Juizio Final*: 3846; Fernández de Minaya, *Libro de las tribulaciones*: 3010; *Libro de las tribulaciones*: 3093, 3760; *Libro de los exemplos por a.b.c.*: 3103; Ms. 77, Bibl. Menéndez Pelayo: 1874-1875; *San Amaro*: 1965, 1969-1971; *Santa María Madalena*: 1944; *Santo Domingo de Guzmán*: 1993-1994; *Sobre el Juizio Final*: 3846-3847; *Visio Sancti Pauli*: 3845n.
ESCAVIAS, PEDRO DE, alcaide de Andújar (*c.*1420-*c.*1500): atribución de los *Hechos de Lucas de Iranzo*: 3575-3576; biografía: 3540-3542; censuras a Enrique IV: 3531; conciencia cronistíca: 3342, 3405n.; lealtad: 3541-3542, 3545; Lucas de Iranzo, Miguel: 3541-3542, 3572; romance del infante don Enrique: 2910n.; SÍNTESIS Y CONCLUSIÓN: 3959
  OBRAS:
  Coplas dirigidas al condestable Miguel Lucas: 3541n.
  Repertorio de Príncipes de España: 3483n., **3542-3545**
Escelova/Escévola, Cayo Mucio (siglo VI a.C.): *Compendio de la fortuna*: 2795n.

Eschines (390-*c.*314 a.C.): *Vidas y dichos de filósofos antiguos*: 2120, 2129, 2131n.
Escipión el Africano, Publio Cornelio (236-183 a.C.): *General estoria IV*: 774
Escipión Emiliano, Publio Cornelio, el Joven (185/184-129 a.C.): *Bías contra Fortuna*: 2530-2531; *Floresta de filósofos*: 3142n.; *Qüistión entre dos cavalleros*: 3629; *Vidas y dichos de filósofos antiguos*: 2115, 2126
Escipiones, linaje: 3251
escolasticismo: *Arcipreste de Talavera*: 2686, **2687-2692**; *Breviloquio de amor*: 4074; *Castigos de Sancho IV*: 4026-4028; *Controversia Alphonsiana*: 2610; *Libro de la justiçia de la vida espiritual*: 1900; *Libro de las tres razones*: 1192; *Libro del consejo*: 947n.; *Libro del tesoro*: 867, 870; López de Baeza, Pero: 1906; *Oracional*: 3018, 3024
Escot, mercader: *Otas*: 1664, 1672-1673
escribanos, estamento de: *Espéculo*: 347-348; *Partidas*: 591n.; siglo XV: 2859, 3393n., 3568n.
escritura: Alfonso X: 592-593; elogio de: 3194; epistolar: 769, 3286-3287; justificación: 3601, 4034; límites con la realidad: 2921; marco de verosimilitud: 4037; proceso físico: 2544; reformas ortográficas: 3987-3989; término genérico: 2335n., 2637, 3565; valor de: 388
escudero disputador: *Libro de Graçián*: 3398
escudo: mágico: 1498; símbolo: 1905
escuela catedralicia: Palencia: 75; Toledo: 62, **857-863**, 891, 915, 980, 1026, 1239, 1327, 1377, 1379-1380, 1384, 1387-1389, 1451, **4022-4024**, 4043; transmisión del saber: 364, 534, 3976-3977
Escuela de Murcia: 365
Escuela de traductores de Toledo: 123, 239n.; Alfonso X: 364, 408
escuelas, expulsión de: *Libro de las consolaçiones*: 2996
escuelas alfonsíes: dimensión pedagógica: 462n.; formación: 330; historiografía: 170, 690-691, 693, 822; Manuel, don Juan: 840; molinismo: 920, 949, 1029; «rey clérigo»: 411 (*Libro de las cruzes*); transmisión del saber: **364-422**
Esculapio: *General estoria II*: 722; *Libro de las claras e virtuosas mugeres*: 3236n.
Esdras, sacerdote y escriba (450-390 a.C.): *General estoria IV*: 758-759, 763
esfuerzo caballeresco, noción: *Vergel de los príncipes*: 3625; *Zifar*: 1412, 1455
esfuerzo en palabra, noción: *Libro de los cien capítulos*: 439
Esmeré: *Otas*: 1661-1671, 1673
Esmerol (Morol/«Morholt»): *Tristán*: 1516-1517, 1520, 1525, 1532, 1539, 1544
Esopo, moralista griego (620-560 a.C.): *Flor de virtudes*: 3742
espacio textual: 12, 83, 399, 1154
espada: acusadora: 1516; anagnórisis: 1556; autoridad regia: 1278, 3319; de castidad: 1524, 1531; Durandarte: 1085, 1088, 1581, 1602; Escalibor: 1490; identidad caballeresca: 1072; imagen de la justicia, 349, 561-562, 563; Joyosa: 1615, 2699; Lobera: 1278; mágicas: 1490, 1498; símbolo: 1195, 1198, 1905; Tafur, Pero: 3422
«espaladinar»: ver despaladinar
Espán, rey: *Crónica del moro Rasis*: 2089; *General estoria I*: 692; *General estoria II*: 726
España:
  concepción histórica: *Estoria de España*: 656; *Repertorio de Príncipes*: 3543
  dimensión etimológica: *Lapidario*: 378n.

elogio: *Partida II*: 565
figura alegórica: *Libro de la consolaçión de España*: 3075-3084
goticismo: *Estoria de España*: 663
lamentación: *Crónica de Enrique IV*: 3497; *Lamentaçión de Spaña*: 2523-2526
origen etimológico: *General estoria*: 692, 725-726
realidad política: *Estoria de España*: 666; *Partida II*: 539; *Setenario*: 310-311
referencia bíblica: *General estoria V*: 781
signo astrológico: *Libro de las cruzes*: 419
españoles:
Alfonso X: *Estoria de España*: 656; *General estoria*: 691, 711, 716; *Libro de fecho de los cavallos*: 847n., 849n.; *Libros de acedrex*: 820-821; *Partida II*: 539, 558, 818; tratados de caza: 838-840, 845
Manuel, don Juan: *Crónica abreviada*: 1104; *Libro del cavallero et del escudero*: 1110
Sancho IV: *Castigos de Sancho IV*: 925; *Libro del consejo*: 955
siglo XV: *Perfeçión del triunfo*: 3778-3779
espectáculos:
dramáticos: *Hechos de Lucas de Iranzo*: 3577-3579; *Libro de las veinte cartas*: 3793n.; *Libro de toda la vida de nuestra Señora*: 3885; *Partida I*: 536n.; *Suma política*: 3612
juglarescos: ficción, modelos: 1316, 1335
teatralidad y textualidad: *Arcipreste de Talavera*: 4063-4065
ESPÉCULO, Alfonso X: **330-357**; *Calila*: 198; *Castigos del rey de Mentón*: 1452; corte letrada: **348-352**; definición de rey: **340-343**; estructura: 338-339; «fecho del Imperio»: 423; *Fuero Real*: 301, 302n., 303; *Fuero Viejo*: 299; historiografía: 644, 687, 687n. (*Estoria de España*), 713, 796 (*General estoria*); ideario político: 387, 390, 412; imagen del rey: **337-338**, 439; leyes, siglo XIV: 1291-1293, 1303; *Libro de los estados*: 1144; *Libro de los judizios*: 405n.; «miraglo de Sanct Andrés»: 3848n.; modelo ideológico frustrado: **354-357**, 350, 360-361, 361n.; rechazo del saber alfonsí: 237; revisión jurídica: 511-513; rey como garante de la justicia: **338-340**; SÍNTESIS Y CONCLUSIÓN: 3894-3895; transformación del *Espéculo*: 516-521, 524, 526-527, 531-532, 536, 538, 539n., 540-543, 545n., 547-549, 551-555, 559-561, 565-567, 572, 574, 576, 578, 581-582, 583n., 584, 586, 587n., 588, 591 (*Partidas*); transmisión y fechación: **331-336**; uso del latín: 60n.; voluntad del rey: **343-347**
ESPÉCULO DE LOS LEGOS: **3103-3109**; *Estoria de la fiesta del Cuerpo de Dios*: 3034-3035; SÍNTESIS Y CONCLUSIÓN: 3949; traducción y transmisión: 2112, 3104-3106, 4010
espejo, imagen del: *Cuento de Carlos Maynes*: 1606; *Dichos de los santos padres*: 1749; *Doctrinal de los cavalleros*: 2872n.; *Los doze trabajos de Hércules*: 2483, 2486; *Espéculo*: 338, 338n., 517; ficción: 1462; ficción sentimental: **3151**; *Libro de las claras e virtuosas mugeres*: 3236n.; *Libro de los doze sabios*: 243, 248, 259; *Libro de los estados*: 1128; *Libros de acedrex*: 821; *Las siete edades del mundo*: 2591; *Tractado breve de penitencia*: **3007-3008**; *Viridario*: 2030; *Visión deleitable*: 2843; *Zifar*: 1376, 1380, 1392-1393, 1394, 1449, 1699
Espejo de las damas: lecturas de Isabel I: 3662n.
espejo del alma: *Espejo del alma*: 3003-3006

«espera»-esfera, noción alfonsí: 605n., 610, 611n.
esperanza, motivo: *Espejo del alma*: 3006
Espéridas, dueñas: *Sumas de Historia Troyana*: 1639
«Esperiençia», figura alegórica: *Perfeçión del triunfo*: 3774
Espina, Alonso de, fray, rector de la Univ. de Salamanca (m.*c*.1495): *De fortuna*: 2786; Díaz de Toledo, Pero: 2578; muerte de Á. de Luna, consolación: 2786, 2887, 2943
Espíritu Santo: *Del soberano bien*: 2165, 2165n.
espirituales de la Iglesia: 1869n.
espiritualidad del consejero: *Libro del conde Lucanor*: 1175-1179
espíritus malignos: *Tractado de la adivinança*: 2823
«esplanar-esplanador»: *Libro de las cruzes*: 411, 421-422; *Libro de los judizios*: 399, 403; *Sumas de Historia Troyana*: 1636
Esplandián: *Amadís*: 984, 1359, 1526, 1550-1551, 1565, **1567-1570**, 1571, 1576, 1613, 1621, 1634, 3353
esposas: «bravas»: *Vidas y dichos de filósofos antiguos*: 2121-2122; buenas: *Castigos y dotrinas*: 3134-3139
Estacio, Cecilio (m.168 a.C.): *Vidas y dichos de filósofos antiguos*: 2118
Estacio, Publio (*c*.40/61-96): *Defunsión de don Enrique de Villena*: 2480; *General estoria*: 690, 699, 702, 727; *Libro de las claras e virtuosas mugeres*: 3236; materia troyana: 799; Mena, Juan de: 2733
OBRAS:
Aquileida: 4019-4020
Tebaida: 724
estaciones, descripción: *Espejo de medicina*: 2767; *Libro de la montería*: 1696; *Libro del grant açedrex*: 835; *Poridat*: 275n., 280; *Secreto de los secretos*: 293
estadios redaccionales: *Amadís*: 1541-1554; *Crónicas* de Ayala: 1784, 1789; *Estoria de España*: 647; *Estoria de Santa María Egiçiaca*: 1344; *Libro de los doze sabios*: 249; *Mainete. Crónica fragmentaria*: 1597; *El Victorial*: 2350; *Zifar*: 1421-1422
estado/estamento: adoctrinamiento: 3384-3390; Alfonso X: 433, 538-539, 575; Aragón, Enrique de: 2486; *Cirimonial de príncipes*: 3602-3603; crítica: 2944, 2999-3000; Díaz de Toledo, Pero: 3753-3754; dignidad: 4033; división de mujeres, grados de amor: 3809-3810, 3823-3826; eclesiástico: 2031, 2170, 2716, 3385-3386, 3696-3697, 3710, 3835; estamentos, teoría: 464n., 518, 538-539, 560, 3129-3130, 4042; *Glosa castellana al «Regimiento de príncipes»*: 1723; Guzmán, Nuño de: 2584-2585; *Invencionario*: 3709; *Libro de Graçián*: 3384-3390; *Libro de los gatos*: 2022-2023; Manuel, don Juan: 1094, 1098, 1105, 1109, 1112, 1121, **1124-1127**, 1134-1140, 1189, 1200; noción: 1701-1703, 1723; obligaciones: 268, 1155-1156, 1164, 1179, 1358, 1450, 1455, 2447, 2449, 2473, 2836, 2916, 3006, 3382, 3641, 3651; peligros/menguas: 1176, 2890, 3134, 3404; *Regla de San Bernardo*: 3738; Sancho IV: 935; *Tratado de la comunidad*: 1731-1733
Este, Nicolás III de, Marqués de Ferrara (1393-1441): *Andanças e viajes* de Pero Tafur: 3420
Estéfano de Sevilla (siglos XIV-XV): *Visita y consejo de médicos*: 2759
Ester/Hadasá, mujer de Asuero (Jerjes I), rey de Persia (siglo V a.C.): *General estoria IV*: 763-765, 766; *Libro de Ester*: 215, 1908; *Libro de las claras e virtuosas*

mugeres: 3230; *Tratado en defensa de virtuosas mugeres*: 3262; *Triunfo de las donas*: 3295, 3297
Ester, rey de: *Zifar*: 1408, 1410
«Estevan», rey de Inglaterra: *Purgatorio de San Patricio*: 1846
estilo:
breve y oscuro: Alfonso X: 372, 427, 427n.; Alfonso de Toledo: 3705, 3713-3714; Chinchilla, Pedro de: 3641, 3651, 3659n.; *La consolación natural*: 2979; López de Ayala, Pero: 2152, **2154**; Manuel, don Juan: 1108, 1144n., **1180**, 1202; Tratado de retórica: 3734-3735
llano y declarado: *Libro del conde Lucanor*: 1182; *Libro del saber de astrología*: 602; *Mostrador de justiçia*: 1754; *Tractado de la adivinança*: 2823
«estilo» o género literario: comentario a la *Coronación*: 2732-2733; *Los doze trabajos de Hércules*: 2483-2484; *Introduçión* de P. Díaz de Toledo: 3749; *Siervo libre de amor*: 3311
estilos, usos jurídicos: *Leyes del estilo*: 1295
estoicismo: «suplicación» de P. Guillén de Segovia: 3719
Estoire del Saint Graal: 1468-1469, 1477, 1479
Estoire dou Graal: 1467, 1469
Estor de Mares: *Lanzarote*: 1473, 1501-1502, 1504, 1523, 1558
****Estoria caradignense del Cid***: *Crónica de Castilla*: 1230
Estoria de África: *Crónica de Alfonso XI*: 1278
Estoria de Alexandre el Grand: *General estoria IV*: 768-772
Estoria de Artaxerses: *General estoria IV*: 763-764
Estoria de Artaxerses Asuero: *General estoria IV*: 765-766
Estoria de Belmonte: *Zifar*: 1476n.
Estoria de cuando los Reyes vinieron a adorar y dar sus presentes a nuestro Señor Jhesu Christo: *Hechos de Lucas de Iranzo*: 3578, **3578n.**
Estoria de Darío noto: *General estoria IV*: 765
Estoria de Dido y Eneas: *Estoria de España*: 658
Estoria de don Yván: *Zifar*: 1434, 1434-1435n., 1476
Estoria de dos amadores: 3204 (ver Piccolomini, Eneas Silvio)
ESTORIA DE ESPAÑA, Alfonso X: **645-686**; Adriano: 473; Alfonso XI: 516n.; arquetipo: 646-647; Cartagena, Alfonso de: 2621; configuración de Castilla: 65-71, 79, 157, 159-160; contenido: **654-657**; crónica real: 964-965, 979, 1238, 1260; derivaciones: **1227-1237**, 2081, 2696, 2698; desarrollo textual: 1226, 646-648; E_1: 646n., 659n., 669, 669n., 674, 679-680, 684-685; E_2: 650, 669, 669n., 675, 679-680, 1240, 1243, 1285, 1287, 1329, 1331, 1334, 1351, 1351n. E_{2a}: 676, 679; E_{2c}: 676-677, 679, 963; E_{2d}: 677, 679; E_{2e}: 677-679, 963; E_{2f}: 678-679, 964n.; *Escala de Mahoma*: 235; estructura analística: **672-674**; fuentes: 162, 649, 3347; García de Salazar, Lope: 3548, 3551; hagiografía: 1916, 1953; historia cidiana: 677, 679, 963; historia de los señoríos: **657-665**; historiografía, desarrollo: 959-962; integración de fuentes: **669-672**; Manuel, don Juan: 1107-1108; materia carolingia: 103, 1598-1599; materia de la Antigüedad: 105, 1656, 1674; materia épica: 3143n.; materia historiográfica: 1631, 1635-1636; materia troyana: 801, 4019; panorama crítico: **648-653**; refranes: 4060; relación con *General estoria*: 644, 686-687, 690, 693, 696, 711, 739n., 782, 791, 792n., 795, 4014; relación con *Gran Conquista de Ultramar*: 1036,

1047, 1055, 1080, 1084; *Repertorio de Príncipes*: 3544; *Segundo filósofo*: 504, 4010-4011; SÍNTESIS Y CONCLUSIÓN: 3899; valor de la escritura: 388; *Versión concisa*: **680-681**; *Versión crítica*: 919n., **682-686**; *Versión enmendada después de 1274*: **680-681**; *Versión primitiva* y el códice E_2: **674-680**; versiones: 647-648; «versiones», formación ideológica: **665-669**; *El Victorial*: 3218
Estoria de Jugurta: *Dichos por instruir a buena vida*: 3123
Estoria de Julio César: *Estoria de España*: 658, 660-661, 665; *General estoria V*: **788-791**
Estoria de la fiesta del Cuerpo de Dios: **3034-3037**, 3104n., 3105, 3839; SÍNTESIS Y CONCLUSIÓN: 3948
Estoria de los cuatro doctores de la Iglesia: 983
Estoria de los godos: 169, 3995-3999 (ver Jiménez de Rada, Rodrigo)
Estoria de Mahomat: *Castigos de Sancho IV*: 931n., 934; *Escala de Mahoma*: 236
ESTORIA DE MERLÍN: **1483-1485**, 2972; historias de Merlín: 1482; materia artúrica: 1469; *Post-Vulgata*: 1477; SÍNTESIS Y CONCLUSIÓN: 3915; *Tristán*: 1532
Estoria de Nabucodonosor: *General estoria IV*: 749-750
Estoria de Oco: *General estoria IV*: 767
estoria de Orestes y Pilades: *Partida IV*: 596n.
Estoria de Rocas: *Estoria de España*: 659
ESTORIA DE SANTA MARÍA EGIÇIACA (prosa): **1343-1349**; Ms. h-i-13: 1353, 1355 (*Cavallero Pláçidas*), 1943 (*Santa María Madalena*), 1953 (*Santa Catalina*); otras manifestaciones: **1350**; *San Amaro*: 1963; SÍNTESIS Y CONCLUSIÓN: 3913
Estoria de Troya: *General estoria*: 709, 726-727, 4019; traducción de Ayala: 2132-2134
ESTORIA DEL CAVALLERO DEL ÇISNE: **1055-1080**; desarrollo textual: **1056-1059**; ficción, modelos: 1328, 1333, 1335, 1631; *Gran Conquista de Ultramar*, relación: 1031, 1037, 1039n., 1041, 1043; modelo caballeresco molinista: 1382n.; núcleos de contenido: **1059-1077**; SÍNTESIS Y CONCLUSIÓN: 3905-3906
ESTORIA DEL FECHO DE LOS GODOS: **2084-2085**; *Estoria de España*, transmisión: 680n., 682; *Historia hasta 1288 dialogada*: 972n., 978-979; historiografía petrista: 1779, 2098; traducciones del Toledano: 169, 969n., 3998
Estoria del rey Anemur e de Josaphat e de Barlaam: *Barlaam*, Ms. *S*: 983
Estoria del rey Arsamo: *General estoria IV*: 767-768
Estoria del rey don Alfonso: *Crónica de Alfonso X*: 972n.; *Crónica de Sancho IV*: 976-977
Estoria del rey don Sancho: *Crónica de Alfonso X*: 972n.; *Crónica de Sancho IV*: 976-977
ESTORIA DEL REY GUILLELME: **1357-1365**; Ms. h-i-13, hagiografía: 1352, 1366, 1936; SÍNTESIS Y CONCLUSIÓN: 3913
estoria del rey Minos: *General estoria II*: 724-725
Estoria del rey Xerses, el segundo: *General estoria IV*: 764
Estoria/Libro del sancto Grayal et del rey Artur: *Crónica de 1404*: 2086-2087; *Libro de las generaciones*: 107; *Mar de historias*: 2433n.
«estoria departida»: *General estoria*: 708
Estoria do muy nobre Vespesiano: 1676, 1676n.
Estoria refundida del fecho de los godos: 1781
Estoria theotónica: 3595

«estoria unada»: *General estoria*: 708-709, 720, 723, 725n., 754, 4014
estorias:
audición cortesana: Alfonso XI: 1772; *Castigos de Sancho IV*: 935; *Crónica abreviada*: 1104; *Enrique fi de Oliva*: 1631; ficción, modelos: 1324; *General estoria V*: 784; *General estoria VI*: 797-798; *Gran Conquista de Ultramar*: 1029; *Historia troyana polimétrica*: 807; *Partida II*: 563n.; *Zifar*: 1375-1376
clásicas/gentílicas: *Bursario*: 3272-3289; *Genealogiae deorum*: 3199; *Sátira de infelice e felice vida*: 3327; *Siervo libre de amor*: 3316; *El Victorial*: 3170, 3172-3173, 3177, 3181, 3187
sentimentales: *El Victorial*: 3192
término genérico: *Crónica de la población de Ávila*: 170, 175, 179, 180; *Crónica de tres reyes*: 1260; *Crónica particular de Fernando III*: 1244; *Estoria del Cavallero del Çisne*: 1055-1056, 1059; ficción, modelos: 1326, **1329-1330**, 1334; *Libro de los doze sabios*: 253, 254; *Libro del tesoro*: 887; López de Ayala, Pero: 1803, 2036; regimientos de príncipes: 1697; *Semejança del mundo*: 146; *Sendebar*: 222, 232; *vitae*: 1341, 1341n.
«estorias de Castilla»: *Generaciones y semblanzas*: 2455
estorias de la Biblia: *General estoria*: 693-694
Estorias de vidas de santos padres: *Castigos de Sancho IV*: 934
Estorias Escolásticas: *Sacramental*: 3049n.
estorias esculpidas/miniadas/pintadas: *Anacephaleosis*: 2621; *Cantigas prosificadas*: 1026-1027; *Estoria del Cavallero del Çisne*: 1071n.; *Glosa castellana al «Regimiento de príncipes»*: 1713; *Juego de naipes*: 3810-3811; *Libro de Graçián*: 3399-3401; *Libro de las cruzes*: 411n.; *Libro del conosçimiento de todos los reinos*: 4049; materia troyana: 802, 815, 1647, 1651; *Santa María Madalena*: 1945-1946; *Santa Marta*: 1952; *Suma de virtuoso deseo*: 3130-3131; *Visión deleitable*: 2837
Estorias romanas: 3741-3743
Estrabón de Amasia, geógrafo e historiador (64/63 a.C.-23 d.C): *Compendiosa Historia Hispanica*: 3555
Estraconites, madrastra de Antioco: *Sátira de infelice e felice vida*: 3338
Estrancón: *Sumas de Historia Troyana*: 1645
estrofas: ver versificación métrica
estructuras discursivas: 1316
estructuras textuales, simetrías: *Amadís*: 1557-1562; *Avisaçión de la dignidad real*: 1727; *Baladro del sabio Merlín*: 1489; *Barlaam*: 987-988; *Berta. Crónica fragmentaria*: 1597; *Bocados de oro*: 460; *Breviloquio de amor y de amiçiçia*: 3170; *Calila*: 202; *Castigos*: 941; *Cavallero Pláçidas*: 1353-1356; *Corónica de A. Pérez de Guzmán*: 2461; *Crónica de Alfonso XI*: 1266-1267; *Crónica de Enrique III*: 2100-2101; *Crónica de Fernando IV*: 1250; *Crónica de Juan I*: 1810; *Crónica de Juan II*: 2225, 2235, 2263; *Crónica del rey don Pedro y del rey don Enrique*: 1791-1792, 1794; *Crónica sarracina*: 3354; *Cuento de Carlos Maynes*: 1607-1617; *Demanda*: 1497; *Dichos de los santos padres*: 1748-1750; *Enrique fi de Oliva*: 1622-1630; *Escala de Mahoma*: 239-240; *Espéculo*: 338; *Estoria de Santa María Egiçiaca*: 1345-1346, 1349; *Estoria del Cavallero del Çisne*: 1060, 1062, 1068-1069, 1074, 1076; *Estoria del rrey Guillelme*: 1361-1362; *Fiammetta*: 3204-3205; *Flores de filosofía*: 267-269; *Gran Conquista de Ultramar*: 1040-1043; *Historia de Apolonio*: 1682; *Historia de la donzella Teodor*: 490-491, 495; *Lapidario*: 372;

Libro de las cruzes: 418; *Libro de los buenos proverbios*: 451; *Libro de los cien capítulos*: 431, 434-435, 438; *Libro de los estados*: 1134-1138; *Libro del conde Lucanor*: 1155-1157; *Libro del consejo*: 951; *Libro del regimiento de los señores*: 2937-2938; *Libro del tesoro*: 871; *Lucidario*: 906, 909; *Mainete. Crónica fragmentaria*: 1600-1604; *Mainete. Gran Conquista de Ultramar*: 1084-1085; *Memorial de diversas hazañas*: 3522; *Miraglo de Sanct Andrés*: 3848; *Muerte de Arturo*: 1503; *Otas de Roma*: 1664-1674; *Partidas*: 570-573; *Poridat*: 283, 285; *San Alejo*: 1974-1975; *Sant Lorenço e Sant Sisto*: 1929-1930; *Santa Catalina*: 1956; *Santa enperatrís*: 1369-1370; *Santa María Madalena*: 1941, 1944; *Santa Marta*: 1948, 1950; *Santa Pelagia*: 1984-1985; *Sátira de infelice e felice vida*: 3331; *Secreto de los secretos*: 292; *Segundo filósofo*: 506; *Sendebar*: 224, 226-228, 231; *Setenario*: 309; *Tratado de la comunidad*: 1731-1733; *Triste deleytaçión*: 3818; *Vespesiano*: 1676-1680; *El Victorial*: 2373-2374; *Vida de San Ildefonso*: 2703; *Zifar*: 1397-1398, 1400-1401, 1406, 1411, 1418, 1425-1427, 1442-1444

estudio, símbolos: *Vida de San Isidoro*: 2710n.

estudio de Gramática (Sepúlveda): 3048

estudios generales, universidades: Alcalá: 862-863; «clerecía cortesana»: 405; Palencia-Salamanca: 21-27, 112, 3976-3977; *Partida II*: 540, 567-570, 2757; Salamanca, medicina: 2763-2764; Sevilla: 364-365 («Estudios e Escuelas Generales de latín e de arábigo»); Sevilla-Toledo: 245n.; «tablas» alfonsíes: 640; Valladolid: 863 (ver escuela catedralicia; Salamanca, estudio/universidad)

Estúñiga: ver López de Zúñiga y Zúñiga

eternidad, percepción: sermones de fray Vicente Ferrer: 2960

Ethiocles: *General estoria II*: 724

ética:

- **ciencia moral**: *Glosa castellana al «Regimiento de príncipes»*: 1711-1715; *Libro del tesoro*: **868, 878-882**; *Proverbios de Séneca*, glosa: 2551
- **femenina**: *Jardín de nobles donzellas*: 3668
- **nobiliaria**: *Libro del conde Lucanor*: 4031

etimologías: Alfonso X: 320-322, **342**, 383, 591, 614, 722, 728, 773, 851, 2922-2923; Barrientos, Lope de: 2819; Cartagena, Alfonso de: 3021, 3024; Cartagena, Teresa de: 3063; *Embajada a Tamorlán*: 2190; *Exemplo de los legos*: 3106n.; falsas: 2448; *Invencionario*: 3715; leyendísticas: 2622; López de Salamanca, Juan: 3872, 3872n., 3888, 4068; Mena, Juan de: 2743; Rodríguez del Padrón, Juan: 3291n., 3302-3303; Sánchez de Arévalo, Rodrigo: 3614n., 3626; textos catequismales: 1856, 1859

etopeya: *Generaciones y semblanzas*: 2441; *Gesta*: 3477-3478

Etymologiae: ver Isidoro, San

Eucaristía, fiesta/sacramento: *Estoria de la fiesta del Cuerpo de Dios*: 3034-3037; *Milagros de San Antonio*: 3852; *Sacramental*: 3052; *Tractado del precioso sacramento del Señor*: 3839-3840

Eufebro: *Historia troyana polimétrica*: 814

Eufemia: *Libro de las claras e virtuosas mugeres*: 3242

Eufemiano: *San Alejo*: 1974, 1976n.

Eugenia: *Libro de las claras e virtuosas mugeres*: 3244

Eugenio IV, papa (1383-1447): arzobispado de Toledo, sucesión (1434): 2233; Cartagena, Alfonso: 2600-2601, 2627, 2629-2630; Concilio de Basilea: 2239-

2240; Fernández de Madrigal, Alfonso: 2580n., 2644; Sánchez de Arévalo, Rodrigo: 3607; Tafur, Pero: 3409, 3415
Eugenio, San, arzobispo de Toledo (fin siglo VI-657): *Istoria de Sant Alifonso*: 1923-1925, 1925n.; *Vida de San Ildefonso*: 2704, 2712
Eugui, fray García (segunda mitad siglo XIV): *Crónica*: **1285-1287**, 3536, o *Canónicas de los fechos que fueron fechos antiguamente en Espayña*: **3997**; SÍNTESIS Y CONCLUSIÓN: 3911
Eunuchus: 1545-1546
Eurico, rey visigodo (*c*.420-[466]-484): *Crónica abreviada*: 1107; *Estoria de España*: 3997
Europa: *General estoria*: 689, 722; *Sumas de Historia Troyana*: 1645 (ver Júpiter)
  reina de los cretenses: *Libro de las claras e virtuosas mugeres*: 3229n.
Eusebio de Cesárea (263-339): *Estoria de España*: 660; Fernández de Madrigal, Alfonso: 2112, 2544n., 2660; *General estoria*: 779; *Libro de las claras e virtuosas mugeres*: 3236
  OBRAS:
  Canones chronici (Eusebio-Jerónimo): 96, 673, 695, 699, 705, 719, 724, 735, 758, 763-764, 773, 1234, 1674, 2543; traducción del Tostado: 2655-2659, 2738
Eustaçio/San Eustaquio/Plácidas: 1354-1357 (ver *Cavallero Pláçidas, El*)
Eustacio, conde de Boloña: *Estoria del Cavallero del Çisne*: 1046, 1056-1057, 1062, 1073n., 1079
Eustaquia, Santa (siglo IV): *General estoria IV*: 766
Eustaquio, San (m.118): *Cavallero Pláçidas*: 1352-1356; *Estoria del rrey Guillelme*: 1358
Eutimio, San (377-473): *Barlaam*: 982
eutrapelia, soporte de «alegría cortesana»: *Exortaçión*: 3656, 3659n.; *Glosa castellana al «Regimiento de príncipes»*: 1713
Eutropio (m.d.399) *Diálogo de Epicteto*: 472; Fernández de Heredia, Juan: **1652, 1652n.**
Eva: *Caída de príncipes*: 2148; *Estoria del Cavallero del Çisne*: 1078; *Flor de virtudes*: 3743; *Jardín de nobles donzellas*: 3665, 3668; *Libro de las claras e virtuosas mugeres*: 3227, 3229, 3245, 3250; *Libro de toda la vida de nuestra Señora*: 3866
Evagrio (siglo V): *Altercatio Simonis Iudaei et Theophili Christiani* (*c*.423): 3992
Evangelios apócrifos: *Glosa castellana al «Regimiento de príncipes»*: 1719; *Libro de toda la vida de nuestra Señora*: 3875; *Libro del infante don Pedro de Portugal*: 3436; *Vespesiano*: 1676
Evangelista (fines siglo XV): *Libro de la cetrería*: 2853; *Profecía*: 3084
evemerismo: *Las diez qüestiones vulgares*: 2659; *General estoria*: 698
Éverard de Béthune (siglos XII-XIII): *Graecismus* (1212): 2951
Evilmoradach, rey de Babilonia (siglo VI a.C.): *General estoria IV*: 751
Evolat, rey de Sarraz: *Libro de Josep Abarimatía*: 1480-1481; *Vespesiano*: 1675
Evreux, conde: ver Felipe, conde de Evreux
Excidium Troiae: 4019, 4019n.
exégesis: Aragón, Enrique de: 2482, 2484-2485, 2506-2516; Cartagena, Alfonso de: 3028-3034; Cartagena, Teresa de: 3058, 3066; cuatro sentidos o vías interpretativas: 1900, 2152, **2156-2157**, 2730n., 2962, **2965-2966**, 2970, 3199;

Díaz de Toledo, Pero: 3746-3755; *Enxiemplos muy provechosos*: 3837; escrituraria: 2165, 2169, 2488, 2648, 3035; Fernández de Madrigal, Alfonso: 2648-2651, 2659, 3044; *Glosa castellana al «Regimiento de príncipes»*: 1722; Guillén de Segovia, Pero: 3558, 3584-3589, 3717; *Libro de toda la vida de nuestra Señora*: 3877; López de Mendoza, Íñigo: 2530; López de Salamanca, Juan: 2973, 4067-4069; Luna, Álvaro de: 3246-3247; Manuel, don Juan: 1192-1193; Martín de Córdoba, fray: 3666; Mena, Juan de: 2727, 2730-2734; Núñez, Hernán: 3747; Palencia, Alfonso de: 3765-3769; Pedro de Portugal: 3327; Rodríguez del Padrón, Juan: 3272, **3277-3279**, 3720n., 3749; Sánchez de Vercial, Clemente: 3099; sermonística: 1898, 2951, 2969; «tres sesos»: 2734; Valera, Diego de: 3605-3606; *Viridario*: 2035; *Visión de don Túngano*: 1843

***Exemplario contra los engaños y peligros del mundo* (1493)**: 185n.

«exemplo»: *Andanças e viajes* de Pero Tafur: 3418-3419; Aragón, Enrique de: 2502; *Arcipreste de Talavera*: 2667, 2670, 2677-2683, 4063-4065; *Barlaam*: 988, 990, 993, 995-999; *Carta e breve conpendio*: 3643, 3648; Cartagena, Teresa de: 3055, 3061, 3064, 3066-3067; *Castigos de Sancho IV*: 915, 918, 923, **931-935**, 940, 4027; *Castigos que un sabio dava a sus hijas*: 3136-3137; *Compendio de la Fortuna*: 2793-2795; *Compendiosa Historia Hispanica*: 3556; corte de Sancho IV: 951, **958-959**; *Crónica de Alfonso XI*: 1282-1283, 1283n.; *Crónica de Enrique III*: 2108; *Crónica de Fernando IV*: 1254-1255; *Crónica de Juan I*: 1815; *Crónica de Juan II*: 2338, 2519, 2890-2891; *Crónica de la población de Ávila*: 170, 172, 175-177, 182; *Crónica de Sancho IV*: 858n., 859n., 979, 979n.; *Crónica del Halconero*: 2479; *Cuento de Carlos Maynes*: 1612; *De los bienes que se siguen de la remenbrança de la muerte*: 3844-3845; *Del soberano bien*: 2169-2170; *Diálogo de Epicteto*: 478; disputa de «exemplos»: **224-231**, 231-232, 1587; *Embajada a Tamorlán*: 2187-2188; *Enxiemplos muy provechosos*: 3836-3837; eremítico: 2994; *Espéculo*: 353; *Espéculo de los legos*: 3106-3109; *Estoria de España*: 661; *Evangelios moralizados*: 4068; *Exortaçión o información de buena e sana doctrina*: 3652; *Flor de virtudes*: 3739, 3741-3743; *Flores de filosofía*: 261; formación principesca: 185, 187, 200, 202; fueros: 91; *Generaciones y semblanzas*: 2450; *General estoria*: 697, 744-745, 784; *Glosa castellana al «Regimiento de príncipes»* de García de Castrojeriz: 1708-1709, 1712-1713, 1716-1717, 1725; *Gran Conquista de Ultramar*: 1036; hagiografía: 1929, 1947-1950; *Historia de don Álvaro de Luna*: 2904, 2927; historiografía: 3095; *Introduçión* de P. Díaz de Toledo: 3752; *Invencionario*: 3707; *Jardín de nobles donzellas*: 3672-3675, 3673-3674n.; *Lapidario*: 380-380n.; *Libro conplido en los judizios de las estrellas*: 400-401, 403-404; *Libro de confesión de Medina de Pomar*: 3039-3043; *Libro de fecho de los cavallos*: 850-851; *Libro de Graçián*: 3397; *Libro de la justiçia de la vida espiritual*: 1885-1886, 1895-1896; *Libro de las confesiones*: 4041, 4046; *Libro de las cruzes*: 414, 421; *Libro de las maravillas del mundo*: 4053, 4053n.; *Libro de las tribulaciones*: 3013; *Libro de los buenos proverbios*: 444, 445-450; *Libro de los doze sabios*: 253; *Libro de los evangelios moralizados*: 2973; *Libro de los exemplos por a.b.c.*: 3100-3103; *Libro de toda la vida de nuestra Señora*: 3878, 3883; *Libro de vita beata*: 3693; *Libro del consejo e de los consejeros*: 958-959; *Libro del regimiento de los señores*: 2940-2941; *Libro del tesoro*: 876; *Libros de acedrex*: 825-826, 830; libros de viajes: 1831-1832, 1840-1841; *Lucidario*: 912; Manuel, don Juan: 1123-1124, 1143-1144, 1147, **1148-1183**; materia carolingia: 1612;

Memorial de diversas hazañas: 3527; *Memorias* de Leonor López de Córdoba: 2348; Miscelánea, BN Madrid 8744: 3832, 3847-3849; Ms. 77, Bibl. Menéndez Pelayo: 1864, 1869n., 1871-1877; *Partida I*: 535; *Partida II*: 543; *Partidas*: 595-596; *Poridat de las poridades*: 285; *Qüistión entre dos cavalleros*: 3630, 3633-3635; *Secreto de los secretos*: 293; *Segundo filósofo*: 505-506, 520; *Semejança del mundo*: 154; sermonística: 1902, 2950-2952, 2959, 2959-2960n., 2965, 2969, 2973; *Setenario*: **2032-2035**; *Suma política*: 3614-3615, 3617n., 3769; término: 1328; *Tractado de caso y fortuna*: 2780; *Tractado de los sueños e agüeros*: 2818; *Tratado de la comunidad*: 1734; *Tratado de la consolación*: 2495-2496; Tratado de retórica: 3734; *Tristán*: 1539; *Triste deleytaçión*: 3824; *Vergel de los príncipes*: 3628n.; *El Victorial*: 2376-2377; *Visión de don Túngano*: 1840-1841; *Visión deleitable*: 2838, 2843, 2848; *Zifar*: 1377-1378, 1444-1448, 1453-1454, 1456

EXEMPLOS MUY NOTABLES: 3108n., **3109-3118**; contenido: 3112-3118; formación: 3110-3112; SÍNTESIS Y CONCLUSIÓN: 3949

exemplum: arte de enseñar: 3976; categoría: 2015; conversión de materia en: 3307-3308, 3315-3316

«**Exerçiçio**», personaje alegórico: *Perfeçión del triunfo*: 3398, 3774-3783

Exhortaçión a la obediençia regular y monástica: Miscelánea, BN Madrid 8744: **3841-3843**, 3852n.

exorcismos latinos: *Diez Mandamientos*: 1011; Ms. 77, Bibl. Menéndez Pelayo: 1866-1867

exordio, tópico: *Arcipreste de Talavera*: 2672n.; *Zifar*: 1387n.

«exortaçión»/«protestaçión»: Chinchilla, Pedro de: 3652-3653, 3659 (ver fablas/arengas)

Expositio super regula Sancti Benediti: 137

Eymerich, Nicolás, inquisidor aragonés (1320-1399): 3359

Ezequías, rey de Judá ([727/719-699 a.C.]): *General estoria III*: 735-736; *Invencionario*: 3707; *Libro de las tribulaciones*: 3011

Ezequiel, profeta (622-564 a.C.): *Las çinco figuratas paradoxas*: 2647; *General estoria IV*: 773

Ezzelino III de Romano, *podestà* de Verona (1194-1259): *Milagros de San Antonio*: 3854

fabellae (Quintiliano): 1329

«fabladura»: femenina: Latini, Brunetto: 803n., 869, 886, 888; *Libro de las claras e virtuosas mugeres*: 3230

«FABLAR»:

- **clerical**: discurso prosístico: 51, 53; ficción, modelos: 1317; *Historia troyana polimétrica*: 804; *Libro de Alexandre*: 35; recitación: 79; versificación clerical: 44
- **dimensión retórica**: *Castigos de Sancho IV*: 938; *Libro del consejo*: 955; *Libro del tesoro*: 1338n.; *Visión de Filiberto*: 1766
- **«enseñamientos»**: *Libro del consejo*: 955; *Libro del tesoro*: 881, 3658, 3733, 3743-3744
- **«fabla» del rey**: *Exortaçión* de Pedro de Chinchilla: 3657
- **«fabla delicada»**: *Esclamaçión*, comentario en prosa: 3751
- **«fabla moral»**: Tratado de retórica: 3773-3774

«fablar en gasajado»: *Generaciones y semblanzas*: 2438n.; *Partida II*: 555
«fablar en juglería»: *Castigos de Sancho IV*: 937 (ver juglería)
«fablar en prosa o en rima»: *Libro del tesoro*: 54-55, 57, 886-887
«fablar/palabras de sabios antiguos»: *Estoria de España*: 665; *Estoria del Cavallero del Çisne*: 1077; *General estoria*: 706; *Libro del saber de astrología*: 601-603, 611; *Libros de acedrex*: 825; *Partidas*: 540, 542, 566, 574, 576-577, 579;
«guarda»: *Glosa castellana al «Regimiento de príncipes»*: 1719
«pecados de la lengua»: *Libro de las confesiones*: 1744; Ms. 77, Bibl. Menéndez Pelayo: 1869
riesgos: *Avisaçión de la dignidad real*: 1728; Tratado de retórica: 3733
«sátiro»: *Tratado en defensa de virtuosas mugeres*: 3258-3259
«fablas»:
arengas/razonamientos cortesanos u *orationes*: Chinchilla, Pedro de: 3652-3653; *Crónica de Enrique IV*: 3480, 3486-3487; *Crónica de Juan II*: 2215, 2888; Díaz de Toledo, Pero, glosas: 2555; *Exemplos muy notables*: 3110; *Libro de toda la vida de nuestra Señora*: 3881; *Libro de vita beata*: 3693, 3698; *Oracional*: 3021; *Seguro de Tordesillas*: 2405; *Suma política*: 3608; Torre, Fernando de la: 3785n.
concepto jurídico: *Ordenamiento de Alcalá de 1348*: 1309; *Ordenamiento de Segovia*: 1302
«fabla dulçe»: *Tratado de amor*: 3186
«fablas de los gentiles»: *General estoria*: 701, 1319, 1329; *Gran Conquista de Ultramar*: 1055; Rodríguez del Padrón, Juan: 3273, 3275, 3289, 3335n.; *Semejança del mundo*: 146, 150, 155; *Suma política*: 3617n.; *Sumas de Historia Troyana*: 1640, 1647-1649
término: *Etimologías* romanceadas: 1329; *Libro de los exemplos por a.b.c.*: 3099; *Libro del tesoro*: 887, 1326-1327
«fabliella/fablilla»: *Arcipreste de Talavera*: 2677, 2693n.; *Batalla campal de los perros contra los lobos*: 3763, 3765; *Caída de príncipes*: 2143, 2149; *Crónica de Alfonso XI*: 1284; *Del soberano bien*: 2167; *General estoria*: 701, 701n., 787, 4014; *Libro de las tribulaciones*: 3092; *Libro de los estados*: 1131; *Libro de los exemplos por a.b.c.*: 3099-3100; *Libro de toda la vida de nuestra Señora*: 3863n.; *Libro del cavallero et del escudero*: 1110-1111; *Libros de Tulio*: 2607; *Perfeçión del triunfo*: 3772, 3774; término genérico: 1324, 1326, **1329-1330**, 1335-1336, 3647, 3761n., 3774
«fabulillas»: 1719
fabula/fabulae: *Los doze trabajos de Hércules*: 2485; *Genealogiae deorum*: 3199; *Libro de los gatos*: 2015; San Isidoro: 1329, 3761
fábula humanística: 3761-3783 (ver ficción alegórica; Palencia, Alfonso de)
fábulas: ver tradición fabulística
Facio, Bartolomeo, humanista italiano (*c.*1400-1457): Lucena, Juan de: 3680-3681, 3684n.
facta et dicta: *Bocados de oro*: 459, 461, 465, 470; *Dichos e castigos*: 3126; *Libro de los estados*: 1144; *Libro de los exemplos por a.b.c.*: 3095, 3098; *Mar de historias*: 2428; *Tratado de la comunidad*: 1734; *Vidas y dichos de filósofos antiguos*: 2115
OBRAS:
De vitae felicitate: 3680-3681, 3686-3688

«fados y planetas»: *Arcipreste de Talavera*: 2690-2691
Fadrique, duque de Arjona y conde de Trastámara (m.1430): *Crónica de Juan II*: 2895; *Crónica del Halconero*: 2289; *Generaciones y semblanzas*: 2453; Ms. X-ii-13: 2316
Fadrique de Aragón, conde de Luna, hijo natural de Martin I (*c*.1400-1438): *Crónica de Juan II*: 2518; *Crónica del Halconero*: 2279n., 2289; Ms. X-ii-13: 2316
Fadrique de Basilea, impresor (activo entre 1475/76-1517): *Visión deleitable*: 2831
Fadrique de Castilla, infante, hermano de Alfonso X (1224-1278): marco letrado: 216, 216n., 217, 842, 4000-4001; muerte: 818-819, 1813
Fadrique de Castilla, maestre de Santiago, hijo natural de Alfonso XI y Leonor de Guzmán 1334-1358): *Crónicas* de Ayala: 1799, 1806-1807
falacia dialéctica: *Tratado de cómo al hombre es necesario amar*: 3175, 3178
falsa modestia, tópico: *Exortaçión*: 3641, 3659; *Flores de filosofía*: 263; *Juego de naipes*: 3809; *Libro de toda la vida de nuestra Señora*: 3863n.; *Libro del cavallero et del escudero*: 1111; López de Mendoza, Íñigo: 2539
falsa traducción, tópico: *Crónica del moro Rasis*: 2088, **2088n.**; *Zifar*: 1387
falsedad: *Flor de virtudes*: 3742
fama, noción: Alfonso X: 566, 590; López de Ayala, Pero: 1813; Luna, Álvaro de: 2930; Torre, Fernando de la: 3794, 3800, 3804
fantasía/imaginación:
  dimensión negativa: ficción, modelos: 1327; López de Salamanca, Juan: 2973; *Partida I*: **1319-1323**; *Tractado de los sueños e de los agüeros*: 2816, 2818; *Visión deleitable*: 2840, 2843, 2847
  «fantasear»: *Triste deleytaçión*: 3823
  «sciencias fantásticas»: *Glosa castellana al «Regimiento de príncipes»*: 1718
fantasma: *Diálogo e razonamiento en la muerte del marqués de Santillana*: 2574; *Libro llamado «Fedrón»*: 2567; *Tractado de la adivinança*: 2828; *Tractado de los sueños*: 2818
Fáñez, Álvar (m.1114): materia cidiana: *Repertorio de Príncipes*: 3544
Faraón: *Flor de virtudes*: 3742
[al-] Fargānī: *Liber de aggregationibus scientie stellarum*: 643
farsa de Ávila (1465): *Crónica de Enrique IV*: **3495**; *Exortaçión*: 3653; *Hechos del arzobispo don Alfonso Carrillo*: 3586; *Memorial de diversas hazañas*: 3527; Palencia, Alfonso de: 3510; Pimentel, Rodrigo Alfonso: 3607; rehabilitación de don Álvaro: 2886; Valera, Diego de: 3598
fascinación (o «aojamiento»): *Las çinco figuratas paradoxas*: 2653; *Tratado de fascinación*: 2498-2500
Fávila, duque, padre de don Pelayo: *Crónica sarracina*: 3346
Fayagoras: *Libro de los buenos proverbios*: 445, 450, 454
«fazañas»: *Calila*: 203; *Castigos de Sancho IV*: 921, 935; configuración de Castilla: 67 (*Estoria de España*); *Crónica de Juan II*: 2226; *Crónica particular de Fernando III*: 1245; *Doctrinal de los cavalleros*: 2876; *Espéculo de los legos*: 3104; «fazañas nuevas»: 3146 (*Dichos de Séneca*); ficción, términos: 1328; fueros: 84, 86, **89-94**, 96, 99, 233n., 296, 301, 303n., 1089n.; *General estoria*: 737; hagiografía: 1952, 1960-1961; *Hechos del arzobispo don Alfonso Carrillo*: 3586-3589, 3722-3723; *Historia de don Álvaro de Luna*: 2917; historiografía roman-

ce siglo XIII: 161, 174, 180; leyes alfonsíes: 345, 519, 528, 574; Manuel, don Juan: 840, 1123, 1144, 1156; rechazo: 337 (*Espéculo*), 517 (*Partidas*); sumarios cronísticos: 2096-2097
«fazienda», motivo: *Castigos de Sancho IV*: 940; *Castigos del rey de Mentón*: 1440; *Crónica de Juan II*: 2229; *La Fazienda de Ultramar*: 115; *Libro enfenido*: 4036; *Lucidario*: 898; Manuel, don Juan: 1179, 1189; *Miraglos de Santiago*: 1931; *Oracional*: 3026; *Partida I*: 530; *Tratado de la predestinación*: 2804
FAZIENDA DE ULTRAMAR, LA: **111-122**; contenido: **114-116**; fuente: 113; itinerario geográfico: 746; materia: **116-122**; prólogo: 112-113; SÍNTESIS Y CONCLUSIÓN: 3891; transmisión textual y datación: 101, **111-113**
fe, análisis: *Breviloquio de virtudes*: 3606; *Del soberano bien*: 2166-2167; *Espejo del alma*: 3003, 3006; *Invencionario*: 3709
Febo: *Claros varones*: 2520; *Laberinto de fortuna*: 2481; *Sátira de infelice e felice vida*: 3337; *Sumas de la Ilíada*: 2740n.; *Triunfo de las donas*: 3293
«fecho del Imperio» ([1256-1275]): *Compendiosa Historia Hispanica*: 3556; corrección del *Espéculo*: 527, 536, 587n.; embajada pisana (1256): **423-424**, 1010; historiografía: 643, **644-645**, 680-681, **687-688**, 760-768; infante don Manuel: 1095; Latini, Brunetto: 864-865; *Partida II*: 564; *Partidas*, instigación: 511-512, 570; renuncia imperial (1275): 622; Rey de Romanos: 597
«fechos», material cronístico: *Crónica particular de Fernando III*: 1240-1241; crónica real: 968-969, 971
Federico I Hohenstaufen, Barbarroja, rey de Alemania emperador (*c.*1123-[1152]-1190): derrota de Milán: 3420 (*Andanças e viajes* de Pero Tafur); tercera cruzada: 1051
Federico II de Suabia, rey de Sicilia [1197], de Alemania [1212] y emperador [1220] (1197-1250): enlace con doña Constanza de Aragón: 104 (*Liber regum*); sexta cruzada: 1053-1054; traducción del *Libro de Moamín*: 843-844,
Federico III, rey de Alemania, emperador (1415-[1452]-1493): *Andanças e viajes* de Pero Tafur: 3423
Fedra: *Breviloquio de amor*: 3168, 3172-3173; *Fiammetta*: 3205; *General estoria II*: 725; *Tratado de cómo al hombre es necesario amar*: 3179
  e Hipólito: *Bursario*: 3280, 3283-3284; *Tratado de cómo al hombre es necesario amar*: 3180 (ver Hipólito)
Fedrón: *Libro llamado Fedrón*: 2566
Felice, rey: *Flores y Blancaflor*: 1591
felicidad humana, estado: *Libro de vita beata*: 3686-3702
Felicísimo, San: *Sant Lorenço*: 1929
Felipa de Lancáster, reina de Portugal, esposa de Juan I de Portugal (1360-1415): traducción portuguesa de la *Confessio amantis*: 1680, 3210
Felipe II de España (1527-[1556]-1598): reivindicación de Pedro I: 1772
Felipe II de Francia, el Augusto (1165-[1179]-1223): *Exemplos muy notables*: 3111, 3114; tercera cruzada: *Gran Conquista de Ultramar*: 1051-1053
Felipe III de Francia, el Atrevido (1245-[1270]-1285): apoyo a los infantes de la Cerda: 819, 856-858; Egidio el Romano: 1706
Felipe IV de Francia, el Hermoso (1268-[1285]-1314): abolición de la orden del Temple: 1748; apoyo a los infantes de la Cerda: 858-859; Egidio el Romano: 1703, 1706-1707; marco cultural: 186

Felipe, conde de Evreux, esposo de Juana II de Navarra (m.1343): oposición navarra: *Crónica de los Reyes de Navarra*: 3540
Felipe, fray: *Milagros de San Antonio*: 3852-3853
Felipe, rey: *Tristán*: 1515
Felipe de Borgoña, el Bueno (1396-1467): *Tratado de las armas*: 3593, 3596
Felipe de Castilla, infante, hijo de Sancho IV (1292-1327): tutor de Alfonso XI: *Crónica de Alfonso XI*: 1100-1101, 1270, 1283; *Crónica de Enrique III*: 2102
Felipe de Castilla, infante, señor de Valdecorneja, hermano de Alfonso X (*c.*1231-1274): enlace con Cristina de Noruega: 424; revuelta nobiliaria de 1272: 644, 973
Felipe de Trípoli (siglo XIII): traducción latina de la versión oriental del *Poridat*: 275, 286-289, 293-294, 914n.
Felipo de Orries, aragonés, autor de cetrería: *Libro de las aves que cazan*: 2850
Félix (*Libre de Meravelles*, R. Lulio): *Libro de Graçián*: 3378, 3383, 3391, 3401
Felleas: *Glosa castellana al «Regimiento de príncipes»*: 1723
feminismo: 482, 487, 728, **927-931**
  y misoginia: 3220-3340 (ver mujer)
Ferandes, Andrés, converso culto, traductor de R. Llull (siglos XIV-XV): 3361
«ferir de palabra»: *Partida I*: 535
«fermosa cobertura»: *Prohemio e carta*: 2536
Fernán González, primer conde de Castilla (*c.*916-970):
  configuración de Castilla: *Poema de Fernán González*: 64
  elogios: *Memorial de diversas hazañas*: 3479; *Sumario del Despensero*: 2094; *El Victorial*: 2377
  linaje: *Generaciones y semblanzas*: 2457, 2457n.
  narración cortesana: Alfonso X: 798
  rechazo: *Chronicon mundi*: 165; *Libro de las claras e virtuosas mugeres*: 3233; *Suma política*: 3614, 3614n.
  recreación de la materia épica: *Atalaya*: 2697
  recreación del poema épico: *Liber regum*: 104; *Poema de Fernán González*: 1009, 1317
Fernandes, Johán, abuelo de don Juan Fernández de Valera (m.1422): *Tratado de la consolación*: 2493
Fernández, Francisco, acusador de A. Martínez de Toledo (siglo XV): 2664
Fernández, fray Lope, agustino, vicario general en Portugal (siglos XIV-XV): 2998
Fernández, García, ayo de Alfonso X, mayordomo de doña Berenguela (siglos XII-XIII): 180
Fernández, García, maestre de la Orden de Santiago ([1318-1327]): 1744-1745
Fernández, Gonzalo, alcalde de justicia (siglo XV): *Crónica del Halconero*: 2280
Fernández, Jerónimo (m.a.1579): libros de caballerías: 3983
Fernández, Pero, escribano del rey (siglo XV): copista de la Miscelánea del BN Madrid 8744: 3832
Fernández, Sancho (siglo XV): Ms. X-ii-13: 2316
Fernández Cebollilla, Alonso (*c.*1276): *Corónica de A. Pérez de Guzmán*: 2462n.
Fernández de Castro, Gutierre, tutor en litigio de Alfonso VIII (siglo XII): 66
Fernández de Córdoba, Diego, mariscal de Castilla, conde de Cabra (m.1481): *Generaciones y semblanzas*: 2385n., 2447n.

Fernández de Córdoba, Gonzalo, el Gran Capitán (1453-1515): Guillén de Ávila, Diego: 4067; *Libro del infante don Pedro*: 3427n.
Fernández de Heredia, García, padre de Juan Fernández de Heredia (siglos XIII-XIV): 1649
FERNÁNDEZ DE HEREDIA, JUAN (1310-1396): **1649-1655**; cronística aragonesa: 3997; García de Salazar, Lope: 3550-3551; SÍNTESIS Y CONCLUSIÓN: 3917; traducciones: 2111; versión oriental del *Poridat*: 275
OBRAS:
Crónica de los Emperadores: 1654
Crónica de Morea: 1654
Crónica de San Juan de la Peña: 1289
Crónica Troyana: 802, 1655n.
Flor de las ystorias de Orient: 1652, 1829, 4053
Grant corónica de los conquiridores: 1654-1655
Grant Crónica de Espanya: **1290-1291**, 1651-1652
Libro de Actoridades: 1652-1653
Libro de Marco Polo: 1654, 1829-1830, 4051
Rams de Flors: 1829, 3149
Fernández de Híjar, Juan, noble aragonés, primer duque de Híjar (*c.*1419-1487): 3727 (ver *Cancionero de Juan Fernández de Híjar*)
Fernández de Hinestrosa, Juan (m.1359): *Crónica de Pedro I*: 1806, 1807n.
Fernández de Hinestrosa, Juan, hijo de Leonor López de Córdoba (m.*c.*1400): *Memorias*: 2345-2347
Fernández de León, Sancho, contador (siglo XV): *Crónica del Halconero*: 2293
Fernández de Luna, Alfonso, vasallo de don Juan Manuel (siglos XIII-XIV): 1100
FERNÁNDEZ DE MADRIGAL, ALFONSO (1410-1455): **2643-2661, 3166-3174, 4061-4063, 4074-4075**; atribución del *Tratado de cómo al hombre es necesario amar*: 504, 3174-3175; biografía: 2580n., 2643-2646; exégesis textual: 2730, 2737; filosofía moral: 4062; humanismo filológico: 4062-4063; ideología: 3554n.; Juan II, marco cultural: 2203, 2206, 2470, 2630, 2948; López de Mendoza, Íñigo: 2541; Merlín: 4039; Palencia, Alfonso de: 3762; Pedro de Portugal: 3330-3331; pensamiento religioso: 4061; *repetitio* sobre el amor humano: **3169-3174**, 3177, 3181, 3213; SÍNTESIS Y CONCLUSIÓN: 3941, 3948, 3951; teología y exégesis: 4061-4062; teoría política: 4062; Torre, Fernando de la: 3795; tratado de cetrería: 2853
OBRAS:
Breviloquium de amore et amiçiçia o *Breviloquio de amor y de amiçiçia*: 2577, 2646, 2666, **3167-3169**, 3174-3175, 3183, 3190-3191, 3338n., 3806, 3821, **4074-4075**
Comento: 2544
Commentarium in Leviticum: 2853
Confesional: 1737, **3043-3047**, 4041, 4061n.
De optima politia: 3169, 4074
Defensorium trium propositionum: 2644
Las diez qüestiones vulgares: 2653, 2657, **2659-2661**, 3169, 3173, 3184, 3331, 3335n., 3337, 3338n., 3428
Eusebio: 2112, 2543, 2738

Libellus de optima politia: 2646
Libellus de statu animarum post mortem: 2646
Liber de quinque figuratis paradoxis: 2646
Libro de las çinco figuratas paradoxas: 2498, **2646-2655**, 4039, 4061n.
Sobre los dioses gentiles: 2112, 3173, 3200, 4062
Tostado sobre el Eusebio; 2657, 4061n., 4063

Fernández de Manrique, Garci, conde de Castañeda (siglo XV): bautismo de Juan de Luna: 2331; *Generaciones y semblanzas*: 2453; litigios con Pedro de Velasco: 2398; secuestro de Tordesillas: 2326

Fernández de Mendoza, Diego, linajista (siglos XV-XVI): 3344

FERNÁNDEZ DE MINAYA, FRAY LOPE (*c.*1375-*c.*1440): **2998-3015**; ascesis: 3115; predestinación: 2841; providencia de Dios: 2843; SÍNTESIS Y CONCLUSIÓN: 3947
OBRAS:
Espejo del alma: 2998-3006
Libro de la confesión: 3007
Libro de las tribulaciones: 2974, 2986n., 2999, **3008-3015**, 3077; dimensión purgativa: 3010-3013; intención y contenido: 3008-3010; vías de salvación: 3014-3015
Tractado breve de penitencia: 2998n., 2999, **3006-3008**

Fernández de Niño, Pero, abuelo de P. Niño (siglo XIV): atribución del *Cuento de los reyes*: 2090, 2383

Fernández de Palencia, Alfonso: ver Palencia, Alfonso de

Fernández de Quiñones, Diego, padre de Suero de Quiñones (1369-1444): *Generaciones y semblanzas*: 2448; linaje de los Quiñones: *Libro del Passo Honroso*: 2410-2411, 2413

Fernández de Santaella, Rodrigo (1444-1509): traducción del *Milione*: 1829n., 4051

Fernández de Valera, Juan, curial de Juan II (siglos XIV-XV): destinatario de tratados de Enrique de Aragón: 2482, 2487n., 2493-2498, 2507; escribano de Enrique de Aragón: 2483

Fernández de Velasco, Juan, Camarero mayor, padre de P. Fernández de Velasco, primer conde de Haro (*c.*1365-1419): *Generaciones y semblanzas*: 2447, 2457n.; tutor de Juan II: 2204, 2397

Fernández de Velasco, Juan, tataranieto de P. Fernández de Velasco (siglos XVI-XVII): impresión del *Seguro* de 1611: 2401

FERNÁNDEZ DE VELASCO, PEDRO I, primer conde de Haro (1399-1470): alianza con Álvaro de Luna: 2926n.; alianza con don Juan de Navarra: 2254; bando del infante don Enrique: 2199, 2236; biblioteca de Medina de Pomar (1455): 1877, 2163, 2400, 2547, 2562, 2620, 2638, 2862, 2871n., 2935-2936, 2961, 2975, 3016, 3028, 3030n., 3037, 3043, 3058, 3150, 3335, 3528, 3592, 4039, 4066; caída del obispo don Gutierre de Toledo (1432): 2281, 2289, 2317, 2422, 2518; custodio de doña Blanca (1440): 2413, 2601, 3786n.; *Epistula* de Cartagena sobre la educación: 2615-2617; espiritualidad nobiliaria: 2002, 2112, 2948, 2964, 2966, 3832; guerra contra Aragón: 2394n., 2517; *Historia de don Álvaro de Luna*: 2898, 2913-2914; nombramiento como conde: 2316, 2398; poder nobiliario: 2411; rechazo de la cultura clásica: 2957; retiro de la corte: 2422n., 3401; Valera, Diego de: 3592

semblanza: *Memorial de diversas hazañas*: 3527-3528
OBRAS:
Seguro de Tordesillas: **2397-2410**, 2922; dimensión política: 2193, 2245, 2265, 2284, 2290, 2334, 2716; formación del texto: 2402-2410; transmisión y composición: 2400-2402
Fernández de Velasco, Pedro II, segundo conde de Haro, condestable de Castilla (*c.*1415-1492): apoyo a Enrique IV: 3499 (*Crónica de Enrique IV*); condestable: 3562; instigador de la traducción de los *Strategemata*: 4066; posible dedicatario del *Libro del regimiento de los señores*: 2935
Fernández Pacheco, Juan, abuelo de Juan Pacheco: exiliado portugués: 3602n.
Fernández Pecha, Alfonso, obispo de Jaén, hermano de Pedro Fernández Pecha (siglo XIV): 2003
FERNÁNDEZ PECHA, FRAY PEDRO (siglo XIV): **2002-2011**; *Libro del arçobispo de Sevilla*: 1880n.; SÍNTESIS Y CONCLUSIÓN: 3925-3926; *Vida de San Isidoro*: 2712
OBRAS:
Soliloquios: **2003-2011**
Fernández Portocarrero, Martín, señor de Moguer (siglos XIV-XV): *Crónica de Juan II*: 2199-2200; *Libro de las aves que cazan*: 2852n.
FERNANDO I DE ARAGÓN, el de Antequera (1379-[1412]-1416): Aragón, Enrique de: 2473-2474, 2476, 2477-2478, 2481-2482, 2503-2504; Arcediano de Niebla: 2748; *Atalaya de las Corónicas*: 2694-2695; campañas militares: 2080, 2333; Carrillo de Huete, Pero: 2274; cisma: 2110n., 2984-2985; *Crónica de Juan II*: 2204, 2208-2210, 2212, 2212n., 2214, **2215-2231**, 2241; dinastía Trastámara: 3504, 3511; enlace con doña Leonor, «la Ricahembra»: 2101, 2106; Ferrer, fray Vicente: 2948, 2954, 2959, 2961; fiestas en la coronación (1414): 3150, 3155-3156, 3814; Frontino: 4066; García de Santa María, Álvar: 2596-2597, 2619; Gómez de Sandoval, Diego: 2871; infantes de Aragón: 2195-2199, 2901; Isabel I: 3504, 3504n.; López de Córdoba, Leonor: 2337-2339; López de Mendoza, Íñigo: 2530, 2535; marcha a Aragón (1412): 2192, 2472, 3360, 3360; mesianismo: 4030; modelo de rey: 2220-2224, 2228-2231; Ms. X-ii-13: 2306-2307, 2309, 2314-2315, 2317, 2320; Niño, Pero: 2357-2359, 2379, 2382n., 2389, 2391-2393, 2395, 2397, 3160-3161, 3192-3193; opúsculos visionarios: 3084, 3088; Pérez de Guzmán, Fernán: 2420-2421, 2434-2436, 2441-2449, 2451-2452; Santa María, Pablo de: 2588, 2593; virtudes como regente: 2215-2219, 2226-2228, 2727
Fernando II de Aragón y V de Castilla, el Católico (1452-[1479 y 1474]-1516): Carlos de Navarra, relación: 3535; cerco de Perpiñán: 3532-3533; corona aragonesa, disputa: 3435, 3813; *Crónica castellana*: 3520; *Crónica de Juan II*: 2242-2243, 2263; edición del Tostado: 2645n.; enfrentamiento con Pedro de Portugal: 3527; enlace con Isabel de Castilla (1469): 3476, 3511, 3522, 3813; Fernando de Antequera: 2209, 2213n.; historiografía petrista: 1779; impartición de justicia: 3533; Juana Enríquez, madre: 2193, 3529, 3813, 3830; legitimidad dinástica: 3532-3534; Palencia, Alfonso de: 3511-3512, 3514; paradigma caballeresco: 3527; Valera, Diego de: 2713, correspondencia: 3591, *Memorial*: 3530-3532
Fernando I de Castilla, el Magno (*c.*1010-[1037]-1065): *Codex Calistinus*: 1579; *Crónica de 1344*: 1234; *Crónica de Castilla*: 1230; *Estoria de España*: 664, 668,

676, 679; linaje: 99 (*Anales navarro-aragoneses*); *Milagros de Santiago*: 1934-1935; partición de reinos (1065): 85; *Repertorio de Príncipes*: 3544; *Sumario del Despensero*: 2094-2095; *Vida de San Isidoro*: 2709, 2713

Fernando II de León (*c.*1137-[1157]-1188): abuelo de Fernando III: 72; *Crónica de los Estados Peninsulares*: 1288; *Estoria de España*: 668, 685-686; marco letrado: 74; oposición castellano-leonesa: 65-66, 68, 3979; partición de reinos: 2623n.; *Versión crítica*: 1229

FERNANDO III, el Santo, rey de Castilla [1217] y de León [1230] (1199-1252): *Atalaya de las Corónicas*: 2696; *Compendiosa Historia Hispanica*: 3556; construcción de la ficción: 1327; *Crónica de 1404*: 2086; *Crónica particular de Fernando III*: **1238-1248**; crónicas reales: 967-968, 970; *Disputa entre un cristiano y un judío*: 131-133; *Elogio de Fernando III*: **307-315**; *Estoria de España*: 644, 664-665, 670, 678-679; «exemplos»: 2094; expansión militar: **159-161**, 162-163, 178, 180-181, 357, 366, 2729; Fernando de Antequera: 2217; *Flores de filosofía*: 266, 271; fueros: 88, 295; *Gran Conquista de Ultramar*: 1053; identidad de Castilla: 68-69, 71, 3980, 3985; Jiménez de Rada, Rodrigo: 74, 95n.; *Liber regum*: 104; *Libro de los buenos proverbios*: 442n.; *Libro de los cien capítulos*: 432n.; *Libro de los doze sabios*: 242-245, 247-248, 250-252, 258; Manuel, don Juan: 1093, 1095, 1106-1107, 1143n., 1144n., 1196, 1198; modelo cultural: 64, 75, **157-180**, 139, 364, 842, 1317, 1339, 1697, 1916; molinismo: 863, 921, 1227; *Poridat*: 274; reformas ortográficas: 3987-3989; regalismo: 559, 817, 1747; *Setenario*: 304, 306, 324; SÍNTESIS Y CONCLUSIÓN: 3891-3893; traducción de Biblias: 123, 124, 4013; unificación de reinos (1230): 58, 72, 77, 1251; *Versión amplificada de 1289*: 961, 963-964; *Versión crítica*: 1229; *El Victorial*: 2377

y doña Berenguela: *Crónica particular de Fernando III*: 1245-1246; *Duodenarium*: 2619; *Estoria de España*: 157-158

FERNANDO IV DE CASTILLA, el Emplazado (1285-[1295]-1312): actividad legislativa: 1294-1297; Alonso de Paredes: 866, 891n.; ámbito de ficción: 1328; 1375, 1377, 1379, 1387, 1394, 1412, 1424n., 1440; *Crónica de 1404*: 2085; *Crónica de Castilla*: 1230; *Crónica de Fernando IV*: **1248-1259**, 1683; *Crónica particular de Fernando III*: 1239-1248; crónicas reales: 964-965, 970-971; educación: 891n., 894 (*Lucidario*), 914, 919 (*Castigos*); *Grant Crónica de Espanya*: 1291; *Libro del conoscimiento*: 1826; Manuel, don Juan: 1093, 1096-1098, 1118; minoridad y poder de la nobleza: 1772, 1916, 2459, 4031; molinismo: 324n., 859, 863, 913; religiosidad: 2095 (*Sumario del Despensero*); SÍNTESIS Y CONCLUSIÓN: 3909-3911; *Zifar*: 1037, 1226

Fernando I de Portugal (1345-[1367]-1383): anexión de Castilla a Portugal: 1812; cetrería: 2039; nieto de don Juan Manuel: 1204

Fernando II de Nápoles (1467-[1495]-1496): *Refundición* de Galíndez de Carvajal de *Crónica de Juan II*: 2243n.

Fernando I de la Cerda: ver Cerda, Fernando I de la

Fernando, hermanastro de doña Beatriz de Portugal, esposa de P. Niño (siglos XIV-XV): *El Victorial*: 3161

Fernando de Antequera: ver Fernando I de Aragón

Fernando de Castilla, infante, primogénito de Alfonso VIII (1189-1211): muerte y sucesión al trono: 70, 103 (*Liber regum*), 157; *Vida de Santo Domingo de Guzmán*: 1989

Fernando de León, infante, primogénito de Alfonso IX (*c.*1192-1214): muerte: 157
Fernando de Zamora, canónigo y arcediano, jurista alfonsí (siglo XIII): **362-363**
Ferragús, gigante: Pseudo-Turpín: 1581
Ferrández, Pero: *Oracional*: 3028n.
Ferrández Burello, Johán: *Libro de la caza de las aves*: 2048
Ferrández Coronel, Alfonso (m.1353): *Crónica del rey don Pedro* de Ayala: 1800
Ferrández de Cáceres, Matheos, canciller del sello de la poridad de Pedro I: *Memorias* de Leonor López de Córdoba: 2341n.
Ferrández de Ferrera, Alfonso, converso culto (siglos XIV-XV): instigador de traducciones de R. Llull: 3361
Ferrández de Toledo, Gutier, repostero mayor de Pedro I (m.1360): *Crónica del rey don Pedro* de Ayala: 1801-1802
FERRER, FRAY/SAN VICENTE (1350-1419): **2953-2961**; asuntos de la predicación: 2956-2958, 3394; Benedicto XIII: 2983; Canals, Antoni: 3149; canonización (1458): 3859n.; *Embajada a Tamorlán*: 2177n.; Fernando de Antequera: 2218n., 2222, 2948; *Ordenanzas* de 1412: 2955; predicación de 1411-1412: 2953-2958, 3361, 4030; *Relación* de sermones: 2954; revelación de 1398: 3086; Sánchez Vercial, Clemente: 3049; sermonística: 1904n.; SÍNTESIS Y CONCLUSIÓN: 3946-3947; tratados escatológicos: 3084-3086
OBRAS:
sermones: 2956-2961
Ferreras: *Bías contra fortuna*: 2531
Ferruz, Pero (siglo XIV): *Cancionero de Baena*: 1549, 1551n., 1566, 1569
Fesán, señor de: *Zifar*: 1399n., 1404
Fiameta: 3202-3206 (ver Boccaccio)
y Pánfilo: 3204-3205, 3808n.
FICCIÓN: alegoría: **3197-3201**, **3760-3783**; alegría cortesana: **1319-1324**; análisis: 3289, 3292; contextos: 436, 464n., **1315-1318**; corte alfonsí: **796-798**, 1318; defensa de la ficción: 2536; definición: 1314-1315; desarrollo: 62, 962, **1314-1682**; engaños: 3805; *Estoria del Cavallero del Çisne*: 1055-1056; ficción de los poetas: 2926, 3292; ficción en prosa, dificultades de desarrollo: 181-182, 2472, 2816n., 3152; *Gran Conquista de Ultramar*: 1037-1038; interior de la ficción: 226, 1145; justificación: 3311-3312, 3772-3773; *Libro del consejo*: 946; *Libro del tesoro*: 885; libros de viajes: 1821; marco de disputas: 485; materia artúrica: **1459-1577**, 4037; mentiras de la ficción: 2561-2562; misoginia: 3298; orígenes: textos historiográficos: **1029-1092**; poesía: 2149, **2536**; primera mitad del siglo XV: **3151-3340**; primeras formas, traducciones del árabe: **180-240**, **364-422**, 3893; primeras materias narrativas: **1318-1319**; primeros modelos: 1226, 1414n.; rechazo: 2167; reinado de Enrique IV: **3760-3832**; relación con cantares de gesta: 1316-1317, con historiografía: 1236, con receptores: 1315-1316, 1319, 1338, 1348, 2018; SÍNTESIS Y CONCLUSIÓN: 3900-3901, 3905-3906, 3912-3918, 3950-3956, 3966-3968; temor a la ficción: **1319-1324**, 2036, 2438n., 3275, 3311, 3336; terminología: **1328-1339**; tratados caballerescos: 2872n.; *Zifar*: 1382-1383, **1391-1393**
ficción/poesía: *Sumas de la Ilíada de Omero*: 2739
ficción, lenguaje figurativo: Boecio: 2979; *General estoria*: 701; *Historia de don Álvaro de Luna*: 2922, 2926; humanismo siglo XV: 2472; *Libro de las tribula-*

ciones: 3011; rechazo: 2552; Rodríguez del Padrón, Juan: 3277-3279 (*Bursario*), 3312 (*Siervo libre de amor*) (ver alegoría; figura; lenguaje figurativo)
ficción, marco justificatorio: de tratados enciclopédicos: 2835, 2835n., 2836, 2839 (*Visión deleitable*); de tratados feministas: 3224 (*Libro de las claras e virtuosas mugeres*); de tratados sapienciales: 251, 259 (*Libro de los doze sabios*), 266 (*Flores de filosofía*), 279 (*Poridat*)
ficción, modelos:
alegórica: orígenes: **3359-3401**; Palencia, Alfonso de: 3477, **3760-3783**; SÍNTESIS Y CONCLUSIÓN: 3955-3956, 3966
caballeresca: ver materia artúrica, caballeresca, carolingia, tristaniana; *romances* de materia caballeresca
sentimental: alegoría: 3197-3201, 3761-3762, 3814; caracterología: 3185-3186; cuentística siglo XV: 3095; diálogos sapienciales: 497, 499; enseñanzas morales: 3139, 3330; epístolas: 2885n., 3788; fuentes narrativas: 3201-3208; imaginario: 3337; influencia de Boecio: 2981n.; justificación: 2157; marco cortesano de producción: 2473, 2482, 2617; marco de recepción femenino: 2647, 3808-3809; marcos de producción: 3154-3165; Martínez de Toledo, Alfonso: 2667; materia caballeresca: 1510, 1535 (*Tristán*), 1602 (*Mainete. Crónica fragmentaria*); paradigma de don Álvaro de Luna: 2202, 2886, 2908-2909; primera mitad del siglo XV: **3151-3340**; referencias cronísticas: 2230; relación con la materia troyana: 812, 1637-1638, 1649; SÍNTESIS Y CONCLUSIÓN: 3951-3954, 3966-3968; teoría sobre: 3197-3199; Torre, Fernando de la: 3783-3812; tradiciones literarias: **3193-3220**; transformación de materia caballeresca: 3218-3220; tratados de medicina: 2775; *Triste deleytaçión*: 3812-3832 (ver amor)
ficción, rupturas con la realidad: *Exortaçión*: 3660; *Libro de los estados*: 1122; *Libro de toda la vida de nuestra Señora*: 3886; *Libro de vita beata*: 3698-3699; *Libro del conde Lucanor*: 1154; *Triste deleytaçión*: 3816-3817
Ficino, Marsilio (1433-1499): humanismo italiano: 2481; *Liber Picatrix*: 628; versión de *Libros teosóficos* o *Libro de la potencia y sapiencia de Dios*: 4067
fidelidad/fieldad, caballeresca: defensa: 1801-1802; noción: 1411, 1416; prueba: 1519, 1615; *Respuesta de Cartagena*: 2869; *Tristán*: 1517; valor: 3129
Fierabrás: *Historia del emperador Carlomagno*: 1582
fiestas: ver invenciones
Fígulo, adivino: *General estoria V*: 784
figura: «estorias» (ver): 3399-3400; «exemplo»: 912, 1325, 3011, 3099 (ver alegoría; ficción, lenguaje figurativo; lenguaje figurativo, «fablar en figura»)
«fija de buen conosçer»: *Zifar*: 487, 487n. (ver «doncellas sabidoras»)
«fijo de la bendiçión»: *Zifar*: 1426
Fileno: *Filocolo*: 3299n.
Filipo II, rey de Macedonia, padre de Alejandro Magno (382-[359]-336 a.C.): enemigo de Persia: *General estoria IV*: 767-768; muerte: *Bocados de oro*: 468n.
Filipo V, rey de Macedonia (238-[221]-179 a.C.): *Décadas*: 2140
Filipo de Roma: ver Philippus, Marcus Julius
Filis: *Bursario*: 3285
y Demofón: *Bursario*: 3282, 3284

filología, técnicas: *La consolaçión natural*: 2982n.; Fernández de Madrigal, Alfonso: 4062-4063; *Libro de los buenos proverbios*: 441
Filomena: *Sumas de Historia Troyana*: 1647; *Tratado de amor*: 3187
Filón de Alejandría, filósofo judío (20 a.C.-54 d.C): *Mar de historias*: 2431
filosofía:
  ciencia: *Invencionario*: 3708; *Libro de vita beata*: 3696; *Libro del tesoro*: 867-868
  diálogos: *Libro de vita beata*: 3691
  griega, conocimiento de: *Glosa castellana al «Regimiento de príncipes»*: 1718; *Libro de los buenos proverbios*: 443, 446-448; *Sátira de infelice e felice vida*: 3337; *Segundo filósofo*: 505
  moral: *Qüistión entre dos cavalleros*: 3630-3632; *Visión deleitable*: 2846
  natural: *Lapidario*: 387; *Qüistión entre dos cavalleros*: 3630, 3632-3633; *Tractado de caso y fortuna*: 2781; tratados de medicina: 2758, 2773; tratados sobre la predestinación: 2798, 2806n.; *El Victorial*: 3190; *Visión deleitable*: 2840n., 2846-2847
Filosofía, personaje alegórico: *La consolaçión natural*: 2980-2982; *Dichos por instruir a buena vida*: 3124; *Libro de las claras e virtuosas mugeres*: 3235; «suplicación» de P. Guillén de Segovia: 3719
filósofo:
  contador de exemplos: *Libro del consejo*: 958
  imágenes: *Castigos del rey de Mentón*: 1446; *Segundo filósofo*: 505
  retrato: *Libro de los buenos proverbios*: 447
  vidas y dichos: *Bocados de oro*: 455-470; *Dichos e castigos*: 3125-3127; *Vidas y dichos de filósofos antiguos*: 2113-2131
Filoteas: *Historia troyana polimétrica*: 814
filtro mágico: *Tristán*: 1517-1518, 1563
Fines, rey de Almería: *Flores y Blancaflor*: 1585-1586
fingimiento/fingir, noción de: ficción sentimental: 3197; *Libro de los gatos*: 2023; *Soliloquios*: 2006-2007
Fiore di virtù: 3728 (ver *Flores de virtudes*)
«física»: arte cuadrivial: *Bocados de oro*: 461; *Las çinco figuratas paradoxas*: 2649; *Compendio de la fortuna*: 2789; *Historia de la donzella Teodor*: 493; *Lapidario*: 367, 372, 374, 376, 383; *Libro de Alexandre*: 36; *Libro de las formas*: 624; *Lucidario*: 910; *Setenario*: 317-318; tratados de medicina (siglo XV): 2765, 2773
físico: de palabras: 990; Dios como físico: 3005; ermitaño entrega a un rey receta para conocer al mundo: 3381-3382; físico entrega a rey receta para sanar pecados, «exemplo»: 261-262, 265-266, 1444, 2031; semejanza como confesor: 1865; traidor: 3742
fisiognomía: *Castigos del rey de Mentón*: 1446 (ver tratados de fisiognomía)
Fisiólogo: Aragón, Enrique de: 2502; *Espéculo de los legos*: 3107; sermones: 2951
flor:
  imagen alegórica: *Oracional*: 3026
  metáfora textual: *Flor de virtudes*: 3739; *Flores de los «Morales»*: 2152; *Lilio de medicina*: 2762; *Mar de historias*: 2426n.; *Poridat*: 284
  símbolo del amor: *Flores y Blancaflor*: 1592
FLOR DE VIRTUDES: **3738-3744**; *actio*: 3733; SÍNTESIS Y CONCLUSIÓN: 3965

Flora: *De claris mulieribus*: 3229n.
Florencia, infante: *Otas*: 1366, 1366n., 1619, 1661-1664, **1664-1674**
Florentina, Santa, hermana de S. Isidoro (siglo VII): *Etimologías* romanceadas: 2161
Flores:
relaciones carolingias: 1580, 3153, 3197
rey: *Berta. Gran Conquista de Ultramar*: 1080-1084; *Flores y Blancaflor*: 1585-1594
y Blancaflor: *Berta. Crónica fragmentaria*: 1596; *Crónica fragmentaria*: 1236; *Flores y Blancaflor*: 1585-1593; Imperial, Francisco: 1548; *Liber regum*: 103; *Mainete. Crónica fragmentaria*: 1601; *Mainete. Gran Conquista de Ultramar*: 1091
Flores, Juan de (siglo XV-*c.*1525): *Carta de Iseo* y *Respuesta de Tristán*: 1522n.; *Tristán de Leonís* (1501): 1534
OBRAS:
Grimalte y Gradissa: 1514, 2885n., 3201
Grisel y Mirabella: 220n., 813, 1514, 2667, 2675n., 3095n., 3827n.
Triunfo de amor: 2885n., 3155n., 3321n.
Flores Bernardi: 3361
Flores de Derecho, Jacobo de Junta: 360-361
FLORES DE FILOSOFÍA: **261-273**; Alfonso X: 541; discurso político: 417n.; estructura: **267-273**, 426, 430; fechación: 262, 432n.; López de Baeza, Pero: 1747-1748; regimientos de príncipes: 1712, 1730n.; significado y contenido: **262-266**, 445, 2032; SÍNTESIS Y CONCLUSIÓN: 3893-3894; transmisión textual y versiones: 248-249n., **260-262**, 286, 426n., 456n., 849n., 3118, 3730, 4008; *Zifar*: 1375, 1441n., 1444, 1447-1449
FLORES DE LOS «MORALES SOBRE JOB»: 2151, **2152-2155**, 3121
Flores evangeliorum: fuente del Ms. 49 de la Catedral de Pamplona: 2967
FLORES Y BLANCAFLOR: **1582-1593**; molinismo: 1361; relaciones carolingias: 1580; SÍNTESIS Y CONCLUSIÓN: 3916; valor de la risa: 1365n.; versión historiográfica: **1583-1589**; versión quinientista: **1589-1593**, 1621
floresta: justas y torneos: 2418; marco amoroso: 3367; salvaje: 1609, 1611
Floresta Peligrosa: *Tristán*: 1536
FLORESTA DE FILÓSOFOS: **3140-3143**, 3175 (ver Pérez de Guzmán, Fernán)
Florestán, don: *Amadís*: 1569-1570, 1575-1576, 2418
Floreto de San Francisco: 3850n.
Flórez, Andrés (siglo XVI): *La Doctrina cristiana del ermitaño y el niño* (1552): 1859n.
Florisando (1510): 1572n.
Florisando, don: 3353
Floro, Lucio Anneo Julio (siglos I-II): Palencia, Alfonso de: 3513
Flos sanctorum: ficción: 1657, 2087; «milagro de Sanct Andrés»: 3848; transmisión del *Barlaam*: 983
folhetos: *Historia de la donzella Teodor*: 482, 485
Folquer de Ribera, conde: *Estoria del Cavallero del Çisne*: 1074
Folques de Anteos: *Estoria del Cavallero del Çisne*: 1047-1048
fonética y entonación: *Arte de trovar*: 2506

Fonseca, Alfonso de, el Joven, arzobispo de Santiago y de Sevilla, patriarca de Alejandría (m.1512): Carrillo, Alfonso de: 3770; litigio por el arzobispado de Sevilla: 3492, 3770-3771

Fonseca, Alfonso de, el Viejo, obispo de Ávila, arzobispo de Sevilla y de Santiago (1418-1473): arzobispo de Sevilla: 2645; caída de Álvaro de Luna: 2255; círculo literario: 3481, 3508, 3510, 3678; intrigas cortesanas: 2253, 2260; litigio por el arzobispado de Sevilla: 3492; oposición a Enrique IV: 3503; Palencia, Alfonso de: 3508-3509, 3762, 3763n., 3771
  semblanza: 3488-3489

Fontefrida: 1592

fórmulas:
  de apelación al receptor: *Arboleda de los enfermos*: 3061; *Barlaam*: 985; Ferrer, fray Vicente: 2961; *Historia de don Álvaro de Luna*: 2921; *Historia troyana polimétrica*: 813-815; Ms. 49, Catedral de Pamplona: 2967; sermón sobre el Corpus Christi: 2971
  de autoría: *Embajada a Tamorlán*: 2176-2182; *Libro de las claras e virtuosas mugeres*: 3246-3248; *Tratado en defensa de virtuosas mugeres*: 3262-3263
  de cierre de exemplos: *Libro de las tres razones*: 1193; *Libro del conde Lucanor*: 1157-1159, 1175
  de composición: *Libro de la caza de las aves*: 2044
  de confesión: *Confesional*: 3046n.
  de descripción de combates: *Batalla campal de los perros contra los lobos*: 3768, 3768n.
  de enseñanza: *Lapidario*: 375; *Libro de las cruzes*: 420-421; *Libro de los doze sabios*: 253-254; *Libro de los exemplos por a.b.c.*: 3103; *Libro de los judizios*: 400-401; *Libro del saber de astrología*: 613; *Partida I*: 531; *Partida II*: 546; *Semejança del mundo*: 143-144; *El Victorial*: 2379-2380
  de modestia: *Libro de la consolaçión de España*: 3078
  de oralidad: *Calila*: 211-212; *Crónica de Enrique III*: 2110; *Crónica de Juan II*: 2632; *Historia troyana polimétrica*: 804; *Liber regum*: 102; *Libro de las claras e virtuosas mugeres*: 3246; *Memorias* de Leonor López de Córdoba: 2348n.
  de presentación de ideas: *Embajada a Tamorlán*: 2186
  de recitación: *Barlaam*: 984n., 985; *Cavallero Pláçidas*: 1352-1353, 1356; *Crónicas* de Ayala: 1807n.; *Cuento de una santa enperatrís*: 1367; *Libro de los gatos*: 2016; *Libro del cavallero et del escudero*: 1111; Ms. 77, Bibl. Menéndez Pelayo: 1872; *Otas de Roma*: 1660; *San Alejo*: 1974n.; *Santa María Madalena*: 1945; *Santa Marta*: 1951; *Santa Pelagia*: 1981-1982; *Tratado de la comunidad*: 1735; *Tristán*: 1539; *Visión de Filiberto*: 1768; *Zifar*: 1331
  de remisión textual: *Libro de los exemplos por a.b.c.*: 3101; *Libro de los gatos*: 3105
  de resumen: *Arcipreste de Talavera*: 2676n.; *Embajada a Tamorlán*: 2179
  de reticencia: *Barlaam*: 992; *Embajada a Tamorlán*: 2181; *Jardín de nobles donzellas*: 3676; *Libro de toda la vida de nuestra Señora*: 3882; *El Victorial*: 2377n.; *Vida de San Ildefonso*: 2704n.
  épicas: *Crónica de Alfonso XI*: 1278; *Cuento de Carlos Maynes*: 1606; *Tristán*: 1538

hagiográficas: *Santa María Madalena*: 1932, 1942
historiográficas: *Crónica de Alfonso XI*: 1270; *Crónica de Enrique III*: 2105n.; *Crónica de la población de Ávila*: 176, 178; *De rebus Hispaniae*: 168; *Estoria de España*: 672n.; *Generaciones y semblanzas*: 2458-2459
jurídicas: *Ordenamiento real de Medina del Campo*: 2857n.
mnemotécnicas: *Catecismo* de Gil de Albornoz: 1854-1855; *Diez Mandamientos*: 1015; *Libro del conde Lucanor*: 1180; Miscelánea, BN Madrid 8744: 3837; Ms. 77, Bibl. Menéndez Pelayo: 1859
esquemas métricos: *Comento del dictado*: 3362-3363; *Libro de los exemplos por a.b.c.*: 3103; oralidad: 3984; *Vidas y dichos de filósofos antiguos*: 2131
religiosas: *Sacramental*: 3050
Foroneo, rey: *General estoria I*: 699
fortaleza/*fortitudo*: *Breviloquio de virtudes*: 3606; *Doctrinal de los cavalleros*: 2616; *Los doze trabajos de Hércules*: 2483; *Espejo del alma*: 3006; *Flor de virtudes*: 3742; *Jardín de nobles donzellas*: 3673; *Libro del conde Lucanor*: 4031; *Libro del tesoro*: 881; *Oracional*: 3022; *Qüistión entre dos cavalleros*: 3632; *Vergel de los príncipes*: 3625; *El Victorial*: 2376, 2392; *Zifar*: 1394-1395
Fortuna: *Berta. Crónica fragmentaria*: 1594; *Bías contra Fortuna*: 2532-2533; *Cadira de honor*: 3301; *Caída de prínçipes*: 2143; *Carta e breve conpendio*: 3642, 3644; *Confesión del amante*: 3212; *Crónica de Enrique IV*: 3489-3490n.; *Estoria del Cavallero del Çisne*: 1077; *Generaciones y semblanzas*: 2448; Guillén de Segovia, Pero: 3718, 3724-3725; *Historia de la donzella Teodor*: 489, 499; *Introduçión* de P. Díaz de Toledo: 3750-3751; *Istoria de las bienandanzas e fortunas*: 3550; *Lamentación de don Álvaro de Luna*: 2943-2944; *Lamentaçión de Spaña*: 2524; *Libro conplido en los iudizios de las estrellas*: 406; *Libro de la consolaçión de España*: 3075, 3081; *Libro de las veinte cartas*: 3795-3797, 3806; *Libro de los cien capítulos*: 434; *Otas de Roma*: 1669; *Regla de San Bernardo*: 3738; *Sumas de Historia Troyana*: 1639; *Tratado de providencia contra fortuna*: 3599-3601; *Triste deleytaçión*: 3823, 3827; *Vidas y dichos de filósofos antiguos*: 2118; *Zifar*: 1390
Fortunado, hijo de Roboán: *Zifar*: 1436
Fox, conde de: *Crónica de Alfonso XI*: 1280
Framont, rey: *Tristán*: 1539
Francés, Mosén (siglo XV): *Libro del Passo Honroso*: 2419, 2419n.
Franch, Narcís, traductor catalán de *Il Corbaccio*: 2664
Francígena, Enrique (siglos XI-XII): *Aurea Gemma* (1119-1124): 75
franciscanos: *Libro del conosçimiento*: 1825, 1827n.; Miscelánea, BN Madrid, 8744: 3833-3836, 3850-3855
franciscanismo: *Libro de Graçián*: 3395; *Siervo libre de amor*: 3323; versión extensa de *Castigos de Sancho IV*: 4029
grupos para-franciscanos: Alarcón, Hernando de: 3757
Francisco I de Francia (1494-[1515]-1547): cartas de batalla: 2885
Francisco de Asís, San (1181/82-1226): Cartagena, Teresa de: 3056; *Espéculo de los legos*: 3104; *Libro de Graçián*: 3395n.; signos escatológicos: 3086-3087
y Santo Domingo: Ferrer, fray Vicente: 2960; *Libro del conoscimiento del fin del mundo*: 3086-3087; *Mar de historias*: 2432; *Santo Domingo de Guzmán*: 1994 (ver *duo viri*)

Francisco de Toledo, deán, defensor de los conversos en Roma (siglo XV): 2637
Franco, Alfonso, doctor (m.1467): *Crónica de Juan II*: 2239
franqueza, noción: *Castigos del rey de Mentón*: 1454; *Libro de las claras e virtuosas mugeres*: 3235; Tratado de moral: 3731
frases, giros coloquiales: *Arcipreste de Talavera*: 2675; *Libro de los estados*: 1146-1147; *Libro de vita beata*: 3688; *Oracional*: 3023-3024; *Triste deleytaçión*: 3824n.
Fretellus: descripción de Ultramar: 115n.
Frías, Pedro, obispo de Osma, cardenal de España (m.*c.*1420/25): *Generaciones y semblanzas*: 2450
Fribourg, Jean de (m.d.1314): *Summa confessorum*: 1738n.
Frixo: *General estoria*: 4020
Froidmond, Hélinand de (*c.*1160-1223/27): *Liber de regimine*: 275n.
frontera de España: Alfonso X: 565
Frontes, San: *Santa Marta*: 1950, 1952
Frontino, Sexto Julio (*c.*35-*c.*103): *Suma política*: 3614
OBRAS:
Strategemata: 565, **2862-2863**, 3138, **4065-4067**
Fruela I ([757]-768): *Atalaya de las corónicas*: 2698
Fruela II de León ([924]-925): *De rebus Hispaniae*: 2082n.; *Estoria de España*: 680n., 684-685; *Versión crítica*: 1228
fruta/alimentos:
metáfora textual: epístola F. Pérez de Guzmán: 2423, 2426n.; *Epistula* de Cartagena: 2616; *Introduçión* de P. Díaz de Toledo: 3752n.; *Libro de Graçián*: 3380-3382; *Oracional*: 3026
«postre»: *Doctrinal de los cavalleros*: 2880
fuego: amoroso: 3367; de San Telmo: 2181; purificador: 1848-1849; símbolo de penas infernales: 3242
Fuensalida, Gutierre de, comendador de Haro (siglo XV): origen de la Orden de Santiago: *Invencionario*: 3703-3704
fuentes: árabes: 167; de viento frío: 2181-2182; del amor: 3366; del dolor: 3366; ninfa metamorfoseada: 3292-3293, 3299-3300
Fuente Clara: *San Amaro*: 1965-1968
Fuero de Alcalá: **3989-3990**
Fuero de Avilés: 83n., 88
Fuero de Béjar: 87, 88n.
Fuero de Cuenca: 88, 3990
Fuero de Jaca: 87
Fuero de Madrid: 83n., 89
Fuero de Palenzuela: 91
Fuero de Plasencia: 84n., 88
Fuero de Sepúlveda: 3990
Fuero de Teruel: 88
Fuero de Úbeda: 87, 90
Fuero General de Navarra: 87, 92, 93n., 97-98, 233n., 296, 1460
Fuero Juzgo: 88n.
Libro juzgo: 2872, 2876
Fuero «nuevo» de Alcalá de Henares: 3991

FUERO REAL, Alfonso X: **300-303**; *Castigos de Sancho IV*: 933; *Espéculo*: 330-332; estructura y contenido: **302-303**; *Fuero Viejo*: 299; Jacobo de Junta: 359-360; leyes, siglo XIV: 1291-1292, 1293n., 1295, 1297, 1308; *Partida II*: 538; promulgación: **300-302**, 511; SÍNTESIS Y CONCLUSIÓN: 3894
FUERO VIEJO DE CASTILLA: **297-300**; *Doctrinal de los cavalleros*: 2873, 2875; «fazañas»: 90-91; *Libro de los fueros*: 296; Pérez de Guzmán, Fernán, glosas: 2423; revuelta nobiliaria (1272): 644; SÍNTESIS Y CONCLUSIÓN: 3894; usos: 1089n.
fueros: **82-94**, **295-303**, **3979-3980**; Alfonso X: 335; fuente: 3049n.; juras: 3540; SÍNTESIS Y CONCLUSIÓN: 3891; visión antinobiliaria: 88; y práctica consuetudinaria: 84-86, 295, 539-540, 544, 550, 559, 566, 582, 584, 586, 1144n., 1292-1294, 1414 (ver tradición forística)
Fueros de Aragón: 83, 88n.
Fueros de Sepúlveda: 86, 90-91
Fulgencio, Fabio (*c.*480-550): *Defunsión de don Enrique de Villena*: 2480; *Tratado de cómo al hombre es necesario amar*: 3180
OBRAS:
«Methología» [*Mitologiarum libri III*]: *Los doze trabajos de Hércules*: 2485
Furias: *Sátira de infelice e felice vida*: 3339

Gabriel, ermitaño: *Estoria del Cavallero del Çisne*: 1065-1066
«gafedad», pecado sexual: *Josep Abarimatía*: 1480; *Santa enperatrís*: 1370
Galaad/Galaz: *Amadís*: 1553, 1568; «Cavallero de Santa María»: 1533; *Crónica sarracina*: 3353; *Cuento de Carlos Maynes*: 1613; *Demanda del Santo Grial*: **1492-1503**; *Josep Abarimatía*: 1481; *Lanzarote*: 1467, 1470, 1473
y Tristán: 1510, 1522, 1524-1526, 1532,
Galaçiano: *Libro de cetrería*: 1686-1687, 1690
Galafre/Hixem, rey: *Atalaya de las corónicas*: 2699; *Mainete. Crónica fragmentaria*: 1599, 1601-1603; relaciones carolingias: 1578, 1580
Galahot, rey: *Lanzarote*: 1472
Galalón/«Galarón»: ver Ganelón
Galaor: *Amadís*: 1497, 1552-1553, 1557-1561, 1565, 1567-1568, 1570, 1575, 2418
galardón amoroso: *Triste deleytaçión*: 3826-3827
Galeote: *Tristán*: 1518, 1530
el Brun: *Tristán*: 1544
Galeraus: *Cuento de Carlos Maynes*: 1612
Gales, Juan de (siglo XIII): regimientos de príncipes: 1725, 1731, 1734n.
OBRAS:
Communiloquium: 1545
Galiana, primera mujer de Carlomagno: *Atalaya de las corónicas*: 2698-2699; *Mainete. Crónica fragmentaria*: 1598, 1601, 1604; relaciones carolingias: 1087n., 1580
Galieno/Galeno, Claudio (129-*c.*199): *Dichos por instruir a buena vida*: 3124-3126, 3127n.; *Los enseñamientos dorados*: 445; *Libro de los buenos proverbios*: 440, 463; tratados de medicina siglo XV: 2757, 2774; *Vidas y dichos de filósofos antiguos*: 2127-2128
Galieno, sobrino del emperador: *Estoria del Cavallero del Çisne*: 1074-1075, 1077n.
Galierno: ver Galieno
«galifa» de Egipto: *Flores y Blancaflor*: 1586

Galíndez de Carvajal, Lorenzo, censor de crónicas de los Reyes Católicos y de Carlos I (1472-1532): autoría de la *Crónica de Juan II*: 2207-2208, 2208n., 2276n.; historiografía petrista: 1779; materiales de la *Crónica de Juan II*: 2213n., 2323; «Prefación» a la *Crónica de Juan II*: 2208-2212, 2262, 2269-2271, 2295, 2311-2312, 2318-2319, 2322, 2324, 2332-2333; «Refundición» de la *Crónica de Juan II*: 2196n., 2200, 2212n., **2240-2268**, 2269n., 2287, 2328-2330, 2956n., 2327, 2459, 2859, 3475
OBRAS:
Adiciones genealógicas: 3574
Gallego, Pedro, obispo de Cartagena ([1250-1267]): *Summa Astronomica*: 643, 643n.
Galpano: *Amadís*: 1557
Galván/Gauvain: *Baladro*: 1488, 1490; *Demanda del Santo Grial*: 1496-1504; *Lanzarote*: **1473**; relaciones artúricas: 1465-1466; *Tristán*: 1509, 1530, 1538
Galvanes sin Tierra: *Amadís*: 1543, 1564
Galve: *Crónica de 1344*: 1235
Gandandel: *Amadís*: 1564
Ganelón: *Cuento de Carlos Maynes*: 1611, 1612, 1616; *Enrique fi de Oliva*: 1617, 1630; relaciones carolingias: 1581
Ganimides, rey: *General estoria V*: 788
Garandilla de Alcudia: *Andanças e viajes* de Pero Tafur: 3420
Garci Fernández, conde de Castilla (938-[970]-995): *Generaciones y semblanzas*: 2457n.
Garci Lasso de la Vega: ver Lasso de la Vega, Garci
García, Diego (m.1321): asesinado por don Juan Manuel: 1101
García, Fernán, canónigo de Talavera (siglo XV): rival de A. Martínez de Toledo: 2664
Garçía, Ferrand: *Libro de buen amor*: 3313
García, Gómez, abad de Valladolid, poeta (m.1286): embajador en Francia: 858; marco letrado de Sancho IV: 1026n.; privado de Sancho IV: 926
García, Gonzalo, obispo de Cuenca, arzobispo de Toledo (m.1299): 861
García, Mari, beata (siglos XIV-XV): *Tratado en defensa de virtuosas mugeres*: 3264
García/González, Martín, obispo ([1286-1301]) de Astorga: consejo de Sancho IV: 858-859
García, Teresa, prima de L. López de Córdoba (siglos XIV-XV): *Memorias*: 2346-2347
García Carrillo, María, tía de L. López de Córdoba (siglos XIV-XV): *Memorias*: 2343, 2345-2346
García de Albornoz, Gómez, rector de Bolonia ([1361-1364]): 1876n.
García de Campos, Diego, canciller de Alfonso VIII (siglos XII-XIII): estudiante de Teología (París): 22; fuente de F. Pérez de Guzmán: 2425, 2432; reforma ortográfica: 3989; *Tratado de Cabreros*: 78
OBRAS:
Planeta (1218): 26, 75, 144
GARCÍA DE CASTROJERIZ, JUAN (siglo XIV): SÍNTESIS Y CONCLUSIÓN: 3918-3919; versión extensa de *Castigos de Sancho IV*: 4028-4031
OBRAS:

Glosa castellana del *De regimine principum*: 918, 918n., 1545-1546, **1704-1725**, 2111n., 3128, 3640n., 3654, 3654n., 4024; Libro I: **1711-1715**; Libro II: **1715-1721**; Libro III: **1721-1730**, 1731n., 1790n.

García de la Mora, Marcos, bachiller «Marquillos» (siglo XV): *Memorial* o estatuto-sentencia: 2635-2637, 2638-2642, 2708

García de Medina, copista (1467): Esc. X-iii-4: 141

GARCÍA DE SALAZAR, LOPE (1399-1476): **3546-3553**; biblioteca: 3549-3550; biografía: 3546; cronista: 3342; materia artúrica: 3760; SÍNTESIS Y CONCLUSIÓN: 3959-3960

OBRAS:

Crónica de Vizcaya: **3547-3549**

Istoria de las bienandanzas e fortunas: **3549-3553**; leyendas: 2385n.; *Libro del infante don Pedro de Portugal*: 3427; materia artúrica: 1460; materia carolingia: 1092n.

García de Santa María, Alfonso: ver Cartagena, Alfonso de

GARCÍA DE SANTA MARÍA, ÁLVAR, cronista de Juan II, contador de Juan II de Navarra, procurador de Burgos, (*c.*1380-1460): *Abreviación del Halconero*: 2326; Aragón, Enrique de: 2472, 2477-2478; Arcediano de Niebla: 2752; continuación de la crónica real: 965, 1786, 2080, **2099**, 2172; cortesía aragonesa: 3155, 3157-3158, 3813-3814; *Crónica del Halconero*: 2287-2288; Díaz de Toledo, Fernand: 2631, 2643, 2647, 2886-2887, 2903; espiritualidad: 2112, 2947, 3150n.; familia Santa María. 2588, 2590, 2593, **2596-2598**, 2600, 2619; formación de la *Crónica de Juan II*: 2194, **2196-2199**, 2200n., 2202, 2205, **2207-2268**, 2322; Galíndez de Carvajal, Lorenzo: 2324, 2859; *Libro de Graçián*: 3379, 3388, 3401; *Libro del infante don Pedro de Portugal*: 3425; López de Córdoba, Leonor: 2337; Luna, Álvaro de: 3340; Luna, Pedro de: 2984; marco letrado de Juan II: 1916n.; modelo de crónica real: 968; Ms. X-ii-13: 2306-2307, 2311, 2318; Niño, Pero: 2351, 2365, 2386, 2390, 2393; Pérez de Guzmán, Fernán: 2420-2421, 2434, 2437, 2440, 2445n.; pesimismo y reflexiones morales: 2671, 2727, 2869, 2930, 2955, 3080, 3327; SÍNTESIS Y CONCLUSIÓN: 3931

OBRAS:

Ver *Crónica de Juan II*

García de Santa María, Gonzalo, sobrino de don Álvar, hermano de Alfonso de Cartagena, obispo de Plasencia (1390-1448): Concilio de Basilea: 2239, 2599-2600, 2644

García de Santa María, Pablo: ver Santa María, Pablo

García de Villalpando, Ruy, defensor de P. Sarmiento en Roma (siglo XV): 2636

García el Negro (siglo XV): correspondiente de Fernando de la Torre: 3636, 3790-3791

García Manrique, Juan, hermano de Pedro Manrique, arzobispo de Santiago ([1386-1397]): canciller del reino: 2075; *Generaciones y semblanzas*: 2447; intrigas políticas: 2105

García Ramírez de Navarra, el Restaurador ([1134]-1150): enlace de doña Blanca y Sancho III: 65; línea dinástica: *Crónica de los Reyes de Navarra*: 3538

Garcilaso de la Vega (1501-1536): relaciones linajísticas: 2420n.

Garcirramírez, trujamán prodigioso: *Libro del infante don Pedro de Portugal*: 3431, 3433

Garfín y Roboán, *estoria*: 1379, **1411-1420**
«gargantería»: *Espejo del alma*: 3005 (ver gula)
Gariete: *Demanda*: 1501-1502
Garínter, rey: *Amadís*: 1657
Garsir: ver emperador de Constantinopla
Gasta Floresta: *Tristán*: 1532
Gastón IV de Foix, conde de Foix (1425-1472): *Crónica de Enrique IV*: 3497n.; esposo de Leonor de Navarra: 3784, 3784n.
Gastón VII, vizconde de Bearne (1225-1290): padre de Guillerma de Moncada: 857
Gato Paus: *Zifar*: 1416
gato religioso: *Calila*: 212; *Libro de los gatos*: 1175
Gauchi, Henry de, traductor francés del *De regimine principum* (*c.* 1282): 1706
Gaufredo (¿Godofredo de Vinsauf?): *Defunsión de don Enrique de Villena*: 2480
Gaula: *Amadís*: 1572; *Tristán*: 1512, 1516
Gautier de Châtillon, autor del *Alexandreis* (*c.*1135-d.1180): fuente de la *General estoria*: 703n., 758
Gautier de Coincy (*c.*1177/78-1236): *Istoria de Sant Alifonso*: 1926n.; *Santa enperatrís*: 1366-1367
gaya ciencia/doctrina: *Arte de trovar*: 2504-2506; fiesta: 3156n.; *Libro de las claras e virtuosas mugeres*: 3222; *Prohemio e carta*: 2535; *Prologus baenensis*: 3194
Gayad Albaquim: ver *Ghāyat al-Hākīm*
Gays, consejero: *Vespesiano*: 1677-1678
geis, voto caballeresco: *Crónica de Juan II*: 2897n.; *Epistula* de Cartagena: 2616n.; *Otas*: 1671, 1673
Genardio: *Vida de la Virgen*: 3857
***Genealogía de los Ayala* (*Continuación anónima*)**: 2133, 2976
«generación»: engendramiento de hijos: 3252, 3265, 3293n.; noción linajística: 2293, 2440
General estoria, Alfonso X: **686-796, 4011-4019**; artes liberales: 1718n.; «biblia estorial»: 122, 125, 4013-4014; *Calila*: 185, 191; *Cancionero de Baena*: 3194-3195; *Chronicon mundi*: 165; conciencia de estilo: 603n.; conocimiento del tiempo futuro: 389; *Crónica abreviada*: 1107; dimensión alegórica: 2168, 2485; dimensión enciclopédica: 4014-4015; división en dos libros: 795n., **796**; *Estoria de España*: 644, 646, 654, 660, 665, 667, 669, 673-674; «estorias departidas y unadas»: 708-709; estructuras temporales: **703-708**; formación: **689-694**, 1226; género: 4013-4014; Geoffrey of Monmouth: 1318-1319, 1459; *Gran Conquista de Ultramar*: 1055; historia universal siglo XV: 2592, 2657; integración de fuentes: **697-703**; *Istoria de las bienandanzas e fortunas*: 3550; *Liber regum*: 101; *Libro de los buenos proverbios*: 442n.; líneas de contenido: **708-710**; materia de la Antigüedad: 320, 1656; materia historiográfica: 1631, 1635; materia troyana: 799n., 801-802, 827, 4019-4021; Ovidio/Juan Rodríguez del Padrón (*Libro de las dueñas*): 3273-3274; proceso de composición: **694-708**; SÍNTESIS Y CONCLUSIÓN: 3899-3900; *El Victorial*: 2375n.
General estoria I: 184, 689n., 704, 707n., **710-719**, 782, **4011-4016**; *Deuteronomio*: **718-719**; *Éxodo*: 713-715; *Génesis*: **710-713**; *Levítico*: **715-716**; *Números*: **716-718**

General estoria II: 689n., 801, 1636, 4011; *Estoria de Ércules*: **725-726**; *Estoria de Josué*: **720-722**; *Estoria de Tebas*: **724-725**; *Estoria de Troya*: **726-727**, 4019; *Libro de los jueces*: **722-723**; *Libro de Ruth*: **727-728**; materia de la Antigüedad: **719-732**; *Primer Libro de los Reyes*: **728-731**; *Segundo libro de los reyes*: 731-732
General estoria III: 689n., 702n., 706, 801, 4011-4012; contenido: **734-736, 4018-4019**; de Salomón al cautiverio del pueblo hebreo: **732-747**; *Estoria de los godos*: **738-739**; *Estoria de Ulixes*: **738**; *Libros de Salomón*: **739-742**; materia troyana: **737-738**, 4019; pérdida del *imperium*: 742-747; romanceamiento bíblico: **733-734**; unidad textual: **736-737**
General estoria IV: 126, 689, 689n., 690, 695n., 703n., 705, 707n., **747-774**, 778, 796, 3218, 4012; linaje teutónico: **760-768**; tiempo de profetas: **754-760**; transmigración de Babilonia: **749-754**; transmisión del dominio imperial: **768-774**
General estoria V: 126, 689n., **775-793**, 794, 796, 4012; *Estoria de Julio César*: **788-791**; historia de los Macabeos: **778-782**; historia de Octaviano: **791-793**; traducción de la *Farsalia*: **782-788**
General estoria VI: 689n., 690, 693, 776, **793-796**, 1844n., 4012, **4015**
género editorial caballeresco: noción: 1511, 1511n.
género literario: discurso formal: 12, 1824; teoría y configuración de géneros o «estilos»: 2537, 2732-2733, 3258-3259 (ver «estilo»)
géneros narrativos: *Partida I*: 535n.
Genius: *Confesión del amante*: 3215
genovés, modelo: *Libro del conde Lucanor*: 1164n.
Genoveva, esposa calumniada: 3136n.
gentiles/gentilidad: ley de la gentilidad: 3231-3239; mujeres gentílicas, rechazo: 3873n.; razones/«fablas»: 1036, 2484-2485; textos de la gentilidad: 694-695, 698, 700, 703, 705, 720, 722, 735, 1636
Geoffrey of Monmouth, obispo, autor de *Historia regum Britanniae*: (*c.*1100-1155): *Anales navarro-aragoneses*: 100; desarrollo de la ficción: 1318; *General estoria*: 745, 801; sermón Corpus Christi: 2972; *El Victorial*: 2363n., 2382; *Zifar*: 1459, 1461, 1461n., 1463
OBRAS:
Historia regum Britanniae: desarrollo materia artúrica: 463; *General estoria*: 709, 730, 744-745, 4018; *Libro de las generaciones*: 104; materia carolingia: 1579
Profetiae Merlini (1135): 4038
geomancia: *Tractado de la adivinança*: 2827
geometría: *General estoria I*: 713; *Partida V*: 534n.; *Setenario*: 317; *Visión deleitable*: 2839
geopolítica: fundación de ciudades: *Suma política*: 3610-3611
Georgium de Montferrato, impresor: 2762
Gerardo, halconero: ver *Tratado de cetrería*
Gerardo de Cremona (*c.*1114-1187): *Almagesto*: 864-865; *Tablas de Azarquiel*, versión latina: 639
Gerardus falconarius: 1685
Gerberto d'Aurillarc o Guiberto, nigromántico: ver Silvestre II
Gerineldo: ver romancero/romance

Gerión, mítico rey de Castilla: *Anacephaleosis*: 2625
Gerson, Juan, canciller de París (1363-1429): *Visión*: 2670
Gervasio, San: *Libro de las claras e virtuosas mugeres*: 3248
Gervasio de Melkley (*c.*1185-d.1213): *Ars versificaria*: 40n., 42
Gesta Comitum Barcinonensium: 1289, 3997
Gesta Romanorum: *Cavallero Pláçidas*: 1352; *Historia de Apolonio*: 1681; *Libro de los exemplos por a.b.c*: 3102n.; *Segundo filósofo*: 4010
gestualidad y oralidad: *Calila*: 212; *Sendebar*: 226, 228
y teatralidad: *Arcipreste de Talavera*: 4063 (ver *actio* retórica)
Geteclim, rey de Saxoña: *Mainete. Gran Conquista de Ultramar*: 1091
Gezebee: ver Jezabel
Ghāyat al-Hākīm: traducción alfonsí: 627-628, 630, 635; *Tratado de fascinación:* 2499
Giamboni, Bono (a.1240-*c.*1292): atribución del *Viridarium*: 2025n.
Giesser, Hans, impresor (activo entre 1500-1509): 1032, 2657
Gil de Zamora, fray Juan (*c.*1241-m.1318): *Castigos de Sancho IV*: 4027; Escavias, Pedro de: 3544; molinismo: 861, 861n., 1725; *Segundo filósofo*: 4010
OBRAS:
Alabanza de España: 861n.
Alabanzas e historia de Zamora: 861n., 862n.
Ars musica: 1026n.
De anathomia: 2757n.
De preconiis Hispaniae: 862n., 1441n., 1442n., 1697n., 2862, 3544, 4010
Dictaminis epithalamium: 862n.
Historia naturalis: 862n.
Liber Mariae: 1026n.
Maremágnum de escrituras: 862n.
Gilbertus: *Chronica onmium Pontificum et Imperatorum Romanorum*: 3997-3998
Gilbertus Anglicus: *Recetas*: 2772-2773
Ginebra, reina: ver Lanzarote
Ginebreda, Antoni (siglos XIV-XV): traducción catalana de *De consolatione philosophiae*: 2975, 2977
Ginesa, condesa: *Estoria del Cavallero del Çisne*: 1062, 1064-1067
Giotto di Bondone (1266/76-1337): *Controversia Alphonsiana*: 2614
Giovanni de Procida (siglo XIII): *Liber philosophorum moralium antiquorum*: 455
Giraldes, Alfonso de (siglo XIV): *Poema do Batalha de Salado*: 1262
Girón, Pedro, hermano de Juan Pacheco, sobrino de Alfonso Carrillo, maestre de Calatrava (1423-1466): alianzas de 1449-1450: 2921-2922; Barrientos, Lope de: 2295, 2305; caída de Álvaro de Luna: 2926; candidato a casar con la princesa Isabel: 3497, 3528; dominio de Peñafiel: 2309, 2309n.; dominio sobre Enrique IV: 3476; enfrentamiento contra Enrique IV: 3485n., 3488, 3495; guerras de Andalucía: 3541n.; Lucas de Iranzo, Miguel, enemistad: 3560-3561, 3567, 3569; maestrazgo de Calatrava (1445): 2258-2259, 2266; muerte: 3497, 3497n., **3528**, 3533 (*Memorial de diversas hazañas*), 3570 (*Hechos de Lucas de Iranzo*); rebelión toledana de 1449: 2302, 2636, 2638; semblanza negativa: 3495n.
Gisleberto, abad (1084-1117): *Disputatio Judaei cum Christiano de fide christiana*: 3992

Gismunda: ver «Riscardo»
Gloridoneo, capitán: *Perfeçión del triunfo*: 3780-3782
Gloris: *Flores y Blancaflor*: 1587
Glosa castellana al «Regimiento de príncipes»: ver García de Castrojeriz
glosarios: formación: 3976
glosas bíblicas: exégesis bíblica: 2645, 4013-4014; *General estoria*: 733, 4013; *Libro de Isaías*: 47; *Libro del consejo*: 954; salmos: 3028-3034, 3061-3062
glosas emilianenses y silenses: 94
glosas y amplificaciones, glosador: Alfonso de Toledo: 3712; Aragón, Enrique de: 2511-2516; Cartagena, Teresa de: 3066; círculo literario de Santillana: 2540; de lectores: 1473-1474, 1528; defensa de la poesía: 2149; definición de glosa: 2543; Díaz de Games, Gutierre: 2381, 2381n., 2390, 2395, 3218, 3258; Díaz de Toledo, Pero: 2551-2556; Fernández de Madrigal, Alfonso: 2656; ficción sentimental: 3199, 3221; García de Castrojeriz, Juan: 1708; Guillén de Segovia, Pero: 3584; hagiografía: 1983 (*Santa Pelagia*); leyes siglo XIV: 1293-1294, 1297; *Libro de vita beata*: 3684-3685; López de Ayala, Pero: 3982; Luna, Álvaro de: 3246; materia troyana: 804; Mena, Juan de: 2734, 3584; Pedro de Portugal: 3326-3330, 3334-3340; Pérez de Guzmán, Fernán: 2423; *Proverbios* de Santillana: 2530, 2553-2556, 3119, 3131, 3133; reglas monásticas: 138; Rodríguez del Padrón, Juan: 3275-3279; romanceamientos bíblicos: 130; Treveth, Nicolás: 2974-2977, 2979; Valera, Diego de: 3258-3261, 3600-3601, 3606; *Zifar*: 1458n.; Zurita, Jerónimo de: 2330-2333
  comentario escolar (*lectio*): *Fazienda de Ultramar*: 116; *Libro de las cruzes*: 421-422; *Libro de los judizios*: 400; *Semejança del mundo*: 148
Gobi, Jean de (1323-1350): *Libro del conde Lucanor*: 1762n.
  OBRAS:
  Scala Coeli: 3111, 3112n., 4010
Godís/Quedín: *Tristán*: 1522, 1529, 1536
Godofredo de Boullon/Bullón, conquistador de Jerusalén (*c.*1060-1100): *Andanças e viajes* de Pero Tafur: 3411; *Castigos de Sancho IV*: 932, 934, 1446n.; *Gran Conquista de Ultramar*: 1031-1032, 1040-1042, **1043-1046**, 1051, 1055-1056, 1059-1061, 1073n.; *Istoria de las bienandanzas e fortunas*: 3550-3551; liberación de Jerusalén: 1572; *Libro de confesión de Medina de Pomar*: 3041; relaciones carolingias: 1618; *El Victorial*: 2377
Godofredo de Vinsauf (m.*c.*1220): Aragón, Enrique de: 2494; discurso formal de la prosa: 40n., 42
Godofredo de Viterbo (m.*c.*1186): *Pantheon*: 698, 698n., 713, 737, 763-764, 773, 777, 1680; *Speculum regni*: 275n.
Godorión: *Flores y Blancaflor*, siglo XVI: 1593
Gog y Magog: *General estoria IV*: 773, 773n.; *Libro del infante don Pedro de Portugal*: 3430, 3432
Golias, duque de Coranvia: sermón Corpus Christi: 2972
golpes prodigiosos: *Atalaya de las corónicas*: 2699; *Otas*: 1667; *Zifar*: 1419
  y heridas caballerescas: *Historia de don Álvaro de Luna*: 2908-2909, 2916-2917, 2924; *Libro del Passo Honroso*: 2414, 2418-2419; *Otas*: 1673; *Tristán*: 1510; *El Victorial*: 2380n.; *Zifar*: 1419 (ver amputaciones en combate; rostro)

Gómez, Diego, sobrino del Arcediano de Niebla (siglo XV): 2756
Gómez, escudero: *Miráculos romançados*: 1021
Gómez, García, presbítero toledano (siglos XV-XVI): *Carro de dos vidas*: 3845n.
Gómez, Gutierre, obispo de Palencia ([1357-1381]): *Cuento de los Reyes*: 2091
Gómez, Juan, arzobispo de Toledo ([1152-1166]): *Instrucción del Relator*: 2640
Gómez, Pascual, escribano de Sancho IV (siglo XIII): *Libro del tesoro*: 866
GÓMEZ ÁLVAREZ DE ALBORNOZ, PEDRO, arzobispo de Sevilla (m.1390): **1875-1897**; *Confesionario*: 1012; literatura catequismal: 1853, 1858; SÍNTESIS Y CONCLUSIÓN: 3923-3924; tratados de medicina: 2759
OBRAS:
Libro de la justiçia de la vida espiritual: **1881-1895**, 3052, 4041; análisis de pecados: **1891-1895**; artículos de la fe: **1887-1889**; *Libro del arçobispo*: 1877-1880; obras de misericordia: **1890-1891**; sacramental: **1889-1890**, 3049; sermonario sobre los mandamientos: **1881-1887**
Gómez Barroso, Pedro, arzobispo de Sevilla, cardenal de Santa Práxedes (m.1374): tío de Pero López de Ayala: 1876, 2133
Gómez Barroso, Pero, escribano del rey Sancho IV: ver Maestre Pedro
Gómez Barroso, Pero, trovador portugués (siglo XIII): posible abuelo de Maestre Pedro: 944
Gómez Charinho, Payo, trovador, adelantado mayor de Galicia, almirante (m.1285): marco letrado de Sancho IV: 1026n.
Gómez de Albornoz, santiaguista (siglo XIV): sobrino de Gil de Albornoz: 1876n.
Gómez de Anaya, Juan, arcediano (siglo XV): *Crónica del Halconero*: 2284
Gómez de Cáceres: ver Solís, Gómez de
Gómez de Caldelas, Gonzalo (siglos XIII-XIV): *Crónica de Fernando IV*: 1255n.
Gómez de Castro, Álvar, humanista (*c.*1515-1580): copia del *Arte de trovar*: 2503, 2505-2506
Gómez de Cibdad Real, Álvar, converso, secretario de Enrique IV y del infante don Alfonso (siglo XV): vistas de Bidasoa: *Crónica de Enrique IV*: 3491, 3494
Gómez de Guadajara, Álvar, poeta cancioneril (siglos XV-XVI): traducción del *Trionfo d'Amore* de Petrarca: 3728
Gómez de Guzmán, Fernán, comendador mayor de Calatrava (m.1476): destinatario de *Andanças e viajes*: 3404, **3404n.**, 3405, 3408, 3425, 4076; destinatario de la *Perfeçión del triunfo*: 3770-3773, 3783
Gómez de Salamanca (siglos XIV-XV): *Compendio de medicina para Álvaro de Luna*: 2764, 2886; *Recetario contra pestilencia*: 2769
Gómez de Salazar, guarda del rey (m.1404): *Embajada a Tamorlán*: 2175, 2186
Gómez de Sandoval, Diego, conde de Castro (1385-1455): amistad con Íñigo López de Mendoza: 2517; apoyo al rey (1438): 2265; bando del infante don Juan (1417-1420): 2199, 2247, 2307, 2315-2316; destinatario del *Doctrinal de los cavalleros*: 2619, **2871-2873**; detención (1448): 2725, 2747; Díaz de Toledo, Fernand: 2632; exilio (1445): 2304-2305, **2448-2449** (*Generaciones y semblanzas*), 2877; huida del reino (1450): 2531; intento de liberación de Álvaro de Luna: 2932n.; marcha del real (1431): 2289; retiro de la corte (1428-1430): 2238, 2283, 2894; seguro de Tordesillas (1439): 2406

Gómez de Santisteban, autor del *Libro del infante don Pedro de Portugal* (siglo XV): 3402, 3426, 3427n., 3430-3431, 3435-3436
Gómez de Sotomayor, Payo, mariscal de Castilla, embajador de Enrique III (1336-1405): *Embajada a Tamorlán*: 2174
Gómez de Toledo, Diego (siglo XV): amigo de Fernando de la Torre: *Libro de las veinte cartas*: 3806-3807
Gómez de Toledo, Gutierre: ver Gutierre, obispo de Palencia
Gómez de Zamora, Alfonso, bachiller y traductor de Í. López de Mendoza (siglo XV): 2541, 2545, 3279n.
Gómez de la Serna, Ramón (1891-1963): *El secreto del acueducto* (1922): 4011
Gómez García, abad de Valladolid: ver García, Gómez
Gonbaut, traidor: *Cuento de Carlos Maynes*: 1612
González, Domingo (siglo XV): rival de A. Martínez de Toledo: 2665
González, Nicolás, copista: traducción de Sainte-Maure: 802
González Dávila, Gil (1578-1658): vida de Alonso Tostado: 2645n.
OBRAS:
Teatro Eclesiástico (1645-1647): 1876
González de Avellaneda, Johán (1349-1409): *Generaciones y semblanzas*: 2447n.
González de Ávila, Fernán, doctor (siglo XV): *Crónica de Juan II*: 2422
Gonçález de Ávila, Pero, doctor y jurista de Juan II (siglo XV): Ms. X-ii-13: 2321n.
González de Clavijo, Ruy (*c.*1350-1412): embajador de Enrique III: 2172, 2175, 2177, 2186n. (*Embajada a Tamorlán*); *Libro del infante don Pedro*: 3436-3437; *Memorias de algunos linages*: 2747; Niño, Pero: 2357
González de Contreras, Juan o Juan de Segovia (*c.*1400-¿?): Concilio de Basilea: *Andanças e viajes* de Pero Tafur: 3422
González de Guzmán, Luis, maestre de Calatrava (1407-1443): litigio por el maestrazgo: 2477-2478
González de Herrera, Garci, mariscal (siglos XIV-XV): *Generaciones y semblanzas*: 2447n.
González de Lara, Nuño, el Bueno (m.1275): debilidad de Alfonso X (1271): 350n.; Écija (1275): 817; Lebrija (1255): 241, 252; privanza con Alfonso X: 244; revuelta nobiliaria (1272): 691
González de Lucena, Martín, físico y traductor de Í. López de Mendoza (siglo XV): 2541, 2547
González de Mendoza, Pedro, hijo de Í. López de Mendoza, arzobispo de Toledo, Gran cardenal de España (1428-1495): apoyo a la infante Isabel: 3506; cardenal: 3505-3506; consejero de Isabel I: 3677; epístola consolatoria de Gómez Manrique: 3728; *Gesta*: 3515; Lucas de Iranzo, Miguel: 3561; Lucena, Juan de: 3680; obispo de Calahorra: 2601, 3493n.; obispo de Sigüenza: 3501; revisión de los *Gesta*: 3512; sello de la cancillería: 3562; traductor: 2735
González de Mendoza, Pero, abuelo de Í. López de Mendoza, poeta cortesano (*c.*1340-1385): 2517
González de Tuy, fray Pero (siglos XIV-XV): *Embajada a Tamorlán*: 2181n.
Gonzalo de Ocaña, fray, prior de Guadalupe (m.1429): correspondencia con el Arcediano de Niebla: 2748-2753, 2755

Gonzalo de Ocaña, jerónimo, prior de Santa María de Sisla (siglo XV): Pérez de Guzmán, Fernán: 2423; reina doña María: 2647
Gordonio, Bernardo (*c.*1260-*c.*1318): *Lilium medicine*: 2758, 2761-2762, 2775n., 3172n.
Gorgias (*c.*487 a.C.-*c.*386 a.C.): discurso formal de la prosa: 37; *General estoria V*: 781; *Vidas y dichos de filósofos antiguos*: 2123-2124; *Visión deleitable*: 2839
Gorigos, Hayton de: *Flor de las historias de Oriente* (1307): 4053
Gorricio de Novara, Gaspar, cartujo del monasterio de Las Cuevas (m.1515): *Contemplaciones sobre el rosario de la Virgen*: 3834
Gorvalán/Gornayo/Gorvanao, ayo de Tristán: *Tristán*: 1515-1517, 1520, 1526, 1530, 1539
goticismo: *Anacephaleosis*: 2621-2622, 2622n.; *Atalaya de las corónicas*: 2697; *Compendiosa Historia Hispanica*: 3556; *Crónica de Enrique IV*: 3491; *Crónica sarracina*: 3348; *Décadas*: 2138; *Vida de San Ildefonso*: 2707
Gotor, Diego (siglo XV): caída de Á. de Luna: *Crónica de Juan II. Refundición*: 2255
Gower, John (*c.*1330-1408): *Confessio amantis*: ficción sentimental, formación: 3199, 3307, 3308n., 3802n.; *Historia de Apolonio*: 1680, 1682; SÍNTESIS Y CONCLUSIÓN: 3951-3952; versión castellana: **3208-3218**
Gozzoli, Benozzo (1420-1497): 3423n.
Gracia, figura alegórica: *Libro de la consolaçión de España*: 3076-3084
Gracia Dei, Pedro, criado de los Reyes Católicos (siglos XV-XVI): *Relación*: 1781
Gracián, Baltasar de (1601-1658): paralelismos con A. de Palencia: 3777; valoración de don Juan Manuel: 1151, 1151n.
Gracián, hijo de burgués: *Libro de Graçián*: 3080, 3377-3401
Graciano, Flavio, emperador (359-[367]-383): *Mar de historias*: 2429
Graciano, profesor de teología en Bolonia (siglo XII): *Decretum* (1140-1192): 3704
Gradissa: lectura de la *Fiammetta*: 3201, 3206
Graindor de Douai (siglo XII): ciclo poemático sobre las Cruzadas: 1039n.
gramática: ver *ars grammatica*
grammaticus: 32, 45
GRAN CONQUISTA DE ULTRAMAR: **1029-1092**; alegría cortesana: 825n.; *Castigos de Sancho IV*: 914n., 920n., 934n.; composición: **1033-1038**; contenido: **1038-1043**; *Crónica de 1404*: 2086; crónica real: 969n.; *Estoria del Cavallero del Çisne*: **1055-1080**; estructura: **1040-1043**: materia carolingia: 103, **1080-1092**, 1579n., 1583, 1583n., 1593-1595, 1598-1600, 1604, 1618, 2698; molinismo: 862, 892n., 951, 984, 1226, 1357, 4026; orden de la ficción: 962, 1328; primera cruzada y Gudufré de Bullón: **1043-1046**; relato de las cruzadas: **1051-1053**; reyes de Jerusalén: **1046-1051**; SÍNTESIS Y CONCLUSIÓN: 3905; transmisión textual: **1030-1033**; *Zifar*: 1381, 1394
GRAN CRÓNICA DE ALFONSO XI: **1262-1263, 1816-1820**; carta del sultán de Bagdad: 1286n.; *Crónicas* de Ayala: 1786; **Grande estoria de los reyes moros que ovo en África*: 1585n.; SÍNTESIS Y CONCLUSIÓN: 3922; versión extensa de los *Castigos de Sancho IV*: 4028
***Gran flos sanctorum* (*Legenda aurea*)**: 1919
***Gran libro de Venus* de «Tos»**: *Epístola a Suero de Quiñones*: 2502
Granada, guerra/reconquista: *Amadís*: 1572; *Crónica castellana*: 3519; *Crónica* de Barrientos: 2301; *Crónica de Enrique IV*: 3487-3488; *Crónica de Juan II*:

2237; *Crónica del Halconero*: 2289; *Crónica sarracina*: 3348; *Crónicas* de Ayala: 1792, 2106-2107; *Hechos de Lucas de Iranzo*: 3568; *Historia de don Álvaro de Luna*: 2913; *Jardín de nobles donzellas*: 3664; *Libro de Graçián*: 3388, 3395; *Libro de las veinte cartas*: 3786-3787; *Libro de vita beata*: 3697; *Memorial de diversas hazañas*: 3522-3524; *Seguro de Tordesillas*: 2398; *Suma de las crónicas de España*: 2594; *Tractado de los gualardones*: 3682; *Vergel de los príncipes*: 3625; *El Victorial*: 2353, 2358-2359, 2365

Graner, conde: *Estoria del Cavallero del Çisne*: 1074

***Grant Crónica de Espanya*: 1290-1291**

Grasandor: *Amadís*: 1575

gratitud, motivo: *Historia de la donzella Teodor*: 496; *Historia troyana polimétrica*: 806; *Libro del conde Lucanor*: 1171; *Zifar*: 1386, 1420

Gravaparón, lobo: *Batalla campal de los perros contra los lobos*: 3767, 3772

Gregorio I Magno, papa (San Gregorio) (*c.*540-[590]-604): caza: 2853n.; destrucción de la Roma antigua: 3410 (*Andanças e viajes* de P. Tafur); estructura homilética: 1898n.; influencia patrística: 2776; Isidoro, San: 2711; López de Ayala, Pero: 2132, 2158; *Milagros de San Antonio*: 3854n.; pecado de la lujuria: 1894; penitencia, «exemplos»: 2034, 3040; predicación: 4068; providencia y predestinación: 2797, 2808; purgatorio: 1850n., 3013; reflexión sobre la muerte: 3845; transmisión textual: 917n.; Sánchez de Vercial, Clemente: 3049n., 3097,

OBRAS:

Cura pastoralis: 1897, 1900

Diálogos: 2423, 3101n.

homilías: 2647

Moralia: 1879, 1895-1896, 2132-2134, 2145, **2150-2157**, 2484, 2710, 2730n., 3005, 3199n.

Stabat mater: 3858

Gregorio IX, papa (*c.*1170-[1217]-1241): *Decretales*: 1453n., 2663, 3049n., 3704, 3712; *Milagros de San Antonio*: 3853n.

Gregorio X, papa (*c.*1210-[1271]-1276): Beaucaire (1275): 644-645, 1095, 3999; muerte de Tomás de Aquino: 2001

Gregorio XI, papa (1329-[1370]-1378): condena de R. Llull: 3359; Ms. 77, Bibl. Menéndez Pelayo: 1870; nombramiento como cardenal de Pedro de Luna: 2983; orden de los jerónimos: 2003; regreso a Roma (1377): 1773

Gregorio XII, papa (*c.*1325-[1378]-1417): cisma: 2984

Gregorio, filósofo: *Bocados de oro*: 460, 463

Gregorio, fray Martín: Miscelánea, BN Madrid 8744: 3833

Gregorio, obispo: *Vida de San Isidoro*: 2713

Gregorio de Tours, San (538/539-594/595): *Historia de los francos*: 39

Gregorius: *Dichos e castigos*: 3126n.

grial: Alfonso X: 1318; *Amadís*: 1544, 1575; *Barlaam*: 993n.; *Demanda del Santo Grial*: 1491-1493, 1496, **1501-1503**; *Libro de Josep Abarimatía*: **1478-1481**; *Mar de historias*: 2433, 2433n.; materia artúrica, desarrollo: 1465-1467, 1657; *Tristán*: 1509, 1525; *Vulgata*: **1470**

Grifo Ocipro, rey: *General estoria V*: 776

Grima: acción narrativa: 489n., 1395-1399, **1400**, 1411; defensa de la mujer, vir-

tudes femeninas: 927, 1718n., 2464; pruebas y adversidades: 1059-1060, 1619, 1663; realidad cortesana: 1391 (ver *Libro del cavallero Zifar*; Zifar)
Grimaldo (siglo XI): *Vita silensis* (*c.*1073): 1018
Grimalet, rey: *Zifar*: 1430-1431
Grimalte: enviado por Gradissa a buscar a Pánfilo: 3201, 3206
Grimalte y Gradissa: ver Flores, Juan de
Griomoart: *Cuento de Carlos Maynes*: 1614-1616
Grisel: 2675n.
Grisel y Mirabella: ver Flores, Juan de
Griselda/Griseldis: centésima «novella» del *Decamerón*: 3136-3137
Grocheus, Johannes: *Ars musice* (*c.* 1300): 803n.
Groote, Gerardo, místico holandés (1340-1384): *devotio moderna*: 2002
Grosseteste, Robert (*c.*1175-1253): *Controversia Alphonsiana*: 2611-2612; *Espéculo de los legos*: 3105
Gualter Sinsaber: *Gran Conquista de Ultramar*: 1044
Gualterio: destinatario del *De amore*: 2673
guantes, motivo: *Libro del Passo Honroso*: 2418
Guareches: *Muerte de Arturo*: 1504
Guarino de Verona, filósofo y pedagogo italiano (1370/74-1460): disputa del *De vitae felicitate* de B. Facio: 3681, 3681n., 3687n.
Gudino: *Tristán*: 1520
Guerau de Cabrera (siglo XII): mención de la materia de Tristán (1170): 1507
guerra: consolación: 2996; de amor: 3822; de desgaste: 3766-3769; defensa de la ciudad: 3612-3615; espiritual: 3625; justa: 2215, 3556, 3613, 4062; males: 3720; negativa: 3632; peligros: 3694; tipos de: 784; yerros: 3146
Guesclin, Bertrand du (*c.*1320-1380): *Atalaya de las corónicas*: 2700; *Crónicas* de Ayala: 1805, 1807-1808; Guerra de los Cien Años: 1774; *Memorias* de L. López de Córdoba: 2342, 2342n.
Guevara, Constanza, «ricafembra», primera esposa de P. Niño (m.*c.*1403-1404): *El Victorial*: 2370, 2384, 3159-3160, 3165, 3190, 3192
Guevara, Fernando de, conde de Belcastro (1410-d.1474): *Crónica de Juan II. Refundición*: 2243n.
Guevara, poeta de cancionero (siglo XV): círculo letrado del príncipe don Alfonso: 3502n., 3650, 3650n.
guías de peregrinación: 1822, 1934
Guid'Antonio de Montefeltro, conde de Urbino: *Andanças e viajes* de Pero Tafur: 3410
Guido de Chauliac, médico (*c.*1300-1368): 2758
Guido de Columna (*c.*1215-*c.*1290): *Estoria Troyana*: 2440-2441
OBRAS:
Historia destructionis Troiae: 800-802, 1645, 2739,
Guilhem de Berguedan (siglo XII): mención de la materia de Tristán: 1507
Guilhem de Cervera (siglo XIII): mención de la materia de Tristán: 1507
Guillaume d'Angleterre: atribución a Chrétien de Troyes: 1359-1360
Guillaume du Châtel, mosén (m.1404): *El Victorial*: 2388
Guillelmus: halconero: 1688n., 1689
Guillelmus Anglicus: compilador latino (1231) del *Tratado de la Azafea*: 390n.

Guillén, maestre: *Libro de las aves que cazan*: 2850
Guillén Arremón d'Alpa, clérigo alfonsí (siglo XIII): *Libro de la ochava espera*: 604n.
Guillén de Ávila, Diego, canónigo de Palencia (siglos XV-XVI): traductor de Frontino: 2862, 4065-4067, de *Historiae* de Herodiano de Siria: 4067, de *Libros teosóficos* de Hermes Trimegisto: 4067
OBRAS:
Égloga interlocutoria (*c.*1502-1504): 4067
GUILLÉN DE SEGOVIA, PERO, poeta cortesano, contador del arzobispo Carrillo (1413-*c.*1475): **3580-3589**; actividad poética: 3722-3723; aflicciones: 3724-3727; círculo de Carrillo: 3494n., 3580-3583, 3760, 3782; oposición a Gómez Manrique: 3724; partidario de Álvaro de Luna: 3580, 3717, 3724; posible padre de Diego Guillén de Ávila: 4066; Rodríguez del Padrón, Juan, comentario: 2839n., 3272, 3277-3279; semblanza: 3723; SÍNTESIS Y CONCLUSIÓN: 3960-3961
OBRAS:
contestación a la *Esclamaçión* de Gómez Manrique: 3746, 3746n.
Dezir: 3580
La Gaya Ciencia: 3581-3582
Hechos del arzobispo don Alfonso Carrillo: 3494-3495n., **3579-3589**, 3721, 3723
«Oíd maravillas del siglo presente»: 3584-3585, 3721-3723
«prólogos» en prosa a Carrillo: **3717-3724**
quejas a dos amigos: 3724-3727
Salmos penitenciales: 3726, 3726n.
«Las sombras impiden Leandro ser visto»: 3277-3279, 3720, 3749
Guillén del Chastel, mosén: ver Guillaume du Châtel
Guillerma de Moncada, hija de Gastón de Bearne (siglo XIII): compromiso con el infante don Sancho: 857, 858n.
Guillermo I, el Conquistador, duque de Normandía [1035] y rey de Inglaterra [1066] (*c.*1027-1087): conquista de Inglaterra: 1463; rey de Inglaterra (*Estoria* y *Chronica*): 1357-1365
Guillermo I de Sicilia, el Malo (1120-[1154]-1166): traducción de Platón: 2563
Guillermo VII, el Grande, marqués de Monferrato, yerno de Alfonso X (1243-1292): enlace con Beatriz: 597
Guillermo, cardenal Trapacense: *Memorial de diversas hazañas*: 3531
Guillermo de Auvernia, fray (*c.*1180-1249): sermonística: 1899, 1899n., 1902
Guillermo de Boldelense (m.1383): *Itinerario* (1336): 1831
Guillermo de Conches (*c.*1100-1154): Aragón, Enrique de: 2500; *Moralium Dogma Philosophorum*: 1407n.
Guillermo de Monte Laudino: Sánchez de Vercial, Clemente: 3049n.
Guillermo de Tiro (1130-1186): *Crónica de 1404*: 2086n.; *La Fazienda de Ultramar*: 122; *Gran Conquista de Ultramar*: 1031, 1034, 1041-1042, 1055
OBRAS:
Historia rerum in partibus transmarinis gestarum: 1038
Guillermo el Peregrino: formación del ciclo de la Cruzada: 1039n.
Guión: *Gran Conquista de Ultramar*: 1045
«guirguiesca», juego de dados: *Libro de las tablas*: 831

gula, motivo: *Arcipreste de Talavera*: 2676; *Carta e breve conpendio*: 3642; *Dichos por instruir a buena vida*: 3125; *Espejo del alma*: 3000, 3004-3005; *Flor de virtudes*: 3743; *Libro de la justiçia de la vida espiritual*: 1885, 1891, 1895; *Libro de toda la vida de nuestra Señora*: 3875; *Regla de San Bernardo*: 3737; *Vergel de los príncipes*: 3625;
«glotonía»: *Viridario*: 2027
Gumiel, Diego de, impresor (activo entre 1494-1517): 248, 2425, 2458n., 2459
Gústioz, Gonzalo: *Siete infantes de Lara*: 89, 1235, 2466
Gutierre, obispo de Palencia y arzobispo de Toledo: ver Álvarez de Toledo, Gutierre
Gutierre de Toledo, obispo de Oviedo ([1377-1389]): 1737; *Catecismo*: **1856-1859**; SÍNTESIS Y CONCLUSIÓN: 3923
Gutiérrez, Julián, médico de los Reyes Católicos y autor de *Cura de la piedra y dolor de la ijada y cólica renal* (*De potu in lapidis preservatione*): 2771-2772
Gutiérrez de Hinestrosa, Ruy, esposo de Leonor López de Córdoba (siglos XIV-XV): 2340-2341, 2343
Guzmán, Enrique I de, II conde de Niebla (m.1436): alborotos de Sevilla: 2231 (*Crónica de Juan II*); linaje: 2462, 2728; muerte frente a Gibraltar: 2244, 2262, 2460; Tafur, Pero: 3407, 3411
Guzmán, Enrique II de, II duque de Medina-Sidonia y IV conde de Niebla (1434-1492): Lucas de Iranzo, Miguel, alianza: 3559, 3573-3574; Palencia, Alfonso de: 3515; Valera, Diego de: 3531
Guzmán, Juan Alfonso I de, I conde de Niebla (m.1394): *Generaciones y semblanzas*: 2447, 2468n.
Guzmán, Juan Alfonso II de, III conde de Niebla, I duque de Medina-Sidonia (m.1468): duque de Medina-Sidonia ([1445]): 2460; padre de Teresa de Guzmán: 3591 (*Crónica abreviada*); *Tratado sobre el título de duque*: **2740-2745**
Guzmán, Juan de, señor de la Algaba, hermano de Nuño de Guzmán (siglo XV): 2582-2583
Guzmán, Leonor de, hija de A. Pérez de Guzmán (*c.*1310-1350): *Corónica de A. Pérez de Guzmán*: 2469n.; cortesía (Alfonso XI): 1273, 1273n.; descendencia: 1299-1300n.; enlace de Enrique de Trastámara y doña Juana Manuel: 1773; Manuel, don Juan: 1149
Guzmán, linaje: 2420n., 2456, **2459-2470**, 3409 (ver *Corónica de A. Pérez de Guzmán*)
GUZMÁN, NUÑO DE, humanista cordobés, hijo de Luis de Guzmán y de Inés de Torres (*c.*1410-*c.*1475): **2581-2586**; López de Mendoza, Íñigo: 2112, 2523, 2541, 2547; promotor de traducciones: 2581-2583; SÍNTESIS Y CONCLUSIÓN: 3939-3940; Tafur, Pero: 4076
OBRAS:
Oración de miçer Ganoço Manety: 2583-2586
Guzmán, Teresa de, hija bastarda de Juan de Guzmán, esposa de Pedro López de Zúñiga: enlace: *Crónica abreviada*: 3591
Guzmán el Bueno: ver Pérez de Guzmán, Alonso

hábito: de los frailes de Santiago: 1904-1907; del amor: *Libro del amigo y el Amado*: 3367

Hadasá (Ester en hebreo): *General estoria IV*: 766
hado: ver tratados de caso y fortuna
hagiografía: «agiógrafo», noción alfonsí: 721n., 730, 766; biografía de don Álvaro de Luna: 2918; biografía nobiliaria: 2348-2350; BN Madrid 10252: 1926-1936; desarrollo: **1916-2001**; *Invencionario*: 3711; *Libro de las claras e virtuosas mugeres*: 3239-3245; libros de viajes: 1834-1853; Martínez de Toledo, Alfonso: 2665, 2700-2713; Miscelánea, BN Madrid 8744: 3847-3858; monacal: **1988-2001**, 2432; Pérez de Guzmán, Fernán: 2431n.; relación con la historiografía: 1227, 1243n., 1246-1247, 2087; *romances*: **1339-1370**, 1400, 1478, 1622, 1775; Sancho IV: 983, 1008; SÍNTESIS Y CONCLUSIÓN: 3924-3925, 3942
Halaf, alguacil: *Mainete. Gran Conquista de Ultramar*: 1088
Halconero mayor de Juan II: ver Carrillo de Huete, Pedro
Ha-Leví, Selomoh, nombre hebreo de Pablo de Santa María: 2588, 2598
Halía, hija del emir de Toledo: *Mainete. Crónica fragmentaria*: 1602-1603; *Mainete. Gran Conquista de Ultramar*: 1085, 1088-1091 (ver Sebilla)
Halipa, capitán: *Batalla campal de los perros contra los lobos*: 3766-3768
Harizi, Judah ben Solomon, poeta, prosista y traductor judío (*c*.1170-*c*.1235): tratado de alquimia: *Poridat*: 276, 280, 283
Haro, Diego de, esposo de doña Juana de Castro, segunda mujer de Pedro I (siglo XIV): 3071
Haro, Juan Alfonso de, señor de Cameros (m.1340): aliado de don Juan Manuel: 1149-1150
Haro, Juan de, el Tuerto, hijo del infante don Juan, señor de Vizcaya (m.1326): acuerdo de Cigales con don Juan Manuel: 1284; enlace de Juan Núñez y la hija de Juan el Tuerto: 1149; intrigas de Alfonso XI y muerte a traición: 1109, 1271-1272, 1283n., 1298n.; tutor de Alfonso XI: 1100-1101, 1269
Haro, linaje: 250n., 296, 644, 2037, 2077, 2254, 3531, 3548
Harpaleo, lobo: *Batalla campal de los perros contra los lobos*: 3765-3768
Haxén, emir de Toledo: *Mainete. Gran Conquista de Ultramar*: 1085, 1088-1089
Haytón, maestre: *Libro de Marco Polo*: 1830
Hechos del arzobispo don Alfonso Carrillo: ver Guillén de Segovia, Pero
Hechos del Condestable don Miguel Lucas de Iranzo: ver Lucas de Iranzo, Miguel
Héctor: *Bursario*: 3280, 3287; *Historia troyana polimétrica*: 805-806, 809, 811, 814, 815-817; *Juego de naipes*: 3811; *Libro de las claras e virtuosas mugeres*: 3237; *Sumas de Historia Troyana*: 1637; *Sumas de la Ilíada de Omero*: 2739; *Tratado de amor*: 3186; *Tratado e despido a una dama de religión*: 3802; *El Victorial*: 3192
Hécuba, reina: *General estoria*: 4020; *Historia troyana polimétrica*: 810, 816; *Sumas de Historia Troyana*: 1635, 1642
Hedar Rogelli, cristiano renegado: ver Rogel, Juan
Helbed: *Calila*: 2940n.
Hele: *General estoria*: 4020
Helí, posible padre de San José: *Libro de toda la vida de nuestra Señora*: 3879
Helí/Elí, sacerdote (1257-1159 a.C.): *Castigos del rey de Mentón*: 1448; *Castigos y documentos*: 932
Helias: base de *Estoria del Cavallero del Çisne*: 1039n., 1041, 1043
Helías, Pedro, gramático (siglo XII): *Tratado de la lepra*: 2489
Helie de Boron: transmisión del *Tristan*: 1507n.

Henricus, monje cisterciense (siglo XII): *Tractatus de Purgatorio Sancti Patrici*: 1843
Heráclito (*c*.540-*c*.480 a.C.): *Vidas y dichos de filósofos antiguos*: 2131
heráldica: *Cadira de onor*: 3300, **3305-3306**; *Espejo de la verdadera nobleza*: 2722-2723; *Generaciones y semblanzas*: 2456; *Libro de las tres razones*: 1195; *Libro del conosçimiento*: 1826, 1826n.; Rodríguez del Padrón, Juan: 3267; *Tratado sobre el título de duque*: 2745; Valera, Diego de: 3254n., 3592-3598
Herchia: *Libro de las claras e virtuosas mugeres*: 3238
Hércules: Cartagena, Alfonso de: 2625; casa de Hércules: 3346, 3349-3350, 3354; *Crónica del moro Rasis*: 2089; *Los doze trabajos de Hércules*: **2482-2487**; *Estoria de España*: 658-659, 665; *General estoria*: 714, 720, 725-726, 1291; *Historia de don Álvaro de Luna*: 2920; *La lamentaçión de España*: 2525; *Libro de las claras e virtuosas mugeres*: 3238; *Sumas de Historia Troyana*: 1639, 1641-1642; *Triunfo de las donas*: 3298; vencido por el amor: 3173, 3179
heredero:
anhelado: *Barlaam*: 986; *Crónica de Alfonso X*: 855; *San Alejo*: 1974-1975; *Sendebar*: 219, 220n.; *Vida de San Ildefonso*: 2704
no deseado: *Crónica de Juan II. Refundición*: 2259
herejías: *Arcipreste de Talavera*: 2691; *Castigos del rey de Mentón*: 1446; *Del soberano bien*: 2165, 2167, 2169; *Etimologías* romanceadas: 2160; *Instrucción del Relator*: 2641; *Invencionario*: 3709; *Libro de la justiçia de la vida espiritual*: 1882-1883; *Libro del tesoro*: 872; Lucas de Tuy: 2709n.; *Lucidario*: 894, 907-908; *Milagros de San Antonio*: 3852, 3854-3855; órdenes de predicadores: 1898; *San Isidoro*: 2711-2712; *Santo Domingo de Guzmán*: 1989-1990, 1993; *Santo Tomás de Aquino*: 2000; *Triunfo de las donas*: 3298; Valera, Diego de: 2714
herencias y testamentos: *Partida VI*: 579-580
hermafroditas: *Partida VI*: 595
Hermandades: apoyo a Enrique IV: 3497-3498; fundación: 3515
Hermann Dálmata (siglo XII): versión latina (1143) del *Libro del astrolabio*: 614
Hermann el Alemán, obispo de Astorga ([1268-1272]): Pérez Gudiel, Gonzalo: 4024; traducción de la *Ética* de Aristóteles: 865; traducción del Psalterio: 126, 126n.
hermenéutica textual: abreviación de los *Morales*: 2156-2157; *Del soberano bien*: 2167-2168; sermones de Pedro Marín: 2965-2966
Hermes: atribución de *Libros teosóficos* o *Libro de la potencia y sapiencia de Dios*: 4067; *Bocados de oro*: 459, 461-462, 462n.; *Dichos e castigos*: 3126; *General estoria II*: 722
Trimegisto: *Libro de picatrix*: 627
hermetismo: *Escala de Mahoma*: 235; *Exposición del salmo «Quoniam videbo»*: 2508; *Lapidario*: 381-382, 384; *Libro de las cruzes*: 408, 410; *Secreto de los secretos*: 289
Hernando de Alarcón: ver Alarcón, Hernando de
Hernando de Soria, fray (siglo XV): Miscelánea, BN Madrid, 8744: 3833
Hero: *Tratado en defensa de virtuosas mugeres*: 3263n.
y Leandro: *Bursario*: 3277, 3281-3283, 3285-3287; *Juego de naipes*: 3811-3812
Herodes Antipas (*c*.20 a.C.-*c*.39 d.C.): *General estoria*: 792-793
Herodiano de Siria (siglo II): *Historiae*: 4067
Herodoto (*c*.484-430/420 a.C.): *Compendiosa Historia Hispanica*: 3555
héroe: dimensión amorosa: 1628; dolor: 1600; final y muerte: 1567-1570; identidad: 1045, 1556-1558, 1624-1626; modelo artúrico: 1463-1464; nacimien-

to: 2906; nombre: 1558-1559; orígenes maravillosos: 1043, 1043n., 1585-1586, 1589, 1597-1598, 1613, 1624-1625, 1645, 1988; personalidad caballeresca: 1087-1088; revelación de identidad: 1526; signos: 1086, 1600, 1613, 1621; unión amorosa: 1561
Herrera, Alfonso de, criado de Alfonso de Fonseca (siglo XV): dedicatario de la *Batalla campal de los perros contra los lobos* de Palencia: 3762-3764
Herrera, Fernando de, poeta (1534-1597): exégesis de Garcilaso: 3747
Hidacio (*c.*393/395-*c.*470): fuente del *Chronicon mundi*: 164
hidalguía: ver nobleza
Hidra: *Triunfo de las donas*: 3298
hidromancia: *Tractado de la adivinança*: 2827
Higden, Ranulf (*c.*1280-1364): *Polychronicon*: 4010
Higueruela, batalla de la (1431): *Crónica de Juan II*: 2235, 2238-2239, 2898; *Crónica del Halconero*: 2280, 2289; *Historia de don Álvaro de Luna*: 2913; intrigas: 2192; *Libro de la consolaçión de España*: 3077n.; ms. X-ii-13: 2317; producción jurídica: 2853; Quiñones, linaje: 2410; *Suma de las crónicas de España*: 2594; tratados de caballería: 2861; Valera, Diego de: 2714; *El Victorial* (promoción de P. Niño a conde de Buelna): 2371, 2389-2390, 2395, 2900, 3162, 3340
hijo: causador de la muerte del padre: 1648; ilegítimo, noción alfonsí: 596 (ver educación)
Hildegarda von Bingen (1098-1179): *Libro del conoscimiento del fin del mundo*: 3086
Hipías, tirano de Atenas (m.490 a.C.): *General estoria IV*: 757
Hipócrates/Ypocrás (*c.*460-*c.*377 a.C.): *Bocados de oro*: 461, 463; *Dichos e castigos*: 3126; *Libro de las aves que cazan*: 2850; *Libro de los buenos proverbios*: 445, 450, 454-455, 459; *Libro de Picatrix*: 628; tratados de medicina siglo XV: 2757, 2765
hipocresía, noción: *Arcipreste de Talavera*: 2691; *Del soberano bien*: 2170; *Libro de toda la vida de nuestra Señora*: 3888; *Sátira de infelice e felice vida*: 3339
Hipodamo: *Glosa castellana al «Regimiento de príncipes»*: 1723
Hipólita: *Tratado en defensa de virtuosas mugeres*: 3262n.
Hipólito: *Breviloquio de amor*: 3172-3173; *Bursario*: 3280, 3283; *Fiammetta*: 3201; *Flor de virtudes*: 3741; *General estoria II*: 725; *Tratado de cómo al hombre es necesario amar*: 3180; *Tratado e despido a una dama de religión*: 3803
Hipólito, San (m.*c.*235): *Sant Lorenço*: 1928-1929
hipología: ver tratados de albeitería
Hispán/Hispano: Cartagena, Alfonso de: 2621, 2621n., 2625
Histoire ancienne jusqu'à César: materia troyana: 4019, 4019n. (*General estoria II*)
historia: relación con astrología: 414-415; soporte de pensamiento político: 253
Historia Apollonii regis Tyri: 1682
Historia Arabum: ver Jiménez de Rada, Rodrigo
Historia compostelana: 95
historia de «Abenalfarax y Gil Díaz»: *Estoria de España*: 677
HISTORIA DE APOLONIO: 1658, **1680-1682**; SÍNTESIS Y CONCLUSIÓN: 3918
HISTORIA DE DON ÁLVARO DE LUNA: **2900-2935**; *Cadira de honor*: 3304; Carrillo, Alfonso: 2296n.; composición y partes: 2901-2904, 3340; *Crónica de Juan II*: 2244n., 2902-2903; «crónica laudatoria» (*Primera parte*): 2232, 2274n., 2422, 2792, 2793n., 2902, **2904-2918**, 3222-3223, 3340, 3761; datación: 2257n., 2886, 3535; Epílogo: 2276n., 2934-2935; laguna de 1432-1440: 2915; *Libro*

de las claras e virtuosas mugeres: 3237; Luna, Pedro de: 2983n., 3808; materia sentimental: 2236n., 2392n., 3158, 3163-3165; Mena, Juan de: 2270n., 3226; Niño, Pero: 2357-2358; *Segunda parte*: 2256n., 2293n., 2328-2329, 2534, 2601, 2725n., 2786n., 2796n., 2902, **2918-2935**, 3229n.; SÍNTESIS Y CONCLUSIÓN: 3945-3946 (ver Luna, Álvaro de)

HISTORIA DE ENRIQUE FI DE OLIVA: **1617-1630**; contexto de recepción: **1619-1622**; *Cuento de Carlos Maynes*: 1613, 1615; entrada en Jerusalén: 1346-1347, 3042; estructura narrativa: **1622-1630**; SÍNTESIS Y CONCLUSIÓN: 3917

HISTORIA DE LA DONZELLA TEODOR: **482-502**; *Diálogo de Epicteto*: 471, 480n.; estructura: **488-496**; orígenes: **483-485**; rechazo de libros sapienciales: 899; *Segundo filósofo*: 505; SÍNTESIS Y CONCLUSIÓN: 3896-3897; transmisión: **496-502**; valor del saber: 825; versión castellana: **485-488**

Historia de los godos: 732 (ver *General estoria III*)

Historia de los griegos y troyanos: 732 (ver *General estoria III*)

Historia de preliis: 709, 769, 3098, 4020

Historia de rebus Hispaniae: ver Jiménez de Rada, Rodrigo

Historia del emperador Carlomagno: 1582

historia-«exemplum»: *Cuento de los Reyes*: 2090-2092

Historia Gothica: ver *Historia de rebus Hispaniae.*

Historia Gothorum: 102

Historia hasta 1288 dialogada: *Crónica de Alfonso X*: 972n.; *Crónica de Sancho IV*: 977; *Estoria del fecho de los godos*: 2084

Historia Hunnorum, Vandalorum, Suevorum, Alanorum et Silingorum: ver Jiménez de Rada, Rodrigo

Historia Karoli Magni et Rotholandi: 1579

historia literaria: historia de los textos: 10; *Introduçión* de Pero Díaz de Toledo: 3748-3749; *Prohemio e carta* de Santillana: 2536

Historia nobiliaria: 1230

historia nuda: Aragón, Enrique de: 2484-2485, 2660, 3246

Historia Ostrogothorum: ver Jiménez de Rada, Rodrigo

Historia regum Britanniae: ver Geoffrey of Monmouth

Historia Roderici: 671, 677

Historia Romanorum: ver Jiménez de Rada, Rodrigo

Historia silense: 80n., 95

Historia troyana (siglo XV): 2134

HISTORIA TROYANA POLIMÉTRICA: **803-817**, **4020-4022**; como *prosimetrum*: 53, 3308n.; descripción de ejércitos: **805-807**; expresión poemática: **807-811**; *General estoria III*: 735; materia troyana: 801, 4019-4022; muerte del héroe: **815-817**; narración alfonsí: 796; Rodríguez del Padrón, Juan: 3287, 3289; SÍNTESIS Y CONCLUSIÓN: 3900-3901; visión negativa del amor cortés: **811-815**, 1644n.

historiadores: humanistas: 170, 3513-3517; inventados: 3357

historiarum cognitio: comentario textual: 146

historias de afición, verdaderas, fingidas: *Amadís*: 1570-1571

Historias o corónicas de los Macabeos: *Istoria de las bienandanzas e fortunas*: 3550n.

HISTORIOGRAFÍA: Alfonso X: 512, 516n., 563, **643-796**, 1146; Alfonso XI: **1260-1284**; aragonesa: 1287-1291; en verso: 3585n.; Enrique III: **2081-2110**; Enri-

que IV: **3481-3535**; erudita: 3633; humanística: 3513-3517; Juan II: 2192, **2207-2333**; navarra: 1285-1287; nobiliaria: 2333-2470; petrista: **1777-1783**, 2098n., 2383, 3054; primera mitad del siglo XIV: **1226-1291**; reflexiones sobre: 2437-2440; Reyes Católicos: 169, 3527, 3755; Sancho IV: **959-979**; segunda mitad del siglo XIV: **1776-1820**; siglo XIII: **161-180**, 1460; SÍNTESIS Y CONCLUSIÓN: 3899-3900, 3903-3905, 3909-3911, 3920-3922, 3927-3928, 3957-3959; vernácula, primera: **94-98**, 3891
Hitopadeza: 214
Homar Miraza, nieto de Tamurbeque (siglo XV): *Embajada a Tamorlán*: 2189
hombre: conciencia: 2999; «conplisiones»: 2683-2686; creación: 3743; definición: 882; descripción de la condición masculina: 501; «formamiento»: 2950-2951; imagen de Dios: 2938, 3372; miseria de la condición humana: 3834-3835; «pequeño mundo»: 3619, 3627; salvaje: 1609, 4048, «buen salvaje»: 4053
Homdedy, Andrea de, editor de A. Fernández de Madrigal (1507): 2645n.
homenaje vasallático: Alfonso X: 584
Homero: *Bocados de oro*: 459, 461, 461n., 462; *De regimine principum*: 1706; *Defunsión de don Enrique de Villena*: 2480; Díaz de Toledo, Pero: 3748; leyes métricas: 3748n.; Mena, Juan de: 2732; *Santa Catalina*: 1954; *Sumas de Historia Troyana*: 1633; traducciones: 2112, 2114, **2734-2740**; visión antihomérica: 4020
OBRAS:
Batracomiomachia: 3762, 3765
Ilíada: 2538, 2727, 3765
Odisea: 2740
homilías: estructuras homiléticas: 2949, 3011, 3058, 3066; hagiografía: 2161; modelo homilético: 2432, 2705; Ms. 49, Catedral de Pamplona: 2967-2970; Ms. latino, BN París 3576: 1011; romanceamientos: 2163, 2556; sobre la penitencia: 1863
homoioteleuton: epístolas de Juan Rodríguez del Padrón: 3289
honestidad: *Dichos de los santos padres*: 1748
«vida honesta»: *Libro del tesoro*: 876
y limpieza, motivo: *Libro de las claras e virtuosas mugeres*: 3235; *Triunfo de las donas*: 3295
y vergüenza: *Viridario*: 2030
honor: Alfonso X: 585
y nobleza, definición: *Cadira de honor*: 3300
y penitencia: *Libro de las consolaçiones*: 2991
Honorio III, papa ([1216-1227]): 25, 143
Honorio de Autun: ver Honorius Augustodunensis
Honorius Augustodunensis (siglo XI): diferencia con Honorius Inclusus: 142; *Elucidarium* (1095): 890, 894, 896, 899, 907, 1737n.
Honorius Inclusus, benedictino inglés (finales siglo XI): *Imago Mundi* (*c.*1122): 142-143, 146-147
honra, motivo: *Dichos de los santos padres*: 1746; *Dichos de sabios*: 3122; *Libro del conde Lucanor*: 1172-1174, 1179; *Libro enfenido*: 1189
honras caballerescas: *Partida II*: 564
Horacio/Oraçio Flaco, Quinto (65-8 a.C.): *Coronación*, comentario: 2733; *Defunsión de don Enrique de Villena*: 2480; *General estoria*: 703n.

Horacio Cloeclen: *Libro de las claras e virtuosas mugeres*: 2924n.
Horas de Santa María: *Crónica de Juan II*: 2947
Hortensio, Quinto, orador romano (114-50 a.C.): *Libro de las claras e virtuosas mugeres*: 3247
hortus admirabilis: 2840-2841; huerto amoroso: 3367; mundo como huerto: 3114
huella del león, «exemplo»: *Sendebar*: 226
hueste, etimología: *Dichos de Séneca en el acto de la caballería*: 3146
Hugo II, rey de Chipre (1253-[1267]-1267): destinatario del *De Regno*: 1700, 1703, 1705
Hugo de Bolonia (siglos XI-XII): *Rationes dictandi prosaice* (1119-1124): 41, 51n.
Hugo de Fleury (m.d.1122): *Vespesiano*: 1674
Hugo de San Caro (1225-1263): glosa bíblica: 47, 734
OBRAS:
Speculum Ecclesiae: 1738, 4043
Hugo de San Víctor (1096-1141): *Espéculo de los legos*: 3105; *Mare historiarum*: 2431; purgatorio: 1835n.
OBRAS:
De substantia dilectionis: 3169
Diálogo entre el Hombre y el Alma: 1986, 2003n.
Hugo de Urriés, embajador de Juan II de Aragón y traductor (*c.*1400-*c.*1480): traducción de Valerio: 3150-3151
Hugucio Pisanus (m.1210): Sánchez de Vercial, Clemente: 3049n.
HUMANISMO: **2470-2586**; Aragón, Enrique de: 2481; Cartagena, Alfonso de: 2605-2606, 3015-3021, 3023; Fernández de Heredia, Juan: 1649, 1651-1655; Jiménez de Rada, Rodrigo: 166; labores filológicas: 2754-2755; López de Mendoza, Íñigo: 2538-2541, 2557-2558; marco italiano: 2111-2112, 2196, 2523, 3312; Palencia, Alfonso de: 3762-3765, 3781-3782; Pedro de Portugal: 3327; problemas de adaptación: 2111-2112; *romances* de materia de la Antigüedad: 1658; SÍNTESIS Y CONCLUSIÓN: 3937-3940; traducciones de tratados caballerescos: 2864-2865; transmisión de modelos clásicos: 3151
Humberto de Romans (1200-1277): *De Dono Timoris*: 3111n.; *Legenda Sancti Dominici*: 1987, 2960n.
humildad: *Cuento de Carlos Maynes*: 1611, 1615-1617; *Dichos de sabios y filósofos*: 3120; *Enrique fi de Oliva*: 1622, 1627; *Espejo del alma*: 3005; *Estoria del Cavallero del Çisne*: 1070; *Estoria del rey Guillelme*: 1358, **1358n.**; *Exortaçión*: 3660, 3660n.; *Flor de virtudes*: 3743; *Istoria de Sant Alifonso*: 1922; *Libro de las claras y virtuosas mugeres*: 3244; *Libro de toda la vida de nuestra Señora*: 3875, 3878; *Mainete. Crónica fragmentaria*: 1602; Ms. 77, Bibl. Menéndez Pelayo: 1871; *Oracional*: 3025; *Santa Catalina*: 1958; *Santo Tomás de Aquino*: 2000; *Soliloquio*: 2006; Tratado de moral: 3730, 3730n.; *Vida de San Ildefonso*: 2704-2705; *Vidas y dichos de filósofos antiguos*: 2127; *Zifar*: 1412, 1444-1445, 1450
humilitas, tópico: ver falsa modestia
humor: Alfonso X: 406; *Andanças e viajes* de Pero Tafur: 3420n.; *Arcipreste de Talavera*: 2679-2686; Cartagena, Teresa de: 3064n.; *Embajada a Tamorlán*: 2187; *Enrique fi de Oliva*: 1630; *Estoria del rrey Guillelme*: 1365; *Flores y Blancaflor*: 1588; hagiografía: 1990n.; *Historia de don Álvaro de Luna*: 2919n.; *Historia de la donzella Teodor*: 500; *Jardín de nobles donzellas*: 3676, 3676n.; *Libro de confesión de*

Medina de Pomar: 3042; *Libro de las claras e virtuosas mugeres*: 3244n.; *Libro de vita beata*: 3700-3702; *Libro del infante don Pedro*: 3433-3434; Manuel, don Juan: 1118-1119; *Milagros de San Antonio*: 3853; *Miráculos romançados* de Pero Marín: 1020; Palencia, Alfonso de: 3765, 3768, 3777, 3780; *Partidas*: 594-595; *Purgatorio de San Patricio*: 1847; *Santa Catalina*: 1958-1959; *Triste deleytaçión*: 3828
Hunayn ibn Ishāq, científico y traductor árabe (808-873): *Libro de los buenos proverbios*: 187n., 274n., 440, 442, 444-448, 843, 3131
Hurtado de Mendoza, Diego I, Almirante de Castilla, padre de Íñigo López de Mendoza (1365-1404): *Crónica de Enrique III*: 2080; *Generaciones y semblanzas*: 2446, 2457n.; López de Mendoza, Íñigo: 2516n., 2516-2517, 2536
Hurtado de Mendoza, Diego II, hijo de Í. López de Mendoza, II marqués de Santillana (1417-1479): caída de Álvaro de Luna: 2254, 2520, 2933n.; desavenencias con Enrique IV: 2550; enfrentamiento con Rodrigo Alfonso Pimentel: 3506; justas de 1433: 2518
Hurtado de Mendoza, Diego III, «de Molina», hijo de Juan Hurtado de Mendoza, conde de Priego ([1465]): 2243n., 3057
Hurtado de Mendoza, Juan, mayordomo de Juan II, señor de Almazán (1351-1426): *Generaciones y semblanzas*: 2447n.; rivalidad con Á. de Luna: 2200, 2200n., 2201, 2201n.; secuestro de Tordesillas: 2231, 2308, 2315, 2326, 2351, 2358, 2393, 2397
Hurus, Pablo, impresor (activo entre 1475-1499): *Historia de Apolonio*: 1681-1682; *Reportorio de los tiempos*: 2770; *Tratado de la fisonomía en breve suma contenida*: 2774

Ibáñez de Butrón, Joana, esposa de Lope García de Salazar (1407-¿?): enlace con Lope García de Salazar: *Crónica de Vizcaya*: 3549
Ibn al-Baytar: tratado de farmacología: 2757
Ibn al-Haytam (965-*c.*1040): *Kitāb fi hay'at al-calam*: 642
Ibn al-Jatib de Loja o Benahatín, ministro de Muhammad V (m.1374): 1487, 1802n. (ver profecías de Pedro I; cartas)
Ibn al-Muqaffaʿ (siglo VIII): *Calila*: 186-189, 191-192, 197, 210-211
Ibn ʿAlqama (Abū Abdallāh Muhammad ibn-al Jalaf) (siglo XII): *Estoria de España*: 671, 677
Ibn Rushd/Averroes, filósofo hispanoárabe (1126-1198): 126n.
Ibn Wasīf-Sāh al Misrī (siglo XIII): *Istoria de Egipto*: *General estoria III*: 743n.
Ibn Yúçuf/Abū Yusūf Yaʿqūb ibn ʿAbd al-Haqq, V emir benimerín ([1258-1285]): *Corónica de A. Pérez de Guzmán*: 2461-2462, 2462n., 2463, 2465, 2467; desembarco de Tarifa (1285): 857-858, 978; invasión benimerín de 1275: 817; respuesta a Sancho IV: 2095 (*Sumario del Despensero*)
Ida, hija del Caballero del Cisne: *Estoria del Cavallero del Çisne*: 1044-1046, 1056-1057, 1059-1060, 1076, **1077-1080**
identidad femenina: *Arcipreste de Talavera*: 2679-2683; *Estoria del Cavallero del Çisne*: 1059-1080; *Glosa castellana al «Regimiento de príncipes»*: 1717, 1722; *Memorias* de Leonor López de Córdoba: 2334-2350; tratados feministas y misóginos: **3220-3340**; *El Victorial*: 2386, 2386n.
identidad individual: *Libro del conde Lucanor*: 1163
ideología historiográfica: *Generaciones y semblanzas*: 2437, 2454; *Gran Crónica de*

Alfonso XI: 1819; *Historia de rebus Hispaniae*: 167; *Liber regum*: 102; primera historiografía vernácula: 94; *Setenario*: 319
Ifisuratea: *Libro de las claras e virtuosas mugeres*: 3238
Iglesia, oposición a modelos culturales: 315, 372, 433
Ignacio, San: *vita*: Ms. 77, Bibl. Menéndez Pelayo: 1869n.
Ilaçia: *Tratado de cómo al hombre es necesario amar*: 3179
Ildefonso, San (*c.*610-667): *Libro de toda la vida de nuestra Señora*: 3887; tradición hagiográfica: 2308n. (Ms. X-ii-13), 2700, 2711n. (Martínez de Toledo, Alfonso)
Istoria: **1921-1926**, 2709
Vida: 892n., 2665, **2702-2709**
OBRAS:
De la virginidad de la Virgen: 2665, 2700-2701, 2703, 2706, 2708
Ilias latina: 2736, 2736n., 2737, 4019, 4019n.
Illán, conde: *Estoria de España*: 656
Illán, Esteban, el Bueno (siglo XII): *Andanças e viajes* de Pero Tafur: 3416; protección de Alfonso VIII: 66
Illescas, fray Gonzalo de, prior de Santa María de Guadalupe, consejero de Juan II (m.1464): regimiento del reino: *Generaciones y semblanzas*: 2194, 2452
«imágenes» de piedras: *Lapidario*: 624
imaginación/imaginar:
buena: *Caída de príncipes*: 2144; *Flor de virtudes*: 3739
negativa: *Crónica de Enrique III*: 2107; *Crónica de Fernando IV*: 1255, 1259; *Embajada a Tamorlán*: 2180; *Generaciones y semblanzas*: 2447n.; *Istoria de las bienandanzas e fortunas*: 3550; *Libros de Tulio*: 2608; *Partida I*, modelos de ficción: 1319-1323, 1325, 1337; *Tractado de los sueños e de los agüeros*: 2818; *Visión de Filiberto*: 1767
orden sentimental: *Bursario*: 3284-3285; *Siervo libre de amor*: 3314
(ver fantasía)
imaginarios caballerescos: Alfonso XI: 1310-1314, 1459-1577; Cartagena, Alfonso de: 3019, 3030; Juan II: 2860-2881; Luna, Álvaro de: 2199-2202, 2904-2918; Manuel, don Juan: 1109-1116; Sancho IV: 1055-1092, 1393-1411; *El Victorial*: 2381-2396
Imago Mundi: 142-143
***immram* célticos**: 1964
Imperial, Francisco (m.*c.*1409): debates poéticos: 2776 (caso y fortuna), 2798 (predestinación); referencias caballerescas: 1548; Torre, Fernando de la: 3798; visiones alegóricas: 2835
imperium: Alfonso X: 657, 662, 671, 960 (*Estoria de España*); 704, 742-747, 775, 779, 788, 793-794, 796 (*General estoria*)
imprenta y difusión del libro: *Crónica de Juan II*: 2207-2208; *Gran Conquista de Ultramar*: 1040; iconografía: 3084; originales para imprenta: 3516; *Sendebar* (códice de Puñonrostro): 217; tratados de albeitería: 849; tratados de medicina: 2757, 2771
incesto, motivo: *Demanda*: 1497; *Historia de Apolonio*: 1682
inconstancia: *Flor de virtudes*: 3742
increpaciones: *Dichos e contemplaçiones de Sanct Bernardo*: 3835; *Flores y Blancaflor*: 1591-1592; *Tristán*: 1519

indiscreción amorosa, motivo: *Cadira de onor*: 3300; *Siervo libre de amor*: 3313; *Triunfo de las donas*: 3296n.; *Vida* de Juan Rodríguez del Padrón: 3270
inefabilidad, tópico: *Arcipreste de Talavera*: 2669
Inés, Santa (siglo IV): *Libro de las claras e virtuosas mugeres*: 3241, 3249, 3253n.
infante García: *Anales navarro-aragoneses*: 100; *Anales toledanos*: 97; *Crónica de los Estados Peninsulares*: 1287; *Crónica General Vulgata*: 1233; *Estoria de España*: 797-798, 798n.
infante Seringa: *Estoria del infante Roboán*: 1429-1430, 1537n., 3153
infantes de Aragón: captura de Juan II (1441): 2326; Cartagena, Alfonso de: 2623; Díaz de Toledo, Fernand: 2231-2232; disputa por la infanta doña Catalina: 2368; enfrentamientos con Álvaro de Luna: 2191-2192, 2200, 2266, 2287, 2861, 2894, 2896-2897, 2903, 2905, 2911; ficción sentimental: 3165, 3255; fiestas de Valladolid (1428): 2277; García de Santa María, Álvar: 2234-2235, 2262-2263; *Libro de Graçián*: 3394; López de Mendoza, Íñigo: 2524; modelo político de don Fernando de Antequera: 2080n., 2195, 2195n., 2227n., 3475, 3813; Niño, Pero: 2392, 3161; Pedro de Portugal: 3326; Pérez de Guzmán, Fernán: 2422, 2427, 2435-2436, 2445, 2445n., 2447, 2452, 2454n.; regreso a Castilla (1439): 2271, 2281, 2288, 2290, 2556, 2716, 2741, 4075; rivalidades entre don Enrique y don Juan: 2224, 2289, 2307, 2315-2316, 2325, 2333, 2334, 2367, 2397, 2399, 2408, 2411, 2506, 2909-2910, 3075, 3158, 3387; seguro de Tordesillas (1439): 2403, 2405; Valera, Diego de: 2723 (ver Enrique de Aragón; Juan de Aragón; Pedro de Aragón)
infantes de la Cerda: descendientes: 1774, 1798n.; oposición a Sancho IV: 854, 921; sucesión al trono: 856-859, 914, 1095, 1237; Tratado de Ágreda (1304): 1097 (ver Cerda, Alfonso de la; Cerda, Fernando de la)
infantes de Lara: fuente cronística: 1233, 2082; relato linajístico: 1043n.
infierno:
  de amor: *Triste deleytaçión*: 3819-3820, 3828
  descenso al: *Visión de don Túngano*: 1838-1841
  motivo: *Del soberano bien*: 2165; *Diálogo e razonamiento en la muerte del marqués de Santillana*: 2580; *Diálogo sobre la predestinación*: 2802; *Espejo del alma*: 3001; *Libro de las tribulaciones*: 3012-3013; *Proverbios o sententias breves*: 3130
  penas infernales: *Espertamiento de la voluntad de Dios*: 3834; *Milagros de San Antonio*: 3854; *Visión de don Túngano*: 1839-1841
  «tres bocas del Infierno»: *Libro del infante don Pedro*: 3424
  visiones del: *Exemplos muy notables*: 3114
«Ingenio»: *Visión deleitable*: 2836-2845
ingratitud, motivo: *Historia de don Álvaro de Luna*: 2911, 2925; *Libro del conde Lucanor*: 1166, 1176; *Sátira de infelice y felice vida*: 3338
injusticia: *Flor de virtudes*: 3742
inmortalidad del alma, motivo: *Diálogo e razonamiento en la muerte del marqués de Santillana*: 2564-2565, 2567-2568
Inocencio III, papa (1160/61-[1198]-1216): Alfonso VIII: 69-70; confesión: 1738; *Libro del consejo*: 957; Luna, Pedro de: 2989; Marín, Pedro: 2962-2963; orden dominicana: 1991; Sánchez de Vercial, Clemente: 3049n.
  OBRAS:
  De contemptu mundi: 892n., 953n., 1762n., 1860, 3840

Inocencio IV, papa (finales siglo XII-[1243]-1254): bula de cruzada: 312n.
Inocencio VII, papa (1336-[1404]-1406): cisma: 2984; traducción de Platón: 2563
Inquíbides: ver diablo
Inquisición: cortes de Toledo (1480): 3679; dureza: 3683
Instrucción del Relator: ver Díaz de Toledo, Fernand
instrumento notarial: 2334, 2336
ínsulas: *Bursario*: 3285; de Avalón: 1467, 1504, 3552; de Brasil: 3552; de Colcas: 1637, 1641; de Gloelais: 1362; de la caridad: 1828; de la Torre Bermeja: 1544; de Lemos: 1641; de Mongaça: 1543, 1564; de San Borondón: 1823; del Diablo: 1574; del Ploro: 1548-1549; *Embajada a Tamorlán*: 2183; Eolias: 2835; Firme: 1561-1562, 1562n., 1565, 1570, 1574-1575, 2388, 3320; infierno: 997; Ínsulas Dotadas: 1422-1423n., 1424n., 1426-1427, **1433-1437**, 1443n., 1476, 1834; Isla Desierta (*San Amaro*): 1965-1968; metáfora de enfermedad: 3059; peñote purificador: 1370, 1942; *Semejança del mundo*: 151; Sin Ventura: 1516; Tafur, Pero: 3411-3412, 3424-3425 (ver Peña de la Doncella Encantadora; Peña Pobre)
***integumenta* poéticos**: *Breviloquio de virtudes*: 3605-3606; *Caída de príncipes*: 2149; *Los doze trabajos de Hércules*: 2485; *Esclamaçión* de Gómez Manrique: 3747; Palencia, Alfonso de: 3509, 3761, 3772; *Prohemio e carta*: 2536
intencionalidad de la retórica: **888-890**; 891n., 892n., 911
Interpolación de la Tercera Crónica General: 2082
interponer en los cuidados algún placer, tópico: desarrollo: 1325, **1325n.**; *Libro de la caza de aves*: 2040; *Libro de las consolaçiones*: 2987-2988; *Lucidario*: 904; *Zifar*: 1388, **1388n.**
***introductio* (sermón)**: 1882, 2970
Invencionario: ver Alfonso de Toledo
invenciones/fiestas cortesanas: coronación de Fernando de Aragón: 3155-3156; invenciones y letras: 3342; Luna, Álvaro de: 2922; recepción de la princesa Blanca de Navarra: 2409; sutiles y humorísticas: 2438n.; Valladolid (1428): 2277, 2288-2289; Valladolid (1434): 3162-3163
***inventio* retórica**: *Batalla canpal de los perros contra los lobos*: 3764; ficción, modelos: 1316; *Libro del tesoro:* 884, 886-887; Tratado de retórica: 3733-3734
investidura caballeresca: *Amadís de Gaula*: 1557; *Anacephaleosis*: 2625; *Avisaçión de la dignidad real*: 1730; *Enrique fi de Oliva*: 1628; *Partida II*: **562-563**; *Partida IV*: 584; Sánchez de Arévalo, Rodrigo: 3615; Tafur, Pero: 3412; Valera, Diego de: 2714; *El Victorial*: 2358, 2374, 2385-2391; *Zifar*: 1411-1412, 1427
Io: ver Mercurio
ira: evitación: 3734; pecados: 2027, 3115, 3117, 3125, 3642, 3647, 3741; regia: 225, 278n., 2912; saña: 1666, 1792, 1798-1799, 1815, 1956, 2944, 3039, 3122, 3127, 3875; saña de Dios: 3083
Irena, hija del rey de Francia: *Siervo libre de amor*: 3318-3320, 3322
Iriarte, Juan de (1702-1771): copia de los *Refranes*: 4058
Irnadab: *General estoria III*: 743
Isaac, patriarca hebreo (1896-1716 a.C.): *Suma de virtuoso deseo*: 3131
Isabel: *Tristán*: 1515
ISABEL I DE CASTILLA (1451-[1474]-1504): Alarcón, Hernando de: 3755-3757; Alfonso V de Portugal, posible enlace: 3530; «ánimo varonil»: 3673; apoyos

a su candidatura al trono: 3504; Carrillo, Alfonso de: 3580, 3760; carta a Enrique IV: 3504; configuración caballeresca: 1582, 1622; *Crónica castellana*: 3519-3520; *Crónica de Juan II*: 2194, 2240-2242, 2247, 2250, 2258, 2268, 2319, 2322; derechos sucesorios: 3482, 3514, 3529-3530, 3590, 3661-3662; enlace con Fernando de Aragón (1469): 3476, 3503-3504, 3511, 3587, 3667; Enríquez del Castillo, Diego: 3485n., 3508; entrevista con Enrique IV: 3533; Girón, Pedro de, posible enlace: 3497, 3528, 3570; González de Mendoza, Pedro: 3515; Guillén de Ávila, Diego: 4067; ideología cultural: 497; infanta: 2260, 2886, 2903n., 3476, 3500, 3511; instigadora de libros: 2645n.; Isabel de Portugal: 2618; Juana de Castilla: 3490; lecturas: 3662, 3662n.; legitimidad dinástica: 2295n., 3532-3534; Martín de Córdoba, fray: 3178n., 3661-3677; Mendoza, linaje: 3502; Pacheco, Juan: 3663, 3667; Palencia, Alfonso de: 3511; Pérez de Guzmán, Fernán: 2458; posible enlace con Carlos de Navarra: 3831n.; propietaria de libros: 186n., 1343n., 1373, 1830-1831, 1836, 2026, 2213, 2665; prudencia económica: 3656n.; Pulgar, Fernando de: 2412; reivindicación de Pedro I: 1772, 1780; relaciones con la nobleza: 2202, 3128-3129, 3658; SÍNTESIS Y CONCLUSIÓN: 3963-3964; Valera, Diego de: 2713, 3521, 3592; *Zifar*: 1459

Isabel de Castilla, infanta, hermana de Fernando IV (1283-1328): enlace con Jaime II: 859; supuesto acuerdo matrimonial con Alfonso de la Cerda: 1256

Isabel de Castilla, infanta, hija de Reyes Católicos (1470-1498): enlace con Alfonso de Portugal: 1553n.; nacimiento: 3531, **3531n.**; viaje a Portugal: 3515n.

Isabel de Mallorca, infanta, esposa de don Juan Manuel (m.1311): 1097

Isabel de Portugal, hija del infante Juan de Avis, segunda esposa de Juan II (m.1496): alianza contra Álvaro de Luna: 2194, 2250, 2267, 2926; boda con Juan II: 2633; descendientes: 2885, 3586; destinataria del *Memoriale virtutum*: 2618; enlace con Juan II, acuerdo: 2195, 2247, 2253, 2264, 2297, 2334, 2724, 3211, 3325; *Historia de don Álvaro de Luna*: 2919; madre de Isabel I: 2241-2242

Isabel de Portugal, reina, esposa de Alfonso V de Portugal, hermana de don Pedro de Portugal (1432-1455): círculo literario: 3211; destinataria de la *Sátira*: 3326, 3328, 3334, 3801; Pedro de Portugal, infante: 3428-3429

Isabel de Portugal, Santa, hija de Pedro III de Aragón, esposa de don Dionís (*c.*1271-1336): *Sátira de infelice e felice vida*: 3337

Isabel, Santa, madre de San Juan Bautista, prima de la Virgen (siglo I): visitación de María: *Castigos de Sancho IV*: 932, *Libro de las claras e virtuosas mugeres*: 3229, *Libro de toda la vida de nuestra Señora*: 3883-3888

Isaías, hijo de Amós, profeta (*c.*770-*c.*693 a.C.): *Libro de las tribulaciones*: 3092; Ms. 77, Bibl. Menéndez Pelayo: 1863n., 1864

Iseo: *Tristán*: 1506, 1510, 1516-1526, 1529-1535, 1539, 1544, 1548, 1595

Iseo de las Blancas Manos: *Tristán*: 1520-1521, 1527, 1529, 1535, 1539, 1638

Isías, mujer de: *Libro de las claras e virtuosas mugeres*: 3234

Isicatea: *Triunfo de las donas*: 3298

Isidoro de Sevilla, San (*c.*560-636): bestiarios: 877n.; Cartagena, Alfonso de: 2621, 2625; caza: 2853n.; *Crónica del moro Rasis*: 2089; enciclopedismo: 4054; *Espéculo de los legos*: 3107; *Istoria de Sant Alifonso*: 1923-1924; Lucas de Tuy: 163, 166; maestro de S. Ildefonso: 2704; materia troyana: 799; Pérez de

Guzmán, Fernán: 2432; profecías: 3757n.; SÍNTESIS Y CONCLUSIÓN: 3929
OBRAS:
De oración (*Oratio pro correctione vitae*): 2701, 2709n.
De summo bono: 2132-2134, 2157n., 2158, 2163, 2536
De viris illustribus: 2158
Del soberano bien: 2158, **2163-2171**, 3264
Etymologiae: 31, 38-39, 41, 43, 49, 142-143, 146-147, 701, 703n., 1327, 1329, 2115, 2158, 2744, 2834, 3049n., 3302-3303, 3705, romanceadas: 32n., **2158-2162**
Exhortatio poenitendi: 2709n.
Historia de los Reyes: 669
historiografía: 2158, 3555
Lamentum poenitentiae: 2709n.
romanceamientos: 2111, **2158-2171**
Sententiae: 2158, 2978
Vida: 2159, 2665, **2709-2713**
Isidro Labrador, San (1082-1130): *Memorias de algunos linages*: 2747
isocolon: *Breviloquio de virtudes*: 3605; cartas de Juan Rodríguez del Padrón: 3288-3289; *Libro de toda la vida de nuestra Señora*: 3871, 3873; *Triste deleytaçión*: 3820 (ver *cursus*)
Isomberta: 1057
Isomberta, esposa del Caballero Cisne: *Estoria del Cavallero del Çisne*: 1044-1045, 1059-1060, **1061-1068**, 1077, 1081, 1366n.
Isorna, Álvaro de, obispo de Cuenca (m.1459): Chirino, Alfonso de: 2765; concilio de Basilea: 3420 (*Andanças e viajes* de P. Tafur); mediaciones políticas: 2601
Istoria de Egipto: 743, 743n., 745 (ver Ibn Wasīf-Sāh al Misrī)
ISTORIA DE SANT ALIFONSO: **1921-1926**, 1922-1926, 2702, 2709; SÍNTESIS Y CONCLUSIÓN: 3924
Istoria de Theseo: 3647
Istoria Tripartita: *Suma política*: 3615
Istorias de los britones: ver Geoffrey of Monmouth
Italia: modelo cultural: 2196; orígenes míticos de: 154
italianismo: 2515
itinerario:
bíblico: *La Fazienda de Ultramar*: 114, 118
fabuloso: *Libro del infante don Pedro*: 3429-3430
geográfico: *Andanças e viajes* de Pero Tafur: 3408-3409; *Crónica de Enrique III*: 2105; *Embajada a Tamorlán*: 2172, 2177, 2183-2190; *General estoria III*: 746; libros de viajes: 1821-1822; *Semejança del mundo*: 153; *Sumas de Historia Troyana*: 1642; *Visión de don Túngano*: 1844, 1846
regio: *Crónica de Enrique IV*: 3486; *Crónica de Juan II. Refundición*: 2244; *Crónica del Halconero*: 2271, 2280, 2289, 2292, 2294
ius commune: 1293-1294, 1312
ius gentium: 521
ius naturale: 521
Izquierdo, rey moro: ver Muhammad VII

Jacob: *Vespesiano*: 1677-1679
Jacob, patriarca hebreo (siglo XVIII a.C.): *Las çinco figuratas paradoxas*: 2652; *Del soberano bien*: 2170; *General estoria*: 695, 713; *Invencionario*: 3707n.; *Libro de toda la vida de nuestra Señora*: 3879; *Suma de virtuoso deseo*: 3131; *Tratado de cómo al hombre es necesario amar*: 3177
Jacobo: *Vida de Santa Pelagia*: 1983-1984
Jacobo de Junta, el de las Leyes (m.1294): 245n., **358-362**, 1294n.; biografía: 359-360; *Dotrinal*: 362; *Flores de Derecho*: 361, **4004-4005**; *Suma de las leyes*, 330n.; *Summa de los nueve tiempos*: 360-361, 4004n.
Jacobo de la Vorágine: ver Vorágine, Jacobo de la
Jacobo de Venecia: traducción de Aristóteles (1128): 33
«Jacobo el de las Leyes»: ver Jacobo de Junta
Jacobus de Cessolis (siglos XIII-XIV): *De ludo scachorum*: 3098, 4073
Jacopo da Benevento (siglo XIII): *Viridarium consolationis*: 2025-2026 (ver *Viridario*).
Jacques de Vitry (1160/70-1240): disputas: 1762n.; *Espéculo de los legos*: 3107
OBRAS: *Historia orientalis*: 3998
Jafel: *Vespesiano*: 1677-1679
Jaime I de Aragón, el Conquistador (1208-[1213]-1276): conflictos sucesorios: 3996; enlace del infante don Manuel y doña Constanza: *Libro de las tres razones*: 1196; entrega de Murcia a Alfonso X: 511; *Grant corónica de los conquiridores*: 1655; *Llibre de saviesa*: 276n.; pacto de ayuda con Teobaldo II: 241, 312n.; relación con Sancho IV: 597; tratado de Almizra: 181; vínculos con Sancho VII el Fuerte: *Crónica de los reyes de Navarra*: 3539
Jaime II de Aragón, el Justo (1276-[1291]-1327): acuerdos de paz con Sancho IV: 859; desarrollo de la medicina: 2758; petición de libros de Alfonso X: 1035; relación con don Juan Manuel: 1096-1097, 1099, 1109
Jaime IV de Mallorca, rey titular (1336-1375): destinatario de la adaptación catalana de Boecio preparada por Saplana: 2975
Jaime de Aragón, cardenal (siglo XIV): instigador de la versión catalana de V. Máximo: 3149
Jaime de Castilla, infante, señor de los Cameros, hijo de Alfonso X (1267-1283): guerra civil (1282-1284): 854
Jaime de Urgel, conde (m.1433): guerra con Fernando de Aragón: 2198, 2220, 2225, 2228, 2230, 2478; Pedro de Portugal, nieto de don Jaime: 3326, 3426, 3429
Jarava, Sancho de, contador mayor de Juan II (siglo XV): Aragón, Enrique de: 2482, 2489-2490, 2493, 2501
Jasón: *Breviloquio de amor*: 3168; *Bursario*: 3276, 3280, 3284; *Sumas de Historia Troyana*: 1635, 1637-1639, 1641; *Tratado de amor*: 3187
«jatakas», parábolas budistas: 214
Jazaran, conde: *Estoria del Cavallero del Çisne*: 1074
Jean de Lignères, astrónomo (siglos XIII-XIV): *Tablas alfonsinas*: 639n.
Jean de Murs, astrónomo (siglos XIII-XIV): *Tablas alfonsinas*: 639n.
Jean le Meingre, «Boucicaut», mariscal de Francia (1366-1421): *El Victorial*: 2382, 2382n., 2984 (ver *Livre de fais*)

Jebté/Jefté, galaadita: sacrificio de la hija: *Diálogo e razonamiento en la muerte del Marqués de Santillana*: 2573
Jeremías, profeta (*c*.650-570 a.C.): *General estoria IV*: 753-755; *Libro de la consolaçión de España*: 3076
Jérica: ver Xérica
Jerjes I, rey de Persia (*c*.519-[486]-465 a.C.): *General estoria IV*: 758, 761-763; *Libro de las claras e virtuosas mugeres*: 3238
Jerjes II, rey de Persia: (424 a.C.): *General estoria IV*: 764
Jeroboán, primer rey de Israel ([*c*.931-910 a.C.]): *General estoria III*: 742-743
Jerónimo, San (348-420): autoridad historiográfica: 778, 1633 (*Sumas de Historia Troyana*); exégesis: 756-757, 1843; glosas: 760; Luna, Pedro de: 2989; Martín de Córdoba, fray: 2804; recusación del ciceronianismo: 2591-2592; Sánchez de Vercial, Clemente: 3049n.; sentencias: 1875, 1886, 1893, 2115-2116, 2120, 2128; signos del Juicio Final: 3846; tradición epistolar: 3984; tratados penitenciales: 3837n.; *Vida de la Virgen*, atribución: 3855, 3876
OBRAS:
Contra Joviniano: 2121n., 3232, 3236
Epístola a Paulino: 2124n.
prólogos: 716, 719, 728-730, 2543n., 2543-2545, 2566, 2566n., 2649-2650, 3748
jerónimos, orden: 2137
Jerusalén: Casa Santa: 3424; ciudad mítica: 121-122, 1043, 1046, 1051-1053, 1624-1626, 1629, 1677-1679; itinerarios: 3409, 3411-3415; origen del nombre: 3715n.; reyes: 1046-1051, 1074
Jesucristo (*c*.9/5 a.C.-*c*.30 d.C.): ascendencia judía: 2637, 2640; «encarnación de Jesús»: 3877-3880, 3881; «Niño Jesús», iconografía: 3851; paradojas: 2649-2651; pasión: 1867, 1892, 3436, 3858, 4070-4071; semejanzas: 2899, 2933; «trebejos» de niño: 1719n., 3852n.; vestiduras: 3716 (ver cristología)
vida: *Cirugía mayor*: 2760-2761; Constanza, sor: 3073; Ferrer, fray Vicente: 2950-2951; *Libro de Graçián*: 3385; *Libro de las tres razones*: 1199; *Libro de los estados*: 1139-1140; *Libro de toda la vida de nuestra Señora*: 3862; *Sant Lorenço*: 1927; *Santo Domingo*: 1994; *Soliloquio*: 2006; *Toledot Yeshu*: 1756n.
Jezabel, esposa de Acab (m.*c*.843 a.C.): *Libro de confesión de Medina de Pomar*: 3042
Jiménez de Cisneros, Francisco de (1436-1517): Biblia políglota: 4063; consejero de Isabel I: 3677; *Fuero «nuevo» de Alcalá de Henares*: 3991; impresión de las obras de A. Fernández de Madrigal (1506-1507): 2544, 2657, 4061; toma de Orán: 3993
Jiménez de Préxamo, Pedro, obispo de Coria (m.1495): *Luzero de la vida cristiana*: 3834, 3846
JIMÉNEZ DE RADA, RODRIGO, arzobispo de Toledo (*c*.1170-1247): anales: 104; Berenguela, reina: 159-160, 3989; biblioteca: 4022-4023; Cartagena, Alfonso de: 2621; Concordia de 1219: 3994; configuración letrada de la corte: 75, 79-80; *Crónica abreviada*: 1108; *Crónica de San Juan de la Peña*: 1288; *Crónica particular de Fernando III*: 1240, 1244; crónicas reales: 962, 968-970; *Estoria de España*: 664, 670, 684n., 690, 1335; estudiante en Bolonia: 43, 43n.; estudios genera-

les: 22, 24; Eugui, fray García: 1286; *Fuero de Alcalá*: 3990-3991; *General estoria*: 703n., 739n.; historiografía siglo XV: 2081, 2082n., 2084, 2089, 3555; identidad castellana: 65, 67, 70-71, 74; Lucas de Tuy: 3995; Mahoma: 235-236; materia clásica: 1656; reforma ortográfica: 3988; Rodrigo, último rey godo: 3345; Sánchez de Arévalo, Rodrigo: 3554-3556; SÍNTESIS Y CONCLUSIÓN: 3892; traducciones: 59, 95, 162-163, **168-170**, **3994-3999**; *Versión crítica*: 1229
OBRAS:
Historia arabum: 166, 236, 3996
Historia de rebus Hispaniae: 65, 67, 79-80, 104, 159, **166-168**, 1108, 1237, 1286, 1697n., 2709, 3555, **3996-3998**
Historia Hunnorum, Vandalorum, Suevorum, Alanorum et Silingorum: 166, 3996
Historia Ostrogothorum: 166, 3996
Historia Romanorum: 166, 3996
Joachin de Fiore, abad (*c.*1130/35-1201/02): disputa con Pedro Lombardo: *Castigos de Sancho IV*: 933, 4026
Joán de Villafranca, traductor: *Lamentación de don Álvaro de Luna*: 2943
«Joaniçio»/«Juanico»: 3131 (ver Hunayn)
Joaquín, San y Santa Ana, padres de la Virgen: *General estoria VI*: 794, 4015; *Libro de toda la vida de nuestra Señora*: 3867; *Libro del infante don Pedro de Portugal*: 3436; *Vida de la Virgen*: 3856
Job, figura bíblica (siglo XIV a.C.): *Breviloquio de virtudes*: 3606; *Compendio de la fortuna*: 2795n.; *General estoria III*: 736; *Libro de confesión de Medina de Pomar*: 3041; «Maestro de las Paciencias»: 3065; materia: **2150-2157**, 2158, 3108; *Memorial de diversas hazañas*: 3533; SÍNTESIS Y CONCLUSIÓN: 3929
joca monachorum: 471, 479, 504
Jocasta: *Caída de príncipes*: 2148
Jocelin: *Gran Conquista de Ultramar*: 1047
Johán d'Aspa, maestre, clérigo alfonsí (siglo XIII): 408, 418, 420-421
Johannes de Ketham (1455-1490): *Compendio de la salud humana* o *Epílogo en medicina y cirugía*: 2762, 2769
Johannes de Sicilia: Aragón, Enrique de: 2494
Johannes Hispalensis (siglo XII): transmisión de *Sirr al-asrar*: 275, 286
Johás, infante: *Libro de los estados*: 988, 997, 1094, 1125-1127, 1129, 1131, 1134-1139, 1142-1143, 1179, 1358n., 1397n., 1760
Jonatán Macabeo, hijo de Matatías (161-142 a.C.): *General estoria V*: 781
Jonatas, filisteo: *General estoria II*: 730-731
Joram, rey de Israel ([852-841 a.C.]): *General estoria III*: 745-746
Joram, rey de Judá ([848-841 a.C.]): *General estoria III*: 745-746
Josafá-Josafat: *Barlaam*: 980, 984-985, 987, 991, 3845, adoctrinamiento: 992-999; *Estoria del rrey Guillelme*: 1358n.; *Libro de los estados*: 1125
Josafas/Josephes/Josefo: *Libro de Josep Abarimatía*: 1480-1481, 1502, 1544
Josafat, rey de Judá ([*c.*871-846 a.C.]): *General estoria III*: 735, 743, 745, 4018
José, patriarca hebreo (2113-2003 a.C.): *Compendio de la fortuna*: 2795n.; *General estoria I*: 713
y Susana: *Duodenarium*: 2619
José, San, esposo de la Virgen: *Libro de toda la vida de nuestra Señora*: 3878-3879, 3883, «Dudas de José»: 3885-3886

José de Arimatea/Josep de Abarimatía (siglo I): hagiografía y ficción: 1657; *Libro de Josep Abarimatía*: **1478-1481**; *Mar de historias*: 2433, 2433n.; *Proposición contra los ingleses*: 2626; *Roman de l'Estoire dou Graal*: 1466; *Vespesiano*: 1675, 1677-1678
Josefo, Flavio (37/38-*c*.100): Díaz de Toledo, Pero: 2550; *General estoria*: 697, 715-716, 759, 764, 776-777, 779-781
Josep Jafaria: *Vespesiano*: 1678-1679
Josué, sucesor de Moisés (siglo XIV a.C.): *General estoria I*: 719; *General estoria II*: 720-722; *Sumas de Historia Troyana*: 1641; *El Victorial*: 2377
Jouffroy, Jean, prelado y diplomático francés, embajador de Borgoña (1412-1473): *Arenga ante Alfonso V de Portugal*: 3636
joya: metáfora: *Vergel de los príncipes*: 3624
Joyosa: ver espada
Joyosa Guarda: *Demanda*: 1501; *Tristán*: 1512, 1523, 1531, 3319
Juan I de Aragón, el Cazador (1350-[1387]-1396): cisma: 2983; cultura occitánica: 2472; Fernández de Heredia, Juan: 1651; fiesta de la «Gaya Sciència» (1393): 3156n.; *Libro de las maravillas del mundo*: 1831, 4055; marco cortesano: 3215n.; *Purgatorio de San Patricio*: 1851n.
JUAN II DE ARAGÓN, infante, rey consorte de Navarra, rey de Aragón (1398-[1458]-1479): Aragón, Enrique de: 2478-2479; asedio de Cuenca (1449): 2919; Barrientos, Lope de: 2295, 2298; Carlos de Viana, príncipe: 2829, 3535-3536, 3540, 3812-3813, 3830-3831; Carrillo, Alfonso de: 3580, 3585, 3587; Cartagena, Alfonso de: 2621, 2623; cerco de Atienza (1446): 2918, 3222; coalición contra Á. de Luna (1439-1440): 2245, 2252, 2332; coronación de Juan II: 2231; debilidad ante la nobleza: 4031; derechos sucesorios de Navarra: 3784; destinatario de la *Eneida*: 2471, 2512-2515; detención nobiliaria (1448): 2530; disputa por la infanta doña Catalina: 3156, 3158; disputas con el infante don Enrique: 2367; facción del infante don Juan (1419-1420): 2196, 2196n., 2199, 2315, 2333, 2587, 2594, 2604; Fernando el Católico: 2243, 2263; García de Santa María, Álvar: 2307, 2597-2599; golpe de Rámaga (1443): 2247, 2265-2267, 2695, 2867, 4075; Gómez de Sandoval, Diego: 2448; guerra contra Castilla (1428-1430): 2894-2896; intento de liberación de Luna (1453): 2932n.; liberación del infante don Enrique: 2192, de Juan II (1444): 2303-2304, 2777, 3475; Luna, Pedro de: 2230; Niño, Pero: 2394; Olmedo (1445): 2411; Pedro de Portugal, rey de los catalanes: 3426, 3428-3429, 3435; primer destierro de Luna (1428): 2892; rebelión de los catalanes: 3525, 3777; recuperación de Perpiñán: 3532; regreso a Castilla y liberación de Juan II (1420): 2308, 2325; regreso de Luna (1428): 2282, 2289; secuestro de Medina (1441): 2193, 2272-2273, 2287, 2618, 2647, 2915, 3154, de Tordesillas (1420): 2200-2201, 2235-2238; seguro de Tordesillas (1439): 2397-2398, 2402, 2404-2405, 2407-2410; toma de Medina (1442): 4075
semblanza: *Crónica de los Reyes de Navarra*: 3540
Juan I de Castilla (1358-[1379]-1390): **1808-1816**; Aljubarrota: 2141, 2715; Camarero mayor, cargo: 2397; enlace de Enrique III y Catalina de Lancáster: 3071; Gutierre de Toledo, obispo de Oviedo: 1856n.; intención de separar los reinos: 1240n., 1815; *Libro de la montería*: 1694; López Dávalos, Ruy: 2446; López de Ayala, Pero, *Crónicas de Pedro I y Enrique II*: 1786, 1793, 1798,

Crónica de Enrique III: 2101-2103, *Genealogía de los Ayala*: 2133, *Libro de la caza*: 2036; nieto de don Juan Manuel: 1204; potestad jurídica: 2857; religiosidad: 2588; SÍNTESIS Y CONCLUSIÓN: 3922-3926; sujeción de la nobleza: 2077, 2727; *Sumario del Despensero*: 2098

JUAN II DE CASTILLA (1405-[1406]-1454): **2191-3439**; afirmación de su imagen: 2243-2244, 2270, 2274-2287, 2290; Alarcón, fray Juan de: 2936; Alfonso de Toledo: 3703n.; Barrientos, fray Lope de: 2777; carta contra don Álvaro: 2267-2268, 2919; Carrillo, Alfonso de: 3579-3580, 3585; Cartagena, Alfonso de: 2599-2601, 2621, 2624, 3031, 3034; caso y fortuna: 2775, 2779; *Castigos de Sancho IV*: 917n.; ceremoniales: 2882; cisma: 2110n.; compendios educativos: 3133-3140; condestable don Pedro de Portugal: 3324-3325; consejo del rey: **2630-2756**; Corral, Pedro de: 3342-3343; *Crónica del Halconero*: 2287-2291; crónicas nobiliarias: 2333-2470; cronística real, unidad: 964-965; cualidades letradas: **2202-2206**, 2276, 2451, 2534, **3166-3167**; destinatario de los impresos del *Libro de vita beata*: 3685, 3689; Díaz de Toledo, Fernand: 2632-2634; dimensión caballeresca: 2633, **2895**; Escavias, Pedro de: 3541; familia Santa María: 1751; Fernández de Madrigal, Alfonso: 2645, 4061-4062, 4075; ficción sentimental: 3154; formación: 2204, 3210; García de Salazar, Lope: 3546; *Generaciones y semblanzas*: 2434-2435, 2437, 2439n., 2442n., 2443-2444, 2451-2452; *Historia de don Álvaro de Luna* (Segunda parte), conducta negativa del rey: 2902, 2918, 2925, **2928-2931**; humanismo: 2471; Imperial, Francisco: 1548; infante don Pedro de Portugal: 3425-3426, 3431, 3434-3435; *Libro de la montería*: 1694; *Libro del conosçimiento*: 4049; marco cortesano: 2036, 2131, **2195-2206**, 2417, 2419, 2482, 2549, 2552, 3175, 3198, 3483; marco de la ficción sentimental: 3155-3158, 3165, 3193; Martínez de Toledo, Alfonso: 2665; materia artúrica: 4039; mayoridad: 2231, 2313, 3379; medicina: 2763-2770; Mena, Juan de: 2727, 2729; monarca negativo: 2902, 2904; muerte: 3016; noticiero menor: 2276-2277; orden cultural, ciencia y religión: **2586-2947**, 3071; pérdida de autoridad: 2407-2410, 3386-3387, 3391; petrismo: 1781-1782; poeta cortesano: 3197; producción cultural: **2191-3439**; producción jurídica: 2853-2860; producción religiosa: 2947-3151; providencialismo: 2171; registro de «hechos» de Barrientos: 2303; *Repertorio de Príncipes*: 3544-3545; Rodríguez del Padrón, Juan: 3267, 3274, 3279; Sánchez de Arévalo, Rodrigo: 3607; Santa María, Pablo de: 2591-2593; sermonística: 1916; sinopsis de su reinado: 2192-2194; SÍNTESIS Y CONCLUSIÓN: 3930-3957; *Sumario del Despensero*: 2098; Tafur, Pero: 3405, 3416, 3417n., 3421; Torre, Fernando de la: 3786; traducciones: 2735-2739, 3221n.; traducciones de la Biblia: 123; tratados apocalípticos: 3074-3094; Valera, Diego de: 2713, 2715

Juan II de Francia, el Bueno (1319-[1350]-1364): captura de Juan II (Maupertuis, 1356): 1804; derrota de Crèzy (1346): 2138-2139; traducción de las *Décadas* por P. Bersuire: 2135-2136

Juan I de Portugal, maestre de Avis/«Davis» (1357-[1385]-1433): Aljubarrota: 2138; Cartagena, Alfonso de: 2604; guerra con Castilla (paz de Troncoso): 1812, 1814 (*Crónica de Juan I*); infante don Pedro de Portugal, hijo: 3427; pretensión de don Fadrique de Benavente de casar con hija de Juan I: 2104 (*Crónica de Enrique III*); traducción de la *Confessio Amantis* de Gower: 3210

Juan IV Commeno, emperador de Trebizonda (m.1458): *Andanças e viajes* de Pero Tafur: 3418
Juan VIII Paleólogo, emperador de Constantinopla (1390-[1425]-1448): *Andanças e viajes* de Pero Tafur: 3404, 3416-3419
Juan XXII, papa (1245-[1316]-1324): cardenal de Santa Sabina, legado en Castilla (1321): 1101; oraciones: 1870; santificación de Tomás de Aquino: 1996
Juan, abad: *Vida de Santa María Egipciaca*: 1350
Juan, Príncipe de Asturias, hijo de los Reyes Católicos (1478-1497): educación: 1707
Juan Alemán: ver Unay, fray Juan
Juan Alfonso de Zamora: ver Zamora, Juan Alfonso de
Juan Andrés, jurista (1270-1348): 3305n.
Juan Bautista, San (siglo I): *Libro de las claras e virtuosas mugeres*: 3229; *Libro de toda la vida de nuestra Señora*: 3884
Juan Crisóstomo, San (*c*.347-407): Cartagena, *Declaración sobre San Juan Crisóstomo*: **3031-3034**; *exemplum* de la calavera: 2951-2952; *Generaciones y semblanzas*: 2438n.; romanceamiento de homilías: 2163
Juan Damasceno, San (*c*.675-749): *Barlaam*: 982
Juan de Abbeville, legado papal (siglo XIII): 25
Juan de Alarcón, fray: ver Alarcón y Díaz, fray Juan
Juan de Alta Silva (siglo XII): *Liber de septem sapientibus*: 215
Juan de Aragón, hijo de Jaime II de Aragón, arzobispo de Toledo, patriarca de Alejandría (1301-1334): *Catecismo*: 1888n.; *Pater Noster*: 2111n.; relación con don Juan Manuel: 1101, 1109-1110, 1110n., 1123, 1129, 1763; *Tractatus brevis de articulos fidei*: 1853-1854
Juan de Aragón, infante, primo de Pedro I (m.1358): muerte: 1807
Juan de Aviñón: ver Moses ben Samuel de Roquemaure
Juan de Bíclaro, abad (*c*.540-621): *Chronicon*: 164
Juan de Brienne, rey de Jerusalén [1210-1229], emperador de Constantinopla [1231-1237] (1148-1237): disputas con Federico II: 1053; enlace con doña Berenguela, hija de Alfonso IX: 157
Juan de Burgos, impresor (activo entre 1489-1502): 3685, 3685n., 4039
Juan de Capua, judío converso: *Directorium humanae vitae* (1273-1305): 185-186, 215n.
Juan de Castilla, infante, hijo de Alfonso X, hermano de Sancho IV (1264-1319): alianzas con don Juan Manuel, minoridad de Alfonso XI: 1097-1099, 2102; apoyo a Alfonso X en la guerra civil (1282-1284): 853-856; enlace de don Juan Manuel con Juana Núñez: 1124; intrigas en el reinado de Sancho IV: 858-859; investidura caballeresca: 597; maldición de Sancho IV: 919; muerte en la Vega de Granada (1319): 1100, 1247; Pérez de Guzmán, Alonso: 2459; pretensión de la corona leonesa: 1229n., 1239, 1250-1251; reclamación del señorío de Vizcaya: 1257
Juan de Castilla, infante, hijo de Pedro I y de Juana de Castro (1355-1405): padre de sor Constanza: 3071-3072
Juan de Cuenca (siglos XIV-XV): traducción de la *Confesión del amante*: 3209-3210
Juan de Gante, duque de Lancáster (1340-1399): disputa por la corona castellana: 1774, 1780, 1814; enlace de Juan I de Portugal y Felipa de Lancáster: 3210

Juan de Garland (*c.*1180-*c.*1252): distinción de estilos: 42; *General estoria*: 703n.; transmisión materia troyana: 4019
OBRAS:
Ars versificaria: 40n.
De arte prosayca, metrica et rithmica: 41, 41n.
Juan de la Cruz, San (1542-1591): *Cántico espiritual*: 3366
Juan de la Rochela (m.1245): *Ars conficiendi sermones*: 1899, 1899n.
Juan de Luxemburg, conde de San Pol (*c.*1390-1466): *Andanças e viajes* de Pero Tafur: 3421
Juan de Osma: ver Soria, Juan de
Juan de Portugal, infante, hijo de Pedro I e Inés de Castro, padre de doña Beatriz de Portugal, esposa de Pero Niño (*c.*1352-*c.*1397): *El Victorial*: 2357, 3160
Juan de Rocatallada, fray: ver Rocacisa, fray Juan de
Juan de Saba (siglo VII): *Barlaam*: 982
JUAN DE SAHAGÚN (siglo XV): *Libro de las aves que cazan*: **2850-2852**
Juan de Sajonia-Jean de Saxe (siglo XIV): *Tablas alfonsinas*: 639-640
Juan de Salisbury (1115/20-1180): maestro de Pedro de Blois: 43
OBRAS:
Metalogicon: 33
Policraticus: 1724, 1726, 1731
Juan de Segovia, maestre: ver González de Contreras, Juan
Juan de Sevilla, trujamán: *Andanças e viajes* de Pero Tafur): 3416
Juan el Inglés, Maestre: *Sumas de Historia Troyana*: 1643n.
Juan Evangelista, San (?-101): *Libro de las consolaçiones*: 2987; *Libro del conosçimiento del fin del mundo*: 3086
OBRAS:
Apocalipsis: 326
Evangelio: 1868
Juan Hispano: traductor toledano: 4022
Juan Manuel: ver Manuel, Juan
Juana I de Castilla, hija de los Reyes Católicos (1479-1555): madre de Carlos I: 2243
Juana II de Navarra, reina, esposa de Felipe de Evreux (1311-[1328]-1349): oposición a Felipe de Evreux: 3540 (*Crónica de los Reyes de Navarra*); traducción latina del *Calila* de Raimundo de Biterris (a.1313): 186
Juana, reina de Jerusalén y de Sicilia [1343]: *De claris mulieribus*: 3240
Juana de Aragón, «Reina Vieja de Nápoles», hija de Juan II de Aragón y Juana Enríquez (1455-1517): posible enlace con Enrique VII: 3831
Juana de Arco, «poncella de Francia» (*c.*1412-1431): *Crónica de Juan II*: 2240
Juana de Castilla, «la Beltraneja», hija de Enrique IV y de Juana de Portugal (1462-1530): bautismo: 3490; Carrillo, Alfonso de: 3756, 3760; *Crónica castellana*: 3520; defensa de Diego López Pacheco: 3534; derechos dinásticos: 3503, 3525, 3532, 3560, 3580, 3586, 3663; enlaces: 3487, 3532, 4039; nacimiento: 3591; Palencia, Alfonso de: 3514n.; repudio de Enrique IV: 3476, 3529-3531; Valdelozoya (1470): 3476, 3505
Juana de la Cruz, sor (1481-1534): 3069n.
Juana de Lerma, esposa de Fernando de la Torre (siglo XV): matrimonio: 3787

Juana de Portugal, reina de Castilla, hija de Duarte I y Leonor de Aragón, esposa de Enrique IV (1439-1475): Carrillo, Alfonso de: 3580; deshonestidad: 3489, 3502-3503, 3506 (*Crónica de Enrique IV*), 3520 (*Crónica castellana*), 3530-3531 (*Memorial*), 3674 (*Jardín de nobles donzellas*); embarazos: 3489n., 3490; enlace con Enrique IV, fiestas: 3523, 3559; guerra de Granada: 3523-3524 (*Memorial*); Rodríguez del Padrón, Juan: 3268-3269; Valdelozoya (1470): 3505

Juana Inés de la Cruz, sor (1651-1695): 3066n.

Judá, patriarca hebreo (siglo XVIII a.C.): *Las çinco figuratas paradoxas*: 2652; *General estoria III*: 742

Judah al-Harizi: ver Harizi, Judah ben Solomon

Judas Iscariote (m.*c.*30): *Libro del infante don Pedro*: 3436; Pérez de Vivero, Alfonso, similitud: 2925, 2927 (*Historia de don Álvaro de Luna*); *Triunfo de las donas*: 3298

Judas Macabeo, hijo de Matatías (m.160 a.C.): *General estoria V*: **779-781**; *El Victorial*: 2377

judíos: Alfonso X: 575; antijudaísmo: 1453, 2076, 2101, 2148, 2194, 2634-2643, 2956-2957, 2985n., 3035, 3361, 3394-3395, 3398; defensa de los hebreos: 3230; expulsión (1492): 3840, 3840n.

Judit, hija de Merarí (siglo IV a.C.): Cartagena, Teresa de: 3055; *General estoria IV*: 756-757, 766; *Juego de naipes*: 3811; *Libro de las claras e virtuosas mugeres*: 3229-3230, 3253; *Libro de toda la vida de nuestra Señora*: 3874; *Tratado de cómo al hombre es necesario amar*: 3179; *Triunfo de las donas*: 3295, 3297

Jueces de Castilla, leyenda de los: 99-100

Juego de la Tabla Redonda: *Caída de prínçipes*: 2150; *Mainete. Crónica fragmentaria*: 1600

juegos:

- **de azar**, dimensión negativa: *Libro de Graçián*: 3389; *Libro de la justiçia de la vida espiritual*: 1893; *Sumario del Despensero*: 2095
- **recepciones con «juegos»**: *Crónica de Juan II*: 2217
- **relaciones cortesanas**: *Castigos de Sancho IV*: 937-938; *Castigos y dotrinas*: 3138; *Flores*: 1587; *Libros de acedrex*: 830-833; *Ordenamiento de las Tafurerías*: 363-364
- **«solazes»**: *Suma política*: 3612
- **textos**: *Juego de naipes*: 3809-3812; *Libros de acedrex, dados e tablas*: 820-838

juez: modelo: *Suma política*: 3618

Jufré, Juan: ver Jouffroy, Jean

Jufré de Flandes, conde: *Enrique fi de Oliva*: 1622, 1624-1625

jugar de palabra: *Libro de las confesiones*: pecado: 1744, 4046-4047; *Libro del consejo*: 956; *Partida II*: 555-556, 593; Tratado de retórica: 3735

juglares: cantares de gesta, transmisión: 1316; *Castigos de Sancho IV*: 935; ciegos músicos: 3421n.; consejero: 1516; *Enxemplos que pertenesçen al Viridario*: 2032-2033; *Floresta de filósofos*: 3143n.; juglar reprehende a Dios: 3114; *Libro de Graçián*: 3385, 3398-3399, 3400n.; *Libro de las confesiones*: 1743; *Libro de los doze sabios*: 1325; oficios juglarescos: 4047-4048; *Partida I*: 535; *Partida II*: 563n.; *Regla de San Bernardo*: 3737; *Santa Pelagia*: 1984-1985; Tarsiana juglaresa: 1333

juglería/«joglería»: *Castigos de Sancho IV*: 935, 937, 941; *Libro de las confesiones*: 1744
juicio:
de Dios: *Crónica sarracina*: 3351; *Cuento de Carlos Maynes*: 1609-1610; *Enrique fi de Oliva*: 1624-1626; *Exemplos muy notables*: 3116; *Tractado de la adivinança*: 2828
del alma visto por el pecador: *Enxemplos que pertenesçen al Viridario*: 2034; *Soliloquios*: 2006-2007
Final: *Coloquio de la Memoria, la Voluntad y el Entendimiento*: 3374-3377; *Escala de Mahoma*: 240; Ferrer, fray Vicente: 2953, 2960; *Libro de Graçián*: 3383; *Lucidario*: 908-909
Julia, hija de César, mujer de Pompeyo (m.54 a.C.): *General estoria V*: 785; *Libro de las claras e virtuosas mugeres*: 3234
Julia, madre: *Libro de las claras e virtuosas mugeres*: 3241
Julia, madre de Liessa: *Siervo libre de amor*: 3318
Julián: ver Medusa
Julián, conde don (siglo VIII): *Crónica sarracina*: 3345, 3349n., 3350, 3353, 3355; *Generaciones y semblanzas*: 2457n.; *El Victorial*: 2377
Julián, San: *Istoria de Sant Alifonso*: 1922n., 1925n.
Juliana: *Libro de las claras e virtuosas mugeres*: 3244
Juliano: *Libro de las claras e virtuosas mugeres*: 3243
Julio, preceptor: *Libro de los estados*: 988, 1094, 1101, 1103, 1112, **1122-1123**, 1126, **1128**, 1129, 1131, 1134-1138, 1142-1145, 1155, 1179, 1188, 1397n., 1760, 1906, 4034
Julio César: ver César, Cayo Julio
Julio Valerio (siglo IV d.C.): *Res Gestae Alexandri Macedonis*: 769 (*General estoria IV*)
Juno: *Los doze trabajos de Hércules*: 2485; *Otas de Roma*: 1659; *Sumas de Historia Troyana*: 1642
Júpiter/Jove:
rey: *Las diez qüestiones vulgares*: **2660**; *Epístola a Suero de Quiñones*: 2502; *General estoria*: 688-689, 699, 703-704, 713, 722; *Libro del consejo*: 959n.; *Libro del grant açedrex*: 837; *Sumas de Historia Troyana*: 1641, 1645
y Danae: *Tratado de amor*: 3186
y Europa: *Invencionario*: 3709n.
Jura de Santa Gadea: *Crónica de Castilla*: 1231; *Crónica de los Reyes de Navarra*: 3538
Jurma y Ameno: historia amorosa: *Flor de virtudes*: 3742
justicia:
espiritual: *Diálogo e razonamiento en la muerte del marqués de Santillana*: 2579-2580; *Dichos de sabios*: 3122; *Espejo del alma*: 3006; *Oracional*: 3022; *Soliloquios*: 2006
temporal: *Breviloquio de virtudes*: 3606; *Flor de virtudes*: 3742; *Glosa castellana al «Regimiento de príncipes»*: 1713; *Introduçión* de P. Díaz de Toledo: 3752; *Jardín de nobles donzellas*: 3671; *Libro de Graçián*: 3393-3394; *Libro del tesoro*: 880-881; Luna, Álvaro de: 2890-2891; *Partidas*: 538, 573-576; soporte de la cortesía: 2726; *Suma política*: 3618-3619; *Vergel de los príncipes*: 3625; *Zifar*: 1419, 1456

Justiniano, emperador bizantino (483-[527]-565): columna de: 3418 (*Andanças e viajes* de Pero Tafur); *Corpus iuris civilis*: 2743; *Digesto*: 2549n.; estatua ecuestre: 2181n. (*Embajada a Tamorlán*)
Justino, Marco Juniano (siglo III): Palencia, Alfonso de: 3513
Justino, San (100-199): *Diálogo contra Trifón* (d.161): 3992
Jusué, obispo: *General estoria IV*: 758
Juvenal, Décimo Junio (*c.*55/60-*c.*127): *Coronación*, comentario: 2733; *Defunsión de don Enrique de Villena*: 2480; *Introduçión* de P. Díaz de Toledo: 3749; *Semejança del mundo*: 149
juventud, motivo: *Arboleda de los enfermos*: 3061; *Controversia Alphonsiana*: 2613; *Fazienda de Ultramar*: 114; *General estoria IV*: 741; *Hechos y dichos memorables*: 3148; *Libro de los doze sabios*: 251; *Oracional*: 3018; *Prohemio e carta*: 3325; sermones de Pedro Marín: 2963; *Tratado de la consolación*: 2496; *Tratado en defensa de virtuosas mugeres*: 3266

Kempen/Kempis, Tomás de (1379/80-1471): *devotio moderna*: 2002n.
Kitāb ādāb al-falāsifa (siglo IX): *Libro de los buenos proverbios*: 249n., 274n., 440-441
Kublai Kan (1215-1294): *Libro de Marco Polo*: 1829

Laban, hermano de Rebeca (siglo XVIII a.C.): *Invencionario*: 3707n.
laberinto:
  «arte dedálica»: *Perfeçión del triunfo*: 3778
  de amor: *Il Corbaccio*: 3207
  «Palaçio Aborintio»: *Triste deleytaçión*: 3819-3820
Labosardac: *General estoria IV*: 751
labrador/campesino:
  estamento: *Hechos de Alfonso Carrillo*: 3584, 3588; *Introduçión* de P. Díaz de Toledo: 3754, 3754n.; *Libro de vita beata*: 3693
  personaje-tipo: *Libro de Graçián*: 3393, 3399; *Perfeçión del triunfo*: 3775-3777
Lacayon: *Historia troyana polimétrica*: 814
Lactancio, Lucio Cecilio (*c.*240-*c.*320): *Visión deleitable*: 2839
  OBRAS:
  De natura deorum: 2661
Ladislao III, rey de Polonia (1424-[1434]-1444): Cartagena, Alfonso de: 2601
Laercio: ver Diógenes Laercio
lago:
  infernal: *Visión de don Túngano*: 1839-1840
  solfáreo: *Zifar*: 1416-1417, 1417n., 1430, 1434, 1834
  Tretonio: *Triunfo de las donas*: 3297
Lambiolo: *Batalla campal de los perros contra los lobos*: 3766-3767
lamentación: discursos: 2671, 2887, 3075, 3128, 3497; motivo: 2575-2576
LAMENTACIÓN DE DON ÁLVARO DE LUNA: **2943-2947**; SÍNTESIS Y CONCLUSIÓN: 3946
Lamidoras, ayo de Ardanlier: *Siervo libre de amor*: 3317, 3319-3320, 3322
Lamola, Juan, humanista italiano (segunda mitad siglo XIV): disputa del *De vitae felicitate* de B. Facio: 3680, 3680n., 3687n., 3688n.
Lamorante: *Demanda*: 1499

Lançalot: 1469
Lançarote del Lago: 1469, 1477, 1495-1496, 1503
Lancelot: 1467, 1469, 1471, 1476, 1543
Lancelot en prose: 1495
Lancia, Bandino, embajador pisano (m.d.1274): 423
Lanfranco de Milán (1240-1306): *Chirurgia maior*: 2758, 2760-2761
Languisín/Languines, rey: *Tristán*: 1516-1517
Lanval, lai: 1476n.
lanza: gruesa: *Libro del Passo Honroso*: 2416; ponzoñosa: *Tristán*: 1526; «ronpida»: *Libro del Passo Honroso*: 2417 (ver Longinos)
  símbolo: homilía de López de Baeza: 1905; *Vida de Santo Domingo de Guzmán*: 1994
Lanzarote: historia: **1470-1475**, 4037
  y Ginebra: 1465, 1468, 1485, 1489, 1491, 1495-1496, 1499, **1503-1504**, 1544, 1546, 1553, 1558, 1561, 1563
  y Nemina: 3811
  y Tristán: 1506-1507, 1509-1510, 1517, 1522-1524, 1528, 1531-1532, 1538
Lanzarote del lago: **1470-1475**, 4037
LAPIDARIO, Alfonso X: **365-387**; «creencia mercurial»: 323n.; cuarto tratado o el lapidario por a.b.c.: **384-385**; espacio textual y organización narrativa: **385-387**; estructura y materia: **372-378**; influencia de astros en piedras: 234-235; *Libro de las formas*: 621, 623; Ms. Vat.lat.reg. 1283: 630; primer tratado o lapidario zodiacal: **373-376**; prólogo: **369-372**, 846, 1687n; segundo tratado o «las fazes de los signos»: **379-382**; SÍNTESIS Y CONCLUSIÓN: 3895; tercer tratado o «el estado de las planetas»: **382-384**; transmisión y autoría: **367-369**, 390n., 408, 598, 842
lapidarios: Alfonso X: 862, 910n.; *Castigos de Sancho IV*: 4026; *Libro de toda la vida de nuestra Señora*: 3874n.; *Libro del conosçimiento*: 1828; *Libro del saber de astrología*: 598; *Poridat de las poridades*: 273, 276, 280, 283; *Semejança del mundo*: 145n., 151; *Visión deleitable*: 2845
Lara, linaje: 65-66, 72, 161, 250n., 644, 818-819, 971, 2077, 2215, 3548, 4035
Lara, Nuño de: ver Pérez de Lara, Nuño
***largitas* intelectual**: *Flores de los «Morales sobre Job»*: 2153
  largueza: *Flor de virtudes*: 3742
Larra, Mariano José de (1809-1837): *Macías*: 2474n.
Las Casas, fray Bartolomé de (1474-1566): *Sumario del Despensero*, transmisión: 2099
Laso de la Vega, Pedro, primogénito de Í. López de Mendoza (m.1441): evocación de su muerte: 3700
Lasso de la Vega, Garci, privado de Alfonso XI (m.1325): curia regia: 1271-1272; enfrentamientos con don Juan Manuel: 1101, 1283
latín: cancillerías regias: 3978-3981, 3987-3989; conocimiento del: 2203, 2205, 2538-2539, 3167, 4074n.; contenido religioso: 111; decir en: 2204; Enrique IV: 3678; «fablar en»: 1586; Isabel I: 3672-3673; jerga: 442n., 3583; Juan II: 2471; traducción: 3763-3765
Latina, hija del rey Latino: *Sumas de Historia Troyana*: 1646
LATINI, BRUNETTO (*c.*1220-1294): *actio*/«fabladura»: 803n., 955n., 3736; *Bocados de oro*: 467; *Etimologías* romanceadas: 2162; «exemplos»: 958; «fablar comu-

nal» de la prosa: 53-56; ficción, dominio elocutivo: 1325-1327; *Floresta de filósofos*: 3141n.; *Istoria de las bienandanzas e fortunas*: 3550n.; maestría/arte: 727n.; maestro de Dante: 239; Manuel, don Juan: 1154n.; molinismo: 62, 678n., 914n., 984, 1029, 4026; Quiñones, Suero de: 2414n.; «razón»: 861; regimientos de príncipes: 1698, 1703, 1705, 1710; «romance»: 1336; saber-monedas, metáfora: 318; *Setenario*: 322; SÍNTESIS Y CONCLUSIÓN: 3902; *Tratado de Astrología* (siglo XV): 2500; *Visión deleitable*: 2846

OBRAS:

Libro del tesoro: **863-890**; *Libro I*: **870-877**, 3131-3132; *Libro II*: **878-882**; *Libro III*: **883-890**, 2603; líneas de contenido: **867-870**; modelo ternario: 3664-3665; redacciones y difusión: **865-867**

***latinitas*/orden de la Antigüedad**: 2112, 2145

Latino, rey: *Sumas de Historia Troyana*: 1634, 1646

Latona: *General estoria II*: 722

«latría»: *Oracional*: 3024, 3027

Laudamia y Protesalao: *Bursario*: 3285

laudationes: 2160

laus Hispaniae: Cartagena, Alfonso de: 2625; *Chronicon Mundi*: 164; *De rebus Hispaniae*: 167; *Estoria de España*: 663; *Etimologías* romanceadas: 2160; *Jardín de nobles donzellas*: 3671, 3671n.; *Libro de las veinte cartas e qüistiones*: 3786; *Perfeçión del triunfo*: 3774

laus urbis: *Andanças e viajes* de Pero Tafur: 3408n., 3409n.

Lázaro de Betania: *Andanças e viajes* de Pero Tafur: 3411; *Flor de virtudes*: 3741; *Santa María Madalena*: 1938, 1940, 1947

Lázaro de Tormes: nacimiento dentro del agua: *Amadís*: 1556; *Crónica sarracina*: 3311n.

lealtad: Alfonso X: 559, 562, 574; Alfonso XI: 1313-1314; Barrientos, Lope de: 2302; *Cuento de Carlos Maynes*: 1610, 1615-1616, 1616n.; *Cuento de los Reyes*: 2091-2092; Enrique IV: 3496; Escavias, Pedro de: 3541-3542; *Estoria de dos amadores*: 3321-3322; ficción: 3152; *Hechos de Lucas de Iranzo*: 3561-3562, 3564-3565, 3569; *Historia de don Álvaro de Luna*: 2910, 2930; *Libro de las claras e virtuosas mugeres*: 3234-3235; *Memorias* de L. López de Córdoba: 2342; *Tratado de la comunidad*: 1734n.; *El Victorial*: 2090, 2383, 2394; *Zifar*: 1386, 1415-1416

Leandro: *Bursario*: 3272, 3277-3278, 3281-3283, 3285

Leandro, San (m.*c.*600): *Etimologías* romanceadas: 2161; *Vida de San Isidoro*: 2710-2711

***lectio* escolar**:

disputas: *Libro de Alexandre*: 30; *Lucidario*: 899-900

ejercicio jurídico: *Summa de los nueve tiempos*: 360

estructuras expositivas: *Las çinco figuratas paradoxas*: 2649; *Libro de toda la vida de nuestra Señora*: 3878; *Semejança del mundo*: 146, 152; *El Victorial*: 2375

glosas: *Libro de los judizios*: 400-401; *studium*: *Partida II*: 568-569

relación Platón-Aristóteles: *Vida y dichos de filósofos antiguos*: 2127

lector:

apelación/mención del: *Declaración sobre San Juan Crisóstomo*: 3031; *Historia de don Álvaro de Luna*: 2920-2921

imagen del: *Jardín de nobles donzellas*: 3663; *Libro de las veinte cartas*: 3808; *Milagros de San Antonio*: 3851; *Qüestión*: 2526; *Triste deleytaçión*: 3825, 3827
rechazo del: *Fiammetta*: 3206-3207; *Libro de las confesiones*: 4044-4045; *Libro de toda la vida de nuestra Señora*: 3870; *Oras de los clavos*: 4069
lectura:
cortesana: sentencias: 3119
de poemas: *Arte de trovar*: 2505-2506
en voz alta: *General estoria V*: 784; *Historia troyana polimétrica*: 803; *Mainete. Gran Conquista de Ultramar*: 1080; narraciones cortesanas: 797-798; *Partida II*: 563n.; *Zifar*: 1372, 1434
formación caballeresca: *Doctrinal de los cavalleros*: 2872; tratados de caballería: 4065-4066
monacal: *Espéculo de los legos*: 3105
negativa: *Libro de las confesiones*: 1743
personal: *Calila*: 211; sermones de Pedro Marín: 2962
religiosa: *Del soberano bien*: **2166-2167**; *Santo Domingo de Guzmán*: 1989 (ver «leyenda»)
lecturas:
de la nobleza: *Andanças e viajes* de P. Tafur: 3405; *Basilio de la reformación de la ánima*: 2559-2560; *Batalla campal de los perros contra los lobos*: 3764; Boecio: 2975-2978; *Carta e breve conpendio*: 3648; Cartagena, Alfonso de: 2615-2616; *Diálogo e razonamiento*: 2566, 2574; *Espejo de verdadera nobleza*: 2719; Guzmán, Nuño de: 2581; *Libro de toda la vida de nuestra Señora*: 3863, 3877, 3879; López de Ayala, Pero: **2131-2132**; López de Mendoza, Íñigo: **2538**, 2540; Manuel, don Juan: 1109; *Oracional*: 3025; *Perfeçión del triunfo*: 3771; *Suma de virtuoso deseo*: 3131; *Tratado en defensa de virtuosas mugeres*: 3262
de la realeza: Enrique IV: 3480, 3621; Isabel I: 3662, 3669; Juan II: 2205, 2590, 2630; Leonor de Navarra: 3789
de la Virgen: *Libro de toda la vida de nuestra Señora*: 3881n.
de letrados: *Cancionero de Baena*: 3195n.; Díaz de Toledo, Pero: 3747; *Libros de Tulio*: 2605
religiosas: Miscelánea, BN Madrid 8744: 3845
leer:
acción: *Estoria del infante Roboán*: 1434; *Visión de Filiberto*: 1763
reflexión sobre: *Etimologías* romanceadas: 2162
técnicas: *Arcipreste de Talavera*: 2677; *Invencionario*: 3712; *Libro de las confesiones*: 4045
Legnano, Juan (m.1383): *De bello, de represaliis et de duelo*: 2863
Leir, rey: *General estoria III*: 744-745
Lelio, Gayo (siglo II a.C.): *De amicitia*: 2531
Lembrot: *Crónica sarracina*: 3351
lengua vernácula: como discurso: 10, 63, 76, 79, 82, 123, 130, 161, 319, 366, **377-378**, 2737-2738; diferencia de lenguas: 2619; dimensión referencial: 1316, 1657, 1702, 2608, 2948, 3977-3981; justificación: 3623, 3686-3687, 3763-3765; reforma ortográfica: 3980-3981; reivindicación: 3687, 3692, 3704

lenguaje:
«de Castiella»: *Calila*: 182; *Cantigas prosificadas*: 1024; *Diez Mandamientos*: 1010; discurso prosístico, configuración: 47, 3978; ficción, modelos: 1315, 1327; *General estoria I*: 719; *General estoria III*: 740n., 743; *General estoria IV*: 751, 765; *General estoria V*: 782, 784; identidad de Castilla, construcción: 58-59, 63; *Lapidario*: 366; *Libro de las cruzes*: 412; *Libro de las formas*: 623; *Libro de los judizios*: 399; orígenes de la prosa: 19; *Partidas*: 592; primeros textos: 81, 162; romanceamientos siglo XIII: 2111; *Sendebar:* 4003; SÍNTESIS Y CONCLUSIÓN: 3895; traducción de Biblias: 123; traducciones, Pero López de Ayala: 2139, 2142
«de España»: discurso prosístico, configuración: 3978; *Partida II*: 561; *Setenario*: 310
origen: *Invencionario*: 3706
lenguaje figurativo, «fablar en figura»: Aragón, Enrique de: 2482, 2485; *Batalla campal de los perros contra los lobos*: 3765; *Caída de príncipes*: 2149; *Las çinco figuratas paradoxas*: 2651; *Compendio de la fortuna*: 2790; *Del soberano bien*: 2169; *Espéculo de los legos*: 3108; *General estoria*: 701; *Glosa castellana al «Regimiento de príncipes»*: 1709; *Historia de don Álvaro de Luna*: 2922, 2926; *Instrucción del Relator*: 2641; *Jardín de nobles donzellas*: 3665-3666; *Libro de la Ochava Espera*: 606; *Libro del tesoro*: 1325; *Lucidario*: 912; *Oracional*: 3026; *Siervo libre de amor*: 3318; *Sumas de Historia Troyana*: 1636, 1640, 1647-1648; *Tratado de la comunidad*: 1734-1735; *Vergel de los príncipes*: 3623, 3627; *Zifar*: 1392 (ver alegoría; ficción, figura)
Leocadia, Santa (m.304): *Cantigas prosificadas*: 1027; *Istoria de Sant Alifonso*: 1925. 1925n.; *Vida de San Ildefonso*: 2703, 2707
Leofredo, obispo de Córdoba: *Vida de San Isidoro*: 2712
Leomarte: **1632-1649**
León III, papa y santo ([795-816]): *Mar de historias*: 2433n.
León IX, papa y santo (1002-[1049]-1054): *Santa María Madalena*: 1937n.
León de Nápoles, arcipreste (siglo X): traducción de la *Historia de preliis*: 769
Leonatis, ermitaño: *San Amaro*: 1968-1969
Leoncio, obispo de Nápoles: Miscelánea, BN Madrid 8744: 3835
leonés/leonesismo: cancillerías castellana y leonesa: 74; *Libro de Josep Abarimatía*: 1478n.; Lucas de Tuy: 165; materia artúrica: 1462; *Otas de Roma*: 1663
Leonís: *Tristán*: 1506, 1515-1516
Leonor de Alburquerque, la *Rica Hembra*, mujer de Fernando I de Aragón (1374-1435): arresto de la «reina vieja»: 2289, 2291, 2293, 2316; coronación como reina de Aragón: 2221, 3155; correspondencia Arcediano de Niebla: 2748-2753; matrimonio con el infante don Fernando: 2101; «reina vieja»: 2421
Leonor de Aquitania (*c*.1122-1204): corte literaria: 800, 1464
Leonor de Aragón, hija de Fernando de Antequera, esposa de Duarte I (*c*.1402-1445): «caída»: 3796; extensión dinastía Trastámara: 2080n.; fiestas de Valladolid (1428): 2238, 2277, 2894, 3211, 3426
Leonor de Aragón, hija de Pedro IV, esposa de Juan I (1358-1382): enlace con Juan I: 1569n.; Juan II, derechos dinásticos: 2307; linaje Niño: 2384 (*El Victorial*); *Sumario del Despensero*: **2092-2093**, 2096

Leonor de Castilla, hermana de Alfonso XI, esposa de Alfonso IV (1307-1359): aislamiento de don Juan Manuel: 1109, 1121, 1149, 1183; rehén del prior de San Juan: 1272; socorro de Pedro de Xérica: 1275
Leonor de Castilla, hija de Alfonso VIII, esposa de Jaime I (m.1244): derechos sucesorios de Aragón: 3996
Leonor de Guzmán: ver Guzmán, Leonor
Leonor de Inglaterra, reina, hija de Enrique II, esposa de Alfonso VIII (1156-1214): dote nupcial (Gascuña): 241; enlace con Alfonso VIII (1170): 67; muerte de la reina: 71; transmisión materia artúrica: 1460
Leonor de Navarra, hija de Juan II de Aragón y Blanca de Navarra, esposa de Gastón IV de Foix (1420-[1479]-1479): destinataria del *Libro de las veinte cartas e qüistiones*: 3784, 3788-3790; sucesión a la corona Navarra: 3784, 3813
Leonoreta: *Amadís*: 1565, 1569
Leonorina: *Sergas*: 1573
Leovigildo, rey ([573]-586): *Vida de San Isidoro*: 2711, 2711n.
lepra: *Exposición del salmo «Quoniam videbo»*: 2507; *Gran Conquista de Ultramar*: 1049; *Milagros de San Antonio*: 3854; *Tratado de la lepra*: 2487-2489; *Tratado e despido a una dama de religión*: 3802
Leriano: *Cárcel de amor*: 3261
Lesbo, doncellas de: *Triunfo de las donas*: 3296n.
letrados, relaciones sociales y políticas: *Esclamaçión* de Gómez Manrique: 3746; *Exortaçión*: 3658-3659; *Introduçión* de P. Díaz de Toledo: 3753; *Libro de vita beata*: 3689, 3696; *Libros de Tulio*: 2605-2606; *Suma política*: 3617
letradura: *Avisaçión de la dignidad real*: 1728-1729; *Bocados de oro*: 463; *Castigos de Sancho IV*: 938; *Del soberano bien*: 2168; *Flores de los «Morales sobre Job»*: 2153; *Zifar*: 1388n., 1450, 1458
letras (epístolas): *Libro del tesoro*: 886 (ver *ars dictandi*)
letras escritas en el cuerpo, motivo: *Amadís*: 1567; *Enrique fi de Oliva*: 1621
Levítico: exégesis: *Tratado de la lepra*: 2488
ley: Alfonso X: 521n. (*Partida I*); elogio: 3753 (*Introduçión* de P. Díaz de Toledo); *Libro de los cien capítulos*: 1292n.; Lucas de Iranzo, Miguel: 3566; *Qüistión entre dos cavalleros*: 3634; relación con el rey: 522-524, 541-542, **580**, 581, **589-590**
ley, divisiones temporales y religiosas: 3085; ley de gracia: 3239-3245, 3297, 3709; ley de la Escritura: 3228-3231, 3709; ley de la gentilidad/de Natura: 3231-3239, 3709; tres leyes: 3226, 3261
«leyenda»/lectura: *General estoria III*: 48-49
Leyenda de Cardeña: *Estoria de España*: 677
Leyenda de la elección de Bamba: 105
Leyenda de los santos: 1977
LEYENDA DE SAN AMARO, LA: **1962-1971**; estructura narrativa: **1964-1971**; SÍNTESIS Y CONCLUSIÓN: 3925; tradición textual: **1962-1964**
LEYENDA DE SANTO TOMÁS DE AQUINO: **1995-2001**; identidad religiosa: **1997-1999**; SÍNTESIS Y CONCLUSIÓN: 3925; virtudes: 2000-2001
Leyenda Florentina: milagros de San Antonio: 3850
Leyes del Estilo: 362, **1295-1297**
Leyes Nuevas (Alfonso X-Sancho IV): 1295

Lia, primera esposa de Jacob: *Del soberano bien*: 2170
Liber de septem sapientibus: 215 (ver *Sendebar*)
Liber Iudiciorum: 85-86
Liber magistri Remonis: ver Lulio, *Libro del amigo y del Amado*
Liber miraculorum: milagros de San Antonio: 3850, 3855
LIBER REGUM: 96, 99, **101-104**, 671
Liber regum toletanus: 101n., 104
liberalidad: *Jardín de nobles donzellas*: 3671 (ver *largitas*)
Liberia: *Estoria de España*: 486, 2621
«Libero Padre»: *Sumas de Historia Troyana*: 1641
libertad: *Castigos del rey de Mentón*: 1445-1446; *Crónica de Enrique III*: 2105; *Crónica de Juan I*: 1811; *Crónica del Halconero*: 2285; *Diálogo sobre la predestinación*: 2801; *Libro de Graçián*: 3387; *Libro de las consolaçiones*: 2995; *Libro del regimiento de los señores*: 2938; *Partida IV*: 574; *Proposición contra los ingleses*: 2625; *Siervo libre de amor*: 3314, 3318-3319; *Tratado de la predestinación*: 2808; *Triste deleytaçión*: 3820; *Visión deleitable*: 2844
libre albedrío: *La consolación natural*: 2980; *Declaración sobre San Juan Crisóstomo*: 3033; *Diálogo sobre la predestinación*: 2800-2801; *Libro del regimiento de los señores*: 2938; *Libro del zelo de Dios*: 1756; sermones Pedro Marín: 2963; *Tratado en defensa de virtuosas mugeres*: 3260
«librete»: don Juan Manuel: 1025, 1201-1202
Libri Catoniani: 2736
libro: alegoría del autor: 2495, 3205-3206; fruto del saber: 3382; imagen-metáfora: 284, 309, 314-315, 349, 581; inclusión de figuras reales: 3796; libros y bibliotecas: 3976; partes del: 2789, 2789n., 4045 (ver manuscrito/libro, búsqueda del)
LIBRO CONPLIDO EN LOS JUDIZIOS DE LAS ESTRELLAS, Alfonso X: **387-407**, **4005-4007**; conciencia de autoría: 402-403; *Lapidario*: 384n.; Libro I: 392-395; Libro II: 395-396; Libro III: 396-397; Libro IV: 397-398; Libro V: 398; Libros VI-VIII: 4006-4007; *Libro de las cruzes*: 413, 418, 420; *Libro de las formas*: 621n.; *Libro del saber de astrología*: 598; materia doctrinal: **392-396**; materia y contenido: **390-392**; Mosca, Yehuda: 408-410; Ms. Vat.lat.reg. 1283: 632, 635; planos y perspectivas textuales: **403-404**; rechazo molinista: 893; *Setenario*: 323n.; SÍNTESIS Y CONCLUSIÓN: 3895; técnicas compositivas: **399-403**; terminología literaria: 1334-1336; traducción y transmisión manuscrita: **389-390**; valoración cortesana: **405-407**
Libro de Ageo: *General estoria IV*: 759
Libro de Alexandre: exordio: 29-37, 3734; «fablar» clerical: 1317; lapidario: 276, 280; *largitas* intelectual: 438n.; materia de Alejandro y de Aristóteles: 273, 317n., 3741; materia de la Antigüedad: 1656; materia troyana: 801, 811, 4019-4020; medicina: 2757n.; «natura»: 153n.; «romance»: 1333; saber clerical: 140, 148; *El Victorial*: 2382, 3218
Libro de Apolonio: «fablar» clerical»: 1317; *Historia de Apolonio*: 1680, 1682; medicina: 2757n.; narración cortesana: 798, 1656; «romance»: 1333
Libro de avisos e sentencias: ver Tratado de moral
Libro de Balabuar y Budasaf, El: *Barlaam*: 981
Libro de Baruc: *General estoria IV*: 754, 755-756

Libro de cetrería, rey Dancos: 1685, **1686-1688**, 2850
Libro de confesión de Medina de Pomar: **3037-3043**, 3832-3833, 3847, 3849; «exemplario»: 3039-3043, 3837, 4041-4042; materia doctrinal: 3037-3039; SÍNTESIS Y CONCLUSIÓN: 3948
Libro de Daniel: *General estoria IV*: 752-754, 773
Libro de Darío: *General estoria IV*: 761
Libro de devociones y oficios: ver Constanza, sor
Libro de Esdras: *Castigos de Sancho IV*: 933; *General estoria IV*: 757
Libro de Ester: *General estoria IV*: 765; *Sendebar*: 215
Libro de fecho de los cavallos, atrib. Alfonso X: **847-852**; materia: **849-852**; transmisión textual: **848-849**
Libro de Fiameta (versión castellana): 3204, 3808n. (ver Boccaccio)
Libro de frey Juan de Rocacisa: 1478
Libro de Galaz: *Demanda del Santo Grial*: 1495
Libro de Graçián: **3377-3401**; adoctrinamiento estamental: 3360, 3384-3390; espiritualidad: 2112; nivel alegórico: 3381-3382; nivel literal: 3380, 3382; prólogo: 3383-3384; SÍNTESIS Y CONCLUSIÓN: 3955-3956; viaje moral: 3390-3401
Libro de Isaías: prólogo: 48-51
Libro de Jheremías: *General estoria IV*: 754
Libro de Job: Fernández de Madrigal, Alfonso: 2645; Gómez Álvarez de Albornoz, Pedro: 1879; materia: 2132, 2150
Libro de Josep Abarimatía: 1461, 1469, 1477, **1478-1481**, 1485, 1493, 1495, 1538, 1588, 1675, 3000
Libro de Judit: *General estoria IV*: 756-757
Libro de la açafeha: 599, **615-616** (ver *Libro del saber de astrología*)
Libro de la conquista de Troya: 2087
Libro de la consolaçión de España: **3075-3084**, 3087; contexto de producción: 3076-3077; diálogo: 3081-3084; prólogo: 3078-3081; SÍNTESIS Y CONCLUSIÓN: 3949
Libro de la Historia Troyana: 3639, 3639n., 3640n.
Libro de la ira: Sancho IV: 4026
Libro de la justiçia de la vida espiritual: 1875 (ver Gómez Álvarez de Albornoz, Pedro)
Libro de la lámina universal: **614-615** (ver *Libro del saber de astrología*)
Libro de la montería, Alfonso XI: Alfonso X: 843, 847; análisis: 1684, **1692-1696**; caza como ejercicio caballeresco: **1692-1694**; SÍNTESIS Y CONCLUSIÓN: 3918; transmisión y contenido: **1694-1696**
Libro de la ochava espera: 599-600, 601-603, **604-609** (ver *Libro del saber de astrología*)
Libro de la Poridat de la Retribuçión: 1758
Libro de la Tabla Redonda: *Tristán*: 1533
Libro de la vegez: *De senectute* de Cicerón traducido por Cartagena: 2607
Libro de las animalias que caçan, Alfonso X: **841-846**, 1683-1684; SÍNTESIS Y CONCLUSIÓN: 3901
Libro de las armellas: **616-617** (ver *Libro del saber de astrología*)
Libro de las bulas y pragmáticas de los Reyes Católicos: 2857

Libro de las claras e virtuosas mugeres, Álvaro de Luna: **3222-3254** (ver Luna, Álvaro)
Libro de las confesiones: ver Pérez, Martín
LIBRO DE LAS CRUZES, Alfonso X: **407-422**; autoría y transmisión: **407-409**, 4007; capitulación y estructura: **418-419**; ciencia alfonsí: 235; doctrina astrológica: **414-416**; ejes temáticos: **416-417**; *Lapidario*: 384n.; *Libro de las formas*: 621-622; *Libro de los judizios*: 390n., 391n.; *Libro del saber de astrología*: 598; materia y contenido: **412-414**; Ms. Vat.lat.Reg. 1283: 629; organización textual y composición formal: **420-422**; prólogo: **409-412**; SÍNTESIS Y CONCLUSIÓN: 3895
Libro de las dueñas: ver Ovidio, *Heroidas*
Libro de las fazes de los signos: 634
Libro de las figuras de las estrellas: 634
LIBRO DE LAS FORMAS ET DE LAS IMÁGENES, Alfonso X: **620-626**; *Escala de Mahoma*: 235, 237; *Lapidario*: 367-369, 381n., 384n.; *Libro conplido en los judizios de las estrellas*: 389n.; *Libro del saber de astrología*: 599n., 610; *Lucidario*: 893; materia: **623-626**; Ms. 8322, Bibl. Arsenal: 641; prólogo: **622-623**; SÍNTESIS Y CONCLUSIÓN: 3898; tratados de astrología mágica: 628-631
LIBRO DE LAS GENERACIONES: **104-110**; cronística aragonesa: 3997; materia artúrica: 1460, 1646 (*Roman de Brut*), 1955; materia de Troya: 4019
Libro de las láminas de los siete planetas: **617**, 626 (ver *Libro del saber de astrología*)
Libro de las Leys (Partidas): 864
LIBRO DE LAS MARAVILLAS DEL MUNDO: **1831-1833**, 4048, **4051-4056**; redacciones: 4055; SÍNTESIS Y CONCLUSIÓN: 3922-3923
Libro de las notables mugeres: ver Ovidio, *Heroidas*
Libro de las planetas: 634-635
Libro de las tribulaciones: ver Rocacisa, fray Juan de
Libro de linpieza de coraçón et de pecados et de virtudes: 1989n.
LIBRO DE LOS AÇORES: 1685, **1689-1690**
LIBRO DE LOS BUENOS PROVERBIOS: **440-455**; *Bocados de oro*: 470n.; estructura: 249n., **444-445**; «exemplos»: **445-450**; Fernández de Madrigal, Alfonso: 3175; *Floresta de filósofos*: 3141n.; organización estructural: **450-455**; *Poridat*: 276-277; rechazo molinista: 915; *Secreto de los secretos*: 286; SÍNTESIS Y CONCLUSIÓN: 3896; *Suma de virtuoso deseo*: 3131-3132; tradición árabe: 187n., 263, 274n., 2114, 3368n.; transmisión manuscrita: **441-444**
Libro de los castigos: ver *Castigos de Sancho IV*
LIBRO DE LOS CIEN CAPÍTULOS: **425-440**, **4007-4009**; concepciones políticas: 417n., 990n.; cortesía: 646, 955n.; definición de ley: 1292n.; *Espéculo*: 352n.; estructura: 249n., **427-436**, 1178n.; fechación: 432n.; *Flores de filosofía*: 260, 260n., 262-263, 266, 267n., 268, 270, 270n., 271-273, 4008-4009; gramática y retórica: 53; *Libro de los buenos proverbios*: 449; López de Baeza, Pero: 1747; noción de saber: **436-440**; «obra abierta»: 245n., 939n.; prevención contra la ficción: 1323; Sancho IV: 4026; SÍNTESIS Y CONCLUSIÓN: 3895-3896; transmisión manuscrita: **425-427**, 3368n.; *Zifar*: 1447, 1449
LIBRO DE LOS DOZE SABIOS: **241-260**; configuración ejemplar: **252-255**; contenido y capitulación: **255-260**; cuadrivio: 387n.; estructura: **249-252**; fechación: **246-247**, 442n.; ficción, alegría cortesana: 1324, 2040n.; leyes alfon-

síes: 304, 357; leyes siglo XIV: 1730n.; *Poridat*: 275n.; prólogo y epílogo: **242-247**; SÍNTESIS Y CONCLUSIÓN: 3893; transmisión del saber: 194, 4059; transmisión manuscrita: **247-249**

Libro de los exemplos por a.b.c: ver Sánchez de Vercial, Clemente

LIBRO DE LOS FUEROS DE CASTILLA: **295-297**, 299, 1089n.; SÍNTESIS Y CONCLUSIÓN: 3894

LIBRO DE LOS GATOS: **2012-2024**; crítica clerical: 1853n.; *Espéculo de los legos*: 3104n.; «fabliella»: 1330; *Libro de los exemplos por a.b.c.*: 3099, 4072; líneas doctrinales: **2019-2024**; Odo de Chériton: 24n.; pecados: 1859n.; predicación religiosa: 1903, **2015-2017**, 3095; SÍNTESIS Y CONCLUSIÓN: 3926; título: **2013-2015**; *Tratado de la comunidad*: 1734; unidad narrativa del *exemplum*: **2017-2019**; *Viridario*: 2026, 2032

Libro de los gavilanes: ver *Libro de los açores*

LIBRO DE LOS HALCONES, maestro Guillermo: 1685, **1688-1689**

***Libro de los juizios de la corte del rey* (1497)**: 1295

Libro de los Macabeos: *Crónica de Alfonso XI*: 1279; *General estoria*: 759, 764, 772, 775-777, **778-782**; *Libro del tesoro*: 873; *Suma de virtuoso deseo*: 3130

Libro de los ofiçios: traducción del *De officiis* de Cicerón por Cartagena: 2607-2608

Libro de los Paranatellonta: 608, 631, 633-634

Libro de los reyes: *Libro de las tribulaciones*: 3011

Libro de los siete dones del Espíritu Santo: ver Bourbon, Étienne de

Libro de los treinta y cuatro sabios: 260

Libro de Malachías: *General estoria IV*: 760

LIBRO DE MARCO POLO: **1829-1831, 4051**; SÍNTESIS Y CONCLUSIÓN: 3922

Libro de Marte: 634-635

Libro de Mercurio: 634-635

Libro de miseria de omne: *disciplina clericalis*: 1011n.; disputas: 1834; molinismo: 953n., 1339n., 1762n.; Ms. 77, Bibl. Menéndez Pelayo: 1860-1862

Libro de Moamín: ver *Libro de las animalias que caçan*.

Libro de Neemías: *General estoria IV*: 758-759

Libro de negar e desmentir la astrología: 1757

Libro de Patronio: 1160-1161, 1190 (ver Manuel, don Juan, *Libro del conde Lucanor*)

LIBRO DE PICATRIX, Alfonso X: 237, 367, 381n., 621n., 626, **627-629**, 630, 635

Libro de las imágenes: 2502

Libro de Raziel: Ms. Vat.lat.Reg. 1283: 629, 632; *Tractado de la adivinança*: 2820, **2824-2825**

Libro de Séneca contra la ira e la saña: 2583n.

Libro de Túngano: 1478 (ver *Visión de don Túngano*)

Libro de Xerses: *General estoria IV*: 761-763

Libro de Zacarías: *General estoria IV*: 759-760

Libro del alcora: 599, **610-611** (ver *Libro del saber de astrología*)

LIBRO DEL AMIGO Y DEL AMADO: **3363-3368**

Libro del arçobispo: 1877 (ver Gómez Álvarez de Albornoz, Pedro)

Libro del arte notoria: 2825

Libro del astrolabio plano: **613-614** (ver *Libro del saber de astrología*)

Libro del astrolabio redondo: **611-613** (ver *Libro del saber de astrología*)

Libro del baladro: 1503

Libro del Bezerro de las behetrías: 1775, 1777

Libro del cavallero Zifar: **1371-1459**; *Bocados de oro*: 464n.; *Castigos del rey de Mentón*: **1439-1457**; conceptos políticos: 1699, 1772, 2890; contextos: **1375-1378**; datación y autoría: **1457-1459**; dimensión penitencial: 4043; *estoria* de Garfín y de Roboán: **1411-1420**, 1430, 1438, 1487n., 1860; *estoria* de Zifar y de Grima: **1393-1411**, 1423-1424, 1438, 1441, 2091, 3153; *Estoria del infante Roboán*: **1420-1438**, 1452, 1476, 1542-1543, 1546, 1586, 1669n., 1837, 3153, 3308n.; *estorias*: **1378-1380**, 1717, 1735, 1937; ficción, modelos: 1325n., 1328; *Flores de filosofía*: 266, 268; hagiografía: 1960, 1963; *Libro de Graçián*: 3399n.; López de Ayala, Pero: 1790n.; materia carolingia: 1606, 1619, 1621, 1623, 1631, 1674; misoginia: 2121n.; *Partida II*: 564; producción religiosa: 1747, 1750; prólogos: 277n., 1248, 1331, **1380-1393**, 1444, 1749, 2168, 2839, 3152, 3199, 3311; regimiento de príncipes: 252n.; relación con el *Amadís*: 1542-1543, 1545; risa: 3434; *romances* de materia hagiográfica: 1352, 1357, 1359, 1361, 1364, 1368n.; sermonística: 1902, 1906; SÍNTESIS Y CONCLUSIÓN: 3913-3915; *Suma de virtuoso deseo*: 3132n.; tópico de la traslación: 2088; transmisión textual: **1371-1375**; *Tristán*: 1514; *Viridario*: 2031

molinismo: *Barlaam*: 984; *Castigos*: 927; *Crónica de Alfonso XI*: 1263, 1274; *Crónica de Fernando IV*: 1252n., 1253-1254, 1254n.; *Estoria del Cavallero del Çisne*: 1055, 1058-1059; *Gran Conquista de Ultramar*: 1029, 1037-1038; historiografía: 1226; leyes siglo XIV: 1298-1299n.; *Libro del consejo*: 950, 954; *Lucidario*: 892n.; tratados penitenciales: 1862; viajes alegóricos: 1847-1848

Libro del conosçimiento de todos los reinos: **1824-1828**, 2180, 4048, **4049-4050**; SÍNTESIS Y CONCLUSIÓN: 3922

Libro del conoscimiento del fin del mundo: 3084, **3085-3089**; SÍNTESIS Y CONCLUSIÓN: 3949

Libro del consejo y de los consejeros: ver Maestre Pedro

Libro del cuadrante: **617-618** (ver *Libro del saber de astrología*)

Libro del cuadrante señero, Ms. 8.322, Bibl. Arsenal París: 618, 641-642

Libro del fuero de las leyes: 513, 516, 1293; SÍNTESIS Y CONCLUSIÓN: 3897 (ver *Siete partidas*)

Libro del infante: 1128 (ver Manuel, don Juan, *Libro de los estados*)

Libro del infante don Pedro de Portugal: **3425-3439**; conocimiento religioso: 3432-3434; contexto de composición: 3426-3429; ruta de espiritualidad: 3434-3439; SÍNTESIS Y CONCLUSIÓN: 3956-3957; viaje iniciático: 3429-3439

Libro del licenciado Sant Agustín: 2935 (ver Juan de Alarcón, fray)

Libro del Passo Honroso: **2409-2420**; autoría y composición: 2412-2417; estructura: 2417-2420; puente del río Órbigo: 3319; SÍNTESIS Y CONCLUSIÓN: 3935

Libro del saber de astrología, Alfonso X: **597-620**; códice regio: **599-601**; «librete»: 1201; *Libro de la açafeha*: **615-616**; *Libro de la lámina universal*: **614-615**; *Libro de la ochava espera*: **604-609**; *Libro de las armellas*: **616-617**; *Libro de las láminas de los siete planetas*: **617**; *Libro de los iudizios*: 391, 393n.; *Libro del alcora*: **610-611**; *Libro del astrolabio plano*: **613-614**; *Libro del astrolabio redondo*:

611-613; *Libro del cuadrante*: **617-618**; libros de instrumentos: **609-620**; libros de los relojes: **618-620**; materia y contenido: **604-620**; Ms. 8322, Bibl. Arsenal París: 641, 643; prólogos: **601-603**; SÍNTESIS Y CONCLUSIÓN: 3898; *Tablas alfonsíes*: 638
Libro del sancto Grial: *Baladro del sabio Merlín*: 1488; *Vespesiano*: 1675, 1675n., 1677
Libro del tesoro: ver Latini, Brunetto
Libro del Valadro de Merlim: *Crónica de 1404*: 2087; *Libro de las Generaciones*: 107
Libro dels tres reys d'Orient: 1341-1342
Libro llamado Infancia Salvatoris: 3867, 3876
Libro mayor: ver Ovidio, *Metamorfosis*
Libro que es fecho de las animalias que caçan: 841 (ver *Libro de las animalias que caçan*)
Libro que fizo Aristótiles sobre las imágenes de los doze signos: **632-633**, 634, 636
Libro u Ordenamiento de las tafurerías: 330n., 363n., 821n.
LIBROS DE ACEDREX, DADOS E TABLAS, Alfonso X: composición progresiva: 821-824; contexto de producción: 324n., 919n.; *Libro de las tablas*: **831-833**; *Libro de los dados*: **830-832**; *Libro del grant açedrex*: **833-838**; *Libros de acedrex*: **827-830**; prólogo: **824-827**; SÍNTESIS Y CONCLUSIÓN: 3901
libros de caza: Alfonso X: **838-846**; Fernando IV-Alfonso XI: **1683-1690**; López de Ayala, Pero: 2036-2049; Manuel, don Juan: **1116-1122**; siglo XV: **2850-2853**; SÍNTESIS Y CONCLUSIÓN: 3901, 3918, 3926, 3945
libros de juegos: Alfonso X: **820-838**
Libros de la sabiduría: *General estoria III*: 732, 734, 740-741
libros de linajes: ver relación/relato linajístico
Libros de los experimentos: 2824
libros de memorias: *Libro de las tres razones* (don Juan Manuel): 1191-1198; *Memorias* (Leonor López de Córdoba): 2334-2350
Libros de Salomón: *General estoria III*: 732, 739-742, 774, 4012
libros de viajes: crónicas: 2428; descripciones: 375, 812; Fernández de Heredia, Juan: 1654; hagiografía: 1965-1969; interior de Castilla: 3390-3401; *Libro del tesoro*: 875; reinado de Enrique III: **2171-2190, 4056-4057**; reinado de Juan II: **3402-3439, 4076**; siglo XIV: **1821-1852, 4048-4056**; SÍNTESIS Y CONCLUSIÓN: 3922-3923, 3929-3930, 3956-3957
Libros del saber de astronomía: ver *Libro del saber de astrología*
licentiae poetarum: 32
Licomedes (m.366 a.C.): *General estoria*: 4020
Licomedes, rey: *Historia troyana polimétrica*: 4021; *Sumas de Historia Troyana*: 1643-1644
Liconberte el Bravo: *Estoria del Cavallero del Çisne*: 1063
Licurgo, legislador espartano (siglo VII a.C.): *General estoria V*: 765
Liessa: *Siervo libre de amor*: 3317-3322
limosna: *Castigos de Sancho IV*: 932; *Del soberano bien*: 2171; *Diálogo de Epicteto*: 478; *Espéculo de los legos*: 3106; *Libro de las confesiones*: 1742; *Libro de los exemplos por a.b.c.*: 3103; *Libro del amigo y del Amado*: 3367; *Libro del conoscimiento del fin del mundo*: 3087; *Oracional*: 3020; *Sumario del Despensero*: 2093; *Tratado de la predestinación*: 2807; *Viridario*: 2029

linaje:

caída: *Corónica de A. Pérez de Guzmán*: 2462; *Memorias* de L. López de Córdoba: 2341-2343; *El Victorial*: 2383; *Zifar*: 1395-1396

conflictos: cartas de batalla: 2881-2882

decadencia de: *Cadira de honor*: 3304; *Generaciones y semblanzas*: 2446-2447, 2452

enfrentamiento: *Demanda del Santo Grial*: 1498-1499

materno, venganzas: *Enrique fi de Oliva*: 1627

noción alfonsí: *Partidas*: 571-572, **583n.**

recuperación: *Estoria del rrey Guillelme*: 1358; *El Victorial*: 2351, 2369, 2371, 2379, 2395; *Zifar*: 1406-1411, 1440

linajes animalísticos: *Estoria del Cavallero del Çisne*: 1067-1068

Lino: *Bursario*: 3277

Lino, San, papa ([67-76/79]): *Instrucción del Relator*: 2640

Lionel: *Lanzarote*: 1472

Lira, Nicolás de: ver Nicolás de Lira

lírica tradicional: *Crónica de la población de Ávila*: 174-175, 180

Lisuarte, rey: *Amadís*: 1557, 1560, 1562, **1564-1565**, 1566, 1568-1569, 1573, 1615, 1638

literatura:

aljamiada: 131, 236, 1776, 2014

apologética: Luna, Álvaro de: 2887 (ver tratados apologéticos y de controversia)

catequismal: **1852-1897**; catequesis cortesana: 2804-2805; catequesis de legos: 3037; *Diez mandamientos*: **1009-1017**; Fernández de Minaya, fray Lope: 2998, 3004; hagiografía: 1983; Miscelánea, BN Madrid 8744: **3832-3859**; Ms. 77, Bibl. Menéndez Pelayo: **1859-1875**; Sánchez de Vercial, Clemente: 3048-3053; SÍNTESIS Y CONCLUSIÓN: 3923-3924

dialogística: ver diálogos

gentílica: glosas: 3336; peligrosidad: 2167, 2170 (*Del soberano bien*)

perdida: 57, 1535

religiosa: Enrique IV: 3832-3888; Juan II: **2937-3151**; molinismo: **1735-1769**, **1852-2011**; siglo XIII: **110-139**; SÍNTESIS Y CONCLUSIÓN: 3891, 3905, 3919, 3923-3926, 3946-3949, 3968-3969

sapiencial: siglo XIII: 60, 62, **241-294**, 312n., **424-470**, 775, **913-959**; siglo XIV: 1319, 1323, 1327, **1439-1459**; siglo XV: **3118-3151**, 3729-3738; SÍNTESIS Y CONCLUSIÓN: 3893-3894, 3902-3903, 3919, 3949-3950

liturgia: 2162; ortodoxa: 2185

Livio, Tito (59/64 a.C.-17 d.C.): *Compendio de la fortuna*: 2792; *Defunsión de don Enrique de Villena*: 2480; Egidio el Romano: 1706; Fernández de Heredia, Juan: 1652; *Introduçión* de P. Díaz de Toledo: 3750; *Libro de las claras e virtuosas mugeres:* 3232; López de Ayala, Pero: 2132-2134, 2139, 2141; Palencia, Alfonso de: 3513; *Proverbios* de Í. López de Mendoza: 2527; semblanza: 3750n.; traducción de *Décadas*: **2135-2142**, 2145, 2977n.; *Tratado en defensa de virtuosas mugeres*: 3262

OBRAS:

Ab urbe condita decades: 3513

Livre de fais de Boucicaut: *El Victorial*: 2382, 2984n.
Livre du Chevalier de la Tour Landry, Le: *Castigos y dotrinas*: 3134
Livro das Linhagens: ver Pedro Afonso, conde de Barcelos: 104n., 1235, 1460
Livro de Josep Abaramatia: 1469, 1477
Livro de Merlin: 4038
Livro de Tristan: 4038
Livro do Amante: versión portuguesa de la *Confessio amantis* (ver Gower, John)
***Llibre de saviesa* de Jaime I**: 276n.
Llibre del arte de menescalia: 849
Llull, Ramon: ver Lulio, Raimundo
Loaysa, Jofré de, arcediano de Toledo, cronista, hijo de Jofré de Loaysa (m.1308): Pérez Gudiel, Gonzalo: 4024; semblanza de Alfonso X: 181; *Sumario analístico*: 3998; *Zifar*: 1457n., 1458
Loaysa, Jofré de, letrado aragonés, ayo de doña Violante, padre del arcediano Jofré de Loaysa (siglo XIII): letrado alfonsí: 245n.
Loba, dueña: *Milagros de San Antonio*: 3848, 3851
Lobeira, Johán de (siglo XIV): *Leonoreta/fin roseta*: 1569n.
Lobel: hijo del rey Guillermo: *Estoria del rrey Guillelme*: 1365
Lobera: ver espada
Loc, rey: *Baladro*: 1490
Locari, rey de Armenia: *Castigos de Sancho IV*: 932
locura: *Estoria del rrey Guillelme*: 1364-1365; *Yvain*: 1465; *Zifar*: 1409
  locos: *Flor de virtudes*: 3743; *Libro de Graçián*: 3398; *Libro del consejo*: 956; Tratado de retórica: 3735, 3735n.; *Tristán*: 1539
locus amoenus: *Confesión del amante*: 3214; *Libro del grant açedrex*: 835n.; *Otas*: 1669; *San Amaro*: 1970; *Triunfo de las donas*: 3292-3293
lógica:
  ars: *Libro de Alexandre*: 33-34; *Visión deleitable*: 2838, 2848
  «fablar en»: *Flores*: 1586
  parte de la ética: ficción, modelos: 1319; *Libro del tesoro*: 878-880
Loginem: *Bocados de oro*: 459, 462
loimología: ver peste; tratados loimológicos
Lombardo, Pedro (*c.*1100-1160): disputa con el abad Joachin de Fiore: 933, 4026; Maestro de las Sentencias: 3065, 3660, 3660n.; sermón sobre el Corpus Christi: 2972
  OBRAS:
  Sentencias (*Libri quattuor sententiarum* [1142-1158]): 75, 895n., 3049n.
Longime: *Dichos e castigos*: 3126n.
Longinos: lanza: *Embajada a Tamorlán*: 2184
Lope de Alarcón, escudero: «fazañas»: *Sumario del Despensero*: 2098
Lope de Olmedo, fray, jerónimo (siglo XV): administración de la diócesis de Sevilla: 3379
Lopes, Fernão: *Crónica de Portugal de 1419*: 2088
López, Diego: traductor de Valerio Máximo: 3151n.
López, Gregorio, jurista (1496-1560): editor de las *Partidas*: 538n.
López Carrillo, Leonor: ver López de Córdoba, Leonor
López Dávalos, Ruy/Rodrigo, condestable de Castilla (m.1428): asedio de

Montalbán: 2098, 2888, 2889n.; bando del infante don Enrique: 2307, 2325, 2421; exilio en Aragón: 2237, 2911; *Generaciones y semblanzas*: 2446, 2446n., 2453; glosas de Zurita: 2332n.; instigador de traducciones: 2134, 2976-2979; minoridad de Juan II: 2315-2316; oposición a Álvaro de Luna: 2199-2200; *El Victorial*: 2368, 2368n., 2370, 2384, 2390, 2394

López de Ayala, Pedro I, hijo de Pero López de Ayala, alcalde mayor de Toledo ([1398-1451]): deposición como alcalde (1450): 2304; Fernández de Velasco, Pedro: 2616n.; guarda de Toledo y disensiones (1439): 2286, 2331; oposición a Álvaro de Luna: 2265; rebelión de Pero Sarmiento (1450): 2635

López de Ayala, Pedro II, hijo de Pero López de Ayala I, alcalde mayor de Toledo, conde de Fuensalida [(*c.*1470)]: apoyo a Enrique IV: 3501

LÓPEZ DE AYALA, PERO, canciller mayor de Castilla (1332-1407): arengas cortesanas: 1240, 1815, 3493; aristotelismo: 1711; cambio dinástico: 1773; cisma: 2075; colección de dichos: 3121; *Cuento de los Reyes*: 2090; debates poéticos: 2797, 2799; Díaz de Games, Gutierre: 2360; espiritualidad: 3058; García de Salazar, Lope: 3547n.; historiografía petrista: 1778, 1782; labor del cronista: **1795-1800**, 3982; López de Mendoza, Íñigo: 2517; materia carolingia: 1604; Pedro de Portugal: 3325; Pérez de Guzmán, Fernán: 2420, 2422n., 2424, 2446, 2455; redacción de las *Crónicas*: **1785-1789**; reinado de Enrique III: 2077-2078; romanceamientos de San Isidoro: 2158, 2978; SÍNTESIS Y CONCLUSIÓN: 3921-3922, 3926, 3927-3928, 3928-3929; *Suma de las crónicas de España*: 2596; *Sumario del Despensero*: 2093; traducciones: 2111, **2131-2157**, 2163, 2976-2977, 2982, 3123; tronco de la cronística real: 965, 1262, 1776, 2172, 2207-2208, 2208n., 2351, 2357, 2386, 2587, 2696, 3346, 3357, 3513

OBRAS:

Corónicas de los reyes de Castilla: **1783-1816**, 2132, 2215n., 2224, 2341-2342; versión *Primitiva* y versión *Vulgar*: 1784-1785

Crónica de Enrique III: 1787, 2080, **2099-2110**

Crónica de Juan I: 1787-1788, **1808-1816**, 2138, 2141

Crónica del rey don Pedro y del rey don Enrique: 965, 968, 1783, **1789-1808**, 2099, 3982, 4038

Libro de la caça de las aves: 1684, **2036-2049**, 2132, 2850-2851

Rimado de palacio: 44n., 139n., 1308n., 1546-1547, 1549, 1707, 1738, 2001, 2007, 2036-2037, 2039, 2099, 2132, 2134, 2143, 2148n., 2151, 2163, 2753, 2797, 3095, 3121

TRADUCCIONES:

Caída de príncipes: 248n., **2142-2150**, 2693n.

Décadas: **2135-2142**, 2146, 2163, 2207, 2977n.

Flores de los «Morales sobre Job»: 2152-2155

Moralia: 1879, 2145, **2150-2157**, 2163, 3141

López de Ayala, Pero, lugarteniente de don Juan Manuel en Murcia, Adelantado (siglos XIII-XIV): 1121

LÓPEZ DE BAEZA, PERO (primera mitad siglo XIV): 1383n.; SÍNTESIS Y CONCLUSIÓN: 3919, 3924

OBRAS:

Dichos de los santos padres: **1744-1750**, 1904

Qué significa el ábito: 1903, **1904-1907**

LÓPEZ DE CÓRDOBA, LEONOR, hija de Martín López de Córdoba y privada de Catalina de Lancáster (1362-*c.*1412): conciencia de autoría femenina: 3053; ejecución del padre: 2383, 2596; favorita de la reina: 2197; SÍNTESIS Y CONCLUSIÓN: 3933-3934

OBRAS:

Memorias: **2334-2350**; materia argumental: 2340-2346; modelo de la crónica particular: 2334; reivindación petrista: 1781; trama de la «memoria»: **2336-2340**; valimiento de Inés de Torres: 2908

López de Córdoba, Lope, hermano de Leonor López de Córdoba: *Memorias*: 2341-2343, 2347

López de Córdoba, Martín, maestre de Alcántara y de Calatrava, privado de Pedro I (m.1371): cerco sobre Carmona: 2091-2092, 2383; ejecución: 2596; justicias del rey don Pedro: 1807n.; López de Córdoba, Leonor: 2336-2337, 2340, 2347

López de Estúñiga o Zúñiga, Diego (m.1417): *Generaciones y semblanzas*: 2446, 2456; tutor de Juan II: 2204

López de Haro, Diego I, el Bueno (m.1214): derrota de Alarcos: *Anacephaleosis*: 2876

López de Haro, Diego II, alférez de Fernando III (m.1254/55): «fazañas»: *Libro de los fueros de Castilla*: 296n., 297; *Miráculos romançados*: 1021, 1021n.; rebelión contra Alfonso X (1254): 241, 244

López de Haro, Diego III, hermano de Lope Díaz de Haro (m.1309): injurias contra Alfonso XI: 1275; intrigas contra Fernando IV: 1097; señorío de Vizcaya: 1257

López de Madrid, Diego, protonotario y deán de Sigüenza (segunda mitad siglo XV): oposición a Pedro González de Mendoza: *Crónica de Enrique IV*: 3501

LÓPEZ DE MENDOZA, ÍÑIGO, hijo de Diego Hurtado de Mendoza y Leonor de la Vega, I conde del Real de Manzanares, I marqués de Santillana (1398-1458): **2516-2540**, **4057-4058**; amor-amistad, relación: 3793; Aragón, Enrique de: 1914, 2471, 2503-2504, 2515n.; biblioteca: 331n., 1652, 1707, 1920, 1926, 2134, 2196, 2562, 2735n., 2862, 2975, 3150, 3201, 3204n., 3208n., 3550, 4049; biografía: 2516-2521; Boccaccio, Giovanni: 3199; Carrillo, Alfonso de: 3585n.; Cartagena, Alfonso de: 2601-2602, 2615, 2619, 4066; círculo literario/corte letrada: 2518-2519, **2540-2547**, 2564, 3581n., 3764, 3771; contactos con Aragón: 2112, 2472, 2478, 2482, 3156, 3813; crónica de Barrientos: 2304; *Diálogo e razonamiento por la muerte del marqués de Santillana* de P. Díaz de Toledo: 2568-2581; Díaz de Toledo, Fernand: 2638; Díaz de Toledo, Pero: 2548-2550, 2553-2556, 2557-2558, 2565, 3749; «Dios e Vós», mote: 2575; empresas militares: 2517-2520, 3580; espiritualidad: 2002, 3058; exégesis: 3335; Fernández de Madrigal, Alfonso: 2655-2659; Fernández de Velasco, Pedro: 2397; ficción: 3312; fiestas y justas: 2289, 3200; glosador: 2516; Guillén de Segovia, Pero: 3580; Guzmán, Nuño de: 2583-2585; humanismo: 2473; Hurtado de Mendoza, Diego: 2080, 2446; justas (1435): 2413; Luna, Álvaro de: 2914, 2933; marqués de Santillana (1445): 2266, 2723; Mena, Juan de: 2727-2728, 2730-2735, 2738; Pérez de Guzmán, Fernán: 2420n.; personaje del *Libro de vita beata*: 3249n., 3678-3679, 3686-3687, 3689-

3701, 3764n.; poemas alegóricos: 2776, 2835, 3310; relación con la corte: 2265, 2286-2287, 2317; SÍNTESIS Y CONCLUSIÓN: 3938, 3945; sonetos: 2562; toma de Huelma: 2193, 2262, 2290, 2318, 2731, 3408; Torre, Fernando de la: 3785, 3792-3793

semblanza: *Libro de las veinte cartas*: 3798; *Libro de vita beata*: 3693

OBRAS:

Bías contra Fortuna: 2118, **2530-2533**, 2549, 2562, 2568, 2572, 2576, 2974, 3728, 4058

Centiloquio o *Proverbios*: 2519, **2527-2530**, 2534, 2548-2549, 2557, 2666, 3131, 3131n., 3133, 3141, 3677n., 3690, 3728, 3750, 3798, 4058

Comedieta de Ponza: 3322n.

Coplas contra don Álvaro de Luna: 2520

Defunsión de don Enrique de Villena: 2480-2481

Doctrinal de privados: 2520, 2933

Favor de Hércules contra Fortuna: 2520

Infierno de los enamorados: 3200

Lamentaçión de Spaña: 2521, **2523-2526**, 3075-3076

Prohemio e carta: 1339, 1709, 2149, 2503, 2517, **2535-2537**, 2538, 2562, 3325, 3340, 3527, 3696n., 3722n., 3748, 3788, 4058

Qüestión: 2521, **2526-2527**, 2584, 2722n., 2863, **2865-2870**, 2871n., 2881, 3615n., 3636

Refranes que dizen las viejas tras el fuego: **2533-2534**, **4058-4059**, 4062

Sueño: 3200

Triunphete de amor: 3200-3201

López de Mendoza, Íñigo, hijo de Diego Hurtado II de Mendoza, II duque del Infantado (m.1500): cruce epistolar con F. Núñez: 3792

López de Pisuerga, Martín, arzobispo de Toledo (m.1208): canciller del reino: 3988; *Fuero de Alcalá*: 3990

López de Roncesvalles, Garci, tesorero real de Navarra (m.1437): compilación cronística: 3536, 3537n.

LÓPEZ DE SALAMANCA, JUAN (*c.*1385-1479): **2972-2973**, **3859-3888**; biografía: 3859-3860; disputa con Pedro Martínez de Osma: 3837n., 3860; SÍNTESIS Y CONCLUSIÓN: 3968-3969; *Vida de los primitivos bienaventurados de la Orden de Predicadores*, atribución: 3859n.; *Vida de Santo Domingo*, atribución: 3859n.

OBRAS:

**Clarísimo sol de justicia*: 3860

Defensorium fidei contra garrulos preceptores. Tratado de la penitencia según la Iglesia Romana: 3837n., 3860

**Libro de la casta niña*: 3860

Libro de los evangelios moralizados: 1903, 2972-2973 3860, **4067-4069**

Libro de toda la vida de nuestra Señora: **3860-3888**; «concepción de María»: 3866-3872; «encarnación de Jesús»: 3877-3883; «Fiesta de la O»: 3887-3888; «natividad de María»: 3872-3877; prólogo: 3861-3866; «visitación a Isabel»: 3883-3886

Segundo libro de los evangelios: 1903-1904, 2972

**Vida de San Vicente Ferrer*: 3859n.

López de Saldaña, Fernán, camarero y canciller de Juan II (m.*c.*1456): guerra con Aragón: 2352
López de Valladolid, Alfonso (m.1468): *Regimiento contra la pestilencia*: 2768
López de Velorado, fray Juan: *Crónica particular del Cid* (1512): 1231
López de Villalobos, Francisco (1473-1579): *Sumario de la medicina*: 2772; *Tratado sobre las pestíferas bubas*: 2772
López de Vivero, Juan (siglo XVI): editor de Madrigal: 2645n.
López de Zúñiga, Álvaro, II conde de Plasencia, I duque de Arévalo, I duque de Plasencia, I duque de Béjar, hijo de Pedro López de Zúñiga (*c.*1410-1488): biblioteca: 186n. (*Calila*); detención de Á. de Luna: 2248, 2254, 2328, 2928; esposo de Leonor Pimentel: 3859; lealtad a Enrique IV: 3500-3501 (*Crónica de Enrique IV*); López de Salamanca, Juan: 4067; Valera, Diego de: 2726, 3590
López de Zúñiga, Pedro I, conde de Ledesma, I conde de Plasencia (1383-1453): alianza con Í. López de Mendoza, contra Luna: 2520; entrega del alcázar de Burgos: 2922; padrino de Juan de Luna: 2331; seguro de Tordesillas (1439): 2406; Valera, Diego de: 2726, 3590-3591
López de Zúñiga, Pedro II, alcalde mayor de Sevilla, conde de Bañares, conde de Ayamonte, hijo de Álvaro López de Zúñiga y Leonor Manrique (m.1480): enlace con Teresa de Guzmán: *Crónica abreviada*: 3591
López Pacheco, Diego, hijo de Juan Pacheco, marqués de Villena (siglo XV): apoyo a Juana de Castilla: 3756; enlace con Juana de Luna, nieta de Álvaro de Luna: 3503 (*Crónica de Enrique IV*); maestre de Santiago: 3507; prisión por el conde de Osorno, Gabriel Manrique: 3533-3534 (*Memorial de diversas hazañas*)
Loreina, duquesa: *Crónica sarracina*: 3351
Lorenzo, San (siglo III): *De Sant Lorenço*: **1927-1930**; homilías: 2968n.
loriga: homilía de P. López de Baeza: 1905
Losana, Raimundo de, obispo de Segovia y arzobispo de Sevilla (m.1286): letrado alfonsí: 245n.
Lotario I, emperador (795-[823-830]-855): *Mar de historias*: 2430
Loth, patriarca hebreo (*c.*1900 a.C.): estatua de: *Libro del infante don Pedro de Portugal*: 3437; visita de los ángeles: *Flor de virtudes*: 3742
Lucano: ver Alixandra
Lucano, Marco Anneo (39-65): *Coronación*, comentario: 2733; *De rebus Hispaniae*: 167; *Defunsión de don Enrique de Villena*: 2480; *Estoria de España*: 660n.; *Floresta de filósofos*: 3142n.; *General estoria*: 690, 692n., 696, 699, 702, 775, 777, **782-788**; *Grant Crónica de Espanya*: 1652; *Hechos del arzobispo don Alfonso Carrillo*: 3586n.; *Proverbios*, Í. López de Mendoza: 2527; *Semejança del mundo*: 149; *Tratado en defensa de virtuosas mugeres*: 3263; *El Victorial*: 2382, 3218
OBRAS:
Farsalia: 669, 782-788
Lucas, Fernán, primo de M. Lucas de Iranzo (siglo XV): enlace con hija de Pedro de Escavias: *Hechos de Lucas de Iranzo*: 3572
Lucas, fray: glosas a Valerio Máximo: 3149
Lucas, San, evangelista: «secretario» de la Virgen: *Libro de toda la vida de nuestra Señora*: 3877, 3879-3880, 3883; sermones de Pedro Marín: 2962, 2964

Lucas de Iranzo, Miguel, Condestable de Castilla (m.1473): ascenso social, críticas de Diego de Valera: 2974, 3524 (*Memorial*), 3594, 3602-3605 (*Cirimonial*); carta a Sixto IV: 3572-3573; cualidades de gobernante: 3568; Escavias, Pedro de: 3541-3542; fiestas y celebraciones: 3566, 3612, 3678; guerra con Enrique IV: 3531 (*Memorial*); lealtad: 3492, 3495, 3504; marco cultural: 3481; marco social de Andalucía: 3405; muerte: 3532 (*Memorial de diversas hazañas*), 3545 (*Repertorio de Príncipes*), 3562 (*Crónica de Enrique IV*), 3573 (*Crónica de los Reyes Católicos*), 3574 (*Adiciones genealógicas*); nombramiento como Condestable: 3563-3564; SÍNTESIS Y CONCLUSIÓN: 3960; Valera, Diego de: 3592

Hechos del Condestable don Miguel Lucas de Iranzo: **3558-3579**; autoría y composición: 3565, 3575-3579; bienio 1463-1464: 3566; estructura: 3566-3575, 3577; personaje histórico: 3559-3563; registro de *Hechos*: 3563-3565; transmisión: 3563

Lucas de Iranzo, Nicolás, comendador de Montizón, hermano de Miguel Lucas: *Hechos de Lucas de Iranzo*: 3571-3574

Lucas de Torres, Luis, hijo de Miguel Lucas de Iranzo, fraile franciscano (m.1500): nacimiento: 3571; profesión y vida religiosa: 3574

Lucas de Tuy (*c.*1160-*c.*1240/49): **163-166**; *General estoria*: 698, 703n., 748, 751, 766, 777; historiografía: 3555; infante García: 797, 1335; leonesismo: 74, 166; leyenda del rey Rodrigo: 3345; órdenes militares: 3995; romanceamientos: 59, 162; SÍNTESIS Y CONCLUSIÓN: 3892

OBRAS:

Chronicon mundi: 25, 80n., 95, 2709, 3993-3994; traslaciones: **163-166**, 670, 962, 1697n.

De altera vita: 2709n.

Vita Sancti Isidori: 2159, 2709, 2712

Luce del Gat: materia tristaniana: 1507n.

Lucena, Fernando de (siglo XV): traductor del *Triunfo de las donas* al francés: 3268

Lucena, hijo de Juan de Lucena (siglos XV-XVI): relaciones familiares: 3679

OBRAS:

Repetición de amores: 2667, 2671n., 3166n., 3183, 3233n., 3880n.

Lucena, Juan de, converso y protonotario de los Reyes Católicos (*c.*1430-d.1503): 2834, 3019, **3678-3702**; atribución de obras: 3682n.; biografía: 3678-3684; controversia con Alonso de Ortiz: 3683; SÍNTESIS Y CONCLUSIÓN: 3964

OBRAS:

epístola consolatoria a Gómez Manrique: 3682

Epístola exhortatoria a las letras: 2606, 3672, 3680, 3682

Libro de vita beata: 2511, 2527, 2541, 2602, 2729n., 2865, 3017n., 3249n., 3678, **3684-3702**; «diálogo moral», contenido: 3689-3702; disputadores: 3630, 3687, 3690-3693, 3764n.; figura de Lucena y fin del debate: 3698-3702; traducción y recreación: 3686-3689; transmisión: 3684-3685, 3689n.

Tractado de los gualardones: 2882, 3682

Lucena, Juan de, impresor (siglo XV): 3681

Lucena, Luis de, hijo del impresor Lucena: atribución de la *Repetición de amores*: 3681n.
Lucena, Martín de, «el Macabeo», traductor de Í. López de Mendoza, posible padre de Juan de Lucena (siglo XV): 2541, 2547; traductor del Nuevo Testamento y de una glosa de Dante: 3680
Lucencia, hermana del rey Pelayo: *Crónica sarracina*: 3354
Lucenda: *Arnalte y Lucenda*: 3242n.
Lucía, madre de San Ildefonso: *Istoria de Sant Alifonso*: 1923
Lucía, Santa (siglos III-IV): *Libro de las claras e virtuosas mugeres*: 3241, 3243-3244; Ms. 77, Bibl. Menéndez Pelayo: 1872
LUCIDARIO: **890-913**; autoría: 866; clerecía escolar: 144, 1114n., 1439, 1450; dimensión penitencial: 4043; dimensión religiosa: 316n., 321n., 862, 870, 996n., 1010, 1963, 2024; disputas: 1141n., 1751; estructura: personajes y contenido: **899-907**; estructura externa: **907-911**; Gil de Zamora, Juan: 861n.; *Libro del consejo*: 951, 984; molinismo: 914n., 1377, 1380, 1388n., 1394, 4026; pesimismo: **911-913**; prevenciones contra la ficción: 1324-1325, contra las disputas: 4044; prólogo: **891-899**; propaganda: 678n., **896-898**, 958, 1031n.; rechazo de la ciencia: 621n., **892-896**; SÍNTESIS Y CONCLUSIÓN: 3902
Lucifer: ver diablo
Lucrecia: *Estoria de dos amantes*: 2679n.
Lucrecia, romana: *Castigos de Sancho IV*: 932; *Castigos del rey de Mentón*: 1448; *Corónica de A. Pérez de Guzmán*: 2465; *Juego de naipes*: 3811; *Libro de las claras e virtuosas mugeres*: 3229n., 3231-3232, 3235, 3246; *Tratado en defensa de virtuosas mugeres*: 3264 (ver Tarquino [Sexto])
«lugar», espacio textual cronístico: 969-970
Luis VII de Francia, el Joven (*c.*1120-[1137]-1180): enfrentamiento con Ricardo Corazón de León: 1052; recuperación de Damiata: 1054; segunda cruzada: 1048
Luis VIII de Francia, el León (1187-[1223]-1226): enlace con doña Blanca, hija de Alfonso VIII: 1237
Luis IX de Francia, santo (1214-[1227]-1270): alianza con Alfonso X: 424; Blanca de Castilla, madre: 1237; peregrinación: 2095; Santo Tomás de Aquino: 2000
OBRAS:
Enseignements: 4026
Luis XI de Francia (1423-[1461]-1483): apoyo a Leonor de Navarra: 3789; duque de Guyena, enlaces: 3504, 3531; intrigas contra Enrique IV, vistas de Bidasoa: 3491 (*Crónica de Enrique IV*), 3526, 3530-3531, 3777, contra Juan II de Aragón: 3533 (*Memorial de diversas hazañas*)
Luis, hijo de Carlos: *Cuento de Carlos Maynes*: 1613-1616, 1621
Luis de León, fray (1527-1591): *Santa María Magdalena*: 1946
OBRAS:
La perfecta casada: 3135
Luján, Pedro de, camarero de Juan II (siglo XV): *Historia de don Álvaro de Luna*: 2930
lujuria: *Algunas cosas contra la luxuria*: 3840-3841; *Andanças e viajes* de Pero Tafur: 3422; *Arboleda de los enfermos*: 3064; *Barlaam*: 1004; *Caída de príncipes*:

2150; *Carta e breve conpendio*: 3642, 3647; *Castigos de Sancho IV*: 941; *Cavallero Plácidas*: 1355; *Crónica sarracina*: 3350-3351, 3356; *Cuento de Carlos Maynes*: 1608; *Dichos de sabios y filósofos*: 3121; *Diez Mandamientos*: 1016; *Espejo del alma*: 3004-3005; *Estoria de Santa María Egiçiaca*: 1343; *Flor de virtudes*: 3743; *Glosa castellana al «Regimiento de príncipes»*: 1717n.; *Libro de la consolaçión de España*: 3079; *Libro de la justiçia de la vida espiritual*: 1893-1894; *Libro de las claras e virtuosas mugeres*: 3254; *Libro de los gatos*: 2018; *Libro de toda la vida de nuestra Señora*: 3875; *Sendebar*: 223; sermones de fray Vicente Ferrer: 2960; *Suma política*: 3614; *Tratado e despido a una dama de religión*: 3802; *Vergel de los príncipes*: 3628; *Vidas de filósofos*: 2120-2121; *Viridario*: 2027

Lulio, Raimundo (1232/33-1315/16): influencia del lulismo: **3359-3401**; predicación: 2799; proceso de enseñanza: 3773; SÍNTESIS Y CONCLUSIÓN: 3955-3956

OBRAS:
Arbre de filosofia desiderat: 3373
Ars magna/*Arte*: 3359, 3363, 3366, 3369, 3370n.
Clavis universalis: 3369n.
Doctrina Pueril: 3378n.
Liber ad memoriam confirmandam: 3373
Liber de ascensu et descensu intellectus: 3370
Liber de divina memoria: 3373
Liber de memoria: 3373
Logica Nova: 3370
Llibre d'Evast e Blanquerna: 3363, 3378n.
Llibre d'Intenció: 3378n.
Llibre de contemplació en Deu: 3364n., 3371n.
Llibre de Meravelles/*Fèlix*: 3377-3378, 3380, 3382, 3391, 3398-3399
Llibre de Mil Proverbis: 3378n.
Llibre del ordre de cavalyería: 434, 1111, 1128
Rhetorica nova: 1902

ADAPTACIONES:
Arte memorativa: 3368-3373, 3376
Coloquio de la Memoria, la Voluntad y el Entendimiento: 3374-3377

TRADUCCIONES:
Comento del Dictado: 3360-3363
Libro del amigo y del Amado: 3360, 3363-3368, 3371
Libro del gentil y de los tres sabios: 3360-3361, 3366

lulismo: 2799n.

Luna, Álvaro de, Condestable de Castilla, Maestre de Santiago, privado de Juan II (*c.*1390-1453): *Abreviación del Halconero*: 2326, 2328-2332; Alarcón, Juan de: 2935, 2937, 3128; alegoría (luz lunar): 2921, 2927; amador cortesano: 2908, **3162-3165**; Anaya, Diego de: 3378-3379, 3389, 3394, 3396, 3401; Anticristo: 2811, 2933-2934n., 2942, 3075; Aragón, Enrique de: 2474, 2482, 2502n.-2503n., 2509; ascenso social: 2906, 2909-2911; asedio de Montánchez: 2897, 2912; Barrientos, fray Lope de: 2784; caída: 2244n., 2247-2251, **2251-2258**, 2297, 2322, 2328-2330, 2776, **2927-2932**; Carrillo, Alfonso de: 3580; Cartagena, Alfonso de: 2601, 2618, 2871; caso y fortuna: 2775,

2777, 2798; *Compendiosa Historia Hispanica*: 3556; Condestable: 2206, 2288, 2316, 2888-2890, 2911; conquista de Trujillo: 2896; conversos: 2635, 2887, 3392; copla contra Vivero: 2929n.; Corral, Pedro de: 3341-3343; corte de Escalona: 2919-2922, 2924-2925, 3222; cortesía: 2907-2909, 3164; *Crónica de Juan II*: 2210, **2231-2240**, 2243, 2260, **2263-2268**, 2272, 2275, 2548, 2597, **2887-2900**, 2903; defensa de los hebreos: 3230; defensa del rey: 2915-2918, 3158; desafío de Alburquerque: 2897, 2903, 2912; desamor del rey: 2922-2925; descendientes: 2903-2904; destreza militar: 2912, 2915-2916; detención y muerte: 2254-2257, 2266-2268, 2595, 2623, 2630, 2634, 2727, 2797, 2885, 2932-2934, 2944; Díaz de Games, Gutierre: 2365-2369, 2378, 2861; Díaz de Toledo, Pero: 2550, 2579; dimensión religiosa: 2892; disputador en defensa de las mujeres: 3226; dominio de la corte: 2911-2914, 3304; encizañamiento: 2925-2927; Enrique IV: 3475; Fernández de Velasco, Pedro: 2397-2400, 2402, 2406-2410; golpe de Rámaga (1443): 2695; Gómez de Salamanca: 2764n.; *Hechos* de Barrientos: 2296, 2298-2299-2300, 2303, 2305; hechura del rey: 2285-2286, 2898, 2912; humanismo: 2112, 2470-2471; *Lamentación de don Álvaro de Luna*: 2943-2947; linaje: 2899; López de Mendoza, Íñigo: 2517-2520, 2523, 2531-2532, 2535, 2547, 2714; Luna, Pedro de: 2986; Maestre de Santiago: 2202, 2252-2253, 2263-2264, 2296, 2304, 2723, 2897, 2905n., 2915, 2917, **3222**, 3256; Manrique, Gómez: 3745; marco cultural: **2885-2947**, 3483; Martín de Córdoba, fray: 2784-2797, 2936, 3661; mayordomo del Príncipe: 2258; Mena, Juan de: 2727-2728, 2746-2747, 3182; mocedades: 2906-2907; modelos culturales: 2779, 2784-2785, 3198, 3245-3249, 3279, 3340-3341; Ms. X-ii-13: 2308, 2316-2317, 2319, 2321; Niño, Pero: 2352-2354, 2358, 2366-2367, 2371, 2396; ordenamientos jurídicos: 2854, 2860; Pacheco, Juan: 2638, 3598; Palencia, Alfonso de: 3515; Pedro de Portugal: 3324; pensamiento caballeresco: 2138, 2196, **2199-2202**, 2238, 2887-2888, **2895-2898**, 2924, 2930, 2934-2935, 2986, 3304, 3342, 3761; Pérez de Guzmán, Fernán: 2421-2422, 2434, 2436, 2436n., 2437, 2439n., 2442n., 2443, 2450-2451, 2452-2454; poeta cancioneril: 3197, 3222; primer destierro: 2631, 2506, 2753, 2853, **2890-2894**, 3154; primeras armas: 2908-2909; producción letrada: 2370n.; Quiñones, linaje: 2410-2411, 2413; regimiento caballeresco y militar: 2235, 2238-2240, 2279; regreso de Ayllón de 1428: 2282, 2289, 2316, 2633, 2861, 2887, 2894, 2896, 2903, 3340; Santa María, Pablo de: 2594-2595; sentencia: 2933-2934; sepultura indigna: 2946; SÍNTESIS Y CONCLUSIÓN: 3930-3931, 3945-3946, 3952, 3954-3955; sublevación de Toledo (1449): 2248, 2253, 2260, 2263, 2301, 2920, 2924-2925; sujeción de Juan II: 2191-2196, 2245, 2249, 2268, 2276, 2281, 2587, 2647, 2778, 2812, **2894-2898**, 2948, 3075, 3193, 3393; sujeción de la nobleza: 2135, 2334, 2594n., 2601, 2724, 2829, 2894, 3077, 3255, 3387; tirano: 2285, 3129, 3230-3231, 3389, 3392; Torre, Fernando de la: 3786; traducciones, promoción: 2863-2864; traslado de los restos mortales a la capilla de Santiago: 2886, 2903, **2903n.**, 2918; Valera, Diego de: 2212, 2715-2716, 2719, 2723, 3526, 3590-3591; valimiento: **2235-2238**, 2244-2245, 2262, 2270, 2290, **2898-2900**

semblanza: *Crónica de Juan II. Segunda parte*: 2232; *Crónica del Halconero*: 2293, 2293n.; *Generaciones y semblanzas*: 2453-2454; *Historia de don Álvaro de Luna*: 2918

OBRAS:

Libro de las claras e virtuosas mugeres: 2471, 2487, 2727, 2734, 2886, 2924n., 2986, 3164, 3221-3222, **3222-3254**, 3255, 3261, 3262n., 3294, 3336, 3662n., 3672; autoría y transmisión: 3223; autoridad literaria y política: 3245-3249, 3290; «disputador»: 3250-3252; materia del *Libro*: 3227-3245; *Proemio* de Juan de Mena: 3224-3226; «Prólogo» de don Álvaro: 3226-3227; tratamiento del amor: 3253-3254 (ver *Historia de don Álvaro de Luna*)

Luna, Juan de, hijo de Álvaro de Luna y Juana Pimentel (1435-1456): asedio de Atienza: 2917; caída de Á. de Luna: 2329, 2329n.; enemistad con Pacheco, prisión: 3559, 3564; huida de Burgos (1453): 2932; muerte de A. Pérez de Vivero: 2929; nacimiento: 2251, 2330

LUNA, PEDRO DE (Benedicto XIII) (1328/29-[1394]-1423): **2983-2997**; ante el cisma: 2230, 2382n., 2597, 2961, 2988; Aragón, Enrique de: 2477-2478; Arcediano de Niebla: 2752n.; biblioteca: 1753; biografía: 2983-2985; cardenal (1375): 2111; *Crónica de Enrique III*: 2109-2110; *Crónica de Juan II*: 2984-2985; Díaz de Toledo, Fernand: 2640; Ferrer, fray Vicente: 2955; López de Ayala, Pero: 2075, 2108; Luna, Álvaro de: 2906; Martínez de Toledo, Alfonso: 2691; Niño, Pero: 2387; opúsculos visionarios: 3088; Pérez de Guzmán, Fernán: 2420n.; relación con Fernando I: 2220, 2221-2222, 2224-2225, 2228-2229; SÍNTESIS Y CONCLUSIÓN: 3924, 3947

OBRAS:

Allegationes pro papa contra rebellantes: 2985n.

Libro de la consolación/de las consolaçiones: 2974, **2985-2997**, 3008; consolación espiritual: 2995-2997, estamental: 2989-2992, temporal: 2992-2995; «Prólogo»: 2986-2988

Replicatio contra libellum factum contra praecedentem tractatum: 2985n.

sermón (1390): 1903, **1907-1914**, 2143, 2589, 2961, 2983

Tractatus contra iudaeos: 2985n.

Tractatus de concilio generali: 2985n.

Tractatus de principali scismate: 2985n.

Luna, Pedro de, arzobispo de Toledo, tío de don Álvaro (m.1414): promoción de Á. de Luna: 2201, 2907

Luna, Pedro de, caballero aragonés (siglo XIV): *Crónica* de Ayala: 1804n.

Luna, Pedro de, hijo bastardo de Álvaro de Luna, señor de Fuentidueña (1420/30-d.1460): caída de Á. de Luna: 2925-2926, 2928; recuperación de Toledo (1450): 2920-2921; relación con Lieta de Castro: 3808 (*Libro de las veinte cartas*)

Luna, María, hija de don Álvaro de Luna (siglo XV): sepulcros de la Capilla de Santiago: 2903n.

Luna, María, mujer de Juan Hurtado de Mendoza (siglo XV): prima de Álvaro de Luna: 2200n.

Luna, Rodrigo de (siglos XIV-XV): defensa de Benedicto XIII: 2984

Luna, Rodrigo de, sobrino de Álvaro de Luna, arzobispo de Santiago (m.1460): *Crónica de Enrique IV*: 3492; expulsión: *Memorial de diversas hazañas*: 3524

luna, satélite: 838; luz lunar, metáfora del poder de don Álvaro: 2508-2509, 2921-2922, 2927

Luz, madre de don Pelayo: *Crónica sarracina*: 3346, 3354

Maça Lizana, Pero, caballero valenciano (primera mitad siglo XV): cartas de batalla: 2883-2885
Macabeos (siglos II-I a.C.):
hermanos: *Exemplos muy notables*: 3115; *Libro de confesión de Medina de Pomar*: 3043 (ver Jonatán Macabeo; Judas Macabeo)
madre: *Triunfo de las donas*: 3297 (ver *Libro de los Macabeos*)
Macaire: *Cuento de Carlos Maynes*: 1610, 1612-1613; *Otas*: 1664, 1672-1673
Macareo y Canaçe: *Bursario*: 3286
Macario, San (siglo IV): *vita*: 1874-1875
Macer herbolarium: 2773
Macías (segunda mitad del siglo XIV): *Cadira de onor*: 3303; modelo de amador: 3828; *Sátira de infelice e felice vida*: 3337; *Siervo libre de amor*: 3317, 3320-3321; *Triunfo de las donas*: 3266, 3270, 3291
Macrobio, Ambrosio Teodosio (siglos IV-V): *De regimine principum*: 1706; *Defunsión de don Enrique de Villena*: 2480; *Glosa* de García de Castrojeriz: 1713
OBRAS:
De saturnalibus: 2582
madama de Xirafontaina: ver Bellengues, Jeanne de
«Madama Regunda», infanta francesa (siglo XV): deseo de Juan II de casar con ella: *Crónica de Juan II*: 2193, 2267, 2724
Madasima: *Amadís*: 1543, 1560
Madián, príncipe: *Libro de las consolaçiones*: 2997
Madrastra (Mª): *Triste deleytaçión*: 3817-3832
madrastra aviesa, motivo: *Tristán*: 1516
Madreselva y Mauseol: cartas de Juan Rodríguez del Padrón: 3287, 3318n., 3338n.
Madrina: *Triste deleytaçión*: 3823-3827
maestrazgo de Santiago: Cueva, Beltrán de la: 3492, 3526, 3602; infante don Alfonso: 2260, 3492, 3494n., 3558; infante don Enrique: 2217, 2227, 2445n., deposición: 2289, 2316-2317; Lucas de Iranzo, Miguel: 3558; Luna, Álvaro de: 2193, 2202, 2252-2253, 2263-2264, 2296, 2304, 2723, 2897, 2905n., 2915, 2917, 2304, **3222**, 3256, 3324; Manrique, Rodrigo: 3533; Pacheco, Juan: 3497, 3499, 3558, 3586n.; reinado de Enrique IV, conflictos: 3487, 3497
Maestre Galter: ver Gautier de Châtillon
Maestre Gilberto/Sigiberto/Sujulberto, *Estoria de los reyes de África/moros*: *Berta. Crónica fragmentaria*: 1596; *Crónica de Alfonso XI*: 1266, 1278; *Crónica de Castilla*: 1230; *Crónica fragmentaria*: 1236n.; *Flores y Blancaflor*: 1584-1585, 1585n.; *Gran Crónica de Alfonso XI*: 1818; *Mainete. Crónica fragmentaria*: 1598n.
Maestre Pedro: ver Pedro Comestor, maestre
MAESTRE PEDRO (siglos XIII-XIV): *Castigos de Sancho IV*: 4027; exégesis escrituraria: 130n.; Manuel, don Juan: 1156n.; molinismo: 914, 978n., 4026; *Segundo filósofo*: 503n., 4010; *Zifar*: 1375, 1377, 1387n., 1394, 1447, 1458n.
OBRAS:
Libro del consejo e de los consejeros: **943-959**; formación del consejero: **951**-

958, 1698; modelo estructural: **949-951**; prólogo: **946-948**; SÍNTESIS Y CONCLUSIÓN: 3903; transmisión textual y autoría: 891, 917n., 918, **944-945**, 3075n., 4030; valor del «exemplo»: **958-959**
Maestro Guillermo: ver *Libro de los halcones*
«maestro Mahomat»: *Crónica del moro Rasis*: 2088
Maestro Roldán (siglo XIII): *Ordenamiento de las Tafurerías*: **363-364**
maestros:
maestro/discípulo, relación: *Barlaam*: 982, 992, 999; *Batalla campal de los perros contra los lobos*: 3773-3774; *Bocados de oro*: 463, **470**; *Castigos del rey de Mentón*: **1439**; *Diálogo e razonamiento en la muerte del marqués de Santillana*: 2571-2572; *Jardín de nobles donzellas*: 3661, 3675-3677; *Libro de Alexandre*: 28-37; *Libro de cetrería*: 1687-1688; *Libro de los buenos proverbios*: 442, 445, **447**; *Libro de toda la vida de nuestra Señora*: 3862, 3866, 3878, **3880**, **3887-3888**; *Libro del cavallero et del escudero*: 1112; *Libro del conde Lucanor*: 1162; *Libro enfenido*: 4034-4035; *Lucidario*: **899-906**; *Poridat*: 277, 283; *Qüistión entre dos cavalleros*: 3634; *Secreto de los secretos*: 289; *Sendebar*: 221; *Triste deleytaçión*: 3824; *Vidas y dichos de filósofos antiguos*: 2117, 2120; *Visión deleitable*: **2848**
maestro/rey: *Exemplos muy notables*: 3110
privilegios: *Partidas*: 567-570, 587
técnicas de exposición/escolares: *Bursario*: 3272, 3278; *Las çinco figuratas paradoxas*: 2649; *La consolación natural*: 2977; *Décadas*: 2137; *Espéculo de los legos*: 3106n.; *Oracional*: 3020; *Respuesta* de Cartagena: 2868; *Sátira de infelice e felice vida*: 3328; *Tractado de los sueños e de los agüeros*: 2815, 2817; *Tratado de la predestinación*: 2809; *El Victorial*: 2375, 2377
Mafalda/Mofalda de Narbona, sobrina del rey de Francia, esposa de don Alfonso de la Cerda (m.d.1348): *Crónica valeriana*: 2469n.
magia: amatoria: 3190; lunar: 632
Maginardo: ver Cavalcanti, Mainardo
magnanimidad: *Exortaçión*: 3659; *Flor de virtudes*: 3742
Magneo: ver Lucano
Magnificat: *Libro de toda la vida de nuestra Señora*: 3883-3884, 3887-3888
Magot, gigante: *Sumas de Historia Troyana*: 1646
Mahoma (*c*.570-632): *Castigos de Sancho IV*: 933; *General estoria VI*: 795; *Invencionario*: 3709; *Jardín de nobles donzellas*: 3664; *Lamentaçión de Spaña*: 2525; *Libro de las maravillas del mundo*: 4052; *Libro del amigo y del Amado*: 3366; *Libro del infante don Pedro de Portugal*: 3434; *Setenario*: 322; *Vida de San Isidoro*: 2712 (ver *Escala de Mahoma*)
Mahomat Abenquich: autor del *Lapidario*: 369
Mahomat el Xartosse de Guardafaxara, Maestro (siglos XIV-XV): debate sobre la predestinación: 2797
Maimónides (1135-1204): farmacología: 2757; *Visión deleitable*: 2842, 2844, 2847
OBRAS:
Guía o *Suma de perplejos*: 2541, 2834, o *Mostrador e enseñador de los turbados*: 2830n., 2834
Mainet: 1039, 1041, 1583

MAINETE:
 Crónica fragmentaria: 1236, 1580, 1584, 1588, **1597-1604**, 1622, 2698; construcción de identidad heroica: **1601-1603**; pérdida de identidad: **1599-1601**; recuperación de identidad familiar: **1603-1604**; SÍNTESIS Y CONCLUSIÓN: 3916
 Gran Conquista de Ultramar: 1080, 1080n., **1084-1092**; SÍNTESIS Y CONCLUSIÓN: 3916
Mainete, Carlos:
 Crónica fragmentaria: 1233, 1596, **1597-1604**, 1797n., 3197
 Gran conquista de Ultramar: 1059, 1080, 1084, **1084-1092**
 siglo XV: *Atalaya de las corónicas*: 2698-2699; *Corónica de A. Pérez de Guzmán*: 2462; *Mar de historias*: 2433
Maingote: *Berta. Crónica fragmentaria*: 1597; *Mainete. Crónica fragmentaria*: 1599 (ver Mayugot)
Majencio: ver Maussençia
«mal amor», noción: *Libro de las confesiones*: 1743-1744
«mal dezir»: defecto cortesano: *Estoria de Roboán*: 1430
Malachías/Malaquías, San (1094-1148): *Visión de don Túngano*: 1839
Malatesta, Sigismondo Pandolfo (1417-1468): *Oraçión de miçer Ganoço Manety*: 2583-2586
maldad: Alfonso X: 574; *Cavallero Plácidas*: 1360; *Cuento de Carlos Maynes*: 1609; *Del soberano bien*: 2167, 2171; *Espéculo de los legos*: 3107; *Generaciones y semblanzas*: 2450; *Libro de las tribulaciones*: 3011; *Libro de los doze sabios*: 257; *Libro del conoscimiento del fin del mundo*: 3086; *Viridario*: 2028-2029; *Zifar*: 1395
maldiciente cortesano, motivo: 1452, 3240; calumniador de la mujer: 3250, 3252, 3253, 3255-3256, 3259, 3263-3264, **3264-3266**; calumniador del hermano: 1668; «maldezir» femenino: 1449
maldición: de Alfonso X: 856; de Enrique IV: 2295; de Pedro I: 2091
maldición linajística, motivo: *Libro de las tres razones*: 1196; tratados apocalípticos: 3074
Malindre: *Enrique fi de Oliva*: 1628
Malón de Chaide, fray Pedro (1530-1589): *Santa María Madalena*: 1946
Malory, Thomas (m.1471): *Morte Darthur*: 1508
Malprian, conde: *Estoria del Cavallero del Çisne*: 1076
[al-] Maᶜmon, califa (siglo IX): 274, 440
[al-] Maᶜmun, instigador de «tablas de Azarquiel»: 639
mancebía:
 edad: *Carta e breve conpendio*: 3648; *Dichos de Séneca en el acto de la caballería*: 3145; *Estoria del infante Roboán*: 1441n.; *Exemplos muy notables*: 3114; *General estoria III*: 741; *Glosa castellana al «Regimiento de príncipes»*: 1715; *Libro de los doze sabios*: 247; *Libro del consejo e de los consejeros*: 956; *Lucidario*: 912; *Santo Domingo de Guzmán*: 1988; *Sendebar*: 222; *Setenario*: 314n.; *Siervo libre de amor*: 3318; *Tratado de cómo al hombre es necesario amar*: 3176; *Tratado de moral*: 3731; *Triunfo de las donas*: 3300
 engaños: *Libro de Graçián*: 3381, 3383, 3392; *Sátira de infelice e felice vida*: 3338

maestros: *Barlaam*: 990
virtudes y pecados: *Glosa castellana al «Regimiento de príncipes»*: 1714-1715
y vejez: *Esclamaçión* de Gómez Manrique y comentario en prosa de P. Guillén de Segovia: 3746n., 3753, 3753n.; Tratado de moral: 3731
(ver caballería manceba)
Mançión: *Cuento de Carlos Maynes*: 1614
mandamientos: *Arcipreste de Talavera*: 2675; *Diez Mandamientos*: **1009-1017**; Gutierre de Toledo, catecismo: 1856, 1858; *Libro de confesión de Medina de Pomar*: 3038; *Libro de la justiçia de la vida espiritual*: 1881-1887; Pérez, Martín, *Libro de las confesiones*: 1741; propaganda religiosa, molinismo: 1736; *Sacramental*: 3051
MANDEVILLE, JOHAN DE (siglo XIV): *Libro de las maravillas del mundo*: **1831-1833**, 2180, 3432, 3984, **4051-4056**; SÍNTESIS Y CONCLUSIÓN: 3922-3923
Mandrón: *Batalla campal de los perros contra los lobos*: 3769
manera «gruesa»: noción estilística: *Glosa* de García de Castrojeriz: 1709
Manetti, Giannozzo (1396-1459): Guzmán, Nuño de: 2581n., 2582; *Laudatio Agnetis Numantinae*: 2583n.; *Orazione a Gismondo Pandolfo de'Malatesta*: 2583-2586
«manía» poética: *Prohemio e carta*: 2536
Manifré: *Berta. Crónica fragmentaria*: 1595, 1600
maniqueos: *Barlaam*: 1000
mano/pie cortada/o, motivo: ver amputaciones en combate
Manrique, Gabriel, conde de Osorno (m.1482): prisión de López Pacheco, Diego: 3533-3534
Manrique, Gómez, adelantado mayor de Castilla, primo del adelantado Pedro Manrique (1356-1411): *Generaciones y semblanzas*: 2438n., 2447, 2458
MANRIQUE, GÓMEZ, hijo de Pedro Manrique, adelantado mayor de León, corregidor de Burgos y de Toledo (*c.*1412-1490): asedio de Cuenca (1449): 2301; Carrillo, Alfonso de: 3581, 3588, 3760; Cartagena, Teresa de: 3056, 3066; condena del bachiller de la Torre: 2830; corte letrada del infante don Alfonso: 3649; dimensión moral: 2776; Guillén de Ávila, Diego: 4066; Guillén de Segovia, Pero, «prólogos»: 3718; Lucena, Juan de: 3682; regimientos de príncipes: 3752; semblanza: 3749n.; sobrino de Í. López de Mendoza: 2520-2521
OBRAS:
Carta rimada: 2521
«Consolatoria» a doña Juana de Mendoza: 3057
epístola consolatoria a don Pedro González de Mendoza: 3728
epístola en verso a Diego Arias: 3723
Exclamaçión e querella de la gobernaçión: 2550, 3724, **3744-3746**
Representación del nacimiento de nuestro Señor: 3885n.
Manrique, Jorge, hijo de Rodrigo Manrique, comendador santiaguista (*c.*1440-1479): corte letrada del infante don Alfonso: 3649
OBRAS:
Coplas por la muerte de su padre: 473n., 2277n., 2495, 2957n., 3649-3650n.
Manrique, linaje: 2317, 2519, 3531, 3745
Manrique, Pedro I/Pero, adelantado mayor de León, señor de Treviño y de Paredes de Nava (1381-1440): bando del infante don Enrique: 2307, 2325,

2394n.; detención (1437): 2193, 2263, 2265, 2281, 2290, 2317, 2399, 2519, 2558, 2716, 2731, 2915; enemigo de Álvaro de Luna: 2264, 2318, 2406, 2411; Fernández de Velasco, Pedro: 2397; *Generaciones y semblanzas*: 2448; huida de Castilla (1422): 2237, 2911; liberación (1438): 2251, 2262; minoridad de Juan II: 2315; muerte: 2258; secuestro de Tordesillas (1420): 2326
Manrique, Pedro II, hijo de Rodrigo Manrique, comendador de Segura de la Sierra, II conde de Paredes (m.1481): toma del castillo de Montizón: *Hechos de Lucas de Iranzo*: 3574
Manrique, Rodrigo, hijo de Pedro Manrique, comendador santiaguista, I conde de Paredes de Nava, maestre de Santiago (1406-1476): asedio de Cuenca (1449): 2295; bando del infante don Alfonso: 3607; carta de relación: 2289, 2302, 2331, 2411; disputa por el maestrazgo de Santiago: 3533; enlace de Isabel y Fernando: 3530; oposición a Álvaro de Luna: 2265, a Enrique IV: 3488; retiro a Murcia (1449): 2304-2305; toma de Huéscar (1434): 2279, 2280n.
Manrique de Lara (m.1162): minoridad de Alfonso VIII: 66
mansedumbre: *Libro del consejo*: 954
Manso, Domingo: ver Domingo de Silos, Santo: 1018
Mantuano: ver Virgilio
Mantuano, Pedro: prologuista del *Seguro de Tordesillas* (1611): 2401
manual:
  de consejeros: ficción, modelos: 3153n.; *Libro de los exemplos*: **1161-1179**; *Libro del consejo*: **943-959**; *vitae*: 1341; *Zifar*: 1406
  de cortesía: *Libro de los cien capítulos*: 430; *Partida II*: 532, 564
  de formación de sacerdotes: *Elucidarium*: 907; *Libro de las confesiones*: 1743; *Libro del arçobispo de Sevilla*: 1877; Miscelánea, BN Madrid 8744: 3832; *Sacramental*: 3048-3049; siglo XIV: 1011
Manuel, Alfonso (m.1275): primogénito del infante don Manuel: 1095
Manuel, Blanca, hija de Fernando Manuel, nieta de don Juan Manuel (m.1360): 1202
Manuel, Constanza, hija de don Juan Manuel, esposa de Pedro I de Portugal (m.1345): acuerdo matrimonial con Alfonso XI: 1102, 1271; compromiso con el infante don Pedro: 1149, 1183, 1276; madre de Fernando I de Portugal: 1812; muerte: 1202; prisión en el castillo de Toro (1326): 1109, 1121, 1272; «reina» de Castilla: 1093
Manuel, Enrique I, hijo de don Juan Manuel e Inés de Castañeda, conde de Cintra y señor de Cascaes (siglo XIV): guerra con Castilla: *Crónica de Juan I*: 1812
Manuel, Enrique II, nieto de Enrique Manuel, conde de Montealegre (m.d.1419): enemigo de P. Niño: *El Victorial*: 2392
Manuel, Fernando, hijo de don Juan Manuel y Blanca Núñez de la Cerda, señor de Villena (*c.*1332-1350): destinatario del *Libro enfenido*: 1186, 1189, 1191, 1199, 4033, 4035-4036; dimensión linajística: 1098-1099, 1122, 3134; enlace de doña Juana Manuel y Enrique de Trastámara: 1773 (*Crónica* de Ayala); matrimonio con Juana de Espina: 1202; muerte de don Juan Manuel: 1203; primera mención: 1184; relación maestro-discípulo: 737, 1132
MANUEL, JUAN hijo del infante don Manuel, sobrino de Alfonso X, Adelantado de Murcia (1284-*c.*1348): **1093-1204**; Alfonso de Portugal: 1553n.; apadrinamiento: 857; *Cantigas prosificadas*: 1025-1026; conciencia literaria: 52-53, 58,

1755, 2493; conciencia nobiliaria: 206n., 1105-1107, 1258, 1631, 2836; cortesía: 846, 1388n.; *Crónica de Alfonso XI*: 1269, 1271-1276, 1278, 1281-1284; derrota del noble y venganza literaria: **1183-1204**; división de receptores: 347, 467, 1392, 1486, 2668; formación: **1094-1098**; formación del consejero: 953-954, 1606; fracasos políticos: **1121-1122**; linaje: 2336, 2340; maestro-discípulo, relación: 144, 278n., 737, 903n., 907n., 1439, 1600, 3773; mentalidad proverbial: 4060; molinismo: 920, 947-948, 1377, 1380, 1382, 1458, 1860; mundo-Dios: 426, 426n., 1653; obra literaria perdida: 4034; obra literaria y conciencia política: **1098-1121**; penitencia: 1863; Pérez, Martín: 4048; proverbios: 2534n.; regulación caballeresca: 434; relación con Alfonso X: 256, 1102-1121; relación con Alfonso XI: 979, 1121-1127, 1226, 1299, 1303, 1699, 1772, 1853-1854, 2102; relación con «regimientos de príncipes»: 1706-1707, 1729; religiosidad: 1889, 1903, 1906, 2012; *Segundo filósofo*: 4010; señorío de Villena: 2475; SÍNTESIS Y CONCLUSIÓN: 3906-3909; técnicas intelectivas: 427n.; terminología genérica: 447n., 701n.; traducciones: 2111, 2111n.; tratados caballerescos: **1109-1116**; últimos hechos: 1191-1192, **1202-1204**; *Zifar*: 1386, 1399, 1414, 1451, 1455

OBRAS:

Crónica abreviada: 420n., 649, 664n., 1102n., **1103-1108**, 1110, 1116, 1150-1151, 1153, 1199, 1201, 1227, 1230, 1236, 2090, 2696, 3545; *Crónica complida*: 1103-1104; SÍNTESIS Y CONCLUSIÓN: 3907

**Libro de la cavallería*: 1107, 1110, 1127

Libro de la caza: 839-840, 1102n., **1116-1122**, 1130, 1133, 1684, 1688n., 1690, 2037, 2039; SÍNTESIS Y CONCLUSIÓN: 3907

Libro de las armas: ver *Libro de las tres razones*

Libro de las tres razones: 1096, **1191-1198**, 2334; «Razón de la orden de caballería»: 1196-1197, 1239; «Razón de las armas»: 181n., 251, 1194-1196, 1239-1240, 1248, 1278; «Razón del rey don Sancho»: 1197-1198, 1284, 1904, 2336; SÍNTESIS Y CONCLUSIÓN: 3908

Libro de los estados: 144n., 255n., 701n., 840, 988, **988n.**, 1094, 1100-1101, 1103, 1110-1111, 1121, **1122-1148**, 1760, 2022, 2716n., 3379, 3384, 4034-4035; composición y estilo: **1141-1148**; 1153-1155, 1167, 1172n., 1179, 1184, 1187-1189, 1192, 1199, 1202, 1358, 1397n., 1699, 1737, 3845n.; diferentes títulos: 1128; estructura: **1128-1141**; niveles de significación: **1124-1127**; referencias suyas en el interior del *Libro de los estados*: 1126-1127, 4034; SÍNTESIS Y CONCLUSIÓN: 3907-3908

Libro del cavallero et del escudero: 701n., 1107, 1109, **1110-1116**, 1117, 1131, 1133, 1154-1155, 1167, 1329-1330, 1699, 1724, 1746, 1763, 1854, 1904, 2111n., 2860, 3774, 4034; SÍNTESIS Y CONCLUSIÓN: 3907

Libro del conde Lucanor: 196, 248n., 278n., 294n., 489, 840n., 851n., 870, 939n., 946n., 951, 956n., 990n., 997n., 1025, 1050n., 1102n., 1114, 1121, 1125, 1144, **1148-1183**, 1184-1185, 1190, 1192, 1201, 1388n., 1397n., 1445n., 1671, 1742, 1746, 1762n., 1865, 2011, 2014, 2019, 2024, 2032, 2468, 2674, 2678, 2798, 2890, 3042, 3094, 3103, 3108, 3141, 3375, **4031-4032**, 4034-4035, 4043; estructura y significado: **1153-1155**; influencia: 2441; manuscritos y transmisión: **1150-1153**; Parte V: 1154-1155, 1176-1177, **1181-1183**, 1199; SÍNTESIS Y CONCLUSIÓN: 3908; unidad narrativa del exemplo»: **1155-1159**

Libro de los exemplos: 447n., 903n., 996n., 997n., 1154, 1158, **1159-1179**; «Exemplo LI»: 1177-1178; «Exemplos LIII-LIV» (Ms. *P*): 4032; ordenación numérica: 1161-1163
Libro de los proverbios: 279, 903n., 1108, 1099, 1122-1123, 1148, 1151, 1154, 1158, **1179-1181**, 1190, 3729, 3984
Libro enfenido: 462n., 586n., 1098-1099, 1122, 1130, 1132, 1160, **1184-1191**, 1195, 1199, 1202, 1706, 3134, **4033-4037**; discurso sobre el amor: 1190-1191; estado de los defensores: 1188-1190; estructura y sentido: 1186-1190; marco de relaciones sociales: 1188; saber nobiliario: 1185; SÍNTESIS Y CONCLUSIÓN: 3908
Prólogo general: 1103-1104, 1128, 1198
**Reglas de cómo se deve trobar*: 1026
Tractado de la Asunçión: 1187, **1198-1202**, 1751, 2001, 3861; SÍNTESIS Y CONCLUSIÓN: 3909
Manuel, Juana, hija de don Juan Manuel, esposa de Enrique II, reina de Castilla (1339-1381): enlace con Enrique II: 1773; madre de Juan I: 1204, 1812; relación con Pedro I: 1806,
Manuel, linaje: 2077
Manuel, Sancho, alcaide de Murcia, hermano bastardo de don Juan Manuel (siglos XIII-XIV): 1099
Manuel, Violante, hija del infante don Manuel, esposa del infante don Alfonso de Portugal (1265-1314): muerte: 1095, 1553n.
Manuel Angelos, regente de Tesalónica, tío de doña Beatriz de Suabia (m.1241): 1095
Manuel de Castilla, infante, hijo de Fernando III, hermano de Alfonso X, padre de don Juan Manuel (*c.*1234-1283): apoyo a Sancho IV: 820, 857, 1116; bendición de Fernando III: 1107, **1194-1196** («Razón de las armas»); cazador: 840; muerte: 854; padre de don Juan Manuel: 979n., 1026, 1093; semblanza biográfica: **1095-1096**
Manuel de Lando, Ferrant (m.*c.*1450): disputas sobre predestinación: 2798; Torre, Fernando de la: 3798
manuscrito/libro:
búsqueda del (tópico): *Calila*: 277-278, **277n.**; *Décadas*: 2141; *Estoria de España*: 666; *General estoria*: 744; *Lapidario*: 365-366, 369; *Libro de cetrería*: 1687; *Libro de las cruzes*: 410-411, 413; *Libro de los judizios*: 405; *Poridat*: 277
compra de libros-manuscritos: 2146, 2425, 2582
manuscrito hallado: *Crónica sarracina*: 3357-3358; *Sergas de Esplandián*: 1571
mapa mundi: *Libro del conosçimiento*: 4050; *Libro del tesoro*: 875
mar: Cuajado: *San Amaro*: 1965-1967
y sol: Tratado de moral: 3732
Mar de historias: ver Pérez de Guzmán, Fernán
March, Jaume (1335-1410): Alfonso de Aragón, vínculos: 2476; fiesta de la *Gaya Sciència*: 3156n.
March, Pere (1338-1413): Alfonso de Aragón, vínculos: 2476
Marchas, conde de las: *Crónica de Juan II*: 2230
Marcia Varonis: *Tratado en defensa de virtuosas mugeres*: 3261

Marcial, San: *Castigos de Sancho IV*: 932
Marciano Capella (siglos IV-V): artes liberales: 27
OBRAS:
De nuptiis Philologiae et Mercurii: 2834, 2981
Marco Antonio (83-30 a.C.): *General estoria V*: 786, 791; *General estoria VI*: 793
marco geográfico: *Allegationes super conquesta Insularum Canariae*: 2628-2629; *Anacephaleosis*: 2621; *Diálogo de Epicteto*: 479; *La Fazienda de Ultramar*: 114, 116; *Libro de la montería*: 1696; *Libro de las cruzes*: 419; *Libro del tesoro*: 875; libros de viajes: 1822, 1825-1826; *Partidas*: 582; *Semejança del mundo*: 151, 153-154
marco narrativo:
de diálogos: *Libro de toda la vida de nuestra Señora*: 3863-3864; *Libro de vita beata*: 3688-3689
de disputas: *Visión de Filiberto*: 1762
de «exemplos»: *Barlaam*: 990; *Calila*: 182, 196-198, 201, 203, 209, 214, 218, 219-224, 225, 1317; *Exemplos muy notables*: 3110-3111; *Libro del conde Lucanor*: 1160-1161; *Sendebar*: 1317
de ficción: *Zifar*: 1382-1384
de hagiografía: *Miraglos de Santiago*: 1931; *Purgatorio de San Patricio*: 1845-1846
de la ficción sentimental: 3310-3311
de poemas alegóricos: 3718
de regimientos de príncipes: *Qüistión entre dos cavalleros*: 3629
de tratados en defensa de la mujer: *Cadira de onor*: 3300; *Tratado en defensa de virtuosas mugeres*: 3257; *Triunfo de las donas*: 3291-3293
de tratados sapienciales: *Castigos del rey de Mentón*: 1439-1441; *Castigos y dotrinas que un sabio dava a sus hijas*: 3135; *Libro de las consolaçiones*: 2986-2988; *Libro de los buenos proverbios*: 446; *Libro de los doze sabios*: 243-247, 248-252, 257, 287-288; *Libro de los estados*: 1125-1128; *Libro del cavallero et del escudero*: 1111; *Libros de acedrex*: 824-827; siglo XV: 3119
erotológicos: 2671n., *Tratado de cómo al hombre es necesario amar*: 3175
historiográfico de la ficción: 3341
sobre predestinación: *Diálogo sobre la predestinación*: 2799-2800
Marco, rey: preso por cartagineses: *Flor de virtudes*: 3742
Marcos/Mares, rey: *Tristán*: 1501, 1504, 1506, 1510, 1515-1517, 1522, 1524, 1526-1527, 1530-1531, 1534, 1544, 3319
Marculius: Tratado de retórica: 3733
Marcus, *frater*: *Visión de don Túngano*: 1834
Mardocheo (siglo VI a.C.): *General estoria IV*: 766; *Tratado en defensa de virtuosas mugeres*: 3230, 3262
Mare historiarum, noción: 2375
Mares, rey: ver Marcos, rey
Margarida, prima de doña Beatriz de Portugal: *El Victorial*: 3160
Margarita: *Libro de las claras e virtuosas mugeres*: 3244-3245
Margarita de los pleitos: ver Zamora, Fernando
marginalia: abreviación del *Libro de las confesiones*: 4043; *Bursario*: 3274; *Crónica de Juan II. Segunda parte*: 2233n., 2887; *General estoria*: 4012; *Lanzarote del*

Lago: 1473-1474, 3983; *Libro de devociones* de sor Constanza: 4070; *Ordenamiento Real de Medina del Campo*: 2856; *Sendebar*: 217; *Tratado en defensa de virtuosas mugeres*: 3258; *Tristán*: 1528; versión extensa de *Castigos de Sancho IV*: 4030 (ver glosas)

Mari Barba, aya de la infanta doña Catalina: *Crónica de Juan II*: 2236, 3157

María, noble: *Libro de las claras e virtuosas mugeres*: 3250

María, Virgen: ver Virgen María

María de Aragón, hija de Fernando de Antequera, esposa de Juan II, reina de Castilla (1403-1445): *Atalaya de las corónicas*: 2694-2695; «caída»: 3796; captura de Juan II (1441): 2272, 2291; dote nupcial: 3150; enlace con Juan II (1420): 2315; ficción sentimental: 3165, 3269; guerra entre Castilla y Aragón (1429): 2238; hija de Fernando de Antequera: 2080n.; liberación del infante don Enrique (1425): 2192; pérdida de Montalbán (1437): 2193, 2860; prometida de Juan II: 2230, 3156; seguro de Tordesillas (1439): 2407

marco letrado: *Cadira de onor*: 2718n., 3291, 3299-3300; *Las çinco figuratas paradoxas*: **2646-2648**, **2654-2655**, 4062; *Tratado en defensa de virtuosas mugeres*: 3256, 3258

María de Aragón, infanta, hija de Jaime II (1299-1316): enlace con el infante don Pedro: 1097; petición de libros alfonsíes: 1035,

María de Betania, hermana de Marta y de Lázaro: *Santa María Magdalena*: 1938

María de Brena/Brienne, emperatriz de Constantinopla: ver Brienne, María de

María de Castilla, infanta, esposa de Alfonso V, reina de Aragón (1401-1458): enlace con Alfonso V, séquito: 2351 (P. Niño), 2907 (Á. de Luna); Tafur, Pero: 3424

María de Champaña (1145-1198): corte letrada: 1464

María de Constantinopla/María Comnena, segunda esposa de Amauri I (*c.*1150-1208): *Gran Conquista de Ultramar*: 1049

María de Francia (siglo XII): lai *Lanval*: 1476n.; *L'Espurgatoire Saint Patriz*: 1843-1844

María de Lara, condesa de Alançón (siglo XV): reclamación del señorío de Vizcaya: 1794-1795

MARÍA DE MOLINA, esposa de Sancho IV, madre de Fernando IV, abuela de Alfonso XI (*c.*1265-1321): *Castigos de Sancho IV*: 913-914, 919-920, 926-927, **927-931**; *Crónica de Alfonso XI*: 1268, 1271, 1282, 1284; *Crónica de Fernando IV*: **1239-1249**; *Estoria del Cavallero del Çisne*: 1055, **1059**; *Gran Conquista de Ultramar*: 1036-1038; *Historia hasta 1288 dialogada*: 977, **977n.**; leyes siglo XIV: 1294, 1313; *Libro del consejo*: 944-945; literatura cortesana: 1683; Manuel, don Juan: 1093, 1096-1097, 1099-1101; materia artúrica: 1475, 1487, 1617; molinismo: 62, 316n., **857-863**, 891-892, 961, 1009, 2471; muerte: 1269; primer marco de la ficción narrativa: 1328, 1339, 1342, 1350, 1368n.; propaganda religiosa: 1735, 1737, 1836, 1853, 1860, 1906, 1921, 1936-1937, 2020; proyección del molinismo: **963**, 971, 1730; reinado de Fernando IV: 1225-1227; SÍNTESIS Y CONCLUSIÓN: 3901-3906; *Zifar*: **1375-1395**, 1413-1414, 1439-1444, 1699, 3152

María de Portugal, hija de Alfonso IV de Portugal, esposa de Alfonso XI, reina de Castilla (1313-1357): cerco de Toro (1356): 1806; enlace con Alfonso XI

y rechazo de Constanza Manuel: 1109, 1272; marco letrado: 1704; Pedro I/Pero Gil: 1777n.; relación del rey con Leonor de Guzmán: 1273n.
María Egipciaca, Santa (siglos IV-V): *Estoria de Santa María Egiçiaca*: **1343-1350**; *Libro de las claras e virtuosas mugeres*: 3239, 3242n., 3245; paralelos Ms. h-i-13: 1352, 1364, 1937, 1941, 1979, 1981; prosificación de la *Vida*: 1341
María Magdalena: nombre de tres Marías: 1937-1939
María Magdalena, Santa (siglo I): *Castigos de Sancho IV*: 933; *De los bienes que se siguen en la remenbrança de la muerte*: 3845, 3845n.; *Jardín de nobles donzellas*: 3669; *Libro de confesión de Medina de Pomar*: 3040; *Libro de las claras e virtuosas mugeres*: 3239, 3245, 3248; *Vida*: 1834, **1937-1946**
marido burlado, motivo: *Corbacho*: 3207-3208
Marín, hijo del rey Guillermo: *Estoria del rrey Guillelme*: 1365
MARÍN, PEDRO (siglo XV): sermones: 1903, **2961-2966**; SÍNTESIS Y CONCLUSIÓN: 3947
MARÍN, PERO (siglo XIII): *Miráculos romançados*: 1017, **1018-1022**, 1934n.; SÍNTESIS Y CONCLUSIÓN: 3905
Marina, virgen: *Libro de las claras e virtuosas mugeres*: 3245, 3248
Marineo Sículo, Lucio (1460-1533): consejero de Isabel I: 3677; nombre de «Cruel» de Pedro I: 1772
marineros, motivo: *Cavallero Pláçidas*: 1355; *Estoria del rrey Guillelme*: 1362; *Santa enperatrís*: 1370; *Santa María Madalena*: 1942; *Zifar*: 1405
«marlota»: juego de dados: 831
marqués: dignidad: *Cirimonial de príncipes*: 3603-3604; *Vergel de los príncipes*: 3624
Marqués de Ferrara: ver Este, Nicolás de
Marqués de Monferrato: ver Guillermo VII el Grande
Marqués de Santillana: ver López de Mendoza, Íñigo
Marquillos, bachiller: ver García de la Mora, Marcos
Marroquines, linaje: 3546, 3548
Mars/Marte/Mares: *Crónica del Halconero*: 3163; *Lapidario*: 375; *Libro de los iudizios*: 393-395; *Libro del grant açedrex*: 838; Ms. Vat.lat.reg. 1283: 634; *Setenario*: 323
Marte y Victoria: *Perfeçión del triunfo*: 3779n.
Marta de Betania, Santa, hermana de Lázaro y de María (siglo I): *Libro de las claras e virtuosas mugeres*: 3239, 3244; *Milagros de San Antonio*: 3852; *Vida*: 1938, 1940, **1946-1952**
Martín I de Aragón, el Humano (1356-[1396]-1410): marco letrado occitánico: 2472, 2477-2478; Niño, Pero: 2387; sermón político: **1914-1916**; sucesión aragonesa: 2217, 2218n.
Martín IV, papa (*c.*1210/12-[1281]-1285): anatema contra Sancho IV: 854; muerte: 858
Martín V, papa (1368-[1417]-1431): Concilio de Constanza: 3844; Eucaristía, liturgia: 3035; Luna, Álvaro de: 2893; traducción de Bruni de la *Ética* de Aristóteles: 2611
Martín/Mártir, Pedro, dominico: atribución *Leyenda de Santo Tomás de Aquino*: 1996n.
Martín, Raimundo (siglo XIII): *Pugio Fidei adversus Mauros et Judaeos* (*c.* 1275): 1750n.

Martín de Aragón, el Joven, rey de Sicilia (1376-1409): muerte y sucesión aragonesa: 2217, 2227
Martín de Ávila, escudero y traductor de Í. López de Mendoza (siglo XV): 2541-2543, 2550; cronista real: 3482, 3482n.; traductor de la *Arenga ante Alfonso V de Portugal*: 3636, de las *Genealogiae deorum*: 2522
MARTÍN DE CÓRDOBA, fray, teólogo agustino (fin siglo XIV-*c*.1476): **2784-2797**, **2803-2811**, **3661-3677**; Chinchilla, Pedro de: 3644; *Libro de las diversas historias*, atribuido: 2785; *magister*: 3675-3677; marco letrado de Juan II: 2630; Observancia agustina, conflictos: 2784, 2957; regimientos de príncipes: 3664; relación con la corte: 2794n., 2936; SÍNTESIS Y CONCLUSIÓN: 3943-3944, 3963-3964
OBRAS:
Ars praedicandi: 1902
Compendio de la fortuna: 2777, 2779, **2784-2797**, 2841, 2886, 2936, 3012, 3095, 3645, 3661, 3677n., 3751
Jardín de nobles donzellas: 2784, 2786n., 3178n., 3590, **3661-3677**; «Parte I»: 3665-3668; «Parte II»: 3135, 3668-3672; «Parte III»: 3672-3675; «Prohemio»: 3663-3665; técnicas discursivas: 3675-3677; transmisión: 3663-3663
Tratado de la predestinación: 2784, 2786n., **2803-2811**, 3241n.
Martín de Larraya (siglo XV): copista del *Libro de las generaciones*: 104
Martín de Tours, San (*c*.316-397): *Castigos de Sancho IV*: 932-933; homilía: 2968n.
Martínez, Alfonso, palentino (siglos XIII-XIV): lealtad a María de Molina: *Crónica de Fernando IV*: 1251
Martínez, Ferrán, arcediano (siglos XIII-XIV): corrector de la cancillería toledana: 861n.; penitencia: 1737; *Zifar*: **1383-1386**, 1391, 1402, 1402n., **1457-1458**, 1457n., 1458n.
Martínez, Ferrand, arcediano de Écija (siglo XIV): asalto de las aljamas de 1391: 2076, 2956n.
Martínez, Nuño, escribano de Juan II (siglo XV): 2292n.
Martínez, Sancho, «falconero»: 1275
Martínez de Ampiés, Martín (siglo XV-1513): traducción del *Llibre del arte de menescalia*: 849
OBRAS:
Libro del Anticristo: 3084, 3847n.
Libro del judicio postrimero: 3847n.
Triumpho de María: 3861
Martínez de Leiva, Juan (siglo XIV): *Crónica de Alfonso XI*: 1299n.
Martínez de Logrosán, Alfonso, deán (siglo XV): corresponsal del Arcediano de Niebla: 2748, 2750
Martínez de Luna, Juan, abuelo de don Álvaro de Luna (siglo XIV): linaje: 2906
Martínez de Medina, Gonzalo, poeta (m.1434): ajusticiamiento: 3267
Martínez de Medina de Rioseco, Ruy: copista del Ms. *E* de la *Versión vulgata* de la *Crónica de Alfonso XI* (1376): 1261, 1817
Martínez de Osma, Pedro, catedrático de Teología (1427/30-1480): conciencia crítica: 3554n.; discípulo de A. Fernández de Madrigal: 4061; disputa con Juan López de Salamanca: 3837n., 3860

MARTÍNEZ DE TOLEDO, ALFONSO, arcipreste de Talavera (1398-*c.*1460): **2661-2713**, **4063-4065**; atribución del *Invencionario*: 3702-3703; biografía: 2662-2665; marco letrado de Juan II: 2630; romanceamiento de San Isidoro: 2163; SÍNTESIS Y CONCLUSIÓN: 3941-3942; terminología literaria: 1339
OBRAS:
Arcipreste de Talavera o *Libro del Arcipreste* o *Corbacho*: 1718, 1903, 2122, 2498, 2533, 2663-2664, **2665-2694**, 2702, 2969, 3095, 3208n., 3218, 3221, 3645, 3662n., 3670; amplificación narrativa: 2692-2694; «epílogo»: 2666-2667; Parte primera: 2672-2676; Parte cuarta: 2686-2694; Partes segunda y tercera: 2676-2686, 3138n.; prólogo: 2668-2672; teatralidad: 4063-4065
Atalaya de las Corónicas: 2662, 2664-2665, **2694-2700**, 2711, 2711n., 3703; materiales cronísticos: 2697-2700, 3344; «Prólogo»: 2694-2697
Vitae: 2700-2713; *Vida de San Ildefonso*: 1922n., **2702-2709**; *Vida de San Isidoro*: 2159, **2709-2713**
Martorell, Joanot (*c.*1413/15-1468): *Tirant*: 1831
máscaras y fiestas: *Hechos de Lucas de Iranzo*: 3578-3579
Mascó, Domènec (siglo XIV): traductor al catalán del *De amore*: 3215n.
Maslama de Madrid, astronómo árabe: *Libro del saber de astrología*: 614, 639
Mata, Alfonso de, escudero de Juan II (siglo XV): *Andanças e viajes* de Pero Tafur: 3415
matemáticas: *Etimologías* romanceadas: 2162
Mateo, San (siglo I): homilías de San Juan Crisóstomo: 2163; homilías del Ms. 49, Catedral de Pamplona: 2970; Sánchez de Vercial: 3051
Mateo de Vendôme (siglos XII-XIII): *Ars versificatoria*: 40n.
Mateos, Gonzalo: *Crónica de la población de Ávila*: 170, 172, 179
materia:
artúrica: ajena a la corte alfonsí: 590n., 797, 1318, 3152; *Crónica de 1404*: 2085-2086; *Demanda del Santo Grial*: **1492-1505**; derivaciones de la *Post-Vulgata*: **1475-1505**, 3983, **4038-4040**; *General estoria*: 730; historias de Merlín: **1481-1492**; *Istoria de las bienandanzas e fortunas*: 3550, 3550n., 3552; *Libro de Josep Abarimatía*: **1478-1481**; *Libro de las Generaciones*: **104-110**; *Mar de historias*: 2433; marcos de desarrollo: 564, 1230, 1337, 1342; materiales de la *Vulgata*: **1470-1475**, 3983, 4037; molinismo: 1327-1328; Ms. 77, Bibl. Menéndez Pelayo: 1873; Ms. B.U.Salamanca 1877: 983, 1469, 1477, 2972; *Muerte de Arturo*: **1503-1505**; reinado de Enrique IV: 3760; relación con el *Amadís*: 1542-1547; *romances* de materia artúrica: **1459-1577**, 2111n., 3340, 3357; SÍNTESIS Y CONCLUSIÓN: 3915-3916; *Sumas de Historia Troyana*: 1646; tradición del *Tristán*: **1505-1540**; tramas y ciclos: **1462-1469**; *El Victorial*: 2382, 3218; *Zifar*: 1416
autobiográfica: *Fiammetta*: 3203; López de Córdoba, Leonor: 2334-2350; Manuel, don Juan: 1185, 1192-1198
caballeresca: corte de Juan II: 3193; *Gran Conquista de Ultramar*: 1037-1038; libros sapienciales: 436, 443; *Partida II*: 540, 563; *Siervo libre de amor*: 3316-3322; transformaciones de la primera mitad del siglo XV: 3340-3358
carolingia/de Francia: *Crónica de 1404*: 2087; *Estoria del Cavallero del Çisne*: 1075; ficción, modelos: 1318, 1327-1328; *Gran Conquista de Ultramar*:

1031, 1034; *Istoria de las bienandanzas e fortunas*: 3550; *Lamentaçión de España*: 2525; *Libro de confesión de Medina de Pomar*: 3042; mocedades: 1037, 1041; molinismo: 1631; orden sentimental, 3152-3153, 3197; *romances*: 1059, **1080-1092**, 1230, **1236-1237**, **1577-1630**; SÍNTESIS Y CONCLUSIÓN: 3906, 3916-3917; textos: 1039
de Bretaña: ver materia artúrica
de Grecia: *General estoria I*: 718, 722; *Libro del tesoro*: 876; materia de la Antigüedad: 1657; materia troyana, relación: 798; *Sumas de historia troyana*: 1637, 1639
de la Antigüedad/de Roma: *Amadís*: 1564; *Carta e breve conpendio*: 3646; *Embajada a Tamorlán*: 2177; ficción, modelos: 1318, 1328, 1337, 3152; *Flores*: 1590, 1593; *Historia de don Álvaro de Luna*: 2920; *Lamentaçión de España*: 2525; *Mar de historias*: 2428; materia troyana: 799; *Partidas*: 596; *romances*: **1655-1682**; *Setenario*: 320; SÍNTESIS Y CONCLUSIÓN: 3917-3918; *Sumas de historia troyana*: 1639-1640; *El Victorial*: 2382
de las Cruzadas: Alfonso X: 797; *Crónica de 1404*: 2086; *Fazienda de Ultramar*: 119, 122; *Gran Conquista de Ultramar*: 1029, 1035, 1038, 1051-1055; *Mar de historias*: 2430; materia carolingia: 1580-1581; materia historiográfica: 1631
de Tebas: *General estoria II*: 722, 724-725
de Troya: Alfonso X: 797-798; Alfonso XI: 1260; *Amadís*: 1548, 1555, 1564; *Andanças e viajes* de Pero Tafur: 3415; *Castigos de Sancho IV*: 934; Chinchilla, Pedro de, traducciones: 3639-3640, 3643; *Crónica de 1404*: 2087; *Crónica de Enrique IV*: 3480; *Cuento de los Reyes*: 2092; *Embajada a Tamorlán*: 2177, 2183; evolución: **4019-4022**; ficción, modelos: 1318, 3197; *Generaciones y semblanzas*: 2441; *General estoria*: 709, 717, 720, 722, 726-727, 737-738; *Gran Conquista de Ultramar*: 1029; *Istoria de las bienandanzas e fortunas*: 3550; *Lamentaçión de España*: 2525; *Libro de las generaciones*: 104; *Libro de las veinte cartas*: 3796; *Libro del infante don Pedro*: 3435; *Libro del tesoro*: 873; López de Mendoza, Íñigo: 2540n.; *Mar de historias*: 2427; materia de la Antigüedad: 1655, 1657; materia historiográfica: 1631; *Qüistión entre dos cavalleros*: 3634n.; *Semejança del mundo*: 154; siglo XIII: **798-802**; siglo XIV: **1631-1649**; SÍNTESIS Y CONCLUSIÓN: 3900-3901, 3917; *Sumas de la Ilíada*: 2736; *El Victorial*: 2382, 3218
de Ultramar: *Anales Toledanos terceros*: 169; *Enrique fi de Oliva*: 1618, 1626; ficción, modelos: 1464; *Gran Conquista de Ultramar*: 1029-1055; *Libro de confesión de Medina de Pomar*: 3042
épica: *Atalaya de las Corónicas*: 2697; *Crónica de los Estados Peninsulares*: 1287; *Crónica de los Reyes de Navarra*: 3538; *Estoria de España*: 651-652, 667-668, 671-672, 674; *Estoria del Cavallero del Çisne*: 1069; ficción, modelos: 1318; *Gran Conquista de Ultramar*: 1046; *Istoria de las bienandanzas e fortunas*: 3551; *Partida II*: 540, 563; *Repertorio de Príncipes*: 3544
historiográfica: *Gran Conquista de Ultramar*: 1034; *romances*: **1631-1655**; SÍNTESIS Y CONCLUSIÓN: 3917
tristaniana: desarrollo: 1511; orden sentimental: 3153, 3197; relación con el *Amadís*: 1542
matière, noción: Chrétien de Troyes: 1464-1465

matrimonio: dilación: 1432; elección de: 3101, 3127; «governamiento conyugal»: 1716-1717, 1742; motivo: 1364; noción: 2163; obligaciones marido-mujer: 928-929; origen: 3706, 3715; rechazo: 3825; salvación del alma: 502; secreto: 1498, 1574, 2392, 3161; segundo matrimonio, motivo: 2465; signos: 3716; tratados matrimoniales: 3134-3139, 3662, 3662n., 3872, 3875; valoración: 3665; y caballería: 1465
Mauro, Rábano: ver Rabano Mauro
maurofilia: *Gran Crónica de Alfonso XI*: 1818, 1818-1819n.
Mauseol: cartas de Juan Rodríguez del Padrón: 3318n., 3338n.
Mausolo/Mausoleo, rey (siglo IV a.C.): *Libro de las claras e virtuosas mugeres*: 3238; *Tratado en defensa de virtuosas mugeres*: 3261
Mausona/Masona, obispo de Mérida ([*c.*573-606]): *Vida de San Isidoro*: 2712
«Maussençia/Maxentius»/Majencio, emperador romano (*c.*280-312): *Libro de las claras e virtuosas mugeres*: 3239, 3244; *Santa Catalina*: 1954-1956
Maximiano, emperador romano (*c.*250-310): *Santa Catalina*: 1955n.
Maximiano, San: *Santa María Madalena*: 1940
Mayogot de París/Mayugot: *Mainete*. *Gran Conquista de Ultramar*: 1080, 1085, 1088-1089, 1091-1092
Mayórica, Juan de: copista de *Secretos de medicina* (1471): 2772
Mazuela, Juan de, poeta cortesano (mitad siglo XV): círculo letrado de Carrillo: 3581n.
Medargis: *Bocados de oro*: 459, 463; *Dichos e castigos*: 3126n., 3127n.
Medea: *Andanças e viajes* de Pero Tafur: 3412; *Breviloquio de amor y de amiçiçia*: 3168; *Bursario*: 3280, 3284; *Flor de virtudes*: 3742; *General estoria II*: 725, 730; *Libro de las claras e virtuosas mugeres*: 3229n.; *Sumas de Historia Troyana*: 1635, 1637, 1639, 1641; *Tratado de amor*: 3187; *Tratado de cómo al hombre es necesario amar*: 3179
Medea: Ms. 3190 de la Bibl. de Cataluña: 3123
mediadores de amores: *Crónica de Juan II*: 3157; *Genealogiae deorum gentilium*: 3199; *Libro de las claras e virtuosas mugeres*: 3245, 3254n.; *Tratado de amor*: 3189; *Triste deleytaçión*: 3821-3822, 3826; *El Victorial*: 3161
medicina, arte-tratados: aplicaciones: 2788-2789; *Invencionario*: 3708; «melezinas», *similitudo*: 947, 1731; *Secreto de los secretos*: 293; siglo XV: 2714, **2756-2775**
Medina, Gonzalo de, juez de Mondoñedo ([*c.*1430]): Rodríguez del Padrón, Juan: 3267; *Siervo libre de amor*: 3310, 3313, 3324
Medina, Juan de, escribano de Juan II (siglo XV): 2415
Medinaceli, linaje: 2461, 3591
Medinasidonia, linaje: 3476
Medusa y Julián: *Tratado e despido a una dama de religión*: 3802
Mela, Pomponio, geógrafo (siglo I d.C.): *Compendiosa Historia Hispanica*: 3555
Meleagant: *Lanzarote*: 1472
Meleagro, leyenda: *General estoria II*: 725
Meléndez, Pero: *Libro del conde Lucanor*: 1168
Meliadux: *Tristán*: 1515
Melibea: *La Celestina*: 1568, 2775n., 3284n.
Melusina: relatos de linajes: 1043n.
Membrot: *Sumas de Historia Troyana*: 1641

«memoratura», arte: *Coloquio de la Memoria, la Voluntad y el Entendimiento*: 3377
memoria: histórica: 167, 171, 3194; nobiliaria: 1191-1198; personal: 2041; potencia: 2816, 3196, 3278; tópico: 966
Memoria, personaje alegórico: *Coloquio de la Memoria, la Voluntad y el Entendimiento*: 3369, 3371-3377, 3383
***memoria* retórica**: *Arte memorativa*: 3368-3373; *Libro del tesoro*: 885-886
memorial:
  de hechos: *Embajada a Tamorlán*: 2177; *Hechos de Lucas de Iranzo*: 3565; *Seguro de Tordesillas*: 2412-2417; *El Victorial*: 2350, 2357-2358, 2379
  de reyes: *Generaciones y semblanzas*: 2440
  de virtudes: *Crónica de Juan II*: 2218
MENA, JUAN DE (1411-1456): **2727-2747**; Aragón, Enrique de: 2482, 2490; biografía: 2112, 2728-2730; Burley, Walter: 2118; comentario a la *Coronación*: 2730-2734, 2744, 3584; cronista real: 2210, 2269-2270, 2270n., 2740-2741, 2859n., 2924n., 3482, 3508, 3762; fortuna: 2776; glosas y exégesis: 2512n., 3199; Guillén de Segovia, Pero: 3580, 3581n.; *Historia de don Álvaro de Luna*: 2924, 2924n.; personaje del *Libro de vita beata*: 2527, 2602, 3678, 3687, 3689-3701; linaje: 2729; López de Mendoza, Íñigo: 2523; marco letrado de Juan II: 2472, 2630, 2648; semblanza: 3693; SÍNTESIS Y CONCLUSIÓN: 3943; Tafur, Pero: 4076; tratados genealógicos: 2740-2747; visión alegórica: 2835
  OBRAS:
  Arte poética castellana en coplas: 3183n.
  Coronación: 2727, 2730, 3200
  Ilíada, versión: 2564n., 2727
  Laberinto de fortuna: 2481, 2729-2730, 3182, 3184n., 3190n., 3200, 3728, 3747
  Memorias de algunos linages: 2175n., 2442n., 2729, **2745-2747**
  «Prohemio» al *Libro de las claras e virtuosas mugeres*: 2734, 2785, 3223, **3224-3226**
  Sumas de la Ilíada de Omero: **2736-2740**
  Tratado sobre el título de duque: 2728n., **2741-2745**
  ATRIBUCIONES:
  Tratado de amor: 2666, 2730, 2733, **3181-3190**, 3192, 3202n., 3213, 3310, 3312, 3338n.; «reprobatio amoris»: 3188-3190; «tratado» sobre el amor: 3183-3187
Mena y Roelas, Gonzalo de, obispo de Burgos ([1388-1393]): receptor del *Libro de la caza de las aves*: 2039-2040
Mencía, abuela de Í. López de Mendoza (siglo XIV): *Prohemio e carta*: 2536
Méndez de Badajoz, García, capitán de Enrique IV (m.1468): prisión: *Hechos del arzobispo don Alfonso Carrillo*: 3587
Mendoza, Íñigo de, capellán de Isabel I (*c*.1425-*c*.1508): atribución de las *Coplas de Mingo Revulgo*: 3744; *Sermón trobado al rey don Fernando*: 1903
Mendoza, Juan de, poeta (siglos XV-XVI): *Cancionero de Juan Fernández de Híjar*: 3728
Mendoza, Juana de, mujer de Alfonso Enríquez (*c*.1361-1431): liberación de un preso en 1426: *Crónica de Juan II*: 2631-2632
Mendoza, Juana de, mujer de Gómez Manrique, hija de Diego Hurtado de Mendoza (m.1493): Teresa de Cartagena, vínculos: 3056-3057, 3057n., 3066-3067

Mendoza, linaje: 2408n., 2420n., 2516, 2558, 3476, 3497, 3499, 3502, 3678, 3700
Mendoza, Lope de, arzobispo de Santiago (*c.*1365-1445): *Generaciones y semblanzas*: 2449; instigador del *Regimiento contra la pestilencia*: 2768
Mendoza, Mencía de, hija de Diego Hurtado de Mendoza, duquesa de Alburquerque (siglo XV): esposa de Beltrán de la Cueva: 3490
Mendoza, Pedro de, señor de Almazán, sobrino de Í. López de Mendoza (m.1474): cartas de batalla: 2883-2885; traducción de Séneca: 2539, 2539n.
Menelao: *General estoria II*: 725; *Historia troyana polimétrica*: 809, 814
Menino, Pero (segunda mitad siglo XIV): *Libro de falcoaria*: 2039-2040, 2046, 2850; López de Ayala, Pero: 2038n., 2039n.
«menos valer»: Alfonso X: 590
mentira, motivo: *Arcipreste de Talavera*: 2679; *Espejo del alma*: 3001; *Flor de virtudes*: 3742; *Libro del conde Lucanor*: 1170, 1177, 4031; Tratado de moral: 3730; Tratado de retórica: 3734
Mentón, rey de: 1408-1411, 1906 (ver *Libro del cavallero Zifar*)
mercader: Alfonso X: 587; ficción: 1362, 1364-1365; hagiografía: 1932-1933; *Libro de Graçián*: 3392, 3395; Manuel, don Juan: 1189, 3375; modelo: 488-489, 499 (ver Escot)
Mercurio: *General estoria*: 698, 698n., 722, 722n., 768; *Libro de los iudizios*: 1336; *Libro del grant açedrex*: 838
  e Io: *Tratado de amor*: 3186
Mergelina, hija del emperador de Constantinopla: *Enrique fi de Oliva*: 1620, 1627-1630
Merlin: 1466-1469, 1481
Merlín: *Cuento de Carlos Maynes*: 1617; Díaz de Games, Gutierre: 2382; *Historia regum Britanniae*: 1463; *Istoria de las bienandanzas e fortunas*: 3552; *Libro de las generaciones*: 107; *Mar de historias*: 2433; materia de Tristán: 1515, 1537; *Post-Vulgata*: 1468, 1475-1477, 4038-4039; profecías: 1802n., 3089, 3218, 4038; sermón sobre el Corpus Christi: 2972; textos vernáculos: **1481-1492**, 1575, 1581; versión gallego-portuguesa: 4038
Mesa Redonda: *Baladro del sabio Merlín*: 1488-1490; *Demanda del Santo Grial*: 1492, 1499-1500, 1502; *Tristán*: 1512, 1524-1526, 1532-1533
  juego: *Mainete. Crónica fragmentaria*: 1600; *Mainete. Gran Conquista de Ultramar*: 1085-1086
Mesealla, filósofo: *General estoria II*: 731
mesianismo: *Castigos de Sancho IV*: 1698; *Espéculo*: 343; *General estoria IV*: 759; *Libro del regimiento de los señores*: 2937; *Lucidario*: 898; *Mar de historias*: 2434
mesura: cortesana: 839-840, 1430, 1449; espiritual: 2996; matrimonial: 3138; noción alfonsí: 574
metafísica: *Glosa castellana al «Regimiento de príncipes»*: 1718; *Setenario*: 317
metáfora, oculta: 2648-2650
Metge, Bernat (*c.*1343-1413): Aragón, Enrique de: 2478; Martínez de Toledo, Alfonso: 2664
métodos propedéuticos: *Epistula* a Pedro Fernández de Velasco: 2615-2617; *Respuesta* de Cartagena: 2868; *Tractado de los sueños e de los agüeros*: 2815; *Tratado de la predestinación*: 2809; *Visión deleitable*: 2838

Metolos, linaje romano: *Historia de don Álvaro de Luna*: 3251
métrica: ver versificación métrica
metricum: metro, diferencia con prosa: 3748; modo estilístico: 39
metrificador: 2995; estilo metrificado, defensa: 2592; «metrificadura»: 3018; presentación: 3723-3724
Mexía, Fernán, caballero veinticuatro (siglo XV): 3541n.; atentado contra M. Lucas de Iranzo: 3571, 3575
OBRAS:
Nobiliario vero: 3541n.
Micer Persio: *Flores y Blancaflor*, siglo XVI: 1590
Micol, mujer santa: *Libro de toda la vida de nuestra Señora*: 3874
Midas, rey: *Sumas de Historia Troyana*: 1641
Midrásh: Alfonso de Valladolid: 1755
miedo: *Flor de virtudes*: 3742
Miguel VIII Paleólogo, emperador de Bizancio (1224-[1261]-1282): captura de Balduino II: 974n.
Miguel, San: *Santa Marta*: 1950
mil y una noches, Las: *Historia de la donzella Teodor*: 482-484, 491, 502; *Segundo filósofo*: 4010
milagros, *miracula*: *Barlaam*: 992; *Castigos de Sancho IV*: 934, 4027; *Crónica de Alfonso XI*: 1283; *Crónica particular de Fernando III*: 1243n., 1246-1247; *Crónica sarracina*: 3347; *Cuento de Carlos Maynes*: 1606, 1610; *De rebus Hispaniae*: 167; *Del soberano bien*: 2165; *Demanda*: 1502; *Espéculo de los legos*: 3104; *Flores*: 1588; hagiografía: 1916, 1927; *Libro de Josep Abarimatía*: 1478; *Libro de las maravillas del mundo*: 1832; *Libro de los buenos proverbios*: 446n.; *Libro de los exemplos por a.b.c.*: 3100; *Memorias* de Leonor López de Córdoba: 2344; *Santa enperatrís*: 1366, 1369; *Santa María Madalena*: 1942; *Santo Domingo de Guzmán*: 1987-1988, 1992-1995; *Visión de don Túngano*: 1837; *Zifar*: 1400-1401, 1405
de San Antonio: 3850-3855
de Santiago: 1930-1936
Milagros de San Antonio: Miscelánea, BN Madrid 8744: **3850-3855**; SÍNTESIS Y CONCLUSIÓN: 3968
Miles: *Otas*: 1661-1662, 1664, 1666-1671, 1673
milicia eclesiástica: ver caballería espiritual
Millán, San (m.574): 1927n.
Minerva: *Las diez qüestiones vulgares*: 2659; *Libro de las claras e virtuosas mugeres*: 3236; *Tratado en defensa de virtuosas mugeres*: 3261; *Triunfo de las donas*: 3296n., 3300
árbol de: *Siervo libre de amor*: 3317, 3323
Belona: *Libro de las claras e virtuosas mugeres*: 3236n., 3237
miniaturas: códices alfonsíes: 600, 821n., 829; códices de Sancho IV: 914n., 917n., 1024, 1030, 1440; Fernández de Heredia, Juan: 1651; *Libro de la montería*: 1694, 1694n.; *Tristán*: 1509n., 1525n., 1528-1529; *Zifar*: 1373n.
Minotauro: *Triunfo de las donas*: 3298
Mirabel, conde: *Estoria del Cavallero del Çisne*: 1074
mirabilia: *Andanças e viajes* de Pero Tafur: 3412, 3414; *Confesión del amante*: 3218; *Crónica de Juan II*: 2261; *Crónica del Halconero*: 2291-2292, 2292n.; *Crónicas anónimas de Sahagún*: 1023; *Embajada a Tamorlán*: 2180-2181, 4057; *Estoria del*

Cavallero del Çisne: 1060, 1602-1603; *Fazienda de Ultramar*: 114; *General estoria*: 771-772, 795; *Historia troyana polimétrica*: 810; *Lapidario*: 374-376; *Libro de las maravillas del mundo*: 3984; *Libro del conosçimiento*: 4050; *Libro del grant açedrex*: 834; *Libro del infante don Pedro de Portugal*: 3431-3432, 3436; *Libro del tesoro*: 875, 876-877; libros de viajes: 1823; *Memorial de diversas hazañas*: 3524-3525, 3530; *Purgatorio de San Patricio*: 1846; *San Amaro*: 1964; *Semejança del mundo*: 153; *El Victorial*: 2363, 2385-2386; *Visión de don Túngano*: 1840-1841
Miracula Beatae Mariae Virginis: 4073
Miraglo de Sanct Andrés: Miscelánea, BN Madrid 8744: 3833, **3847-3849**; SÍNTESIS Y CONCLUSIÓN: 3968
Miraglos de la Virgen María: 3100n.
Miraglos de Sant Antonio: 3833 (ver *Milagros de San Antonio*)
Miraglos de Sant Gerónimo: 3040
MIRAGLOS DE SANTIAGO: **1930-1936,** 1989; SÍNTESIS Y CONCLUSIÓN: 3924-3925
Miramomelín: *Flores y Blancaflor*: 1586
Miranbel, rey: *Enrique fi de Oliva*: 1627
Miranda, doctor: *El Victorial*: 2354
Miraxan Miraça: *Embajada a Tamorlán*: 2186n.
Mirra: *Breviloquio de amor y amiçiçia*: 3172; *Tratado de amor*: 3187
MISCELÁNEA CATEQUISMAL DEL MS. 77, BIBL. MENÉNDEZ PELAYO: 1859-1875; SÍNTESIS Y CONCLUSIÓN: 3923
MISCELÁNEA DE DOCTRINA RELIGIOSA DEL BN MADRID 8744: 3832-3859; formación y datación: 3832-3833; oraciones y plegarias: **3858-3859**; SÍNTESIS Y CONCLUSIÓN: 3968; tratados apocalípticos: **3846-3847**; tratados de espiritualidad: **3833-3836**; tratados de hagiografía: **3847-3857**; tratados de reflexión moral: **3844-3845**; tratados de reforma eclesiástica y conventual: **3841-3844**; tratados de vicios y virtudes: **3840-3841**; tratados sacramentales: **3836-3840**
misericordia:
divina: Ferrer, fray Vicente: 2960; Marín, Pedro: 2964-2965
humana: *Espejo del alma*: 3005; *Flor de virtudes*: 3741
Miso: *Vidas y dichos de filósofos antiguos*: 2128
misoginia: *Arcipreste de Talavera*: 2679-2683; *Avisaçión de la dignidad real*: 1730; *Caída de prínçipes*: 2148; *De las tachas de las mugieres*: 3841; *Diálogo de Epicteto*: 479; *Glosa castellana al «Regimiento de príncipes»* de García de Castrojeriz: 1718; *Historia de la donzella Teodor*: 485-487; *Historia troyana polimétrica*: 812-814; *Jardín de nobles donzellas*: 3673; *Libro de las veinte cartas*: 3799-3809; *Libro de los exemplos por a.b.c.*: 3102n.; Palencia, Alfonso de: 3512; *Partidas*: 595; *Sendebar*: 215-216, 218, 218n., 223, 225, 233, 4003-4004; *Tratado de la lepra*: 2487; tratados de erotología: 3189; tratados feministas y de misoginia: 3220-3254, 3259, 3271; *Vidas y dichos de filósofos antiguos*: 2120-2123, 2566
mística: lulismo: 3364-3368; orígenes: 3030n.
mito goticista: ver goticismo
mitografía: *Las diez qüestiones vulgares*: 2659; *Invencionario*: 3709; *Libro de las veinte cartas*: 3792
mitología: *Libro del tesoro*: 868, 876; marco de don Álvaro de Luna: 2920, 3236-3237; orígenes mitológicos de España: 3341; Pedro de Portugal: 3336-3337; Valera, Diego de: 3262n., 3596n.

mitos fundacionales: *Crónica de Vizcaya*: 3548; Sánchez de Arévalo, Rodrigo: 3555
Mitrídates VI Eupátor (132-[120]-63 a.C.): *Zifar*: 1397n.
Mitrídato: *Libro de las claras e virtuosas mugeres*: 3238
Moamín: *Libro de las animalias que caçan*: 843
Mocedades de Gudufré: 1056
Mocedades de Rodrigo: *Avisaçión de la dignidad real*: 1728; ficción, modelos: 1338; *Istoria de las bienandanzas e fortunas*: 3551; *Repertorio de Príncipes*: 3544
mocedades heroicas: *Amadís*: 1556; Carlomagno: 1579, 1583, 1598, 3550n.; *Historia de don Álvaro de Luna*: 2906-2907
Mocón, virgen de: *Libro de las claras e virtuosas mugeres*: 3238
modelo jurídico y relaciones cortesanas: Alfonso X: 59, 184, 287, **294-364**; Alfonso XI: **1291-1297, 1297-1314**; Juan II: **2853-2860**
modelo subyacente, noción ecdótica: 733, 4012
modelo trifuncional de clases sociales: ver estado
Modesto: *Dichos de Séneca*: 3144
modos compositivos: *Libro de las veinte cartas*: 3799
modos elocutivos/enunciativos: *Arcipreste de Talavera*: 2679-2680, 2689-2690; *Crónicas* de Ayala: 1800-1803; *Espéculo de los legos*: 3109; *Vida de Santo Domingo de Guzmán*: 1987 (ver diálogos/estructuras dialógicas; monólogo/soliloquio)
Mofarás, moro: *Memorial de diversas hazañas*: 3523
Mohamad, autor de cetrería: 2850
Mohamad Alcaxí/Almocaxí: embajador de Tamorlán: *Embajada de Tamorlán*: 2175-2177, 2187
Moisés (siglo XIII a.C.): *Amadís*: 1556; *Castigos de Sancho IV*: 927n.; *Estoria de la fiesta del Cuerpo de Dios*: 3036; *Flor de virtudes*: 3742; *General estoria*: 692, 695, 704, 710, 714-719, 740, 760; *Introduçión* de Díaz de Toledo: 3748; *Invencionario*: 3710; *San Amaro*: 1965
Moisés, Rabí: *De viii° escaleras para sobir al çielo*: 3838
Molina, María de: ver María de Molina
molinismo: *Barlaam*: 983-984, 1009; *Cantigas prosificadas*: 1026; Cartagena, Alfonso de: 2606; corrección del modelo de corte: **62**, 796; *Crónica particular de San Fernando*: 678; definición: **856-863, 4022-4031**; desarrollo siglo XIV: **1225-1769**; discurso prosístico: 57; dominio de la ficción: 1325-1328, 1339-1341; extensión del modelo cultural: 913, **970n.**; *Gran Conquista de Ultramar*: 1037; hagiografía: 1916, 1954-1955, 1958-1960, 2702; *Libro del conde Lucanor*: 2011; *Libro del consejo e de los consejeros*: 943-944, 946, 952, **957**; literatura cortesana: 1683-1735; materia artúrica: 1461, 1542, 4040; materia de Ultramar: 1029; misoginia: 2121n.; presencia en el *Zifar*: **1375-1390, 1450**, 1456-1457, 3152; producción literaria: **890-891**; producción religiosa: 1737-1739; recuperación de ideas, fin siglo XIV: 2439n.; *Setenario*: 316n., 324n.; SÍNTESIS Y CONCLUSIÓN: 3901-3906, 3909-3920; tratados políticos: 1698, 1727, 3642; viajes alegóricos: 1836-1837, 1844, **1848**
monasterio: de Belrepaire: *Otas*: 1673; de Flor de Dueñas: *San Amaro*: 1966, 1969-1970; de las Huelgas: 137
Mondino de Luzzi (*c.*1270-*c.*1326): *Tratado de la fisonomía en breve suma contenida*: 2774

Monferrad, marqués de: *Enrique fi de Oliva*: 1625-1626
Monfort, conde: *Vida de Santo Domingo de Guzmán*: 1991
monja: amada por caballero: 2419; aparición: 933; «dama de religión»: 3800-3806; golpeada por crucifijo, milagro: 930, 933; letradas: 3054-3074; que se arrancó los ojos: 1872, 3743; quejas amorosas: 3790 (ver Romana)
Monmouth, obispo de: ver Geoffrey of Monmouth
monólogo/soliloquio: *Arcipreste de Talavera*: 2680; *Carta de Madreselva a Mauseol*: 3287; *Fiammetta*: 3206; *Libro de toda la vida de nuestra Señora*: 3885-3886; *Perfeçión del triunfo*: 3776-3777; *Soliloquios* de Fernández Pecha: 2003-2011
Monreal, notario: *Libro del Passo Honroso*: 2415
Monroy, Alfonso de, clavero de Alcántara (siglos XV-XVI): biografía: 3584n., 3585n.
montaña: espacio místico: 3354; Montaña Cristalina: 3322; monte, espacio alegórico: 3381
Montemagno, Bonaccorso da (m.1429): traducción: 2522
Montemayor, Hernando de, inquisidor de Zaragoza (siglo XV): requisitoria a Juan de Lucena: 3683
montería: Enrique IV: 3478-3479; *Libro de la montería*: **1692-1696**; *Libro de Moamín*: 845; noción: 838
Monterroqueiro/Monte Rocherii, Guido de (m.*c*.1350): *Manipulus Curatorum*: 1738, 4043
Montesino, fray Ambrosio de (*c*.1448-*c*.1512): *Epístolas y evangelios por todo el año*: 1904, 1946, 2974
Montiel, fratricidio (1369): *Amadís*: 1547, 1563; *Anacephaleosis*: 2623; *Crónicas* de Ayala: 1787, 1790, 1793; *Gran Crónica de Alfonso XI*: 1817; historiografía petrista: 1778; *Memorias* de Leonor López de Córdoba: 2341; nueva nobleza: 2334; ruptura ideológica: 1261; *Sumario del Despensero*: 2096; transformaciones políticas: 1772, 1774
Montoro, Antón de, «el Ropavejero», poeta cancioneril (1404-*c*.1480): círculo letrado de Carrillo: 3581n.; contestación a la *Esclamaçión* de Gómez Manrique: 3746, 3746n.
Morabán, rey: *Libro de los estados*: 1125, 1131, 1135-1136, 1145, 1358
Moradin: *Embajada a Tamorlán*: 2186
Morales de Ovidio: 2136, 2136n., 3279n.
Moralia in Job: ver Gregorio I Magno
«moralidades»: 3765 (ver figura)
moralizatio: *Libro de los gatos*: 2017
  «moralizar»: *Bursario*: 3279
Morán, mensajero: *Hechos de Lucas de Iranzo*: 3560
MORANTE DE LA VENTURA, GONZALO (siglo XV): *Diálogo sobre la predestinación*: **2798-2803**, 2805, 2975n.; SÍNTESIS Y CONCLUSIÓN: 3944
Morante de Ribera: *Atalaya de las corónicas*: 2698-2699; *Berta. Crónica fragmentaria*: 1597; *Mainete. Crónica fragmentaria*: 1599, 1603; *Mainete. Gran Conquista de Ultramar*: 1085, 1087n., 1088-1090
«Morato»: *Embajada a Tamorlán*: 2178; *Libro del infante don Pedro de Portugal*: 3436
Mordrain: *Libro de Josep de Abarimatía*: 1481

Mordret/Morderec: *Baladro del sabio Merlín*: 1489; *Caída de príncipes*: 2146; *Demanda*: 1501; Esplandián: 1568; *Historia regum Britanniae*: 1464; *Muerte de Arturo*: 1504
Morgana: *Amadís*: 1553; *Baladro del sabio Merlín*: 1489-1491; *Istoria de las bienandanzas e fortunas*: 3552; *Muerte de Arturo*: 1504; Rodríguez del Padrón, Juan: 3323n.; *Tristán*: 1524, 1526
Morlot/Morholt: *Tristán*: 1515, 1544
Morosín, Silvestro, banquero (siglo XV): *Andanças e viajes* de Pero Tafur: 3409
Mort Artur: 1468-1469, 1477, 1485, 1495-1496, 1503
Morte Artur, La: 105n.
Morte d'Artur: 1467, 1469
mos italicum: 3305n.
Mosca, Yhuda, físico judío y traductor alfonsí (*c.*1205-d.1276/77): *Lapidario*: 366, 408, 598; *Libro de las cruzes*: 412, 420; *Libro de los judizios*: 390, **390n.**, 408, 4006; *Libro de Picatrix*: 627, 627n.; *Libro del saber de astrología*: 604n.
mosén, tratamiento: Diego de Valera: 2715
Moses ben Samuel de Roquemaure o Juan de Aviñón (siglo XIV): *Sevillana medicina* (1380-1384): 2759, 2768n.
Mosquera y Barnuevo, Francisco (1575-*c.*1610): *Numantina* (1612): 3679, 3682-3683
motivos:
  caballerescos: 376, 406-407, 1613
  fiestas: 2814n.
  folclóricos: 220, 496, 1061, 1463, 1567
movimientos heréticos: siglo XIII: 238n., 320 (ver herejías)
Moxena, fray Diego (siglo XV): atribución del *Libro de Gracián*: 3379n.
Mucio: ver Escelova/Escévola, Cayo Mucio
«mudamientos» (metamorfosis): *General estoria II*: 723
mudez: signo religioso: *Leyenda de Santo Tomás de Aquino*: 1998-1999 (ver silencio)
muerte: certeza de la: 3001, 3040, 3110, 3113; disquisición: 3731; revelación: 991, 1125-1126; sermonística: 2953, 2964; simbólica: 1405, 1556; temor a: 3375, 3383, 3872; valor: 3758, 3844 (ver *ars moriendi*)
MUERTE DE ARTURO, LA: **1503-1505**
Muhammad I ibn Nāsar Alahmar, rey de Granada (1203-[1232]-1273): rebelión nobiliaria contra Alfonso X: 656; treguas con Alfonso X: 597
Muhammad V, rey de Granada (1338-[1354-1359 y 1362-1391]-1391): Ibn Al-Jatib, ministro: 1802n.
Muhammad VI ibn Ismā'īl, el Bermejo, rey de Granada (1333-[1360-1362]-1362): *Crónica del rey don Pedro*: 1804, 1804
Muhammad IX/Muhammad al-Aysar, el Izquierdo, rey de Granada (*c.*1396-1454): *Generaciones y semblanzas*: 2457
Muhammad ibn 'Abd Allāh Ibn 'Umar al-Baziyār al Bagdādī: Moamin: 843, 843n.
mujer: avisos contra: 3005, 3731, 3731n., 3735, 3737, 3821; debilidad: 3260-3261; defectos: 3227, 3664, 3666, 3670, 3841; definición: 3263n.; dignidad femenina, defensa: 920, 927-931, 3290, 3294-3298, 3339, 3801-3802; engaños: 595, 2997, 3125, 3208, 3824, 3848, 4046; feminismo y misoginia: **3220-**

3340; «generación»: 3665; gobierno: 1733; juicio mujeril: 3065, 3067; merecedora de amor: 3180; modelo de virtudes: 1059, 3672-3675; mujeres letradas: 2583, 3795-3799; raíz de identidad heorica: 1045, 1059; superioridad: 3263, 3664, 3797; tentación: 1003-1004; «varón en virtud»: 3673, 3796; virtudes y vicios: 1717; vituperadores: 3241, 3250, 3252, 3253, 3255-3256, 3259, 3263-3264, **3264-3266** (ver identidad femenina; misoginia; saber y mujer; tratados feministas)
Mukhtār al-hilam wa-mahāsin al kalim: 455n.
Muley Hacén: ver Abū-l-Hasán Alī
mundo: amor del: 3107; animal: 3743; avisos contra: 3115-3118; como huerto: 3114; como libro: 426n., 1448; como tablero: 835; conocimiento: 2999-3003; creación: 3743; cuatro partidas: 3430-3431; definición: 874n., 1165, 1763; engaños o galardones del: 453, 462, 500, 505, 509, 985, 989, 1112, 1847, 1923-1924, 1947-1948, 1957, 1973, 1998, 2023-2024, 2943, 2947-2948, 2998, 3010, 3113, 3383-3385; fin del: 3085, 3087, 3834, 4070; mundo-Dios: 870-871, 889, 908-909, 915, 1098, 1125, 1138, 1155, **1176-1177**, 1179, **1181-1183**, 2688, 2809, 2938, 3010, 3401, 3705, 3743, 3794, 3845; mundo espiritual: 3002, 3401; natura: 874-877, 910, 2844-2845; noción de: 426, 480, 1183, 1186-1187; peligros: 3758-3759; renuncia del: 2170, 3795; tribulaciones: 2960; vida mundanal/vida monástica: 3842-3842; visión negativa: 910-912, 1176, 1368
mundos posibles, ficción narrativa: 1145, 1316, 1328, 1340
Muñatones, linaje: 3548
Muño Mateos, abulense: *Crónica de la población de Ávila*: 178
Mur, Violante Luisa de, condesa de Luna (siglo XV): suicidio del poeta Oliver: *Triste deleytaçión*: 3828
Musas: *Tratado en defensa de virtuosas mugeres*: 3259; *Triunfo de las donas*: 3296n.; *Vergel de los príncipes*: 3626
  «armas museas»: *Libro de vita beata*: 3693
música: *Cantigas*: 1026; *Castigos de Sancho IV*: 937; Enrique IV: 3479-3480, 3678; *Etimologías* romanceadas: 2162; *General estoria*: 712; *Invencionario*: 3708, 3708n.; Juan II: 2203; *Libro de Graçián*: 3394; *Libro de vita beata*: 3696; *Partida I*: 534n.; *Setenario*: 317; *Suma política*: 3612, 3618-3619; *Vergel de los príncipes*: 3590, 3620, 3623, 3626-3628; *El Victorial*: 2363; *Visión deleitable*: 2839-2840
mutilación, motivo: *Estoria del Cavallero del Çisne*: 1072; *Milagros de San Antonio*: 3852
Mūza ibn Nusayr (640-718): *Epístola a Suero de Quiñones*: 2501

Nabucodonosor, rey de Babilonia (*c.*630-[*c.*561]-*c.*561 a.C.): *Confesión del amante*: 3212; *General estoria IV*: 748-750, 753, 756, 4019; *Libro de confesión de Medina de Pomar*: 3041; *El Victorial*: 2376
Nabuzardán, comandante babilonio (*c.*600 a.C.): *General estoria IV*: 763
Nacián: *Baladro*: 1492
nacimiento peligroso, motivo: ver parto/nacimiento peligroso
nao/nave:
  impulsada a islas: *Estoria del rrey Guillelme*: 1362; *Flores y Blancaflor*: 1588

mágica/milagrosa: *Cuento de Carlos Maynes*: 1663; *Demanda del Santo Grial*: 1500; *Muerte de Arturo*: 1504; *Otas de Roma*: 1663, 1672; *San Amaro*: 1967-1968; *Santa Marta*: 1948; *Tristán*: 1516; *Zifar*: 1405, 1411
símbolo: «fabliella»: *Libro del tesoro*: 1326; ingenio: *Carta* de Juan Rodríguez del Padrón: 3301; sabiduría: *Siervo libre de amor*: 3323-3324
(ver «velas mensajeras»)
Narciso: *Las diez qüestiones vulgares*: 2659
y Eco: *General estoria II*: 723, *Tratado de amor*: 3186
Nardino, conde: *Zifar*: 1419
narrador:
homodiegético: *Libro de los estados*: 1146-1147
personaje: *Libro de los exemplos por a.b.c.*: 3101; *Libro de los gatos*: 2017
polifónico: *Libro de confesión de Medina de Pomar*: 3041
narrador-comentador: *Barlaam*: 985, 988, 992, 994, 999-1001, 1005-1006, 1008; «exemplos»: 1317; *Exemplos muy notables*: 3112-3114, 3116; ficción sentimental: 497-498; *Gran Conquista de Ultramar*: 1052, 1066-1067, 1073, 1077; hagiografía: 1982-1983; libros de viajes: 1824; Manuel, don Juan: 1145, 1157-1158; materia troyana: 812-814; múltiple: 3430-3431
narratario: *Libro del conde Lucanor*: 1158; *Siervo libre de amor*: 3311; *Tratado de cómo al hombre es necesario amar*: 3176; *Tratado en defensa de virtuosas mugeres*: 3257, 3266
narratio verosimilis: *Rhetorica ad Herennium*: 1330
narrationem fictam: San Isidoro: 1329
Narváez, Fernando, alcaide de Antequera (siglo XV): *Memorial de diversas hazañas*: 3523
Nasciano, ermitaño: *Amadís*: 1567, 1573, 1615
Nasón, conde: *Zifar*: 1298n., 1412-1413, 1417-1418, 1424, 1428, 1453n.
Nathan, profeta (*c.*1000 a.C.): *General estoria III*: 732
Nator, falso ermitaño: *Barlaam*: 1000-1004
natura: Alfonso X: **583n.**; de las planetas: 393; dimensión mística: 3364; dominio de la: 236, 316, 319, 321-322, 366, 369, 542, 621, 623, 688, **874-877**, 890, 896, 2160, 2844-2845, 3664, 3706; impulso de amar: 3171, 3177, 3285-3287; marco de relación amorosa: 3316, 3316n., 3331, 3333, 3367; naturaleza humana: 1187-1188; opuesto a teología: 896-898, 899-900, 907, 909-911, 915-916, 1926; personaje alegórico (*Visión deleitable*): 2840, 2849; Sancho IV: **909-911**; Tratado de moral: 3730; visión eglógica: 3694
naturalidad: Alfonso X: 558
naufragio, motivo: *Enrique fi de Oliva*: 1627; *Historia de Apolonio*: 1682
Navas de Tolosa (1212): *Crónica de Alfonso XI*: 1279; *Crónica de los Reyes de Navarra*: 3539; *Estoria de España*: 70; Jiménez de Rada, Rodrigo: 168; *Liber regum*: 102
nave: ver nao
Navid, tirano de Lacedemonia: *Décadas*: 2140
Navigatio Sancti Brendani: 1834, 1964
Nebrija, Elio Antonio (1444-1522): Aragón, Enrique de: 2481; Fernández de Madrigal, Alfonso: 4062; López de Mendoza, Íñigo: 2540n.; Martínez de Osma, Pedro: 3860

Nebrija, Sancho (siglo XVI): edición del *De rebus Hispaniae*: 3995
Neckham, Alexandre (1157-1217): enciclopedismo: 4054
Nectabano: *General estoria IV*: 769
Neemías: *General estoria IV*: 758-759, 763
Nembroth/Nemroth: *Caída de príncipes*: 2148; *Carta e breve conpendio*: 3643; *Triunfo de las donas*: 3297; *Vergel de los príncipes*: 3626
Nemina/Niviana (o Dama/Doncella del Lago): *Baladro del sabio Merlín*: 1488-1489, 1491; *Juego de naipes*: 3811; *Lanzarote del Lago*: 1472; *Tristán*: 1538
nepotismo: *Exemplos muy notables*: 3114; *Libro de Graçián*: 3385
Neptuno: *Las diez qüestiones vulgares*: 2659; *Sátira de infelice e felice vida*: 3337n.
«Nereidos»: *Bursario*: 3276
Nerón, Claudio César, emperador romano (37-[54]-68): *Libro de las claras e virtuosas mugeres*: 3252; *Qüistión entre dos cavalleros*: 3634
Néstor: *General estoria*: 4020; *Sumas de la Ilíada de Omero*: 2739
«Nicanor»: ver Seleuco I Nicátor
Nicolao, rey: *General estoria IV*: 770
Nicolás V, papa (1397-[1447]-1455): bula *Humani generis enemicus*: 2637; *Instrucción del Relator*: 2639-2640; Lulio, Raimundo: 3359; rebelión de Toledo de 1449: 2637; Trapezuntios, Georgios: 3509
Nicolás, maestre: *Crónica de Alfonso X*: 854-855
Nicolás, San: *Castigos de Sancho IV*: 933
Nicolás de Cusa (1401-1464): globo celeste: 611n.
Nicolas de Gonesse (1364-¿?): traducción francesa de V. Máximo: 3150, 3151n.
Nicolás de Lira: (*c.*1270/75-1349): Cartagena, Alfonso de: 2625; Sánchez de Vercial, Clemente: 3049n.
OBRAS:
Postillae, 2564, 2590, 2590n.
Nicolò dei Conti, veneciano (*c.*1395-1469): *Andanças e viajes* de Pero Tafur: 3413-3414
Nicóstrata: *Triunfo de las donas*: 3296n.
Niebla, conde de: ver Guzmán, Enrique de
Nieto, linaje: *Memoria de algunos linages*: 2746
nigromancia: *Tractado de la adivinança*: 2826
Nino/Ninón, rey: *Invencionario*: 3714n.; *Libro de las aves que cazan*: 2852; *Sumas de Historia Troyana*: 1641; *Triunfo de las donas*: 3297
mujer de: *Triunfo de las donas*: 3298
Niño, Alfonso, sobrino de Pero Niño, merino de Valladolid (m.d.1476): *El Victorial*: 2354
Niño, Constanza, hija de Pero Niño (m.a.1435): *El Victorial*: 2396
Niño, Enrique (m.1439/41), hijo de Pero Niño: *El Victorial*: 2396n.
Niño, Juan, padre de Pero Niño (siglo XIV): lealtad a Pedro I: 1782, 2091, 2342n. (*Cuento de los reyes*), 2383 (*El Victorial*); reivindicación petrista: 2343
Niño, linaje: 2385
NIÑO, PERO, conde de Buelna (1378-1453): **2350-2396**; ascenso social: 2861, 2889n.; bando del infante don Enrique: 2199, 2236; *Castigos de Sancho IV*, transmision: 918n.; conde de Buelna: 2202, 2289, 2309, 2350-2351, **2353**, 2359, 2361, 2367, 2372, 2374, 2900, 3162, 3340, 3402; conducta caballeres-

ca: 1537, 2077n., 2138, 2722, 3145, 3565; coronación de Juan II: 2231; *Cuento de los Reyes*: 2090-2092, 2098; educación: 3140; formación de *El Victorial*: 2172, 2177, 2416-2417, 2905; intención de *El Victorial*: 2334; linaje: 1782; materia sentimental: 3158-3162, 3165, 3190-3193, 3220; nombramiento como conde: 2391-2396; oposición a Álvaro de Luna: 2265, 2411; personaje histórico: 2350-2354, 3219; seguro de Tordesillas (1439): 2397; Tafur, Pero: 3407-3408; vínculos con Á. de Luna: 2912 (ver Díaz de Games, Gutierre)

Niño de Portugal, Juan, hijo de Pero Niño y de Beatriz de Portugal (1412/15-1435/38): «hechos»: 2371; justas de Valladolid (1434): 2289, 3162-3163 (*Crónica del Halconero*); *Libro del Passo Honroso*: 2417, 2417n.; muerte: 2359; semblanza: **2366**, 2374, 2374n., 2395-2396 (*El Victorial*)

Nitaforios: *Libro de los buenos proverbios*: 448

***Nobiliario*, conde de Barcelos**: ver Pedro Afonso

nobiliarios: ver relación/relato linajístico

nobleza:

antigüedad de los linajes: *Cadira de honor*: 3306; *Generaciones y semblanzas*: 2455; *Historia de don Álvaro de Luna*: 2905; *Libro de Graçián*: 3390; *Memorial de diversas hazañas*: 3524

consolación: *Libro de las consolaçiones*: 2991-2992

crítica de la: *Libro de Graçián*: 3393; *Libro de los gatos*: 2022-2024; *Perfeçión del triunfo*: 3776

de los reyes: *Castigos del rey de Mentón*: 1451

discurso sobre: *Castigos del rey de Mentón*: 1446-1447; Rodríguez del Padrón, Juan: 3290-3291, **3302-3305**; *Sátira de infelice e felice vida*: 3335; Torre, Fernando de la: 3790; Valera, Diego de: 2713, **2715-2723**, **3605-3607**

disputa sobre la nobleza: *Triunfo de las donas*: 3292

femenina: *Triste deleytaçión*: 3824

fundamento: *Perfeçión del triunfo*: 3773

grados de: *Castigos y dotrinas*: 3135; *Libro de toda la vida de nuestra Señora*: 3888; *Proposición contra los ingleses*: 2625,

interior: *Castigos del rey de Mentón*: 1451-1452

orden cultural de la: Palencia, Alfonso de: 3771; primera mitad siglo XV: 2470-2586, 3095

orden histórico de la: primera mitad siglo XV: 2333-2470

promoción de plebeyos: *Vergel de los príncipes*: 3625

público: materia artúrica: 1462

trastámara: 2334

y regalismo, enfrentamiento: Alfonso X: 241, 244-245, 247, 250-251, 257, 294-295, 336, 339-340, 349-351, 353, 354-358, 410, 430-431, 436, 439, 511, 514-515, 511n., 523-524, 554, 560, 568, 581-582, 594, 643-644, 646-647, 656-657, **667-668**, 680-681, 687-688, 691, 1318; *Amadís*: 1564-1565; *Avisaçión*: 1727-1728; Enrique III: 2077-2079, 2091, 2093-2094, 2101-2106, 2171; Enrique IV: 3488, 3561, 3566-3567, 3760; *Estoria del Cavallero del Çisne*: 1068; Fernando III: 160; fueros: 82; Juan II y Álvaro de Luna: 2191, 2193, **2245-2247**, 2262-2264, 2267, 2283-2284, 2290, 2594-

2595, 2916, 3343; *Libro de Graçián*: 3382; *Libro del consejo*: 957; Manuel, don Juan: 1196-1197; minoridad de Juan II: 2225, 3084; minoridades de Fernando IV y Alfonso XI: 1225-1226, 1230, 1238, 1245-1246, 1250, 1260, 1268-1274, 1283, 1302, 2036; Sancho IV; 960, 962, 971, **975-976**; *Tristán*: 1512-1513, 1535; *Zifar*: 1375, 1381, 1395, 1411-1420, 1447
Nobleza, emperatriz: *Zifar*: 1073n., 1079, 1373, 1434-1437, 1435n., 1438, 1476n., 3153, 3219
Noe, patriarca hebreo: *Embajada a Tamorlán*: 2185; *General estoria*: 704, 711; *Libro de toda la vida de nuestra Señora*: 3873; *Suma de virtuoso deseo*: 3131; *Sumas de Historia Troyana*: 1641; *Triunfo de las donas*: 3296
nombrar con el lenguaje, noción alfonsí: 591, 593
Nono, San: *Santa Pelagia*: 1981-1985
Noragueiro: *Mar de historias*: 2434
norma toledana, castellano: 602-603
nostra lingua: 63
«notable»: *Libro de toda la vida de nuestra Señora*: 3880; *Repetición de amores*: 3880n.
Notus, rey de Bretaña: «Once Mil Vírgenes»: 1873
novela corta del siglo XVI: 3096
«novella» europea: italiana: 3269; recepción: 3096; término: 3293, 3322, 3322n., 3646
novi grammatici: 2557
novísimos, cuatro o postrimerías del hombre: *Evangelios moralizados*: 4069; Ferrer, fray Vicente: 2953; Marín, Pedro: 2962
«nuestro romançe»-«romanz»: *Espéculo*: 354; *Lapidario*: 378
nuez, imagen: *Zifar*: 1392
numeración de reyes: Castilla y León: 71-72; Sancho IV: 677n., 970
numerología-simbología numérica: adición mística: 1971; cálculos milenaristas: 3085, 3838; **cien**: 426, 1132, 3334; **cinco**/quinarios: 509n., 2165; **cincuenta**: 426, 1132, 1178, 2001, 3294; concordia numérica: 3367; **cuatro**/divisiones cuaternarias: 1575, 1629, 1678-1679, 1710, 1961, 2668, 2864, 3361, 3363; «cuentos»/cómputos numerológicos: 285n., 1623, 3236; días del año: 2553, 3364-3365; **diez**/pautas decenales: 427-428, 1623, 1754-1755, 2164, 3513; **doce/trece**: 327, 1502, 2618, 3433, 3438-3439, 3630; letras del alfabeto hebreo: 729, 755; modelo binario: 1622; motivos religiosos: 1748; **nueve**/novenarios: 1401, 1484, 1848, 2703, 2703n., 3370-3371, 3203-3204; número áureo: 3843-3844, 3843-3844n.; **ocho**: 283-284, 509n.; oraciones religiosas: 1870, 2344-2345, 3436n., 3837; ordenación numérica de «exemplos»: 1161-1163, **1161n.**; **quince** (gradas marianas): 3876n.; **seis**/senarios: 945, 949-952, 955, 957, 1387n., 1791-1792, 2822, 2937, 3010; **siete**/setenarios: 317, 317n., 326-327, 334, 334n., 509n., 515-516, 570, 570n., 834-835, 945, 951-952, 1664, 1681, 1971, 2592, 3766; **treinta y tres** (muerte de Cristo): 1748; **tres**/divisiones ternarias: 1134, 1186, 1488, 1496, 1596, 1622, 1709, 1987, 2438, 2583, 2999, 2999n., 3003, 3020, 3021-3022, 3226, 3309, 3315
numerus: 38
Núñez, Ferrán, doctor (segunda mitad siglo XV): *Tractado de amiçiçia*: 2577, 3792

Núñez de Guzmán, Gonzalo, maestre de Calatrava (1334-1404): *Generaciones y semblanzas*: 2441, 2446, 2456
Núñez de Guzmán, Pedro, conde de Villaumbrosa (siglo XVII): biblioteca nobiliaria, Ms. *A* de *Castigos*: 4030
Núñez de la Cerda o de Lara, Blanca, hija de Fernando II de la Cerda y Juana Núñez de Lara (m.1340): enlace con don Juan Manuel: 979, 979n., 1124; madre de Fernando Manuel: 1184; madre de Juana Manuel: 1773; testamento de don Juan Manuel: 1203
Núñez de Lara, Álvaro (m.1218): muerte de Enrique I: 296; oposición a doña Berenguela: 157
Núñez de Lara II, Juan, hijo de Juan Núñez de Lara I y Teresa de Azagra (m.1315): alianza con el infante don Enrique: 1254, 1255n., 1683; custodio de los infantes de la Cerda: 818-819, 854; desacato a Fernando IV: 1258; minoridad de Alfonso XI: 107-1099; oposición a María de Molina (1298): 1253n.; oposición a Sancho IV: 979; regreso a Castilla: 859
Núñez de Lara III, Juan, hijo de Fernando II de la Cerda y Juana Núñez de Lara, cuñado de don Juan Manuel (m.1350): alianza con don Juan Manuel contra Alfonso XI: 1149-1150, 1273, 1299n., 1303; pérdida de Gibraltar (1333): 978; preeminencia de Burgos sobre Toledo: 1203; reclamación del señorío de Vizcaya: 1275-1276; rendición de Lerma (1336): 1183, 1191
Núñez de Lara, Juana, «la Palomilla», esposa de Fernando II de la Cerda (1286-1351): consejos a don Juan Manuel: 1284; suegra de don Juan Manuel: 1124, 4035; testamento de don Juan Manuel: 1203; treguas entre Alfonso XI y don Juan Manuel: 1149, 1191
Núñez de Lara, Teresa, hija de don Nuño de Lara (m.1180): versión larga del *Secretum secretorum*: 275n.
Núñez de Osma, Pero: traducción de los libros de los *Macabeos*: 3130
Núñez de Palazuelos, Hernán (siglos XIV-XV): embajador de Enrique III a Tamorlán: 2174
Núñez de Toledo, Alonso (siglo XV): *Vencimiento del mundo*: 1903n., 3855, 3861
Núñez de Toledo, Hernán, «el Comendador Griego» (*c.*1471-1553): exégesis de *Las Trescientas*: 3747, 4062; glosas: 2512n., 2540n.
Núñez de Toledo, Pero, contador de Juan II (siglo XV): instigador de la traducción del *Devisas e armas*: 2863
Núñez de Villazán, Juan (siglo XIV): favorito de Enrique III: 1817, 2852n.
Núñez Osorio, Álvar, privado de Alfonso XI (m.1329): conjuras contra don Juan Manuel: 1101; *Crónica de Alfonso XI*: 1271-1272, 1283, 1283n.
Nuño, Gómez: *Crónica de la población de Ávila*: 179

O Amante: 3210 (ver *Livro do Amante*)
obediencia, motivo: *Castigos y dotrinas que un sabio dava a sus hijas*: 3136; *Dichos de los santos padres*: 1749; *Dichos de sabios y filósofos*: 3120; *Espejo del alma*: 3005; *Exhortaçión a la obediençia regular y monástica*: 3843; *Libro de los cient capítulos*: 429; *Perfeçión del triunfo*: 3772-3783; *Proverbios o sententias breves*: 3129; *Respuesta* de Cartagena: 2869; *Suma política*: 3619-3620; *Vergel de los príncipes*: 3625; *Zifar*: 1447

objetos:
litúrgicos: *Invencionario*: 3711; *Purgatorio de San Patricio*: 1845; *Santa María Madalena*: 1945
mágicos: *Baladro del sabio Merlín*: 1489-1490; *Demanda*: 1498; *Enrique fi de Oliva*: 1624
obras científicas, promoción cortesana: Alfonso X: 60, 181, 184, 319, **364-422**, 405-407, 408, **409-412**, 420, **597-643**; Juan II: **2756-2775**; Sancho IV: 62, **890-913**
obsequiosidad: *Jardín de nobles donzellas*: 3668-3670
Ocampo, Florián de (*c.*1495-1558): *Crónica ocampiana*: 682; impresión de la *Crónica general vulgata* (1541): 649, 1151, 1231-1232
«ocasión»: decoro: Tratado de retórica: 3736
ocio:
activo: *Caída de príncipes*: 2145; Cartagena, Alfonso de: 2603-2604; *Diálogo e razonamiento en la muerte del marqués de Santillana*: 2574; *Espejo de verdadera nobleza*: 2718; Juan II: 2630; *Libro de las claras e virtuosas mugeres*: 3223, 3225, 3249; *Libro llamado «Fedrón»*: 2565; *Prohemio e carta*: 2537; *Proverbios* de Í. López de Mendoza: 2530; *Respuesta* de Cartagena: 2869
amor al: *Tratado de amor*: 3187
evitación del: *Andanças e viajes* de Pero Tafur: 3404-3405, 3411, 3413n.; *Carta e breve conpendio*: 3640-3641; *Castigos de Sancho IV*: 929; *Crónica de Juan II*: 2215-2216; *Espejo de verdadera nobleza*: 2718-2719; *Estoria del infante Roboán*: 1424, 1427-1428; Fernández de Madrigal, Alfonso: 3173-3175; *Hechos y dichos memorables*: 3150; *Libro de la caza de las aves*: 2042; *Sumas de Historia Troyana*: 1638-1639; *Vida de la Virgen*: 3856, 3864
negativo:
de prelados: *Libro de Graçián*: 3385
de príncipes: *Libro de Graçián*: 3398; *Qüistión entre dos cavalleros*: 3629
y poesía: «Respuesta» de Pero Guillén de Segovia: 3723-3724
Ocozías/«Ecozías», rey de Israel ([853-852 a.C.]): *General estoria III*: 746
Octaviano/Octavio: ver Augusto, Cayo Julio César Octavio
Odo de Chériton (1180/90-1246): estudio general de Palencia: 23n., 24n.; *Libro de los gatos*: 2014-2016, 2024
OBRAS:
Fabulae: 2012-2013, 2019, 3107
Oenone: *Bursario*: 3280, 3285; *Sumas de Historia Troyana*: 1642
y Paris: *Bursario*: 3284; *Tratado de amor*: 3186
oficiales áulicos: *Crónica de Juan II*: 2232; retrato: 3658-3659
«ofiçio»: definición: *Libros de Tulio*: 2609
oficios:
cortesanos: *Libro de las veinte cartas*: 3791; *Ordenanzas de Corte*: 2858-2860; Tratado de moral: 3730; *Zifar*: 1445, 1456
divinos: consolación: 2995-2996; rezos: 3073
litúrgicos: *Invencionario*: 3711
Og: *General estoria I*: 717
ojos: cercenados: 1419; engaños de la vista: 3780; imagen: 1872-1873, 1982; pérdida de vista (milagro): 1588; sacarse los: 2125, 3042, 3042n. (ver monja)
Oldra: *Libro de las claras e virtuosas mugeres*: 3246

Olid, Juan de (siglo XV): atribución de los *Hechos de Lucas de Iranzo*: 3576; vínculos con M. Lucas de Iranzo: 3572
Olimpias/Olimpia, reina de Macedonia, madre de Alejandro (*c.*375-316 a.C.): *General estoria IV*: 770; *Suma de virtuoso deseo*: 3133
Olinda: *Amadís*: 1558-1561
Oliva: *Enrique fi de Oliva*: 1580, 1619, 1621, 1623-1629
Olivares, Alfonso de, maestresala de Enrique IV (siglo XV): destinatario del *Bellum luporum cum canibus* de Palencia: 3762, 3765-3766
Oliver, Francesc, poeta catalán (siglo XV): suicidio amoroso: *Triste deleytaçión*: 3828
Oliver, fray Bernardo, agustino (m.1348): *Excitatorum mentis ad Deum/Espertamiento de la voluntad de Dios*: 2002, 3833-3834 (BN Madrid 8744); *Tractatus contra perfidiam judaeorum*: 1750, 2002n.
Oliveros, par de Carlomagno: *Crónica de la población de Ávila*: 174; *Historia del emperador Carlomagno*: 1582
Oliveros de Castilla: impresión: 4039
Olmedo:
primera batalla (1445): alianza de Juan II y el príncipe don Enrique: 2554; ascenso de los hermanos Pacheco y Girón: 2259, 3598; Barrientos, Lope de: 2777, 2811; *Batalla campal de los perros contra los lobos*: 3766; caída de Diego Gómez de Sandoval: 2448, 2871, 2877; captura y liberación de don Pero de Quiñones: 2411; Carrillo, Alfonso de: 3580; Cartagena, Alfonso de, pesimismo: 2617; Condestable don Pedro de Portugal: 3211, 3324; derrota aragonesista, consecuencias: 2193, 2854; enlace de Juan II e Isabel de Portugal: 2334; *Generaciones y semblanzas*: 2293, 2454, 2454n., 2721, 2918n.; *Hechos* de Lope de Barrientos: 2296-2298, 2304; *Historia de don Álvaro de Luna*: 2903n., 2915; *Libro de las claras e virtuosas mugeres*: 3222; López de Mendoza, Íñigo: 2520; Mena, Juan de: 2742, 2746; muerte de la reina doña María: 3256; Niño, Pero: 2374, 2396; triunfo de don Álvaro de Luna: 2252, 2263-2264, **2266**, 2270, 2778, 2864, 2886, 2986; triunfo de la literatura castellana en Aragón: 3813; Valera, Diego de: 2723-2724; versión extensa de *Castigos de Sancho IV*: 4030; victoria regalista: 2247, 2552
segunda batalla (1467): captura de Segovia por los alfonsinos y arresto de D. Enríquez del Castillo: 3484, 3510, 3519; Chinchilla, Pedro de: 3650; *Crónica de Enrique IV*: 3487, 3494-3495n., **3499-3500**; *Hechos del arzobispo don Alfonso Carrillo*: 3587; *Memorial de diversas hazañas*: 3528-3529
Olofernes: *Admiraçión operum dey*: 3068; *General estoria IV*: 757; *Juego de naipes*: 3811; *Libro de las claras y virtuosas mugeres*: 3253; *Tratado de cómo al hombre es necesario amar*: 3179
«olvidanza», noción alfonsí: 587
Omero: ver Homero
«omne»: antítesis «omne»/«mundo»: 1182-1183; formación del: 267; «verdadero» (Ex. XXV, *Libro del Conde Lucanor*): 1671; virtudes del: 1111, 1162
Once Mil Vírgenes, *vita*: Ms. 77, Bibl. Menéndez Pelayo: 1873-1874; *Tratado en defensa de virtuosas mugeres*: 3263
Onías II, sumo sacerdote de Jerusalén (246-220 a.C.): *General estoria V*: 779

Opas, obispo: *Crónica de Enrique IV*: 3496; *Crónica sarracina*: 3353; *Estoria de España*: 656
opposita: *Carta e breve conpendio*: 3644; *Esclamaçión* de Gómez Manrique: 3745-3746; *Tratado que hizo Alarcón*: 3759; *Triunfo de las donas*: 3296-3297; *Vidas y dichos de filósofos antiguos*: 2122n.
Oraçio: *Libro del consejo*: 955
Oración a Santa María Magdalena: 1939n.
«Oraçión por España»: *Libro de la consolaçión de España*: 3083
oracionales: Constanza, sor: 3071-3074, 4069-4071; *Invencionario*: 3709; *Libro de las confesiones*: 4046; *Libro de toda la vida de nuestra Señora*: 3884-3888; Miscelánea, BN Madrid 8744: 3858-3859; Ms. 77, Bibl. Menéndez Pelayo: 1866-1868; nobleza: 2948; primera mitad del siglo XV: 3015-3037; SÍNTESIS Y CONCLUSIÓN: 3947-3948
oraciones o «fablas solepnes»: ver fablas/arengas
oraciones religiosas: *Arboleda de los enfermos*: 3062; *Castigos de Sancho IV*: 941-942; *Coloquio de la Memoria, la Voluntad y el Entendimiento*: 3376; Constanza, sor: 3071-3074; *Del soberano bien*: 2166; *Diálogo de Epicteto*: 481; *Espertamiento de la voluntad de Dios*: 3834; *Exemplos muy notables*: 3114, 3117; *General estoria IV*: 757; *Istoria de Sant Alifonso*: 1923-1924; *Lamentación de don Álvaro de Luna*: 2947; *Lamentaçión de Spaña*: 2526; *Libro de Graçián*: 3400; *Libro de la consolaçión de España*: 3077; *Libro de la justiçia de la vida espirital*: 1888; *Libro de los exemplos por a.b.c.*: 3102; *Libro de toda la vida de nuestra Señora*: 3869, 3874, 3883, 3885; *Memorias* de Leonor López de Córdoba: 2343-2345, 2344n., 2349; Ms. 77, Bibl. Menéndez Pelayo: 1866-1868, 1870-1871; *Oracional*: 3019-3020, 3025-3026; plegaria de las «tres verdades»: 3858-3859; *Sacramental*: 3050-3051; *San Alejo*: 1975; *Sant Lorenço*: 1932; *Santa María Madalena*: 1944; sermones: 2950, 2960; *Tractado de la adivinança*: rechazo de oraciones curativas: 2828; *Tratado de la predestinación*: 2808; *Tres verdades para estar en gracia de Dios*: 3836; *Zifar*: 1402, 1437
oralidad y escritura: Alfonso VIII: 63, 79; *Calila*: 211; Chinchilla, Pedro, *Exortaçión*: 3659-3661; *Crónica de Vizcaya*: 3548; discurso prosístico: 57-58; *Espéculo de los legos*: 3108; *Estoria del Cavallero del Çisne*: 1062; evolución: 3984; *Generaciones y semblanzas*: 2455-2456; historiografía: 2083; homilética: 2962; *Istoria de las bienandanzas e fortunas*: 3552; *Liber regum*: 102; *Libro de los doze sabios*: 253; noción: 10; *Otas de Roma*: 1660-1661; *Partida II*: 546; refranes: 4060; *Santa María Egiçiaca*: 1345; *Santo Domingo de Guzmán*: 1993; *Tristán*: 1523; *Zifar*: 1375
oratio soluta: discurso prosístico: 53, 55; *Esclamaçión*, comentario en prosa: 3748; *Hechos del arzobispo don Alfonso Carrillo*: 3585; noción: **41-42**, 43
ordalías: ver juicio de Dios
orden: *dispositio*: 727, 887
  figura alegórica: *Perfeçión del triunfo*: 3779-3783
orden de caballería: Alfonso X: 588; Manuel, don Juan: 1196-1197; Rodríguez del Padrón, Juan: 3303
  Orden de la Banda: *Doctrinal de los cavalleros*: 2879; *Invencionario*: 3707; López de Ayala, Pero: 1796, 1803; organización y regulación: 1273-1274, 1276, 2860; relación con la caballería literaria: 1537

Orden de la Vera Cruz: instituciones: 3592
Orden de Santiago: Alfonso de Toledo: 3703; *Libro de los doze sabios*: 247; López de Baeza, Pero: 1744-1750, **1904-1907** (ver maestrazgo de Santiago)
Orden del Hospital: *Mar de historias*: 2432
Orden del Templo: *Mar de historias*: 2432n.
Orden del Toisón de Oro: *Andanças e viajes* de Pero Tafur: 3421
orden de los jerónimos: 2002-2011
orden de los predicadores: fundación: *Santo Domingo de Guzmán*: 1990-1991
ORDENAMIENTO DE ALCALÁ (1348): **1302-1312**; Albornoz, Gil de: 1852; Alfonso XI, leyes: 1301; Alfonso XI, modelo cultural: 1260; *Doctrinal de los cavalleros*: 2876; estructura: **1305-1310**; *Instrucción del Relator*: 2639n.; Juan II, leyes: 2859; *Partidas*: 516n., 2854n.; redacción y transmisión: **1303-1305**; SÍNTESIS Y CONCLUSIÓN: 3912
Ordenamiento de Burgos (1338): 1276, 1280, 1300-1301
ordenamiento de la Iglesia: *Partida I*: 526
***Ordenamiento* de Montalvo**: ver Díaz de Montalvo, Alfonso
ORDENAMIENTO DE NÁJERA: 1306, **1313-1314**
Ordenamiento de Segovia (1347): 1302, 1306
Ordenamiento de Villa Real (1346): 1301, 1306
Ordenamiento del Fuero (montería): 1695
ORDENAMIENTO REAL DE MEDINA DEL CAMPO (1433): **2855-2858**, 3340
Ordenamientos dados a la villa de Peñafiel (1345): 1202, 1202n.
ordenamientos jurídicos: noción: 1293-1294; siglo XIV: **1300-1314**; siglo XV: **2853-2860**, 2872-2873
Ordenanzas de Corte (1436): 2854, 2858-2860
Ordenanzas de Guadalajara (1436): 2244, 2251, 2263, 2290, 2317
Ordenanzas de la cancillería (1433): 2854
ordo naturalis/ ordo artificialis: *General estoria*: 727
Ordóñez, linaje: *Memorias de algunos linages*: 2746n.
Ordoño I ([850]-866): *Sumario del Despensero*: 2094
Ordoño II (873-[914]-924): *Crónica fragmentaria*: 1237; división de libros del Toledano: 2082n.; *Estoria de España*: 676n., 685
Orestes: *General estoria III*: 738; *Sumas de Historia Troyana*: 1645
Oria, Santa (1042-1070): 1834, 1944
Oriana: *Amadís*: 1552-1553, 1567, 1574, 3153
Oriflama: *Cadira de onor*: 3301
Origen de la casa de Guzmán: ver *Corónica de A. Pérez de Guzmán*
Orígenes (*c.*185-*c.*254): *De las tachas de las mugieres*: 3841; *Diez Mandamientos*: 1015; *General estoria*: 698, 716; *Mar de historias*: 2426, 2431; *Tratado de la predestinación*: 2810
Orleans, Luis, duque de (1372-1407): *El Victorial*: 2388
Orosio, Paulo (siglos IV-V): *Chronicon mundi*: 164; *Crónica del moro Rasis*: 2089; Fernández de Heredia, Juan: 1652; *Historias*, traducción de Alfonso Gómez de Zamora: 2545; historiografía alfonsí: 671n., 692n., 711
OBRAS:
Historia adversum paganos: 671, 696, 698, 767, 777, 789, 1674

Ortega y Gasset, José (1883-1955): concepto de generación: 1545
Ortensia: *Libro de las claras e virtuosas mugeres*: 3234, 3247
Ortiz, Alonso de, canónigo toledano (siglos XV-XVI): círculo letrado de Carrillo: 3581n., 3760; Lucena, Juan de: 3682, controversia: 3683
OBRAS:
Cinco tratados (1493): 3581n., 3683
Diálogo sobre la educación del príncipe don Juan: 3581n.
Tractado contra la carta del protonotario Lucena: 3683
Ortiz, Pablo (siglo XV): sepulcro de Álvaro de Luna: 2903n.
Ortiz, Petrus, copista (siglo XV): 983, 1477, 1485, 1496
os auri, motivo: *Barlaam*: 996; *Libro llamado «Fedrón»*: 2566; *San Isidoro*: 2710n.; sermones, B.Univ. de Salamanca, 1854: 2951; *Vidas y dichos de filósofos antiguos*: 2129n., 2130
osadía: ver atrevimiento
ósculo:
de paz: *Partida II*: 563
interviniente/contrayente: *Libro de los fueros de Castilla*: 297; *Mainete. Crónica fragmentaria*: 1602; *Mainete. Gran Conquista de Ultramar*: 1089n.
Osores, Ferrand, maestre de Santiago: *Crónicas* de Ayala: 2341n.
Osorio, linaje: *Generaciones y semblanzas*: 2438n., 2455
Otas: *Otas de Roma*: 1351, 1658-1674
Otas d'Espoliça: *Otas*: 1674
OTAS DE ROMA: **1658-1674**; análisis de la traición: **1662-1663**; dimensión hagiográfica: 1658, 3983; estructura temática: **1663-1674**, 1936; ficción, terminología: 1337; Ms. h-i-13: 1361, 1366; rapto, motivo: 489n.; SÍNTESIS Y CONCLUSIÓN: 3918; transmisión textual: **1659-1661**
otero, imagen: 1849
Oto de Alemania, emperador: *Estoria del Cavallero del Çisne*: 1070, 1076
Otro Mundo: *Estoria del rrey Guillelme*: 1360; libros de viajes: 1822; *San Amaro*: 1971; *Triste deleytaçión*: 3818, 3828; viajes alegóricos: **1833-1852**; *Vulgata*: 1473; *Zifar*: 1417, 1430, 1434
Otto de Brandeburgo (m.1253): rival de Alfonso X en el «fecho del Imperio»: 423
Ottokar/Otakar II, rey de Bohemia (1230-[1253]-1278): «fecho del Imperio»: 424
Outremeuse, Jean d': amigo de Juan de Borgoña: 1831
Oveidalla el sabio: ver Abū Marwān ʿUbayd Allāh b. Jalaf al-Istīŷī (*Libro de las cruzes*)
Ovein/Owein, caballero: 1473n., 1843, 1846-1852 (ver *Purgatorio de San Patricio*).
Ovidio Nasón, Publio (43 a.C.-17 d.C): Aragón, Enrique de: 2480; *De rebus Hispaniae*: 167; Fernández de Madrigal, Alfonso: 4074; *Flor de virtudes*: 3743; *General estoria*: 701-702; Martín de Córdoba, fray: 3675, 3675n.; materia troyana: 801, 1633, 4019, 4019n.; Ovidio moralizado: 2136, 2545, 3279; *remedia amoris*: 2775n., 3168, 3173-3174, 3179, 3187-3190, 3199, 3208, 3807; Rodríguez del Padrón, Juan: 3301, 3316; *Semejança del mundo*: 149; Tratado de retórica: 3734; *El Victorial*: 3190n.
OBRAS:
De arte amandi: 3265

Heroidas: 669, 690, 699-700, 720, 720n., 799, 1638, 2529, 2534n., 2739, 3099, 3154, 3172, 3202, 3289, 3984, 3995, 4020, o *Bursario*: **3272-3289**, 3311
Metamorfosis [o *Libro mayor de las transformaçiones*]: 700, 709, 717, 720, 720n., 722, 737, 799, 2136n., 2485, 2538, 3263, 3293, 3299, 4020
oyente: proteger al: 3335; transfundir doctrina al: 2504
oyente/receptor en el interior del libro/de la ficción: *Amadís*: 1541, 1563; *Barlaam*: 985, 988, 994, 1000-1002, 1008; *Berta. Gran Conquista de Ultramar*: 1083; *Cavallero Plàçidas*: 1356; *Demanda*: 1493; *Estoria del rrey Guillelme*: 1365; *Historia troyana polimétrica*: 808, 812-813; *Libro de los estados*: 1148; *Libro del conde Lucanor*: 1158; *Mainete. Crónica fragmentaria*: 1599; *Mainete. Gran Conquista de Ultramar*: 1088; *Merlín*: 1484; orden de la ficción: 1029, 1317, 1338, 1475, 3095; *Otas de Roma*: 1658, 1660, 1662; *Poridat*: 279; *Purgatorio de San Patricio*: 1847; *San Alejo*: 1980-1981; *Santa María Madalena*: 1941; sermones Pedro Marín: 2967; *Tristán*: 1536-1537; *Vidas y dichos de filósofos antiguos*: 2118; *Visión deleitable*: 2849; *Zifar*: 1380, 1389, 1393, 1402
Ozmín, caudillo árabe (siglos XIII-XIV): derrota de los infantes don Juan y don Pedro (1319): 1100, 1102, 1268; victoria de don Juan Manuel (1326): 1109, 1271-1272

Pablo, San (*c.*10-62/67): *Arboleda de los enfermos*: 3062; *Diálogo e razonamiento en la muerte del marqués de Santillana*: 2572; homilía: 2968n.; *Libro de las claras e virtuosas mugeres*: 3252; *Libro del consejo*: 955; Luna, Pedro de: 1910; *Partida I*: **535**; predicación en la Península: 2625; *Prologus baenensis*: 1916; *Sacramental*: 3051; *Tractado de fascinación*: 2499; *Tratado de la predestinación*: 2807
OBRAS:
Epístolas: 1954n., 2547
Pablo de Santa María: ver Santa María, Pablo de
Pacheco, Beatriz, hija ilegítima de Juan Pacheco (m.d.1479): enlace con Rodrigo Ponce de León: *Hechos de Lucas de Iranzo*: 3573
Pacheco, Juan, marqués de Villena, maestre de Santiago, privado de Enrique IV (m.1474): Barrientos, Lope de: 2295, 2302n., 2332, 2556, 2784; Carrillo, Alfonso de: 3580, 3586, 3589, 3771; círculo letrado: 3601; codicia: 2259, 2262, 3559, 3573n.; Cueva, Beltrán de la, enemistad: 3490, 3558; desafío a Á. de Luna: 2252; dominio sobre el príncipe don Enrique (1446-1448): 2253, 2264, 3476-3477; enfrentamiento con Carrillo: 3527; enfrentamiento entre Juan II y el príncipe: 2304-2305; Enrique IV, rey de los catalanes: 3429, 3477; Escavias, Pedro de: 3542; guerras de Andalucía: 3541n.; herencia de Á. de Luna: 3489n., 3559; *Historia de Álvaro de Luna*: 2921-2922, 2926, 2932n.; inicio de la privanza (1440-1445): 2193-2194, 2246, 2554; librería: 2113; *Libro de Graçián*: 3387, 3393, 3401; Lucas de Iranzo, Miguel, enemistad: 3558, 3560-3562, 3567, 3569, 3571, 3573; maestrazgo de Santiago: 3497, 3499, 3558, 3586n.; marqués de Villena (1445): 2266, 2475n., 3598; muerte: 3507, 3533; oposición a Enrique IV: 3485n., 3491-3492, 3641, 3760, a Isabel I: 3663, 3667; Palencia, Alfonso de: 3509, 3515, 3763n.; prisión nobiliaria (1448): 2530; rebelión de Tole-

do (1449): 2636, 2638, 2640; *Refundición*: 2243; suegro de R. Alfonso Pimentel: 3649; sujeción de la nobleza: 2196; sujeción del rey: 3482, 3489, 3493-3507, 3533; Valera, Diego de: 2723, 2727, 2974, 3527, 3531, 3592, **3598-3605**
semblanza: 2258, 2293, **3488n.**, **3507**, 3587n.
Pacheco, linaje: 3695
Pacheco, María, hija de Juan Pacheco, esposa de Rodrigo Alfonso Pimentel: enlace: 3649
paciencia, motivo: *Arboleda de los enfermos*: 3062-3063, **3063-3066**; *Castigos del rey de Mentón*: 1448; *Crónica de Enrique IV*: 3492; *Dichos de sabios*: 3121-3122; *Espéculo de los legos*: 3102n.; *Espejo del alma*: 3005; Ferrer, fray Vicente: 2952; *Libro de las claras e virtuosas mugeres*: 3234; *Libro de las tribulaciones*: 3009; *Vergel de los príncipes*: 3625
Padilla, Juan de, adelantado de Castilla, poeta cancioneril, ayo del príncipe don Alfonso (*c.*1405-1468): *Santa María Madalena*: 1946
Padilla, María de, amante de Pedro I (m.1361): abuela de Catalina de Lancáster: 1787, 1798, 1807n.; legitimidad de doña Blanca: *Cuento de los Reyes*: 2091
Padragón, rey: *Baladro*: 1488
padre: amonestación del hijo: 3385-3386; autoridad, relación con el hijo: 3061-3062, 3101; opuesto a la relación amorosa: 3319, 3814, 3827; transmisión de enseñanza al hijo: 736-737, 914, 922-923
Padrón de Merlín: *Tristán*: 1532
Páez de Santamaría, fray Alfonso, maestro en Teología (siglos XIV-XV): *Embajada a Tamorlán*: 2175, 2177, 2185n.
palabra/s:
«blandas e lisonjeras»: *Libro de las confesiones*: 4047
buenas: *Partida I*: 533
«buenas e dulçes»: Tratado de retórica: 3734, 3734n.
«castellana»: *Crónica de Alfonso XI*: 1271
cazurras/«caçurras»: *Barlaam*: 1004; *Partida II*: 552
convenientes de caballeros: *Partida II*: 562
de sabios: *Bocados de oro*: 460-461; *Libro de los buenos proverbios*: 453; *Libro de los cien capítulos*: 428
del rey: *Libro de Graçián*: 3399; *Partida II*: **551-552**; *Secreto*: **292**
deshonestas: *Exortaçión* de Pedro de Chinchilla: 3657-3658
dulce: *Flores*: 271; *Libro del tesoro:* 56
«fermosas»: *Zifar*: 1423, 1428-1429, 1437
«flacas»: Tratado de retórica: 3734
imagen negativa: *Del soberano bien*: 2168; *Libro de las consolaçiones*: 2993; *Segundo filósofo*: 507, 509
instrumento de dominio político: Alfonso X: 60; *Bocados de oro*: 458; *Calila*: 211; *Castigos de Sancho IV*: 925, 936; *Crónica de Alfonso XI*: 1271; crónicas reales: 968; *Espéculo*: 344, 347, 352; *Hechos* de Lope de Barrientos: 2295-2296; *Libro de Graçián*: 3399; *Libro de las cruzes*: 410; *Libro de los cien capítulos*: 428, 437-439; *Libro del consejo e de los consejeros*: 954, 959; *Libro del tesoro*: **885**, 888-889; *Partidas*: 591; *Setenario*: 309
«luciente»: *Secreto*: 287n.

«ordenamiento de la boca»: *Jardín de nobles donzellas*: 3671
sentencia: *Flores de filosofía*: 265; *Libro de los buenos proverbios*: 447n.
«sobejana»: *Partida II*: 556
soporte de relación cortesana: *Estoria del Cavallero del Çisne*: 1077; *Estoria del infante Roboán*: 1427-1429; *Jardín de nobles donzellas*: 3671
sucias: *Castigos y dotrinas que un sabio dava a sus hijas*: 3138; *Estoria del Cavallero del Çisne*: 1077; *Libro de las confesiones*: 4048
«sufisticadas»: Tratado de retórica: 3735
valor: Tratado de retórica: 3730-3731
vanas: *Castigos de Sancho IV*: 938
y «cosa»: *Vidas y dichos de filósofos antiguos*: 2128
y vidas de santos: material ejemplar: 934; material jurídico: 522, 542, 568 (ver «ferir de palabra»; «jugar de palabra»)
palacio: deleitoso: 990, 1005, 1839; secreto: 3319; torre y prado: 1409
«Palaçio Aborintio»: *Triste deleytaçión*: 3819-3820
Palacios de Galiana: *Mainete. Crónica fragmentaria*: 1601
Paladio/Palladio, Rutilio Tauro Emiliano (*c.*363-a.431): *Libro del tesoro*: 877n.
OBRAS:
De agricultura: 1706
Palas: *Historia de don Álvaro de Luna*: 2926; *Sumas de Historia Troyana*: 1642
PALENCIA, ALFONSO DE (1424-1492): Alarcón, fray Hernando de: 3755n., 3757; atribución de las *Coplas del Provincial*: 3744; biografía: 3508-3511, 3761-3762; Cartagena, Alfonso de: 2602, 3509; círculo de Carrillo: 3760; *Crónica castellana*: 3519; *Crónica de Enrique IV*: 3268; cronista real: 3485n., **3508-3517**; enlace de Isabel y Fernando: 3511; Fernando de Aragón, apoyo: 3511-3512, 3531; ficción alegórica: 3761-3783; Isabel I, desconfianza: 3511-3512; Lucas de Iranzo, Miguel: 3559n., 3575; prisión de Enríquez del Castillo: 3484, 3510-3511; retrato de Enrique IV: 3476-3477, 3486, 3678; Sánchez de Arévalo, Rodrigo: 3613n.; SÍNTESIS Y CONCLUSIÓN: 3958, 3966; traducciones: 3764n.; Valera, Diego de: 3523, 3526, 3532
OBRAS:
Antiquitates Hispanae gentis libris X: 3513
Batalla campal de los perros contra los lobos: 3488n., 3509, **3762-3769**; aplicación moral: 3769; contenido: 3765-3768; prólogos: 3763-3765
Bellum granatense: 3512
Bellum luporum cum canibus: 3762
De perfectione militaris triumphi: 3509-3510, 3762
Gesta Hispaniensia: 2193, 3476-3477, 3482, **3508-3517**, 3773; relación con la *Crónica castellana*: 3517-3519; transmisión: 3516
Perfeçión del Triunfo: 2584, 3398, 3404n., 3763n., **3769-3783**; orden argumental: 3773-3783; prólogos: 3770-3773
Universal vocabulario: 3512, 3761n.
TRADUCCIONES:
Espejo de la cruz: 3764n.
Josefo: 3764n.
Plutarco: 3764n.

Palenzuela, fray Alfonso de, franciscano, confesor de Juan II, consejero de Enrique IV (siglo XV): embajada ante Calixto III: 3620
Palestinae Descriptiones: 115n.
palma, milagro de la: *El Victorial*: 2377
Palmerín de Oliva: 1576n., 1618n., 3983
palmero (romero): *Cuento de Carlos Maynes*: 1614; *Enrique fi de Oliva*: 1623, 1628, 1630
Paloma/edes: *Demanda*: 1495, 1502; *Historia troyana polimétrica*: 805-806, 808-809; *Tristán*: 1517-1518, 1524, 1526, 1529-1530, 1532, 1534, 1539
Pamplona, faraute: cartas de batalla: 2882
Pançerión: *Batalla campal de los perros contra los lobos*: 3765-3767, 3769
Panchatantra: 186-187, 214
Pandiona, doncella: *Tratado e despido a una dama de religión*: 3803
Pandraso: *Sumas de Historia Troyana*: 1646
Pánfilo: *Elegia di madonna Fiammetta* y *Grimalte*: 3204-3205, 3841; *Grimalte*: 2885n.
«panquist», juego de dados: 831
Pantasilea: *General estoria III*: 739; *Juego de naipes*: 3811; *Libro de las claras e virtuosas mugeres*: 3223n., 3237, 3253; *Tratado de amor*: 3186; *Tratado e despido a una dama de religión*: 3802; *Triunfo de las donas*: 3297-3298; *El Victorial*: 3192
Pantia: *Libro de las claras e virtuosas mugeres*: 3238
Papias/*Papies* (*c*.60-*c*.130): *Libro del consejo*: 956; *Sacramental*: 3049n.
Papisa Juana: *Invencionario*: 3710; *Libro de las claras e virtuosas mugeres*: 3239n.
parábolas: *Barlaam*: 993, 995, 997, 1004; *Castigos de Sancho IV*: 924; homilías: 2970; *Sendebar*: 214
paradojas: *Apología sobre el samo «Judica me Deus»*: 3029; *Las çinco figuratas paradoxas*: 2649-2651; Declaración sobre San Juan Crisóstomo: 3031-3032; *Estoria de la fiesta del Cuerpo de Dios*: 3034; *Exemplos muy notables*: 3116; *Libro del amigo y del Amado*: 3366
paráfrasis, actividad: 2157n.
Paraíso: *Exemplos muy notables*: 3114; *Libro del infante don Pedro*: 3436; *Milagros de San Antonio*: 3854; *Proverbios o sententias breves*: 3127; *Purgatorio de San Patricio*: 1850-1851; *Triste deleytaçión*: 3828; *Visión de don Túngano*: 1839, 1842-1843
Paraldus, Guillelmus o Guillermo Peraldo/Peralta, dominico (siglo XIII): *De eruditione religiosorum libri VI* (1260-1265): 2589
paranatellonta: esfera barbárica: 631
paratextualidad: *Etimologías* romanceadas: 2159; «Glosas y proverbios»: 2551; *Libros de Tulio*: 2609; *Sátira de infelice e felice vida*: 3334
Pardo, Mosén Pero (siglos XIV-XV): instigador de la versión catalana de *Los doze trabajos de Hércules*: 2482
Pareja, Juan de, comendador, alcaide de Pegalajar (siglo XV): atentado contra M. Lucas de Iranzo: *Hechos de Lucas de Iranzo*: 3571, 3575
parentesco, noción alfonsí: 583, 737
Paris: *Bursario*: 3272; *Cancionero de Baena*: 1548; *Embajada a Tamorlán*: 2180n.; *Historia troyana polimétrica*: 806, 809, 815-817; *Sumas de Historia Troyana*: 1642, 1644, 1646

y **Elena**: *Andanças e viajes* de Pero Tafur: 3411; *Bursario*: 3281, 3283-3284; *General estoria*: 4020; *Juego de naipes*: 3811; *El Victorial*: 3219
y **Oenone**: *Tratado de amor*: 3186
y **Venus**: *Tratado de cómo al hombre es necesario amar*: 3177
Paris y Viana: Francisco Imperial: 1548
Parménides (*c.*515-*c.*440 a.C.): *Visión deleitable*: 2845
Pármeno: *La Celestina*: 2275n.
«partiçión» de un libro: 949 (ver capitulación)
Partida I: 61n., 111, 132-133, 305, 327, 329, 357n., 358, 388, 388n., 457n., 522, 525, **525-536**, 540-542, 544n., 547, 554, 558-559, 568, 570, 572-573, 576, 578-579, 594, 796, 945n., 1010, 1320-1321, 1325, 1442, 1447, 1451, 1737, 1743, 1861, 1866, 1901, 1902n., 2816, 3052; *ars praedicandi*: 536-537; control de la voluntad del rey: **529-532**; dimensión estilística: **532-536**; SÍNTESIS Y CONCLUSIÓN: 3897; versión *A*: 513, 516
Partida II: 61n., 193, 262, 275n., 286, 345n., 349n., 355, 366, 433, 522, 525, 532, **536-570**, 572-573, 575-576, 578-579, 581, 583, 585, 588, 593-594, 602, 1292, 1313, 1321-1322, 1324, 1325n., 1333, 1400-1401, 1442, 1447, 1451-1452, 1455, 1683-1684, 1697, 1701n., 1713, 1724, 1726, 1728, 1730, 1744, 2042, 2101, 2205, 2492-2493, 2757, 2862, 2878, 2881, 3128, 3604, 3610, 3621, 3707, 3752n., 3754n., 3790, 4059; definición de realidad: 557; dimensión de saber: **567-570**; estructura: **538-540**; *Libro de los cien capítulos*: 4009; modelo de pensamiento jurídico: **540-547**; nobleza: **545-546**; nuevo modelo de autoridad real, títulos I-XI: **547-557**, 2875-2876; regimiento militar: **565-567**, 2874; relación del pueblo con el rey, títulos XII-XX: **557-559**; Sancho IV: 4026; «segundo libro»: 537-538; SÍNTESIS Y CONCLUSIÓN: 3897-3898 (ver Título XXI de la *Partida II*)
Partida III: 346n., 359, 361, 572-574; pensamiento legislativo: **576-578**, 582, 591, 1302, 1306-1307
Partida IV: 553n., 570, 572-575, 577-578, 583-585, 588, 592, 595-596, 1125n., 1717, 2879-2880, 3753n.
Partida V: 572-574, 577; autoridad jurídica: **578**, 592, 1306
Partida VI: 571-573, **578-579**, 588, 595, 1306
Partida VII: 342n., 387n., 571-572, 575-576, 587, 592, 598, 629, 1110, 1306, 1416, 2879, 3137; regulación caballeresca: **589-591**; Valera, Diego de: 3595, 3595n.
parto/nacimiento peligroso, motivo: *Amadís*: 1556, 1567; *Crónica sarracina*: 3354; *Estoria del Cavallero del Çisne*: 1064; *Istoria de las bienandanzas e fortunas*: 3552; *Santa María Madalena*: 1942-1943; *Tristán*: 1515
pasado histórico: 95, 1816
pascua, noción alfonsí: 707
Pasionario de Cardeña: 1917
pasiones del alma, noción: *Glosa castellana al «Regimiento de príncipes»*: 1711, 1714; *Visión deleitable*: 2846
Pasmisio, ermitaño: *Viridario*: 2032-2033
paso de armas: *Epístola a Suero de Quiñones*: 2500; *Estoria de dos amadores*: 3319; *Libro del Passo Honrosso*: 2410-2420; traición: *Tristán*: 1522-1523; *El Victorial*: 2389

Paso peligroso: *Tristán*: 1512
Passio Polycronii et Sociorum: 1927
passiones: contexto de producción: 1339; modelo canónico de hagiografía: 1916; Ms. 10252, BN Madrid: 1927; *romances* de materia hagiográfica: 1353; *San Alejo*: 1973; *Santa Catalina*: 1953-1962
pastor: estamento: 3693-3694; hallazgo de imágenes santas: 1820; nuncio de profecías: 1808n.
Patín, emperador de Roma: *Amadís*: 1565, 1658, 1665
Patricio, San (*c*.390-461): *Visión de don Túngano*: 1835-1836, 1839
Patrides de la Guirlanda de Oro: *Demanda*: 1499; *Lanzarote del Lago*: 1472
Patrística, Padres de la Iglesia: *Castigos de Sancho IV*: 928; *Las çinco figuratas paradoxas*: 2655; *Dichos de sabios*: 3120; *Espéculo de los legos*: 3105; *General estoria*: 698; *Libro de las claras e virtuosas mugeres*: 3232, 3251; *Mar de historias*: 2431; *Oracional*: 3021n.; *Partidas*: 534n., 568, 574, 576-577
Patroclo: *Andanças e viajes* de Pero Tafur: 3415; *Historia troyana polimétrica*: 803n., 807
Patronio: *Libro del conde Lucanor*: 279, 903n., 1112, 1156-1183, 1188, 1906, 2441
Paula, dueña romana: *Libro de las claras e virtuosas mugeres*: 3241-3242, 3248
Paula, Santa (siglo IV): *General estoria IV*: 756, 766
Paulina, mujer de Boecio: *Libro de las claras e virtuosas mugeres*: 3235
Paulo II, papa (1417-[1464]-1471): apoyo a Enrique IV: 3771n.; *Crónica de Enrique IV*: 3500
Paulo Diácono (*c*.720-*c*.799): *Estoria de España*: 660, 661n.; *Estoria de Santa María Egiçiaca*: 1344, 1350; *Grant Crónica de Espanya*: 1652, 1652n.
OBRAS:
Historia romana: 696
Paulos: *Muerte de Arturo*: 1504
Pauperitas et Fortuna certamen: ver disputas, Pobreza y Fortuna
Pausanias, general espartano (m.471 a.C.): *General estoria IV*: 770
Pay, Harry, pirata: *El Victorial*: 2361, 2362n.
Payne, Robert (siglo XIV): traductor portugués de la *Confessio Amantis*: 1680, 3209
paz, noción: *Doctrinal de los cavalleros*: 2879; *Esclamaçión*, comentario en prosa: 3754; *Exhortación de la paz*: 2724; *Flor de virtudes*: 3741
pecado:
análisis: *Libro del consejo*: 954; *Tratado de la comunidad*: 1731
avisos: *Evangelios moralizados*: 4069
contraposición con virtudes: *Carta e breve conpendio*: 3644
invención de: *Estoria del rrey Guillelme*: 1364
mortales: *Arcipreste de Talavera*: 2675; *Espejo del alma*: 3004-3005; *Viridario*: 2027-2028
noción: *Confesional*: 3045-3046; *Del soberano bien*: 2165-2166; *Diálogo e razonamiento en la muerte del marqués de Santillana*: 2578; *Dichos por instruir a buena vida*: 3124; Ferrer, fray Vicente: 2955, 2960; *Libro de la consolaçión de España*: 3083; *Libro del regimiento de los señores*: 2938, 2942; Marín, Pedro: 2963; *Triunfo de las donas*: 3294;
pecado original: *Invencionario*: 3709

pecados capitales: *Arboleda de los enfermos*: 3064; *Carta e breve conpendio*: 3642-3644; *Espéculo de los legos*: 3103
«pecados de boca»: *Sacramental*: 3051n.
«pecados de la lengua»: *Libro de las confesiones*: 4046
pecador, imagen: *Bursario*: 3278
Peckam, Iohannes (*c.*1240-1292): *Espéculo de los legos*: 3105
Pedrez, Diag (siglo XIII): *Carta de homenaje por el castillo de Alcozar*: 3979n.
Pedro I de Aragón (*c.*1068/74-[1094]-1104): aliado del Cid: *Crónica de los Reyes de Navarra*: 3538; conquista de Huesca y Barbastro: *Crónica de los Reyes de Navarra*: 3538
Pedro II de Aragón, el Católico (1177-[1196]-1213): alianza con Alfonso VIII: 69
Pedro III de Aragón, el Grande (1240-[1276]-1285): asilo a los infantes de la Cerda: 819; Jacobo de Junta: 359; relación con Sancho IV: 857-858; *Tractat*: 1110
Pedro IV de Aragón, el Ceremonioso (1319-[1336]-1387): *Crónica Pinatense*: 1289, 3997; difusión de la *Vulgata*: 1470; Fernández de Heredia, Juan: 1650; humanismo: 2472; *Libro de las maravillas del mundo*: 4055; *Libro de Marco Polo*: 1830n.; Martín I: 1915n.; relación con Enrique II: 1804-1805; rivalidad con Pedro I: 1773; vínculos con don Juan Manuel: 1183-1184, 1202-1203, 1275, 4035
PEDRO I DE CASTILLA, el Cruel (1334-[1350]-1369): **1771-1808**; carta al moro Benahatín: 1487; caza: 2036; *Compendiosa Historia Hispanica*: 3556; cronística general: 2089; descendencia, nietos: 3071-3072, 4069-4070; *Fuero Viejo de Castilla*: 298, 300; *Glosa castellana al «Regimiento de príncipes»*: 918n., 1704, 1725; historiografía: 1777-1783, 2090-2092, 2096, 2335, 2337, 2340-2341, 2696; *Libro de la montería*, conclusion: 1692n.; *Memorias* de Leonor López de Córdoba: 2349; muerte, signos prodigiosos: 2330n.; nacimiento: 1275 (*Crónica de Alfonso XI*); orden de la ficción: 3197; *Ordenamiento de Alcalá* (1348): 1305-1306; romancero: 3557; SÍNTESIS Y CONCLUSIÓN: 3920-3921; segundo *Amadís*: 1563; tolerancia religiosa: 1752, 2077; Valera, Diego de: 3527, 3591 (ver Montiel, fratricidio)
Pedro I de Portugal, el Justiciero (1320-[1357]-1367): compromiso y enlace con Constanza Manuel: 1149, 1202; descendencia: 2331
Pedro, conde de Trastámara, hijo de don Fadrique, maestre de Santiago (siglos XIV-XV): *Generaciones y semblanzas*: 2450
Pedro, fray: ver Pérrier, Pierre
Pedro, obispo de Burgos: ver Petrus Hispanus
Pedro, San (m.*c.*65): *Libro de confesión de Medina de Pomar*: 3040; *Libro del infante don Pedro de Portugal*: 3436; *Mar de historias*: 2431; *Sacramental*: 3051; *Santa María Madalena*: 1940, 1942; sermones: 2966, 2968n.; *Vida de Santo Domingo de Guzmán*: 1992n.
Pedro Afonso, conde de Barcelos (*c.*1285-1354): aristocratismo historiográfico: 1282, 1631, 2081; autoría de la *Crónica de 1344*: 650; *Crónica de 1404*: 2085-2086, 2086n., 2088; *Crónica del moro Rasis*: 3346; *Estoria del fecho de los godos*: 2084; materia de Bretaña: 3430n.; transformación del modelo alfonsí: 3341 (ver *Crónica de 1344*)

OBRAS:
Crónica de 1344: **1233-1237**
Livro das Linhagens: 104n., 1235, 1460, 2441n.
Nobiliario: 110
Pedro Alfonso (siglos XI-XII): *Libro de los exemplos por a.b.c*: 3097-3098; Tratado de retórica: 3734
OBRAS:
Disciplina clericalis: 183, 595n.
Pedro Comestor, maestre (m.1179/89): *General estoria*: 692, 696, 698, 714, 716, 722, 731, 736, 750, 753, 776-777; historia eclesiástica: 75
OBRAS:
Historia scholastica: 3704, 4013
Pedro de Aragón, infante, hijo de Fernando I (1406-1438): Arcediano de Niebla: 2752; bando del infante don Juan (1420): 2201; captura y exilio a Aragón (1432): 2239, 2317; cartas de batalla: 2882; coronación de Juan II (1419): 2231; derrota con Castilla (1432): 2192-2193, 2238, 2289; *Generaciones y semblanzas*: 2435n.; guerra contra Castilla y Álvaro de Luna: 2594, 2895-2896, 2912-2913; muerte: 2262, 2262n., 2263, 3796; semblanza: 2293
Pedro de Aragón, infante, hijo de Pedro III y de Constanza de Sicilia (*c.*1275-1296): posible enlace con María de Molina: 1252
Pedro de Blois (*c.*1135-d.1204): 43; tradición epistolar: 3984
Pedro de Castilla, infante, hijo de Alfonso X (1262-1283): investidura caballeresca: 597; muerte: 854; poseedor de la *Gran Conquista de Ultramar*: 1035
Pedro de Castilla, infante, hijo de Sancho IV (1290-1319): derrota y muerte en la Vega de Granada (1319): 1100, 1102, 1268, 2102; tutoría de Fernando IV: 1097-1099
Pedro de Castilla, obispo de Palencia, nieto de Pedro I, hijo del infante don Juan, hermano de sor Constanza (m.1461): 3071
Pedro de Cuéllar: *Catecismo* (1325): 3655n.
Pedro de Otas (Pere de Othes): *Dichos por instruir a buena vida*: 3124
PEDRO DE PORTUGAL, Condestable (1428-1466): **3324-3340**; compromiso de Juan II con Isabel de Portugal: 2267; Olmedo (1445): 2252; *Prohemio e carta* de Í. López de Mendoza: 2503, 2535-2537, 3199; promotor del *Libro del infante don Pedro de Portugal*: 3427-3429; rey de los catalanes [1464-1466]: 3326n., 3337, 3426-3429, 3439, 3492n., 3527, 3812; Torre, Fernando de la: 3783
OBRAS:
Sátira de infelice e felice vida: 2535, 2659n., 2733, 2981, 3059, 3153n., 3211, 3214, 3258, 3299n., 3307n., 3316n., 3325, **3326-3340, 3492n.**, 3527, 3762, 3801, 3802n., 3814, 3830; glosas y exégesis: 3312, 3334-3340; historia sentimental y disputas alegóricas: 3329-3334; nuevo modelo de ficción textual: 3327-3329; SÍNTESIS Y CONCLUSIÓN: 3954; transmisión: 3326-3327
Pedro de Portugal, infante, duque de Coimbra, hijo de Juan I, hermano de don Duarte de Portugal (1392-1449): Alfarrobeira (1449): 3326; *Libro del infante don Pedro de Portugal*: **3425-3439**; padre de Pedro de Portugal, Condestable: 3324, 3492n.; SÍNTESIS Y CONCLUSIÓN: 3954; viaje a Castilla (1428): 3211; viajes reales: 3402

Pedro de Toledo: traductor de Maimónides (c.1420): 2834
Pedro el Ermitaño (*c.*1050-1115): *Gran Conquista de Ultramar*: 1044
Pedro Mártir, San: 1986
Pedro Pascual, San: Abner de Burgos: 1759, 1759n.; *Viridario*: 2025
Pelagia, Santa: *Libro de las claras e virtuosas mugeres*: 3239, 3245; *San Alejo*: 1972; *Vida*: **1981-1985**
Pelagio, monje: *Vida de Santa Pelagia*: 1981-1982
Pelayo, rey (690-[718]-737): *Anacephaleosis*: 2592, 2621; *Compendiosa Historia Hispanica*: 3556; *Crónica de 1344*: 1234; *Crónica fragmentaria*: 1237; *Crónica sarracina*: 3342-3358; *Estoria de España*: 664, 679, 682, 684-685, 966; *Grant Crónica de Espanya*: 1291; *Memorial de diversas hazañas*: 3479; nacimiento maravilloso: 1556; *Sumario del Despensero*: 2094
Pelayo de Oviedo, obispo (1101-1129): *Liber Chronicorum*: 671, 685, 2085
Pèlerinage de Charlemagne, Le: 1618
Pèlerinage du roi Saint Louis, Le: 165
peligrosidad de la corte: *Barlaam*: 990n.; *Castigos del rey de Mentón*: 1448; *Crónica de Juan II*: 2890; *Dichos de sabios*: 3122; *Flores de filosofía*: 266; *Generaciones y semblanzas*: 2444; *Historia de la donzella Teodor*: 483; *Libro de los cien capítulos*: 428; *Proverbios o sententias breves*: 3130; Tratado de moral: 3730; *El Victorial*: 2391-2396; *Zifar*: 1437
Pelinor, rey: *Baladro*: 1488, 1490
Pelles/Pelés, rey: *Demanda*: 1500,1502; *Lanzarote*: 1473-1474; *Tristán*: 1532
penas: Alfonso X: 581; del infierno: 3002
Penélope: *Bursario*: 3276-3278, 3280, 3284; *Libro de las claras e virtuosas mugeres*: 3229n., 3238; *Sumas de Historia Troyana*: 1645
penitencia: *Barlaam*: 994-995; catecismo de Gutierre de Toledo: 1858; *Confesional*: 3043-3047; *Crónica sarracina*: 3355-3356; *Diálogo de Epicteto*: 477; *Diálogo e razonamiento en la muerte del marqués de Santillana*: 2578; *Diez Mandamientos*: 1012-1017; *Espertamiento de la voluntad de Dios*: 3834; *Evangelios moralizados*: 4069; Fernández de Minaya, fray Lope: 2998, 3006-3008 (*Tractado breve de penitencia*); Ferrer, fray Vicente: 2960; *General estoria III*: 745; Guillén de Segovia, Pero: 3727; *Libro de confesión de Medina de Pomar*: 3037-3039; *Libro del infante don Pedro*: 3438; manuales de confesión: 1736-1744; Marín, Pedro, sermones: 2962, 2966; *Milagros de San Antonio*: 3850, 3853n.; *Purgatorio de San Patricio*: 1846; *San Alejo*: 1975-1977; *San Isidoro*: 2712; *Santa María Madalena*: 1944-1945; *Santa Pelagia*: 1984-1985; *Santo Domingo de Guzmán*: 1990n.; *Setenario*: 328; *Soliloquio*: 2007; tratados penitenciales: **1861-1866**; *Viridario*: 2028-2029, 2034
  plazo de, motivo: *Estoria del rrey Guillelme*: 1362, 1364; *Zifar*: 1411
Pensamiento, figura alegórica: *Confesión del Amante*: 3201
Peña de la Doncella Encantadora: *Amadís*: 1574-1575
Peña Pobre: *Amadís*: 1562, 1570
Peñafiel: dominio de Pedro Girón: 2309; infante don Juan (duque de Peñafiel): 2199; Manuel, don Juan: 1095, 1191
Peñíscola: Pedro de Luna: 1907
Pepino, rey: ver Pipino
Pequeña Bretaña: *Tristán*: 1520, 1529

Per Abbat (siglos XII-XIII): copista conservador: 3988
Peraut: *Otas*: 1672
Peraza, Guillén (m.*c.*1445/48): endechas: 731n., 3823
Perceval: 1465, 1466
Perceval: 1466, 1496-1497, 1502-1503
perdón: Alfonso X: 581; *Flores*: 1588
peregrinación, motivo: *Carlos Maynes*: 1611; *Enrique fi de Oliva*: 1621-1622, 1628; Ferrer, fray Vicente: 2960; infante don Pedro de Portugal: 3426; *Milagro de San Andrés*: 3849; *Perfeçión del triunfo*: 3775-3778; prólogos en prosa de Guillén de Segovia: 3725; *Sumario del Despensero*: 2095; Tafur, Pero: 3411-3415, 3420; *Zifar*: 1407-1408
  peregrino: buscador del amor: 3367, 3827, del saber: 2430; contador de *estorias*: 1932, 1943; filósofo: 2119, 2124
Perellós, Ramón de (siglo XIV): *Viatge*: 1851n.
Pérez, Garci (siglo XIII): clérigo alfonsí: 366
Pérez, Gil, capellán (siglo XIV): traductor de la *Crónica del moro Rasis*: 2088
«Pérez, Martín»: *Oracional*: 3028n.
PÉREZ, MARTÍN (siglo XIV): *Libro de las confesiones*: 1012, 1737, **1739-1744**, **4041-4048**; orden de la penitencia: **1741-1744**; proemio: 4044-4045; SÍNTESIS Y CONCLUSIÓN: 3919; transmisión y estructura: **1739-1741**, 4042-4043; versión portuguesa: 4043
Pérez, Vasco (siglo XIV): *Crónica de Alfonso XI*: 1275
Pérez de Ayala, Fernán, adelantado mayor, padre de Pero López de Ayala (1306-1378): defensa de la reina doña Blanca de Francia (1354): 1801; piedad religiosa: 2040n.
  OBRAS:
  Genealogía de los Ayala/Libro del linaje de los señores de Ayala: 2455, 3548
Pérez de Ayala, Ferrant, hijo mayor de Pero López de Ayala (m.d.1436): formación de la *Crónica*: 1785n.; traducción de Boecio: 2977, 2977n.
Pérez de Castro, Álvar, el Castellano (m.1239): cabalgada contra Jerez (1232): 159, 1241
Pérez de Guzmán, Alonso, Guzmán el Bueno (1255-1309): asedio a Juan Núñez (1298): 1253n.; biografía caballeresca: **2459-2470**; corte de Fernando IV: 1258 (ver *Corónica de A. Pérez de Guzmán*)
Pérez de Guzmán, Álvar, esposo de Aldonza Coronel (siglo XIV): agresión de Pedro I: *Crónica de Pedro I*: 1797
PÉREZ DE GUZMÁN, FERNÁN, señor de Batres (*c.*1378-*c.*1460): **2420-2459**; Alarcón, fray Juan de: 2937; Aragón, Enrique de: 2473, 2475-2476, 2513; Cartagena, Alfonso de: 2602, 2605, 2610, 2618-2620, 2865, 2886, 2974, 2977n., **3015-3028**; Corral, Pedro de: 3341, 3344; detención de 1432: 2281, 2289, 2334, 2399, 2422, 2518, 2914; Díaz de Toledo, Pero: 3749; facción del infante don Enrique: 2199, 2236, 2320-2321, 2397; Fernando de Antequera: 2727; glosador: 2423; Gómez de Guzmán, Fernán: 3404n.; historiador: 2423, 2597-2598; ideología aristocrática: 2196; intervención en la *Crónica de Juan II*: 2211-2212, 2240-2243, 2269, 2312, 2332. 2422, 2695; López de Ayala, Pero, semblanza: 2037, **2131-2132**, 2134, 2163, 2976; López de Mendoza, Íñigo: 2536 (*Prohemio e carta*), 2539; marco de producción letrada: 2422-2423,

2776; Martínez de Toledo, Alfonso: 2671, 2695; Pedro de Portugal: 3327; posible autor del Ms. X-ii-13: 2318-2322, 2330; providencialismo: 3080; rechazo de la cultura clásica: 2957; relación con la *Crónica del Halconero*: 2292-2293; *Relaçión de la doctrina que dieron a Sarra*: 3135; religiosidad: 2002, 2948, 2961, 3058, 3401; retiro de la corte: 2523; Rodríguez del Padrón, Juan: 3304; semblanzas comunes con X-ii-13: 2314-2316, 2320-2321, 2324n.; SÍNTESIS Y CONCLUSIÓN: 3931-3932, 3935-3936; Torre, Alfonso de la: 2835; Torre, Fernando de la: 3798; traductor: 2423-2424, 2620; Valera, Diego de: 3255
OBRAS:
Coplas sobre Cartagena: 3016
Diversas virtudes y vicios: 2422n., 2423n., 2598, 2598n., 3727
epístolas: 2423, 2423n.
Floresta de filósofos (atribuida): 2423, **3140-3143**, 3144n.
Generaciones y semblanzas: 2077n., 2106n., 2116, 2203, 2232, 2246n., 2256n., 2309n., 2340, 2346, 2368, 2385, 2411-2412, **2434-2459**, 2468, 2468n., 2471, 2516n., 2523, 2587, 2590n., 2617, 2696n., 2721-2722, 2745-2746, 2777, 2788, 2804, 2811, 2822, 2871n., 2877, 2890n., 2891-2892n., 2905, 2918, 2976n., 3015, 3075, 3164, 3166, 3198n., 3264, 3339, 3388, 3394, 3500n., 3515, 3547; estructura ideológica: **2443-1454**; «Prólogo»: 2268, 2270-2271, 2311-2312, 2324, **2437-2440**, 2741; «relatos linajísticos»: **2440-2443**; retórica de la verosimilitud: **2454-2459**
Loores de los claros varones: 2421n., 2423n., 2702, 3018, 3728
Loores de santos: 2431n.
Mar de historias: 2112, 2423-2424, **2424-2434**, 2458n., 2459, 3103n., 3237n.; configuración religiosa del saber: 2431-2434, 2439n.; historia de Occidente: 2426-2430; transmisión y contenido: 2425-2426
poesía mariana: 3728, 3737
Pérez de Lara, Nuño, hijo de don Manrique de Lara (m.1177): 66
Pérez de Maqueda, Martín (siglo XIII): escribano alfonsí: 689
Pérez de Montalbán, Juan (1602-1638): *Vida y Purgatorio de San Patricio*: 1844
Pérez de Moya, Juan (1513-1596): mitografía: 2659n.
Pérez de Osorio, Álvar 1326-1396): *Generaciones y semblanzas*: 2438n., 2447-2448; madre: *Tratado en defensa de virtuosas mugeres*: 3264
Pérez de Vargas, Diego, «Machuca» (siglos XIII-XIV): *Doctrinal de los cavalleros*: 2876
Pérez de Vivero, Alfonso, contador de Juan II, señor de Vivero (m.1453): arresto (1443): 2295; asesinato por Álvaro de Luna (1453): 2194, 2255, 2595; detención y ejecución de Álvaro de Luna: 2328-2329, 2329n., 2945; encizañamiento del rey: 2919, 2925-2929 (*Historia de Álvaro de Luna*)
Pérez Gudiel, Gonzalo, arzobispo de Toledo (*c.*1235/40-1299): biografía y biblioteca: 4023-4024; escuela catedralicia toledana: 860-863, 912; Loaysa, Jofré de, arcediano: 3998; vínculos con María de Molina: 866; *Zifar*: 1384-1385, 1386n., 1387, 4023
Pérez Patiño, Gómez (*c.*1380-*c.*1420): *Cancionero de Baena*: 2339n.
Pérez Ponce, Hernán: *Corónica de A. Pérez de Guzmán*: 2468
pereza: *Carta e breve conpendio*: 3642
perfeccionamiento espiritual, itinerarios: *Arboleda de los enfermos*: 3058; *Arte memorativa*: 3370-3371; *Espéculo de los legos*: 3103; *Espejo del alma*: 2999; *Exem-*

plos muy notables: 3115; *Libro de Graçián*: 3382; *Libro de las consolaçiones*: 2997; *Libro de las tribulaciones*: 3010, 3014-3015; *Libro de toda la vida de nuestra Señora*: 3877; *Suma de virtuoso deseo*: 3130
Periamo: ver Príamo
Periáñez, doctor: ver Yáñez, Pero
Pericles (*c.*495-429 a.C.): *Vidas y dichos de filósofos antiguos*: 2129
Périer, Pierre, médico minorita: carta a fray Juan de Rocacisa (siglo XIV): 3091
Perillán, príncipe griego: *Andanças e viajes* de Pero Tafur: 3416
periodus: 38, 49-50
Perión, hijo del rey Guillermo: *Estoria del rrey Guillelme*: 1359
Perión, padre de Amadís: *Amadís*: 1557
Perlevaus: 1466-1467
«Pero Gil»: mote de Pedro I: 1777n.
Perotti, Niccolò (1429-1480): *Epictetus*: 2550
Persio, Flaco Aulo (34-62): *Introdución* de P. Díaz de Toledo: 3749n.; *Sátira de infelice e felice vida*: 2733
persona-hombre: noción alfonsí: 575
personajes contadores: *Barlaam*: 995; *Calila*: 211, 213; *Libro del consejo*: 958; *Zifar*: 1427, 1433, 1456
pesimismo: condición humana: 947; historiográfico: 2434, 2436, 2439, 2448-2450, 2468, 2523, 2617, 3592; religioso: 872, 911-913, 3674
peste: 1813, 2768-2770; epidemias: 2228-2229, 2345, 2348, 2493, 2493n., 3418, 3422 (ver tratados loimológicos)
Péticus: ver Epicteto
Petrarca, Francesco (1304-1374): Aragón, Enrique de: 2480-2481, 2481n., 2494; Aviñón, marco letrado: 2135; copia de la *Ilíada*: 2735; exposición de un soneto por Enrique de Aragón: 2510-2512; humanismo: 3119; López de Mendoza, Íñigo: 2537, 3201; sermones Pedro Marín: 2962-2963
OBRAS:
De vita solitaria: 2496, 2550
historia de Griselda, versión latina: 3136n.
Secretum: 901n., 3206n.
Trionfo d'Amore: 3728
«Petreo»/Petreyo, Mario (*c.*46 a.C.-¿?): *General estoria V*: 786
petrismo: ver historiografía petrista
Petrus Comestor: ver Pedro Comestor, maestre
Petrus de Regio: traducción latina del *Libro conplido de los judizios*: 390
Petrus Hispanus, obispo de Burgos ([1300-1303]): *Zifar*: 1385
«Philipo», rey de Francia: *Exemplos muy notables*: 3110
Philippus, Marcus Julius, emperador (204-[244]-249): *Estoria de España*: 1351
philocaptio: *Bursario*: 3281; *Crónica sarracina*: 3351n.; *El Victorial*: 3190
«phitón», forma de adivinación: *Tractado de la adivinança*: 2826
Physiologus: 877, 877n., 2016n., 2502
Piccolomini, Eneas Silvio, papa Pío II (1405-1464): apoyo a Enrique IV: 3771n.; Cartagena, Alfonso de: 2602; Lucena, Juan de: 3680-3682, 3699; materia sentimental: 3826n.; semblanza: 3699n.

OBRAS:
Historia de duobus amantibus: 2667, 2679n., 3699n.
Pico della Mirandola, Giovanni (1463-1494): *Liber picatrix*: 628; manifiestos humanísticos: 2481n.
OBRAS:
De hominis dignitate: 3044n.
pie, marca de reconocimiento: *Berta. Crónica fragmentaria*: 1594; *Berta. Gran Conquista de Ultramar*: 1083
piedad:
femenina: *Jardín de nobles donzellas*: 3668-3669; *Sátira de infelice e felice vida*: 3333; *Triunfo de las donas*: 3296
motivo: *Carta e breve conpendio*: 3642; *Crónica de Juan II*: 2220; *Dichos de sabios*: 3122; *Historia de don Álvaro de Luna*: 2911-2912, 2914, 2933; *Libro de las claras e virtuosas mugeres*: 3233-3234; *Mainete. Crónica fragmentaria*: 1602-1603, 1616
personaje alegórico: *Sátira de infelice e felice vida:* 3299n., 3331-3332, 3336
regia: *Crónica de Enrique IV*: 3488; *Jardín de nobles donzellas*: 3664
virtud nobiliaria: *Carta e breve conpendio*: 3645
piedra: curadora del pesar: *Otas de Roma*: 1669; lluvia de piedras: *Crónica de Juan II*: 2261
piedras preciosas: de la corona: sermón de don Pedro de Luna: 1913; símbolo de la belleza: *Triste deleytaçión*: 3820, de la Virgen: *Libro de toda la vida de nuestra Señora*: 3874, del saber: *Barlaam*: 992-993
(ver talismán)
Piéride, hijas: *Triunfo de las donas*: 3296n.
Piero della Franchesca (*c.*1420-1492): retratos: 3423n.
Pierres de Peralta, mosén, condestable de Navarra (m.1492): *Crónica de Enrique IV*: 3499
Pigmalión, mítico rey de Chipre: *General estoria I*: 725
y Ana: *Tratado de amor*: 3187
Pilato, Leoncio (m.1365/66): traducción de Homero: 2734, 2736, 2738n., 2740, 2740n.
Pilato, Poncio, procurador romano de Judea ([26-36]): *Libro de Josep Abarimatía*: 1479; *Libro de toda la vida de nuestra Señora*: 3879; *Vespesiano*: 1677-1679
Pimaleón: *Tratado de amor*: 3187
Pimentel, Alfonso, III conde de Benavente, hijo de Rodrigo Alfonso de Pimentel y padre de Rodrigo Alfonso de Pimentel (m.1461): arrestado por Juan II en 1448: 2194, 2262-2264, 2267, 2305, 2411, 2530, 2919; biblioteca: 3150n., 3335; Chinchilla, Pedro de: 3639, 3643n.; cuñado de don Álvaro de Luna: 2921; *Libro de la Historia Troyana*: 3639; Valera, Diego de: 3605, 3639
Pimentel, Juana, condesa de San Esteban, hija de Rodrigo Alonso de Pimentel, II conde de Benavente, segunda esposa de Á. de Luna (m.1488): enlace con Álvaro de Luna: 2898, 2913; madre de Juan de Luna: 3559; semblanza: 2293 (*Crónica* del Halconero); sepulcros de la Capilla de Santiago: 2903n.
Pimentel, Leonor, hija de Juan Alfonso Pimentel y Elvira de Zúñiga, esposa de Álvaro López de Zúñiga, condesa de Plasencia (m.1486): destinataria del *Libro de toda la vida de nuestra Señora*: 3859-3866, de los *Evangelios moralizados*:

4068; figura dialógica del *Libro de toda la vida de nuestra Señora*: 3866-3888; Juan López de Salamanca, confesor y guía espiritual: 3859-3860, 4067
Pimentel, linaje: ámbito letrado: 3646-3648
Pimentel, Rodrigo Alfonso, II conde de Benavente, padre de Alfonso Pimentel (m.1440): cerca sobre Alburquerque: 2897; Chinchilla, Pedro de: 3642; curia regia: 2860; enfrentamiento con Pero Niño: 2393-2394; traducción de las *Decadas*: 2135,
Pimentel, Rodrigo Alfonso, IV conde de Benavente y I duque de Benavente (m.1499): biblioteca, formación y entorno letrado: 3606-3607, 3678, 3760, 4039; Canciller mayor del Sello de la Poridad: 3640, 3649; Chinchilla, Pedro de: 3590, 3639; destinatario de la *Carta e breve conpendio*: 3605, 3639-3648; destinatario del *Breviloquio de virtudes*: 3605; enfrentamiento con Diego Hurtado de Mendoza: 3506; enfrentamiento con Pacheco: 3501, 3506; enlace con María Pacheco: 3649; instigador de la *Exortaçión o información de buena e sana doctrina*: 3651; semblanza: 3641
Pineda, fray Juan de (*c.*1512-1593): abreviación del *Libro del Passo Honroso*: 2416n., 2419n., 2420; *Suplemento*: 2081n.
Pío II, papa: ver Piccolomini, Eneas Silvio
Pipino III, rey: (*c.*714-[751]-768): *Berta. Crónica fragmentaria*: 1594-1596; *Berta. Gran Conquista de Ultramar*: 1082-1084; *Enrique fi de Oliva*: 1617, 1623-1625, 1627-1629; *Flores*: 1580; *Mainete. Crónica fragmentaria*: 1598; materia carolingia: 1080, 1578
Píramo: *Estoria de dos amadores*: 3319
y Tisbe: *Flor de virtudes*: 3743; *Tratado de amor*: 3187; *Tratado de cómo al hombre es necesario amar*: 3179
piromancia: *Tractado de la adivinança*: 2827
Pisan, Christine: ver Christine de Pizan
Pisanello, Antonio Pisano (*c.*1395-1455): retratos: 3423n.
Pisístrato, tirano de Atenas (*c.*600-*c.*527): *Vidas y dichos de filósofos antiguos*: 2129
Pitágoras (*c.*580-*c.*500 a.C.): *Bocados de oro*: 459, 463-464; *Libro de las formas*: 623; *Vidas y dichos de filósofos antiguos*: 2116, 2124, 2128; *Visión deleitable*: 2845
Pitoplax de Lisonia, rey: *Historia troyana polimétrica*: 810
Pizzolpasso, Francesco, arzobispo de Milán (*c.*1370-1443): *Controversia Alphonsiana*: 2613
Placeda/Placidia, Aela Galia (*c.*390-450): *Mar de historias*: 2429-2430
Plácidas: 1350-1358, 1674, 1942
planctus: Aquiles: 803n.; *Arcipreste de Talavera*: 2680; *Berta. Crónica fragmentaria*: 1596; *Berta. Gran Conquista de Ultramar*: 1083; *Cavallero Pláçidas*: 1354, 1356; crítica a plantos: 2576n.; *Crónica sarracina*: 3354; David: 731 (*General estoria II*); *Estoria de dos amadores*: 3320; *Estoria del Cavallero del Çisne*: 1075, 1078; *Estoria del infante Roboán*: 1436; *Flor de virtudes*: 3741; Guillén Peraza: 731n.; *Historia de don Álvaro de Luna*: 2929, 2934; *Historia troyana polimétrica*: 804, 807, 817; *Lamentaçión de Spaña*: 2523-2526; *Libro de la consolaçión de España*: 3077; *Muerte de Arturo*: 1503-1504; *Planto de España* aljamiado: 2014; *San Amaro*: 1968-1969; *Sumario del Despensero*: 2096; *Triste deleytaçión*: 3822-3823; *Visión de Filiberto*: 1764

plática, método homilético: 2961
Platón (*c.*428-348/347 a.C.): aforismos: 3167-3168; *Bocados de oro*: 459, 462, 464-467; Bruni, Leonardo: 2481n.; *Las çinco figuratas paradoxas*: 2646; Díaz de Toledo, Pero: 2548, 2565, 2570; *Dichos e castigos*: 3126; Fernández de Madrigal, Alfonso: 4074-4075; *Glosa castellana al «Regimiento de príncipes»*: 1722-1723; *Libro de las claras e virtuosas mugeres*: 3244; *Libro de los buenos proverbios*: 448, 450, 453; *Libro de Picatrix*: 627-628; López de Mendoza, Íñigo: 2529, 2536, 3690; Ortiz, Alonso de: 3581n.; *San Isidoro*: 2710n.; Sánchez de Arévalo, Rodrigo: 3612, 3623; *Santa Catalina*: 1954; *Semejança del mundo*: 146n., 149; *Vidas y dichos de filósofos antiguos*: 2116-2117, 2124, 2126-2127, 2129-2130
OBRAS:
Phaedo o *Libro llamado Fedrón*: 2549, 2563-2568, 2573-2574, 2576
República: 889, 2614n.
platonismo: 2834, 3172; neoplatonismo: 3169
Plauto, Tito Maccio (*c.*254-184 a.C.): *Introdución* de P. Díaz de Toledo: 3749n.
«plazer»: *Castigos de Sancho IV*: 935; *Crónica abreviada*: 1103; *Estoria del Cavallero del Çisne*: 1056, 1334; *Estoria del infante Roboán*: 1476; *Libro de Alexandre*: 31; *Libros de acedrex*: 825; *Lucidario*: 898, 904, 912; *Partida II*: 568; *Semejança del mundo*: 142; *Zifar*: 1388-1389
cortesano, peligrosidad: *Estoria del infante Roboán*: 1433-1437
pliegos de cordel: 215n., 482, 1964
Plinio el Joven (61/62-*c.*113): retrato de César: 790
Plinio el Viejo (23-79): *Compendiosa Historia Hispanica*: 3555; *Libro de las formas*: 623; *Libro de las maravillas del mundo*: 1831
Plotino (205-270): *Libro de Picatrix*: 628
Plutarco (*c.*46-d.119): Fernández de Heredia, Juan: 1651-1652, 1652n.; Palencia, Alfonso de: 3513; *Qüistión entre dos cavalleros*: 3634
OBRAS:
Vida: 3747
Plutón: *Sátira de infelice e felice vida*: 3335
Pluvio: *Sumas de Historia Troyana*: 1635
pobreza: motivo: *Andanças e viajes* de Pero Tafur: 3410; *Caída de príncipes*: 2148; *Compendio de la fortuna*: 2794-2795; *Espejo del alma*: 3005; *Libro de Gracián*: 3380; *Vidas y dichos de filósofos antiguos*: 2119, 2127
virtuosa: *Libro de las claras e virtuosas mugeres*: 3233
y fortuna, debate: ver disputas
Poema de Alfonso XI: *Enrique fi de Oliva*: 1619; *Gran Crónica de Alfonso XI*: 1817-1818; historiografía sobre Alfonso XI: **1262**; Manuel, don Juan: 1183; rasgos leoneses: 74n.; término «romance»: 1337
Poema de Almería: *Chronica Adefonsi Imperatoris*: 95
Poema de Fernán González: ausencia de materia artúrica: 1460n.; configuración de Castilla: 64, 1697n.; *Estoria de España*: 671; *Floresta de filósofos*: 3143n.; *Liber regum*: 104; narraciones cortesanas: 798
Poema do Batalha de Salado: historiografía sobre Alfonso XI: 1262
poesía: ataques contra los poetas: 2561, 3265-3266; contexto cancioneril: 45, 497, 499-500, 1547, 1551, 1553, 1556; cortesana: 3670; defensa de la poesía:

2149, 2562, 2739, 3723-3724; elogio: 3696; exposición soneto Petrarca: 2510-2511; noción: 2149, 2510-2511, 2536, 3195-3197, 3721; restauración del orden poético: 3582-3583, 3723; teología: 2504; tradición provenzal: 2198; uso por los caballeros: 3748-3749
aljamiada: 1776
clerical: molinismo: 892n.; orden de la ficción: 1317; regimientos de príncipes: 1697
satírica: reinado de Enrique IV: 3744-3746
poeta: antiguo: 3480; cortesano, retrato de: 439, 3195-3197; defensa de los poetas: 2561, 3198-3199; moderno: 2782-2783; teólogo: 2504; virtudes: 3201
poética receptiva/de recepción: *Estoria del infante Roboán*: 1435; *Libro de Graçián*: 3399; *Libro de los judizios*: 401; *Libro del consejo*: 958; orden de la ficción: 1317; *Post-Vulgata*: 1475, 1486-1487
poética recitativa: *Calila*: 211; orden de la ficción: 1317, 1338-1339; *Santa Marta*: 1949-1950; siglo XIII, primera década: 76, 79; *Zifar*: 1376 (ver *actio*)
Polemo/Polemón, filósofo griego (m.272 a.C.): *Vidas y dichos de filósofos antiguos*: 2117
Polemón, lobo: *Batalla campal de los perros contra los lobos*: 3768
Polentone, Sicco (siglo XV): *Vida de San Antonio* (*c.*1433): 3850
Polibio, historiador griego (*c.*200-*c.*118 a.C.): *Compendiosa Historia Hispanica*: 3555
Poliçena, infante: *Historia troyana polimétrica*: 808, 815; *Libro de las claras e virtuosas mugeres*: 3238, 3253; *Sumas de Historia Troyana*: 1637-1638, 1644; *Tratado de cómo al hombre es necesario amar*: 3179
Polidamas: *Historia troyana polimétrica*: 814
Polínices: *General estoria II*: 724; *Libro de las claras e virtuosas mugeres*: 3238
política: ver ciencia política
político: modelo: *Suma política*: 3616
Poliziano, Angelo (1454-1494): versión de las *Historiae* de Herodiano de Siria: 4067
Polo, Alonso: editor de Madrigal: 2645n.
Polo, Marco (*c.*1254-1324): *Il Milione*: 1829
Polo, rey: *General estoria III*: 4018
Polono, Martín: *Chronicon Pontificum et Imperatorum* (1277): 673, 3998
Pompeyo (106-48 a.C.): *Dichos de sabios*: 3122; *General estoria V*: 783-788; *Grant Crónica de Espanya*: 1652; *Libro de las claras e virtuosas mugeres*: 3238; *El Victorial*: 2376
Ponce, Pedro, notario de Rodrigo Jiménez de Rada (siglo XIII): reforma ortográfica: 3988
Ponce de León, linaje: 2461
Ponce de León, Rodrigo, tercer conde de Arcos, primer marqués de Cádiz (1443-1492): enlace con Beatriz Pacheco (1471): 3573 (*Hechos de Lucas de Iranzo*); revueltas nobiliarias: 3531; toma de Gibraltar: 3526
«poncella de Francia»: ver Juana de Arco
Poncio, San: *Estoria de España*: 1351
Porcari, Stefano (m.1453): «oraciones» de Fernando de la Torre: 3785n.
Porcia, hija de Catón de Útica (m.43): *Libro de las claras e virtuosas mugeres*: 3232, 3247

Porfirio (*c.*234-*c.*305): *Vidas y dichos de filósofos antiguos*: 2117, 2117n.
OBRAS:
Isagoge: 34
Porfirio, caballero romano: *Santa Catalina*: 1956-1957, 1959-1960, 1962
PORIDAT DE LAS PORIDADES: **273-286**; *Castigos de Sancho IV*: 915; *Castigos del rey de Mentón*: 1442n.; estructura y contenido: **279-283**, 2757, 3730n.; *Libro de los buenos proverbios*: 443, 445; noción de saber: **283-286**; *Partida II*: 541n.; *Secreto de los secretos*: 289-290, 293; significación y líneas textuales: **276-279**; SÍNTESIS Y CONCLUSIÓN: 3894; transmisión textual: 141, **274-276**, 3368n.; *Vidas y dichos de filósofos antiguos*: 2114
Poro/Poros, rey (m.*c.*318 a.C.): *Bocados de oro*: 469; *General estoria IV*: 770-771
Porras, Juan de (siglo XV): *Crónica de Juan II*: 2227
Porras, Juan de (activo entre 1494-1520): impresor del *Palmerín*: 1618n.
Porres, Pedro de, alcaide de Gibraltar (siglo XV): corresponsal de Fernando de la Torre: 3806
Portocarrero, María, esposa de Juan Pacheco (1444-1471): muerte y críticas a su marido: 3505
Portocarrero/Puertocarrero, Rodrigo, conde de Medellín (m.1463): relación con Enrique IV: 2305-2306
Portugal, Hernando de, sobrino de M. Lucas de Iranzo (siglo XV): heredero del mayorazgo: 3574
POST-VULGATA: derivaciones: **1475-1505**, 1509-1510, 1544, 1621, 1835, **4038-4040**; fuente historiográfica: 3552; materia artúrica: 1461, 1468-1469, 3760; SÍNTESIS Y CONCLUSIÓN: 3915
«práctica»: parte de la ética: 880-882
prácticas devocionales: *Libro de los exemplos por a.b.c.*: 3102-3103
praderas de Oro, Las: fuente de *General estoria I*: 4014
prado alegórico: *Barlaam*: 1004; *Flor de virtudes*: 3739; *Libro de Graçián*: 3380-3381; *San Amaro*: 1970 (ver vergel)
pragmática: orden de la ficción: 1315
Prades, Jaime de: liberador de Benedicto XIII (1403): 2984
Prades, Violante de, condesa de Módica (siglo XV): epístola de Í. López de Mendoza: 2517, 2537
preámbulos cancillerescos: 73
precito: *Libro de las tribulaciones*: 3012
predestinación: *Arcipreste de Talavera*: 2686, 2689; *Castigos del rey de Mentón*: 1446; *La consolación natural*: 2980; *Diálogo sobre la predestinación*: 2798-2803; *Lamentación de don Álvaro de Luna*: 2946; *Libro de las tribulaciones*: 3012; *Libro del regimiento de los señores*: 2942; *Libro del zelo de Dios*: 1756-1758; sermones: 2960; *Tratado de la predestinación*: 2803-2808; *Visión deleitable*: 2841 (ver tratados sobre predestinación)
predicación: *Barlaam*: 989, 992, 995; críticas: 3677, 4047; cuentística, siglo XV: 3095; *Evangelios moralizados*: 4068; *Exhortaçión a la obediençia regular y monástica*: 3841-3843; *Fazienda de Ultramar*: 116; *Libro de los estados*: 1134; *Libro de los exemplos por a.b.c.*: 3102-3103, 4073; *Libro de los gatos*: 2013; *Libro de toda la vida de nuestra Señora*: 3879; manuales: 215, 3104; *Milagros de San Antonio*: 3851-3854; orden de la ficción: 1324; órdenes de: 3086-3087; *Partida I*: 530; *Semejança del mundo*: 153; *Vida de Santo Domingo de Guzmán*: 1990 (ver sermonística)

predicador: formación del: 1898; materiales para: 3041
pregones de justicia: *Crónica del Halconero*: 2279; *Historia de don Álvaro de Luna*: 2933-2934
pregunta fatídica: motivo: *Estoria del infante Roboán*: 1433
preguntas-respuestas, sistema: *Libro enfenido*: 1189-1190; *Proverbios* de Í. López de Mendoza: 2528; *Vidas y dichos de filósofos antiguos*: 2115
  preguntas poéticas: *Tratado de la lepra*: 2488n.
prehumanismo: 2470
prelados leoneses: 158, 644, 656, 819
Preste Juan: *Andanças e viajes* de P. Tafur: 3414; *Libro del infante don Pedro de Portugal*: 3426, 3430, 3433-3434, 3438;
  «Carta del Preste Juan»: *Libro del infante don Pedro de Portugal*: 3427, 3420, 3432, 3439
prestigio, forma de adivinación: *Tractado de la adivinança*: 2826
Príamo, rey de Troya: *Caída de príncipes*: 2148; *Carta e breve conpendio*: 3643; *General estoria III*: 737; *Historia troyana polimétrica*: 805, 810-811, 815-817; *Mar de historias*: 2426; *Sumas de Historia Troyana*: 1635, 1642-1643; *Sumas de la Ilíada de Omero*: 2739
Príapo: *Triunfo de las donas*: 3297
Primaleón: 3983
Primera crónica general de España: 170, 355, 645, 649, 654, 664, 668, 670, 675, 678-680, 1242 (ver *Estoria de España*)
príncipe: descripción de conducta: 1049n., 2327n., 3388-3389, 3396-3397; disoluto: 3652 (ver regimientos de príncipes)
Príncipe de Asturias, título: 3475
príncipe de Gales: ver Eduardo de Gales
Príncipe de Villena, título: don Juan Manuel: 1149; señorío de: 2037
Príncipe Negro: ver Eduardo de Gales
Prisciano (siglos V-VI): *ars grammatica*: 31, 32n., 34; *Vidas y dichos de filósofos antiguos*: 2117, 2117n.
Prisco Tarquinio: *Libro de las claras e virtuosas mugeres*: 3232
privado:
  avisos contra: *Memorial de diversas hazañas*: 3534; *Tratado de providencia contra fortuna*: 3600
  deslealtad: *Crónica de Enrique IV*: 3483
  falsos privados: Alarcón, Hernando de: 3755-3756; *Castigos del rey de Mentón*: 1453; *Crónica de Enrique IV*: 3493; *Cuento de Carlos Maynes*: 1606; *Enrique fi de Oliva*: 1617-1618, 1629; *Libro de Graçián*: 3386, 3397; *Otas de Roma*: 1663, 1668
  prueba del: *Barlaam*: 990; *Libro del conde Lucanor*: 1162, 1164; *Tratado de la comunidad*: 1734n.
  reflexiones sobre: Guillén de Segovia, Pero: 3720; *Libro de Graçián*: 3387; *Libro de vita beata*: 3693; Manuel, don Juan: 1101
  (ver consejo/consejero)
«pro comunal»: Alfonso X: 533, 539, 548-550, 556-557, 566, 568, 578, 581-582; motivo: 1172-1174
Proba, poetisa latina (siglo IV): *Libro de las claras e virtuosas mugeres*: 3236

probar el mundo, noción: 1422, 1424, 1431
Probo, Marco Aurelio, emperador romano (232-[276]-282): *Mar de historias*: 2429
Procne/Pronine: *Sumas de Historia Troyana*: 640, 1647
Procus: *Libro de los exemplos por a.b.c.*: 3099
prodigalidad: defecto de: 2446; generosidad: 3122
prodigios y maravillas: ver *mirabilia*
producción jurídica: Alfonso XI: **1297-1314**; infante don Alfonso: 3658; Isabel I: 3658; Juan II: **2853-2860**; modelo jurídico alfonsí: 319, 331, 339, 358-364, **511-596**, 688, 730; modelo jurídico del siglo XIII: **294-364**; primeros textos: **81-94**; SÍNTESIS Y CONCLUSIÓN: 3894, 3897-3898, 3911-3912, 3945
proemio: *Caída de prínçipes*: 2148; Chinchilla, Pedro de: 3640-3642, 3650-3651; *Espéculo*: 332-335; *Fuero Real*: 300-301; *Libro de Alexandre*: 28-37; *Libro de las veinte cartas*: 3788-3790, 3800; López de Mendoza, Íñigo: 2521-2522, 2528, 2535-2537, 2540; Mena, Juan de: 2727, 2886, 3224-3226 (*Libro de las claras e virtuosas mugeres*); *Qüistión entre dos cavalleros*: 3629-3630; *El Victorial*: 2360, 2366, 2368-2369, 2372-2373, 2375-2381, 3159 (ver prólogo)
Profecía de Abacuc: *General estoria IV*: 756
profecías/textos proféticos: Casandra: 803n., 804, 808 (*Historia troyana polimétrica*); Josephes: 1502-1503; Merlín: 1487, 1488-1489, 1497, 2434, 3218, 4038; San Agustín: 1585, 1596 (*Flores y Blancaflor*); sobre Alfonso III: 3345, Alfonso X: 3074, Aquiles: 1643 (*Sumas de Historia Troyana*), Pedro I: 1487, 1802n., 1808n., 2096, Pero Niño: 2384, rey don Rodrigo: 3346, San Ildefonso: 2704-2705; textos proféticos, siglo XV: 2523, 2525 (*Lamentaçión de Spaña*), 3087 (*Libro del conoscimiento del fin del mundo*), 3089, 3091 (*Libro de las tribulaciones*); tratados: 2821; *Visión deleitable*: 2835
Profetiae Merlini (1135): transmisión: 4038
prolepsis narrativas: *Barlaam*: 1004; *Estoria del Cavallero del Çisne*: 1073; *Mainete. Crónica fragmentaria*: 1602; *Triste deleytaçión*: 3822
prólogo: cancioneros: 3727-3744; doble prólogo, práctica: 1380, 3763-3765; epistolar: 2138, 3725; poemas: 3717-3727; teoría: 728-729, 2609; traducciones: 2135, 2145, 3763-3764
prólogos alfonsíes: *Escala de Mahoma*: 234-240; *Espéculo*: 517; *Estoria de España*: 655-656, 658, 667n., 669-670, 673, 693, 1249n.; *General estoria*: 687-688, 693, 720, 776n., 781-782; *Lapidario*: 369-372; *Libro de las animalias que caçan*: 844; *Libro de las cruzes*: 409-412; *Libro de las formas et de las imágenes*: 620-623; *Libro de los judizios*: 391-392, 396-397; *Libro del saber de astrología*: 597-598, 601-603; *Libros de acedrex, dados e tablas*: 821-822, 824-827; paralelismos: 457, 467, 2141; *Partidas*: 548, 570, 573
Prometeo: *Invencionario*: 3716
pronósticos, horóscopos: *Abreviación del Halconero*: 2330; *Barlaam*: 981, 987, 989, 1003n., 1005; *General estoria IV*: 751-752; *Libro de los estados*: 1125; *Sumario del Despensero*: 2097; *Sumas de Historia Troyana*: 1641, 1645-1646
propaganda:
  monástica: *Crónicas anónimas de Sahagún*: 1022-1024; hagiografía monacal: 1986-2001; relatos: 1017; *Santa María Madalena*: 1945; *Santa Marta*: 1952-1953

política: *Castigos de Sancho IV*: 913-916, 919-920, 938, 943; *Controversia Alphonsiana*: 2623; *Crónica de Alfonso X*: 977; *Crónica de Alfonso XI*: 1278; *Espéculo*: 331, 342; historiografía de Enrique IV: 3482; historiografía petrista: 1780-1781; homilía de López de Baeza: 1906; *Libro de las cruzes*: 411; *Libro de los cien capítulos*: 434; *Libro de los doze sabios*: 250, 252, 260; *Libro de los judizios*: 405; *Libro del infante don Pedro de Portugal*: 3427-3429, 3435; *Lucidario*: 896-898; Luna, Álvaro de: 2191; *Partida II*: 548; *Setenario*: 304, 310, 315; *Sumas de la Ilíada de Omero*: 2736
religiosa: Albornoz, Gil de: 1853; Luna, Pedro de: 1913-1916; tratados: **1735-1769**
Propiedades del romero: 2764
proposición cortesana: ver arenga
prosa: discurso formal: 10, 20, **57-62**, 161, 470, 1341, 2544n., 2592, 3977-3985; «fablar comunal»: **52-56**, 57, 62; himno religioso: **44-46**, 51, 57, 1868; «leyenda suelta»: **47-52**, 57, 61; medieval, orígenes: 19-62, 3890; «sentenciosa»: 4027; SÍNTESIS Y CONCLUSIÓN: 3889-3890
prosa mixta: ver *prosimetrum*
«prosa rimada»: ver versificación rítmica
prosa-verso: alternancia: ver *prosimetrum*; biografías cronísticas: 3584-3585; diferencia discursos formales: **48-51**, 80, 470, 1328, 2592, 3748; ficción sentimental: 3197; materia artúrica: 1464-1469; prosa rimada: 1922
prosaicum: 39
prosificaciones: cantares de gesta: 82, 88, 103, 165, 167, 180, 1092, 1235, 2083; *Cantigas prosificadas*: 1027-1029; ciclo de la primera cruzada: 1038-1039, 1069; hagiografía: 1920; *Otas de Roma*: 1663; textos aragonesistas: 1290; textos artúricos: 1466-1469; textos carolingios: 1236-1237, 1597-1598, 1604-1605, 1619; textos franceses: 1659-1661, 1663, 1676; *vitae*: 1341-1370
prosimetrum: *La consolación natural*: 2980; epístolas de Juan Rodríguez del Padrón: 3289; *Estoria del infante Roboán*: 1436; *Historia troyana polimétrica*: 53, 803-804, 817; *Juego de naipes*: 3787, 3809; *Siervo libre de amor*: 3307-3308, 3308n., 3312n., 3314n.; *Triste deleytaçión*: 3818, 3821
prosopografía: *Generaciones y semblanzas*: 2441
Protágoras (*c.*485-*c.*410 a.C.): *Vidas y dichos de filósofos antiguos*: 2128n.
Protasio, San: *Libro de las claras e virtuosas mugeres*: 3248
Protesalaon, rey: *Bursario*: 3285; *Historia troyana polimétrica*: 805
prothema/antethema: 1899, 1904, 1909
Proto, noble: *Libro de las claras e virtuosas mugeres*: 3244
protonotario de Sigüenza: 3274n.
proverbios: *Calila*: 200; *Crónica de Alfonso XI*: 1283; Díaz de Toledo, Pero: 2551-2556; «estilo/expresión proverbial»: 3984; *Flores de filosofía*: 261; *Libro de Graçián*: 3386; *Libro de los buenos proverbios*: 442, 444, 447; *Libro de los estados*: 1144; *Libro del consejo*: 952; *Poridat*: 273; *Proverbios*, Í. López de Mendoza: 2527-2530; rimados: 3118-3119; *Sendebar*: 215, 221 (ver colecciones de sentencias)
Proverbios (Biblia): *General estoria III*: 732, 734, 740
Proverbios de Salamón (siglo XIV): 411n., 742n., 953, 1836n.
PROVERBIOS O SENTENTIAS BREVES ESPIRITUALES Y MORALES: 2939n., **3127-3130**, 3791; SÍNTESIS Y CONCLUSIÓN: 3950

providencialismo: *Arcipreste de Talavera*: 2690; *Carta e breve conpendio*: 3646; *Castigos de Sancho IV*: 921, 925; *Compendiosa Historia Hispanica*: 3556; *Crónica abreviada*: 1106; *Crónica de Alfonso XI*: 966, 1268; *Crónica de Enrique IV*: 3504; *Crónica de Juan II*: 2218, 2229, 2258; *Crónica del rey don Pedro*: 1808n.; *Del soberano bien*: 2171; *Esclamaçión*, comentario en prosa: 3752n.; *Generaciones y semblanzas*: 2453; *General estoria*: 711; *Gran Conquista de Ultramar*: 1050-1051; *Hechos de Lucas de Iranzo*: 3570; *Jardín de nobles donzellas*: 3665; *Libro de Graçián*: 3388; *Libro de la consolaçión de España*: 3080; *Libro del infante don Pedro*: 3439; *Memorial de diversas hazañas*: 3525; Torre, Fernando de la: 3786n.; *El Victorial*: 2366, 2395; *Visión deleitable*: 2843-2845
prudencia, noción: *Batalla campal de los perros contra los lobos*: 3765-3766; *Breviloquio de virtudes*: 3606; *Carta al rey sobre el regimiento de su vivienda*: 3637; *Crónica de Enrique IV*: 3488n.; *Cuento de Carlos Maynes*: 1607; *Dichos de Séneca en el acto de la caballería*: 3147; *Espejo del alma*: 3003, 3006; *Flor de virtudes*: 3742; *Generaciones y semblanzas*: 2445; *Glosa castellana al «Regimiento de príncipes»*: 1712-1713, 1721; *Libro del tesoro*: 881; *Oracional*: 3022; *Qüistión entre dos cavalleros*: 3629, 3631-3633; *Tratado sobre el título de duque*: 2743; *El Victorial*: 2376
bélica: *Vergel de los príncipes*: 3624
personaje alegórico: *Sátira de infelice y felice vida*: 3331, 3336, 3338n.
Prudencio, Marco Aurelio (348-d.405): *Sant Lorenço*: 1927
Pseudo-Aristóteles (siglo IV): 370
Pseudo-Bernardo: *Tratado del temor de Dios*: 3008
Pseudo-Borón: *Post-Vulgata*: 1468, 1507n.
Pseudo-Calístenes: 443, 462n., 769
Pseudo-Cipriano: *De duodecim Abusionibus*: 1708
Pseudo-Dionisio (siglos V-VI): 1706, 2808
Pseudo-Ordenamiento de Alcalá: 1294,
Pseudo-Ordenamiento de Nájera: 1313 (ver *Ordenamiento de Nájera*)
Pseudo-Platón: *Axiochus*: 2549
Pseudo-Plutarco: *Institutio ad Trajanum*: 1708
Pseudo-Séneca: 2494, 3175, 3179, 3758; *De moribus*, 2551n., 2552; 2555
Pseudo-Tostado: 504, 3181, 3183, 3185, 3213 (ver Fernández de Madrigal, Alfonso)
Pseudo-Turpín: 1578-1579, **1581**
Ptolomeo, Claudio (siglo II): *Bocados de oro*: 459, 462; *Compendiosa Historia Hispanica*: 3555; *Dichos e castigos de profetas e filósofos*: 3126; *Grant Crónica de Espanya*: 1290; *Lapidario*: 380; *Libro del conosçimiento*: 1828; *Setenario*: 326; *Vidas y dichos de filósofos antiguos*: 2127
OBRAS:
Almagesto: 604, 606, 638, 641, 643n., 713n.
Planisferio: 613, 641, 643
público:
clerical: siglo XIII: 49
cortesano: *Bocados de oro*: 470, 474; ficción, modelos: 1318; *Flores de filosofía*: 266; *Libro conplido en los judizios*: 405-407; siglo XIII: 49; *Zifar*: 1416, 1420
femenino: *Arboleda de los enfermos*: 3059; *Arcipreste de Talavera*: 2666-2667; *Berta. Gran Conquista de Ultramar*: 1081-1083; *Elegia di madonna Fiam-*

metta: 3203; *Libro de las claras e virtuosas mugeres*: 3224-3226; *Mainete. Gran Conquista de Ultramar*: 1090; *Tratado en defensa de virtuosas mugeres*: 3255; *Zifar*: 1400
corrección: *Estoria del infante Roboán*: 1430
pueblo-«hombres»: imagen del «reino»: 3745; noción estamental y política: 416-417, 419, 3387-3388; obediencia: 3619; unidad con regidores: 3752; virtudes del pueblo: 3618
puente: de clavos agudos: 1839-1840; de Fierro: 1475; de filos de navaja: 1839; de la Espada: 1473; del río Órbigo: 2412, 3319; sobre río hediondo: 1850
puer senex: *Diálogo de Epicteto*: 471; *Fuero General de Navarra*: 93; *San Ildefonso*: 2704; *Santo Domingo de Guzmán*: 1988; *Sendebar*: 233; Tratado de moral: 3731
PULGAR, FERNANDO DE (*c.*1425-*c.*1500): cronista real: 3482n., 3512, 3522n., 3535; defensa de los conversos: 3683; Palencia, Alfonso de: 3762
OBRAS:
Claros varones de Castilla: 2399, 2406n., 2412, 2520-2522, 2540, 2598-2599, 2601-2602, 2644, 3342, 3582
Crónica de los Reyes Católicos: 2459n., 3481, 3481-3482n., 3485, 3485n., 3492n., 3573n., 3755-3756
glosa de las *Coplas de Mingo Revulgo*: 3744
Letras: 3669
purgatorio: *Las çinco figuratas paradoxas*: 2654; Constanza, sor: 3072; *Diálogo e razonamiento en la muerte del marqués de Santillana*: 2568, 2574; *Espéculo de los legos*: 3109n.; *Libro de las tribulaciones*: 3013; *Purgatorio de San Patricio*: 1835, 1842-1843, 1848-1852; sermones: 2960; *Triste deleytaçión*: 3828
PURGATORIO DE SAN PATRICIO: 1834, **1843-1852**, 1964; SÍNTESIS Y CONCLUSIÓN: 3923
pusilanimidad: *Libro de las consolaçiones*: 2996

quadrivium: *Etimologías* romanceadas: 2159, 2162; *General estoria*: 712-713, 722n.; historiografía alfonsí: 667n.; *Libro del tesoro*: 868; *Libro de los judizios*: 387, 400; *Partida I*: 534; *Semejança del mundo*: 149; *Setenario*: 316; siglo XIII: **35-37**; *Visión deleitable*: 2839
***quaestiones*/«qüestiones»**: Aragón, Enrique de: 2487, 2488n.; Cartagena, Alfonso de: 2628; Chirino, Alfonso de: 2765; Junta, Jacobo de: 360; López de Salamanca, Juan: 4068; Torre, Alfonso de la: 2833-2834, 2849; Torre, Fernando de la: 3788-3790; Valera, Diego de: 2714,
quatro partes de la Crónica de España, Las: 1232
queja amorosa: *Sátira de infelice e felice vida*: 3331; *Tratado de amor*: 3181, 3185; *Tratado e despido a una dama de religión*: 3804-3806
contra el Amor: *Confesión del amante*: 3214
«querelle des femmes»: 3071n.
Quesada, Fernando de, criado de Enrique IV (siglo XV): rebelión de Jaén: *Hechos de Lucas de Iranzo*: 3570
Questa del Sant Grasal: 1469-1479
Queste: 1468-1469, 1496, 1503
queste, noción: 1465
***Quête du Graal* (*Vulgata*)**: 1467, 1469-1470, 1477, 1494n., 1495

Quevedo y Villegas, Francisco de (1580-1645): *Arte de trovar*: 2503; Manuel, don Juan: 1151; Santa María Magdalena: 1946
Quijote, don: 1540
Quinçiniano: *Libro de las claras e virtuosas mugeres*: 3243
Quintiliano, Marco Fabio (*c.*35-d.95): artes liberales: 27, 31-32, 34; *Defunsión de don Enrique de Villena*: 2480; terminología de la ficción: 1329
OBRAS:
Declamationi: 2582
Institutio oratoria: 38, 2481
Quiñones, linaje: 2409-2420, 2455, 2531
Quiñones, Pero de, merino mayor de Asturias (1409-1455): Carrillo de Huete, Pero: 2275; detención nobiliaria (1448): 2194, 2530; dimensión linajística: 2410-2411; *Generaciones y semblanzas*: 2411, 2448, 2455; oposición a Álvaro de Luna: 2265-2266
Quiñones, Suero de (1409-1456): configuración caballeresca: 1537; detención nobiliaria (1448): 2194, 2530; *Epístola* de don Enrique de Aragón: 2500-2502; *Libro del Passo Honroso*: **2410-2420**; oposición a Álvaro de Luna: 2265; SÍNTESIS Y CONCLUSIÓN: 3935
quiromancia: *Tractado de la adivinança*: 2827
Quirón: *Tratado de amor*: 3186
«qüistión»: *Crónica de Enrique III*: 2101, 2103; *Jardín de nobles donzellas*: 3665
QÜISTIÓN ENTRE DOS CAVALLEROS: 3590, **3629-3635**; autoría: 3635; defensa del saber: 3630-3631; filosofía moral: 3631-3632; filosofía natural: 3632-3633; orden de la historia: 3633-3635; SÍNTESIS Y CONCLUSIÓN: 3962

Rabano Mauro (*c.*780-856): *General estoria*: 698, 778-779
OBRAS:
De inventione linguarum: 4054
Rabiçag: *Libro de las armellas*: 617
Rabión: *Bocados de oro*: 459, 461, 463
Rachel e Vidas: 136
Rades y Andrada, fray Francisco (m.1599): Aragón, Enrique de: 2477
Radewijns, Florencio (*c.*1350-1400): *devotio moderna*: 2002n.
Rages, privado: *Zifar*: 1447
Ragiel: *Libro de las formas*: 624; *Libro de los judizios*: 389n. (ver ʿAlī ibn ar-Rigāl)
Raimundo: *Floresta de filósofos*: 3143n.
Raimundo, arzobispo de Toledo (1125-1152): Escuela de traductores: 364; *Fazienda de Ultramar*: 112, 114; *Fuero de Alcalá*: 3990; *Secretum secretorum*: 275
Raimundo de Borgoña, conde de Amaous (m.1107): padre de Alfonso VII: *Crónica de la población de Ávila*: 172
Raimundo de Peñafort, San (*c.*1185-1275): *Summa de penitentia*: 2013n.
Raimundus de Biterris: traducción latina del *Calila* (a.1313): 186
Rainer, duque de Saxoña: *Estoria del Cavallero del Çisne*: 1069-1072, 1074, 1077n., 1079, 1088
Rámaga, secuestro de Juan II (1443): anulación de la cancillería: 2295-2296; batalla de Olmedo, relación: 2552, 2864; Cartagena, Alfonso de: 2867,

2877, 2879; Enrique IV: 3475; intervención de Barrientos: 2247, 2262; *Libro de Graçián*: 3389; Luna, Álvaro de: 2263, 2695; producción jurídica: 2854
Ramírez, Diego, sobrino del Arcediano de Niebla (siglo XV): 2752, 2756
Ramírez, Miguel, escudero (siglo XV): *Arte cisoria*: 2489
Ramírez de Arellano, Johán, camarero de Pedro IV (siglo XIV): *Crónicas* de Ayala: 1804-1805
Ramírez de Guzmán, Juan, comendador mayor de Calatrava (m.1455): *Crónica del Halconero*: 2279-2280
Ramírez de Guzmán, Vasco, traductor: 2423n.
Ramírez de Lucena, Juan: ver Lucena, Juan de
Ramírez de Toledo, Juan, hermano del Arcediano de Niebla: 2749, 2752-2753
Ramiro: ver Remigio de Auxerre
Ramiro I de Aragón, hijo de Sancho Garcés III (*c.*1000-[1035]-1063): padre de Sancho Ramírez I: *Crónica de los Reyes de Navarra*: 3537
Ramiro I de León (791-[842]-850): *Corónica de A. Pérez de Guzmán*: 2461; *Crónica de 1344*: 1234-1235; *Crónica de 1404*: 2085-2086; *Doctrinal de los cavalleros*: 2876; *Estoria de España*: 675-676; *Sumario del Despensero*: 2094; *Versión amplificada de 1289*: 962n., 963
Ramiro II de León ([931]-950): *Anales castellanos*: 96; «cuento de la mujer de Salomón»: 175n.
Ramiro Sánchez, hijo de Sancho Garcés IV, padre de García Ramírez IV (siglos XI-XII): sucesión navarra: *Crónica de los Reyes de Navarra*: 3538
Randa, Pedro de, leyenda de: *Andanças e viajes* de Pero Tafur: 3415
rapto, motivo: 1362, 1364; leona: 1400, 1405, 1567
Raquel, esposa de Jacob: *Del soberano bien*: 2170; *Libro de toda la vida de nuestra Señora*: 3874; *Tratado de cómo al hombre es necesario amar*: 3177; *Tratado en defensa de virtuosas mugeres*: 3262; *Triunfo de las donas*: 3297
Rasis/al-Razi, Ahmad, historiador árabe (siglo X): 1234-1235, **2088-2089**, 3345 (ver *Crónica del moro Rasis*)
razón: Cartagena, Alfonso de: 3024; crónica real: 1241, 1244-1245, 1265, 1797; entender por razón: 1760; *Flores*: 1589-1590; López de Ayala, Pero: 2104; Manuel, don Juan: 1093-1094, 1113, 1117, 1123, 1139, 1142, 1144, 1165, 1183, **1192**, 1278; Martín de Córdoba, fray: 3669; Martínez de Toledo, Alfonso: 2677; noción molinista: 861, 907, 910, 957-959, 968-969, 977, 1333, 1336; personaje alegórico (*Visión deleitable*): 2840-2841, 2846-2847; «razón fermosa»: 1324, 1336; «razones sobejanas et dobladas»: 602; término teórico: 202, **318-319, 319n.**, 385, 533, 602-603, 657, 673, 691, 697, 709, 784; Tratado de retórica: 3735; *Zifar*: 1446
Razón de amor: 131, 1011
Rea: *Sumas de Historia Troyana*: 1634
realidad sentimental: 2392n., **3153-3165**, 3799-3806, 3816
receptores:
- **corrección de**: *Flor de virtudes*: 3739
- **cortesanos**: *Confesión del amante*: 3217
- **división de**: *Bocados de oro*: 467; *Espéculo*: 347; *Libro de las confesiones*: 4044; *Partida I*: 535n.

formación de: *Arcipreste de Talavera*: 2668-2669, 4063; *Arte de trovar*: 2504; *Baladro del sabio Merlín*: 1486; *Barlaam*: 980, 986; *Batalla campal de los perros contra los lobos*: 3764; *Bocados de oro*: 460; *Bursario*: 3276; *Caída de príncipes*: 2144; *Calila*: 188-189, 211; *Castigos de Sancho IV*: 936, 938; *Comento* de Madrigal: 2544; *Crónica de Alfonso XI*: 1267; *Crónica particular de Fernando III*: 1243-1245; *Dichos de sabios*: 3121; *Los doze trabajos de Hércules*: **2484-2486**; *Embajada a Tamorlán*: 2180; *Espéculo*: 347; *Espejo del alma*: 3000; *Estoria de la fiesta del Cuerpo de Dios*: 3035; *Estoria del Cavallero del Çisne*: 1055, 1061; *Exemplos muy notables*: 3111, 3114, 3116-3117; *Flores de filosofía*: 263; *Flores de los «Morales sobre Job»*: 2154; *Generaciones y semblanzas*: **2458**; *General estoria*: 701, 726, 784; hagiografía: 1918; *Historia de don Álvaro de Luna*: 2920; *Historia de la donzella Teodor*: 498; *Historia troyana polimétrica*: 806, 813; *Introduçión* de P. Díaz de Toledo: 3752; *Invencionario*: 3715, 3717; *Lamentaçión de Spaña*: 2525; *Lapidario*: 386; *Libros de acedrex*: 829; *Libro de confesión de Medina de Pomar*: 3041; *Libro de la justiçia de la vida espiritual*: 1884-1885; *Libro de las claras e virtuosas mugeres*: 3233, 3246; *Libro de las cruzes*: 421-422; *Libro de las tribulaciones*: 3010; *Libro de las veinte cartas*: 3808; *Libro de los buenos proverbios*: 446, 451, 454; *Libro de los cien capítulos*: 428-429; *Libro de los estados*: 1129-1130; *Libro de los exemplos por a.b.c.*: 3099; *Libro de los judizios*: **400-401**, 404; *Libro de toda la vida de nuestra Señora*: 3862-3866; *Libro de vita beata*: 3691; *Libro del conde Lucanor*: 1158, 1181; *Libro del conosçimiento*: 1828; *Libro del consejo*: 948, 959; *Libro del tesoro*: 871; Ms. 77, Bibl. Menéndez Pelayo: 1863; narraciones cortesanas alfonsíes: 797-798, 800; *Partida II*: 563; *Poridat*: 278, 284; *Post-Vulgata*: 1475; *Purgatorio de San Patricio*: 1848; *Repertorio de Príncipes*: 3543; romanceamientos San Isidoro: 2158; *Santa Marta*: 1951; *Segundo filósofo*: 505; *Sendebar*: 214, 226; sermones: 2959, 2971; *Setenario*: 314, 325; *Tractado breve de penitencia*: 3006; traducción de la *Eneida*: 2514; *Tratado de amor*: 3182; *El Victorial*: 2386; *Visión de don Túngano*: 1837; *Visión de Filiberto*: 1762; *Zifar*: 1415-1416, 1434-1435
glosas de: *Lanzarote*: 1473, 1475
insertos: *Libro de Gracián*: 3399; *Suma política*: 3609
intervención de: *Amadís*: 1548, **1551-1554**; *Estoria del infante Roboán*: 1434-1435, **3152-3153**; *Sátira de infelice y felice vida*: **3334**
obstinación de: *Declaración sobre San Juan Crisóstomo*: 3031
rebelión de: *Estoria de España*: 667
rey como receptor: *Libro de Graçián*: 3380-3381, 3384, 3399; *Sumas de la Ilíada*: 2737
voluntad de: *Amadís*: 1563; *ars rhetorica*: 50; *Arte cisoria*: 2493; *Barlaam*: 985, 991, 1000; *Caída de príncipes*: 2144; *Calila*: 182, 192, 196-197; *Crónica de Alfonso XI*: 1278; *Crónica de la población de Ávila*: 179; *Embajada a Tamorlán*: 2180; *Espéculo de los legos*: 3108; *Estoria de la fiesta del cuerpo de Dios*: 3034; *Estoria del rrey Guillelme*: 1358; ficción sentimental: 3152; *Historia de la donzella Teodor*: 488; *Historia troyana polimétrica*: 807-808; *Libro de los cien capítulos*: 428; *Libro de los doze sabios*: 251; *Libro de los judizios*: 402-403, 405; *Libro del consejo*: 959; *Libro del saber de astrología*: 603; materia artúrica: 1462, 1465; molinismo: 1029; *Partida I*: 535; *Qüistión entre dos cava-*

lleros: 3629; *Segundo filósofo*: 505; *Sendebar*: 231; *Setenario*: 325; *Tratado de cómo al hombre es necesario amar*: 3175; *Triste deleytaçión*: 3821; *El Victorial*: 2360; *Vidas y dichos de filósofos antiguos*: 2131; *Visión de don Túngano*: 1840; *Zifar*: 1375-1376, 1378, 1380, 1400 (ver lector; lectura; lecturas)
Recesvindo, rey ([649/653]-672): *Vida de San Ildefonso*: 2707
recetarios: 2758
«Recharte el Peligrino»: fuentes de la *Gran Conquista de Ultramar*: 1031
recitación de «estorias»: *Siervo libre de amor*: 3317, 3322-3323
recreantisse, motivo caballeresco: *Estoria del Cavallero del Çisne*: 1073; *Historia de don Álvaro de Luna*: 2913; *San Alejo*: espiritual: 1977-1978; Tratado de moral: 3731n.; *Tristán*: 1537; *El Victorial*: 2384n.; *Zifar*: 1403
reforma de órdenes religiosas: agustinos: 2936-2937, 2957; Ferrer, fray Vicente: 2954-2955
reforma eclesiástica: molinismo: 4043-4044; Reyes Católicos: 3832-3833; Sánchez de Vercial, Clemente: 3048; tratadística: 3841-3844
refranes: *Arcipreste de Talavera*: 2673; *Atalaya de las corónicas*: 2700; *Castigos de Sancho IV*: 4027; correspondencia del Arcediano de Niebla: 2756; diccionario de refranes medievales: 4059-4060; discursos literarios: 4060; *Espéculo de los legos*: 3108; *Exortaçión*: 3659n.; *Historia de don Álvaro de Luna*: 2927; *Libro de la justiçia de la vida espiritual*: 1895; *Libro de vita beata*: 3688; *Refranes que dizen las viejas tras el fuego*: **2533-2534, 4058-4059**; Tratado de moral: 3732n.; *Zifar*: 1377 (ver «brocardicos»; «villançetes»)
Refranes y dichos de Aristóteles de toda la filosophía moral: 4058-4059
Refundición de la Crónica de 1344: 1235-1236, 2085
Refundición de la Crónica de Juan II: ver *Crónica de Juan II*
Refundición de la Tercera Crónica General: 2082
Refundición del Halconero: 2294-2322 (ver Barrientos, Lope)
Refundición del Sumario del despensero de la reina doña Leonor: 1779, 1781, 2078, 2084, **2097-2099**
Refundición Toledana: 3346
regalismo: afirmación Alfonso XI: 1280-1281, 1304-1305, **1310-1312**; destrucción modelo de autoridad (Enrique IV): 3493-3508, 3522-3526, 3530-3532; Enrique III: **2075-2080**; identidad jurídica: **300-357**, **342-343**, **407**, 410, 416, 544, 548; ideología política: **159-161**, 250; regalismo aristocrático: 863, 960
REGIMIENTO:
aristocrático/nobiliario: *Carta e breve conpendio*: 3639-3647; *Libro del regimiento de los señores*: 2936-2943; *Libro enfenido*: 1185, 4033
caballeresco: *Generaciones y semblanzas*: 3164; *Libro de las cruzes*: 416; *Libro de los cien capítulos*: 430; *Poridat*: 282; *Secreto de los secretos*: 288-289 (ver tratados de caballería)
de príncipes: abreviación de los *«Morales»*: 2155; Alfonso XI: 1260; *Bocados de oro*: 463-470; *Carta al rey sobre el regimiento de su vivienda*: 3635-3639; *Castigos de Sancho IV*: 916, 919; *Crónica de Alfonso X*: 979; *Crónica de Enrique III*: 2101; *Crónica de Juan II*: 2215, 2228, 2231; *Cuento de Carlos Maynes*: 1606; *Exemplos muy notables*: 3119; ficción caballeresca: 3153n.; *Flores de filosofía*: 262, 266; *Flores de los «Morales sobre Job»*: 2153; *Flores y Blancaflor*: 1592; *Generaciones y semblanzas*: 2439n.; *General estoria*:

749, 774; *Introdución* de P. Díaz de Toledo: 3751-3752; *Jardín de nobles donzellas*: 3661-3677; *Libro de Alexandre*: 1656; *Libro de cetrería*: 1688; *Libro de Graçián*: 3384, 3398-3401; *Libro de las cruzes*: 407, 413, 416-417, 419; *Libro de las veinte cartas*: 3790-3792; *Libro de los buenos proverbios*: 443; *Libro de los cien capítulos*: 430, 435, 4008; *Libro de los doze sabios*: 242-243, 246, 250, 252-253, 256, 259; *Libro de los estados*: 1128-1129; *Libro del regimiento de los señores*: 2936-2937; *Libro del tesoro*: 889; *Libro enfenido*: 1188; *Poridat*: 273, 283; *Proverbios o sententias breves*: 3127n., 3127-3130; *Qüistión entre dos cavalleros*: 3629-3635; Sánchez de Arévalo, Rodrigo: 3607-3628; *Secreto de los secretos*: 286-287, 289; *Seguro de Tordesillas*: 2401, 2406; *Sendebar*: 4003; SÍNTESIS Y CONCLUSIÓN: 3918-3919, 3946, 3961; tratados políticos, siglo XIV: **1696-1735**; Valera, Diego de: 2716-2717, 3590-3607; *Vespesiano*: 1676; *El Victorial*: 2379n.; *Zifar*: 1381

«de sanidad»: *Menor daño de medicina*: 2766-2777

doméstico: *Regla de San Bernardo*: 3737-3738

militar: *Crónica de Enrique III*: 2107; *Décadas*: 2139; *Dichos de Séneca*: 3143-3148; *General estoria IV*: 761; *Historia de don Álvaro de Luna*: 2913; *Historia troyana polimétrica*: 805-806; *Libro de los doze sabios*: 258; *Libro de los estados*: 1130; *Libro de los judizios*: 395; *El Victorial*: 2381; *Vidas y dichos de filósofos antiguos*: 2126

femenino: *Jardín de nobles donzellas*: 3673

político: *Suma política*: 3608, 3616-3620

público: *Vidas y dichos de filósofos antiguos*: 2129

validista: *Crónica de Juan II*: 2232, 2234

Regimiento de los príncipes: 2852

Regimiento e reglas para bien vivir un caballero: 1726n.

regimiento religioso:

de conciencia: *Barlaam*: 1007; *Libro de Graçián*: 3382

de Dios: *Libro del regimiento de los señores*: 2938

de la casa: *Floresta de filósofos*: 3143

de salvación: *Santa Catalina*: 1953

del alma: *Carta al rey sobre el regimiento de su vivienda*: 3637-3639; *Dichos de Séneca*: 3143; *Dichos e castigos*: 3125-3127; *Exortaçión*: 3654

doctrinal: *Dichos de sabios*: 3122

Regla de San Bernardo: *Cancionero de Juan Fernández de Híjar*: 3737-3738; SÍNTESIS Y CONCLUSIÓN: 3965

reglas:

clericales: Ms. 77, Bibl. Menéndez Pelayo: 1868-1869

espirituales para damas de la nobleza: López de Salamanca, Juan: 3859, 3861; período Reyes Católicos: 3855

monásticas: Miscelánea, BN Madrid 8744: 3841-3843; *Santa Marta*: 1948

religiosas: *Regla de San Bernardo*: 3737-3738; *Viridario*: 2030-2032

Régulo, Marco Atilio (siglo III): *Compendio de la fortuna*: 2795n.

Regunda, Madama: ver «Madama Regunda»

Regusar: *General estoria IV*: 751

reina de África: *Vespesiano*: 1679

Reinaldo, maestre: *Vida de Santo Domingo de Guzmán*: 1991

reinas/esposas/infantas calumniadas, motivo:
Berta: *Gran Conquista de Ultramar*: 1081
Florencia: *Otas*: 1659, 1664
Grima: *Zifar*: 1400
Griselda: 3136-3137
Isomberta: *Estoria del Cavallero del Çisne*: 1061, 1064-1066, 1068
López de Córdoba, Leonor: *Memorias*: 2347, 2349
Medusa: *Tratado e despido a una dama de religión*: 3802
Molina, María de: *Crónica de Fernando IV*: 1250, 1255; *Estoria del Cavallero del Çisne*: 1055; *vitae* Ms. h-i-13: 928, 1037-1038, 1936-1937
Oliva: *Enrique fi de Oliva*: 1619, 1624
«santa enperatrís»: 1366-1371
Sevilla: *Cuento de Carlos Maynes*: 1581, 1605, 1607-1609
Teóspita: *Cavallero Pláçidas*: 1351
reino/«regno», noción alfonsí: 558-559
reinserción, motivo: 1351, 1628
relación/relato linajístico: *Andanças e viajes* de Pero Tafur: 3416-3417, 3419; *Crónica de Vizcaya*: 3547-3549; *Crónica particular de Fernando III*: 1239-1240; *Espejo de verdadera nobleza*: 2722; *Estoria del Cavallero del Çisne*: 1058-1059, 1067, 1073, 1074-1077; *Generaciones y semblanzas*: 2441-2442; *Gran Conquista de Ultramar*: 1043; *Hechos de Lucas de Iranzo*: 3565; *Libro de las veinte cartas*: 3790-3791; Manuel, don Juan: 1248; materia carolingia: 1080, 1085; *Memorias* de Leonor López de Córdoba: 2348; Mena, Juan de: 2727-2728, 2740-2747; *Repertorio de Príncipes de España*: 3542-3545; *Sumas de Historia Troyana*: 1647; *Tratado en defensa de virtuosas mugeres*: 3264; *Zifar*: 1460
relación de sucesos: 2171-2172, 4056-4057
Relator, cargo cortesano: 2631n.
relatos monásticos: **1017-1029** (ver propaganda monástica)
religio amoris: 3321n.
reliquias: *Andanças e viajes* de Pero Tafur: 3409n., 3410, 3418, 3423; *Embajada a Tamorlán*: 2184; *Libro del infante don Pedro de Portugal*: 3428
remedia amoris: *Arcipreste de Talavera*: 2674; *Breviloquio de amor*: 3168, 3170, **3173-3174**, 3199; *Castigos y dotrinas*: 3138; *Corbaccio*: 3208; *Libro de las veinte cartas*: 3806-3807; *Lilio de medicina*: 2775n.; *Tratado de amor*: 3182, 3187-3190; *Tratado de cómo al hombre es necesario amar*: 3179; *Triste deleytaçión*: 3821
Remigio de Auxerre/«Ramiro» (841-908): «esponimientos de la Biblia»: *General estoria IV*: 755
Remigio de Reims, San (*c.*437-*c.*533): oración para seguir la voluntad de Dios: Miscelánea, BN Madrid 8744: 3835
Repartimiento de Murcia: 359
Repartimiento de Sevilla: 181, 244
repetitio: A. Fernández de Madrigal: 2646, 2648, 2654, 2666, 3166, 3169-3174
reportatio (sermonística): 2965
reprobationes: *Arcipreste de Talavera*: 2669, 2672; *Libro de las veinte cartas*: 3806
«del loco amor»: *Arcipreste de Talavera*: 2672-2676; *Castigos de Sancho IV*: 929-931; *Libro de la justiçia de la vida espiritual*: 1893-1894

república: imagen: *Qüistión entre dos cavalleros*: 3633
«respuesta»: traducción de la *Farsalia*: *General estoria V*: 784
Resusta, rey: *Libro de los buenos proverbios*: 448
retórica: ver *ars rhetorica*
retraer: *Partida II*: 593
retraires: *Estoria del infante Roboán*: 1428; *Libro de las confesiones*: 1744
retrato: animado: *Triste deleytaçión*: 3822
retribución, motivo: *Sacramental*: 3053
Revelaçión e consejo de los ángeles para pensar en el Señor e en la Passión: Miscelánea, BN Madrid, 8744: 3835
revueltas anticonversas: Díaz de Toledo, Fernán: 2631-2643; Lucas de Iranzo, asesinato: 3532, 3562; Lucena, Juan de: 3683; Toledo (1449): 2194
Rexach, Guillem: formador de la *Questa del Sant Grasal* (1380): 1470
REY:
acechado por el destino, motivo: Alfonso X: 423; *Bocados de oro*: 470; *Crónica sarracina*: 3347; *Demanda del Santo Grial*: 1500; *Estoria de dos amadores*: 3319; *Libro de las cruzes*: 409; *Libro de las generaciones*: 107; *Partida II*: 547; *vitae*, h-i-13: 1936
conducta del: *Crónica de Enrique III*: 2104; *Crónica de Juan I*: 1812-1814; *Crónica de Juan II*: 2215; *Del soberano bien*: 2171; *Fuero Real*: 302; *Hechos* de Lope de Barrientos: 2295; *Historia de don Álvaro de Luna*: 2902; *Libro de las veinte cartas*: 3791; *Libro de los doze sabios*: 256; *Partida II*: 555, 557; *Setenario*: 314-315
contador de castigos, «exemplos» o narraciones: Molina, María de: 1251; *Poridat*: 285; Sancho IV: **935-938**; Zifar/rey de Mentón: 1447-1448
definición de: *Libro de los cien capítulos*: 434; *Poridat*: 283
dignidad: *Cirimonial de príncipes*: 3603; *Introduçión* de P. Díaz de Toledo: 3753; *Libro de las veinte cartas*: 3791
«exemplos»:
«rey convertido por un privado»: *Barlaam*: 998
«rey por un año»: *Barlaam*: 997, 997n.
letrado, imagen de:
Alfonso X: *Espéculo*: 345; *Estoria de España*: 658; *Libro de los doze sabios*: 254; *Libro de los judizios*: 602-603; *Libros de acedrex*: 825; Manuel, don Juan: 1105
Baldovín III: *Gran Conquista de Ultramar*: 1048
Juan II: 2202-2206
regimiento: *Carta el rey sobre el regimiento de su vivienda*: 3635-3639; *Espéculo*: 337-348; *Partida II*: 547-559; *Suma política*: 3616-3617
rey-consejero, relación: *Calila*: **192-195**, **197-198**, 201, 204-210, 290-291, **293-294**, 428-429, 978, 1071; *Generaciones y semblanzas*: 2444; *Introduçión* de P. Díaz de Toledo: 3753; *Libro de Graçián*: 3382, 3386-3387, 3397; *Suma política*: 3616-3617
rey-Dios: *Carta al rey sobre el regimiento de su vivienda*: 3637; *Exortaçión* de Pedro de Chinchilla: 3653-3655; *Libro del regimiento de los señores*: 2939; *Partida II*: 548
rey-filósofo: *Libro de los buenos proverbios*: 445
rey-pueblo: *Partida II*: 541

riesgos espirituales: *Barlaam*: 1005
soporte de la justicia: *Suma política*: 3619
virtuoso: *Introduçión* de P. Díaz de Toledo: 3752n.
rey de Armenia: *Crónica de Juan I*: 1811-1812; *Embajada a Tamorlán*: 2189; «exemplos»: 1444, 1456
rey de Babilonia: *Flores y Blancaflor*: 1586
rey de Éfeso, «exemplo»: *Zifar*: 1456
rey de Esclavonia: *Otas*: 1666
rey de Hungría: *Cuento de Carlos Maynes*: 1613
rey de los Cien Caballeros: *Tristán*: 1534
rey de Sansueña: materia carolingia: 1581
Rey Pescador: materia artúrica: 1465n., 1466
Reyes Católicos: contexto cultural: 1485-1486, 1535, 1541, 1550-1551, 1566, 1570-1571, 1576, 2212, 2241-2244, 2250-2251; enlace: 3504; Enrique IV: 3485n.; flechas, simbolismo: 4053; Lucena, Juan de: 3682; producción religiosa: 3832; sujeción de la nobleza: 2881, 3535; título de «Católicos»: 3670 (ver Fernando II de Aragón y V de Castilla; Isabel I de Castilla)
Reyes de Bretaña: 732 (ver *General estoria III*)
Reyes Magos: catedral consagrada: *Andanças e viajes* de Pero Tafur: 3421
rezar/recitar: *Libro de Apolonio*: 1333
Rezio, Gonzalo (siglo XIV): escudero de Pedro I: *Crónicas* de Ayala: 1807n.
Rhetorica ad Herennium: 1330
Ría, Juan de: *Crónica de Juan I*: 1814
Ribadeneira, Fernando de, criado de don Álvaro de Luna, mariscal de Castilla (siglo XV): *Abreviación del Halconero*: 2329, 2329n.; *Hechos de Alfonso Carrillo*: 3588; *Historia de don Álvaro de Luna*: 2929, 2931; Valera, Diego de: 2725
Ribaldo: *Zifar*: Caballero Amigo: 1413, 1416, 1418, 1420, 1430, 1617; conde Farán: 1427, 1437, 1450, 1453n.; Ribaldo: 1406-1411
Ribera, Diego de, aposentador de Juan II, ayo del infante don Alfonso (siglo XV): corte del infante don Alfonso: 3650n.; huida del conde de Benavente: 2262n.; victoria sobre Granada: 2279 (*Crónica del Halconero*); vínculo con el infante don Alfonso: 2242, **2242n.**
Ribera, Payo de, mariscal de Castilla, padre de Diego de Ribera, tío de Perafán de Ribera (siglo XV): restauración de la autoridad del rey en Toledo (1450): 2302n.
Ribera, Perafán de, adelantado mayor de Andalucía (m.1454): *Generaciones y semblanzas*: 2447n.
Ribera de Perpejà, Pere: versión catalana de las *Historiae* del Toledano: 3996-3997
Ricardo I de Inglaterra, Corazón de León (1157-[1189]-1199): *Gran Conquista de Ultramar*: 1051-1053
Ricardo II de Inglaterra (1367-[1377]-1400): *Confessio Amantis*: 3208, 3211-3212, 3217
Ricardo de Bury (1287-d.1345): corte de Aviñón: 2135
Ricardo de Cornualles o de Cornwall (m.1275): muerte: 514n., 644, 657, 688, 960; rival de Alfonso X en el «fecho del Imperio»: 423-424
Ricardo de Thetford (siglo XIII): *Ars dilatandi sermones*: 1899, 1899n.
Ricasoli, Galeoto de: *Floresta de filósofos*: 3143n.

Ricobaldo/Riccobaldo Ferrarese (siglos XIII-XIV): *Mar de historias*: 2431
«ricos omes»: Alfonso X: 584-585
[al-] Ricotí, matemático, dirige la Escuela de Murcia (1269): 365
«riepto-reto»: Alfonso X: 522, 589; Alfonso XI: 1300; Cartagena, Alfonso de: 2876-2880; cortes de Zamora (1274): 1292n.; *Demanda*: 1497; *Estoria de España*: 66; López de Ayala, Pero: 1804, 1805n.; Mena, Juan de: 2736, 2745; Valera, Diego de: 2715, 3592-3598
rima/rimo: *Libro del tesoro*: 870n.
rimario: *La Gaya Ciencia*: 3581-3583, 3589
rimi series: 43, 50
Rinonico de Pisa, Bartolomeo (m.1401): *Vida y milagros de San Antonio*: 3850
río de Piedras: *Libro del infante don Pedro de Portugal*: 3437
Rión, rey: *Baladro*: 1490
riqueza: *Dichos de sabios*: 3123; *Dichos de Séneca*: 3147; *Dichos por instruir a buena vida*: 3124; *Espejo del alma*: 2999; *Exemplos muy notables*: 3113-3114, 3116; *Exortaçión*: 3657; Ferrer, fray Vicente: 2960; *Generaciones y semblanzas*: 2436; *Jardín de nobles donzellas*: 3671; *Libro de Graçián*: 3385; *Libro de las claras e virtuosas mugeres*: 3233; *Libro de las consolaçiones*: 2993; *Libro de vita beata*: 3693; *Suma política*: 3611; *Tratado de providencia contra fortuna*: 3600
  y pobreza, relación: *Dichos de los santos padres*: 1748; *Libro de las veinte cartas*: 3786, 3792; *Perfeçión del triunfo*: 3777, 3781; Tratado de moral: 3731 (ver disputas, Pobreza y Fortuna)
risa:
  burla moral: *Zifar*: 1408, 1437
  cortés: *Enrique fi de Oliva*: 1630; *Estoria del rrey Guillelme*: 1365, 1365n.; *Flores*: 1588; *Tratado de cetrería*: 1687; *Zifar*: 1396
  evitación de la: *Libro del infante don Pedro*: 3433-3434
  razón de no reír: *Zifar*: 1433, 1436
  y celos: *Tristán*: 1530
«Riscardo»: *Libro de las veinte cartas*: 3796n.,
  y Gismunda: *Juego de naipes*: 3811n.
rithmus: 39, 43-44, 55
«rítmica doctrina»: *Arte de trovar*: 2504
Ritual y cómputo eclesiástico: Miscelánea, BN Madrid 8744: **3843-3844**
Roa, Fernando de, catedrático de filosofía moral en Salamanca (m.a.1502): conciencia crítica: 3554n.; discípulo de A. Fernández de Madrigal: 4061
Roberto de Anjou, rey de Nápoles (1278-[1309]-1343): *Exposición del soneto de Petrarca*: 2511
Roberto de Baservorn: *Forma praedicandi* (1322): 1902
Robleda, escribano (siglo XV): *Libro del Passo Honroso*: 2415
robledo de Corpes, afrenta: *Estoria del Cavallero del Çisne*: 1072n.; *Otas de Roma*: 1671
Robles, Fernán Alfonso, contador del infante don Enrique y de Juan II (1380-1430): *Crónica de Juan II*: 2890-2893; *Crónica del Halconero*: 2288, 2293; *Generaciones y semblanzas*: 2450-2451, 2453
Robles, linaje: *Memorias de algunos linages*: 2746-2747
Roboán, hijo de Salomón, rey de Judá ([931-914]): *General estoria III*: 735, 742

Roboán, segundogénito de Zifar: 1059, 1065n., 1079, 1364, 1373, 3391, 3404, 3432; *Estoria del infante Roboán*: 1379, 1411-1420, **1420-1438**, 1476, 1537n., 1699, 1802n., 1834, 2215, 3153, 3219
ROCACISA, FRAY JUAN DE (m.*c*.1365): **3089-3094**; Anticristo: 2957; opúsculos visionarios, relación: 3084, 3086; SÍNTESIS Y CONCLUSIÓN: 3949; transmisión: 1478, 1835
OBRAS:
Libro de las tribulaciones: 2998, 3089-3094, 3757
Libro de quintaesençia: 2508, 3089n.
Vade mecum in tribulatione: 3089-3090
Rocas: *Estoria de España*: 659; *General estoria V*: 792; *Qüistión entre dos cavalleros*: 3634
Rocha, duque de la: *Enrique fi de Oliva*: 1623-1625
Rochatallada: ver Rocacisa, fray Juan de
Rodolfo I de Habsburgo, emperador (1218-[1274]-1291): 644
Rodrigo, conde: materia cidiana: *Repertorio de Príncipes*: 3544
Rodrigo, rey ([710]-711): *Anacephaleosis*: 2621-2622; *Crónica de 1344*: 1234; *Crónica* de Ayala: 1797n.; *Crónica* de fray García Eugui: 1286; *Crónica sarracina*: 1634, 3342-3358, **3393n.**; *Epístola a Suero de Quiñones*: 2501; *Generaciones y semblanzas*: 2457n.; *Liber regum*: 102-103; *Libro de Graçián*: 3392-3393; *Libro de la consolaçión de España*: 3077n., 3080; molinismo: 860n.; Sánchez de Valladolid, Ferrán: 966; *Las siete edades del mundo*: 2592; *El Victorial*: 2377, 2382
Rodrigo de Cerrato, fray, cronista y hagiógrafo (siglo XIII): compilación de *Vitae* (1276): 862n.; tratamiento hagiográfico: 1917, 1917n., 1922n.
Rodrigo de Harana, Despensero del obispo de Córdoba (siglos XIV-XV): *Cancionero de Baena*: 45n.
Rodríguez Coronado, Vasco, maestre de la Orden de Santiago ([1327-1338]): 1745
Rodríguez de Almela, Diego (*c*.1426-1489): círculo letrado de Cartagena: 2602; Corral, Pedro de: 3344; editor de Cartagena: 2620, 3016; Palencia, Alfonso de: 3775n.
OBRAS:
Milagros de Santiago: 3851
Valerio de las historias eclesiásticas: 1780n., 3148, 3554n.
Rodríguez de Lena, Pero (siglo XV): *Libro del Passo Honroso*: 2413-2418, 2420
RODRÍGUEZ DE MONTALVO, GARCI (siglos XV-XVI): glosas y comentarios: 1564, 1568, 1634, 1637; reelaboración del *Amadís*: 1541, 1549-1551, 1553-1555, 1559, 1561, 1566, **1570-1577**, 3983, 4039 (ver *Amadís de Gaula*)
RODRÍGUEZ DEL PADRÓN, JUAN (*c*.1390-1450): **3266-3324;** «Gozos de amor»: 3269n.; Guillén de Segovia, Pero: 3277-3279, 3720n.; Pedro de Portugal: 3327, 3329-3330, 3337n.; peregrinación a Jerusalén: 3301; poeta: 3821n.; SÍNTESIS Y CONCLUSIÓN: 3953-3954; Torre, Fernando de la: 3783, 3790; tratados de caballería: 2861; *Triste deleytaçión*: 3813-3814, 3816n.; Valera, Diego de: 2718-2723, 3390, 3597; *Vida* legendaria: **3268-3271**, 3313
OBRAS:
Bursario: 700n., 1522n., 1638, 3154, 3193, 3199, 3224, 3253n., **3272-3289**, 3302, 3311, 3315, 3804; prólogo y comentarios: 3275-3279; rasgos senti-

mentales: 3279-3285; tradición y transmisión: 3273-3275
cartas originales: 3287-3289, 3550n.
Cadira de onor: 2647, 2718, 2720, 2723, 2741, 2905n., 3256n., 3267, 3290, 3291-3293, **3300-3306**, 3311, 3597, 3707
Carta: 3301-3302
Siervo libre de amor: 2412, 2532n., 2981, 3153n., 3154, 3193, 3201, 3211, 3214, **3214n.**, 3224, 3267, 3272, 3287n., **3307-3324**, 3327, 3331, 3333, 3762, 3802n., 3814, 3830; dimensión epistolar: 3308, 3310, 3984
Estoria de dos amadores (Ardanlier y Liessa): 3179, 3266, 3309, **3317-3322**, 3329; prólogo: 3308-3313; servidumbre amorosa: 3313-3315; siervo de amor: 3315-3317; siervo libre de amor: 3322-3324, 3829
poemas: 3271
Triunfo de las donas: 2487, 2647, 2718, 3059, 3221n., 3255, 3256n., 3268, 3270, **3289-3300**, 3301, 3313, 3327, 3329, 3331, 3333, 3672, 3284n.; composición y transmisión: 3290-3291; dedicatoria: 3298-3300; prólogo de la *Cadira*: 3291-3293
Rodríguez Mascarán, Juan, rector de Mucientes (mitad siglo XV): poseedor de la miscelánea del BN Madrid 8744: 3832, 3844
Rogel, Juan, renegado (siglo XV): *Diálogo sobre la predestinación*: 2798-2803, 2805
Roger de Hoveden (m.*c.*1201): *Chronica*: 4010
Rogerio II de Sicilia (1095-1154): cetrería: 1688
Rojas, Fernando de (*c.*1470-1541): *Comedia de Calisto y Melibea*: 2275n., 2533, 2551n., 2667, 2669, 2671n., 3053, 3166, 3272n., 3629, 3832; medicina: 2775n.; nombre de «comedia»: 3338; oposición realidad/idealismo: 3826; preliminares: 3183; refranes: 4060; término «auto»: 3815n.
Rojas, Sancho de, arzobispo de Toledo (1372-1423): Aragón, Enrique de: 2478; coronación de Juan II (1419): 2231; críticas a su actuación: 2325-2326; enlaces castellano-aragoneses (1418): 3158; facción del infante don Juan: 2307-2308; *Generaciones y semblanzas*: 2447; marco letrado de Juan II: 2206; Niño, Pero: 2392; regencia: 2315, 4030; secuestro de Juan II (1420): 2201
Rojas, Sancho de, señor de Monzón (siglo XV): corte del infante don Alfonso: 3650n.
Roldán: *Embajada a Tamorlán*: 2181n.; materia carolingia: 1581-1582
cantar paralelístico: *Crónica de la población de Ávila*: 174
Roma: ciudad-símbolo: 3231-3235, 3246; descripción: 3409-3410; guerras civiles: 3792; imagen del reino: 3745, 3749-3750; orígenes: 3779n.
Román, fray, doctor en Teología: *Leyenda de Santo Tomás de Aquino*: 1998
Roman de Brut: 105, 105n., 1646
Roman de Fauvel: 804
Roman de Florent et Octavian: 1659
Roman de la Rose: 2670
Roman de l'Estoire dou Graal: 1466
Roman de Thèbes: 709, 724
Roman de Troie: ver Benoît de Sainte-Maure
***Roman dou Graal* (*Post-Vulgata*)**: 1468, 1495
«román paladino»/romance: 63, 1332
Romana, monja diácona: *Santa Pelagia*: 1984

romance **prosístico**: 198, 1029, 1055-1056, 1059, 1274, 1324, 2414-2415, 2698; rasgos: 1541, 1563, 1606, 1643, 1648, 1762, 2090; término: **1331-1339**, 1341, 1355, **1464-1465**, 1659, 2677; transformación: 1535, 1555
Romancea proverbiorum: 4060
romanceamientos:
bíblicos: 58, 111-112, **116-122**, 161, 775
de San Isidoro: **2158-2171**
historiográficos: 59, **162-170**, 651, **3993-3999**
romancero/romance (poema): crónicas generales: 652, 2083; diálogo romanceril: 2390; Gerineldo: 1524, 1539, 1592; interpretación de romances: 3416; *romances*/«romances», diferencia terminológica: 1339; romances fronterizos: 3579; Sancho II: 2097
romancero histórico: Enrique de Aragón, infante: 2910n.; Fernando IV: 1259; Pedro I, contrario a: 1808n., 3557; Pedro I, favorable a: 1778; Pérez de Vivero, Alfonso: 2929n.
romances **de materia caballeresca**: *Historia de don Álvaro de Luna*: 2901, 2918; SÍNTESIS Y CONCLUSIÓN: 3915-3916; textos: **1459-1577**; *Tratado de las armas*: 3595; *El Victorial*: 2359
romances **de materia carolingia**: corte de Juan II: 3340; *Crónica fragmentaria*: 1236, **1577-1630**, 2111n.; *Gran Conquista de Ultramar*: **1080-1092**; modelos temáticos: **1578-1582**; molinismo: 1699; ms. Escorial h-i-13: 3152; SÍNTESIS Y CONCLUSIÓN: 3906, 3916-3917
romances **de materia de la Antigüedad**: 797, **1655-1682**; contexto de recepción: 2920; hagiografía y ficción: **1656-1658**; *Historia de Apolonio*: **1680-1682**; *Otas de Roma*: **1658-1674**; SÍNTESIS Y CONCLUSIÓN: 3917-3918; *Ystoria del noble Vespesiano*: **1674-1680**
romances **de materia épica**: narraciones cortesanas: 797
romances **de materia hagiográfica**: *Castigos y dotrinas que un sabio dava a sus hijas*: 3136; *Crónica sarracina*: 3347, 3357; estructura díptico: 1622; ficción, modelos: 1328; molinismo: 928, 1009, 1038, 1055, 1059, 1263, 1699, 1735, 3152; reina calumniada, motivo: 1255; *romances* de materia carolingia: 1581, 1606, 1672; SÍNTESIS Y CONCLUSIÓN: 3912-3913; textos: **1339-1370**
romances **de materia historiográfica**: 1631-1655; SÍNTESIS Y CONCLUSIÓN: 3917
«romancistas»: traductores: 3763-3764
Romanía: *Amadís*: 1566
Romano, caballero: *Sant Lorenço*: 1930
romanz/romançe/romance: término narratológico: 798, **1331-1339**
Romanz del infant García: 797, 1335
Rómulo: *Partida III*: 596n.; *Perfeçión del triunfo*: 3779
Romulus: 2013
Roncesvalles, batalla de: *Istoria de las bienandanzas e fortunas*: 3551; *Mainete. Gran Conquista de Ultramar*: 1092
Ronçesvalles, cantar de gesta: 1503, 1578
Roquetaillade, Jean de: ver Rocacisa, fray Juan de,
rostro:
desfiguración: *Castigos de Sancho IV*: 932; *Estoria del Cavallero del Çisne*: 1072

golpe en: *Estoria del Cavallero del Çisne*: 1080; *Zifar*: 1419
(ver amputaciones en combate; golpes prodigiosos y heridas caballerescas)
Roxane/Rocxane, hija de Darío, esposa de Alejandro Magno (m.310 a.C.): *General estoria IV*: 770-771
Ruberto, abad (siglo XII): *Annulus sive Dialogus inter Christianum et Judaeum*: 3992
Ruduano, San: *Visión de don Túngano*: 1839
Rufo, Giordano (siglo XIII): *Libro de fecho de los cavallos*: 849
Rufo, médico y poeta griego (siglo I a.C.): 2757
Ruiz, Gil, mosén, letrado aragonés (siglos XIV-XV): *Crónica de Juan II*: 2632n.
Ruiz, Juan, arcipreste de Hita (siglo XIV): Albornoz, Gil de: 1852; Arcipreste de Talavera: 2666, 2668, 2673, 2688, 2692; avisos contra las terceras: 1417; conciencia de autoría: 52; división de receptores: 347, 467; *Enrique fi de Oliva*: 1619-1620; etimologías: 3424n.; ficción sentimental: 3186, 3189, 3215, 3312, 3315, 3328; *Istoria de las bienandanzas e fortunas*: 3550n.; *Libro de los gatos*: 2014; materia de los sacramentos: 1014, 1737, 1737n.; molinismo: 1377, 1458, 2040n.; Pérez, Martín: 4044, 4048; Torre, Fernando de la: 3784, 3807; *Triste deleytaçión*: 3828-3829
OBRAS:
Libro de buen amor: doble prólogo: 1380; fábulas: 1307; geografía ruiciana: 1696; justificación alegría cortesana: 1324, 1325n., 1388n.; *largitas* intelectual: 438n.; parodia de sermón universitario: 1902; pecados/penitencia: 1859n., 1863, 1866n., 1873, 3000, 4043; retrato de la «muger fermosa»: 493n.; serranas: 3437; terminología literaria: 46, 1337-1338, 3099, 4044n.; transmisión de enseñanza: 1392, 1486, 1746n., 2012, 3260n.; transmisión textual: 1761
Ruiz, Martín, padre del escudero Lope de Alarcón (siglo XV): *Sumario del Despensero*: 2098
Ruiz de Ágreda, Juhán, bachiller: *Crónica de Juan II*: 2292n.
Ruiz de Alarcón, Pedro (m.1485): instigador de la *Refundición del Sumario del Despensero*: 2097
Ruiz de Castro, Fernán (reinado de Alfonso VIII): «fazaña»: *Castigos de Sancho IV*: 933; *Crónica de la población de Ávila*: 177
Ruiz de los Cameros, Simón (m.1278): ejecución: 818, 1813
Ruiz de Mendaño, Martín, capitán de naos (siglos XIV-XV): *El Victorial*: 2358n., 2387
Ruiz de Mendoza, señor de Almazán (siglo XV): *Libro de las aves que cazan*: 2852n.
Ruiz Tafur, Pero (siglo XIII): *Andanças e viajes* de Pero Tafur: 3416
Ruspecisa: ver Rocacisa, fray Juan de
Rusticchello de Pisa: redacción del viaje de Marco Polo (1298): 1829, 4051

Saba:
reina de: *Libro de las claras e virtuosas mugeres*: 3246
reino de: *Libro del infante don Pedro de Portugal*: 3432
SABER:
como conocimiento: Alfonso X: 61, 181-182, 185, 188, **200**, 216, 240, 245, 248, 252, **257-259**, 262, **265**, **274**, 277, **289-290**, **315-319**, **331**, **337-339**, **340-341**, **345**, 347-348, 352, **364-422**, 367, 371-372, **386-387**, 387,

402-403, **409-412**, 431, **441-442**, **457**, 511, **518**, **522**, 527, 539n., 542, 559, **567-570**, **602-603**, 607, **646-647**, 648, 666, **686-687**, 694, 713, 820, **823**, 840, 861, 863, 892, 1238, 1241, 1282; *Barlaam*: 997-998; *Crónica de Alfonso XI*: 1267, 1282; *Dichos de Séneca*: 3145; hagiografía: 1942, 1954, 1996; Juan II: 2195; López de Mendoza, Íñigo: 2546; *Lucidario*: 907-911, 953, 958-959, 965; Lulio, R.: 3378; Manuel, don Juan: 1105-1106, 1115, 1158, 1181, 1185, 1187-1188; *Qüistión entre dos cavalleros*: 3630-3631; Tratado de moral: 3730; *El Victorial*: 2381; *Vidas y dichos de filósofos antiguos*: 2117-2128; *Visión deleitable*: 2836-2845; *Zifar*: 1387-1389, 1416, 1449-1451, 3391

de la Virgen: *Libro de toda la vida de nuestra Señora*: 3874-3875

de los cristianos: *Mar de historias*: 2431

de los griegos, transmisión: *Libro de los buenos proverbios*: 446-448; *Vidas y dichos de filósofos antiguos*: 2116, 2123-2125

dimensión negativa: *Calila*: 198, 201, 206; Cartagena, Teresa de: 3055; *Castigos de Sancho IV*: 922, 938; *Dichos e castigos de profetas e filósofos*: 3126; Ferrer, fray Vicente: 2957; *Istoria de Sant Alifonso*: 1923-1924; Juan II: 2205; *Libro de las confesiones*: 1743, 4047; *Libro del tesoro*: **868**; *Lucidario*: 893; *Mar de historias*: 2428, 2433; *Poridat*: 279; *Santa Catalina*: 1954; *Segundo filósofo*: **503**, **507**; *Sendebar*: 220, 4003-4004; *Setenario*: 321, **322**

dimensión positiva: *Bocados de oro*: 460-461; *Calila*: 206, 208-209; *Diálogo de Epicteto*: 475; *Dichos de sabios*: 3121-3122; *Dichos e castigos de profetas e filósofos*: 3126; *Dichos por instruir a buena vida*: 3124; *Estoria de España*: 659; *Flores de filosofía*: 264, 266-268; *Historia de la donzella Teodor*: 492; *Istoria de Sant Alifonso*: 1925; *Jardín de nobles donzellas*: 3661; *Libro de confesión de Medina de Pomar*: 3041; *Libro de los buenos proverbios*: 442, 444, 450; *Libro de los doze sabios*: 250; *Libro de los judizios*: 404; *Libros de acedrex*: 826; *Sendebar*: 213, 220-221, 232; *Setenario*: 321, 328

operaciones intelectivas: *Barlaam*: 996; *Bocados de oro*: 460; *Castigos del rey de Mentón*: 1443; *Crónica abreviada*: 1105; *Generaciones y semblanzas*: 2458; *General estoria*: 740; *Glosa castellana al «Regimiento de príncipes»*: 1711-1712; *Invencionario*: 3714-3717; *Jardín de nobles donzellas*: 3675-3677; *Lapidario*: 380-382, 386; *Libro de las claras e virtuosas mugeres*: **3246-3247**; *Libro de las cruzes*: 420; *Libro de los buenos proverbios*: 444, 454; *Libro de los cien capítulos*: 426-427, 438; *Libro de los estados*: **1141-1143**; *Libro de los judizios*: 397, 399; *Libro de toda la vida de nuestra Señora*: 3865-3867, 3877-3879, 3887; *Libro de vita beata*: 3692; *Libro del cavallero et del escudero*: 1113; *Libro del conde Lucanor*: 1173, **1179-1181**; *Libro del consejo e de los consejeros*: 947-948, 952; *Libro del zelo de Dios*: 1757; *Libros de acedrex*: 820; *Lucidario*: 900-907; *Poridat*: 277; *Sátira de infelice e felice vida*: 3335; *Vidas y dichos de filósofos antiguos*: **2128-2131**

«paladino»: *Libro del saber de astrología*: 612, 622

político y militar: Díaz de Toledo, Pero: 2553; *Proverbios o sententias breves*: 3128

procedente de Dios: *Espertamiento de la voluntad de Dios*: 3834; *Libro enfenido*: 4036; *Partida II*: 551, 553

protección del: *Flores de los «Morales»*: 2154
y «cortesía»: Aragón, Enrique de: 2486-2487; *Atalaya de las Corónicas*: 2697; *Embajada a Tamorlán*: 2190; *Espéculo*: 348-349, 352; *Estoria de España*: 665; *Flores de filosofía*: 267, 270-271, **272**; *Floresta de filósofos*: 3142n.; *General estoria*: 747, 761; interior de la ficción: 1317, 1333; *Libro de los cien capítulos*: 430-431, **436-440**; *Libro de los doze sabios*: 252; *Libro de los judizios*: 405-407; *Libro del consejo*: 954-955; *Libro del tesoro*: 868-869, 880, 881-882; *Libros de acedrex*: 820; materia artúrica: 1510; *Partidas*: **522**, 552, 559, 586; *Secreto de los secretos*: 290; *Sendebar*: 216-217; *Setenario*: 314; *Tristán*: 1535-1536; valoración negativa: 2993, 3339; *Vidas y dichos de filósofos antiguos*: 2129; *Zifar*: 1449-1450
y mujer: *Admiraçión operum Dey*: 3069; Constanza, sor: 4071; *Jardín de nobles donzellas*: 3672; *Libro de las veinte cartas*: 3797-3798
y pobreza: *Vidas y dichos de filósofos antiguos*: 2119-2120
sabiduría: cortesana: 1449; legislativa: 575, 659; moral: 3664; noción caballeresca: 562-563; *Setenario*: 316
sabiduría de Balahvar, La: versión abreviada del *Barlaam*: 981
«Sabieza»: *Visión deleitable*: 2840-2843, 2848-2849
Sabina, esposa de San Alejo: *San Alejo*: 1977-1978
sabio, concepción/definición: *Etimologías* romanceadas: 2160-2161; Tratado de moral: 3731; *Tratado que hizo Alarcón*: 3759; *Vidas y dichos de filósofos antiguos*: 2126-2128
Sacarus, caballero: *Crónica sarracina*: 3351-3352, 3354
sacramentales: *Diez mandamientos*: 1010; *Invencionario*: 3709; *Libro de la justiçia de la vida espiritual*: 1889-1890; *Partida I*: 529; *Sacramental*: **3048-3053**; *Setenario*: 320, **326-330**; SÍNTESIS Y CONCLUSIÓN: 3948
sacramentos: *Catecismo* de Gil de Albornoz: 1855; catecismo de Gutierre de Toledo: 1857; Ferrer, fray Vicente: 2960; Guillén de Segovia, Pero: 3726; *Invencionario*: 3709; *Libro de las consolaçiones*: 2995-2996; manuales de confesión: 1736; Miscelánea, BN Madrid 8734: 3836-3840; *Setenario*: 326-330
sagitario: *Historia troyana polimétrica*: 810-811
Sagrajas (1086): ver Zalacas
Sagramor: *Tristán*: 1524, 1526, 1530, 1534
Sahagún, Juan de (siglo XV): halconero de Juan II: 2039, **2850-2852**; SÍNTESIS Y CONCLUSIÓN: 3945
sal, tópico del saber: *Libro de los cien capítulos*: 437n.; *Setenario*: 328
Saladín/Saladino, sultán (1137/38-1193): *Gran Conquista de Ultramar*: 1049-1050, **1050n.**, 1056; *Libro del conde Lucanor*: 1162-1163, 1170, 1177n.; *Mar de historias*: 2430
Salado, batalla del (1340): *Corónica de A. Pérez de Guzmán*: 2461, 2467; *Crónica de Alfonso XI*: 1279; *Gran Crónica de Alfonso XI*: 1819
Salamanca, estudio/universidad: Alfonso X: 364; Cartagena, Teresa de: 3055; «clerezía» escolar: 139; Fernández de Madrigal, Alfonso: 3166, 3169, 3182-3183; fundación y desarrollo: 20-27, 58, 78, 112; Lucena, Juan de: 3680; Mena, Juan de: 2730; Odo de Chériton: 2013; poemas clericales: 1317; Sancho IV: 862; *Semejança del mundo*: 143; tratados de erotología: 3165-3193, 3740

Salazar, Juan de, «El Moro», hijo de Lope García de Salazar (siglo XV): primogénito: 3546; prisión paterna: 3549
Salazar, linaje: 3547
Salazar, Lope de, hijo de Lope García de Salazar (siglo XV): mayorazgo: 3547n.; segundogénito: 3546
Salcedo, linaje: 3548
Salcedo, Pedro de, corregidor de Cuenca (siglo XV): 3591
Salmanasar, rey de Asiria: *General estoria III*: 736
Salmandina: *Enrique fi de Oliva*: 1620n.
Salmerón, Fernando de: copista: 3379
salmos: 3260n.
Salmos de David: *Crónica de Juan II*: 2218-2219; *General estoria III*: 732
Salomón/Salamón (970-931 a.C.): *Algunas cosas contra la luxuria*: 3840-3841; *Árbol de batallas*: 2546; *Capítulo cómo los fijos deven onrar al padre*: 3139; *Carta e breve conpendio*: 3648; *Castigos de Sancho IV*: 933; *Castigos del rey de Mentón*: 1452; Díaz de Toledo, Pero: 2552-2553; *Fazienda de Ultramar*: 121; Ferrer, fray Vicente: 2953; *General estoria*: 732, 735, 742n., 758, 4016; *Invencionario*: 3715n.; *Jardín de nobles donzellas*: 3673; *Libro de confesión de Medina de Pomar*: 3041; *Libro de las claras e virtuosas mujeres*: 3227; *Libro de las consolaçiones*: 2997; *Libro de las cruzes*: 410-411; *Libro del consejo*: 955; *Libro del tesoro*: 873; López de Mendoza, Íñigo: 2528, 2530; *Mar de historias*: 2428; Ms. 77, Bibl. Menéndez Pelayo: 1869; *Qüistión entre dos cavalleros*: 3630; sentencias: 4058-4059; *Tratado de cómo al hombre es necesario amar*: 3179, 3180; *El Victorial*: 2376; *Vidas y dichos de filósofos antiguos*: 2121n. (ver *Proverbios*; *Proverbios de Salamón*)
Salterio: *Arboleda de los enfermos*: 3060; *Exposición del salmo «Quoniam videbo»*: 2507; *General estoria III*: 736
salto peligroso, motivo: *Tristán*: 1520
Salustio Crispo, Cayo (*c*.86-d.35/34 a.C.): *Defunsión de don Enrique de Villena*: 2480; *Floresta de filósofos*: 3142n.; *Grant Crónica de Espanya*: 1652; *Introduçión* de P. Díaz de Toledo: 3750; Palencia, Alfonso de: 3513; *Qüistión entre dos cavalleros*: 3631n.; *Semejança del mundo*: 149; *Vidas y dichos de filósofos antiguos*: 2118
OBRAS:
Conjuración de Catilina: 2423n.
Guerra de Yugurta: 2423n., 2723-2724
Salutati, Lino Coluccio (1331-1406): destinatario del *De libris gentilium legendis*: 2557-2558; epístola a Juan Fernández de Heredia: 1650-1651; modelo de humanismo: 2481; traducción del *Phaedo*: 2563
«salvaje»: ver hombre salvaje
Salve regina: paráfrasis: *Libro de toda la vida de nuestra Señora*: 3864
Samarcanda: *Embajada a Tamorlán*: 2187-2188
samedi par nuit, Un: 1762n.
Samuel, profeta (siglo XI a.C.): *General estoria II*: 730; *Libro de las claras e virtuosas mugeres*: 3230
Samuel el Leví, judío toledano (siglo XIII): *Libros del saber de astrología*: 619
Samuel Leví/Samuel Abulajía (reinado de Pedro I): *Cuento de los Reyes*: 2091

San Cristóbal, Alfonso de: traductor de *Epitoma rei militaris* de Vegecio: 2862
San Díaz, conde, padre de Bernardo del Carpio: *Estoria de España*: 1334
San Pedro, Diego de (*c.*1437-*c.*1498): 2885n.; poeta: 3821n.
OBRAS:
Arnalte y Lucenda: 2885n., 3242n.
Cárcel de amor: 2885n.
Sermón: 2949
Sancha, esposa de Fernán González (m.959): *Atalaya de las corónicas*: 2698
Sancha, hermanastra de Fernando III (*c.*1193-1243): 157, 159, 243n.
Sánchez, Garçi, padre de don Juan Fernández de Valera (siglos XIV-XV): *Tratado de la consolación*: 2493
Sánchez, Mateo, verdugo de Enrique III: *Refundición del Sumario del Despensero*: 2078
Sánchez, traductor portugués de materia artúrica: 1461
Sánchez Calavera, Ferrant (siglos XIV-XV): debate sobre la predestinación: 2797, 2803-2804 (*Cancionero de Baena*); término «prosa»: 45n. (*Cancionero de Baena*)
SÁNCHEZ DE ARÉVALO, RODRIGO (1404-1470): **3553-3557**, **3607-3629**; biografía: 3553-3554, 3607; círculo letrado de Cartagena: 2602, 3554; materia troyana: 1632; *orationes*: 3554; perfil de Enrique IV: 3478, 3678; producción latina: 3687; *Qüistión entre dos cavalleros*: 3629, 3635; regimientos de príncipes: 1708; SÍNTESIS Y CONCLUSIÓN: 3960, 3961-3962
OBRAS:
Compendiosa Historia Hispánica: 2205, **3554-3557**; estructura: 3556
De arte, disciplina et modo alendi et erudiendi filios, pueros et iuvenes: 2617
Speculum vitae humanae: 3554, 3699n., 4042
Suma política: 3554, 3608-2620, 3631, 3706, 3769; «Libro I»: 3609-3615; «Libro II»: 3616-3620
Vergel de los príncipes: 3478, 3554, 3557, 3590, 3620-3628, 3630; alegría cortesana: 3621-3624; «deportes» cortesanos: 3624-3628
Sánchez de Badajoz, Garci (siglo XV-1549): *Vida* de Juan Rodríguez del Padrón: 3269
Sánchez de Huete, Juan (siglo XV): 45n. (*Cancionero de Baena*)
Sánchez de las Brozas, Francisco, el Brocense, humanista (1523-1601): exégesis de Garcilaso: 3747
Sánchez de Nebreda: copista del *Doctrinal de cavalleros*: 2871n.
Sánchez de Palençuelos, Ferrand: ver Núñez de Palazuelos, Hernán
Sánchez de Romas, Sancho: «planto» por Alfonso XI: *Sumario del Despensero*: 2096
Sánchez de Talavera: ver Sánchez Calavera
SÁNCHEZ DE VALLADOLID O DE TOVAR, FERRÁN, canciller mayor del sello de la poridad, cronista de Alfonso XI, canciller de Pedro I (siglo XIV): crónica real, modelo: 964-965, 1238-1240, 1793n., 2100, 2224, 3357, 3982; *Gran Crónica de Alfonso XI*: 1817-1819; historiografía trastámara, revisión *Crónica de Alfonso XI*: 1776, 1778, 1786; liberación de Pedro I: 2091 (*Cuento de los Reyes*); molinismo: **965-968**, 1860; SÍNTESIS Y CONCLUSIÓN: 3904-3905, 3911; terminación de la *Estoria de España*: 1227, 1237; valor de la penitencia: 1737
OBRAS:
Crónica de Alfonso X: 971-973, 975-976

Crónica de Alfonso XI: 1259-1262, **1263-1284**, 1297, 1424
Crónica de Fernando IV: 1247-1248, 1250, 1257
Crónica de Sancho IV: 977n., 978-979
SÁNCHEZ DE VERCIAL, CLEMENTE (1365-1438): **3047-3053**; SÍNTESIS Y CONCLUSIÓN: 3949
OBRAS:
Breve copilación de las cosas necesarias a los sacerdotes: 3048
Compendium censure: 3047-3048, 3097
Confesional: 3048
Libellus de horis dicendis: 3048
Libro de los exenplos por a.b.c.: 2012, 2012n., 3047-3048, **3096-3103**, 3104, 3105n., 3794, 3794n., **4071-4074**; composición y recepción: 3097-3100; distribución temática y enseñanza: 3101-3103; fuentes: 4073; «Letra enviada por Díndimo a Alejandro»: 4054n.; transmisión: 4072
Ordenanzas del Hospital de San Lázaro: 3048
Sacramental: **3048-3053**
Sancho I de León o Sancho Ordóñez ([955-958 y 960]-965): *Poema de Fernán González*: 64n.
Sancho II de Castilla, el Fuerte (*c.*1038-[1065]-1072): guerras con Aragón y Navarra: *Crónica de los Reyes de Navarra*: 3537; materiales épicos: *Sumario del Despensero*: 2097; muerte: *Anales navarro-aragoneses*: 100, *Crónica de los Reyes de Navarra*: 3538
Sancho III de Castilla, el Deseado (1133-[1157]-1158): fuero de Ávila: *Crónica de la población de Ávila*: 173; muerte: 72; partición de reinos por Alfonso VII: *Anacephaleosis*: 2623n.; paz con Navarra (1157): 65
SANCHO IV DE CASTILLA, el Bravo (1258-[1284]-1295): **853-1092**; *Amadís*: 1545; autor: 4027; caballería celestial: 984, 999-1001, 1007, 1060, 1960; clerecía escolar: 144; *Compendiosa Historia Hispanica*: 3556; consejo/consejero, relación: 198; controversias de leyes: 132; diálogos: 485, 503n.; Fernando IV, reinado: 1248; historiografía: 649, 664, 676-677, **959-979**, 1282; literatura doctrinal y materia religiosa: 250, 737, **980-1029**, 1323, 3128; maldición: 3074; Manuel, don Juan: 839, 1093, 1095-1096, 1106, 1113, 1131, 1141n., 1154, 1156n., 1185, 1193-1194, **1197-1198**, 1199; materia artúrica: 1461; modelo de ficción: 1583, 1631; molinismo: 324n., 621n., 860-863, 1327, 1697-1698; *Partidas*: 590n.; Pedro I: 1772; Pérez Gudiel, Gonzalo: 4023; perfil biográfico: 857-859; período 1275-1284: 817-822, 4000; persecución de judíos: 124; política cultural: 4025-4027; proyección de su figura: 2095 (*Sumario del Despensero*); «razón»: 319n.; rechazo de investidura caballeresca (1269): 597; Sancho «séptimo»: 892n., 970; Sancho «sesto»: 1031; Séneca: 2583, 2583n.; SÍNTESIS Y CONCLUSIÓN: 3901-3906; sobrenombre de «Bravo»: 1063-1064; sujeción de la nobleza: 4031; traducciones: 2111; traición/traidor: 855-856; tratados sapienciales: 432n.; *Zifar*: 1375, 1444, 1451, 1459
OBRAS:
ver *Barlaam e Josafat*; *Castigos de Sancho IV*; *Crónica de Alfonso X*; *Crónica de Sancho IV*; *Gran Conquista de Ultramar de Ultramar*; *Libro del consejo*; *Libro del tesoro*; *Lucidario*; *Versión amplificada de 1289*

Sancho I de Portugal (1154-[1185]-1211): coalición contra Alfonso VIII: 68; materia artúrica: 1461n.
Sancho II de Portugal, Capello (1207-[1223-1245]-1248): apoyo de Alfonso X: 181, 241
Sancho, hijo de don Fernando de Antequera, maestre de Alcántara (1410-1416): maestrazgo de Alcántara (1408): 2217, 2227, 2445n.
Sancho, infante, hijo del rey Acosta: *Crónica sarracina*: 3351-3352, 3354, 3358
Sancho de Aragón, infante, hijo de Jaime I, arzobispo de Toledo (*c.*1240-1275): muerte: 817; sucesión de arzobispos: 861
Sancho de Aybar, fray: ver Aybar, fray Sancho de
Sancho de Castilla, infante, hijo de Fernando III, arzobispo de Toledo (*c.*1229-1266): sucesión de arzobispos: 861
Sancho Garcés II de Navarra, Abarca ([970]-994): linaje prodigioso: *Liber regum*: 103; numeración de reyes: 892n.
Sancho Garcés III de Navarra, el Mayor (*c.*988-[1000]-1035): *Anales navarro-aragoneses*: 99; división de reinos: *Crónica de los estados peninsulares*: 1288n., *Crónica de los Reyes de Navarra*: 3537
Sancho Garcés IV de Navarra, el de Peñalén (1039-[1054]-1076): asesinato del rey: *Crónica de los Reyes de Navarra*: 3537; descendencia: *Crónica de los Reyes de Navarra*: 3538
Sancho Ramírez I de Aragón y V de Navarra (1043-[1063]-1094): nieto de Sancho III: *Crónica de los Reyes de Navarra*: 3537
Sancho VI de Navarra ([1150]-1194), el Sabio: relación con Alfonso VIII: 66-68; semblanza: *Crónica de los Reyes de Navarra*: 3538-3539
Sancho VII de Navarra, el Fuerte (1154-[1194]-1234): genealogía cidiana: *Liber regum*: 104; Navas de Tolosa: *Crónica de los Reyes de Navarra*: 3539
Sancho Ximeno, abulense: *Crónica de la población de Ávila*: 174
Sansón: *Otas*: 1670
Sansón, juez de Israel (*c.*1155 a.C.-¿?): adulterio: *Carta e breve conpendio*: 3648; caudillo militar: *Diálogo e razonamiento en la muerte del marqués de Santillana*: 2573; madre: *Tratado en defensa de virtuosas mugeres*: 3262
vencido por la mujer: *Breviloquio de amor*: 3168; *Caída de príncipes*: 2148; *Flor de virtudes*: 3742; *Tratado de cómo al hombre es necesario amar*: 3179
Sant Jordi, Jordi (*c.*1400-*c.*1424): López de Mendoza, Íñigo: 2517
SANTA CATALINA, *passio*: **1953-1962**; SÍNTESIS Y CONCLUSIÓN: 3925
Santa Emperatriz: 1351, 1358, 1366n., 1619, 1941 (ver *Cuento de una santa enperatrís*)
Santa María, familia de los: 133, 1751, 2434, 2449, **2587-2630**, 2714, 2887, 2931, 3015, 3055-3056, 3076, 3679
Santa María, Gonzalo: ver García de Santa María, Gonzalo
SANTA MARÍA, PABLO DE, canciller de Castilla, obispo de Cartagena y de Burgos (1352/53-1435): **2588-2596**; canciller mayor del reino (1407): 2587, 4030; Cartagena, Teresa de: 3055; coronación de Juan II (1419): 2231; Ferrer, fray Vicente: 2953-2954; formación religiosa de Juan II: 2947; García de Santa María, Álvar: 2597-2598; *Generaciones y semblanzas*: 2449, **2457**, 2822, 3015; marco letrado de Juan II: 2630, 2643; predestinación: 2797; SÍNTESIS Y CONCLUSIÓN: 3940

OBRAS:
Additiones ad Postillam magistri Nicolai de Lyra super Bibliam: 2590
compendios cronísticos: **2590-2596**
Criamiento e enseñamiento de los religiosos: 2589
Scrutinium Scripturarum: 2589, 2590n.
Las siete edades del mundo: 472n., 1781, **2590-2594**
Suma de las crónicas de España: 2594-2596
Santiago el Mayor (m.44): Cartagena, Alfonso de: 2625-2626; cartas de batalla: 2883; *Crónica particular de Fernando III*: 1246-1247; *Estoria de dos amadores:* 3321n.; *Miraglos de Santiago*: **1930-1936**; Rodríguez de Almela, Diego, *Milagros de Santiago*: 3851; *Vita* de San Isidoro: 2161; voto de: 2875-2876
Santillana, Marqués de: ver López de Mendoza, Íñigo
Santipo: *Historia troyana polimétrica*: 814
Santisteban, Francisco de, comendador de la Orden de Santiago (siglos XV-XVI): biblioteca caballeresca: 4039
Santob de Carrión (finales siglo XIII-*c.*1370): *Libro de la consolaçión de España*: 3075n.
OBRAS:
Proverbios morales: 1776
sapientia, motivo: Cartagena, Alfonso de: 2616; *Libro del conde Lucanor*: 4031; *Zifar*: 1394-1395
Saplana, Pere: traducción catalana de *De consolatione philosophiae*: 2975, 2977
Sapor I, rey de Persia (m.272): *Mar de historias*: 2429
Sardan: *Barlaam*: 1000
Sarmiento, Diego, adelantado mayor de Galicia (siglos XIV-XV): *Crónica del Halconero*: 2293
Sarmiento, Pero, repostero mayor de Juan II, conde de Salinas (m.1464): deposición de P. López de Ayala: 2304; expulsión de Toledo (1450): 2194, 2327, 2327n.; *Instrucción del Relator*: 2635, 2637; rebelión de Toledo (1449): 2254, 2260, 2266, 2296, 2302
Sarra: *Libro de las claras e virtuosas mugeres*: 3245
Sarraz/Sarras, ciudad: *Demanda*: 1502; *Libro de Josep Abarimatía*: 1480
Satanás: ver diablo
sátira:
clerical: *Libro de los gatos*: 2019-2022
estilo/género narrativo-moral: *Coronación*, comentario: 2732-2733; *Los doze trabajos de Hércules*: 2483, 2484n.; *Libro de las veinte cartas*: 3805; López de Mendoza, Íñigo: 2537; *Sátira de infelice e felice vida*: 3328; *Tratado e despido a una dama de religión*: 3801; *Tratado en defensa de virtuosas mugeres*: 3258-3259
política: *Cancionero de Juan Fernández de Híjar*: 3728
Satira adversus eos qui uxorem ducunt: transmisión del Toledano romanzado: 3998
Saturno: *Los doze trabajos de Hércules*: 2485; *Libro del grant açedrex*: 837; *Sumas de Historia Troyana*: 1634, 1641
Saúl, primer rey de Israel ([*c.*1030-1010 a.C.]): *General estoria II*: 730-731; *Libro del tesoro*: 873; *Tratado de cómo al hombre es necesario amar*: 3177

Savoisy/«Savasil», Charles de (1380-1420): *El Victorial*: 2362n., 2387
Sayo, Juan del, ermitaño: *Crónica de Enrique III*: 2107
Scala Ildibrandina: 3049n.
Schott, André, filólogo holandés (1552-1629): 25n., 3993
Scila, infanta: *Triunfo de las donas*: 3298
scriptorium:
  Alfonso X: 47, 51, 407, 512, 599, 621n., 638, 643, 646-647, 664, 669, 680, 685, 820, 841, 1844
  Fernández de Heredia, Juan: 1650
  Manuel, don Juan: 1104
  Sancho IV: 1034, 1036
Sebastián, San (m.*c*.288): *vita*: 1875
Sebilla/Sevilla, reina/emperatriz, segunda mujer de Carlomagno: *Cuento de Carlos Maynes*: 1580-1581, 1603-1604, 1605-1617, 1619; *Mainete. Gran Conquista de Ultramar*: 1091, 1091n.; reina calumniada: 1059, 1351, 1366n., 1670; relaciones carolingias: 1580
Seçilia/Siçilia, Santa: *Libro de las claras e virtuosas mugeres*: 3241, 3244, 3249
SECRETO DE LOS SECRETOS: **286-294**; estructura y líneas textuales: **291-294**, 3730n.; marco narrativo: **287-288**; molinismo, contrastes: 915, 935n.; nociones de medicina: 2757; saber y corte: **288-291**; SÍNTESIS Y CONCLUSIÓN: 3894
Secretos de Hermes: 2508
secretum iter: *Visión deleitable*: 2847n.
Secretum secretorum: 275
sectas religiosas: *Calila*: 206; *Escala de Mahoma*: 236; *Etimologías* romanceadas: 2162; *General estoria V*: 781; *Libro de los estados*: 1129, 1145; *Setenario*: **320n.**, 321; *Vidas y dichos de filósofos antiguos*: 2125
Sed: *Bocados de oro*: 459, 462; *Dichos e castigos*: 3126n.
Sedequías, último rey de Judá ([597-587 a.C.]): *General estoria III*: 4018
Sedulio (siglo V): 38
Segar de Monbrín, conde: *Cavallero del Çisne*: 1074
Segismundo de Luxemburgo, emperador (1368-[1433]-1437): concilio de Basilea (1434): 2239; contrario a Benedicto XIII (1414): 2228; escritos visionarios: 3088; Fernando I, negociaciones de Perpiñán (1416): 2222, 2597; Pedro de Portugal, infante: 3427-3428, 3435; Valera, Diego de: 2717
Segrís: *Tristán*: 1520
Segunda redacción de la Crónica de 1344 (h. 1400): 1231
Segundo, filósofo: 211, 262, 443n., 471, 476, 482n., 953, **502-510**, 1954, 3244, 4003, 4009-4011 (ver *Capítulo de Segundo filósofo*)
segundo nacimiento, motivo: *Historia de don Álvaro de Luna*: 2909; *Sendebar*: 223
Segurades, don: *Amadís*: 1543
SEGURO DE TORDESILLAS: **2397-2410**; Carrillo de Huete, Pero: 2284; celebración de los encuentros (1439): 2193; configuración textual: 2245n.; ineficacia de las reuniones: 2290; segundo «seguro de Tordesillas» (1445): 2922; SÍNTESIS Y CONCLUSIÓN: 3935
«seguro diplomático», noción: 2403-2404, 2884, 2931
Sehón: *General estoria I*: 717
Seleuco I, rey de Siria (354-279 a.C.): *Exhortación de la paz*: 2724n.

Seleuco I Nicátor, sucesor de Alejandro ([311-281 a.C.]): *General estoria V*: 779-780
Sem Tob: ver Santob de Carrión
semblanzas: *Anacephaleosis*: 2621; *Caída de príncipes*: 2150; *Crónica del Halconero*: 2291-2294; Enrique III: 2106n. (*Generaciones*); Fernando de Antequera: 2223 (*Crónica de Juan II*); Juan II: 2203, 2205 (*Generaciones*); *Libro de Graçián*: 3380; *Libro del conde Lucanor*: 2441; modelo: 2116 (*Vidas y dichos de filósofos antiguos*); «senblante» o «façiones»: 244
***semejança*/semejanza**: *Arcipreste de Talavera*: 2679; *Barlaam*: 995; *Calila*: 188, 198; *Castigos de Sancho IV*: 915, 939; *Espéculo*: 353; *Jardín de nobles donzellas*: 3675; *Libro de Graçián*: 3397; *Libro de los exemplos por a.b.c.*: 3100, 3100n.; *Libro del conde Lucanor*: 1143-1144, 1147; *Libros de acedrex*: 828-829; *Partida II*: 555; *Semejança del mundo*: 143-144, 144n.; *Tratado de la predestinación*: 2808, 2810
SEMEJANÇA DEL MUNDO: **140-156**, 183n., 746; fuentes y tradición escolar: **142-149**; materia y estructura: **149-156**; síntesis de saberes: 153-154; SÍNTESIS Y CONCLUSIÓN: 3892; transmisión textual y fecha de composición: **141**
Semíramis, reina de Asiria (910-806 a.C.): *Breviloquio de amor*: 3168; *Triunfo de las donas*: 3298
Sempronia, mujer de Escipión Emiliano (siglo II a.C.): *Libro de las claras e virtuosas mugeres*: 3232, 3247n.
sen, noción: 1464-1465
Senar, sultán: *Gran Conquista de Ultramar*: 1049
SENDEBAR: **214-234**, **4000-4004**; *Barlaam*: 980, 990, 1009; *Calila*: 196; *Castigos de Sancho IV*: 931; derivaciones, siglo XV: 3274n.; disputa de «exemplos»: **224-231**, 1587; estructura: 218-234; *Historia de la donzella Teodor*: 484, 486n.; *Libro de las cruzes*: 411n.; orígenes y transmisión textual: **214-216**, 818, 842, 4002-4003; *Poridat*: 277n., 279n.; primer marco narrativo: **218-224**; prólogo: 216-218; rama oriental: 3803; saber cortesano: 181, 825; *Segundo filósofo*: 507n., 4010; SÍNTESIS Y CONCLUSIÓN: 3893; último marco narrativo: **231-234**, 1317
Séneca, Lucio Anneo (*c.*4 a.C-65 d.C): artes liberales: 27; Cartagena, Alfonso de: 2602, 2603n., 3692, 3802n.; *Defunsión de don Enrique de Villena*: 2480; Díaz de Toledo, Pero: 2564, 3749n., 3754; *Dichos de sabios*: 3122; *Dichos de sabios y filósofos*: 3120; *Dichos de Séneca*: 3144; *Dichos por instruir a buena vida*: 3124-3125; Fernández de Madrigal, Alfonso: 3169, 4074; *Flores de filosofía*: 263, 263n.; *General estoria*: 703n.; glosas a los *Proverbios*: 2551-2553; Guillén de Segovia, Pero: 3718, 3721, 3723-3724; Guzmán, Nuño de: 2582; *Libro de las claras e virtuosas mugeres*: 3252; *Libro del consejo*: 955, 958; Luna, Pedro de: 2989; Pérez de Guzmán, Fernán: 2423; *Qüistión entre dos cavalleros*: 3634; Rodríguez del Padrón, Juan: 3278, 3316; Sánchez de Arévalo, Rodrigo: 3608; senequismo: 1406-1407; sentencias: 4058-4059; suicidio: 440n.; Torre, Fernando de la: 3803; tradición epistolar: 3984; *Tratado de cómo al hombre es necesario amar*: 3180; *Tratado de la consolación*: 2494; Tratado de retórica: 3734; tratados de caso y fortuna: 2776, 2788, 2792, 2794; tratados de medicina (siglo XV): 2771; tratados sobre la predestinación: 2798; Valera, Diego de: 2716-2717; *Vidas y dichos de filósofos antiguos*: 2114, 2116; *Zifar*: 1377, 1377n.

OBRAS:
«cantares»: 3100n.
Controversias: 3287n.
De ira: 2583, 3171-3172
De las artes liverales: 3724
De moribus: 2549, 2549n.
Epístolas a Lucilio: 2423n., 2539, 3168
Floresta de filósofos: 3141-3142
Libro de la clemencia: 3142n.
Libro de la natura: 3142n.
Libro de la providencia: 3142n.
Libro de Vita Beata: 3142n
Phaedra: 3172-3173, 3202
Proverbios: 2548-2550, 3259-3260
tragedias: 2538, 3175, 3754
senectud, motivo: Marín, Pedro, sermones: 2963
Senero: *Vida de la Virgen*: 3850
Senesta, reina, madre de Ardanlier: *Estoria de dos amadores*: 3317
Seniloquium: 2533
Senócrates/Xenócrates (m.314 a.C.): *Vidas y dichos de filósofos antiguos*: 2117
sentencias: colecciones: **3118-3151**; consolatorias: 2989; cortesanas: 3140-3151; políticas: 2427, 2933; tipología: 4008
sentido:
alegórico-figural: abreviación de los *Morales*: 2156; *La consolación natural*: 2979; *Los doze trabajos de Hércules*: 2484; *Libro de Graçián*: 3380-3382; Marín, Pedro: 2966; *Triste deleytaçión*: 3814
o **moral**: abreviación de los *Morales*: 2156-2157; *Bursario*: 3276, 3278; cuentística siglo XV: 3095; *Décadas*: 2136; *Elegia di madonna Fiammetta*: 3203; *Esclamaçión*, comentario en prosa: 3749; *Etimologías* romanceadas: 2160; *Glosa castellana al «Regimiento de príncipes»*: 1722; *Jardín de nobles donzellas*: 3673; *Libro de toda la vida de nuestra Señora*: 3868n.; *Sátira de infelice e felice vida*: 3334; *Siervo libre de amor*: 3309-3310; *Tractado de cómo es figurada la imagen de la penitençia*: 3836
anagógico: abreviación de los *Morales*: 2156-2157; *Los doze trabajos de Hércules*: 2484; *Exposición del salmo «Quoniam videbo»*: 2509; *Siervo libre de amor*: 3323n.
literal-historial/*sensus litteralis* (comentario textual): Aragón, Enrique de: 2513; *Arboleda de los enfermos*: 3061; *Batalla campal de los perros contra los lobos*: 3765; *Bursario*: 3276, 3278; comentario a la *Coronación*: 2731; *La consolación natural*: 2979; cuentística siglo XV: 3095; *Los doze trabajos de Hércules*: 2484; *Esclamaçión*, comentario en prosa: 3749; *Exposición del salmo «Quoniam videbo»*: 2507, 2509; ficción sentimental: 3155; *Flores de los «Morales sobre Job»*: 2156; *Genealogiae deorum gentilium*: 3199; *Glosa castellana al «Regimiento de príncipes»*: 1722; *Libro de Graçián*: 3380; *Libro de las confesiones*: 4046; Marín, Pedro: 2962, 2966; *Semejança del mundo*: 146; *Siervo libre de amor*: 3312; *Tractado de cómo es figurada la imagen de la penitençia*: 3836; *Tratado en defensa de virtuosas*

mugeres: 3258; *Triste deleytaçión*: 3814; *Vida* de Juan Rodríguez del Padrón: 3272
literales y ocultos, relación: *Del soberano bien*: 2167; *Esclamaçión*, comentario en prosa: 3749, 3751; *General estoria II*: 722-723; *Libro de toda la vida de nuestra Señora*: 3880, 3883; *Triste deleytaçión*: 3814; *Zifar*: 3152
«oscuridad»: *La consolaçión natural*: 2979, 2981; *Vidas y dichos de filósofos antiguos*: 2131
tres sentidos: *Libro de las confesiones*: 4046
tropológico: *Bursario*: 3278-3279; *Las çinco figuratas paradoxas*: 2648; *Los doze trabajos de Hércules*: 2484; *Exposición del salmo «Quoniam videbo»*: 2509; *General estoria V*: 780; *Libro de Graçián*: 3382; *Libro de toda la vida de nuestra Señora*: 3868n.; Marín, Pedro: 2962, 2966; *vitae*, ms. h-i-13: 1342, 1342n.
señales: heráldicas: 3305-3306, 3597-3598; héroe: 1086; prodigiosas: 1194-1195, 1484, 1613; signos externos: 910, 1170, 1729
Señor de Catay: *Embajada a Tamorlán*: 2188
Señor de Charni: *Crónica de Juan II*: 2716n.
Señora (Sª): *Triste deleytaçión*: 3814-3832
Señora de la Nobleza: *Zifar*: 1434-1435, 1435n.
Señora del Buen Parecer: *Zifar*: 1434-1435
Señora del Lago: *Zifar*: 1417
señorío, noción: *Crónica de Fernando IV*: 1251-1252; *De regno*: 1703; *Libro del consejo*: 946-948; 960; *Libro del regimiento de los señores*: 2940; *Libro del tesoro*: 880, 884; *Proverbios o sententias breves*: 3129
señorío de Villena: Aragón, Enrique de: 2475-2477; dote de la infanta doña Catalina: 2236-2237, 2321, 2421, 3156n.; Manuel, don Juan: 1183, 2037
señorío de Vizcaya: *Crónica de Enrique III*: 2103n.; *Crónica de Fernando IV*: 1257-1258; *Crónicas* de Ayala: 1794-1795; Manuel, don Juan: 1097, 1149
señorío regio: *Espéculo*: 349-350; *Estoria de España*: 646, 656, 661-663, 665-668, 671-672; *General estoria*: 693, 705, 711, 719; *Libro de las cruzes*: **411-412, 414, 416**; *Libro de los cien capítulos*: **431-440**; *Ordenamiento de Alcalá de 1348*: 1309; *Partidas*: 539-540, 550, 568, 578, 581, **582**, 583, 587
separación amorosa, motivo: *Flores*: 1586
Septem etates hominis: 1862 (ver edades del hombre)
sepulturas, descripción: *Espertamiento de la voluntad de Dios*: 3834
sequentia: 39
Sergas de Esplandián: afirmación religiosa, contexto de los Reyes Católicos: 1043, 1485; *Amadís*: 1542n., 1550, 1551n., 1566, 1621; Boccaccio, Giovanni: 1564n.; inserción de Montalvo: 1568, 1571-1572, 1575-1577; tópico del manuscrito hallado: 2088
Sergio, arzobispo de Damasco: *San Alejo*: 1972
Sergio, arzobispo de Toledo: *Vida de San Ildefonso*: 2703
sermo artifex: 38, 50
sermo simplex: 38, 42, 50
sermón: audiencia: 3026; contra don Álvaro: 2929; cuentística: 2012; *de commune*: 2949-2950; *de defunctis*: 2953; *de diversis*: 2949-2950; disputas: 2157; en estructuras literarias: 1367-1368, 1606, 1845; estructura del sermón: 1882-

1883, **1899-1900**; Ferrer, fray Vicente: 2222, 2953-2962, 3084; hagiografía: 1984-1985, 2159; Marín, Pedro: 2961-2966; «plano»: 2156; político aragonés: **1914-1916**; sobre el Corpus Christi: 2970-2972; técnicas homiléticas: 478, 701, 1143, 1147, 1184, 1734, 1862, 1881, 1990, 2672n., 2676-2677; universitario: 1899, 2968

Sermón del ojo: ver Aragón, Enrique de, *Tratado de fascinación*

sermonarios: B.Univ. Salamanca, 1854: 2949-2953; *Del soberano bien*: 2170; propaganda: 1017; sobre los mandamientos: 1881-1887

Sermones contra los judíos y los moros: 2974

sermonística: **1897-1916**; «exemplarios» del siglo XV: 3094-3118; *Libro de la justiçia de la vida espiritual*: 1881-1887; *Libro de los gatos*: 2015-2017, 2019-2024; predicación peninsular: **1901-1904**; primera mitad del siglo XV: **2948-2974**; SÍNTESIS Y CONCLUSIÓN: 3924

Servasanctus de Faenza (*c.*1220/30-*c.*1300): *Antidotarius anime* o *Summa de poenitentia*: 3098, 3098n., 4073

Serverí de Girona: ver Guilhem de Cervera

servicio amoroso: *Amadís*: 1548, 1557; *Historia de don Álvaro de Luna*: 2908; *Siervo libre de amor*: 3307, 3317; *Triste deleytaçión*: 3819; *El Victorial*: 3161

Servilio: *Libro de las claras e virtuosas mugeres*: 3232

«seso»:

- **«comunal»**: *Partida I*: 1320
- **«encubierto»**: *Calila*: 213; *Del soberano bien*: 2167; *Exposición del salmo «Quoniam videbo»*: 2508
- **«intelectual»**: *Flor de virtudes*: 3739
- **libros sapienciales**: Alfonso X: **266**, 272-273, 280-281, 283, 285, 288-289, 430-431, 435-436, **437**, 446, **452**, 458, 461-462, 464; molinismo: 938, 956, 958; siglo XV: 3127
- **«natural»**: *Dichos de los santos padres*: 1748-1750; *Zifar*: 1383, 1383n., 1388n., 1389, 1408, 1439n., 1450, 1455
- **orden ideológico**: discurso prosístico: 56; *Estoria del Cavallero del Çisne*: 1059; Fernando de Antequera: 2197; leyes (siglo XIII): 312, 314; *Libro de los judizios*: 387, *Libro del tesoro*: 869; *Libros de acedrex*: 826, 834; Manuel, don Juan: 1155, 1157-1158, 1169, 1171-1174, 1179, 1181; orden sentimental: 3196, 3314; *Partidas*: 574; Pérez de Guzmán, Fernán: 2444; Tratado de moral: 3730; Tratado de retórica: 3734; *Zifar*: 1383, 1408, 1428, 1431, 1449
- **«seso», «ventura» y «cordura»**, disputa: *Libros de acedrex*: 826
- **«seso» y «lengua»**: *Castigos del rey de Mentón*: 1449
- **«spirital»**: *Libro de los buenos proverbios*: 452, 458

sesos (sentencias): *Castigos de Sancho IV*: 925n., 937, 940; *General estoria*: 697; *Libro de los buenos proverbios*: 453; *Libro de los gatos*: 2017; *Libro del consejo*: 952; *Partida II*: 1697; *Sumas de Historia Troyana*: 1648; *Zifar*: 1377

SETENARIO, Alfonso X: **304-330**; *Barlaam*: 1002n.; cambio de voz narrativa: 325; comparatismo religioso: 238n.; controversias religiosas: 1751; *Diez Mandamientos*: 1010, 1012-1013; «Elogio de Fernando III»: **307-315**, 3735-3736; *Espéculo*: 331, 357; fantasía: 1319; *Fuero Real*: 302n.; *General estoria*: 716; hechos históricos: 181; *Lapidario*: 366n.; «lenguaje de España»: 60n.; «ley XI»: **315**-

319, 387n.; *Libro de los doze sabios*: 247n., 251, 255n.; *Libro del consejo*: 945n.; López de Baeza, Pero: 1905; nombre del libro: 315; *Partidas*: 515, 518n., 529; penitencia: 1616n., 1737, 1855, 1861; primer *Setenario*: **319-320**; «saber»: 387; SÍNTESIS Y CONCLUSIÓN: 3894; texto y libros: **305-307**; tratado sacramental: 111, **326-330,** 1889, 3052; tratado sobre falsas creencias: **321-325**
Seth: *General estoria I*: 710
hijos de: *Breviloquio de amor*: 3168
Settimello, Enrico di (siglo XII): fuente de Enrique de Aragón: 2494
severidad, noción: *Exhortación de la paz*: 2726
Severo Alejandro: ver Alejandro Severo
Sevilla: ámbito de producción letrada: 235, 245n., 305, 308-309, 311-314, 324n., 330, 364-365, 621n., 660-661, 683-684, 822, 833, 860, 1227; revueltas nobiliarias: 2225, 2230-2231
Sevilla, reina: ver Sebilia
sexualidad: ver arte amatoria
Sforza, Francesco, duque de Milán (1401-1466): muerte: *Memorial de diversas hazañas*: 3528; *Oración de miçer Ganoço Manety*: 2585
Shakespeare, William (1564-1616): *Pericles, prince of Tyre*: 1680
Sherezade: *Historia de la donzella Teodor*: 483
Shrewsbury, John Talbot (*c.*1384-1453): guerra de los Cien Años: 3786
Sibila: *Libro de las claras e virtuosas mugeres*: 3238; *Libro del conoscimiento del fin del mundo*: 3086; *Tratado en defensa de virtuosas mugeres*: 3261
Sicanor, rey: *Historia troyana polimétrica*: 805
Siddharta Gautama: ver Buda
Siete Partidas, Alfonso X: **511-596**; Alfonso XI, producción jurídica: 1291, 1293, 1303, 1305-1306, 1311-1312; *Bocados de oro*: 467; *Castigos del rey de Mentón*: 1442n., 1453n.; consejo, regulación: 198; construcción lingüística de la realidad: **591-594**; controversias religiosas: 1751; dimensión de la justicia: **573-576**; «doze sabios»: 243n.; *Espéculo*: 330, 332, 355, 357; *Estoria del rrey Guillelme*: 1363; fórmulas de escritura: 1458n.; fueros, relación: 82; *General estoria*: 688, 717, 730; *Instrucción del Relator*: 2639n.; Junta, Jacobo de: 359-360; *Libro de los fueros de Castiella*: 299; *Libro del tesoro*: 864; modos narrativos: **594-596**; *Ordenamiento Real de Medina del Campo*: 2857; problema sucesorio: 818; redacción: **512-516**; regulación caballeresca del siglo XV: 2868, 2870-2872; relaciones y estructuras: **570-573**; *Sacramental*: 3049n.; *Setenario*: 304, 320; SÍNTESIS Y CONCLUSIÓN: 3897-3898; título I: **520-525**; transformación del *Espéculo*: 516-520; tratados de caballería: 2413n.; valores políticos y morales: **581-591** (ver *Partida I, II, III, IV, V, VI, VII*)
Siete sabios de Grecia (siglo VI a.C.): *Vidas y dichos de filósofos antiguos*: 2117, 2131
Sigeberto Gemblacense (*c.*1030-1112): *Chronographia*: 663, 673, 685 (*Estoria de España*)
Sigiberto: ver maestre Gilberto
Sigiberto, obispo: *Istoria de Sant Alifonso*: 1923, 1926
«significamiento de las palabras»: *Ordenamiento de Alcalá*: 1310; *Partida VII*.XXXIII: 61, **593-594**
Signos del juicio, Los: 3084

signos zodiacales: *General estoria*: 688; *Historia de la donzella Teodor*: 499; *Libro de los judizios*: 392; *Libro del saber de astrología*: 604-605, 608; Ms. Vat.lat.Reg. 1283: 631, 633; *Setenario*: 323, 326; tratados de medicina: 2762; *Visión deleitable*: 2844
Siguimiento de la «Estoria de España»: 1240-1241, 1244-1245
Sila, Lucio Cornelio (138-78 a.C.): *Mar de historias*: 2424n.
«silabificación» clerical: 53
silencio, motivo del: Cartagena, Teresa de: 3056, 3060; *Castigos de Sancho IV*: 935n.; *Lucidario*: 900; *Secreto de los secretos*: 292; *Segundo filósofo*: 505, 509; *Sendebar*: 219; Tratado de moral: 3730-3731
Silenus: *Grant Crónica de Espanya*: 1652
Silva, Juan de, alférez real, embajador al Concilio de Basilea (1399-1464): 2624
Silva, María de, hermana de Pedro de Silva y esposa de Pedro López de Ayala (siglo XV): apoyo a Enrique IV: *Crónica de Enrique IV*: 3501
Silva, Pedro de, obispo de Badajoz (m.1479): apoyo a Enrique IV: *Crónica de Enrique IV*: 3501
Silvestre I, papa y santo ([314]-335): *Libro del tesoro*: 873; *Mar de historias*: 2431; *Santa Catalina*: 1955n.
Silvestre II, papa (*c*.945-[999]-1003): *Mar de historias*: 2433
Símaco, Quinto Aurelio (*c*.340-*c*.402): *Vidas y dichos de filósofos antiguos*: 2117n.
símbolos: árbol: 695, 695n.; armas espirituales: 999, 1905-1906; poder real: 943, 1913-1914; prado: 1004
similitudo: árboles derribados: 2126; arquitectura: 3027; bestiario: 3741-3743; *Castigos de Sancho IV*: 4027; clérigo como serpiente y paloma: 1871; *Evangelios moralizados*: 4068; físico: 1864; fruta: 3752n.; *Libro de las tribulaciones*: 3011; *Libro de los cien capítulos*: 4008; *Libro de los gatos*: 2015; *Libro de toda la vida de nuestra Señora*: 3882; mercader, 923; Moisés y Aarón: 927n.; monedas, 318; Roma: 3745; sermonística: 2952, 2960, 2963, 2965, 2969
Simon de Hesdin: traducción francesa de V. Máximo: 3150
Simón de Jerusalén, sumo sacerdote: *General estoria IV*: 773
Simón el Fariseo, o el leproso: *Castigos de Sancho IV*: 933; *Santa María Madalena*: 1939
simonía: *Confesional*: 3046n.; *Libro de Graçián*: 3385; *Libro de las confesiones*: 1741; *Libro de los gatos*: 2020-2021; *Mar de historias*: 2429, 2430n.; manuales de confesión: 1738; Ms. 77, Bibl. Menéndez Pelayo: 1868
Sindéresis, doncella: *Siervo libre de amor*: 3323-3324, 3329, 3829
Sinforiano, juglar: *Viridario*: 2032
sinónimos (*grammatica*): 32
síntesis final (*Historia de la prosa*): 3969-3972
Siphas, rey: *Décadas*: 2140
Siquén: *Tratado de cómo al hombre es necesario amar*: 3177
Siracon: *Gran Conquista de Ultramar*: 1049
Siriamo: 37n.
Siringa, infanta: *Zifar*: 1364
Sirr al-asrar: ver *Poridat de poridades* y *Secreto de los secretos*
Sisberto, arzobispo de Toledo ([690-693]): *Vida de San Isidoro*: 2709n.
Sixto II, papa y santo ([257]-258): *Sant Lorenço*: 1928-1929

Sixto IV, papa (1414-[1471]-1484): carta de Miguel Lucas de Iranzo: 3572-3573 (*Hechos de Lucas de Iranzo*)

soberbia: *Amadís*: 1564-1566, 1573; *Caída de príncipes*: 2148; *Carta al rey sobre el regimiento de su vivienda*: 3637; *Carta e breve conpendio*: 3642-3643; Cartagena, Teresa de: 3064; *Crónica sarracina*: 3354, 3356; *Dichos de sabios y filósofos*: 3120; Enrique IV: 2259; Fernández de Minaya, Lope: 3004; ficción sentimental: 3152; *Flor de virtudes*: 3743; *Historia de don Álvaro de Luna*: 2914; *Libro de Graçián*: 3397-3398; *Libro de la consolaçión de España*: 3080; *Libro de las confesiones*: 4047; *Libro de las consolaçiones*: 2996; *Libro de los cien capítulos*: 439; *Libro de toda la vida de nuestra Señora*: 3875; *Libro del infante don Pedro de Portugal*: 3433; *Mainete. Gran Conquista de Ultramar*: 1088; *Mar de historias*: 2427; materia artúrica: 1490; noción alfonsí: **587-588**, 750, 761, 839; noción de Fernando IV: 1245; noción de Sancho IV: 868, 893, 911-912, 1069-1072, 1088; *Otas*: 1664-1665, 1668; *Perfeçión del triunfo*: 3776-3777, 3781; *Sumas de Historia Troyana*: 1639; Tratado de moral: 3730; tratados penitenciales: 1861-1862, 1891-1892; *Vespesiano*: 1677-1678; *Viridario*: 2027n.; *Zifar*: 1379, 1403n., 1406, 1409, 1412, 1417-1418, 1431, 1450

Sócrates (*c.*470-399 a.C.): *Bocados de oro*: 459, 462-463, 464-466; *Diálogo e razonamiento en la muerte del marqués de Santillana*: 2570; *Dichos e castigos*: 3126n.; *Glosa castellana al «Regimiento de príncipes»*: 1722; *Historia de la donzella Teodor*: 485, 486n.; *Libro de los buenos proverbios*: 453; *Libro llamado Fedrón*: 2566-2567; Ortiz, Alonso de: 3581n.; *Proverbios* de Í. López de Mendoza: 2529; *Vidas y dichos de filósofos antiguos*: 2116, 2120-2122, 2124, 2129

sodomía/sodomita: *Algunas cosas contra la luxuria*: 3841; *Andanças e viajes* de Pero Tafur: 3418; *Arcipreste de Talavera*: 2691; *Crónica de Juan II*: 2332n.; *Diez Mandamientos*: 1013n.

Sofonisba, hija de Asdrúbal Barca (siglo III a.C.): *Libro de las claras e virtuosas mugeres*: 3238

Sofronio (*c.*560-*c.*638): *Santa María Egiçiaca*: 1343

Sol: ver Apolo

solaz, noción: *Arcipreste de Talavera*: 2682; *Coloquio de la Memoria, la Voluntad y el Entendimiento*: 3375n.; *Crónica sarracina*: 3350; *General estoria III*: 741; *Libro de Graçián*: 3394-3395, 3397; *Libro de las consolaçiones*: 2992, 2994; *Libro de los cien capítulos*: 440; *Libro de los exemplos por a.b.c.*: 3097; *Libro del tesoro*: 887; *Suma política*: 3612; *Zifar*: 1388-1389, 1430, 1476

soledad, motivo: *Amadís*: 1574; *Arboleda de los enfermos*: 3060; *Berta. Crónica fragmentaria*: 1596; *Berta. Gran Conquista de Ultramar*: 1081; *Cuento de Carlos Maynes*: 1607; *Diálogo e razonamiento en la muerte del marqués de Santillana*: 2576; *Flores y Blancaflor*: 1593; *Historia de Apolonio*: 1681; *Historia de don Álvaro de Luna*: 2929; *Libro de las consolaçiones*: 2994; *Mainete. Crónica fragmentaria*: 1085; *Oracional*: 3015; *Tratado de la consolación*: 2495-2497; *Triunfo de las donas*: 3292; *Visión de Filiberto*: 1765

Soler, Guillermo: mapa (1385): 4050

Solino, Gayo Julio (siglo III): *Libro del tesoro*: 877n.

Solis, fray Pedro de (siglo XV): corresponsal del Arcediano de Niebla: 2755

Solís, Gómez de, maestre de Alcántara (m.1473): *Crónica de Enrique IV*: 3558

Solón (*c*.630-*c*.560 a.C.): *Bocados de oro*: 459, 461, 463; *Vidas y dichos de filósofos antiguos*: 2131
somnium: ver sueño alegórico
Soria, Antonio de, poeta cancioneril (siglos XV-XVI): contestación a la *Esclamaçión* de Gómez Manrique: 3746
Soria, Juan de, abad de Valladolid, obispo de Osma y de Burgos, canciller del reino (m.1246): *Chronica latina de los Reyes de Castilla*: 3989, 3995; Jiménez de Rada, Rodrigo: 3994-3995; órdenes militares: 3995; uso del castellano en la cancillería: 3989
Soria, poeta cancioneril: *Santa María Madalena*: 1946
Soto, Payo de: ver Gómez de Sotomayor, Payo
Sotomayor, Gutierre de, comendador y maestre de Alcántara (m.1453): alianza con los infantes de Aragón (1432): 2239, 2317; Olmedo (1445): 2266n., 2304
Spartiago: *General estoria IV*: 751
«spatulancia»: *Tractado de la adivinança*: 2827
specchio della croce, Lo: 3764n.
Speculum laicorum (1270-1292): 3103, 3106n., 4010
Speculum peccatoris et confessoris (mitad siglo XV): 4043
speculum principis: ver regimientos de príncipes
Speculum Regni: ver Godofredo de Viterbo
Spira, Julián de: responso por San Antonio: 3855
Staufen, linaje: 598, 688, 713, 760-768
Stéfano, maestre (siglo XIV): *Regimiento para conservar la salud de los hombres*: 2768n.
stilnovismo: 3202
stilus gregorianus: 42
stilus hilarianus: 42
stilus tullianus: 42
stilus ysidorianus: 42
Stranguillión: *Vespesiano*: 1681
studia generalia: Alcalá: 4023; Palencia: 22, 25, 37, 43, 58, 76, 78, 112, 139, 143, 364, 1317, 1988, 2013; Salamanca: 23, 58, 78, 112, 139, 143, 364, 1317, 2013
studia humanitatis: *Basilio de la reformación de la ánima*: 2557; cortesía humanística: 2473; dificultades de aclimatación en Castilla: 2111, 2602, 2602n.; López de Mendoza, Íñigo: 2547; prehumanismo, noción: 2470
Suárez, Lorenzo: *Libro del Conde Lucanor*: 1243, 1455
Suárez de Figueroa, Catalina, hija de Lorenzo Suárez de Figueroa, maestre de Santiago, mujer de don Íñigo López de Mendoza (siglos XIV-XV): 2472, 2517
Suárez de Figueroa, Lorenzo, maestre de Santiago (1344-1410): destinatario de *Dichos de sabios y filósofos*: 3120; *Generaciones y semblanzas*: 2447
Suárez de Quiñones, Pero: ver Quiñones, Pero
sueño:
  alegórico: *Castigos de Sancho IV*: 942; *Corbaccio*: 3207-3208; *Lamentación de don Álvaro de Luna*: 2944; *Tratado de la lepra*: 2487n., 2487-2488; *Visión deleitable*: 2835
  arte de adivinación: *Tractado de la adivinança*: 2826
  présago: *Crónica sarracina*: 3351; *General estoria*: 751, 786, 791, 791n.; *Vida de Santo Domingo de Guzmán*: 1988

profético: *Baladro*: 1490; *Caída de príncipes*: 2148-2149; *Demanda*: 1497; *Enrique fi de Oliva*: 1625; *Estoria del Cavallero del Çisne*: 1073-1074, 1076; *Estoria del rrey Guillelme*: 1364; Pseudo-Turpín: 1581; *Santa Pelagia*: 1984-1985; *Tractado de la adivinança*: 2821; *Tristán*: 1526; *Vespesiano*: 1675, 1678; *Vulgata*: 1472

Suetonio (*c*.69-d.122): *Estoria de España*: 660; *Libro de los exemplos por a.b.c.*: 3102n.; Palencia, Alfonso de: 3513

[al-] Sūfi: fuente de *Libros del saber de astrología*: 606

«sufrencia»: cualidad caballeresca: *Castigos del rey de Mentón*: 1455

suicidio: *Amadís*: 1559; *Corbaccio*: 3207; *Demanda*: 1498; *Diálogo e razonamiento en la muerte del marqués de Santillana*: 2566-2567, 2573; *Fiammetta*: 3205; «suplicación» de Guillén de Segovia: 3719; *Tristán*: 1516

Suite du Merlin: ciclos de la materia artúrica: 1468-1469; historias de Merlín: 1481, 1485, 1492n.; *Post-Vulgata*, derivaciones: 1476-1477

Sulpicia (siglo I): *Libro de las claras e virtuosas mugeres*: 3229n., 3231, 3235; *Tratado en defensa de virtuosas mugeres*: 3262n.

Suma Bartolina: 3049n.

Suma confesorum: 3049n.

Suma de la Rectórica: 722n.

SUMA DE VIRTUOSO DESEO: **3130-3133**

Suma del orden judicial: atrib. a Fernando de Zamora: 363

SUMARIO, género cronístico: 2081, **2089-2099**, 2211, 3130; abreviación del Halconero: 2322-2333; Cartagena, Alfonso de: **2620-2624**; del Halconero: 2270-2294; Martínez de Toledo, Alfonso: 2694-2700; Santa María, Pablo de: 2590-2596; SÍNTESIS Y CONCLUSIÓN: 3927, 3942

SUMARIO DEL DESPENSERO: 2079n., **2092-2099**, 4056; «refundición»: 2274-2275; SÍNTESIS Y CONCLUSIÓN: 3927

SUMAS DE HISTORIA TROYANA: 798, 802, 1363, 1596, **1632-1649**, 1666-1667, 3274n., 3550n.; concepción caballeresca: **1638-1639**; configuración historiográfica: **1634-1638**; estructura y contenido narrativo: **1639-1649**; Leomarte y la voluntad de autoría: **1633-1634**; SÍNTESIS Y CONCLUSIÓN: 3917

summa, ejercicio jurídico: 360

Summa Alexanrinorum: 2549

Summa confesorum: 1868

summa confitendi: *Confesión del amante*: 3215; «confesional» de P. Gómez Álvarez de Albornoz: 1895-1896; *Espejo del alma*: 3004; *Libro de confesión de Medina de Pomar*: 3037; *Libro del arçobispo de Sevilla*: 1879; Marín, Pedro: 2963; Ms. 77, Bibl. Menéndez Pelayo: 1863

Summa contra gentiles: 1998

Summa de la sacra Theología: 1999

Summa de los nueve tiempos de los pleitos (Jacobo de Junta): 359n., 360-361

summae poenitentiarum: 1878

sumo bien: *Del soberano bien*: 2163-2171; *Libro de vita beata*: 3701-3702

«suplicación», discurso político: *Bursario*: 3277n.; *Seguro de Tordesillas*: 2404; Valera, Diego de: 2716-2718,

Surius, Laurentius (1522-1578): *Historia seu vitae sactorum*: 1980

Susana, mujer de Babilonia, esposa de Joaquín (siglo VII a.C.): *Castigos de Sancho IV*: 933; *Enrique fi de Oliva*: 1620; *Invencionario*: 3714n.; *Libro de las claras e virtuosas mugeres*: 3253
Syrus, Publilius (siglo I d.C.): *Sententiae Senecae*: 2551n.

[al-] Tabarī, Alī (siglo IX): *Paraíso de la sabiduría*, enciclopedia médica: 2757
Tabla Redonda: ver Mesa Redonda
TABLAS ALFONSÍES: 368n., 599, **637-640**
Tablas de Azarquiel: 639, 641-642 (ver *Tablas alfonsíes*)
Tablas toledanas: 639 (ver *Tablas alfonsíes*).
Tabor, rey: *Zifar*: 1447
Taborlán: ver Tamorlán
Tad: *Bocados de oro*: 459, 462
Tadeo Napolitano: *De desolatione et concultationes civitatis Acconensis et totius Terre Sancte* (1290): 3998
TAFUR, PERO (1405/09-1480): Cartagena, Alfonso de: 2601n., 3402; Gómez de Guzmán, Fernán: 3404, 3770n.; *Libro del infante don Pedro de Portugal*: 3425-3426, 3428, 3435; Rodríguez del Padrón, Juan: 3267; SÍNTESIS Y CONCLUSIÓN: 3956; Valera, Diego de: 2715, 3402
OBRAS:
Tratado de las andanças e viajes: **3402-3425**, 4056, **4076**; cuarto viaje: 3424-3425; primer viaje: 3407-3411; segundo viaje: 3411-3419, 3432; tercer viaje: 3420-3423
Talabote: ver Shrewsbury, John Talbot
Talamón: *Sumas de Historia Troyana*: 1642
Talavera, fray Hernando de, confesor de Isabel I, arzobispo de Granada (*c.*1430-1507): confesor de la reina: 3677; tratados de penitencia: 1737
OBRAS:
Colación: 1904n., 2974
De cómo se ha de ordenar el tiempo para que sea bien expedido: 3855
Tales Milesio (624-548/545 a.C.): *Vidas y dichos de filósofos antiguos*: 2117, 2119; *Visión deleitable*: 2845
Talestris, reina de las amazonas: *General estoria IV*: 771
talismán: Alfonso X: 624n., 626-627; Aragón, Enrique de: 2499, 2499n.; *Otas*: 1669
taller historiográfico: Alfonso X: 651; Fernández de Heredia, Juan: 1650-1651; materia carolingia: 1583
Talmud: *Mostrador de Justiçia*: 1755; *Tratado de la lepra*: 2488
Tamar, hija del rey David: *Breviloquio de amor y de amiçiçia*: 3172; *General estoria III*: 732; *Tratado de cómo al hombre es necesario amar*: 3179; *Tratado en defensa de virtuosas mugeres*: 3262
Tamar, nuera de Judá: burladora de su suegro: *Libro de las consolaçiones*: 2997
Tamaris/Thamaris, reina de las amazanonas o de los «çitas», vencedora de Ciro: *General estoria IV*: 752, 762; *Libro de las claras e virtuosas mugeres*: 3238; *Triunfo de las donas*: 3298
Tamorlán/Tamurbeque (1336-1405): *Andanças e viajes* de Pero Tafur: 3414; *Crónica de Enrique III*: 2106, 2208n.; *Embajada a Tamorlán*: 2172-2190; *Libro del infante don Pedro de Portugal*: 3436; *Mar de historias*: 2424

Tanaquil/Tanequil: *Libro de las claras e virtuosas mugeres*: 3232, 3336n.
Tancredo, canonista (c.1185-c.1236): *Ordo iudiciarius*: 359n.
Tántalo, rey: *Sumas de Historia Troyana*: 1642-1643
Tared, rey: *Zifar*: 1395-1397, 1405, 1407
Tarloc, rey: *Tristán*: 1506
Tarquino, rey ([534-509 a.C.]): *General estoria IV*: 761
Tarquino [Sexto] y Lucrecia: *Libro de las claras e virtuosas mugeres*: 3254; *Libro del tesoro*: 872 (ver Lucrecia)
Tarsiana/Tarsia, hija del rey Apolonio: doncella «sabidora»: *Historia de Apolonio*: 1681-1682; *Libro de Apolonio*: 483, 486, 1333, 1335, 1665
Tarsiz, cortesana: *Viridario*: 2033
Tauler, fray Juan (*c.*1300-1361): *devotio moderna*: 2002, 2011n.
Távara, Martín de (siglo XV): corte del infante don Alfonso: 3650n.
Tavola ritonda: 1506n., 1508, 1514n.
Tawaddud, esclava: modelo de «donzella Teodor»: *Las mil y una noches*: 483-484
Telegonus: *Sumas de Historia Troyana*: 1645
Telémaco: *Sumas de Historia Troyana*: 1645
Téllez, María, abuela de Juan Pacheco (siglo XIV): 3602n.
Téllez Girón, Alfonso, primogénito bastardo de Pedro Girón, primer conde de Urueña (m.1469): señorío: 3560
Téllez Girón, Alonso, señor de Belmonte, padre de Juan Pacheco (1395-1450): *Crónica de Juan II*: 2258
Téllez Meneses, Tello, obispo de Palencia ([1208-1245]): *studium* palentino: 22-23, 75
Tello, hermano de Enrique II, señor de Aguilar (1337-1370): *Crónicas* de Ayala: 1799
«templamiento», noción de Sancho IV: *Libro del consejo*: 954
templanza, virtud: *Breviloquio de virtudes*: 3606; *Espejo del alma*: 3003, 3006; *Flor de virtudes*: 3743; *Libro del tesoro*: 881; *Oracional*: 3023; *Triunfo de las donas*: 3296; *Vergel de los príncipes*: 3625; *El Victorial*: 2376
Templo de Salomón: *Andanças e viajes* de Pero Tafur: 3411; *Libro del infante don Pedro de Portugal*: 3435
Teneleón, emperador de Roma: *Macer herbolario*: 2773
Tenorio, Alfonso Jufré, almirante (m.1340): *Crónica de Alfonso XI*: 1278
Tenorio, Pedro, arzobispo de Toledo (1328-1399): *Crónica de Enrique III*: 2102-2105; *Generaciones y semblanzas*: 2447; *Instrucción del Relator*: 2639
tentación, motivo: *Exhortaçión a la obediençia regular y monástica*: 3842-3843; sermones de fray Vicente Ferrer: 2960; *Tratado en defensa de virtuosas mugeres*: 3259-3260, 3264
Teobaldo de Germania: *Mar de historias*: 2431
Teobaldo I de Navarra (1201-[1234]-1253): cruzadas: *Crónica de los Reyes de Navarra*: 3539
Teobaldo II de Navarra, el Joven (1239-[1253]-1270): cruzadas: 1054; relación con Alfonso X: 241, 3539 (*Crónica de los Reyes de Navarra*)
Teodor, doncella: 211, 262, 456n., 504, 1665, 1717, 1954, 1958, 3244, 4003 (ver *Historia de la donzella Teodor*)
Teodorico I, el Grande (*c.*454-[489]-526): prisión de Boecio: 2980, 2987

Teodorico, rey visigodo ([453]-466): goticismo: *Vergel de los príncipes*: 3622
Teodosio I, emperador (347-[379]-395): *Mar de historias*: 2428-2430, 2433
Teodosio, obispo (siglo IX): excomunión de Hunayn: 440n.
Teófilo, milagro: *Cantigas prosificadas*: 1027-1028; *Milagros de nuestra Señora*: 1937n.
Teofrasto (*c*.372-*c*.287 a.C.): *Vidas y dichos de filósofos antiguos*: 2122
teología:
contenido: *Del soberano bien*: 2164-2165; *Libro del tesoro*: **871-874**
exposición teologal: *Diálogo e razonamiento en la muerte del marqués de Santillana*: 2576-2581
saber: *Barlaam*: 994; *Castigos de Sancho IV*: **915-916**; *Espéculo de los legos*: 3104; *Exemplos muy notables*: 3110; *Glosa castellana al «Regimiento de príncipes»*: 1718; *Invencionario*: **3708-3712**; *Libro de los estados*: 1144; *Libro de vita beata*: 3696; *Libro del cavallero et del escudero*: 1115; *Libro del consejo*: **947**; *Lucidario*: 896-897, 900, **907-909**; *Tractado de la Asunción de la Virgen María*: 1198-1202; tratados de medicina: 2763-2764
Teóspita, esposa del «cavallero Pláçidas»: *Cavallero Pláçidas*: 1351-1357
tercera: ver *vetulae*
Tercera crónica general: tronco de la cronística general: 649-650, 1232 (ver *Crónica General Vulgata*)
Terencia, mujer de Cicerón (siglo I a.C.): *Libro de las claras e virtuosas mugeres*: 3234
Terencio (*c*.195-d.159 a.C.): *Defunsión de don Enrique de Villena*: 2480; *Introdução* de P. Díaz de Toledo: 3749n.; *Proverbios* de Í. López de Mendoza: 2529; *Sátira de infelice e felice vida*: 2733
Tereo, rey: *Sumas de Historia Troyana*: 1647; *Tratado de amor*: 3187; *Tratado de cómo al hombre es necesario amar*: 3179
Teresa de Castilla, reina de Portugal, madre de Alfonso I Enríquez (m.1130): versión larga del *Secretum secretorum*: 275n.
Teresa de Jesús, Santa (1515-1582): 3072n.
Teresa de León: ver Núñez de Lara, Teresa
Teresa de Portugal, reina de León, esposa de Alfonso IX (*c*.1177-1250): 69, 157, 158
terminología poética: Fernández de Madrigal, Alfonso: 4063; *General estoria*: 700; *Libro de los buenos proverbios*: 447n.; *Libro del tesoro*: 868n.; Manuel, don Juan: 1201-1202
ficción: **1328-1339**
Terrín, mayordomo: *Estoria del Cavallero del Çisne*: 1076; *Otas*: 1661, 1671-1672
territorio, conquista y defensa: 1068, 1074-1076
Tertuliano (*c*.155/160-d.220): Demócrito: *Vida y dichos de los filósofos antiguos*: 2124; oratoria sagrada: 1897
Teseo: *Bursario*: 3286; *Caída de príncipes*: 2148; *Carta e breve compendio*: 3647; *General estoria II*: 725; *Historia troyana polimétrica*: 806; *Tristán*: 1527
Tesoro de los remedios: 2774
tesoro fatal, motivo: sermones de fray Vicente Ferrer: 2960n.
testamento: *Tratado que hizo Alarcón*: 3757-3758
Tetis: *Sumas de Historia Troyana*: 1643-1644
texto: organismo vivo: 3715; subyacente: 128-129

textos devocionales: 1870-1871 (ver oraciones)
Thamaris, reina: ver Tamaris
thema/ lemma (sermón): Cartagena, Teresa de: 3060; *Espéculo de los legos*: 3107; *Libro de la justiçia de la vida espiritual*: 1882, 1891; López de Baeza, Pero: 1904-1905; Luna, Pedro de: 1908, 1914; *Mar de historias*: 2432; Marín, Pedro: 2961-2965; Ms. 49, Catedral de Pamplona: 2968; partes del sermón: 1899-1900, 1902; *Proverbios* de Í. López de Mendoza: 2528; *Santo Domingo de Guzmán*: 1998; sermón sobre el Corpus Christi: 2970-2971; Valera, Diego de: 2717
Theodas, mago: *Barlaam*: 1003-1004
Theodora, santa pecadora: *Libro de las claras e virtuosas mugeres*: 3245, 3248, 3252n.
Thesileus: *Bocados de oro*: 459, 463; *Dichos e castigos de profetas e filósofos*: 3126n.
Thiestis: *Caída de príncipes*: 2148
Thlotomeo: ver Ptolomeo, Claudio
Thomas (siglo XII): recreación en verso del *Tristán* (1172/76): 1507
Thomas de Cantimpré (*c.*1200-*c.*1263): enciclopedismo: 4054
Thomas de Chobham: *Summa de arte praedicandi*: 1899, 1899n.
Tibalt: ver Teobaldo II
Tibulo, Albio (*c.*55-*c.*19 a.C.): *Tratado de amor*: 3183
tiempo:
  mágico: *San Amaro*: 1970-1971; *Vidas y dichos de filósofos antiguos*: 2123
  narrativo: *Arcipreste de Talavera*: 2680; *Libro de los doze sabios*: 251; *Sendebar*: 228-229; *Sumas de Historia Troyana*: 1635-1636
tierra: Alfonso X: 585
Tierra de Alia: *San Amaro*: 1965-1966
Tierra Santa, descripción: *Andanças e viajes* de Pero Tafur: 3411-3412; Fernández de Heredia, Juan: 1830; *Itinerario* (1336): 1831; *Libro de las maravillas del mundo*: 4052, 4055; *Libro del infante don Pedro de Portugal*: 3435-3436
Tiestes: *Breviloquio de amor y de amiçiçia*: 3168; *Tratado de cómo al hombre es necesario amar*: 3179
Tímbor: madre del Bernardo del Carpio carolingio: 1577
Timoneda, Joan de (*c.*1518-1583): patrañas: 3269; *Patrañuelo*: 1682
Timtim: *Libro de las formas*: 623, 625
tiranía:
  noción: *Cadira de honor*: 3303; *Carta e breve conpendio*: 3642; Cartagena, Alfonso de: 2619; epístola a Enrique IV de Diego de Valera: 3591n.; *Libro de las claras e virtuosas mugeres*: 3230-3231; *Libro enfenido*: 1188; *Vidas y dichos de filósofos antiguos*: 2125
  tiranicidio: Fernández de Madrigal, Alfonso: 4062
  tirano: *Caída de príncipes*: 2149; *Carta e breve conpendio*: 3642, 3645-3646; *Dichos de sabios y filósofos*: 3120; *Espejo de verdadera nobleza*: 2722; *Glosa castellana al «Regimiento de príncipes»*: 1706-1707, 1724, 1790n.; *Invencionario*: 3714; *Libro del regimiento de los señores*: 2939; *Milagros de San Antonio*: 3854; *Proverbios o sententias breves*: 3129; *Suma política*: 3617; *Triunfo de las donas*: 3297; *Vidas y dichos de filósofos antiguos*: 2129
Tirante el Blanco: prólogo: 3815n. (ver Martorell, Joanot)

Tirso de Molina/fray Gabriel Téllez (1579-1648): *Doncella Teodor*: 487n.
Tisbe: ver Píramo
Titangol/Titanhol: sermón sobre el Corpus Christi: 2972; *Tristán*: 1512, 1519-1520, 1522-1524, 1526, 1534
Tito, Flavio Vespasiano, emperador (39-[79]-81): *Mar de historias*: 2428; *Vespesiano*: 1674, 1678-1679
Tito Livio: ver Livio, Tito
Título XXI de la *Partida II*: tratado de caballerías: *Avisaçión de la dignidad real*: 1730; *Crónica abreviada*: 1104, 1106-1107; *Doctrinal de los cavalleros*: 2873-2874; *Espéculo*: 355; *General estoria IV*: 762; *General estoria V*: 784; *Glosa castellana al «Regimiento de príncipes»*: 1724; *Libro de fecho de los cavallos*: 847, 849; *Libro de los cien capítulos*: 433; *Libro del cavallero et del escudero*: 1110; *Partida I*: 524-525; *Partida II*: 545, 556, **560-564**, 565, 570; tratados teóricos siglo XV: 2860; *El Victorial*: 2376
Toas, rey: *Historia troyana polimétrica*: 810
Tobías, patriarca judío (siglo VII a.C.): *General estoria*: 736, 779; *Libro del tesoro*: 876n.
Toledano romanzado: 169, 969n., 2081n., 2084-2085, 3998
Toledo: imagen del reino: 3749-3751; marco cultural: **860-861**; predicación vicentina: 2954-2956, 3394; rebelión de 1449: 2248, 2253-2254, 2260, 2263, 2296, 2549n., 2550, 2633-2634, **2634-2643**, 2708, 2822, 2920, 2924-2925, 3679, 3750
Toledo, Alfonso de: ver Alfonso de Toledo
Toledo, Francisco de, maestro en teología, secretario de Enrique IV, obispo de Coria (1422-1479): defensa de Enrique IV en la curia romana: *Memorial de diversas hazañas*: 3528
Toledo, Luis de, hijo de F. Díaz de Toledo, el Relator (siglo XV): 2633
Toledo, Pedro, traductor de Maimónides, círculo de Í. López de Mendoza (siglo XV): 2541
Toledot Yeshu: 1756, 1756n.
tolerancia religiosa: Alfonso X/Sancho IV: 861; Enrique III: 2076; *Escala de Mahoma*: 235
Tolomeo: ver Ptolomeo, Claudio
Tolomeos, príncipes: *General estoria*: 772-774, 777, 780
«toller las razones»: Alfonso X: 601-603 (*Libro del saber de astrología*)
Tomás, Santo, apóstol (m.53): *Castigos de Sancho IV*: 932; *Libro del infante don Pedro de Portugal*: 3439
Tomás de Aquino, Santo (*c.*1225-1274): Barrientos, fray Lope de: 2777, 2814; *Diálogo e razonamiento en la muerte del marqués de Santillana*: 2574; Fernández de Madrigal, Alfonso: 3169, 4074n.; Manuel, don Juan: 1128; Marín, Pedro: 2965; Sánchez de Vercial, Clemente: 3049n.
Leyenda de Santo Tomás de Aquino: 1986, **1995-2001**
OBRAS:
Comentarios a las Éticas de Aristóteles: 3655n.
De regno: **1700-1703**, 1705
Suma contra Gentiles: 3655n.
Suma Teológica: 3655n., 3739
Tomás de Canturbel/Canterbury, Santo: ver Becket, Santo Tomás

Tomás de Gales/Thomas Gallus (m.1246): Bersuire, Pierre: 2135
Tomillas, conde don: *Enrique fi de Oliva*: 1615, 1617-1618, 1623-1625, 1627-1628, 1630
Topacia: *Flores y Blancaflor*, siglo XVI: 1590
Tor: *Baladro*: 1488
Tordesillas o Vázquez de Cepeda, Juan, obispo de Segovia ([1398-1427]): enemistad con Pedro de Frías: 2451 (*Generaciones y semblanzas*); secuestro de Juan II (1420): 2326
Toros de Guisando, acuerdos (1468): *Crónica castellana*: 3519-3520; *Crónica de Enrique IV*: 3487, 3502; *Jardín de nobles donzellas*: 3662, 3667; *Memorial de diversas hazañas*: 3529
Torquemada, Juan de, cardenal de San Sixto (1388-1468): disputas con A. Fernández de Madrigal: 2644; Mena, Juan de: 2730; Tafur, Pero: 3422; *Tractatus contra madianitas et ismaelitas*: 2637
torre: aplastamiento por: 3353; encierro en: 1587, 1591; suicidio desde: 1568, 3802
Torre Peligrosa: *Tristán*: 1515
TORRE, ALFONSO DE LA (*c.*1400-1460): 2583n., 2756, **2829-2849**; SÍNTESIS Y CONCLUSIÓN: 3944
OBRAS:
Visión deleitable: **2831-2849**, 2981, 3706; estructura y contenido: 2832-2836; Primera parte: 2836-2845; Segunda parte: 2846-2847; técnicas narrativas: 2847-2849; transmisión: 2831-2832
TORRE, FERNANDO DE LA, corregidor de Burgos (*c.*1416/20-1475): **3783-3812**; biografía: 3785-3787; Cartagena, Alfonso de: 3221n.; epístolas políticas: 3636; lealtad a Enrique IV: 3787; Leonor de Navarra: 3788-3790; semblanza: 3787n.; SÍNTESIS Y CONCLUSIÓN: 3966-3967
OBRAS:
Juego de naipes: 3787, 3796n., **3809-3812**, 3824n.
Libro de las veinte cartas e qüistiones: 3783, **3788-3809**; datación: 3789-3790, 3796n.; dedicatoria: 3788-3790; definición de amistad: 3792-3794; formación del *Libro*: 3784; materia sentimental: 3799-3809, 3821; mujeres letradas: 3795-3799; regimiento del reino: 3790-3792; «Tratado e despido a una dama de religión»: 3328n., **3800-3806**
Torrella, Pedro, «Torrellas», poeta cancioneril (*c.*1405-*c.*1486): Flores, Juan de: 813; vituperios contra las mujeres: 2122, 3728, 3841
OBRAS:
Coplas: 3728
Torres, Diego de: *Eclipse del sol* (1485): 2770
Torres, Gregorio de las: *Gran Conquista de Ultramar*: 1031
Torres, Inés de, privada de doña Catalina de Lancáster y madre de Nuño de Guzmán (*c.*1390-¿?): intrigas contra Álvaro de Luna: 2908, 3163-3164; *Laudatio Agnetis Numantinae* de Giannozzo Manetti: 2583n.; López de Córdoba, Leonor: 2338-2339 (*Crónica de Juan II*); mujer letrada: 2583
Torres, Sancho de, compañero de Fernando de la Torre (siglo XV): 3789
Torres, Teresa de, esposa de Miguel Lucas de Iranzo, condesa de Quesada (siglo XV): muerte del Condestable: 3562, 3567; profesión religiosa: 3574

torturas: amputación de pechos: 1961, 3243; burlas de: 3043, 3242; despedazamientos: 3242; máquinas: 3243; rueda dentada: 1960, 3243
Tostado, el: ver Fernández de Madrigal, Alfonso
Tostado, Alonso, padre de A. Fernández de Madrigal: 2643-2644
Totamix, emperador de Tartalia: *Embajada a Tamorlán*: 2188
Tovar, Juan de, señor de Berlanga, cuñado de Fadrique Enríquez (siglo XV): *Historia de don Álvaro de Luna*: 2923n.
«trabajo», término: Tafur, Pero: 3406
***Tractadello de la oración* de San Isidoro**: 2709
Tractado de cómo al ome es nescesario amar: 504, 2666, 2671n., **3174-3181**
Tractado de cómo es figurada la imagen de la penitençia: Miscelánea, BN Madrid 8744: **3836**
Tractado de confessión para confessar a seglares: Miscelánea, BN Madrid 8744: **3838-3839**
Tractado de la Façinología: ver Aragón, Enrique de, *Tratado de fascinación*
Tractado de la santa fe: 1477
Tractado del precioso sacramento del Señor: Miscelánea, BN Madrid 8744: **3839-3840**
Tractatus de Purgatorio Sancti Patricii: 1843
Tractinas/Tractino: *Libro de las claras e virtuosas mugeres*: 3247n.
tradición:
- **fabulística**: 189-190; de la lechera: 2681; «fábulas etiológicas»: 3779
- **forística**: 81, **85-89**, 88, 112, 161, 170, 179-180, **295-303**, 301 (ver fueros)
- **lírica**: 57

traducción, teoría y técnicas: Alfonso X: **237-239** (*Escala de Mahoma*), **377-378**, 385-386 (*Lapidario*), 390, 399-400, 404, **405-406** (*Libro de los judizios*), 408, **420-421** (*Libro de las cruzes*), 441-442, 444 (*Libro de los buenos proverbios*), 670, 673 (*Estoria de España*), 756-757, 765-766, 785-786, 788 (*General estoria*), 843 (*Libro de las animalias que caçan*); Aragón, Enrique de: 2508-2509, 2512-2516; Biblia: 123; *Calila*: 185, 189; Cartagena, Alfonso de: 2602, 2604-2605, **2607**, **2610-2614**, 3023; *Cavallero Pláçidas*: 1352-1353; *La consolación natural*: **2978-2980**; Constanza, sor: 4070-4071; *Cuento de una santa enperatrís*: 1366-1367; Díaz de Toledo, Pero: 2566; discurso prosístico, formación: 47, 59; Enrique III: **2111-2171**; *Espéculo de los legos*: 3104-3105; *Estoria de Santa María Egiçiaca*: 1343, **1344-1345**; *Estoria del rrey Guillelme*: 1360; Fernández de Heredia, Juan: 1651-1652; Fernández de Madrigal, Alfonso: **2655-2659**; ficción sentimental: 3154-3155; *Historia de Apolonio*: 1680; libros de caza: 1683; López de Mendoza, Íñigo: 2522, **2538-2539**, **2543-2544**, 2547; Lucena, Juan de: 3686-3688; *Lucidario*: 896n.; Manuel, don Juan: 1110n.; materia arturica: 1461; materia tristaniana: 1540; Mena, Juan de: **2737-2738**; orden de la ficción (siglo XIV): 1329; *Otas*: 1663; Palencia, Alfonso de: 3762-3765; *Poridat*: 275; primeras formas de ficción (siglo XIII): 181-182; *Secreto de los secretos*: 287, 289; *Segundo filósofo*: 509n.; *Semejança del mundo*: 140, 142; *Sendebar*: 216; *Tratado de amor*: 3182; tratados de caballería: **2862-2864**, 2868; *Visión de Filiberto*: 1763-1764; *Zifar*: 1390n.
Traducción interpolada del Toledano: 169
traducciones: orientales: 59, 62, 161, 249, 253, **274-276**, **364-422**, **440-470**, 484, 503, **980-1009**, 1651-1653, 1684; siglos XIV-XV: **2111-2171**, **2538-2539**, **2543-**

2544, **2610-2614**, **2655-2659**, **2737-2738**, **2862-2864**; SÍNTESIS Y CONCLUSIÓN: 3928-3929
tragedia, género: comentario a la *Coronación*: 2732-2733; epístola de Santillana a doña Violante de Prades: 2537
traición: Alfonso X: 581-582, 589; *Crónica de Alfonso X*: 856; *Crónica de Enrique IV*: 3496, 3503; *Crónica de Juan II*: 2890-2891; *Crónica sarracina*: 3352; *Cuento de Carlos Maynes*: 1611-1613; *Dichos de Séneca en el acto de la caballería*: 3147; *Gran Conquista de Ultramar*: 1044, 1064, 1083; *Hechos de Lucas de Iranzo*: 3564; *Historia de don Álvaro de Luna*: 2931; materia carolingia: 1611-1613, 1622; materia de la Antigüedad: 1661-1663, 1668, 1670; *Memorias* de Leonor López de Córdoba: 2342, 2347; *Otas*: 1662-1663, 1668-1670; *Siervo libre de amor*: 3322-3323; *Tratado de las armas*: 3595; *Zifar*: 1411, 1415, 1417-1418, 1421, 1699
Trajano, emperador (53-[98]-117): *Cavallero Plácidas*: 1351; *Mar de historias*: 2428; *Qüistión entre dos cavalleros*: 3634
translatio imperii: *General estoria*: 706; *Mar de historias*: 2430
translatio studii: *Glosa castellana al «Regimiento de príncipes»*: 1712-1713; *Lapidario*, prólogo: 370; *Vidas y dichos de filósofos antiguos*: 2118, 2128
transmigración del señorío: Alfonso X: 747-748, 775
Trapezuntios, Georgios, humanista, secretario de Nicolás V (1395-1472/73): Palencia, Alfonso de: 3509, 3762
traslaciones del Tudense y del Toledano: **162-170**, **3993-3999**; *Crónica de Castilla*: 1230; *Estoria de España*: 651, 664-665, 670-672, 677-678, 681, 685; *General estoria*: 690, 692n.
traslationes: *Barlaam*: 1008; modelo canónico de hagiografía: 1916; *Santo Tomás de Aquino*: 1995-1996; *Vita Sancti Isidori*: 2159, 2709; *Zifar*: 1385
Trastámara, dinastía de los: Carlos de Navarra: 3536, 3540; Cartagena, Alfonso de: 2623; crisis religiosas: 2026; *Espéculo*: 332; García de Santa María, Pablo: 2588, 2596; *Generaciones y semblanzas*: 2455; guerra contra Pedro I: 2097-2098; Juan II, ámbito de ficción: 3198; Juan II, claves culturales: 2191; Leonor de Navarra: 3789; libros de viajes: 3402; linaje Guzmán: 2461; López de Córdoba, Leonor: 2335, 2350; persecuciones de judíos: 124; *Repertorio de príncipes*: 3544; tratados de caballería: 2861; triunfo del castellanismo en Cataluña: 3812
Trastámara, faraute: cartas de batalla: 2882
tratado, término: *Andanças e viajes* de Pero Tafur: 3406; *Libro de las veinte cartas*: 3788n, **3800**; *El Victorial*: 2381-2382
Tratado de Alcáçovas (1479): 3084
TRATADO DE AMOR (atribuido a J. de Mena): 2733, 3181-3190, 3202n., 3806, 3821, 3824n.; SÍNTESIS Y CONCLUSIÓN: 3951 (ver Mena, Juan de)
Tratado de Astrología: atribuido a Enrique de Aragón: 2500
TRATADO DE CABREROS: 20, **76-78**, 3978-3980, **3987-3989**
TRATADO DE CETRERÍA: **1690-1691**
TRATADO DE CETRERÍA, halconero Gerardo: **1685-1686**
TRATADO DE CÓMO AL HOMBRE ES NECESARIO AMAR: **3174-3181**, 3312, 3806, 3821, 4010; SÍNTESIS Y CONCLUSIÓN: 3951
Tratado de la Azafea (Azarquiel): 390n. (ver *Libro de la açafeha*).
TRATADO DE LA COMUNIDAD: 248n., **1730-1735**; materia y estructura: **1731-1733**; SÍNTESIS Y CONCLUSIÓN: 3919; técnicas de exposición: **1734-1735**

Tratado de la fisonomía en breve suma contenida: 2441n.
Tratado de la nobleza y lealtad: ver *Libro de los doze sabios*
TRATADO DE MORAL (*Cancionero de Juan Fernádez de Híjar*): **3729-3732**; SÍNTESIS Y CONCLUSIÓN: 3965
TRATADO DE RETÓRICA (*Cancionero de Juan Fernádez de Híjar*): 3123n., **3732-3737**; SÍNTESIS Y CONCLUSIÓN: 3965
Tratado del maestre Alfonso reprobando el arte de la física: 2765
TRATADOS APOCALÍPTICOS: *Arcipreste de Talavera*: 2671; Ferrer, fray Vicente: 2957; *Historia de don Álvaro de Luna*: 2933-2934n.; *Jardín de nobles donzellas*: 3674; *Lamentaçión de Spaña*: 2523; *Libro de Graçián*: 3385; Marín, Pedro: 2962; Miscelánea, BN Madrid 8744: **3846-3847**; SÍNTESIS Y CONCLUSIÓN: 3949; textos: **3074-3094**
TRATADOS APOLOGÉTICOS Y DE CONTROVERSIA: *Instrucción del Relator*: 2634-2643; SÍNTESIS Y CONCLUSIÓN: 3919-3920; textos: **1750-1769**
TRATADOS DE ALBEITERÍA: Alfonso X: **847-852**
tratados de alquimia («astrología mágica»): *Lapidario*: 381n.; *Libro de los judizios*: 396; *Libro del saber de astrología*: 598, 599n., 610; *Lucidario*: 893; *Poridat*: 276, 280, 283
tratados de amor: ver tratados de erotología
TRATADOS DE ASTROLOGÍA: **364-422, 597-637**; ajedrez y astrología, juego del alquerque: 836-838; Alfonso X: 960; astrología mágica: **626-637**, 731, 893; *Lapidario*: 366-367; Sancho IV: 862; SÍNTESIS Y CONCLUSIÓN: 3895, 3898; tratados con proyección matemática: **641-642**
TRATADOS DE CABALLERÍA: *Libro de los cien capítulos*: 433-434, 436; Luna, Álvaro de: 3164; Manuel, don Juan: **1109-1116**, 1196-1197; Palencia, Alfonso de: 3769-3770, 3773-3774, 3781; *Qüestión* de don Íñigo y *Respuesta* de Cartagena: **2526-2527**, 2615; siglo XV: **2860-2881**, 3143-3148, 3386, 4065-4067; SÍNTESIS Y CONCLUSIÓN: 3945; *Suma política*: 3615; Título XXI de *Partida II*: **559-567**; *El Victorial*: 2359, 3193
TRATADOS DE CASO Y FORTUNA: *Arcipreste de Talavera*: 2686-2688; *Sátira de infelice y felice vida*: 3337n.; SÍNTESIS Y CONCLUSIÓN: 3943, 3949; textos: **2775-2797**; *Tratado de fascinación*: 2498; *Tratado de providencia contra fortuna*: 3599; *Visión deleitable*: 2842-2843
TRATADOS DE CONFESIÓN: *Carta e breve conpendio*: 3644; «confesional» de P. Gómez Álvarez de Albornoz: **1895-1897**; *Diez Mandamientos*: 1010, **1012-1017**; *Libro de confesión de Medina de Pomar*: **3037-3047**; *Libro de las confesiones*: **1736-1744, 4041-4048**; *Libro de las consolaçiones*: 2991; Ms. 77, Bibl. Menéndez Pelayo: **1861-1866**; *Setenario*: 329n.; SÍNTESIS Y CONCLUSIÓN: 3947-3948; *Soliloquio*: 2005-2006; *Tractado breve de penitencia*: 3006-3008; *Tractado de confessión para confessar a seglares*: 3838-3839
TRATADOS DE CONSOLACIÓN: **2974-3015**, 3193; *Arboleda de los enfermos*: 3058, 3060-3063; *Bías contra Fortuna* de Santillana: 2530-2533, 2568, 2572, 2576, 2974; *De los bienes que se siguen de la remenbrança de la muerte*: 3844-3845; *Diálogo e razonamiento en la muerte del marqués de Santillana*: 2571, 2576-2577; *Epístola de consolaçión*: 3274n.; *Istoria de las bienandanzas e fortunas*: 3553; *Lamentación de don Álvaro de Luna*: 2943-2947; *Libro de la consolaçión de España*: 3075, 3078, 3080-3082; SÍNTESIS Y CONCLUSIÓN: 3947; *Tratado*

de consolación de E. de Villena: 2494-2497 (ver consolaciones/consolatorias)
tratados de contemplación religiosa: *Dichos e contemplaçiones de Sanct Bernardo*: 3834
TRATADOS DE DOCTRINA RELIGIOSA: *Catecismo* de Gil de Albornoz: 1853-1856; *Catecismo* de Gutierre de Toledo: 1856-1859; *Espejo del alma*: 2998-3006; *Libro de la justiçia de la vida espiritual*: 1875-1897; Miscelánea, BN Madrid 8744: **3832-3859**; Ms. 77, Bibl. Menéndez Pelayo: **1859-1975**; *Parte V del Libro del conde Lucanor*: 1181-1183; *Sacramental*: 3048-3053; *Setenario*: **319-330**; SÍNTESIS Y CONCLUSIÓN: 3894, 3923-3925, 3968 (ver literatura catequismal)
tratados de educación militar: *Glosa castellana al «Regimiento de príncipes»*: 1725; *Libro de doze sabios*: 252
TRATADOS DE EROTOLOGÍA: Aragón, Enrique de: 2473; Boccaccio, Giovanni: 3202; *Confesión del amante*: 3211, 3213, 3216; *De las tachas de las mugieres*: 3841; *Diálogo e razonamiento en la muerte del marqués de Santillana*: 2577; *Epístola a Suero de Quiñones* de E. de Aragón: 2500-2502; *Espejo del alma*: 3005; *Flor de virtudes*: 3740-3741; Juan II, marco cortesano: 2202, 3155; *Libro de las consolaçiones*: 2993; López de Ayala, Pero: 2040; Martín de Córdoba, fray: 3675; Mena, Juan de: 3224; *Miraglo de Sanct Andrés*: 3848n.; *repetitio* sobre el amor humano de Fernández de Madrigal: 3169-3174, 4062, 4075; Rodríguez del Padrón, Juan: 3310; *Sátira de infelice y felice vida*: 3327; SÍNTESIS Y CONCLUSIÓN: 3951; textos: **3165-3193**; *Tratado de amor* atribuido a Mena: 2730, 2733, 3181-3190, 3310; *Tratado de cómo al hombre es necesario amar*: 3174-3181; *Tratado en defensa de virtuosas mugeres*: 3265-3266; *Triste deleytaçión*: 3824-3826; *El Victorial*: 2370n., 2385, 3159, 3161-3162, 3190-3193 (ver arte amatoria)
TRATADOS DE ESPIRITUALIDAD: *Arboleda de los enfermos*: 3058-3059; *Espejo del alma*: 2998-3006; Miscelánea, BN Madrid 8744: 3832, **3833-3836**; SÍNTESIS Y CONCLUSIÓN: 3925-3926; *Soliloquios*: **2001-2011**
tratados de farmacología: 2757
tratados de fisiognomía: *Generaciones y semblanzas*: 2441; *Poridat*: 273, 280, 282, 288, 2757
tratados de poética: ver *artes poeticae*
tratados de reforma eclesiástica: Miscelánea, BN Madrid 8744: **3841-3844**, 3856
TRATADOS EN DEFENSA DE LAS MUJERES: *Arcipreste de Talavera*: 2665; *Caída de príncipes*: 2148; Cartagena, Alfonso de: 2619, 3221; Cartagena, Teresa de: 3054-3055, 3068; *Castigos y dotrinas*: 3134; *Los doze trabajos de Hércules*: 2486-2487; *Exemplos muy notables*: 3115; *Flor de virtudes*: 3740-3741; *Glosas* de *Proverbios*: 2530n.; Juan II, marco letrado: 2202, 3155, 3193; López de Salamanca, Juan: 3867; Luna, Álvaro de: 3222-3254; marco de la ficción sentimental: **3220-3340**; Martín de Córdoba, fray: 3664, 3672; Rodríguez del Padrón, Juan: 3289-3300; SÍNTESIS Y CONCLUSIÓN: 3952; textos: **3220-3266**; *Tratado de la consolación*: 2495-2496; Valera, Diego de: 3254-3266
TRATADOS ENCICLOPÉDICOS: *Escala de Mahoma*: 236; *Historia de la donzella Teodor*: 482, 484; *Invencionario*: **3703-3717**; *Libro del cavallero et del escudero*: 1115; *Libro del tesoro*: 863, 867-870; *Poridat*: 273, 277, 285; *Secreto*: 287; *Semejança del mundo*: 59, **139-156**; SÍNTESIS Y CONCLUSIÓN: 3892, 3944, 3964; *Visión deleitable*: **2831-2849**

tratados escatológicos: *Escala de Mahoma*: 234
TRATADOS LOIMOLÓGICOS: textos: **2768-2770**
tratados marianos: ver Virgen María
TRATADOS PENITENCIALES: *Confesional* del Tostado: 3043-3047; Miscelánea, BN Madrid 8744: 3832, **3836-3840**; Ms. 77, Bibl. Menéndez Pelayo: 1860, **1861-1866**; Pérez, Martín: **1739-1744**, **4041-4048**; SÍNTESIS Y CONCLUSIÓN: 3919, 3923, 3968; *Tractado breve de penitencia*: 2998n., 3006-3008
TRATADOS POLÍTICOS: siglo XIV: **1696-1735**; siglo XV: **2715-2727**, **3590-3677**; SÍNTESIS Y CONCLUSIÓN: 3919, 3943, 3961
TRATADOS SAPIENCIALES: Alfonso X: 182, 184, 187, **241-294**, 249, 260n., 261, 302, 341, **424-470**, 507; Burley, Walter: 2113-2131; Juan II: **3118-3151**; Manuel, don Juan: 1179-1183; Sancho IV: **913-959**; SÍNTESIS Y CONCLUSIÓN: 3893, 3896, 3903-3904, 3949; *Zifar*: 1439-1457
TRATADOS SOBRE ADIVINACIÓN: *Libro de las tribulaciones*: 3090; *Sátira de infelice y felice vida*: 3337; SÍNTESIS Y CONCLUSIÓN: 3944; textos: **2811-2829**
TRATADOS SOBRE PREDESTINACIÓN: *La consolaçión natural*: 2980; *Diálogo sobre la predestinación*: **2798-2803**; *Libro de Graçián*: 3384; SÍNTESIS Y CONCLUSIÓN: 3944; textos: **2797-2811**; *Tratado de la predestinación*: **2803-2811**
TRATADOS VISIONARIOS: SÍNTESIS Y CONCLUSIÓN: 3949; textos: **3084-3094**
Trebisonda: 2185, 2187,
Trebizonda, G.: ver Trapezuntios, Georgios
tregua: Alfonso X: 590; Cartagena: 2879
trenos: *General estoria IV*: 755
Trequinaldus Avedora, rey: *Zifar*: 1476n.
tres moradas, símbolo: *Santa Marta*: 1949
Tres verdades para estar en gracia de Dios: Miscelánea, BN Madrid 8744: 3836
Treveth, Nicolás (*c.*1265-d.1334): glosas a Boecio: 2974-2977, 2979n., 3141n.
OBRAS:
Apparatus, 2137, 2483, 2483n.
tribulación: camino de salvación: 3014-3015; consolatorias: 3015, 3115-3116, 3123 (ver dolor consolatorio); remedios contra: 3094; valores purgativos: 3010-3013, 3087, 3089-3094
tributo:
diezmos a la Iglesia: *Exemplos muy notables*: 3117
ominoso: *Amadís*: 1544; *Crónica de los Reyes de Navarra*: 3539; *Dichos de sabios*: 3122; *Libro de Graçián*: 3395-3396; *Repertorio de Príncipes*: 3544; *Sumario del Despensero*: 2095; *Tristán*: 1506, 1515-1516
Trifón: *General estoria V*: 781
«triga», juego de dados: *Libro de las tablas*: 831
Trípol, conde de: *Estoria del Cavallero del Çisne*: 1050
TRISTÁN: 1372n., castellano: 1508; *Cuento de Tristán de Leonís*: 1511, **1513-1523**, 1534; discurso narrativo: **1538-1540**; estructura temática: **1511-1513**; recepción ideológica: **1535-1538**; SÍNTESIS Y CONCLUSIÓN: 3915; transmisión peninsular: **1506-1511**; versión medieval (siglo XV): 1511, 1525, **1527-1535**, 1545-1546
TRISTÁN DE LEONIS (siglo XVI): 1508, 1511, 1514, **1523-1527**, 1539, 1543, 1561, 4039

Tristán e Iseo: 1724n., 3319; materia artúrica: 1538, 1548, 1553, 1563, 1580; materia carolingia: 1613, 1638; materia de la Antigüedad: 1673; tradición literaria: 888, 1364, 1465, 1472, 1475, 1489, 1500-1501, 3153, 3796n.; tradición textual: **1505-1540**
Tristán el Enano: 1527
Tristan en prose: 1471, 1475, 1495, 1507, **1507n.**, 1508-1509, 1527, 1543
Tristán (gallego-portugués): 1508
Tristano Riccardiano, Il: 1508, 1514n.
Tristany: 1508
TRISTE DELEYTAÇIÓN: **3812-3832**; alegoría y discurso poético: **3827-3830**; autoría: 3830; consejos para bien amar: 3138n., 3810, 3812, 3823-3826; contenido y estructura narrativa: **3813-3818**; datación: 3812; «novela» en clave: 3814, 3823, **3830-3832**; *prosimetrum*: 3818, 3821; SÍNTESIS Y CONCLUSIÓN: 3967-3968; tradición sentimental: 3153n.; tratamiento erotológico: 3814; *Visión deleitable*: 2833n.
tristeza, motivo: *Arboleda de los enfermos*: 3059, 3062-3063; *Barlaam*: 994, 1001; *Calila*: 202; *Compendio de la fortuna*: 2793; *Crónica de Juan II*: 3157; *Diálogo e razonamiento en la muerte del marqués de Santillana*: 2577; *Espejo del alma*: 2999; *Exemplos muy notables*: 3110; *Flor de virtudes*: 3741; *Glosa castellana al «Regimiento de príncipes»*: 1714, 1719; *Historia de la donzella Teodor*: 499n.; *Lamentación de don Álvaro de Luna*: 2946; *Libro conplido en los judizios de las estrellas*: 396; *Libro de las consolaçiones*: 2990-2992, 2995-2996; *Libro del consejo*: 955; *Otas de Roma*: 1668-1669; *Santa María Madalena*: 1943; *Sátira de infelice e felice vida:* 3328; *Sendebar*: 219; *Siervo libre de amor*: 3314; *Tratado de la consolación*: 2496; *Tristán*: 1515; *Vergel de los príncipes*: 3623; *Visión de Filiberto*: 1764
Triunfo, figura alegórica: *Perfeçión del triunfo*: 3774-3783
«triunfo de amores»: 3828
«triunfo de las donas»: 3290
trivium: *Bocados de oro*: 467; *Del soberano bien*: 2169; *Etimologías* romanceadas: 2159, 2162; *General estoria*: 698, 712, 722n., 767; *Libro de los cien capítulos*: 437; *Libro del tesoro*: 868; *Partida I*: 534; *Setenario*: 316
«trobamiento» (ver *inventio*): *Libro del tesoro*: 887
trobar clous: 3366
Trogo, Pompeyo (siglo I d.C.): *De regimine principum*: 1706; *Glosa castellana al «Regimiento de príncipes»*: 1725
Troilo/Troylos: *Historia troyana polimétrica*: 809
- **y Briseida/Breçayda**: *Cancionero de Baena*: 1548; epístolas de J. Rodríguez del Padrón: 3287-3288; *Historia troyana polimétrica*: 811-814, 816-817; *Istoria de las bienandanzas e fortunas*: 3550n.; *Sumas de Historia Troyana*: 1644
- **y Diafebus**: *Sumas de Historia Troyana*: 1643

trovadores, poesía: *Flores de filosofía*: 271; *Historia de la donzella Teodor*: 494; *Libro del amigo y del Amado*: 3364; materia artúrica: 1459-1460
Troya: ver materia de Troya
truculencia:
- **casos de**: *Castigos de Sancho IV*: 932; *Coloquio de la Memoria, la Voluntad y el Entendimiento*: 3375n.; *Espejo del alma*: 3001; *Gran Conquista de Ultramar*:

1050-1051; *Libro de las claras e virtuosas mugeres*: 3241; *Vespesiano*: 1676; *Vida de San Ildefonso*: 2708
supresión: *Invencionario*: 3711
Tubal, rey: *General estoria*: 692; *Invencionario*: 3708
Tucia: *Libro de las claras e virtuosas mugeres*: 3234
Tucídides (*c*.460-d.404 a.C.): Fernández de Heredia, Juan: 1652, 1652n.
Tudense: ver Lucas de Tuy
Tudur (Teodor): 484-485
Tulio: ver Cicerón
Túngano, don, caballero/Tundale o Tundali: 1473n., 1834-1843
turco: peligro de invasiones: 3417; sitios de ciudades: 3419
Turín, caballero (*Libro de los estados*): 1125-1126, 1131, 1134-1138
Turno: *Sumas de Historia Troyana*: 1634
Turpín (m.*c*.790): ver Pseudo-Turpín: 1581
tutorías: Fernando IV: 1225-1226; Juan II: 2080, 2101-2102

ubi sunt?: 1764-1765, 3796, 3834
Udrages: ver Medargis
Ugolino de Bolonia (siglos XII-XIII): glosas: 359n.
Ulises: *Bursario*: 3276-3277; *De excidio Trojae historia*: 800; *General estoria III*: **738**; *Historia troyana polimétrica*: 811, 4021; *Mar de historias*: 2426; *Sumas de Historia Troyana*: 1643, 1644n., **1645**; *Sumas de la Ilíada de Omero*: 2739; *Tratado de amor*: 3187
Ulloa, Rodrigo, alcaide de Toro: Lucas de Iranzo, Miguel, enemistad: 3561
Ulrique de Cillí, conde de Cilique: ver Cilli, Ulrich II von
«ultílogo», justificación: *Oracional*: 3028n.
Unam Sanctam, bula (1302): 1706
Unay, fray Juan, alemán (siglo XV): tratados apocalípticos: 2957, 3084
ungüentos/electuarios: *Tratado de fascinación*: 2499; tratados loimológicos: 2769
unicornio, imagen del diablo/de la muerte: *Barlaam*: 996; *Exemplos muy notables*: 3117; *Libro de los gatos*: 2023-2024; *Lucidario*: 912
unidad de Castilla y León:
Fernando III (1230): *Crónica particular de Fernando III*: 1246, 1248, 1250-1251; *Libro de los doze sabios*: 58-59, 62-63, **157-159**, 162-163, 167, 243n., 252; poesía clerical: 1317
Juan I: 1840
minoridad de Fernando IV: 1225, 1229n., 1238-1239
Universidad de París: 34, 37, 2110
Urbano IV, papa (1200-[1261]-1264): liturgia eucarística: 3035
Urbano VI, papa (1318-[1378]-1389): cisma: 1791, 1795; Luna, Pedro de: 1907, 2983
Urganda: *Amadís*: 1557-1558, 1575-1576
Urías-Betsabé: *Crónica de los Reyes de Navarra*: 3537; *Libro del tesoro*: 873n.
Urraca, hija de Fernando I (1033-1101): cerco de Zamora: 3538 (*Crónica de los Reyes de Navarra*)
Urraca I de Castilla, hija de Alfonso VI (1080-[1109]-1126): *Crónica de Castilla*: 1230; enlace con Alfonso I: 1023 (*Crónicas anónimas de Sahagún*); *Estoria de España*: 679; linajes cidianos: 2457n. (*Generaciones y semblanzas*)

Urriés, Hugo de: ver Hugo de Urriés
Úrsula, Santa (siglo III): Ms. 77, Bibl. Menéndez Pelayo: 1873; *Tratado en defensa de virtuosas mugeres*: 3263
Usiona: *Sumas de Historia Troyana*: 1643
usura, noción de: *De las usuras*: 3840; *Espéculo de los legos*: 3104; *Libro de las confesiones*: 1741, 4046; manuales de confesión: 1738
Utarit: *Libro de las formas*: 624
Úter, rey: *Baladro*: 1488
Uterpandragón, rey: *Historia regum Britanniae*: 1463; *Mar de historias*: 2434; *Tristán*: 1525, 1533
utilidad de la poesía: *Prohemio e carta* de Í. López de Mendoza: 2536; *Sátira de infelice e felice vida*, glosas: 3336
utopía: género: *Libro de las maravillas del mundo*: 4054
Uxio: *Los doze trabajos de Hércules*: 2485

«vagar»: *Libro del consejo*: 954
Val de Flores: *San Amaro*: 1965, 1968
Valdés, Francisco de, maestresala y favorito de Enrique IV (siglo XV): huida a Aragón: 3559n.; promoción social: 3559
Valenzuela, Juan de, favorito de Enrique IV, prior de San Juan (siglo XV): *Crónica de Enrique IV*: 3558; guerra de Andalucía: 3561
VALERA, DIEGO DE, doncel de Juan II, maestresala de Enrique IV y de los Reyes Católicos (1412-1488): **2713-2727**, **3521-3535**, **3590-3607**; biografía: 2714-2715, 3254, 3402, 3404, 3416, 3425; Chacón, Gonzalo de: 2924n.; Chirino, Alfonso de: 2764; corte letrada del infante don Alfonso: 3649; cronista real: 3485n.; diseño de crónicas: 3521-3522; Enrique IV, semblanza: 3479-3480, 3486, 3678; epístolas: 2212, 2246, 2248, **2716-2718**, 2930n., 2937, 3525, **3525-3526n.**, 3590-3591, 3594, 3744; Escavias, Pedro de: 3542; escritos nobiliarios: 2715-2723; Girón, Pedro: 3526; López de Haro, Pero: 2401n.; Lucas de Iranzo, Miguel: 3575; maestresala de Enrique IV (1467): 3591; marco letrado de Juan II: 2630, 2728, 2730, 2776; memorial de agravios: 2245, 2252, 2285, 2285n., 2290, 3129, 3389; Pacheco, Juan: 2723, 2727, 2974, 3527, 3531, 3592, **3598-3605**; pesimismo: 2671; *Qüistión entre dos cavalleros*: 3629, 3635; regimientos de príncipes: 1708, 3655n.; Sánchez de Arévalo, Rodrigo: 3613n.; sentidos alegóricos: 3312; SÍNTESIS Y CONCLUSIÓN: 3942-3943, 3952, 3958-3959, 3961; suplicaciones: 2716-2718; Tafur, Pero: 3423; Torre, Fernando de la: 3785-3786, 3790; traducciones: 2863-2864, 2886; valores caballerescos: 1537, 3783; vinculación con don Juan Pacheco: 2723, 2974, 3526, 3526n., 3527
OBRAS:
Breviloquio de virtudes: 3605-3607
Cirimonial de príncipes: 1726n., 3526n., 3601-3605, 3636
Crónica abreviada (o *Valeriana* o *de España*): 2459, 2462n., 2469n., 2714, 3521, 3590-3591
Crónica de la casa de Estúñiga: 2459
Crónica de los Reyes Católicos: 3522
Espejo de verdadera nobleza: 2378n., **2718-2723**, 2741, 2861, 3290, 3304, 3335, 3390, 3593, 3596, 3640n.

Exhortación de la paz: 2723-2727
Memorial de diversas hazañas: 3479-3480, 3482, **3521-3535**, 3589n., 3598; deposición de Enrique IV (xxvi-l): 3526-3530; destrucción del modelo de autoridad (i-xxv): 3522-3526; figura del príncipe don Fernando (li-lxxv): 3530-3532; legitimidad de los príncipes (lxxvi-c): 3532-3535; relación con la cronística de Enrique IV: 3521; transmisión: 3521n.
Origen de la casa de Guzmán: 2459
Origen de Troya y Roma: 3592, 3635
Preheminencias y cargos de los oficiales de armas: 2882
Tratado de las armas o *Tratado de los rieptos y desafíos*: 3592-3598, 3602, 3707; dedicatario: 3592-3594; primera parte: 3594-3596; segunda parte: 3596; tercera parte: 3596-3598
Tratado de las epístolas: 2716n.
Tratado de providencia contra fortuna: 3526n., 3599-3601
Tratado en defensa de virtuosas mugeres: 2442n., 2465, 2487, 2647, 2718, 3221n., 3252n., 3257, **3254-3266**, 3290, 3336, 3599, 3672; composición y transmisión: 3256-3257; defensa de las mujeres: 3260-3264; discurso epistolar y glosas: 3258-3259; maldicientes letrados: 3264-3266; prólogo: 3257
Valeria, Santa: 3248
Valeriano, Publio Licinio ([253]-260): *Carta e breve conpendio*: 3645; *Mar de historias*: 2429
Valerino: *Phisica avium*: 1685
Valerio: marido de Seçilia: *Libro de las claras e virtuosas mugeres*: 3241
Valerio Máximo (siglo I d.C.): Barrientos, fray Lope de: 2817n.; *Castigos y dotrinas*: 3137; *Defunsión de don Enrique de Villena*: 2480; *Dichos de sabios*: 3122; Egidio el Romano: 1706; *Hechos y dichos memorables*: 3095n., 3119, 3140, **3148-3151**; *Libro de las claras e virtuosas mugeres*: 3232, 3234; *Libro de los exemplos por a.b.c.*: 3097-3099, 3102n.; *Proverbios*, Í. López de Mendoza: 2527; *Tratado en defensa de virtuosas mugeres*: 3262-3263; Valera, Diego de: 2716, 2719-2720; Zamora, Juan Alfonso de: 2603n.
OBRAS:
Vidas y dichos de filósofos antiguos: 2112, 2114-2115, 2130
Valla, Lorenzo (1407-1457): modelo de humanista: 2481, 2481n.; Palencia, Alfonso de: 3509; Sánchez de Arévalo, Rodrigo: 3555
OBRAS:
In errores Antoniis Raudensis adnotationes, ad Ioan.Lucinam Alfonso Regis Secretarium: 3681
VALLADOLID, ALFONSO DE o Abner de Burgos (*c.*1295-1340): 133-134, **1752-1760**, 2588, 2687, 2798; SÍNTESIS Y CONCLUSIÓN: 3919-3920
OBRAS:
Cefer Yeçira: 1754
epístolas: **1759**
Libro contra las fadas: 1753, 1759-1760
Libro de las Batallas de Dios: 1752, 1754
Libro de las tres creencias: 1760
Libro del zelo de Dios: 1753, **1756-1759**
Mostrador de justiçia: **1753-1756**

Valladolid, Luis de: compra de un Ms. del *Mare historiarum*: 2425
Valle de Josafat: *Capítulo de las quinze señales que serán antes del Juizio Final*: 3846; *Libro del infante don Pedro de Portugal*: 3433-3435
Valois, Jean de, duque de Berry (1340-1416): traducción del *Valerio*: 3151n.
Valturio, Roberto (1405-1475): *De re militari* (1462): 2586n.
Van, rey: ver Ban
vanagloria: *Dichos e castigos de profetas e filósofos*: 3126; *Espejo del alma*: 3004; *Flor de virtudes*: 3742; *Perfeçión del triunfo*: 3777; *San Isidoro*: 2711; *Santa Catalina*: 1956-1957
vanidad, motivo: *Exemplos muy notables*: 3115-3116; *Libro de Graçián*: 3381; *Libro de las veinte cartas*: 3794
Varazzo, Santiago de: ver Vorágine, Jacobo de la
Varela de Salamanca, Juan, impresor (activo entre 1504-1539): 3685n.
Vargas, Iván de (siglos XI-XII): amo de San Isidro: *Memorias de algunos linages*: 2747
vasallo, noción: Alfonso X: 584; Cartagena, Alfonso de: 2880-2881
Vasco de Taranta: *Tractatus de epidemia et peste*: 2769
«vaso», paradoja de la Virgen: *Las çinco figuratas paradoxas*: 2649, 2651-2652
Vázquez de Acuña, Lope I, hermano de Alfonso Carrillo, alcaide de Huete (siglo XV): refundición del *Sumario del Despensero*: 2099
Vázquez de Acuña, Lope II, sobrino de Alfonso Carrillo, adelantado de Cazorla (m.1489): toma del castillo de Montizón: *Hechos de Lucas de Iranzo*: 3574
Vázquez de Toledo, Juan, impresor (activo entre 1484-1491): 1676
Ve ab mi en tribulacio: ver Rocacisa, fray Juan de
Vega, Leonor de la, madre de Í. López de Mendoza (m.1432): 2516
Vega, linaje: 2516-2517
Vega y Carpio, Félix Lope de (1562-1635): Manuel, don Juan: 1151
OBRAS:
Doncella Teodor: 487n.
El mayor prodigio: 1844
La mejor enamorada, la Magdalena: 1946
Vegecio Renato, Flavio (siglo IV d.C.): *Arte de la caballería*: 3140, 3181-3182, 4065; Egidio el Romano: 1706; formación letrada de los caballeros: 3747-3748; *Glosa castellana al «Regimiento de príncipes»*: 1545, 1722, 1724; *Partida II*: 564-565; *Suma política*: 3613-3614
OBRAS:
Epitoma rei militaris: 2604n., 2862-2863, 3143n., 3144, 3148
Vela, Rodrigo (siglo XI): *Crónica de los estados peninsulares*: 1287
«velas mensajeras», motivo: *Tristán*: 1527, 1529
Velasco, Alfonso de, hermano de Pedro I Fernández de Velasco (m.1477): Palencia, Alfonso de: 3762
Velasco, Juan: ver Fernández de Velasco, Juan
Velasco, linaje: 2408n., 2457n., 3476
Velázquez, Ruy (siglo X): *Siete infantes de Lara*: 89
Vélez de Guevara, Luis (1579-1644): *Diablo cojuelo*: 1528n.
Vélez de Guevara, Pedro, tío de Í. López de Mendoza (siglos XIV-XV): *Prohemio e carta* de Í. López de Mendoza: 2536

Vellido Dolfos: ver Dolfos, Vellido
vellocino de oro: *Sumas de Historia Troyana*: 1637, 1641
Venegas, Garçía, favorito de Juan II: Ms. X-ii-13: 2308
Véneris, Antonio de o Venier, Antonio Iacopo di, nuncio apostólico (m.1479): pacificación del reino: 3529; recepción de Enrique IV: 3478
Venjance nostre Seigneur, La: 1676, 3552
ventura/aventura: *Estoria del rrey Guillelme*: 1365; *Libros de acedrex*: 826, 830-831
Venturia: *Libro de las claras e virtuosas mugeres*: 3232
Venus: *Bursario*: 3284, 3285n.; *Confesión del amante*: 3214-3217; *Las diez qüestiones vulgares*: 2659; *Epístola de Suero de Quiñones*: 2502; *Libro de toda la vida de nuestra Señora*: 3873; *Libro del grant açedrex*: 838; *Sumas de Historia Troyana*: 1642; *Tratado de cómo al hombre es necesario amar*: 3177; *Triste deleytaçión*: 3819
  árbol de: *Siervo libre de amor*: 3315
  círculo de: *Tratado de amor*: 3182
  pocilga de: *Corbaccio*: 3208
Veracruz, hallazgo: *Gran Conquista de Ultramar*: 1046
Veragüe, Pedro de (siglos XIV-XV): *Tractado de discreción*: 472n.
Verbiginale: 23n., 140
Verbino, mito: *Triste deleytaçión*: 3823, 3831, 3831n.
verborum interpretatio (comentario textual): 146
Vercepón: *Tristán*: 1512, 1514, 1531
«Verdad»: *Visión deleitable*: 2840-2845
Verenguer, rey: *Baladro*: 1488
vergel:
  del alma: *Viridario*: 2028-2029
  deleitoso: *Coloquio de la Memoria, la Voluntad y el Entendimiento*: 3375n.; *Cuento de Carlos Maynes*: 1609; *Estoria de dos amadores*: 3319, 3322; *Libro de Graçián*: 3380-3381; *Libro del amigo y del Amado*: 3367; *San Amaro*: 1969; *Sátira de infelice e felice vida*: 3331-3332; *Tratado de la lepra*: 2488; *Vergel de príncipes*: 3623; *Visión de don Túngano*: 1839
  dentro de torre: *Flores*: 1591
  «jardín de donzellas»: *Jardín de nobles donzellas*: 3677
Vergel de la consolaçión: ver *Viridario*
vergüenza, noción: Alfonso X: 470, 522, 558, 561, 574, 737; Boecio: 2982; *Crónica de Juan II*: 2216, 2220; *Dichos de Séneca en el acto de la caballería*: 3146; *Flor de virtudes*: 3742; *Generaciones y semblanzas*: 2446; *Jardín de nobles donzellas*: 3668-3669, 3673; *Libro de vita beata*: 3694; *Libro del Passo Honroso*: 2419; *Libro del regimiento de los señores*: 2941; Manuel, don Juan: 1111; Sancho IV: 954; Tratado de moral: 3730; *Tristán*: 1521; *Triste deleytaçión*: 3822-3823; *Zifar*: 1403n., 1407, 1409, 1449
Vermudo III: ver Bermudo III
Verónica: *Vespesiano*: 1677-1678
verosimilitud, principio de: *Andanças e viajes* de Pero Tafur: 3414; *Crónica Sarracina*: 3341, 3357; *Diálogo sobre la predestinación*: 2799; *Embajada a Tamorlán*: 2180; *Estoria de Merlín*: 1484; *Flores*: 1584; *Istoria de las bienandanzas e fortunas*: 3553; *Libro de la caza*: 1118; *Libro de las claras e virtuosas mugeres*: 3247-3248; *Libro de las maravillas del mundo*: 1832; *Libro de los doze sabios*: 245, 248;

Libro de vita beata: 3690, 3692; *Libro del conoscimiento*: 1825, 1827-1828; *Libro del infante don Pedro de Portugal*: 3426, 3430-3432; *Miraglos de Santiago*: 1934; *San Amaro*: 1971; *Santo Domingo de Guzmán*: 1993; *Segundo filósofo*: 510; *Semejança*: 153; *El Victorial*: 2363-2364; *Visión de Filiberto:* 1762-1763
versículos: 3364-3365
versificación métrica: alternancia arte mayor y arte menor: 3333; consonancias: 2529n.; coplas castellanas: 3745; coplas de octosílabos con un verso de pie quebrado: 3821; cuaderna vía: 1656; cuartetas de base heptasilábica y octosilábica: 803n.; décimas de versos cuatri y octosílabos: 803n.; esparza: 2219; «estilo metreficado»: 2592; estrofas de arte mayor: 2590; *Historia troyana polimétrica*: 53; «metro o troba»: 3748; octavas de pie quebrado: 2528; octosílabos: 803n.; pareados: 3361; pareados/cuaderna vía: 1010; problemas de traducción: 2544; sextinas octosílabas: 803n.; soneto: 2537; «verso muy dulçe»: 3236
versificación rítmica, «prosa rimada», cláusulas rimadas: 49, 53, 57
períodos: *Evangelios moralizados*: 4068; *Istoria de Sant Alifonso*: 1922, 1924; *Libro de toda la vida de nuestra Señora*: 3871, 3871n., 3873n., 3885-3886; sermón de Pedro de Luna: 1909-1913, 1914-1915; *Siervo libre de amor*: 3320-3321; *Triste deleytaçión*: 3820
versificador: *Bocados de oro*: 459, 461, 467; *Libro de los buenos proverbios*: 445, 450; *Libro de los exemplos por a.b.c.*: 3103; *Libro del conde Lucanor*: 1158-1159, 1180
versificar: *Flores de filosofía*: 271; homilía de López de Baeza: 1906; *Libro de las claras e virtuosas mugeres*: 3236; *Libro de los cien capítulos*: 438-439; *Libro de los judizios*: 1336
Versión amplificada de 1289: 650, 676-677, 679-680, 961, **961-964**, 970n., 971, 1026, 1029, 1107, 1227, 1230, 1232, 1234-1235, 1237, 1239, 1242, 2085, 4026; SÍNTESIS Y CONCLUSIÓN: 3904
Versión completa de 1256: traslación del *De rebus Hispaniae*: 169
Versión concisa o «vulgar»: 647, 650, 656, 664, 668, 675-676, **680-681**, 961-962, 1108, 1227, 1228n., 1230 (ver *Estoria de España*)
Versión crítica: 647, 664, 668, 670, 678, **682-686**, 795, 798n., 822, 919n., 960, 1227-1229, 1232, 2084, 2085n., 2085, 2095, 2696 (ver *Estoria de España*)
versión/crónica, dicotomía: 1227-1228
Versión enmendada después de 1274: 647, 668, 678, **680-681**, 962, 2085n. (ver *Estoria de España*)
Versión gallego-portuguesa de la Crónica general: 1231, 2085
Versión primitiva o «regia»: 647, 655-656, 659, 664, 668, **674-680**, 684-685, 961-962, 1227, 1232 (ver *Estoria de España*)
versión regia (*Estoria de España*): 649
Versión toledana o leonesa*, traslación del *De rebus Hispaniae: 169, 3998
versión vulgar (*Estoria de España*): 649, 1107
versiones cronísticas: *Estoria de España*: 646-647
Vespasiano/Vespesiano, Tito Flavio (9-[69]-79): *Castigos de Sancho IV*: 932; *Libro de Josep Abarimatía*: 1480-1481; *Ystoria del noble Vespesiano*: **1674-1680**
Vesta: *Estoria de dos amadores*: 3320; *Sátira de infelice e felice vida*: 3334; *Triunfo de las donas*: 3297
vestiduras femeninas, regulación: *Castigos y dotrinas*: 3137; *Jardín de nobles donzellas*: 3671

Vestigio al conescimiento beatificante: BN Madrid 9433: 2961
vetulae (alcahuetas, «cobigeras», terceras): alegoría de la ley de Moisés: 2488; *Zifar*: 1417, 1417-1418n., 1430 (ver mediadores de amores)
vexilología: *Libro del conosçimiento*: 1826, 4049-4050; *Tratado en defensa de virtuosas mugeres*: 3254
viaje: alegórico o escatológico: 235, 238, **1833-1852**, **1962-1971**, 2836-2845, 3059, 3769, 3775-3778; dialogado: 3509; iniciático: 1586, 3429-3439; itinerario caballeresco: 3317-3318; itinerario moral: 3377-3401; prodigiosos: 2710-2711; SÍNTESIS Y CONCLUSIÓN: 3923; supuestos: 1825-1827; viajeros: 2799n.
Viara: *Estoria de España*: 1235
vías de espiritualidad: 2999; purgativa: 3010, 3010-3013
Vicente, San (siglos III-IV): Berceo, *Martirio de San Lorenzo*: 1927
Vicente de Beauvais (*c.*1190-1264): enciclopedismo: 4054; *Exemplos muy notables*: 3110-3111; *General estoria*: 4014; *Segundo filósofo*: 4009-4010
OBRAS:
Speculum historiale: 473, 504, 660, 867, 982, 1047, 1656, 1674, 1834-1835, 1843, 1953, 2755, 3098n., 4010, 4073
Speculum maius: 911, 983, 984n., 1344, 1352, 2755
Speculum naturale: 910-911
Vicente Ferrer, San: ver Ferrer, fray/san Vicente
vicios: *Esclamaçión* de Gómez Manrique: 3745; *Exemplos muy notables*: 3112; *Flor de virtudes*: 3112, 3260, 3738-3744; manuales de confesión: 1736; *Viridario*: 2027
de la niñez: *Libro de toda la vida de nuestra Señora*: 3876
Victima Salvatoris: 1676
Victoria, figura alegórica: *Perfeçión del triunfo*: 3779n.
Victorial, El: ver Díaz de Games, Gutierre
«victorial», término: 2375, 2375n.
vida activa/contemplativa: *Del soberano bien*: 2170; *Oracional*: 3026; *Santa Marta*: 1946-1950; *Tratado en defensa de virtuosas mugeres*: 3265; *Vida de la Virgen*: 3857-3858
beatitud: *Libro de vita beata*: 3692-3698
clases: *Libro del tesoro*: 879
vida cotidiana, formas de cotidianidad: *Arcipreste de Talavera*: 2680; *Crónicas anónimas de Sahagún*: 1024; *Del soberano bien*: 2166; *Diez Mandamientos*: 1014-1015; *Embajada a Tamorlán*: 4057; *Evangelios moralizados*: 4069; fueros: 84, 89; *General estoria*: 4014; *Historia de don Álvaro de Luna*: 2930; *Libro de las confesiones*: 1739, 1742, 4041, 4048; *Libro de vita beata*: 3688, 3688n., 3693-3694, 3700; *Miráculos romançados*: 1020; *Partidas*: 569, 596; sermones: 1898n.; *Tratado de amor*: 3187; *Triste deleytaçión*: 3821; *El Victorial*: 2386
Vida de Berlan **(*Barlaam*, Ms. *P*)**: 983
Vida de Homero: 2740n.
Vida **de Juan Rodríguez del Padrón**: **3268-3271**
VIDA DE LA VIRGEN: Miscelánea, BN Madrid 8744: **3855-3858**, 3876; SÍNTESIS Y CONCLUSIÓN: 3968
Vida de los padres: ver *Vitae Sanctorum Patrum*
Vida de Salomón: 732 (ver *General estoria III*)

VIDA DE SAN ALEJO: **1972-1981**; SÍNTESIS Y CONCLUSIÓN: 3925; versión canónica: **1972-1977**; versión popular: **1977-1981**
Vida de San Benito: 1871
Vida de San Ildefonso: 953n., 1338, 1921-1922, 1939n.
Vida de San Isidoro: 2159
Vida de San Pedro: 3741
Vida de Santa María Egipciaca (verso): 1343, 1345
VIDA DE SANTA MARÍA MADALENA: **1937-1946**; difusión del culto: **1940-1943**; SÍNTESIS Y CONCLUSIÓN: 3925; valor de la penitencia: **1943-1946**
VIDA DE SANTA MARTA: **1946-1952**; «exemplo» de la muerte: **1950-1952**; «exemplo» de la vida: **1947-1950**; SÍNTESIS Y CONCLUSIÓN: 3925
VIDA DE SANTA PELAGIA: **1981-1985**; estructura: **1983-1985**; narrador: **1982-1983**; SÍNTESIS Y CONCLUSIÓN: 3925
VIDA DE SANTO DOMINGO DE GUZMÁN: **1987-1995**; *miracula*: **1992-1995**; relato hagiográfico: **1988-1992**; SÍNTESIS Y CONCLUSIÓN: 3925
Vida del bienaventurado Jodasaph (versión amplia del *Barlaam*): 981
Vidal de Besalú, Ramón (primera mitad siglo XIII): *Arte de trovar*: 2503
VIDAS Y DICHOS DE FILÓSOFOS ANTIGUOS: 443n., **2113-2131** (ver Burley, Walter)
***vidas/razós* de trovadores**: 3269
«Vidus» y «Merus»: *Juego de naipes*: 3811-3812 (ver Hero y Leandro)
Vie de Saint Alexis: 1977
Vie de Saint Eustace: 1352
«viessos», rasgos formales: 49, 53
Vilanova, Arnau de (*c.*1238-1311): *aegritudo amoris*: 3172n.; tratados de medicina, siglo XV: 2764n., 2775n.
OBRAS:
Regimen sanitatis: 2758
Villafañe, Fernando de (siglo XV): *Hechos de Lucas de Iranzo*: 3567n.
Villafuerte, Juan de: traducción de la *Anacephaleosis* (1463): 2620
«villançetes»: *Libro de vita beata*: 3688, 3688n. (ver refranes)
Villandrando, Pedro de, conde de Ribadeo ([d.1448]): corte del infante don Alfonso: 3650n.
Villandrando, Rodrigo, conde de Ribadeo (*c.*1378-1448): Corral, Pedro de: 3342; Luna, Álvaro de: 2202, 2353, 3340; seguro de Tordesillas (1439): 2405-2406
villano: *Cuento de Carlos Maynes*: 1610-1611
Villaquirán, Juan de, impresor (activo entre 1512-1552): 1492n., 4039
Villasandino: ver Álvarez de Villasandino
Villegas, Alonso de (1533-1603): vida de San Alejo: 1980
Villena, Enrique de: ver Aragón, Enrique de
Vindilisora: *Amadís*: 1560
vino: imagen: 1988n.; peligros: 2681-2682, 3125, 3138
violación de doncellas, motivo: *Crónica sarracina*: 3350; *Estoria del Cavallero del Çisne*: 1072, 1072n.
Violante de Aragón, reina de Castilla, esposa de Alfonso X (1236-1301): apoyo a los infantes de la Cerda: 819-820, 4000; colofón *Gran Conquista de Ultramar*: 1031; Loaysa, Jofré de, ayo: 181, 181n.; «Razón de las armas», don Juan Manuel: **1195-1198**

Violante de Bar, reina de Aragón, esposa de Juan I (*c.*1363-1431): cortesía aragonesa: 2476; ficción sentimental: 3156n., 3215n.
Violante de Hungría, hija de Andrés de Hungría, segunda esposa de Jaime I (m.1251): conflictos sucesorios: 3996
Virgen María: ascendencia judía: 2637, 2640; *Cantigas prosificadas*: 1027; *Castigos de Sancho IV*: 923; «Concepción de María»: 3866-3872; defensa regia de: 3382; dogmas marianos: 1481, 1675, 2760, 3860-3862, 3865, 3880; «encarnación de Jesús»: 3877-3883; Fernando de Antequera: 2218; *General estoria*: 794; gozos: 1868, 3072, 3074, 3858; horas: 3072-3073; humildad: 3136; imágenes: 3418; imitación: 2960; intercesora: 1574, 1608, 2218, 3086, 3092, 3381; *Jardín de nobles donzellas*: 3666; Luna, Álvaro de: 3229; materia hagiográfica: 1366, 1369, 1923-1925, 1965, 1970, 1976, 1991, 1994, 2702-2709, 3239; milagros: 3436; Miscelánea BN Madrid 8744: 3832; «natividad de María»: 3872-3876; *nomina Mariae*: 3873, 3883; oraciones/loores: 2008, 2030, 3858; *Oras de los clavos*: 4070-4071; paradoja: 2649; sermonística: 2950, 2952; virginidad de María: 3882-3883; virtudes femeninas: 813, 3227, 3298; «visitación a Isabel»: 3883-3888; zejel: 1986
tratados marianos: *Libro de toda la vida de nuestra Señora*: 3860-3888; *Tractado de la Asunçión de la Virgen María*: 1198-1202, 1751; *Vida de la Virgen*: 3855-3858
Virgilio Maro, Publio (70-19 a.C.): burlado por el amor: 2121n.; *Coronación*, comentario: 2732; *Defunsión de don Enrique de Villena*: 2480; *General estoria*: 703n., 792, 799; Jiménez de Rada, Rodrigo: 167; *Libro de las claras e virtuosas mugeres*: 3236; *Proverbios* de Í. López de Mendoza: 2529; *Siervo libre de amor*: 3316; *Sumas de Historia Troyana*: 1633, 1635, 1637; *Sumas de la Ilíada de Omero*: 2739; traducción de la *Eneida*: 2512, 2538; *Tratado de amor*: 3190n.; *Tratado sobre el título de duque*: 2743
OBRAS:
Georgicas: 3171
virginidad, motivo: *Las çinco figuratas paradoxas*: 2651; *Del soberano bien*: 2163; *Libro de las claras e virtuosas mugeres*: 3234, 3238, 3241; *Tratado en defensa de virtuosas mugeres*: 3261; *Tristán*: 1530
VIRIDARIO: 1927, 2012, **2025-2035**, 2953; contenido: **2026-2032**; «enxemplos»: **2032-2035**; SÍNTESIS Y CONCLUSIÓN: 3926
Virila de Leyre, San: 1971, 2123
virtudes: alma de la Virgen: 3871-3872; análisis: 3122, 3142, 3730; consolación: 2996; contraposición con pecados: 3644; disputa con: 3331-3332; división: 880; gentílicas: 2659, 3231; intelectivas, prueba: 1164, 1181; Miscelánea, BN Madrid 8744: 3840-3841; «regnativas»: 3633, 3653; superioridad de virtudes femeninas: 3293-3298
morales: *Espejo del alma*: 3003; *Exortaçión* de Pedro de Chinchilla: 3642, 3654, 3657, 3659n.; *Libro del tesoro*: 881; *Oracional*: 3022; *Qüistión entre dos cavalleros*: 3630-3632
teologales: *Del soberano bien*: 2165-2166; *Espejo del alma*: 3003, 3006; *Exortaçión* de Pedro de Chinchilla: 3654-3657; *Libro de confesión de Medina de Pomar*: 3038; *Libro del regimiento de los señores*: 2938, 2940-2941; *Oracional*: 3022; *Sátira de infelice e felice vida*: 3337n.; *Viridario*: 2027, 2029; *Visión deleitable*: 2846

virtudes de la nobleza: *Árbol de batallas*: 2546; *Glosa castellana al «Regimiento de príncipes»*: 1711-1713; *Libro del consejo*: 957; *Libro del tesoro*: 867, 880; *Partida II*: 561-562; *Tratado de la comunidad*: 1732-1733; tratados religiosos: 1736, 1859, 3021-3024; *Zifar*: 1438, 1443, 1444-1451
virtus cogitativa: 1321-1322
virtus estimativa: 1320-1321
virtus imaginativa: 1320, 3018
virtus memorativa: 1321-1322
Visconti, Felipe María, duque de Milán (1392-1447): *Andanças e viajes* de Pero Tafur: 3409, 3423
Visio Philiberti: 1762n., 1769
Visio Sancti Pauli: *De los bienes que se siguen de la remembrança de la muerte*: 3845, 3845n.; *Mar de historias*: 2431; Ms. 77, Bibl. Menéndez Pelayo: 1869n.; referencias genéricas: 1834 (ver Pablo, San)
Visio Tnugdali: 1834 (ver *Visión de don Túngano*)
visión:
  alegórica: *Barlaam*: 1001; *Espéculo de los legos*: 3108; *Estoria del Cavallero del Çisne*: 1073; *General estoria V*: 786; *Libro de Josep de Abarimatía*: 1481; *Libro del zelo de Dios*: 1759; *Mostrador de Justiçia*: 1754; *Purgatorio de San Patricio*: 1848; *Santa Marta*: 1952; *Visión deleitable*: 2834
  apocalíptica: *Libro de Graçián*: 3388; *Libro de la consolaçión de España*: 3084-3094
  mística: *Barlaam*: 1008
  profética: *General estoria IV*: 753-754
  tentaciones: *Crónica sarracina*: 3355; *Hechos del arzobispo don Alfonso Carrillo*: 3585n., 3588; *Triste deleytaçión*: 3818, 3822
Visión de Adamnán: 1850n.
VISIÓN DE DON TÚNGANO/TÚNGALO: **1834-1843**; estructura narrativa: **1836-1838**; recorrido iniciático: **1838-1843**, 1844, 1850n., 1963-1964; SÍNTESIS Y CONCLUSIÓN: 3923
VISIÓN DE FILIBERTO: **1761-1769**, 1834; debate del cuerpo y del alma: **1764-1769**; estructura narrativa: **1762-1763**; SÍNTESIS Y CONCLUSIÓN: 3920
visitatio sepulchri: 1938n.
***Vita Sancti Isidori* de Lucas de Tuy**: 2709
vitae: biografía nobiliaria: 2348; ficción, modelos: 1339; filósofos: 2114; *Libro de las claras e virtuosas mugeres*: 3239-3245; Martínez de Toledo, Alfonso: 2700-2713; *Miráculos romançados* de Pero Marín: 1018; Ms. 49, Catedral de Pamplona: 2968; Ms. h-i-13: **1936-1962**; prosificación: **1341-1370**, 1844-1845, 1860, 1872, 1916, 1927, 2161
Vitae Sanctorum Patrum: *Enxemplos que pertenesçen al Viridario*: 2032; *Estoria de Santa María Egiçiaca*: 1344; Ferrer, fray Vicente: 2952; *Flor de virtudes*: 3742-3743; *Libro de las consolaçiones*: 2995; *Libro de los exemplos por a.b.c.*: 3097, 3102, 3107; Marín, Pedro: 2965; Ms. 77, Bibl. Menéndez Pelayo: 1874; *Soliloquios*: 2006
Viterbo, Godofredo: ver Godofredo Viterbo
Vitiza, rey ([702]-710): *Crónica sarracina*: 3345
vizconde: dignidad: *Cirimonial de príncipes*: 3604

vizconde de Rueda: *Crónicas* de Ayala: 1804
vocabulario caballeresco: imágenes letradas: *Oracional*: 3019
Voluntad, personaje alegórico: *Arte memorativa*: 3369-3373; *Coloquio de la Memoria, la Voluntad y el Entendimiento*: 3374-3377
Vorágine, Jacobo de la (1228/30-1298): *Legenda aurea*: *Barlaam*: 982-983; *Cavallero Pláçidas*: 1352; *Estoria de la fiesta del Cuerpo de Dios*: 3034; *Estoria de Santa María Egiçiaca*: 1344, 1350; hagiografía, desarrollo: 1917; *Libro de las claras e virtuosas mugeres*: 3239; *Libro de los exemplos por a.b.c.*: 4073; *Miraglo de Sanct Andrés*: 3848; Ms. 77, Bibl. Menéndez Pelayo: 1874; *Purgatorio de San Patricio*: 1843; romanceamientos: **1918-1936**; *San Alejo*: 1973, 1977; *San Amaro*: 1962; *Santa Catalina*: 1955; *Santa Marta*: 1946, 1949; *Santa Pelagia*: 1985; *Santo Domingo de Guzmán*: 1987; *Tractado de la adivinança*: 2823; *Tractado de la Asunçión de la Virgen María*: 1200-1201; *Vida de San Ildefonso*: 2702; *vitae*, prosificación: 1341
voto de castidad: *Historia de don Álvaro de Luna*: 3163, 3241; *Miraglo de Sanct Andrés*: 3848; *Otas de Roma*: 1673-1674; *Sacramental*: 3052; *Zifar*: 1411
votos caballerescos: *Suma política*: 3615
Votos del Pavón: *Mainete. Crónica fragmentaria*: 1600; *Mainete. Gran Conquista de Ultramar*: 1085; *Prohemio e carta*: 2536
voz alegórica: 3257
voz de la autoría:
  conciencia: *Admiraçión operum dey*: 3070; *Cuento de Carlos Maynes*: 1606; *Libro enfenido*: 1184; *El Victorial*: 2360-2364
  organización textual: *General estoria*: 741, 782; *Libro de las animalias que caçan*: 845; *Libro de las cruzes*: 420-422; *Libro de los cien capítulos*: 428-430; *Libro de los judizios*: 400-401, 402-403; *Libro del saber de astrología*: 601, 611-612; *Libros de acedrex*: 823-824, 829; *Tablas alfonsíes*: 637
voz del rey:
  Alfonso X: 292, 294, 337-338, 343-344, **348-349**, 352, 545, 578, **580**, 581, 592-593, **601-603**, 622, 823, 824-825, 827, 830, 834
  Alfonso XI: 1304, 1692-1693, 1698
  Alfonso de Castilla, infante: 3657
  Juan II: 2244, 2267-2268, 2279, 2285-2286, 2296, 2856-2857, 2897-2898
  Sancho IV: 894, 898, 1293, 1441
voz femenina: autoría, siglo XV, 3053-3074; debate superioridad femenina: 3291
voz legislativa: 546
Vulcano: *Crónica del Halconero*: 3163; *Siervo libre de amor*: 3321
Vulgata: 1467-1469; testimonios peninsulares: **1470-1475**, 4037

Wace (*c*.1110-d.1174): *Roman de Brut*: 105
Wamba, rey ([672]-687): *Crónica de 1344*: 1234; *Leyenda de la elección de Bamba*: 105, 1286; traslado de restos: 668, 681 (*Estoria de España*)
Wendower, Roger de (m.1236): *Flores historiarum* (1237): 1843
Willelmus Vapicensis, médico y abad de St. Denis ([1175-1186]): transmisión de *Segundo filósofo*: 503, 4010

Xérica, Jaime de, caballero aragonés, aliado de don Juan Manuel (m.1335): amistad con con Juan Manuel: 1121; *Libro de los proverbios*: 1108, 1180, 1190; modelo de receptor: 284
Xérica, Pedro de: ayuda a la infanta doña Leonor: *Crónica de Alfonso XI*: 1275
Xerses: ver Jerjes
Ximénez, Miguel, arcediano de Toledo (siglo XIII): Pérez Gudiel, Gonzalo: 4024
Ximénez de Urrea, Pedro Manuel (1486-a.1536): *Penitencia de amor*: 1738, 3827n.
Ximio, don, alcalde de Bugía: *Libro de buen amor*: 1307, 1307n.
Xiphar: 1397n.
Xirafontaina: *El Victorial*: 2363
madama de: ver Bellengues, Jeanne de

Yacoth: *Libro de las formas*: 624
Yahya ibn al-Batriq (siglo IX): autor del *Sirr al-'asrar*: 274
Yáñez, Pero, doctor: 2926
Yáñez, Rodrigo (siglo XIV): *Poema de Alfonso XI*: 74n., 1262, 1286n., 1817
Yáñez de Barbudo, Martín, maestre de Alcántara ([1385-1395]): *Crónica de Enrique III*: 2106-2107
Yáñez de Cáceres, Fernando (siglo XIV): compañero de fray Pedro Fernández de Pecha: 2003
Yáñez de Jerez, Fernand, escribano de Juan II: 2295
Yehosu'a de Narbona, Moseh ben: adversario de Alfonso de Valladolid: 1753
Yehudi ben Mosé ha-Kohén: traductor alfonsí (ver Mosca, Yhuda)
Ygerne: *Historia regum Britanniae*: 1463
Yishaq ben Yosef Pulgar: 1756-1758
Ylus/Yluz: atribución del *Lapidario*: 369; *Libro de las formas*: 623-624
Yolante: *Sumas de Historia Troyana*: 1642
Yosifón: *Istoria de las bienandanzas e fortunas*: 3550n.
Ypermesta: *Bursario*: 3277, 3278n., 3286; *Libro de las claras e virtuosas mugeres*: 3238
Ypocrás: ver Hipócrates
Yrchano/Hircano, Johán, sumo sacerdote (103-30 a.C.): *General estoria V*: 776-777
Ysifle: *Bursario*: 3276, 3280, 3284
Ystoria de Alexandre: 3218
Ystoria de santos: 1926-1927
***Ystoria del Abad Barlaam* (*Legenda aurea*)**: 983
YSTORIA DEL NOBLE VESPESIANO/VASPASIANO: 1363, 1480, 1500, 1658, **1674-1680**; SÍNTESIS Y CONCLUSIÓN: 3918
Ystoria Troyana (1443): 802
Yvain: 1465
Yván de Cinel: *Demanda*: 1499
Yváñez, Nuño, abulense: *Crónica de la población de Ávila*: 177

Zacarías, esposo de Santa Isabel (siglo I): *Libro de toda la vida de nuestra Señora*: 3884
Zacarías, profeta menor (siglo VI a.C.): *General estoria IV*: 759-760; *Libro del conoscimiento del fin del mundo*: 3086
Zag de la Malea, judío (siglo XIII): guerra civil entre Sancho y Alfonso X: 819
Zalacas/Sagrajas (1086): peligro de invasiones: 69; Pseudo-Turpín: 1581

Zamora, Fernando de, obispo de Oviedo (m.1275): *Margarita de los pleitos*: 363
Zamora, Juan Alfonso de, caballero y escribano de Juan II (siglo XV): Cartagena, Alfonso de, traducción de Cicerón: 2145-2148, 2599, 2603, 2604, 2607, 2833; modelo de letrado cortesano: 2606; traductor de la versión catalana de *Dicta et facta* de Valerio: 2603n., 3149-3150, 3151n.
Zamudio, linaje: 3548
Zasma, doncella: *Flor de virtudes*: 3743
Zemino: testamento: *Flor de virtudes*: 3742
Zenobia, Septimia, reina de Palmira ([267/268-272]-274): *Libro de las claras e virtuosas mugeres*: 3237; *Mar de historias*: 2424n., 2429, 3237n.
Zenón de Clitio (335-*c*.263 a.C.): *Vidas y dichos de filósofos antiguos*: 2125
Zifar (personaje): 980, 1059, 1068, 1273, 1298n., 1358, 1364, 1390-1459, 1546, 1598, 1622n., 1627, 1712, 1724n., 2351, 2462, 3128, 3404, 3433; *estoria* de Zifar y Grima: 1376-1377, **1393-1411**
Zilinio Ascanio, hijo de Eneas: *General estoria V*: 790
Zonaras, Juan (siglos XI-XII): *Epitome historiarum*: 1654
Zorita, Antón de, traductor de Í. López de Mendoza (siglo XV): 2541, 2545-2546, 2547n., 2863-2864
Zorobabel, príncipe judío: *General estoria IV*: 758
Zósimas, monje: *Estoria de Santa María Egiçiaca*: 1343, 1346, 1348, 1350
Zúñiga, Álvaro de: ver López de Zúñiga, Álvaro I
Zúñiga, Juan de, hijo de Álvaro López de Zúñiga y Leonor Pimentel, arzobispo y cardenal de Sevilla (*c*.1462-1504): curación milagrosa: 3859n.; protector de Nebrija: 3859n.
Zúñiga/Estúñiga, linaje: 2231, 2254, 2408n., 2456, 3476, 3867
Zúñiga, Lope de, comendador santiaguista de Guadalcanal (*c*.1407-1477/80): demanda: 2415; Niño, Juan: 2417n., 2419n. (*Libro del Passo Honroso*)
Zúñiga y Sotomayor, Fadrique: *Libro de cetrería*: 2850n.
Zurbano, doctor (siglo XV): *Crónica de Juan II*: 2354
Zuría, Jaun: mito fundacional de Vizcaya: *Crónica de Vizcaya*: 3548
Zurita y Castro, Jerónimo de, cronista mayor de Aragón (1512-1580): *Abreviación perdida*: 2323; *Arte de trovar*: 2503; *Crónica de Juan II*: 2213, 2233; *Crónica del Halconero*: 2271, 2271n., 2273, 2273n.; *Crónicas* de López de Ayala: 1784, 1788; glosas a la *Abreviación* del Halconero: **2330-2333**; *Libro del conosçimiento*: 4049

Índice onomástico

Abajo Martín, Teresa: 23n., 25n.
Abdalla Duarte, Josias: 364n.
Abdeljelil Temine, Emérite: 2190n.
Abizanda, Manuel: 1654n.
Acebrón Ruiz, Julián: 1399n.
Ackerman, Robert W.: 1761n.
Adams, K.: 1803n.
Adams, R.D.W.: 1505n.
Adão da Fonseca, Luis: 3328n.
Aebischer, Paul: 1605n.
Águila Escobar, Gonzalo: 3601n.
Aguirre, Rafael A.: 980n.
Aguirre Gandarias, Sabino: 3547n., 3548n.
Ajo G. y Sainz de Zúñiga, Cándido María: 23n.
Alan Nelson, Jan: 2038n.
Alarcos Llorach, Emilio: 19n., 163n.
Alba, Amparo: 1759n.
Alberte González, Antonio: 1898n., 1900n.
Alcalá, Ángel: 3679n., 3681, 3681n., 3683
Alcázar Ortega, Mercedes: 3311n.
Aldea Vaquero, Quintín: 1876n.
Alejandre García, Juan Antonio: 85n., 359n., 1292n.
Alejandro Campagne, Fabián: 2828n.
Alemany Ferrer, Rafael: 3474, 3508n., 3772n.
Almazán, Vincent: 783n., 2960n.
Almeida, Belén: 776n., 4011-4012
Almeida Ribeiro, Cristina: 14
Alonso, Dámaso: 2680, 2680n.
Alonso Alonso, Manuel: 22n., 2635n., 2636n., 2638n.
Alonso Martín, María Luz: 85n.
Alonso Rodríguez, Bernardo: 1744n., 4042n.
Alós Moner, Ramón d': 3326n.
Altman, Charles F.: 1956n.
Alvar, Carlos: 14, 17, 26n., 120n., 180n., 426n., 837n., 892n., 1178n., 1182n., 1206, 1331n., 1365n., 1462n., 1467n., 1476n., 1509n., 1511n., 1528, 1528n., 1682n., 1821n., 2071, 2072, 2112n., 2863n., 3183n., 3639n.
Alvar, Elena: 3209n.
Alvar, Manuel: 49n., 84n., 567n., 696, 696n., 703n., 1105n., 1331n., 1341n., 1343, 1343n., 1345, 1345n., 1680, 1680n., 3209n., 3211n., 3212n.
Alvarado Planas, Javier: 83n.
Álvarez, María Consuelo: 3198n.
Álvarez Blanco, Rosario: 2088n., 3211n.
Álvarez Gutiérrez, Luis: 2935n.
Álvarez López, Fernando: 2778n.

Álvarez Márquez, Mª Carmen: 1877n.
Álvarez Rodríguez, Adelino: 1650n., 1652n
Álvarez Turienzo, Saturnino: 916n., 1708n.
Álvarez-Hesse, Gloria: 2088n., 3346n., 3357n., 3358n.
Allard, Jeanne: 553n.
Allen, Clifford: 183n.
Amador de los Ríos, José: 16, 260, 260n., 864n., 944, 944n., 1343n., 1663n., 1876, 1876n., 2016, 2016n., 2025, 2025n., 2026n., 2985n., 3076n., 3729, 3729n., 4058
Amasuno, Marcelino: 373n., 2348, 2348n., 2487n., 2488n., 2493n., 2748n., 2757n., 2764n., 2766n., 2768n., 2769n., 2770n., 2775n.
Amezúa, Agustín G. de: 1605n.
Amorós, José Luis: 368n.
Amrán, Rica: 2077n., 3994
Anderson, Jean: 15
Andrachuck, Gregory P.: 324n., 3308n., 3314n.
Andrés, Gregorio de: 1696n.
Andrés Castellanos, Mª Soledad: 1233n., 1343n., 2088n.
Andrés Díaz, Rosana de: 2413n.
Andrés-Suárez, Irene: 2775n.
Antelo Iglesias, Antonio: 1650n., 2470n., 2541n., 3517n.
Antón, Karl-Heinz: 1019n.
Antonio, Nicolás: 2312, 2312n., 3269, 3269n.
Araluce Cuenca, José Ramón: 1125n.
Aragüés Aldaz, José: 1322n., 3098n.
Arana Amurrio, José Ignacio: 2763n.
Arcelus Ulibarrena, Juana: 3850n.
Arco Moya, José del: 3559n., 3563n., 3565n.
Arco Moya, Juan del: 3559n., 3563n., 3565n., 3568n.
Ardemagni, Enrica J.: 1012n., 2759n., 2765n., 2766n., 2773n.
Argente del Castillo, C.: 3102n.
Arias Álvarez, Beatriz: 2015n.
Arias Bonet, Juan Antonio: 388n., 513n.
Ariza Viguera, Manuel: 1478n.
Arizaleta, Amaia: 1697n., 2757n., 3995
Armengol Valenzuela, Pedro: 1759n.
Armijo, Consuelo E.: 2014, 2015n., 2016n.
Armistead, Samuel G.: 2083, 2083n., 3551n.
Armstrong, Edward: 982n.
Arnau García, Ramón: 1201, 1201n.
Arrahoon, I.A.: 2673n.
Artigas, Miguel: 1860n.
Artola, George T.: 214, 214n., 2014, 2014n.
Asenjo Barbieri, Francisco: 3569n.
Asenjo González, María: 3608n.
Ashe, Geoffrey: 1462n.
Asín Palacios, Miguel: 230, 230n.
Aubrun, Charles V.: 3182n., 3578n.
Avalle-Arce, Juan Bautista: 1542n., 1545, 1545n., 1550n., 1555, 1555n., 1556, 1561, 1568, 1568n., 1576n., 1821n., 3576, 3576n.
Avenoza i Vera, Gemma: 1205, 2113n., 2832n., 3095n., 3149, 3149n., 3150n., 3151, 3151n., 3550n.
Aybar Ramírez, María Fernanda: 3153n.
Ayerbe-Chaux, Reinaldo: 1025, 1025n., 1095n., 1120n., 1148n., 1150, 1150n., 1153, 1159, 1159n., 1162, 1162n., 1178n., 1186n., 1201, 1201n., 1373, 1373n., 2335, 2335n., 2336n., 2344n., 2346, 4033
Ayuso Marazuela, Teófilo: 124n., 128n.
Azáceta, José María de: 3727, 3727n., 3729, 3728n., 3734n.
Azcona, Tarsicio de: 3840n.

Babbi, Anna Maria: 1981n.
Babbit, Theodore: 650, 961n., 1229n.
Badawi, Abdurraman: 455n.
Badia, Lola: 3359n., 3364n., 3378n.
Bahler, Ingrid: 2535n.
Bailey, Matthew: 916n.
Baird, Herbert L.: 1658n., 1660, 1660n., 1663n.

Baker, A.T.: 1605n.
Balard, Michel: 1821n.
Balcells, José María: 3765n.
Baldasarri, Guido: 1899n.
Baldissera, Andrea: 3099, 3099n., 4071, 4072, 4072n., 4073, 4073n., 4074
Baldwin, Spurgeon: 44n., 54n., 123n., 126n., 864n., 865n., 867n., 869n., 911n., 1337, 3053n.
Balenchana, José Antonio de: 3256n.
Ballesteros Álava, Pío: 423n., 541n., 548n.
Ballesteros Beretta, Antonio: 15, 170n., 179n., 180n., 217n., 250n., 312n., 324n., 365n., 423n., 514n., 681n., 919n., 972n., 974n., 1021n., 1034n., 1035n., 3999
Ballesteros Gaibrois, Manuel: 3661n.
Ballesteros Gaibrois, Mercedes: ver Gaibrois de Ballesteros, Mercedes
Baloup, Daniel: 3649n.
Baños Vallejo, Fernando: 21n., 1920n., 1921n., 1987n., 2702n., 3859n.
Baranda, Nieves: 488n., 498n., 1222, 1359n., 1582n., 1583n., 1589n., 1605n., 1614n., 1618n., 1623n.
Barbadillo de la Fuente, María Teresa: 1986n., 1987, 1987n.
Barbosa, Manuel: 163n.
Bares, Kathryn: 295n.
Bargetto-Andrés, Teresa: 2516n.
Barkaï, Ron: 2757n., 2768n.
Barleta, Vicent: 1207, 1371n.
Barrero García, A.M.: 85n.
Barrio, María F. del: 2736n.
Barrio Gutiérrez, José: 37n.
Barrio Sánchez, José Antonio: 2037n., 2435n., 2458n.
Bartol Hernández, José Antonio: 116n., 1057n., 2774n.
Battistesa, Ángel J.: 125n.
Baubeta, Patricia Anne Obder de: 1553n.
Baumgartner, Emmanuèle: 1507n., 1517n., 1527n., 1537n.
Beaujouan, Guy: 2759n., 4006, 4006n.
Beceiro Pita, Isabel: 161n., 1773n., 3135n., 3605n., 3672n., 3976
Bédier, Joseph: 1527n.
Beer, J.: 189n.
Beer, Rudolf: 1917n.
Beinder, Karl-Heinz: 1050n.
Bellini, Giuseppe: 3098n., 3403n.
Belloso Martín, Nuria: 4062n., 4074, 4074n., 4075
Beltrán, Vicente: 14, 1205, 1525n., 1527n., 2458n., 3650n., 3727n.
Beltrán de Heredia, Vicente: 23n., 26n., 1569n., 1775n., 2480n., 2644n., 2645n.
Beltrán Llavador, Rafael: 913n., 914n., 918n., 1206, 1222, 1782, 1819n., 1825n., 2090n., 2092n., 2100n., 2213n., 2214n., 2272n., 2353n., 2355, 2355n., 2356, 2356n., 2360, 2360n., 2372n., 2373n., 2376n., 2379n., 2381n., 2382n., 2383n., 2384n., 2385n., 2390n., 2395n., 2417n., 2775n., 3130n., 3131n., 3219n., 3411n., 3423n., 3553n., 3566n., 3585n.
Benaim de Lasry, Anita: 1366n., 1367, 1606n.
Benelhaj Soulami, Jaafar: 69n.
Beneyto Pérez, Juan: 1303n., 1697n., 1853n., 1876n., 3608n., 3610n.
Benfey, Theodor: 214, 214n., 215n.
Benicio-Navarro, Felipe: 2490n.
Benito Ruano, Eloy: 2195n., 2636n., 3585n.
Benito-Vessels, Carmen: 1104n., 1108, 1108n., 1194n., 1246n.
Bennet, Ph.E.: 1516n.
Benoist, J.-O.: 2049n.
Beresford, Andrew M.: 1223, 1761n., 1762n., 1765n., 1766n., 1768n., 3022n., 3131n., 3521n., 3808n., 3820n.
Berger, Samuel: 122n., 124n., 126
Berges, Wilhelm: 243n.
Bergua Cavero, Jorge: 1652n.
Berlincourt, Marjorie A.: 3148n.
Berlioz, Jacques: 1900n., 3095n.

Bermejo Cabrero, José Luis: 96n., 2631n., 2663n., 2729n., 3483n.
Bershas, Henry N.: 1033n.
Berthelot, Anne: 1463n.
Bertini, Ferruccio: 1954n.
Bertini, Giovanni Maria: 2729n., 2943n., 3249n., 3364n., 3581n., 3680n., 3686n.
Bertolucci Pizzorusso, Valeria: 1829n.
Beysterveldt, Antony van: 1551n.
Bezler, Francis: 1737n.
Bianchi, Carlo: 3203n.
Biglieri, Aníbal A.: 661n., 662n., 758n., 1132n., 1637n., 1823n., 2016n.
Bignami-Odier, Jeanne: 3089n.
Bing, Gertrud: 626n.
Birch-Hirschfeld, Adolf: 3209n.
Birkenmajer, Alexander: 2610n.
Bizzarri, Hugo Oscar: 241n., 246, 247n., 247, 261, 261n., 262n., 268n., 275n., 276n., 285n., 286n., 287n., 288n., 426-427n., 432n., 438n., 442n., 443n., 472n., 476n., 504n., 541n., 913n., 917n., 1104n., 1725, 1725n., 2014, 2014n., 2016, 2016n., 2017, 2025, 2025n., 2026n., 2032, 2032n., 2533n., 2534n., 3037, 3037n., 3041n., 3042n., 3121, 3121n., 3485n., 3832, 3833n., 3984, 4009, 4009n., 4011, 4024, 4024n., 4025, 4025n., 4026-4027, 4027n., 4058, 4058n., 4059, 4059n., 4060, 4060n.
Black, Robert G.: 1632n.
Blanco, Emilio: 915n., 1718n., 3103n.
Blay Manzanera, Vicenta: 2833n., 3193-3194n., 3814n., 3828n.
Blázquez Hernández, Joaquín: 2644n.
Blázquez y Delgado Aguilera, Antonio: 141n.
Blecua, Alberto: 46n., 217, 217n., 1031n., 1103, 1103n., 1148n., 1151-1153, 1160n., 1178, 1178n., 1338, 1374n., 1620n., 3196n.
Blecua, José Manuel: 840n., 1025n., 1094n., 1134-1138, 1140, 1148n., 1152, 1152n., 1153, 1178n., 1200, 1201n., 2111n.
Blüher, Karl A.: 2551n., 2603n.
Boarino, Gerold L.: 2871n., 3144n.
Boase, Thomas S.R.: 1762n.
Bogdanow, Fanni: 1461n., 1462n., 1493n., 4040
Boggess, William F.: 126n.
Bognolo, Anna: 1577n.
Bohigas Balaguer, Pedro: 1461, 1461n., 1470n., 1471n., 1482n., 1509n., 1513n.
Bolaños, Álvaro F.: 1407n.
Bombín, Ignacio: 2695n.
Bonavides, Enrique: 1486n.
Bonilla y San Martín, Adolfo: 359n., 361n., 1471n., 1482n., 1492n., 1525, 1528, 1528n., 1533, 2159n.
Bonner, Anthony: 3359n., 3378n.
Bono, José: 2634n.
Boscaini, Gloria: 3221n.
Bossong, Georg: 211n., 399n., 642n.
Bossy, Michel-André: 1761n.
Botella Llusiá, José: 3477n.
Boureau, Alain: 1918n., 1921n., 3654n.
Bouzineb, Hossain: 3119n.
Boyer, Agustín: 3228n.
Boyle, Leonard E.: 1737n.
Braegelman, Athanasius, sister: 1921n.
Bräm, Toni: 982n.
Brancaforte, Benito: 720n.
Branciforti, Francesco: 2150n., 2151n., 2152n., 2154n.
Brandenberger, Tobías: 3662n.
Bravo, Federico: 189n., 3976n.
Bravo, Mercedes: 1248n.
Bravo García, Antonio: 2183n.
Brea, Mercedes: 2086n., 3150n.
Breasted, James H.: 188n.
Bremond, Claude: 484n., 2910n.
Breslin, Gerard: 2618n., 2619n.
Brey, María: 368n.
Briesemeister, Dietrich: 697n.
Brinner, A.: 1434n.
Brown, Catherine: 2668n.
Brown, Dolores: 125n.

Brown, Russel V.: 2478n., 2490n.
Brownlee, Kevin: 1159n., 1556n.,
Brownlee, Marina S.: 2667n., 3819n.
Brugger, Ernst: 1516n.
Bruni, Gerardo: 1706n.
Buceta, Erasmo: 1381n.
Buendía, Felicidad: 1374n.
Buesa Oliver, Tomás: 1654n.
Buezo, Catalina: 3149n.
Bühler, Karl Alfred: 3141n.
Bujaldón, Aurelio J.: 38n.
Bull, William E.: 140n., 141
Burdeus, María Dolores: 3404n.
Burgess, Glyn S.: 217n.
Burke, James F.: 1159, 1159n., 1386n., 1438n., 1902n.
Burns, Robert I.: 16, 91n., 335n., 514n.
Burón, Taurino: 79n.
Burshatin, Israel: 3347, 3347n., 3350n., 3351n.
Bursill-Hall, Geoffrey L.: 31
Burt, John R.: 802n.
Buschinger, Danielle: 1506n., 1513n.
Busto Cortina, Juan Carlos: 2385, 3553n.
Bustos, María del Mar: 652, 652n., 683, 683n., 1232n., 2082n.
Bustos Tovar, José Jesús de: 113n., 3976
Buzzetti Gallardi, Silvia: 1360n.

Caballero López, José Antonio: 3555n.
Cabano Vázquez, Ignacio: 3043n.
Cabarcas, Hernando: 1542n.
Cacho, Mª Teresa: 34n.
Cacho Blecua, Juan Manuel: 29n., 183n., 186n., 558n., 916n., 1289n., 1363n., 1371n., 1375n., 1382n., 1416n., 1441n., 1445n., 1448n., 1453n., 1458n., 1542n., 1553n., 1555, 1555n., 1557n., 1566-1567n., 1576-1577n., 1649n., 1650n., 1651n., 1653n., 1655n., 1830n., 1846n., 2384n., 3149n., 3356n., 3358n., 3677n., 4025
Caimari Frau, Francisca: 3320n.
Calbick, Gladys Stanley: 1033n.
Calderón, Piedad: 2342n.
Calderón Ortega, José Manuel: 2253n., 2285n., 2516n., 2887n., 2920n., 2926n., 2932n., 3337n., 3476n.
Cáleff, Paola: 2516n.
Calero Sánchez, Félix: 3593n., 3601n.
Calleja Guijarro, Tomás: 3048n.
Callejas Berdones, María Teresa: 564n.
Calomino, Salvatore: 980n.
Calvo, Emilia: 615n.
Calvo, Laura: 2335n., 2347n.
Calvo Serer, Rafael: 533n.
Camarena Mahiques, José: 2195n.
Camargo, Martin: 40n., 41n., 43n.
Camiña, Susana: 3871n.
Campa, Mariano de la: 651, 680n., 683, 683n., 684n., 733, 1228n.
Campbell, Kimberlee Anne: 1619n.
Campos, Begoña: 2072
Campos Souto, Mar: 2072, 2775n., 3022n.
Canavaggio, Jean: 219n.
Cándano Fierro, Graciela: 228n.
Candela Martínez, Juan: 2646n.
Canellas López, Ángel: 2194n.
Canet, José Luis: 1206, 1222, 2775n., 3314n., 3826n.
Canettieri, Paolo: 822n.
Cano Aguilar, Rafael: 412n., 603n.
Cano Ballesta, Juan: 3134, 3135n.
Cantavella, Rosanna: 1937n.
Cantelar Rodríguez, Francisco: 1744n., 4042n.
Cantera Burgos, Francisco: 1750n., 2002n., 2213n., 2214n., 2223n., 2233n., 2236n., 2588n., 2598n., 3055n.
Cañizares Ferriz, Patricia: 4002n.
Caplan, Harry: 1897n., 1900n.
Cappelli, Guido M.: 3680n., 3681n., 3684n., 3687n., 3688n.
Carballo Picazo, Alfredo: 2746n.
Carbonell, Marta Cristina: 3516n.
Carceller Cerviño, Margarita: 3560n.
Cárdenas, Anthony J.: 180n., 390n., 391n., 514n., 568n., 599n., 600n.,

601n., 603n., 621n., 840n., 841, 841n., 842n., 1025, 1025n., 2684n.
Carlos Villamarín, Helena de: 3555n.
Carlucci, Laura: 3295n.
Carmody, Francis J.: 865n.
Carmona, Fernando: 17, 1222, 1459n., 1561n., 2183n.
Carmona, Juan Ignacio: 2759n.
Carnero Burgos, Severino: 982n.
Carpenter, Dwayne E.: 364n.
Carr, Derek C.: 2136n., 2439n., 2474, 2474n., 2476n., 2478n., 2479n., 2481n., 2487n., 2493n., 2498, 2498n., 2501n., 2502n., 2515n., 3342n.
Carrasco Cantos, Inés: 592n.
Carré, Antònia: 2762n.
Carrera Díaz, Manuel: 1833n.
Carreras y Artau, Joaquín: 3370n.
Carreras y Artau, Tomás: 2648n., 3370n., 3378n.
Carriazo Rubio, Juan Luis: 2213n., 3566n.
Carriazo y Arroquia, Juan de Mata: 2071, 2100n., 2196n., 2204, 2211n., 2212n., 2213, 2214n., 2271, 2271-2272n., 2273, 2273n., 2277n., 2279, 2279n., 2285n., 2293n., 2302n., 2307n., 2309n., 2312n., 2323, 2323n., 2324, 2324n., 2326, 2328n., 2330, 2355, 2355n., 2459n., 2488n., 2713n., 2716n., 2717n., 2900n., 2902n., 2903n., 3477n., 3479n., 3481-3482n., 3492n., 3518n., 3521n., 3558n., 3559n., 3563n., 3569n., 3573n., 3579n., 3589n., 3591n., 3593n., 3599, 3599n., 3756n., 3831n.
Carrizo Rueda, Sofía: 1822n., 1824n., 2178n., 2182n., 3405n., 3406n., 3409n., 3420n.
Carter, Henry Hare: 1477n.
Carvalhão Buescu, Mª Graciela: 1504n.
Cary, Georges: 443n., 769n.
Casado Quintanilla, Blas: 2100n.
Casado Valverde, Manuel: 2832n.
Casariego, Jesús E.: 1693n.
Casas Homs, José María: 3495n., 3581n.
Casas Rigall, Juan: 2832n., 4019, 4019n., 4020-4021, 4022n.
Caspi, Mishael M.: 2666n.
Castañé Llinás, José: 88n.
Castaño, Ana: 2516n.
Castejón, Rafael: 847n., 849n.
Castillo, Manuel: 3222n., 3223, 3223n., 3226n.
Castillo Cáceres, Fernando: 2519n., 2885n.
Castro, Adolfo de: 2335n., 2831n.
Castro, Américo: 125n., 131, 131n., 133n., 134n., 134, 1050n., 1192, 1192n., 1751n., 3785n., 3786n., 3991-3992
Castro, Eva: 40n.
Castro, Ivo: 1478n.
Castro, Manuel de: 3833n.
Castro Lingl, Vera: 3308n., 3329n.
Castro y Castro, Manuel de: 862n., 3364n.
Catalán Menéndez-Pidal, Diego: 15, 16, 17, 104n., 105n., 110n., 160n., 168, 168n., 169n., 645, 645n., 650, 650n., 651n., 652, 652n., 654n., 655n., 658n., 659n., 662n., 663n., 664n., 665, 666n., 669n., 670n., 671n., 673n., 674n., 675, 675n., 676n.. 677n., 678, 678n., 680n., 681n., 682, 682n., 683, 683n., 684n., 685n., 692n., 726n., 892n., 961-962, 967n., 969n., 972n., 977, 977n., 1107, 1107n., 1108n., 1228n., 1230n., 1232n., 1233n., 1234n., 1235n., 1236n., 1237n., 1241n., 1249n., 1260n., 1261n., 1262, 1263n., 1264n., 1282, 1583, 1583n., 1585, 1585n., 1778n., 1779, 1779n., 1780n., 1781, 1781n., 1817, 1817n., 1818n., 2081n., 2082n., 2084, 2084n., 2085n., 2088n., 2092n., 2097n., 2098, 2098n., 2211n., 2232n., 3996, 3996n.
Cátedra, Pedro M.: 456n., 504n., 803, 803n., 804n., 812n., 814n., 1206,

1221, 1436n., 1551n., 1586n., 1780n., 1827n., 1859n., 1901n., 1903, 1903n., 1904n., 1908n., 1914n., 1916, 2073, 2177-2178n., 2214n., 2474, 2474n., 2475n., 2476, 2476n., 2477n., 2481n., 2482n., 2483n., 2487n., 2488n., 2490n., 2493n., 2494n., 2498n., 2501n., 2504n., 2507n., 2509n., 2510n., 2512n., 2513n., 2515n., 2571n., 2686n., 2735n., 2948, 2954n., 2956n., 2957n., 2958n., 2959n., 2960n., 2961n., 2962, 2962n., 2963, 2966n., 2973n., 2974, 2974n., 3153n., 3166n., 3167n., 3168n., 3169, 3169n., 3170, 3170n., 3172n., 3174, 3174n., 3175n., 3178n., 3181n., 3190n., 3308n., 3310n., 3311n., 3323n., 3324n., 3585n., 3755n., 3757, 3757n., 3760n., 3860n., 3861n., 3865n., 3885n., 3886n., 4038, 4038n., 4039n., 4075n.

Cavallero, Pablo Adrián: 1177n., 2134n., 2137n., 2158n., 2163, 2163n., 2798n., 2975n., 2977, 2977n., 2978-2979n., 2982n.

Cavallo, Guglielmo: 1834n., 1898n.

Cavendish, Richard: 1462n.

Cebeira Moro, Ana: 4061n.

Celdrán Gomariz, Pancracio: 3664n.

Cercas, Javier: 1542n.

Cerdá Ruiz-Funes, Joaquín: 363n., 1294n.

Cerezal, Miguel: 2998n.

Cerrada Jiménez, Ana Isabel: 3667n.

Cerulli, Enrico: 239n.

Cesare, Giovanni Battista de: 1821n.

Chabaille, Polycarpe: 865n.

Charland, Thomas M.: 1897n.

Chas, Antonio: 2072

Chenêrie, Marie-Luce: 1462n.

Cherchi, Paolo: 2569n., 2573n., 2580n., 3424n.

Cherubini, N.: 1621n.

Chevalier, Jean-Claude: 350, 1180n., 1633n., 3349n., 3567n.

Chicote, Gloria B.: 3983

Chicoy-Dabán, José Ignacio: 1605n., 1619n., 1621n.

Chraïbi, Aboubakr: 187n.

Ciccarello Di Blasi, Maria Grazia: 3829n.

Ciceri, Marcella: 2507n., 2525n., 2663n., 2664n., 2682, 2682n.

Cid, Jesús Antonio: 2929n.

Cirac Estopiñán, Sebastián: 2184n.

Circourt, Albert [Conde de]: 2355n., 2360n.

Cirlot, Victoria: 1462n., 1467n., 1542n., 1570n., 2363n.

Cirot, Georges: 801n., 2696n.

Claramunt, Salvador: 3976

Clare, Lucien: 1652n., 3567n., 3576n.

Clarke, Dorothy G.: 514n.

Clavería, Carlos: 2440n.

Clemente Ramos, Julián: 87n.

Codoñer, Carmen: 1921n., 3994

Colliva, Paolo: 1876n.

Colón, Germán: 2113n.

Combet, Louis: 4060, 4060n.

Comes, Mercè: 606n., 611n., 627n., 643n.

Company, Concepción: 228n., 1221, 1486n., 2599n.

Conde López, Juan Carlos: 1778n., 1780n., 1781, 1781n., 2555n., 2589n., 2590n., 2591n., 3136n., 3685, 3685n., 3688n., 3703n., 3712n.

Conerly, Porter Patrick: 1652n., 2773n.

Connolly, Jane E.: 653n., 1223, 1366n., 1860n., 1931n., 1936n.

Constans, Leopold: 800n.

Contamine, Philippe: 565n.

Contreras Martín, Antonio M.: 732n., 1401n., 1471n., 1473n., 2864n., 4037

Contreras Poza, Luis: 2765n.

Cook, Robert F.: 1039n.

Cooke, J.D.: 698n.

Coolput, Colette-Anne van: 1509n.

Cooper, Louis F.: 101n., 825n., 1030n., 1031n., 1032n., 1334

Copleston, Frederick Ch.: 1703n., 1999n.
Corbella Díaz, Dolores: 1823n.
Córdoba de la Llave, Ricardo: 161n., 1773n.
Corfis, Ivy A.: 342n., 1295n., 1514n., 1821n., 2775n.
Coroleu, Alejandro: 2672n.
Corominas, Joan: 139n.
Correia, Ángela: 1918n.
Cortés Arrese, Miguel: 1651n.
Cortés Timoner, Mª Mar: 3069n.
Corti, Francisco: 1822n.
Cortijo Ocaña, Antonio: 2072, 2772n., 3153n., 3154n., 3156n., 3209n., 3210n., 3211n., 3214n., 3215n., 3307n., 3308n., 3321n., 3325n., 3330n., 3343n., 3485n., 3802n., 4061, 4061n., 4062n., 4063n.
Cossío, Rolando: 3593n., 3601n.
Costa Fontes, Manuel da: 2666n., 4032n.
Costas Rodríguez, Jenaro: 862n.
Coste, Jean: 1384n.
Cotarelo, Emilio: 2475, 2475n.
Courcelle, Pierre: 2987n.
Coy, José Luis: 2151n., 3121n.
Craddock, Jerry R.: 18, 61n., 180n., 295n., 304n., 305, 305n., 306, 309, 525n 514n., 513n., 818n., 976n., 979n., 1295n., 1343n., 1922n.
Crawford, James Pyle Wickersman: 2834n., 2837n.
Creixell Vidal-Quadras, Inés: 2674n.
Crescini, Vincenzo: 1470n.
Crespí, Luis: 4018
Crespo, Juan Bautista: 652, 1231, 2082n., 2084n., 2086n.
Criado de Val, Manuel: 1571n., 1761n., 2072
Crivat-Vasile, Anca: 3412n., 3415n.
Crombach, Mechthield: 456n., 457n.
Cronan, Urban: ver Foulché-Delbosc, Raymond
Crosas, Francisco: 2113n., 2114n., 2117n., 2118n., 2659n.
Cruz Hernández, Miguel: 3359n., 3369n., 3383n., 3399n.
Cuenca, Luis Alberto de: 1482n.
Cuenca Muñoz, Paloma: 2820n.
Cuesta Fernández, José: 1857n.
Cuesta Torre, Mª Luzdivina: 1399n., 1507n., 1511n., 3346n.
Cuevas Mata, Juan: 3559n., 3563n., 3565n.
Cull, John: 2761n.
Cummins, John G.: 2037n., 2044n., 3581n.
Cunha Pereira, Cilene da: 2085n.
Curry, Kathleen Amanda: 2335n.
Curtis, Renée L.: 1507n., 1517n.
Curtius, Ernst Robert: 32n., 35, 38, 38n., 39, 39n., 695n., 2832n.
Curto Herrero, Francisco J.: 1555, 1555n.
Cvitanovic, Dinko: 3153-3154n., 3299n., 3309n., 3316n.

Dacosta, Arsenio: 3547n.
Dadson, Trevor J.: 1553n.
Dagenais, John: 3275n.
D'Agostino, Alfonso: 249n., 626, 626n., 630n., 631, 631n., 635n.
Dahan, Gilbert: 1751n.
Danelon, Franca: 1360n.
Dangerfield, Martin: 2765n.
Darbord, Bernard: 216n., 219n., 484n., 487n., 1330, 1853n., 2012n., 2013n., 2015n., 2017, 2017n.
Darby, George O.S.: 368n., 630, 630n.,
Daumet, Georges: 856n.
De Benedictis, Angela: 3619n.
Dean-Thacker, Verónica P.: 3102n.
Del Piero, Raúl A.: 2670n., 2694n., 3702n.
Delbrugge, Laura: 2770n.
Delehaye, Hippolyte: 1352n., 1916, 1927n.
Delgado Casado, Juan: 4123
Delgado Montoto, Manuel: 2038n.
Delmar, Fernando: 901n.
Delmas, F.: 1344n.

Delport, Marie-France: 350, 1633n., 3349n., 3567n.
Delumeau, Jean: 1012n.
Demaitre, Luke: 2758n., 2761n.
Depluvez, Jean-Marc: 3349n.
Devoto, Daniel: 1025n., 1094n., 1116, 1116n., 1131n., 1151, 1151n., 1161n., 1162, 1162n., 1182n., 1186n., 2012n.
Deyermond, Alan: 57, 153n., 217n., 220n., 645n., 653n., 1111n., 1152, 1152n., 1190n., 1196n., 1205, 1223, 1246n., 1535, 1578n., 1680, 1680n., 1774-1775n., 1777n., 1778n., 1826n., 1827n., 1881n., 1901n., 1903, 1903n., 1927n., 2022n., 2072, 2335, 2335n., 2355n., 2499n., 2507n., 2524n., 2593n., 2618n., 2878n., 2948, 2980n., 3022n., 3057n., 3131n., 3154n., 3166n., 3196n., 3200n., 3205-3206n., 3318n., 3347, 3347n., 3410n., 3484n., 3521n., 3682n., 3808n., 3812n., 3816n., 3820n., 4002
Di Camillo, Ottavio: 2470n., 2610n., 3017n., 3686n.
Di Franco, R.: 2677n.
Díaz de Bustamante, José Manuel: 2672n.
Díaz de Durana Ortiz de Urbina, José Ramón: 3547n., 3549n.
Díaz de Martín, Luis: 1771n.
Díaz de Revenga, Pilar: 75n.
Díaz Esteban, Fernando: 1751n., 1752n.
Díaz Fernández, Xosé María: 3043n.
Díaz Jimeno, Felipe: 2776n.
Díaz Martín, Luis Vicente: 1771n., 1776n., 1791n.
Díaz Montesinos, Francisco: 3563n.
Díaz y Díaz, Manuel C.: 75, 75n., 862n., 1579n., 1917n., 1925n., 2158n., 2168n., 2709n.
Díaz-Jiménez, Eloy: 3047n.
Díaz-Mas, Paloma: 1751n., 1752n., 1776n.
Diego Lobejón, Mª Wenceslada de: 126n., 2422n., 2423n.
Díez Borque, José María: 74n.
Díez de Revenga, Francisco Javier: 1121n., 1197n.
Díez de Revenga Torres, Pilar: 3978
Díez Garretas, María Jesús: 2012n., 2422n., 2423n., 2623n., 3049n., 3050n., 3221n., 3783n., 3784n., 3785n., 3786n., 3787n., 3790n., 3802n., 3807n.
Difernan, Bonifacio: 1730n., 2936n.
Diman, Roderic C.: 365n., 368n., 385n., 389n., 620n., 630
Dinzelbacher, Peter: 1834n., 1840n., 1847n.
Diz, Marta Ana: 1123, 1123n., 1162, 1162n., 1181, 1181n., 1182, 1182n., 1396n., 1403n.
Dolz i Ferrer, Enric S.: 3323n.
Doménech Mira, Francisco José: 3585n.
Domínguez, César: 1366n., 1619n., 1659n., 1672n., 1673-1674n., 1824n.
Domínguez Bordona, Jesús: 1651n., 1654, 1654n., 2423n., 2425, 2425n., 3015n
Domínguez Caparrós, José: 1342n., 2156n.
Domínguez García, Avelino: 862n., 2757n.
Domínguez Reboiras, Fernando: 3361, 3361n.
Domínguez Rodríguez, Ana: 368n., 600-601n., 605n., 608n., 611n., 631n., 821n..
Donavin, Georgina: 1899n.
Dondaine, Antoine: 1917n.
Donovan, Lewis Gary: 724n.
Dorough Johnson, Elaine: 2335n., 2345
Douvier, Elisabeth: 1693n.
Dozy, Reinhart: 1579, 1579n.
Dubrasquet Pardo, Madeleine: ver Pardo, Madeleine
Ducellier, Alain: 1821n.
Dudley, Edward: 3319n.
Dufournet, Jean: 1812n.
Duggan, Joseph J.: 619n.

Dunn, Peter N.: 1113n., 1118n.
Duparc-Quioc, Suzanne: 1039n., 1042n.
Durán, Agustín: 1528n.
Durán Barceló, Javier: 3761n., 3770n., 3776n., 3779n.
Dutton, Brian: 26n., 45n., 186n., 653n., 1223, 1332, 1436n., 1548-1549n., 1620n., 1927n., 2339n., 2761n., 3089n., 3194n., 3277n., 3569n., 3718n., 3719n., 3720n., 3721n., 3723n., 3724n., 3726n., 3728n., 3783n.
Dyer, Nancy Joe: 677n., 931n.

Eberenz, Rolf: 3774n.
Echenique Elizondo, Mª Teresa: 1057n., 1058n.
Edo Julià, Miguel: 2864n.
Egea, José M.: 1654n.
Egido, Aurora: 1649n., 2015n., 3149n.
Ehrenkreutz, Andrew W.: 1050n.
Einstein, Maria: 1057n.
Eisenberg, Daniel: 703n., 1541n.
Eisman Lasaga, Carmen: 3563n., 3572n.
Eisner, Sigmund: 1506n.
Eizaguirre Rouse, G.: 1285n.
Ellis, Deborah S.: 3062n.
Engelmann, J.A.T.: 1061n.
England, John: 1177, 1177n.
Enguita, José María: 1649n., 3149n.
Entrambasaguas, Joaquín: 2681n.
Entwistle, William J.: 1459n., 1461n.
Epstein, Morris: 214, 215n.
Escavy Zamora, Ricardo: 591n.
Escolar Sobrino, Hipólito: 3976
Espadas, Juan: 2414, 2414n., 2416
Espino Nuño, Jesús: 2587n.
Espinosa Fernández, Yolanda: 2620n., 2621, 2621n.
Estal, Juan Manuel del: 857n.
Estebánez Calderón, Demetrio: 1332n.
Estepa, Carlos: 423n.
Estévez Sola, Juan A.: 95n., 167n.
Estow, Clara: 1805n., 2100n.
Étienvre, Jean-Pierre: 1921n., 3349n.
Evans, D.: 1688n.
Evans, Joan: 2356n.
Ezquerra Abadía, Ramón: 2175n.

Fabié, Antonio María: 3342n., 3763n., 3770n.
Faccon, Manuela: 1513n.
Fallows, Noel: 2871n., 2878n., 2881n.
Falque Rey, Emma: 95n., 164n., 3980, 3994, 3994n., 3995
Faral, Edmond: 42n., 800n.
Farrell, Anthony J.: 215n.
Faulhaber, Charles B.: 75n., 456n., 862n., 1206, 1901n., 1902, 1902n., 1922n., 2541n., 3268n., 3343n.
Fedrick, Alan: 1516n., 1517n.
Fernández, Benigno: 2318
Fernández, Laura: 2071
Fernández, Sylvia: 2773n.
Fernández Cantón, José M.: 20n.
Fernández Conde, Francisco Javier: 1009n., 1856n., 1857n.
Fernández Gallardo, Luis: 2587n., 2588n., 2593n., 2596n., 2600n., 2601n., 2602n., 2604n., 2607n., 2612n., 2623n., 3554n.
Fernández Jiménez, Juan: 1025n., 2395n.
Fernández López, Mª del Carmen: 48n., 732n.
Fernández Montaña, José: 368n.
Fernández Rei, Francisco: 2086n., 3150n.
Fernández Vallina, Emiliano: 2644n., 2656n., 2659n., 3043n.
Fernández Valverde, Juan: 22n., 80n., 166n., 969n.
Fernández-Guerra y Orbe, Aureliano: 88n.
Fernández-Ordóñez, Inés: 18, 647n., 651, 651n., 653n., 662n., 663n., 674n., 676n., 683, 683n., 684, 684n., 685n., 686n., 692n., 708, 708-709n., 710n., 711n., 720n., 725n., 733n., 739n., 743n., 747n., 783n., 793n., 1084n., 1228n., 1229n., 1598n., 2082n., 3995, 4011-4012, 4017, 4017n.

Fernández-Savater Martín, Mª Victoria: 1680n., 1682n.
Ferrandis Martínez, Josefa: 104n.
Ferrando Francés, Antoni: 3729n.
Ferrante, Joan M.: 1937n.
Ferrario de Orduna, Lilia E.: 1541n., 1553n., 3982, 3982n.
Ferre, Lola: 2757n.
Ferreiro Alemparte, Jaime: 318n., 543n., 865n.
Ferrer i Mallol, Mª Teresa: 2387n.
Ferreria Priegue, Elisa: 1821n.
Ferro, Donatella: 2196n., 2200, 2214, 2214n.
Ferro, Jorge N.: 1711n., 1790n., 1793n., 1810n., 1820n., 3982, 3982n.
Fiadino, Elsa Graciela: 1222, 1568n.
Fick, Bárbara: 1824n.
Filgueira Valverde, José: 1971n., 2174n.
Fink Errera, Guy: 3485n.
Finke, Laurie A.: 2667n.
Fiorato, Adelin Charles: 1812n.
Firpo, Arturo: 2340n.
Fischer, Sophie: 2910n.
Fitch, C. Bruce: 1033n.
Fleischman, Suzanne: 1315n.
Fletcher, Robert H.: 1462n.
Flor Cramer, Inés de la: 3351n.
Floranes, Rafael: 359n., 1780n., 2831
Flores, Camilo: 1579n.
Flores Arroyuelo, Francisco J.: 17, 304n., 1822n.
Flórez, Enrique/Henrique: 97n., 101n., 1103n., 2356n.
Floriano Cumbreño, Antonio C.: 1857n.
Flory, David A.: 1097n., 1177, 1177n.
Fogelquist, James D.: 1570n., 3343, 3343n.
Fonquerne, Yves-René: 2015n.
Font Ríus, José María: 538n.
Forcada, Miquel: 627n.
Forcadas, Alberto M.: 3272n.
Formentin, Justo: 1917n.
Foronda, François: 3511n.
Fortuño Llorens, Santiago: 2071
Fothergill-Payne, Louise: 2551n.
Fouché, Lee Thomas: 261n.
Foulché-Delbosc, Raymond: 918n., 1545, 1545n., 1655n., 1675n., 2421n., 2425n., 2533n., 2534, 3141n., 4058
Fournier, António: 2089n.
Fox, Dian: 3578n.
Foz, Clara: 364n.
Fradejas Lebrero, José: 365n., 1619n., 1620, 1620n., 1689, 1689n., 2038n., 2039n., 3267n.
Fradejas Rueda, José Manuel: 841n., 842n., 843, 843n., 1120n., 1618n., 1623n., 1684n., 1685n., 1686n., 1687n., 1689, 1689n., 1690n., 1691n., 2038n., 2850n., 2851n., 2852n., 2853n., 3223n.
Fraker, Charles S.: 643n., 653n., 711n., 731n., 2775n.
Franceschini, Ezio: 2610n.
Franchini, Enzo: 24n., 136n., 1011, 1011n., 1012n., 1013n., 1867n., 2013n., 3992, 3992n.
Frappier, Jean: 1462n.
Frazer, R.M.: 800n.
Frazier, Craig: 917n., 944n.
Freire, Ana Mª: 1332n., 2832n.
Freixas, Margarita: 2071
Frenk, Margit: 1592n.
Fretté, Stanislas Edouard: 1700n.
Friedman, Lionel J.: 1972n.
Friend, Albert C.: 2013n.
Frugoni, C.: 769n.
Fucelli, Antonietta: 1577n.
Fuensanta del Valle, Marqués de la: 2084n., 2335n., 2336n.
Fuente, Vicente de la: 23n.
Fuente del Pilar, José Javier: 1482n.
Fuente Pérez, Mª Jesús: 1821n.
Fuentes Ganzo, Eduardo: 1291n., 2854n., 2859n.
Funes, Leonardo: 389n., 643n., 653, 653n., 892n., 915n., 988n., 1108n., 1132, 1132n., 1133n., 1139, 1139n., 1141, 1143n., 1192n., 1234n., 1242n., 1246-1247n., 1286n., 1487n., 1598n., 2073, 3982, 3982-3983n.

Furr, Eric M.: 1177n., 3096n.

Gabriel, Astrik L.: 34n.
Gacto Fernández, Enrique: 85n., 359n., 1292n.
Gago Jover, Francisco: 1374n., 3593n.
Gaibrois de Ballesteros, Mercedes: 166n., 857n., 858n., 861n., 863, 863n., 891n., 920n., 927n., 1026n., 2175n.
Gaiffier, Baudoin de: 1926n.
Galán, Riaño: 603n.
Galino Carrillo, Mª Ángeles: 1697n.
Gallais, Pierre: 1506n.
Gallardo, Bartolomé José: 1150, 2830, 2831n.
Gallina, Annamaria: 1654n.
Galmés, Salvador: 3378n.
Galmés de Fuentes, Álvaro: 182n., 184n.
Ganelin, Charles: 189n.
García, Félix: 3661n.
Garcia, Michel: 182n., 1161n., 1633n., 1784-1785n., 1787n., 1795n., 1807n., 1812n., 2039n., 2040n., 2133n., 2134n., 2151n., 2152n., 2155n., 2157n., 2910n., 2977n., 3121n., 3131n., 3268, 3268n., 3483n., 3541n., 3576, 3576n., 4002, 4002n.
García, Santiago: 4063n.
García Atenzana, Jorge: 2902n.
García Ballester, Luis: 862n., 2757n., 2758n.
García Cuadrado, Amparo: 1822n.
García de Andoin, Florentino: 1793n.
García de Cortázar, José Ángel: 72n., 73n., 81n., 1823n.
García de la Concha, Víctor: 3369, 3369n., 3370n., 3372, 3374, 3374n., 3376n., 3517n., 3794n.
García de la Fuente, Arturo: 917n., 4024
García de la Fuente, Olegario: 126n., 128n., 3167n.
García de Lucas, César: 1478n.
García de Valdeavellano, Luis: 2519n.
García Fitz, Francisco: 565n.
García González, Javier: 366n.
García Gual, Carlos: 769n., 1462n., 1496n., 1822n., 1823n.
García López, Jorge: 2830n., 2831, 2831n., 2832, 2832n.
García Martín, José María: 85n., 283n., 359n., 1292n.
García Martínez, Antonio: 181n.
García Morales, Justo: 1482n.
García Piqueras, Isabel: 114n., 115n.
García Rives, Luis: 2158n., 2159n., 2162n., 2163, 2163n.
García Santos, Juan Felipe: 116n., 1057n., 2774n.
García Toledano, María Jesús: 2772n.
García Vera, María José: 3563n.
García y García, Antonio: 361n., 513n., 1739n., 1740, 1740n., 1744n., 3047n., 4042n.
García-Bermejo Giner, Miguel M.: 3174n., 3679n.
García-Gallo, Alfonso: 91n., 333n., 338n., 511n., 512n., 513n.
García-Pelayo, Manuel: 1697n.
García-Valdecasas, Amelia: 1819n.
García-Villoslada, Ricardo: 1222, 1773n., 1869n., 1907n., 1908n., 2002n., 2983n., 2984n.
Gargano, Antonio: 3155n.
Garin, Eugenio: 628n.
Garrido, Rosa M.: 700n., 3274-3275n.
Garrios García, Ángel: 298n.
Garrosa Resina, Antonio: 1039n., 2184n., 3418n.
Garth, Helen Meredith: 1946n.
Gascón Vera, Elena: 2474, 2474n., 2480n., 2499n., 3325n., 3328n.
Gasparri, Françoise: 79n.
Gatto, Katherine G.: 2535n.
Gayangos, Pascual: 184, 443n., 484n., 916n., 918n., 1031n., 1032n., 1542n., 1618n., 1623, 1623n., 2986n., 3096, 3096n., 3427, 3427n., 3559n., 3563n., 3807n., 4028
Geijerstam, Regina af: 1290n.
Genette, Jean-Philippe: 1084n.

Genicot, Léopold: 1700n.
Gericke, Philip O.: 3702n., 3703n., 3712n.
Gerli, E. Michael: 216n., 1341n., 1903n., 2535n., 2662n., 2663n., 2669n., 2670n., 2677n., 2680n., 3154n., 3308, 3308n., 3326n., 3330n., 3332n., 3333n., 3334n., 3550n., 3815n., 3817n.
Gerresch, Claudine: 483n.
Getino, Luis G. Alonso: 1701n., 1987n., 1995n., 2002n., 2635n., 2778n., 3859n., 3861, 3861n., 3877n.
Gibert, Rafael: 1299n., 1301n., 1304n.
Gil, José S.: 364n.
Gil, Juan: 1831n., 3415n.
Gil Fernández, Juan: 2159n., 2187n., 3345n.
Gili Gaya, Samuel: 1576n.
Gilleland, Brady B.: 215n.
Gilson, Étienne: 1899n.
Giménez, Antonio: 2370n., 2900n., 3576n.
Giménez Resano, Gaudioso: 133n.
Giménez Soler, Andrés: 1035n., 1095n., 1100n., 1121n., 1149, 1149n., 1203
Giménez y Martínez de Carvajal, José: 525n., 526n.
Gimeno Casalduero, Joaquín: 432n., 570n., 1130n., 1155, 1155n., 1772n.
Gimeno Menéndez, Francisco: 83n.
Gingerich, Owen: 638n., 640n.
Gingras, Gerald Lee: 1790n., 1805n.
Ginsburg, Christian D.: 124n.
Girolamo, Constanzo di: 1222
Girón-Negrón, Luis Manuel: 2834n.
Gloeckner, Nydia R.: 1152n.
Gloeckner, Paul B.: 1152n.
Godinas, Laurette: 2599n.
Godwin, Malcolm: 1466n.
Gohen, Kathleen: 1762n.
Goldberg, Harriet: 52n., 493n., 918n., 2693n., 3102n., 3221n., 3661n., 3662n.
Gómez, M.: 2765n.
Gómez Bedate, Pilar: 3203n.
Gómez Fernández, J. Ramón: 2773n.
Gómez Gómez, Jesús: 3154n., 3684n.
Gómez Moreno, Ángel: 26n., 79n., 134n., 564n., 1039n., 1150, 1335-1336n., 1649n., 1651n., 2072, 2113n., 2175n., 2413n., 2516n., 2521n., 2524n., 2526, 2526n., 2535n., 2539n., 2582n., 2587n., 2612n., 2728n., 2729n., 2861n., 2862n., 2864n., 2865n., 2881n., 2933n., 3182n., 3200n., 3224n., 3305n., 3325n., 3578n., 3684n., 3775n., 4057, 4057n., 4065, 4065n., 4066, 4066n., 4067n.
Gómez Moreno, Manuel: 96n., 3831n.
Gómez Pérez, José: 169n., 651, 651n., 1034n., 1584n., 1585, 1595n.
Gómez Redondo, Fernando: 17, 27n., 64n., 72n., 85n., 91n., 95n., 100n., 131n., 163n., 236n., 411n., 439n., 489n., 563n., 653, 653n., 659n., 671n., 742n., 803n., 919n., 964n., 972n., 973n., 979n., 1015n., 1026n., 1094n., 1142n., 1156n., 1158n., 1159n., 1192n., 1231n., 1278-1279n., 1315n., 1316-1317n., 1329n., 1332n., 1338, 1375n., 1376n., 1377n., 1378n., 1387n., 1425n., 1435n., 1521-1522n., 1762n., 1768n., 1776n., 1778n., 1834n., 1860n., 1868n., 1916n., 1939n., 1953n., 2027n., 2071, 2198n., 2382n., 2472n., 2503n., 2535n., 2697n., 2728n., 3156n., 3166n., 3194n., 3224n., 3677n., 3995, 4044n.
Gómez Sánchez-Romate, María José: 892n., 3106n.
Gómez Sierra, Esther: 2345n., 2834, 2834n.
Gómez-Fargas, Rosa María: 3830, 3830n., 3831n.
Gonzalbes Gravioto, Enrique: 3407n.
González, Aurelio: 228n., 1221, 1486n., 2599n.

González, Cristina: 487n., 934n., 1030n., 1032n., 1034n., 1047n., 1051n., 1073n.. 1090n., 1374n., 1375n., 1387n., 1398n.
González, Javier R.: 1567-1568n., 3982, 3982n.
González, Julio: 76n.
González Alonso, Benjamín: 298n., 1291n., 2857n.
González Cuenca, Joaquín: 32n., 39n., 45n., 186n., 1327n., 1548n., 1620n., 2158n., 2159, 2159n., 2162, 2162n., 2164, 2339n., 3089n., 3194n.
González Díez, Emiliano: 82n.
González Jiménez, Manuel: 180n., 252n., 312n., 423n., 597n., 687n., 819n., 1035n., 1886n., 3999
González Maeso, D.: 2645n.
González Mínguez, César: 1254n.
González Muela, Joaquín: 1374, 1374n., 1421n., 1445n., 2663n.
González Ollé, Fernando: 603n., 2967n., 2968n., 2969
González Palencia, Ángel: 1872n., 2354n., 2764n., 2765n., 4002, 4002n.
González Reboredo, Xosé Manuel: 1964
González-Casanovas, Roberto J.: 180n., 189n., 369n., 601n., 653n., 674n., 693n., 1007n., 1162n., 1439n., 1561n., 2679n., 2683n.
González-Quevedo, Silvia: 2620n., 3016n., 3028n.
González-Rolán, Tomás: 703n., 747n., 769, 769n., 770n., 2483n., 2604n., 2610n., 2613n., 2627n., 2659n., 2735n., 2736n., 2975n., 2979n., 3144n., 3273n., 3274, 3274n., 3275n., 3287n., 4012
Gonzálvez Ruiz, Ramón: 22n., 4022, 4022n., 4023, 4023n.
Goody, Jack: 79n.
Gordillo Vázquez, Mª Carmen: 2513n.
Gorog, Lisa S. de: 2663n., 2701n.
Gorog, Ralph: 2663n., 2701n.
Gräbener, Hans-Jürgen: 42n.
Gracia Alonso, Paloma: 14, 439n., 773n., 1223, 1317n., 1417n., 1461n., 1465n., 1466n., 1468n., 1482n., 1486n., 1488n., 1490n., 1543n., 1567n., 1573n., 3430n.
Graese, Johann Georg Teodor: 1918n.
Grandese, Piero: 822n.
Granillo, Lilia: 3209n.
Granja, Agustín de la: 3102n.
Graña Cid, María del Mar: 3667n.
Grasotti, Hilda: 166n.
Green, Monica H.: 2762n.
Grégoire, Réginald: 1898n.
Gribomont, Jean: 124n.
Grieve, Patricia E.: 1584n., 3821n.
Griffin, Nathaniel Edward: 800n.
Grignaschi, M.: 274n., 275n., 276
Grilli, Giuseppe: 3379n.
Grimm, Reinhold: 1462n.
Griscom, Actom: 1463n.
Gross, Georg: 3979n.
Groussac, Paul: 918n.
Grupo Sansueña: 1541n.
Guadalajara Medina, José: 2933-2934n., 3075n., 3084n., 3085n., 3089n., 3094n.
Gualdo, Germano: 2631n.
Guardiola, Conrado: 1545, 1545n., 1724n., 1733-1734n., 3098, 3098n., 4073
Guerra, Manuel: 94n.
Guglielmi, Nilda: 554n., 1822n., 1823n., 2206n.
Guiance, Ariel: 1822n.
Guichot, Joaquín: 1772n.
Guidubaldi, Egidio: 239n.
Guijarro González, Susana: 3977, 3977n.
Gumbrecht, Hans Ulrich: 797n., 803n., 1047n.
Gumpert Melgosa, Carlos: 1360n.
Gurruchaga Sánchez, Marina: 2564n.
Gutiérrez Arau, María Luz: 3182n.
Gutiérrez Cuadrado, Juan: 87n.
Gutiérrez de la Vega, José: 1684n., 1693n., 2850, 2850n.

Gutiérrez García, Santiago: 1484n.
Gutiérrez Martínez, María del Mar: 3096n.
Guzmán Hermida, Juan Manuel: 38n.
Gwara, Joseph: 1522n., 3154n., 3308n.
Gybbon-Monipenny, G.M.: 1933n.

Haidu, Peter: 797n.
Halsall, Paul: 1206
Halton, Thomas: 3738n.
Hambis, Louis: 4052n.
Harding, Carol E.: 1484n.
Haring, Maria: 319-320n.
Harney, Michael: 1375n., 1397n., 1405n.
Haro Cortés, Marta: 17, 185n., 188n., 189n., 242n., 260n., 275n., 282n., 341n., 425n., 430n., 443n., 444n., 456n., 493n., 900n., 1206, 1292n., 1323, 1687n., 1821n., 2379n., 2835n., 3119n., 3125n., 3127n., 3130n., 3138-3139n., 4007, 4007n., 4008, 4009n.
Hasenohr, Geneviève: 1898n.
Hauf, Albert G.: 1652n., 1902n., 2689n.
Hauptmann, Oliver H.: 127n., 128
Haywood, Louise M.: 803n., 804n., 808n., 811n.
Heffernan, Thomas: 1920n.
Heist, William W.: 1834n.
Hempel, Wido: 697n.
Henderson, Charles: 3097n.
Hendrickson, William L.: 214n.
Hennessey Olsen, Alexandra: 1936n.
Henriet, Patrick: 3994
Hernán-Gómez y Prieto, Beatriz: 138n.
Hernández, Francisco J.: 20n., 1376n., 1377n., 1384n., 1385n., 1392n., 1442n., 1447n., 1453n., 1456n., 1457, 1457n., 3994, 4022
Hernández, Ramón: 3859n., 3860n.
Hernández Alonso, César: 1229n., 2623n., 3267n., 3268n., 3290n., 3308n., 3309n., 3313n., 3321n.
Hernández Esteban, María: 226n.
Hernández González, Fremiot: 2627n.
Hernández González, María Isabel: 2113n., 2543n., 2544n., 2656n., 2657n., 3639n.
Hernández Segura, Amparo: 171n.
Hernando Delgado, José: 1740n., 1741n.
Hernando Pérez, José: 22n., 144n.
Herrera, María Teresa: 2762n., 2763n., 2766n., 2772n., 2774n., 2775n.
Herrero, Javier: 3308n.
Herrero Jiménez, Mauricio: 1229n.
Herrero Llorente, Víctor: 783n.
Herrero Prado, José Luis: 2541n., 2548n., 2551n., 2552n., 2554n.
Hervieux, Léopold: 185n., 186n., 2013n.
Heugas, Pierre: 3620n.
Heur, Jean-Marie d': 1621n.
Heusch, Charles: 140n., 549n., 1377n., 3167n., 3474, 3778n.
Hientsch, Alice A.: 3135n.
Higashi, Alejandro: 3994n.
Hilka, Alfons: 769n.
Hillgarth, Jocelyn Nigel: 3366n.
Hilty, Gerold: 368n., 390, 390n., 600n., 3978, 3978n., 4005n., 4006, 4006n.
Hippeau, Célestin: 1057n.
Hirdt, Villi: 3978n.
Hoecke, Willy van: 1434n.
Hogberg, Paul: 165n.
Holloway, Julia B.: 865n.
Honsa, Vladimir: 1033n.
Hook, David: 1052n., 1360n., 1462n., 1567n., 1620n., 1675n., 1676, 1676n., 2684n., 2929n., 3521n., 3535n.
Horcajada Diezma, Juan Bautista: 697n., 732, 732n., 733, 734n., 4012
Horrent, Jacques: 1087, 1091n., 1597-1598n.
Horrent, Jules: 3551n.
Hottinger, Arnold: 184n.
Huber, Victor Aimé: 1231n.
Huélamo, Ana María: 3071n., 3074n.
Huerta Calvo, Javier: 74n.

Huet, Gédéon Busken: 1057n.
Hutton, Lewis Joseph: 1908n., 3055n.

Iglesia, Ramón: 2356
Iglesia Duarte, José Ignacio de la: 3555n., 3976n.
Iglesia Ferreirós, Aquilino: 96n., 321n., 333n., 335n., 1292n., 1293n., 1311n., 1316n.
Iglesias, Rosa María: 3198
Ijsewijn, Jozef: 2758n., 3149n.
Impey, Olga Tudorica: 700, 982n., 3273n., 3294n., 3299n., 3314n., 3820n.
Infantes, Víctor: 488n., 498n., 1332n., 1583n., 1589n., 1859n., 3136n., 3343n.
Irastorza, Teresa: 3255n.
Iriso, Silvia: 2071, 3104n., 3112n., 3118n.
Iturmendi Morales, José: 540n.
Izquierdo, Josep Lluis: 1207
Izquierdo Benito, Ricardo: 22n.

Jackson, David E.P.: 1050n.
Jardin, Jean-Pierre: 2079n., 2081n., 2093n., 2097n., 2595n., 3131n., 3557n., 3995, 4056
Jauralde Pou, Pablo: 2836n.
Jerez, Enrique: 3995, 3996, 3996n.
Jiménez Calvente, Teresa: 2175n., 2728n., 2729n., 3182n., 3224n.
Jiménez de la Espada, Marcos: 1825n., 3403n., 3406n., 4050, 4076
Jiménez Mola, Zulema: 1471n.
Jiménez Moreno, Arturo: 1903n., 2973n., 3860n., 3861n., 3862n., 3867n., 4067, 4067n., 4068, 4068n.
Jiménez Ríos, Enrique: 141n.
Jiménez Vicente, Mª del Carmen: 671n.
Johnson, Cleveland: 2025n., 2026n.
Johnson, Mildred E.: 568n.
Johnston, Mark D.: 1902n.
Jones, Philip B.: 275n.
Jónsson, Einár Mar: 1697n.
Jonxis-Henkemans, Wilhelmina: 689n., 720n., 775n., 776n., 778n., 783n., 793n.
Jordán de Asso y del Río, Ignacio: 1305n.
Joset, Jacques: 46n., 2344n.
Josserand, Philippe: 3995
Jover Zamora, José María: 79n.
Juan Lovera, Carmen: 2340n.
Juárez, Aurora: 526n., 530n., 538n., 1373n.
Juaristi, Jon: 3548n.
Jurado, José: 1852n.

Kaeppeli, Thomas: 2025n.
Kahane, Henry: 367n.
Kahane, Renée: 367n.
Kantor, Sofía: 226n.
Kantorowitz, Erst H.: 548n., 3654n.
Kany, Charles E.: 1836n., 3790n.
Kaplan, Gregory B.: 4061n.
Kappler, Claude: 1823n., 3430n., 3437n.
Kasten, Lloyd A.: 15, 16, 274n., 275n., 276n., 279n., 408n., 414n., 442n., 513n., 541n., 630n., 689n., 698n., 720n., 917n., 1651n., 3985, 3985n., 4017
Katz Kaminsky, Amy: 2335n., 2345 (comprobar orden apellidos)
Kay, Sarah: 1317n.
Keating, L. Clark: 3096n.
Kedar, Benjamín Z.: 115n.
Keightley, Ronald G.: 1435n., 2483n., 2486n., 2543n., 2657n., 2975n.
Keil, Heinrich: 39n.
Keller, John E.: 183n., 214n., 216n., 914n., 982n., 983n., 1077n., 1182n., 1373n., 2012n., 2014n., 3096, 3096n., 3102n., 3103n., 4072
Kelly, Douglas: 40n., 41n., 42n., 43n.
Kenneth Emmerson, Richard: 3084n.
Kerkhof, Maxim P.A.M.: 145n., 367n., 2521n., 2524n., 2539n., 2033n., 3120, 3120n., 3121, 3200n., 3325n., 4057, 4057n.
Kessler, Eckhard: 3149n.

Kibre, Pearl: 2758n.
Kiddle, Lawrence B.: 408n., 414n., 724n., 3478n.
Kinkade, Richard P.: 141, 141n., 144n., 181n., 891n., 893n., 901n., 910n., 920n., 1202n., 1902n., 1963n.
Kirby, Steven D.: 1025, 1025n.
Klob, Otto: 1471n., 1963n.
Knecht, Pierre: 601n.
Knobbe, Albert: 1660n.
Knust, Hermann: 260, 261n., 268n., 440n., 453n., 456n., 457n., 487n., 503n., 504, 508, 1148n., 1343, 1343n., 1351, 1351n., 1359n., 1361n., 1953n.. 2113n., 2114n., 2117, 3134, 3134n., 3209n.
Krappe, Alexander H.: 840n., 1352, 1352n., 3097n., 3345n., 3349n.
Kraus, H.P. [firma]: 841
Krieger, Judith Gale: 2589n., 2594n.
Kruger Born, Lester: 1697n.
Kuentz, Charles: 455n.
Kuhn, Ernst Wilhelm Adalbert: 981n.
Küpper, Heinz: 1505n.

Labandeira, Amancio: 2414, 2414n., 2419n.
Labarta de Chaves, Teresa: 1018
Labrador Herraiz, José J.: 1025n.
Lacarra, José María: 3784n.
Lacarra, María del Carmen: 4049
Lacarra, María Eugenia: 1332n., 1557n., 2775n., 3296n., 3309n., 3318n.
Lacarra, María Jesús: 17, 93n., 175n., 183n., 186n., 187n., 214n., 217n., 220n., 233n., 260n., 277n., 445n., 486n., 918n., 932n., 1011n., 1018n., 1094n., 1221, 1365n., 1437n., 1445n., 1576-1577n., 1822n., 1825n., 1872n., 1990n., 1998n., 2015, 2015n., 2024n., 2180n., 2679n., 2682n., 2951n., 2959-2960n., 2973n., 2974n., 3095, 3095n., 3096n., 3098, 3098n., 3103-3104n., 3109n., 3111, 3111n., 3135, 3135n., 3136n., 3151n., 3414n., 3433n., 3677n., 3738n., 3739n., 3741n., 3836n., 3850, 3850n., 3851, 3851n., 3853n., 3854n., 4000-4002, 4032, 4032-4033n., 4049-4050
Lacetera Santini, Mari: 260n.
Lacy, Norris J.: 1462n.
Ladero Quesada, Miguel Ángel: 1823n., 2459, 2459n., 2460, 2460n.
Lafarga, Francisco: 1470n., 2363n.
Laín Entralgo, Pedro: 3477n.
Lampe, G.W.H.: 124n.
Lancastre, María José de: 2089n.
Lang, David Marshall: 981n.
Lapesa, Rafael: 113n., 304n., 697n., 1012n., 1541n., 1738n., 2523n., 2527n., 2532n., 2533n., 2540n., 2541n., 3200n., 3683n., 3990
Lapeyre, Henry: 1908n.
Larkin, James B.: 2323n., 2664n., 2695n.
Larriba Barciero, Manuel: 863n.
Lasley, M.M.: 698n.
Lausberg, Heinrich: 38n., 50n.
Lauzardo, Aurora: 2349n., 3357n.
Lawler, Traugott: 41n.
Lawrance, Jeremy N.H.: 2072, 2355n., 2401n., 2523n., 2556, 2556n., 2562, 2562n., 2571n., 2581n., 2583n., 2584n., 2586n., 2606n., 2611n., 2615n., 2616n., 2830n., 3037n., 3195n., 3482n., 3509n., 3511n., 3512n., 3516, 3516, 3516n., 3762n., 3763n., 3775n., 3794n., 4065
Lazar, Moshé: 111, 112, 115n., 119n., 2834n.
Lázaro Carreter, Fernando: 3815n.
Lázaro Damas, Mª Soledad: 3566n.
Le Flem, Jean Paul: 1696n.
Le Goff, Jacques: 1835n., 1838n., 1842n., 1843n., 1849n., 1850n.
Leclanche, Jean-Luc: 1583n.
Lecoy de la Marche, Albert: 1903n.
Lee, Charmaine: 2336n., 2423n.
Lee, Harold: 3089n.
Lee Gordon, Benjamin: 2757n.
Lefèvre, Yves: 890n.
Lefkowitz, Linda S.: 2771n., 2772n.

Leguina, Enrique de: 1684n.
Lendo Fuentes, Rosalba: 1466n.
Leonardi, Claudio: 1834n., 1898n.
Leonardon, [Henri]: 2213n.
Léonelli, Marie-Claude: 1651n.
Leroy, Béatrice: 2077n., 2435n.
Lértora Mendoza, Celina A.: 2758n.
Leslie, Ruth: 1653n.
Levajo, J.C.: 2088n.
Levi, E.: 1387n.
Lewis, Huw Aled: 1835n., 1838n.
Liberatori, Filomena: 3410n., 3418n.
Lida de Malkiel, María Rosa: 286n., 443n., 696, 696n., 697n., 1111, 1111n., 1347n., 1459n., 1460n., 1555, 1555n., 1834n., 2014n., 2175n., 2728, 2728n., 2729n., 3159-3160n., 3182, 3182n., 3184n., 3267, 3267n., 3268n., 3269n., 3269-3270, 3270n., 3275n., 3276n., 3287n., 3293n., 3299n., 3301n., 3302, 3302n., 3802n.
Lidfords, Edward: 169n.
Lieber, Maria: 3978n.
Lillo Redonet, Fernando: 1900n.
Linage Conde, Antonio: 981n., 1853n., 3047n., 3201n.
Lindley Cintra, Luís F.: 650, 682, 682n., 1233n., 1235
Linehan, Peter: 16, 25n., 95n., 111, 160n., 164n., 645n., 653n., 860n., 925n., 1009n., 1377n., 1448n., 3994, 4022
Linker, Robert: 183n., 982n., 983n.
Liria Montañés, Pilar: 1831n., 1833n., 4055
Little, Andrew George: 1899n.
Littlefield, Mark G.: 126n., 127, 127n., 128n.
Livermore, Harold: 3342n.
Lizabe de Serrano, Gladys: 559n., 560n.
Llaguno y Amírola, Eugenio de: 1784n., 2079n., 2093n., 2097n., 2275n., 2355n.
Llamas, José: 126, 126n., 128, 128n.
Lliteras, Margarita: 1032n., 1057n., 1058n.
Llorca, Bernardino: 1222, 1773n., 1869n., 1907n., 1908n., 2002n., 2983n., 2984n.
Llorente, Antonio: 1332n.
Lodares, Juan R.: 602n., 603n.
Lomax, Derek W.: 28n., 110n., 913n., 1095n., 1203, 1203n., 1251n., 1736n., 1739n., 1743n., 1745n., 1747n., 1853, 1853n., 1854n., 1904n., 3978
Longère, Jean: 1897n., 1899n.
Loomis, Roger Sherman: 1463n.
Lopes Vieira, Affonso: 1553n.
López Beltrán, Mª Teresa: 3135n., 3672n.
López Casas, Mercè: 2423n., 2442n., 3404n.
López de Toro, José: 3513n., 3516
López Estrada, Francisco: 17, 27n., 55, 180n., 183n., 563n., 865n., 870n., 887n., 1825n., 1831n., 1996n., 2032n., 2173n., 2175n., 2176n., 2183, 2190n., 2214n., 2458n., 3017n., 3025n., 3098, 3098n., 3403n., 3405n., 3406n., 4054n., 4057n.
López Fonseca, A.: 2736n.
López Gutiérrez, Antonio: 161n.
López Martínez, Nicolás: 2589n., 2637n.
López Molina, Luis: 1652n., 2775n.
López Morales, Humberto: 536n,
López Ortiz, José: 1294n.
López Pereira, José Eduardo: 2832n.
López Serrano, Matilde: 1694n., 3763n.
López Valero, María del Mar: 170n., 1805n.
López Vidriero, María Luisa: 3048.
López-Baralt, Luce: 1938n.
López-Grigera, Luisa: 2524n., 2539n.
López-Ibor, Marta: 818n.
Lorenzana, Francisco Antonio de: 166n.
Lorenzo, Pilar: 4038, 4038n.
Lorenzo, Ramón: 734n., 1231n., 1399n., 2355n., 2423n., 4021
Lorenzo Arribas, Josemi: 3667n.

Losada Goya, José Manuel: 1505n.
Löseth, Eilert: 1507n.
Lot, Ferdinand: 1065n.
Loth, Joseph: 1463n.
Lowe, J.: 1803n.
Lozano Sánchez, José: 166n.
Lubenow Ghassemi, Ruth: 2335n., 2347n.
Lucas Cortés, Juan: 641n.
Lucero Ontiveros, Dolly María: 2672n.
Lucía Megías, José Manuel: 14, 17, 261, 261n., 849n., 917n., 1030n., 1071n., 1206, 1372, 1372n., 1373n., 1374, 1374n., 1375n., 1396n., 1398n., 1417n., 1421n., 1441n., 1443n., 1445n., 1474n., 1511n., 1528, 1528n., 1789n., 2072, 2112n., 2871n., 3204n., 3208n., 4008
Luongo, Salvatore: 3551n., 4031, 4031n.
Luttrell, Anthony: 1650n.
Lyons, Malcolm C.: 1050n.

Macaulay, George Campbell: 3209n.
Macdonald, Isabel: 2214n.
MacDonald, Robert A.: 91n., 332n., 359n., 363n., 512n., 3979n., 3980, 3980n.
Machado, Ana Maria e Silva: 1343, 1343n.
Mackay, Angus: 3495n.
Mackenzie, Ann L.: 2862n.
Macpherson, Ian: 17, 144n., 1128, 1128n., 1134-1138, 1140, 1176n., 1193, 1193n., 1204n., 1223, 3223n., 4096
Macías, José Manuel: 1919n.
MacLaurin, Frederick: 2151n.
Madoz y Moleres, José: 2701n., 2709n., 2712n.
Madureira, Margarida: 1180n., 1432n.
Maestre Maestre, José Mª: 2832n., 3517n.
Magalhaes, Vitorino: 1822n.
Magán, Fernando: 912n., 3117n.
Maggioni, Giovanni Paolo: 1919n.
Magne, Augusto: 1477n.
Magoun, Francis Peabody: 769n.
Maguire, Fiona M.: 2431n.
Maier, John R.: 1342n., 1360, 1360n., 1361n., 1606n., 1610, 1662n.
Maler, Bertil: 1685n.
Malfermoni, Lucia: 697n., 733
Malvern, Marjorie M.: 1946n.
Mancha, José Luis: 642n.
Mancho Duque, María Jesús: 2763n.
Mancoff, Debra N.: 1462n.
Manero Sorolla, María Pilar: 3055n.
Mannetter, Terrence A.: 1229n., 1296n.
Mansi, Giovan Domenico: 124n.
Mansilla Reoyo, Demetrio: 23n.
Manuel y Rodríguez, Miguel de: 1305n.
Manzaloui, Mahmoud: 274n., 275n.
Manzanares Palarea, Antonio: 2850n.
Manzanaro, Josep Miquel: 3474
Manzano Rodríguez, Miguel Ángel: 1278n.
Mañero, Sara: 2662n., 2666-2667n., 2670n., 2672n., 2706n.
Marañón, Gregorio: 3476-3477
Maravall, José Antonio: 339n.
March, Bartolomé: 498n.
Marco, Bárbara de: 180n.
Marcos Casquero, Manuel A.: 800n.
Marcos Rodríguez, Florencio: 2657n.
Marcos Sánchez, Mercedes: 1193n.
Marhello Nizia, Christiane: 1506n.
Mari, Giovanni: 41n.
Marimón Llorca, Carmen: 2335n., 3055n., 3057n.
Marín Martínez, Tomás: 1876n.
Marín Paredes, José A.: 3546n.
Marín Pina, Mª Carmen: 1462n., 1649n., 2088n.
Marín Sánchez, Ana María: 3549n., 3550n., 4024, 4028, 4028n., 4029-4030
Marino, Nancy F.: 1825n., 1828n., 2401n., 2403n., 2408n., 2774n., 3746n.
Markale, Jean: 1484n.
Markowitz, B.: 2759n., 2765n.

Márquez Villanueva, Francisco: 180n., 638n., 1418n., 1938n.
Marsan, Rameline: 3098, 3098n., 3109n.
Marson, Patricia E.: 2176n.
Martin, Georges: 17, 95n., 99n., 100n., 101n., 162n., 163n., 167n., 305, 305n., 306, 309, 389n., 651n., 652, 652n., 653n., 670n., 915n., 1701n., 2072, 2359n., 3345n., 3994, 3994n., 3995
Martín, José Luis: 861n., 862n., 1784n., 1809n., 1853n., 2101n., 2861n., 3476n., 3491n., 3500n.
Martín, Teodoro H.: 2002n., 2011n.
Martín Acera, Fernando: 3148n.
Martín Daza, Carmen: 14, 3104n., 3105n.
Martín-Aragón Adrada, Félix Julián: 2775n.
Martinell, Emma: 377n.
Martines, Vincent: 1470n.
Martínez, H.S.: 43n.
Martínez, Manuel: 2312, 2312n.
Martínez Álvarez, Josefina: 116n.
Martínez Blanco, Carmen: 596n.
Martínez Carrillo, María de los Llanos: 1121n.
Martínez Casado, Ángel: 2297n., 2302n., 2309n., 2635n., 2778n., 2813n., 2822n., 2829n.
Martínez Crespo, Alicia: 1823n., 2775n.
Martínez de Carnero, Fernando: 2821n.
Martínez del Villar, Miguel: 101n.
Martínez de la Vega Mansilla, Patricia: 1304n.
Martínez Díez, Gonzalo: 30n., 301n., 331n., 332n., 334n., 1292n.
Martínez Ferrando, J. Ernesto: 1831n., 3326n.
Martínez Gázquez, José: 640n., 643n.
Martínez Marcos, Esteban: 571n.
Martínez Marín, Juan: 3102n.
Martínez Marina, Francisco: 305-306, 333n.
Martínez Montávez, Pedro: 425n.
Martínez Murillo, Mª Concepción: 1917n.
Martínez Ortega, Ricardo: 3517n.
Martínez Pérez, Antonia: 1222, 2183n.
Martínez Rodríguez, Mª del Mar: 2173n.
Martínez Romero, Tomàs: 2071, 2072, 2112n., 3149n.
Martínez Ruiz, Bernabé: 563n.
Martínez Torrejón, José Miguel: 134n.
Martins, Mãrio: 700n., 1493n., 1850n., 1963n.
Martos, Josep Lluís: 3474
Mas-Latrie, Louis de [Conde de]: 1038n.
Masson, Patricia E.: 2190n.
Mazorriaga, Emeterio: 1032n.
McGee, Ch.: 2765n.
Meale, Carlo M.: 3221n.
Medina Bermúdez, Alejandro: 3681n., 3683n., 3689n.
Mehtonen, Päivi: 1327n.
Mejía González, Alma: 674n., 2680n.
Ménard, Philippe: 1507n.
Mendoza Negrillo, Juan de Dios: 2776n., 2798n., 2801-2802n., 2803n., 2810n., 2842n., 2844n., 3031n., 3033n., 3601n.
Meneghetti, Maria Luisa: 797n., 1334n., 3319n.
Menéndez Collera, Ana: 145n., 1223
Menéndez Peláez, Jesús: 25n., 110n., 186n., 1009n., 1011n., 1860n.
Menéndez Pelayo, Marcelino: 487n., 980n., 988n., 1553n., 2014n., 2555n., 2570n., 2669, 2669n., 2902n., 3223, 3223n.
Menéndez Pidal, Gonzalo: 365n.
Menéndez Pidal, Juan: 3345n.
Menéndez Pidal, Ramón: 15, 16, 97n., 112, 165n., 186n., 645, 645n., 648, 650, 654, 659n., 660n., 669n., 670n., 674n., 675, 675n., 677n., 678, 680n., 682, 796n., 805n., 892n., 1087n., 1104n., 1107, 1228n., 1232n., 1235, 1235n., 1238, 1242,

1287, 1287n., 1598n., 1759, 1759n., 2082, 2084, 2194n., 2195n., 3343n., 3345n., 3551n., 4021
Menestò, Enrico: 1834n., 1898n.
Menjot, Denis: 427n.
Mensching, Guido: 852n.
Meregalli, Franco: 3407n., 3417n., 3559n.
Mérida Jiménez, Rafael M.: 1576n., 2336n., 3054n., 3424n.
Méril, Edèlestand du: 1583n.
Messner, P.: 1434n.
Mettmann, Walter: 487n., 488n., 498, 498n., 499n., 840n., 1024n., 1753, 1753n., 1760n., 1917n., 2014, 2014n.
Metzeltin, Michael: 1179n.
Michael, Ian: 801n.
Michäelis de Vasconcelos, Carolina: 1553n.
Michelant, Heinrich: 1374, 1374n.
Michon, Patricia: 1481n., 1506n.
Mickel Jr., Emanuel J.: 1057n.
Mielgo, Honorino: 627n., 643n.
Mignani, Rigo: 1152n.
Migne, Jacques-Paul: 133n.
Miguel, Jerónimo: 3682n.
Miguel Martínez, Emilio de: 2355n.
Miguel-Prendes, Soledad: 2515n.
Miletich, John S.: 1373n., 2439n., 3294n., 3326n.
Millares, Enrique: 1152n.
Millares Carlo, Agustín: 20n., 83n., 125n., 1541n.
Millás Vallicrosa, José María: 411n., 615n., 618n., 639n.
Minervini, Laura: 1822n., 1825n.
Mínguez Fernández, José María: 88n.
Miquel, André: 484n.
Miquel i Planas, Ramón: 3149n.
Miranda, Alberto: 1860n.
Miranda, José Carlos: 1477n.
Miranda García, Fermín: 1821n.
Miranda Mourão, José Augusto: 1835n.
Mirrer-Singer, Louise: 1778n., 2100n., 2336n.
Mitre, Emilio: 95n., 2080n., 2106n.
Mohedano Hernández, José María: 3014n., 3104n., 3105n.
Moldenhauer, Gerhard: 983n.
Molina Molina, Ángel Luis: 596n., 1121n.
Moll, Ángela: 2582n.
Mondéjar, José: 16
Monsalvo Antón, José Mª: 2206n.
Montandon-Hummel, Madeleine: 2038n.
Montaner Frutos, Alberto: 52n., 88n., 183n., 1231n., 1649n., 1654n., 4049-4050
Montangue, R.: 2759n.
Montanos Ferrín, Emma: 1311n.
Monte, Alberto del: 3182n.
Montero Curier, Mª Luisa: 869n.
Montero Garrido, Cruz: 2232n., 2901n., 2902n., 2903n., 2904n., 2915n., 2924n., 2935n.
Montero Tejada, Rosa María: 3563n.
Montgomery, Thomas: 123n., 126n.
Monti, Anna Maria: 1343, 1343n.
Montiel, Isidoro: 187n.
Montiel Roig, Gonzalo: 2904n., 2925n., 2932n.
Montoya Martínez, Jesús: 16, 84n., 387n., 556n., 563n., 603n., 1102n., 1373n., 1902n.
Montoya Ramírez, Mª Isabel: 842n., 846n., 847n., 1693n., 1694, 2014n., 3228n., 3256n.
Moralejo, José Luis: 3345n.
Morales Muñiz, Mª Dolores-Carmen: 3481n., 3494n., 3649n.
Morán Martín, Remedios: 1291n., 2854n., 2859n.
Morejón, Julio G.: 2414, 2414n.
Morel-Fatio, Alfred: 1011, 1011n., 1654n., 2213n., 2556, 2556n., 2581n., 3096, 3096n.
Moreno, Charo: 935n.
Moreno Fernández, José Enrique: 63n.
Moreno Hernández, Antonio: 2610n., 2613n.
Moreno Hernández, Carlos: 3581n., 3582n., 3584n., 3718n., 3719n.,

3720n., 3721n., 3723n., 3724n., 3726n.
Morenzoni, Franco: 1899n.
Moreta Velayos, Salustiano: 862n.
Morgan, Margaret Ruth: 1038n.
Morrás, María: 504, 1938n., 1943n., 2147n., 2481n., 2588n., 2602n., 2603n., 2604n., 2606n., 2617n., 2618n., 2620n., 2638n., 2871n., 3016n., 3028n., 3119n., 3123n., 3124n., 3144n., 3221n., 3369n., 3732, 3732-3733n.
Morreale, Margherita: 124n., 126n., 128, 129n., 130n., 697n., 698n., 733, 733n., 1012n., 2483n., 3684n.
Morris, John: 1463n.
Morrison, Frederick M.: 2155n.
Morros, Bienvenido: 1481, 1481n., 1482
Morsello, Casper J.: 2831, 2831n., 2832
Mota, Carlos: 2583n., 4033, 4033n., 4034-4037
Mota Murillo, Rafael: 1026n.
Moure, José Luis: 1487n., 1777n., 1785n., 1787n., 1788n., 1802n., 2073, 3982, 3982n.
Moxó, Salvador de: 1263n., 1268n., 1414n.
Moxó y Montoliu, Francisco: 2906n., 2985n.
Múgica, Jesús María: 1739n., 1740n.
Munch, Peter Andreas: 424n.
Mundi, Francisco: 1024n., 1025n.
Muñoz, Rafael: 408n.
Muñoz Raya, Eva: 2113n.
Muñoz Sendino, José: 237n., 239n.
Muriel Tapia, Mª Cruz: 3059n.
Murphy, James J.: 32n., 33n., 34n., 39n., 40n., 41n., 42n., 51n., 1897n., 1899n., 2838n.
Murray, Jessie: 1352n.
Mussafia, Adolph: 1366n.
Mussons, Ana María: 1081n., 1583n.
Myers, Geoffrey M.: 1039n.
Nader, Helen: 2516n.
Nascimento, Aires A.: 14, 725n.
Nasif, Mónica: 1576n.
Navarro González, Alberto: 27n., 870n.
Navarro Santín, Francisco: 2533n.
Naylor, Eric W.: 1761n., 2147, 2147n., 2148n., 2759n.
Nazak, Dennis G.: 1542n.
Nelson, Janet L.: 1052n., 1057n.
Nepaulshing, Colbert I.: 1902n., 2668n.
Neuman, Abraham A.: 1751n.
Neumeister, Sebastian: 3268n.
Niederhe, Hans-J.: 603n.
Niedzielski, Henri: 214n.
Nieto Cumplido, Manuel: 2339n.
Nieto García, María Dolores: 3102n.
Nieto Soria, José Manuel: 160n., 644n., 857n., 860n., 1291n., 1774n., 1852n., 1861n., 2077n., 2194n., 2206n., 2297n., 2593n., 2636n., 2643n., 2854n., 2855, 2855n., 2856, 2856n., 2857, 2857n., 2947n., 3140n., 3478n., 3483n., 3495n., 3521n., 3619n., 3648n.
Nigris, Carla de: 2728n., 3200n.
Nitti, John J.: 15, 61n., 513n., 630n., 689n., 1643n., 1654n., 3985, 3985n.
Nollier, Inès: 3359n.
Norris, Frank Pelletier: 802n.
Northup, George Tyler: 1030n., 1038n., 1040n., 1509n., 1513, 1513n., 1514, 2014, 2014n.
Nunemaker, John H.: 369, 374n.
Nunes, José Joaquim: 944n., 1835n., 1837n.
Núñez Rodríguez, Manuel: 3072n.
Nykl, Alois Richard: 390n.
Nykrog, Per: 2673n.

Oakley, R.J.: 1553n.
O'Callaghan, Joseph F.: 16, 180n., 235n., 245n., 325n., 335n., 337n., 361n., 423n., 436n., 587n., 597n., 658n., 822n.

Ochoa Anadón, José Antonio: 1823n., 2173n., 2183n., 2185n., 3412n.
Ochoa de Eribe, Marian: 3070-3071n.
Octavio de Toledo, José: 1761n.
Oelschläger, Victor Rudolph Bernhardt: 16, 698n., 720n., 4017
Oleza, Juan: 3578n.
Olivetto, Georgina: 3485n., 3984
Olsen, Marylin A.: 1371n., 1374, 1374n., 1435n.
Olson, Glending: 1725n.
Ong, Walter J.: 1062n.
Orazi, Verónica: 4000, 4000n., 4001, 4002, 4002n., 4003, 4003n.
Orcástegui Gros, Carmen: 94n., 1287n., 1289n., 3536n., 3537n.
Ordóñez, Carmen: 4006
Orduna, Germán: 79n., 427n., 700n., 734n., 860n., 861n., 1102n., 1110, 1110n., 1143n., 1144n., 1148n., 1180n., 1192n., 1194n., 1376n., 1381-1382n., 1387n., 1390n., 1487n., 1546n., 1604n., 1707n., 1773n., 1783-1784n., 1785, 1785n., 1786, 1786n., 1787n., 1788n., 1789n., 1790n., 1794n., 1800n., 2101n., 2134n., 2151n., 2154n., 2174n., 2208n., 3981, 3984-3985
Orduna, Lilia F. de: ver Ferrario de Orduna, Lilia E.
Orejudo Utrilla, Antonio: 2413n., 2882n., 2883n., 2885n.
Orlandis, José: 1294n.
Ornstein, Jacob: 3233n.
Orobitg, Christine: 1151n.
Ostos Salcedo, Pilar: 161n.
Owst, Gerald Robert: 1897n.

Paetow, Louis John: 31
Pagden, Anthony Robin D.: 2583n.
Pageaux, Daniel-Henri: 1505n.
Pajares, María Teresa: 2762n., 2769n., 2774n.
Palacios Alcaine, Azucena: 301n.
Palacios Martín, Bonifacio: 1697n., 3648-3649n., 3654n., 3655n.
Palmer, William: 917n., 944n.
Palomo, Mª del Pilar: 189n.
Pampín, Mercedes: 2072, 3299n., 3474
Paniagua, Juan A.: 2758n.
Paquet, Jacques: 2758n.
Pardo, Madeleine: 192n., 1821n., 2391n., 2696n., 3353n., 3509n., 3513n., 3766, 3766n.
Pardo de Guevara, Eduardo: 2437n.
Paredes Núñez, Juan: 14, 110, 439n., 1025n., 1043n., 1223, 1317n., 1331n., 1373n., 1460n., 1821n., 1823n., 2113n.
Paris, Gaston: 1039n., 1057, 1057n., 1527n., 1579, 1579n.
Parker, Margaret R.: 189n., 456n., 482n., 488n.
Parrilla García, Carmen: 1377n., 2072, 2583n., 2646, 2646n., 2647n., 2650n., 2653n., 2980n., 3319n., 3474, 3785-3786n., 3789n., 3796n., 3808n., 4062n.
Pascual Barea, Joaquín: 2832n.
Pascual Rodríguez, José Antonio: 2515n.
Pastor, Reyna: 72n.
Pastor Bodmer, Isabel: 2887n.
Pastor Cuevas, Mª Carmen: 1044n., 1407n., 1415n., 2935n., 2938n.
Pastre, Jean Marc: 1506n.
Patch, Howard: 1822n., 1833n., 1834n., 1850n.
Pattison, David G.: 652n., 683n., 1107, 1107n., 1108, 2083, 2083n., 3995
Payen, Jean Charles: 1507n., 1523n.
Payne, Nancy Lea: 84n.
Paz y Melia, Antonio: 169n., 2196n., 2233, 2233n., 2400n., 2569n., 2615, 3268n., 3274, 3274n., 3326n., 3509n., 3511n., 3516n., 3518n., 3679, 3679n., 3783n.
Pedrosa, José Manuel: 1867n., 2960n.
Peeters, Paul: 982n.
Peirce, Helen J.: 243n.
Peláez Benítez, María Dolores: 2909n., 3639n., 3640n.
Pelan, Margaret M.: 1583n.

Pelegrin, Benito: 1151n.
Peloso, Silvano: 2089n.
Pena, Nieves: 2072
Penna, Mario: 2072, 2624n., 2663n., 2716n., 2719n., 2724n., 2870n., 3076n., 3255n., 3256n., 3591n., 3593n., 3599n., 3601n., 3605n., 3608n., 3622n., 3629n., 3770n., 3779n.
Penna, Rosa E.: 1000n., 1025n., 1223, 1432n., 1541n., 1562n., 1711n., 1810n.
Penny, Ralph: 1223, 1827n., 3196n., 3223n., 3981, 3981n.
Pensado, Carmen: 74n.
Pensado Tomé, José L.: 1509n., 4038
Peñate Rivero, Julio: 3774n.
Pepe Sarno, Inoria: 2186n., 2525n., 3576, 3576n.
Perdiguero Villarreal, Hermógenes: 3980n.
Perea Rodríguez, Óscar: 3502n., 3650n.
Pereira Pagán, Begoña: 2985n.
Pérez Algar, Félix: 180n.
Pérez Bayer, Francisco: 2312, 2312n.
Pérez Boldo, María Desamparados: 2079n.
Pérez Carmona, José: 917n.
Pérez de Urbel, fray Justo: 2709n.
Pérez Gómez, Antonio: 2902n.
Pérez González, Maurilio: 73, 73n., 82n., 1680n., 1900n.
Pérez López, José Luis: 2539n., 3682n.
Pérez Martín, Antonio: 83n., 332n., 359n., 1294n., 1306n., 1307n., 1314n., 1852n., 2218n.
Pérez Monzón, Olga: 2587n.
Pérez Navarro, José: 697n.
Pérez Pascual, José I.: 2086, 2086n., 2087n., 2832n.
Pérez Pastor, Cristóbal: 2663n.
Pérez Priego, Miguel Ángel: 936n., 1151, 1151n., 1823n., 1824, 1824n., 2521n., 2528n., 2534n., 2728n., 3182n., 3408n., 3414n., 3578n., 3579n., 3621n., 4056, 4056n., 4057, 4076
Pérez Rodríguez, Estrella: 74, 74n.
Pérez Rodríguez, Maurilio: 3765n.
Pérez Rosado, Miguel: 2975n., 3141n., 3143n.
Pérez Tomás, Eduardo E.: 1787n.
Pérez-Bustamante, Rogelio: 2353n., 2516n., 3476n., 3991, 3991n.
Pérez-Prendes, José Manuel: 75n., 82n., 83n., 295n., 338n., 841n., 842, 1303n.
Peri, Hiram: 982n.
Perona, José: 60n., 317n., 757n.
Perotti, Olga: 3680n.
Perry, Ben Edwin: 214, 214n., 504n.
Peyer, Hans C.: 1823n.
Piccus, Jules: 1408n., 2522n., 2541n.
Pidal, Pedro José: 3268, 3268n.
Pierce, Frank: 1554, 1555n.
Pietrangeli, Angelina: 367n.
Pietsch, Karl: 983n., 1478n., 3209n.
Pigeonneau, Henri: 1039n.
Pindl, Theodor: 3361n.
Pingree, David: 628n.
Pink, Arthur W.: 3084n.
Pino Fernández, José Carlos. 1829n.
Piñero Ramírez, Pedro: 1363n., 1592n., 1822n.
Pioletti, Antonio: 1981n., 3099n.
Place, Edwin B.: 1542n., 1553n., 1554, 1554n., 1569n.
Planas Badenas, Josefina: 1373n.
Poch, Jaime: 3167n.
Pöckl, Wolfgang: 1434n.
Polo de Beaulieu, Marie-Anne: 3095n.
Popeanga, Eugenia: 115n., 1823n., 1824n.
Porras Arboleda, Pedro A.: 2194n., 2200n., 2246n., 3405n., 3991n.
Porro, Nelly R.: 563n.
Porrúa, José: 841n.
Posner, Richard A.: 81n.
Post, Chandler Rarthford: 3200n.
Potvin, Claudine: 3194n.
Poulle, Emmanuel: 639n., 640n.
Powell, Brian: 652n., 683n., 1229n.
Pozuelo Yvancos, José María: 1315n., 1459n.

Prelog, Jan: 2113n.
Prieto, Antonio: 2504n., 3267n., 3309n.
Prince, Dawn Ellen: 1928n.
Pring-Mill, Robert D.F.: 3364n., 3369n.
Proaño Gil, Vicente: 2637n.
Procter, Evelyn S.: 15, 161n., 180n., 301n.
Propp, Vladímir: 1360
Puertas Moya, Francisco Ernesto: 3976
Pueyo Mena, Francisco Javier: 129n.
Puig, Roser: 615n.
Puymagre, [Conde] Théodore Boudet: 2355n., 2360n.
Puyol, Julio: 164n., 165, 3485n., 3493n., 3517n., 3521n., 3557n.

Qués, Mª Elena: 1192n., 1198n.
Quintanilla Raso, Mª Concepción: 2206n.
Quintin, Henri: 4017
Quispe-Agnoli, Rocío: 3068n.

Rábade Obradó, Mª Pilar: 2635n., 2642n.
Racionero, Quintín: 38n.
Ramadori, Alicia Ester: 1000n.
Ramboz, Claire: 605n.
Ramírez, Frank Anthony: 1730n., 1731n.
Ramírez de Arellano, Rafael: 3406n.
Ramírez Vaquero, Eloísa: 84n.
Ramos, Rafael: 1030n., 1058n., 1061n., 1194n., 1248n., 1371n., 1542n., 1549n., 1572n., 1618n.
Ramos Bossini, Francisco: 513n.
Rashdall, Hastings: 568n.
Ratcliffe, Marjorie: 595n.
Raynaud de Lage, Guy: 1507n.
Reames, Sherry L.: 1918n.
Recio, Roxana: 2072, 2112n., 2513n., 3829n., 4061, 4061n., 4063n.
Redondo, Augustin: 1697n., 1812n., 1859n.
Redondo Goicoechea, Alicia: 1570-1571n.
Rees Smith, John: 1938n., 1940n., 1943n.
Reeves, Marjorie: 3089n.
Reinhard, Klaus: 122n.
Reinosa, Joan Ramon: 1466n.
Reiss, Edmund: 1462n.
Reiss, Louise Horner.: 1462n.
Revillout, Eugène: 503n.
Rey, Agapito: 31n., 130n., 271n., 425n., 432n., 503n., 799n., 913n., 914n., 916n., 917n., 918n., 932n., 939n., 944n., 1091n., 1632n., 1633, 1633n., 3076n., 4007, 4024, 4027
Reynolds, Leighton D.: 2611n.
Ribeiro, Cristina A.: 1432n.
Ribeiro Miranda, José Carlos: 1461n.
Ricapito, Joseph V.: 1182n.
Ricci, Pier Giorgio: 2142n., 3198n., 3207n., 3229n.
Richard, Jean: 1822n.
Richards, Ruth M.: 2766n., 2773n.
Richthofen, Erich von: 864n., 1397n., 1578n., 2662n., 2670, 2670n.
Rico, Francisco: 23n., 26n., 37n., 44n., 94n., 113n., 144n., 166n., 175, 175n., 687n., 693n., 696, 696n., 701n., 707n., 726n., 731n., 1371n., 1898n., 1899n., 1901n., 1915n., 2277n., 2413n., 2470n., 2539n., 2830n., 2834n., 2948, 4034n., 4065
Rico y Sinobas, Manuel: 391n., 598n., 599n., 600n., 606n., 637
Riera i Sans, Jaume: 1759n., 2476n., 3729, 3729n.
Riesco Bravo, Fulgencio: 2803n.
Righetti, Mario: 1867n.
Río, Alberto del: 2881n.
Ríos Mazcarelle, Manuel: 2251n.
Riquer, Isabel de: 88n., 1470n.
Riquer, Martín de: 1374n., 1537n., 1560n., 1578n., 1826n., 1893n., 2362n., 2413, 2413n., 2474, 2474n., 2663n., 2670n., 2883n., 3149n., 3344n., 3364n., 3365, 3812, 3812n., 3815n., 3818n., 3830n., 4049

Riss, Barbara Ann: 2548n., 2549n., 2550n., 2551n., 2554n., 2555n., 2568n.
Ritter, Hellmut: 627n.
Rivas, E. de: 222n.
Rivera Garretas, Mª Milagros: 2336n., 3054n., 3071n.
Rivera Manescau, Saturnino: 2323n.
Rivera Recio, Juan Francisco: 1921n.
Rivero, Casto M. del: 1248n.
Rizzo Nervo, Francesca: 1981n.
Rockinger, Ludwig: 41n.
Rodado Ruiz, Ana María: 1938n., 1939n., 1981n.
Rodgers, Paula K.: 972n., 973n.
Rodrigues Lapa, Manuel: 1553n., 2038n.
Rodríguez, Ana: 3995
Rodríguez, Isaías: 1876n.
Rodríguez, José Luis: 2088n., 3211n.
Rodríguez Arzúa, Joaquín: 2425n.
Rodríguez Bravo, Juan Luis: 2173n.
Rodríguez Herrero, Ángel: 3549n., 3550n.
Rodríguez Llopis, Miguel: 15, 180n.
Rodríguez López, Ana: 160n., 313n.
Rodríguez López-Lago, Guadalupe: 2770n.
Rodríguez M. Montalvo, Sagrario: 368n.
Rodríguez Molina, José: 3407n., 3566n.
Rodríguez Moñino, Antonio: 64n., 443n., 1150, 1150n., 1541n.
Rodríguez Puértolas, Julio: 2633n., 3076n.
Rodríguez Rivas, Gregorio: 1762n., 1860n.
Rodríguez Temperley, María Mercedes: 3984, 4052, 4052n., 4053, 4053n., 4054, 4054n., 4055-4056
Rodríguez Toro, José Javier: 3995
Rodríguez Velasco, Jesús D.: 548n., 559n., 560n., 1206, 1121, 1468n., 1537n., 1542n., 1567n., 1680n., 2359n., 2401n., 2413n., 2437n., 2545n., 2713n., 2718n., 2861n., 2862n., 2863n., 2868n., 3196n., 3304n., 3305n., 3474, 3521n., 3592n., 3598n., 3599, 3599n., 3601n., 3604n., 3613n., 3624n., 3635n., 3636, 3636n., 3760n., 3771n., 3778n., 4038, 4038n., 4039n.
Rogers, Donna M.: 1028n.
Rogers, Francis M.: 3427, 3427n.
Rohland de Langbehn, Regula: 2480n., 2521n., 2539n., 2734n., 3154n., 3200n., 3307n., 3325n., 3812n., 3815n., 3817n.
Rojo Orcajo, Timoteo: 3979n.
Romano, David: 621n.
Romano, R.G.: 1222, 1568n.
Romera Castillo, José: 1332n.
Romero Tobar, Leonardo: 1367, 1367n., 1917n.
Roncero, Victoriano: 145n., 1223
Roques, Mario: 1605n.
Ros, Carlos: 1877n.
Rosarossa, María A.: 1000n., 1025n., 1223, 1432n., 1541n., 1562n., 1711n., 1810n.
Rosell, Cayetano: 966n., 1249n., 1784n., 2196n., 2208n., 3479n., 3483n.
Rösler, Marguerete: 1972n.
Ross, David John Attole: 443n.
Rossaroli de Brevedan, Graciela: 1432n., 1921n.
Rossi, Paolo: 3371n.
Rossi, T.M.: 1821n.
Roubaud, Sylvia: 1561n.
Roudil, Jean: 88n., 350n., 359, 359n., 360n., 361n., 4004, 4004n., 4005n.
Rougemont, Denis de: 1505n.
Round, Nicholas G.: 2329n., 2528n., 2548n., 2549n., 2550n., 2556, 2556n., 2566n., 2578n., 2638n., 2748n., 2749n., 2750n., 2756, 2856n., 2887n., 3230n.
Roux, Jean-Paul: 2173n.
Rubio Álvarez, Fernando: 1707n., 1730n., 1876n., 1885n., 1891n., 1902n., 2073, 2152n., 2587n.,

2784n., 2803n.-2804n., 2936n., 2998n., 3008n., 3661n.
Rubio Flores, Antonio: 526n., 538n., 565n.
Rubio García, Luis: 1203, 1203n., 2516n.
Rubió i Lluch, Antonio: 1471n., 1547n.
Rubio Pacho, Carlos: 1459n., 1517n.
Rubio Tovar, Joaquín: 238n., 444n., 652, 652n., 896n., 1822n., 1824, 1824n., 1825n., 1840n., 1964n., 2183n., 2541n., 3403n., 3439n., 4050, 4050n., 4051, 4051n., 4052, 4052n.
Rucquoi, Adeline: 1751n., 2206n.
Ruffinatto, Aldo: 1154n.
Ruggieri, Jole: ver Scudieri Ruggieri, Jole
Ruiz, Carmen: 2214n.
Ruiz, Mª Cecilia: 1113n., 1128, 1128n., 1192, 1192n., 1195n.
Ruiz Asencio, José Manuel: 332n., 1229n.
Ruiz Casanova, José Francisco: 2112n., 2133n.
Ruiz Castellanos, Antonio: 283n.
Ruiz de la Peña, Juan I.: 3345n.
Ruiz de la Puerta, Fernando: 3349n.
Ruiz Doménec, José Enrique: 1542n.
Ruiz García, Elisa: 2622n., 3661n.
Ruiz Gómez, Francisco: 22n., 69n.
Ruiz Mateos, Aurora: 2587n.
Ruiz Veintemilla, Jesús Miguel: 3516n.
Ruiz-Gálvez Priego, Estrella: 199n.
Runte, Hans R.: 214n.
Rusconi, Roberto: 1898n.
Russell, Peter E.: 1826n., 2112n., 2113n., 2583n., 2862n.
Ryan, William Francis: 274n.

Sachs, George: 847, 847n., 849n.
Sáez, C.: 2759n.
Sáez, Emilio: 86n., 964n.
Sáez Durán, Juan: 283n.
Sainz de Baranda, Pedro: 3518, 3564n.
Sainz de la Maza, Carlos: 1752n., 1753, 1753n., 1754n., 1755n., 1759n., 3037, 3037n., 3041n., 3042n., 3361n., 3832, 3833n., 3848n.
Sainz de Robles, Federico: 2490n.
Sáinz Rodríguez, Pedro: 564n., 600n., 3029n.
Sáiz, Anabel: 1024
Salazar, Abdón M.: 2618n.
Salés Dasí, Emilio J.: 1564n., 1571-1572n., 4037, 4037n.
Salinari, Carlo: 3203n.
Salinas Espinosa, Concepción: 1712n., 2829n., 2830n., 2832n., 2833n., 2834n.
Salinero Cascante, Mª Jesús: 1473n., 1821n.
Salvador Coderch, Pablo: 1294n.
Salvador Martínez, Homero: 3999, 3999n.
Salvador Miguel, Nicasio: 1338n., 1752n., 2275n., 2763n., 2820-2821n., 3424n., 3661n., 3783n., 3811n., 3991, 3991n., 3992, 3993
Salvador Plans, Antonio: 133n., 1478n.
Samsó, Julio: 388n., 413n., 615n., 627n., 643n.,
San Martín, Jesús: 23n.
San Román, Gustavo: 2672n.
Sánchez, Galo: 295n., 296n., 1302n., 1303n.
Sánchez, Jean-Pierre: 2375n.
Sánchez Albelda, Luis: 63n.
Sánchez Alonso, Benito: 96n., 169n., 648, 1655n., 2208n., 2213n.
Sánchez Belda, Luis: 63n.
Sánchez Cantón, Francisco Javier: 2504n., 3662, 3662n.
Sánchez de Herrero, María Nieves: 2774n., 2775n.
Sánchez Granjel, Luis: 2757n.
Sánchez Herrero, José: 111n., 1735n., 1737n., 1738n., 1853n., 1854n., 1856n., 1857n., 1878n., 3048, 3048n.
Sánchez Mariana, Manuel: 3575n.
Sánchez Martín, Aureliano: 3484n., 3485n.

Sánchez Pérez, José A.: 391n.
Sánchez Prieto, Ana Belén: 2516n., 3476n.
Sánchez Salor, Eustaquio: 133n.
Sánchez Sánchez, Manuel Ambrosio: 1903n., 2949, 2949n., 2950n., 2951n., 2952, 2967n., 2968, 2968n., 2970n.,
Sánchez Trigueros, Antonio: 3102n.
Sánchez-Albornoz, Claudio: 2088n.
Sánchez-Arcilla Bernal, José: 1263n., 1302n., 1311n., 1735n.
Sánchez-Parra, Mª Pilar: 3518n.
Sánchez-Prieto Borja, Pedro: 48n., 126n., 128, 128n., 129, 129n., 130n., 603n., 697n., 710n., 732, 732n., 733, 734n., 741n., 4011, 4011n., 4012-4013, 4013n., 4016, 4016n., 4018, 4018n., 4019
Sanchís Calvo, Mª del Carmen: 113n.
Sanmartín Bastida, Rebeca: 4063, 4063n., 4064, 4064n., 4065
Sannia Nowé, Laura: 1822n.
Santano Moreno, Bernardo: 3210, 3210n., 3211n.
Santiago Guervós, Javier de: 116n., 1057n., 2774n.
Santiago Lacuesta, Ramón: 2513n.
Santiago Otero, Horacio: 113n., 122n.
Santonja, Gonzalo: 1831n.
Sanz, Jorge: 2355n.
Sanz Fuentes, Mª Josefa: 73n., 2631n., 2634n.
Sanz Julián, María: 1655n.
Sapegno, Natalino: 3203n.
Saquero Suárez-Somonte, Pilar: 747n., 769, 769n., 770n., 2483n., 2604n., 2610n., 2613n., 2627n., 2659n., 2735n., 2975n., 2979n., 3144n., 3273n., 3274, 3274n., 3275n., 3287n., 4012
Sarasa Sánchez, Esteban: 94n., 2195n.
Sarmiento, Martín: 184, 305
Sas, Louis F.: 46n.
Satorre Grau, José J.: 3345n., 3377, 3377n., 3378, 3378n., 3379n., 3389
Savoye de Ferreras, Jacqueline: 1144n.
Saxer, Víctor: 1937n.
Scarborough, Connie L.: 1177n., 3096n., 3102n., 3103n., 3134n.
Scarcia Amoretti, Biancamaria: 638n.
Scarno, L.R.: 1222, 1568n.
Scheler, August: 1605n.
Scherer, Margaret R.: 801n.
Schiff, Mario: 1707n., 2134n., 2267n., 2515n., 2522, 2540n., 2541n., 2542n., 2543n., 2545n., 2547n., 2548n., 2558n., 2581n., 2655n., 2734n., 2862n., 2976n., 3204n., 3221n., 3639n., 3680n.
Schmitt, Charles Bernard: 274n.
Schmitt, Jean-Claude: 1899n.
Schoepperle Loomis, Gertrude: 1506n.
Scholberg, Kenneth R.: 2363n.
Schreiner, Elisabeth: 1434n.
Scoma, Isabella: 2143n., 2147n., 2693n.
Sconza, M. Jean: 2591n.
Scordilis Brownlee, Marina: 1556n., 1633n., 1648n., 3202n.
Scoy, Herbert Allen van: 342n., 591n.
Scudieri Ruggieri, Jole: 1509n., 1549n., 1946n.
Sears, Theresa A.: 1434n.
Segre, Cesare: 133n., 470n., 1737n., 1822n., 2836n.
Segura Graíño, Cristina: 424n., 3067n., 3667n.
Seindespinner-Núñez, Dayle: 2686n., 3055n., 3070n.
Seniff, Dennis P.: 846n., 1121n., 1693n., 1694, 1694n., 2014n., 4025
Ser Quijano, Gregorio del: 298n.
Serafin, Silvana: 1821n.
Serani, U.: 2089n.
Serés, Guillermo: 1025n., 1094n., 1102n., 1110n., 1148n., 1153, 1153n., 1154n., 1178n., 1180n., 1182n., 1388n., 2659n., 2728n., 2735n., 2736n., 2740n., 3108n., 3327n., 3328n., 3330n., 3331n., 3332n., 3337n.
Serís, Homero: 1681
Serrano, Luciano: 2155n., 2588n.

Serrano Piedecasas, Luis: 2861n.
Serrano Puente, Francisco: 3267, 3308n., 3309n.
Serrano Reyes, Jesús L.: 2395n.
Serrano y Sanz, Manuel: 101n., 917n., 2474n., 3681n.
Serverat, Vincent: 1738n., 2022n., 2375n., 2486n.
Severin, Dorothy Sherman: 472n., 2175n., 2337n., 2431n., 3119n., 3541n.
Sevilla, Florencio: 2071
Sharrer, Harvey L.: 216n., 1092n., 1341n., 1352n., 1468n., 1471n., 1492n., 1505n., 1522n., 1563n., 2272n., 3427, 3427n., 3550n., 3552n., 3553n., 4037
Shaw, K.E.: 1708n.
Shichtman, Martin B.: 2667n
Sieber, Harry: 1556n., 3578n.
Silvano, Giulio: 3089n.
Silverstein, Theodore: 1834n.
Simó, Juan B.: 2986n.
Simó, Lourdes: 3593n., 3595n., 3596n., 3598n.
Sirera, José Luis: 1222
Skadden, Michael J.: 2871n.
Smith, Hugh A.: 1045n.
Snow, Joseph T.: 1344n., 2775n., 4032n.
Soberanas, Amadeu-J.: 1477n., 4038
Sobrequés Vidal, Santiago: 2195n.
Socarrás, Cayetano: 423n.
Solà-Solé, Josep Mª: 1493n., 2014n., 3120n., 3738n.
Solalinde, Antonio Gª.: 16, 126n., 185n., 595n., 630, 630n., 641n., 687n., 690n., 691, 691n., 694n., 698n., 703n., 710n., 720n., 783n., 793n., 804n., 1844, 1844n., 1845n., 1851n., 3985, 4012-4013, 4016-4017
Solana, Marcial: 1201, 1201n.
Solomon, Michael R.: 2677n., 2758n., 2766n.
Sommer, Heinrich Oskar: 1471n., 1492n.
Soria Olmedo, Andrés: 1025n., 1738n.
Soriano, Catherine: 1039n., 1860n., 2382n., 2386n., 2908n., 3557n., 3563n., 3567n., 3576, 3576n., 3663n.
Soriano Robles, Lourdes: 1509n.
Sotelo Vázquez, Alfonso: 3516n.
Soto, María Virginia: 701n.
Soto Rábanos, José María: 1853n., 2959n., 3976
Sousa Pereira, Claudia: 1967n., 1969n.
Souto, José Antonio: 4038, 4038n.
Spaccarelli, Thomas D.: 1342n., 1606n., 1607n., 1608, 1608n., 1610, 1611n., 1654n., 1662n., 1920n., 1936n., 1953n.
Spiewok, Wolfgang: 1506n., 1513n.
Spilling, Herrad: 1835n.
Starewich, D.: 189n.
Steele, Roger: 276n.
Stefano, Giuseppe di: 2039n., 2186n., 3149n.
Stefanovic, S.: 1367n.
Steiger, Arnald: 423n., 822n.
Stephens, Walter: 1159n.
Stern, Charlotte: 3578n.
Stevanoni, C.: 1981n.
Stigall, John O.: 2113n., 2115n., 2117n.
Stone, Herbert Reynolds: 3361n.
Stone, Marilyn: 573n.
Street, Florence: 3182n.
Stresau, Christine R.: 1033n.
Strong, E. Bryan: 1738n., 2025n.
Strubel, Armand: 2157n.
Sturcken, H. Tracy: 1101n.
Sturm, Harlam: 440n., 442n,, 1162, 1162n., 1163, 1163n.
Suárez Bilbao, Fernando: 2075n., 2076n.
Suárez Fernández, Luis: 2072, 2172n., 2194n., 2446n., 2624n., 2637n., 2932n., 2985n., 3476n., 3477n., 3484n., 3485n., 3488n., 3491n., 3506n., 3546n., 3580n., 3591n., 3602n., 3667n., 3668n., 3670n., 3671n., 3682n., 3771n.

Suárez Pallasá, Aquilino: 1551n., 1562n.
Suchier, Walther: 471n., 472n.
Sundby, Thor: 945n.
Surtz, Ronald E.: 2027n., 2377n., 2970n., 3055n., 3072n., 3863n., 4070, 4070n., 4071n.
Suz Ruiz, Mª Asunción: 3256n.
Swanson, Philip: 1803n.

Tabernero, Cristina: 186n.
Tamburry, A.: 189n.
Taravacci, Pietro: 4000, 4000n., 4001-4002, 4002n., 4003, 4003n.
Tarzibachi, Susana L.: 1570n.
Tate, Robert B.: 144n., 186n., 1123n., 1128, 1128n., 1134-1138, 1140, 2137n., 2422n., 2424n., 2425, 2425n., 2435n., 2458n., 2622n., 2624n., 3098n., 3140, 3478n., 3482n., 3509n., 3511n., 3512n., 3516, 3516n., 3517n., 3555n., 3581n., 3762n., 3763n., 3766, 3766n., 3770n., 3775n., 3778n., 3782n., 4096
Taylor, Barry: 261, 261n., 262, 263n., 426n., 427n., 504n., 949, 949n., 950n., 1110, 1110n., 1131n., 1177n., 1462n., 1822n., 2014n., 2672n., 2684n., 3141n., 3143n.
Taylor, Robert A.: 217n.
Tchalina, Joseph: 2498n.
Tedesco, V.: 1470n.
Tejada y Espínola, Francisco Elías de: 1723n., 3517n., 3554n.
Tejada y Ramiro, Juan: 26n., 1736n.
Temprano, Juan Carlos: 61n., 513n.
Tena, Pedro: 1833n.
Ter Horst, Robert: 3578n.
Terracini, Lore: 2211n.
Tesauro, Pompilio: 1860n.
Thieulin Pardo, Hélène: 1012n., 1737n., 1739n., 1740n., 4043
Thomas, Antoine: 276n.
Thompson, Billy Bushell: 1344, 1344n., 1350, 1350n., 1835n., 1919, 1919n., 1920n., 1938n., 1957n., 1963
Ticknor, George: 3268n.
Tilander, Gunnar: 1686n., 1688n.
Toledano Molina, Juana: 1065n.
Toni, Teodoro: 2205n.
Toole Kahane, Renée: 2175n.
Toral Peñaranda, Enrique: 3558n.
Toro Ceballos, Francisco: 3407n.
Toro Pascua, Mª Isabel: 14
Torre, Lucas de: 2862n.
Torre Rodríguez, Ventura de la: 216n., 3109n.
Torreblanca, A.. 424n.
Torrens Álvarez, Mª Jesús: 3989, 3989n., 3990
Torres Fontes, Juan: 365n., 1099n., 3554n.
Torres-Alcalá, Antonio: 275n.
Toscano Liria, Nicolás: 16
Tournoy, Gilbert: 1434n.
Tovar, Antonio: 38n.
Trotter, D.A.: 1054n.
Trujillo, Elena: 4012
Trujillo, José Ramón: 4039, 4039n., 4040
Tubach, Frederic C.: 1899n.
Tucci, Ugo: 1821n.
Turner, Edith: 1843n.
Turner, Victor: 1843n.
Turón, Mercedes: 2667n.
Turpín, Enrique: 3351n.
Tuulio, Oiva Johan: 3581n.
Tyras, Georges: 3349n.

Ubieto Arteta, Antonio: 1022n., 1287n., 1289n.
Uhagón y Guardamino, Francisco Rafael: 1684n., 2850, 2850n.
Ullmann, Pierre L.: 1902n.
Ullmann, Walter: 1705n., 1707n.
Umphrey, G.-U.: 1655n.
Uña Juárez, Agustín: 2115n.
Ureña, Rafael: 359n., 361n.
Uría Maqua, Isabel: 21n., 29n., 44n., 695n., 1920n.
Uriarte Rebaudi, Lía Noemí: 2441n., 2443n.
Utrilla Utrilla, Juan: 93n.

Val Valdivieso, Mª Isabel del: 3976
Valdeón Baruque, Julio: 85n., 1772n., 1774n., 2194n., 3429n.
Valdés García, Olga: 3993, 3994n.
Valdivieso, Jorge: 931n.
Valdivieso, L. Teresa: 931n., 1025n.
Valero Moreno, Juan Miguel: 1901n., 2504n., 3182n.
Vallejo, Jesús: 1304n.
Vanderford, Kenneth H.: 304n.
Vaquero, Mercedes: 1246n., 1262n., 1386n., 1458n., 2083, 2083n., 2499n., 2524n., 2878n., 3551n.
Varanini, Giorgio: 1899n.
Vargas Ponce, José: 2351n.
Varvaro, Alberto: 1162, 1162n., 1506n., 1806n.
Vasvari, Louise Olga: 2728n., 2745n.
Vauchez, André: 1918n.
Vázquez de Benito, Mª Concepción: 2774n.,
Vázquez Janeiro, Isaac: 3379n., 3395n.
Vázquez Ruiz, José: 485
Vega, Ángel Custodio: 1921n., 2002, 2002n., 2003n.
Vega, Carlos Alberto: 1938n., 1962n., 1963, 1963n., 1964n., 1972n., 1973n., 1977n., 1981n.
Vendrell, Francisca: 1750n.
Verbeke, Werner: 1434n.
Verdín Díaz, Guillermo: 2865n.
Vergara, Sebastián de: 1018
Vernet, Juan: 370n., 373n., 389n., 411n., 613n., 630n., 638n., 639n., 643n.,
Vián, Ana: 3687n., 3690-3691n.
Vicens Vives, Jaime: 2194n., 2196n., 3784n., 3830n.
Vicente García, Luis Miguel: 3066n., 4005n., 4006, 4006n., 4007n.
Vicente Gómez, Francisco: 1459n.
Victorio, Juan: 1337, 1619n.
Vidal González, Francisco: 3745n.
Viera, David J.: 2662n., 2689n.
Vigier, Françoise: 3825n.
Vilanova, Antonia: 573n., 595n., 3272n.
Vílchez, María Rosa: 1026n.
Villacorta Macho, Consuelo: 3546n., 3549n., 3551n., 3552n.
Villamil Fernández, Francisco: 1917n.
Villanueva, Jaime: 849n.
Villarino, Edith Marta: 1222, 1568n.
Villegas, Marcelino: 186n., 627n.
Vinaver, Eugène: 1507n., 1537n.
Vindel, Francisco: 3048n.
Viña Liste, José María: 1332n., 1877n., 2871n.
Virdis, Maurizio: 1822n.
Viudas Camarasa, Antonio: 1478n.
Vives Gatell, José: 1649, 1649n., 1650n., 1654, 1654n., 1876n., 1917n., 3406n., 3407n., 3414-3415n.
Vozzo Mendia, Lia: 2335n.
Vuolo, Emilio: 214n.

Wagner, Charles Ph.: 1374, 1374n., 1375n., 1398n., 1407n.
Wagner, David J.: 27n.
Waitz, Georg: 2424n.
Walde Moheno, Lilian von der: 228n., 1221, 1486n., 2599n.
Waley, Pamela: 1514n.
Walker, Roger M.: 1343, 1343n., 1344, 1351, 1351n., 1352, 1372, 1372n., 1408n., 1436n., 1660, 1660n., 1671, 1671n., 1674n.
Wallensköld, Axel: 1367n., 1659, 1659n., 1660n.
Walsh, John K.: 241n., 243n., 246, 246n., 247n., 248n., 250n., 259n., 441n., 442n., 1325n., 1344, 1344n., 1350, 1350n., 1351n., 1835n., 1919, 1919n., 1920n., 1922, 1922n., 1938n., 1962, 2551n., 2702n., 2999n., 3070n., 3369n., 3374, 3374n.
Walter, Philippe: 1505n.
Walthaus, Rina: 3259n., 3263n., 3672n., 3673n.
Waltman, Frank M.: 93n., 1030n., 1304n.
Warburg, Aby: 626, 626n., 630
Ward, Aengus M.: 1242n., 1285n., 1286, 1286n., 2571n., 3073n., 3995, 3999, 3999n., 4017n.

Ward, Michael T.: 2762n., 2769n., 2774n.
Wasick, C.M.: 2759n., 2765n.
Waxman, Samuel M.: 2474n.
Weaver, Billy R.: 917n., 918n., 1705n., 4024, 4027
Weber de Kurlat, Frida: 186n.
Wedler, Rainer: 2113n.
Weiss, Julian: 2503n., 2511n., 2535n., 2727n., 2924n., 3226n., 3258n., 3629n., 3635n.
Weissberger, Barbara F.: 3154n., 3307n., 3320n.
Welter, Jean Thiébaut: 1899n., 3103n.
Wersterveldt, Govert: 3682n.
Wesselski, Albert: 483n.
Wetsrem, Scott D.: 1821n.
Whinnom, Keith: 3154n., 3268, 3268n., 3800n.
Whipple, J.R.: 1033n.
Whitbourn, Christine J.: 2666n.
Wilkins, Constance L.: 1785n., 2076n., 3073n., 4069, 4069n., 4070n.
Wilkins, Heanon M.: 1785n., 2076n.
Williams, Grace S.: 1555n.
Williams, Harry F.: 140n., 141
Williamson, Edwin: 1464-1465n.
Willimam, Joseph P.: 3738n.
Willis, Raymond S.: 44n., 1938n.
Wilmotte, Maurice: 1360n.
Wilson, Nigel G.: 2611n.
Winget, Lynn W.: 365n. , 368n., 385n., 389n., 620n., 630
Wittlin, Curt J.: 2113n., 2136n., 2137n., 2650n.
Wright, Roger: 20n., 25n., 28n., 44n., 74n., 76n., 77n., 78n., 3979n., 3980, 3987, 3987n., 3988, 3989n.
Wunderli, Peter: 239n.

Yates, Frances A.: 3371n.
Yllera, Alicia: 1497n., 1507n., 1527n.
Ynduráin, Domingo: 1738n., 2470n.
Yoon, Sun-Me: 1143n., 3343n.

Zaccaria, Victorio: 2142n.
Zambon, Francesco: 1900n.
Zamora Vicente, Alonso: 74n.
Zapata y Torres, Miguel: 260n., 432n., 944n.
Zarco Cuevas, Julián: 2003, 2312, 2312n.
Zavala, Iris M.: 3296n.
Zelson, Louis G.: 2014n.
Zemke, John: 916n., 944n., 2759n.
Zinato, Andrea: 2423n., 2425n.
Zink, Michel: 1897n.
Zubillaga, Carina: 3983
Zumthor, Paul: 58n., 94n., 1487n.

Índice de bibliotecas y de manuscritos

ALEMANIA

BAYERISCHE STAATSBIBLIOTHEK:

Ms. Cod. hisp. 150 *(Libro del conosçimiento: Z)*: 1825n., 4049

STAATSBIBLIOTHEK DE BERLÍN:

Ms. lat. oct. 359 (homilías): 2968n.

AUSTRIA

ÖSTERREICHISCHE NATIONALBIBLIOTHEK (VIENA):

Ms. 2.594 *(A Demanda do Santo Graal)*: 4040
Ms. 4.324 *(Atalaya de las Corónicas: V)*: 2695n.

DINAMARCA

DET KONGELIGE BIBLIOTHEK (COPENHAGEN):

Real de Copenhague, Ms. 2.219 *(Cadira de onor,* Juan de Mena, Alfonso de Cartagena): 3301n.

ESPAÑA

Barcelona:

BIBLIOTECA DE LA ABADÍA DE MONTSERRAT:

Ms. 1.025 (traducción del *De contemptu mundi)*: 1762n.

BIBLIOTECA DE CATALUNYA:

Ms. 42 (recopilación de sentencias en catalán): 3733n.
Ms. 529 *(Tratado de las armas)*: 3593n.
Ms. 770 *(Triste deleytaçión)*: 3812
Ms. 981 *(Libro de los judizios*, copia de *M)*: 389
Ms. 2.434 (fragmento de la *Suite du Merlin)*: 1477, 4308
Ms. 3.190 *(Dichos por instruir a buena vida)*: 3123; (Tratado de retórica): 3732

Córdoba:

BIBLIOTECA PROVINCIAL DE CÓRDOBA:

Ms. 131 *(De rebus Hispaniae:* segunda redacción): 3996-3998

Gerona:

BIBLIOTECA LAMBERT MATA (RIPOLL):

Ms. 18 *(Bocados de oro)*: 456n.

León:

BIBLIOTECA DE LA REAL COLEGIATA DE SAN ISIDORO:

Ms. 21 *(Libro de las confesiones)*: 4042
Ms. 23 *(Libro de las confesiones)*: 1740n., 4042
Ms. 37 *(Speculum peccatoris et confesoris)*: 4043

Madrid:

ARCHIVO MUNICIPAL DE ALCALÁ DE HENARES:

Legajo 825 *(Fuero de Alcalá)*: 3990n.

ARCHIVO HISTÓRICO NACIONAL:

Ms. 1.321 *(Dichos de los santos padres)*: 1745n.

BIBLIOTECA BARTOLOMÉ MARCH:

Ms. 20/4/1 *(Bocados de oro)*: 456n.

Biblioteca Marqués de Heredia Spínola:

Ms. *(Crónica de 1344: U)*: 1233n.

Biblioteca del Monasterio del Escorial:

Ms. a-ii-17 *(Soliloquios)*: 2003
Ms. a-iv-5 *(Castigos y dotrinas que un sabio dava a sus hijas)*: 3134, 3134n.
Ms. a-iv-9 *(Soliloquios)*: 2003
Ms. a-iv-11 *(Libro de la justiçia de la vida espiritual: E)*: 1877
Ms. b-i-13 *(Etimologías romanceadas)*: 2158-2159
Ms. b-ii-7 *(Flores de los Morales de Job)*: 2151n., 2155; *(Dichos de sabios)*: 3121, 3121n., 3123
Ms. b-ii-19 *(Espertamiento de la voluntad de Dios)*: 2002; *(Dichos de sabios y filósofos)*: 3120
Ms. b-iii-1 (miscelánea religiosa, *vitae* de Martínez de Toledo): 2700
Ms. b-iii-2 *(Excitatorium mentis ad Deum)*: 2002
Ms. b-iv-10 *(Dichos de sabios y filósofos)*: 3120
Ms. b-iv-31 *(Libro de fecho de los cavallos: E)*: 847-849
Ms. b-iv-34 *(Menor daño de la medicina)*: 2766n.
Ms. ç-ii-19 *(Del soberano bien)*: 2163
Ms. ç-iv-2 *(Catecismo* de Gil de Albornoz): 1853
Ms. E-iii-10 *(Capítulo de Segundo filósofo)*: 504, 510
Ms. f-ii-9 *(Libro del Passo Honroso)*: 2416
Ms. f-iii-3 *(Regimiento de príncipes)*: 1700-1701
Ms. g-i-1 (traducción de Ayala de las *Décadas)*: 2139n.
Ms. g-ii-19 *(Confesión del amante)*: 3209, 3211
Ms. g-iv-30 *(Disputa entre un cristiano y un judío)*: 131, 3992
Ms. h-i-6 *(Libro de las formas et de las imágenes)*: 620, 630-631; *(Crónica troyana*: versión de Alfonso XI: *A)*: 802, 4021, 4022n.
Ms. h-i-8 *(Glosa* al *De regimine principum)*: 1708
Ms. h-i-13 *(Libro de los huéspedes*, miscelánea narrativo-hagiográfica): 1342, 1342n., 1344, 1344-1345, 1350, 1357, 1361, 1366-1367, 1605, 1607, 1614, 1657, 1659, 1674, 1920, 1921n., 1936-1962, 1986, 2698, 3152, 3239
Ms. h-i-14 *(Legenda aurea*: Compilación B): 1920, 3848n.
Ms. h-i-15 *(Lapidario* alfonsí): 367, 368, 368n., 372, 841
Ms. h-i-16 *(Libro de las formas et de las imágenes)*: 367, 368n.
Ms. h-ii-14 (fray Lope Fernández de Minaya): 2998-2999, 3008
Ms. h-ii-15 *(Breviloquio de amor y de amiçiçia)*: 3167n., 4074
Ms. h-ii-18 *(Legenda aurea*: Compilación A): 1919
Ms. h-ii-22 *(Suma de las crónicas)*: 259; (glosas de Cartagena a salmos): 3028, 3031n.
Ms. h-ii-24 *(Invencionario: H)*: 3704n.
Ms. h-iii-1 *(Poridat*, versión corta u occidental: *N)*: 276, 284, 426-427n.; (Versión breve de *Flores de Filosofía)*: 261, 261n.; *(Libro de los buenos proverbios: H)*: 443n.; *(Vidas y dichos de filósofos antiguos: E)*: 2113n., 2114, 2114n., 2117; *(Capítulo cómo los fijos deven onrar al padre)*: 3139; *(Capítulo de Segundo filósofo: h)*: 4011

Ms. h-iii-3 *(Libro contra las fadas)*: 1759; *(Viridario*: *E)*: 2026n., 2032
Ms. h-iii-6 *(Bocados de oro*: *h* y *Donzella Teodor)*: 456n., 487, 491, 497
Ms. h-iii-9 *(Calila*: *A)*: 183n., 185, 186n.
Ms. h-iii-10 *(Capítulo de Segundo filósofo)*: 504; *(Arcipreste de Talavera)*: 2665
Ms. h-iii-16 (traducción de Boecio): 2975
Ms. h-iii-22 *(Legenda aurea*: Compilación A): 1919, 1921
Ms. h-iii-24 *(Bocados de oro*, selección): 456n., 3057; *(Dichos e castigos de profetas e filósofos)*: 3125; (Teresa de Cartagena): 3057; *(Vencimiento del mundo)*: 3057
Ms. I-i-2 *(Biblia*: E2): 125, 125n., 126, 4015; *(General estoria IV y V*: *Z)*: 689n., 747, 775-776, 796, 4015
Ms. I-i-4 *(Biblia*: E4): 127, 127n., 128, 128n., 129, 129n., 130, 698n.
Ms. I-i-5 *(Biblia*: E5): 130
Ms. I-i-6 *(Biblia*: E6): 125, 125n., 126, 128, 697n., 698n.
Ms. I-i-7 *(Biblia*: E7): 130
Ms. I-i-8 *(Biblia*: E6): 125, 125n., 126, 126n., 127, 697n.
Ms. J-ii-20 (Sánchez de Vercial, *Sacramental)*: 3048n.
Ms. J-iii-20 *(Romancea proverbiorum)*: 4060
Ms. K-ii-12 *(Legenda aurea*: Compilación B): 1920, 1938n., 3848n.
Ms. K-ii-20 *(Crónicas* de Ayala: *X)*: 1788
Ms. K-iii-4 (códice facticio): 1341-1342, 1344
Ms. L-i-12 *(Proverbios o sententias breves espirituales y morales)*: 3127
Ms. L-ii-13 *(Crónica de San Juan de la Peña*: *E)*: 1289
Ms. L-ii-16 *(Historia troyana polimétrica*: *E)*: 802, 804n., 1633, 4021
Ms. L-iii-2 *(Poridat*, versión corta u occidental: *M)*: 276, 283n.; *(Libro de los buenos proverbios*: *L)*: 443n.
Ms. L-iii-29 *(Visión delectable)*: 2830
Ms. M-i-2 *(Siete Partidas)*: 514n.
Ms. M-iii-7 *(Libro de las maravillas del mundo)*: 1831n., 3982, 4055
Ms. N-i-13 *(Crónica de San Juan de la Peña*: *N)*: 1289, 3997; (Valera, *Tratado en defensa de virtuosas mugeres)*: 3256
Ms. N-iii-12 *(Crónica de Alfonso XI*: *N)*: 1262
Ms. O-i-I *(General estoria I*: *F*, traducción gallego-portuguesa): 4013
Ms. O-i-II *(General estoria II*: *N)*: 720n., 725n., 4017
Ms. P-ii-20 *(Setenario*: *E)*: 305
Ms. P-ii-21 *(Libro del tesoro)*: 866n.
Ms. R-i-10 *(General estoria V)*: 689n., 703, 775-777, 783
Ms. S-ii-3 *(Flores de filosofía*, derivación): 261, 261n.
Ms. S-ii-10 *(Proverbios de Séneca)*: 2551n.
Ms. S-iii-4 *(De perfectione militaris triumphi)*: 3770n.
Ms. T-i-1 *(Cantigas de Santa María*: *T)*: 1024, 1026
Ms. T-i-6 *(Libros de acedrex, dados e tablas)*: 821n., 822n.
Ms. T-i-12 *(Purgatorio Sancti Patricii*: *E)*: 1844
Ms. T-iii-4 *(Dichos de Séneca en el acto de la caballería*: *S)*: 3144n.
Ms. T-iii-7 *(Dichos de Séneca en el acto de la caballería*: *T)*: 3144n.
Ms. T-iii-9 *(Proverbios de Séneca)*: 2553
Ms. T-iii-29 *(Tablas alfonsíes)*: 640
Ms. V-ii-1 *(General estoria II*: Π*)*: 4017

Ms. V-ii-5 *(Toledano romanzado)*: 169, 3998
Ms. V-ii-19 *(Arte de cetrería)*: 842, 842n., 1684-1690
Ms. X-i-3 *(General estoria IV*: *Σ)*: 747
Ms. X-i-4 *(Estoria de España*: E_2*)*: 675 , 676, 678, 961, 962n., 963-964, 965, 967, 1240
Ms. X-i-6 *(Crónica de veinte reyes*: *J)*: 1229n.
Ms. X-i-7 *(Estoria de España*: *Z)*: 664n., 676n., 679, 680n., 4029
Ms. X-i-8 *(Crónica de 1404*: *E)*: 2088n.
Ms. X-i-11 *(Estoria de España*: *G)*: 664n., 676n., 679, 680n., 4029; (*Crónica de Castilla*, redacción no abreviada): 1230n., 1231
Ms. X-i-12 *(Crónica del moro Rasis*: *Es)*: 2088n. *(Atalaya de las Corónicas*: *E)*: 2695n.
Ms. X-ii-1 *(Repertorio de Príncipes* de Pedro de Escavias): 3545
Ms. X-ii-2 *(Segunda parte* de la *Crónica de Juan II*: *G)*: 2210, 2213n., 2233, 2312, 2887
Ms. X-ii-7 *(Historia de don Álvaro de Luna)*: 2901n.
Ms. X-ii-12 (Versión amplia de *Flores de Filosofía)*: 261, 261n.
Ms. X-ii-13 *(Crónica de Juan II*, supuesta *Refundición del Halconero)*: 2192, 2269n., 2272n., 2273, 2279n., 2294, 2302, 2306-2322, 3158
Ms. X-ii-16 *(Crónica castellana* de Enrique IV): 3518n.
Ms. X-ii-23 (traducción de la *Anacephaleosis)*: 2620
Ms. X-iii-1 *(Espéculo de los legos*: *D)*: 3104n.
Ms. X-iii-4 *(Calila*: *B)*: 183n., 186, 186n.; *(Semejança del mundo*: *B)*: 141, 183n.; *(Invencionario*: *I)*: 3703n.
Ms. Y-i-2 *(Estoria de España*: E_1*)*: 674, 674n., 675, 967
Ms. Y-i-4 *(General estoria I*: *G')*: 4016
Ms. Y-i-8 *(General estoria III*: *S)*: 702n., 733, 734, 736, 4018
Ms. Y-i-9 *(Crónica general Vulgata*: *C)*: 1232n.
Ms. Y-i-11 *(General estoria IV*: *V)*: 747
Ms. Y-i-12 *(Crónica de veinte reyes*: *N)*: 1229n.
Ms. Y-i-14 *(Crónicas* de Ayala: *Y)*: 1788
Ms. Y-ii-10 *(Crónica de Alfonso XI*: *E)*: 1261
Ms. Y-ii-11 *(Estoria de España*: *Y)*: 664n., 676n., 679, 680n.
Ms. Y-ii-19 *(Libro de la montería)*: 1692n., 1693n.
Ms. Y-iii-4 *(Partida II)*: 4026
Ms. Y-iii-7 *(Libro de las consolaçiones)*: 2986, 2986n.; *(Libro de las tribulaciones)*: 3008, 3008n.
Ms. Y-iii-12 *(General estoria I*: *E)*: 4013
Ms. Y-iii-21 *(Siete Partidas)*: 514n.
Ms. Z-i-2 (J. Fernández de Heredia): 1652-1653, 1829-1830; *(Poridat*, versión larga u oriental): 275
Ms. Z-i-4 *(Siete Partidas)*: 514n.
Ms. Z-ii-8 *(Leyes del Estilo)*: 1295n.
Ms. Z-ii-14 *(Leyes del Estilo)*: 1295n.
Ms. Z-iii-1 *(Ordenamiento Real de Medina del Campo)*: 2855n.
Mz. Z-iii-2 *(Generaciones y semblanzas*: *A)*: 2458n.
Ms. Z-iii-4 *(Castigos*: *E)*: 913, 913n., 917n., 918n., 928, 932, 939, 4024-4025, 4028-4029; *(Libro del consejo)*: 944, 949

Ms. Z-iii-15 *(Crónicas* de Ayala: *Z)*: 1788
Ms. Z-iv-24 *(Del soberano bien)*: 2163
Ms. &-ii-1 *(Crónica de 1344*: *E)*: 1233n.
Ms. &-ii-16 *(Lapidario*, copia de h-i-15): 368
Ms. &-ii-8 *(Libro de los doze sabios*: *E)*: 248n., 1730n.; *(Tratado de la comunidad)*: 1730; (Versión amplia de *Flores de Filosofía)*: 261, 261n., 268n., 1730n.

Biblioteca Nacional:

Ms. 22 *(Siete Partidas)*: 514n.
Ms. 27 *(Doctrinal de los cavalleros)*: 2871n.
Ms. 56 (Sánchez de Vercial, *Sacramental)*: 3048n.
Ms. 74 *(Libro del amigo y del Amado)*: 3364-3365
Ms. 94 *(Espéculo de los legos*: *A)*: 3104n., 3105; *(Estoria de la fiesta del Cuerpo de Dios)*: 3034
Ms. 103 *(Libro de toda la vida de nuestra Señora)*: 3861, 3861n., 3862, 3877n., 3888
Ms. 117 *(Espéculo de los legos*: *B)*: 3104n.
Ms. 174 *(Diálogo sobre la predestinación)*: 2798n., 2975n.; (traducción de Boecio): 2975
Ms. 302 *(Estoria de los godos)*: 169, 3996
Ms. 366 *(Omero romançado*: *P)*: 2736n.
Ms. 431 *(Libro de los fueros de Castilla)*: 295
Ms. 684 (traslación del Toledano): 3998
Ms. 685 *(Libro del tesoro)*: 866, 866n., 891n.
Ms. 780 *(Legenda aurea*: Compilación A): 1919
Ms. 816 *(General estoria I*: *A)*: 689n., 4012, 4016-4017
Ms. 828 *(Crónica general Vulgata*: *F)*: 1232n.
Ms. 829 *(Crónica de Alfonso XI*: *F)*: 1262
Ms. 830 *(Crónica de Castilla*: redacción no abreviada: *Ch)*: 1231
Ms. 859 *(Crónica de Alfonso X)*: 966n.
Ms. 865 *(Flores de derecho)*: 4005
Ms. 921 *(Poridat*, versión larga u oriental): 275
Ms. 1.015 *(Gran Crónica de Alfonso XI*: *A)*: 1286n., 1817
Ms. 1.159 *(Avisaçión)*: 1725-1726, 1726n., 3636; *(Carta al rey sobre el regimiento de su vivienda)*: 3635, 3636; *(Cirimonial de príncipes)*: 3636; *(Arenga ante Alfonso V de Portugal)*: 3636
Ms. 1.178 *(Vida de San Ildefonso)*: 2701
Ms. 1.181 *(Crònica*: versión catalana): 3997
Ms. 1.182 *(Libro de los gatos)*: 2012, 4072; *(Libro de los exenplos por a.b.c*: *M)*: 3096, 3101, 4072-4073
Ms. 1.187 *(Gran Conquista de Ultramar*: *J)*: 1030, 1030n., 1032, 1033, 1033n., 1034, 1036, 1040, 1054
Ms. 1.197 *(Libro del saber de astrología)*: 600; *(Lapidario*, copia de h-i-15); 368, 606n.
Ms. 1.210 *(Memorial de diversas hazañas* de Valera): 3521n.
Ms. 1.221 *(Suma política* de Rodrigo Sánchez de Arévalo): 3608
Ms. 1.289 *(Estoria de España*: *L)*: 679, 680n., 684

Ms. 1.290 *(Estoria de los godos*, copia del siglo XVIII): 169
Ms. 1.295 *(Estoria del fecho de los godos*, versión amplia): 2084n.
Ms. 1.341 (Valera, *Tratado en defensa de virtuosas mugeres, Espejo de verdadera nobleza)*: 3256, 3256n.
Ms. 1.343 y 1.277 *(Estoria de España*: V_1 *y* V_2*)*: 676n., 679, 680n., 1236n., 1237; *(Crónica general Vulgata)*: 1232n., 2083
Ms. 1.347 *(Crónica de Castilla*: redacción abreviada: *J)*: 1231
Ms. 1.356 *(Crónica abrevidada)*: 1150
Ms. 1.364 (copia del siglo XV de la *Historia Arabum* del Toledano): 169, 3998
Ms. 1.396 *(Crónica de Castilla*: redacción no abreviada: *Ph2)*: 1231
Ms. 1.517 *(Estoria del fecho de los godos*, versión amplia): 2084n.
Ms. 1.518 *(Suma de virtuoso deseo)*: 3130
Ms. 1.539 *(General estoria IV*: *Z)*: 747
Ms. 1.618 *(Segunda parte* de la *Crónica de Juan II*: copia de *G)*: 2233
Ms. 1.619 *(Generaciones y semblanzas*: *E)*: 2458n.
Ms. 1.622 *(El Victorial*: *G)*: 2355
Ms. 1.636 *(Gesta Hispaniensia)*: 3516
Ms. 1.710 *(Gesta Hispaniensia)*: 3516
Ms. 1.737 *(Crónica de Enrique IV)*: 3477n.
Ms. 1.800 *(Glosa castellana)*: 1704
Ms. 1.810 *(Crónica de Castilla*: redacción abreviada: *S)*: 1231
Ms. 1.920 *(Gran Conquista de Ultramar)*: 1031, 1033n., 1034
Ms. 1.977 *(Libro del conosçimiento*: *S)*: 1825n., 4049-4050
Ms. 2.078 *(Crónica de San Juan de la Peña*: *B)*: 1289
Ms. 2.092 *(Hechos del Condestable don Miguel Lucas de Iranzo*: *A)*: 3563n., 3569
Ms. 2.130 *(Crónica castellana* de Enrique IV): 3519n.
Ms. 2.147 *(Cirugía mayor* de Lanfranco de Milano): 2760
Ms. 2.153 *(Tratado de las apostemas* de Diego el Covo): 2763
Ms. 2.165 *(Cirugía mayor* de Lanfranco de Milano): 2760
Ms. 2.211 *(Grant corónica de los conquiridores)*: 1654
Ms. 2.454 *(Gran Conquista de Ultramar*: *M)*: 1031, 1033, 1033n., 1034, 1037, 1040, 1056-1058
Ms. 2.880 *(Crónicas* de Ayala): 1788
Ms. 2.882 *(Cancionero de Juan Fernández de Híjar)*: 3123n., 3727
Ms. 3.065 *(Libro de los judizios*: *M)*: 389, 4006
Ms. 3.306 *(Libro del saber de astrología)*: 600
Ms. 3.369 *(Semejança del mundo*: *D)*: 141, 141n., 901n.; *(Lucidario*: *A)*: 901n., 907
Ms. 3.378 *(Libro de los cien capítulos*: *N)*: 4008
Ms. 3.384 *(Espejo de medicina)*: 2765n.
Ms. 3.468 *(Libro de fecho de los cavallos*: *B)*: 848
Ms. 3.606 *(Estoria del fecho de los godos*, versión breve): 2084
Ms. 3.995 *(Castigos*: *C)*: 913n., 914n., 917n., 918n., 919n., 924, 934, 936n., 939, 1440, 4024-4025
Ms. 4.023 *(Sátira de infelice e felice vida)*: 3326
Ms. 4.114 (Cancionero de Pero Guillén de Segovia): 3277n.
Ms. 4.202 *(Viridario*: *M)*: 2026-2027, 2026n.; (sermón sobre el Corpus Christi): 2970
Ms. 4.236 *(Libro del conde Lucanor*: *M)*: 1152, 1152n., 1153n., 1161

Ms. 4.295 *(Invencionario: M)*: 3703n.
Ms. 4.515 *(Floresta de filósofos)*: 3141
Ms. 5.548 *(Legenda aurea*: Compilación B): 1920
Ms. 5.626 *(Exemplos muy notables)*: 3109
Ms. 5.764 *(Leyes del Estilo)*: 1295, 1296n.
Ms. 5.978 *(El Victorial: D)*: 2355
Ms. 6.052 (Diego de Cañizares, *Novella*; epístolas; Juan de Mena, *Ilias latina*; *Bursario*; *Siervo libre de amor)*: 3274, 3274n., 3287, 3308
Ms. 6.156 *(Generaciones y semblanzas: D)*: 2458n.
Ms. 6.370 *(Regimiento contra la pestilencia)*: 2768
Ms. 6.376 *(Obras* de don Juan Manuel: *S)*: 1132, 1150, 1151, 1151n., 1152, 1153, 1153n., 1177-1178, 4032n., 4033
Ms. 6.419 *(Sumas de Historia Troyana: B)*: 1632n., 1633
Ms. 6.429 *(Estoria del fecho de los godos*, versión breve): 2084
Ms. 6.441 *(Crónica de Alfonso X)*: 974n.
Ms. 6.544 *(Gesta Hispaniensia)*: 3516
Ms. 6.545 *(Poridat*, versión corta u occidental: *O)*: 276
Ms. 6.559 *(Libro del consejo)*: 944; *(Castigos: A)*: 913n., 916n., 917n., 918n., 928, 932, 939, 3042n., 4025, 4028-4030
Ms. 6.603 *(Castigos: B)*: 916n., 918n., 919n., 924, 939, 940, 4025
Ms. 6.608 *(Libro de los cien capítulos: B)*: 425-426, 427, 4008; *(Dichos de sabios)*: 3121n., 3123; *(Libro del consejo)*: 944
Ms. 6.725 *(Partida II)*: 4026
Ms. 6.728 *(Libro de vita beata* de Juan de Lucena): 3681n., 3684, 3696n.
Ms. 6.936 (Sermonario): 1904, 2974; *(Invencionario: T)*: 3702, 3703n.
Ms. 6.958 *(Lucidario: E)*: 901n., 907n., 910n.
Ms. 6.970 *(Del soberano bien)*: 2163
Ms. 7.074 *(Estoria del fecho de los godos*, versión breve): 2084
Ms. 7.098 *(Legenda aurea)*: 1920
Ms. 7.099 *(Omero romançado: O)*: 2736n.; *(Devisas e armas)*: 2863
Ms. 7.104 *(Historia Arabum* del Toledano): 169, 3998
Ms. 7.252 *(Invencionario: A)*: 3704n., 3705n.
Ms. 7.329 *(Hechos del Condestable don Miguel Lucas de Iranzo*, fragmento): 3563
Ms. 7.495 (textos devocionales, sor Constanza): 3071, 4069-4070
Ms. 7.540 *(Factorum et dictorum memorabilium)*: 3149
Ms. 7.557 *(Mar de historias)*: 2425
Ms. 7.563 *(General estoria III: T)*: 733, 4018
Ms. 7.575 *(Mar de historias)*: 2425
Ms. 7.583 *(Crónica fragmentaria: Xx)*: 1037n., 1080, 1082, 1085, 1236n., 1237, 1583, 1593-1594, 1598-1599, 1602-1604, 2087, 2698
Ms. 7.799 *(Caída de prínçipes)*: 2143n.
Ms. 7.810 *(Invencionario: G)*: 3703n.
Ms. 8.180 *(Vida* de Juan Rodríguez del Padrón): 3268n.
Ms. 8.210 (traducción de la *Anacephaleosis)*: 2620n.
Ms. 8.213 *(Toledano romanzado)*: 3998
Ms. 8.405 *(Libro de los cien capítulos: C)*: 425n., 427, 4008; *(Sumario del despensero)*: 2093n.

Ms. 8.598 *(Dichos de los santos padres)*: 1745n.
Ms. 8.744 *(Libro de confesión de Medina de Pomar)*: 3037n.; (miscelánea devocional): 3832, 3833n.
Ms. 8.966 *(General estoria IV: Y)*: 747
Ms. 9.055 *(Libro del conosçimiento: N)*: 1825n., 4049; *(Donzella Teodor: a)*: 487, 488, 491, 497, 500
Ms. 9.132 *(Hechos y dichos memorables)*: 3150n.
Ms. 9.156 *(Oracional* de Cartagena): 3016
Ms. 9.208 *(Epistula* de Cartagena): 2615
Ms. 9.216 *(Libro de los cien capítulos: A)*: 426-427, 4008; *(Dichos de sabios)*: 3121n., 3123; *(Libro del consejo)*: 944; *(Libro de la consolaçión de España)*: 3075
Ms. 9.218 *(Embajada a Tamorlán)*: 2173, 2173n.
Ms. 9.219 *(Invencionario: B)*: 3702n., 3704n.
Ms. 9.224 *(Seguro de Tordesillas)*: 2400
Ms. 9.233 *(Crónica Particular de San Fernando: S)*: 970n., 1242n.
Ms. 9.247 (compilación hagiográfica): 1972, 1981
Ms. 9.253 (traducción de Frontino; Santillana): 2862n.
Ms. 9.256 *(Sumas de Historia Troyana: A)*: 1632n.
Ms. 9.264 *(Libro de las confesiones)*: 1740n., 1741, 4042-4043
Ms. 9.294 *(Libro de las cruzes)*: 408-409
Ms. 9.299 *(Libro de la justiçia de la vida espiritual: M)*: 1876-1880
Ms. 9.370 (Sánchez de Vercial, *Sacramental)*: 3048n.
Ms. 9.428 (Versión breve de *Flores de Filosofía)*: 261, 261n., 286; (fragmento de *Libro de los buenos proverbios)*: 443n.; *(Secreto de los secretos)*: 275, 275n., 286, 287, 288, 541n.
Ms. 9.433 (Sermones de Pedro Marín): 2961
Ms. 9.445 *(Crónica del Halconero)*: 2272, 2272n., 2273, 2288n., 2294-2296, 2296n., 2297, 2302, 2312-2313, 2318-2319, 2326-2327, 2333
Ms. 9.447 *(Viridario: H)*: 2026n.; *(Libro del regimiento de los señores*, fray Juan de Alarcón): 2935
Ms. 9.504 *(Del soberano bien)*: 2163
Ms. 9.535 *(Libro de confesión de Medina de Pomar)*: 3037n.
Ms. 9.559 *(Estoria del fecho de los godos: D*, versión amplia): 1779, 2084, 2084n., 2098
Ms. 9.563 *(Estoria del fecho de los godos*, versión amplia): 2084n.
Ms. 9.564 *(Mar de historias)*: 2425, 2425n.
Ms. 9.608 (traducción de Frontino; conde de Haro): 2862n.
Ms. 9.611 *(Lanzarote del Lago)*: 1471n., 3983, 4037
Ms. 9.755 *(Invencionario: N)*: 3703n.
Ms. 9.783 *(Purgatorio Sancti Patricii: N)*: 1844
Ms. 9.934 *(Libro de los doze sabios: C)*: 248n.
Ms. 9.985 (Juan Rodríguez del Padrón, *Triunfo de las donas;* Valera, *Tratado en defensa de virtuosas mugeres* y *Espejo de verdadera nobleza)*: 3256, 3290
Ms. 10.011 *(Diálogo de Epicteto: A)*: 472
Ms. 10.046 *(Versión toledana* del *De rebus Hispaniae)*: 169, 3998
Ms. 10.065 *(La Gaya Ciencia)*: 3583
Ms. 10.076 *(De perfectione militaris triumphi)*: 3770n.

Ms. 10.123 *(Espéculo)*: 331, 331n.
Ms. 10.132 *(Crónica de tres reyes*: H_1*)*: 966, 1249n., 1264n.; *(Crónica de Alfonso XI*: H_2*)*: 1263n.
Ms. 10.134 *(Estoria de España: I)*: 679, 680n.
Ms. 10.134 bis *(Grant corónica de los conquiridores)*: 1654
Ms. 10.136-10.138 *(Morales de San Gregorio)*: 2151
Ms. 10.138 *(Libro de Job)*: 2150n.
Ms. 10.141 *(Historia de don Álvaro de Luna)*: 2901n.
Ms. 10.144 *(Morales de Ovidio)*: 3279n.
Ms. 10.146 *(Historia troyana polimétrica: M)*: 802, 804n., 4021
Ms. 10.154 *(Estoria del fecho de los godos*, versión amplia): 2084n.
Ms. 10.186 *(Divina comedia* de Dante): 2516
Ms. 10.188 *(Versión general incompleta)*: 169
Ms. 10.193 (traducción de Boecio): 2975
Ms. 10.201 (traducción del *De contemptu mundi)*: 1762n.
Ms. 10.203 (H. Bouvet, *Árbol de batallas)*: 2864n.
Ms. 10.204 (traducción de Frontino; Santillana): 2862n.
Ms. 10.212 *(Tratado de la caballería*, Bruni): 2863; (Epístola de Bruni): 3143n.
Ms. 10.213-10.214 *(Estoria de España: X)*: 676n., 679, 680n., 1236n., 1237
Ms. 10.216 *(Crónica general Vulgata: H)*: 1232n.
Ms. 10.219 *(Crónicas* de Ayala: *D)*: 1788
Ms. 10.220 (traducción de Boecio): 2975, 2979n.
Ms. 10.223 *(Glosa castellana)*: 1704
Ms. 10.226 *(Diálogo e razonamiento en la muerte del marqués de Santillana)*: 2569n.
Ms. 10.233 *(Crónica troyana*: versión de Alfonso XI: *G)*: 4021
Ms. 10.237 *(General estoria II: K)*: 689n., 720, 720n., 4017
Ms. 10.252 *(Legenda aurea)*: 1920, 1926-1936, 2031-2032; *(Viridario: S)*: 2026n.
Ms. 10.273 *(Crónica Particular de San Fernando: D)*: 970n., 1241n., 1242n., 1244
Ms. 10.278 *(Crónica de Enrique IV: Y)*: 3485n.
Ms. 10.288 *(Biblia)*: 129, 130
Ms. 10.807 *(Hechos y dichos memorables)*: 3150n.
Ms. 10.808 *(Comento* de Madrigal, primera parte): 2657
Ms. 10.809 *(Comento* de Madrigal, segunda parte): 2657
Ms. 10.810 *(Comento* de Madrigal, tercera parte): 2657
Ms. 10.811 (traducción de los *Chronici canones)*: 2543, 2657
Ms. 10.812 *(Comento* de Madrigal, quinta parte): 2657
Ms. 10.814 *(Crónica de 1344: Q)*: 1233n.
Ms. 10.918 (traducción de Frontino; Santillana): 2862n.
Ms. 11.309 *(Libro del cavallero Zifar: M)*: 1372, 1374, 1376-1377, 1398n., 1425n., 1442n., 1443n., 1444, 1446
Ms. 11.357 (traducción del *De contemptu mundi)*: 1762n.
Ms. 12.372 *(Crónica del Halconero)*: 2272n.
Ms. 12.672 *(Tratado de cómo al hombre es necesario amar: B)*: 3174n.; (Valera, *Tratado en defensa de virtuosas mugeres*, *Espejo de verdadera nobleza)*: 3256, 3256n.; (Valera, *Origen de Troya y Roma)*: 3592; *(Qüistión entre dos cavalleros)*: 3629n.
Ms. 12.688-12.689 *(Legenda aurea*: Compilación A): 1919, 1921
Ms. 12.720 (versión abreviada de los *Morales de San Gregorio)*: 2131n., 2155

Ms. 12.733 *(Libro de los doze sabios: B)*: 248n., 257
Ms. 12.794 *(Partida II)*: 538n., 539n., 565
Ms. 12.796 *(Doctrinal de los cavalleros)*: 2871n.
Ms. 12.837 *(Estoria de España: C)*: 676, 679, 680n.
Ms. 12.991 *(Setenario*, copia de *T)*: 305n.
Ms. 12.994 *(La Gaya Ciencia)*: 3583
Ms. 13.036 *(General estoria VI*, copia de Toledo): 793n.
Ms. 13.042 *(Lamentación de don Álvaro de Luna)*: 2943; *(Tratado de cómo al hombre es necesario amar)*: 2943n., 3174n.; *(Exposición del salmo «Quoniam videbo»)*: 2943n.
Ms. 13.259 (ordenamientos jurídicos): 2854n.
Ms. 13.274 (traducción de Boecio): 2975
Ms. 17.184 (sección de *Libro de los buenos proverbios)*: 443n.
Ms. 17.583 *(Bocados de oro: g* y *Donzella Teodor)*: 456n., 487, 488n., 491, 497
Ms. 17.648 *(El Victorial: A)*: 2355, 2355n., 2356, 2356n., 2360n.
Ms. 17.657 *(Diálogo de Epicteto: B)*: 472n.
Ms. 17.814 (traducción de Boecio): 2975
Ms. 17.820 (Regla monástica): 137, 138n.
Ms. 17.822 *(Bocados de oro: p* y *Donzella Teodor)*: 456n., 487, 491, 497
Ms. 17.909 *(Origen de la casa de Guzmán)*: 2459
Ms. 17.979 *(Semejança del mundo: C)*: 141
Ms. 18.015 *(Historia de don Álvaro de Luna)*: 2901n.
Ms. 18.017 *(Barlaam: G)*: 983, 983n., 984, 992, 1006
Ms. 18.041 *(Libro de las veinte cartas e qüistiones)*: 3784, 3784n., 3807n.
Ms. 18.050 *(Embajada a Tamorlán)*: 2173
Ms. 18.052 *(Visita y consejo de médicos)*: 2759n.
Ms. 18.223 *(Hechos del Condestable don Miguel Lucas de Iranzo: B)*: 3563n.
Ms. 18.415 *(Libro del conde Lucanor: G)*: 261n., 1151, 1152n., 1153, 1153n., 1161-1162; (Tratados de Barrientos: *G)*: 2778n.
Ms. 18.465 *(Espéculo de los legos: C)*: 3104n.
Ms. 18.653 *(Libro de los doze sabios: D)*: 248n.
Ms. 19.146 *(Libro enfenido: N)*: 4033
Ms. 19.165 *(Libro de las claras e virtuosas mugeres: N)*: 3223
Ms. 19.426 *(Obras* de don Juan Manuel: copia de *S)*: 1150, 1151, 1161
Ms. 19.707/40 *(Castigos: G*, fragmento): 917n., 4025
Ms. 20.262 (fragmento de *Tristán)*: 1529
Ms. 22.021 *(Carta de Iseo y Respuesta de Tristán)*: 1521-1522n.
Ms. 22.644 *(Tristán* medieval): 1527-1528
Ms. Res. 125 *(Espéculo)*: 331n.; *(Condiciones del haraute)*: 2861n.; *(Devisas e armas)*: 2863; *(Cadira de onor)*: 3301n.
Ms. Res. 206 *(Heroides)*: 3275n.
Ms. Res. 270 *(Libro de las animalias que caçan)*: 841-842
Ms. Res. 279 *(General estoria II y III)*: 4018
Ms. Vit. 6-1 *(Libro de buen amor: T*; *Visión de Filiberto)*: 1761
Ms. Vit. 6-75 (traducción de Boecio): 2975
Ms. Vit. 15-7 *(Ordenamiento de Alcalá)*: 1304n.
Ms. Vit. 18-3 *(Apología)*: 3030n.

Ms. Vit. 18-7 *(De vita et moribus philosophorum)*: 2114n.
Ms. Vit. 23-12 (H. de Bouvet, *Arbre des batailles)*: 2863
Ms. Vit. 24-13 (H. de Bouvet, *Arbre des batailles)*: 2863

Biblioteca de la Real Academia Española:

Ms. 6 *(General estoria III*: *Ra)*: 733
Ms. 9 *(Tratado de cetrería)*: 1690
Ms. 15, códice de Puñonrostro *(Libro del conde Lucanor*: *P)*: 1152-1153, 1153n., 4032; *(Lucidario*: *D)*: 901n., 907n., 910n., 1152; *(Sendebar*: *A* y *B)*: 217, 1152, 4000-4002
Ms. 155 *(Dichos de sabios y filósofos)*: 3120
Ms. 158 *(Libro de vita beata)*: 3685, 3685n.
Ms. 209 *(Libro del tesoro)*: 866n.
Ms. 294 *(Sermones* de fray Vicente Ferrer): 2957n., 2959, 2961
Ms. E-6-5366 *(Crónica del moro Rasis*: *Mo)*: 2088n.
Ms. V-6-6 *(Triunfo de las donas*; *Cadira de onor)*: 3290
Ms. V-6-75 [Biblioteca de Antonio Rodríguez Moñino] (fragmento de *Libro de los buenos proverbios)*: 443n.

Biblioteca de la Real Academia de la Historia:

Ms. A-13 *(Crónicas* de Ayala: *A)*: 1789
Ms. A-14 *(Crónicas* de Ayala: *B)*: 1788
Ms. B-98 *(Genealogía de los Ayala)*: 2133
Ms. 39 *(Vidas y dichos de filósofos antiguos*: *H)*: 2113n., 2114, 2114n., 2117
Ms. est. 26 *(Libro de las cruzes*, copia abreviada): 409, 81
Ms. 9/496 *(Generaciones y semblanzas*: *F)*: 2458n.
Ms. 9/538 *(Historia de don Álvaro de Luna*: *E)*: 2929n.
Ms. 9/2176 *(Libro del conoscimiento del fin del mundo)*: 3085
Ms. 9/2179 *(Libro de las confesiones*: abreviación): 4043
Ms. 9/5112 *(El Victorial*: *B)*: 2355, 2355n., 2356, 2356n., 2360n.
Ms. 9/5335 *(Gesta Hispaniensia*: *R)*: 3516
Ms. 9/5618 *(El Victorial*: *E)*: 2355
Ms. 9/5893/E-78 *(Libro del conde Lucanor*: *H)*: 1152, 1152n., 1153n., 1161
Ms. 9-2-4/213 *(Libro del Passo Honroso*; *Cadira de onor)*: 3301n.
Ms. 9-10-2/2100 *(Istoria de las bienandanzas e fortunas)*: 3549n.
Ms. 9-11-1/2176 *(Libro de las tribulaciones)*: 3090-3091
Ms. 9-27-4/5218 *(Triunfo de las donas*; *Cadira de onor)*: 3290
Ms. 9-28-2/5727 *(Hechos del Condestable don Miguel Lucas de Iranzo*: *C)*: 3563n.
Ms. 9-28-8/5707 *(Libro del saber de astrología)*: 600
Ms. 9-30-7/6511 *(Toledano romanzado)*: 169, 3998
Ms. 12-3-4 o G-15 *(Primera parte* de la *Crónica de Juan II*: *M)*: 2213, 2214, 2231
Ms. 12-4-1 *(El Victorial*: *F)*: 2355, 2355n.
Ms. 13-104 *(Libro del Passo Honroso)*: 2416n.

BIBLIOTECA DE LA UNIVERSIDAD COMPLUTENSE:

Ms. 143 *(De rebus Hispaniae*: segunda redacción): 3996-3997
Ms. 156 *(Libro del saber de astrología)*: 599-600
Ms. 158 *(Estoria de España*: *U)*: 676n. , 679, 680n., 1236n., 1237
Ms. 248 *(Tratado que hizo Alarcón)*: 3755n.

BIBLIOTECA ZABÁLBURU [DE LA MARQUESA DE MONDÉJAR]:

Ms. IV-206: *Refranes y dichos de Aristóteles de toda la filosophía moral*: 4059n.

FUNDACIÓN LÁZARO GALDIANO:

Ms. 419 *(Legenda aurea*: Compilación B): 1920, 1922, 1973n.
Ms. 435 *(Generaciones y semblanzas*: *M)*: 2458n.
Ms. 463 *(Crónicas* de Ayala: *L-G)*: 1788

REAL BIBLIOTECA:

Ms. II.g.3/2105 *(Libro de la montería)*: 1694
Ms. II-92 *(Proverbios de Séneca)*: 2552n.
Ms. II-520 *(Oración*; «Celestina de Palacio»; *Libro de vita beata)*: 3682n., 3685, 3685n.
Ms. II-569 *(Libro de fecho de los cavallos)*: 849n.; *(Flores de filosofía)*; 261, 261n.
Ms. II-1.341 *(Lapidario)*: 145n., 367n.; *(Cadira de onor*, textos de Valera): 3301n.
Ms. II-1.772 *(Crónica de Vizcaya)*: 3547n.
Ms. II-2.038 *(Crónica general Vulgata*: *R)*: 1232n.
Ms. II-2.527 *(Embajada a Tamorlán)*: 2173, 2173n.
Ms. II-2.981 *(Estoria del fecho de los godos*, versión amplia): 2084n.
Ms. II-3.063 *(Secretos de la medicina)*: 2772
Ms. II-3.088 *(Livro do Amante)*: 3209n., 3210
Ms. II-3.094 *(Mar de historias)*: 2425
Ms. 30-39 *(General estoria V)*: 776
Ms. 254 (Sánchez de Vercial, *Sacramental)*: 3048n.
Ms. 561 *(Vidas y dichos de filósofos antiguos*: *P)*: 2113n., 2114, 2114n., 2117
Ms. 793 *(Lucidario*: *C)*: 901n.
Ms. 875 *(Crónica de 1344*: *V)*: 1233n.
Ms. 1.892 *(Atalaya de las Corónicas*: *P)*: 2695n.

Oviedo:

ARCHIVO DE LA CATEDRAL:

Ms. 18 *(Libro de las tribulaciones)*: 3090

Palencia:

RESIDENCIA SALESIANA (ASTUDILLO):

Ms. sin cota *(Gesta Hispaniensia*: *A-P)*: 3516

Pamplona:

ARCHIVO DE LA CATEDRAL DE PAMPLONA:

Ms. 49 (homilías): 2967

Salamanca:

BIBLIOTECA DEL CABILDO DE SALAMANCA:

Ms. 66-1-2 *(Segundo libro de los evangelios)*: 3860n.

BIBLIOTECA UNIVERSITARIA DE SALAMANCA:

Ms. 207 *(Libro de las claras e virtuosas mugeres*: *S)*: 3223
Ms. 1.698 *(Gran Conquista de Ultramar*: *P)*: 1032, 1033, 1033n.
Ms. 1.743 *(De las medicinas)*: 2773
Ms. 1.763 *(Capítulo de Segundo filósofo*: *S)*: 504n., 4011; *(Calila*: *P)*: 186n.; *(Arte memorativa)*: 3368
Ms. 1.854 (Sermonario): 1903, 2949-2953
Ms. 1.859 *(Espéculo de los legos)*: 3104-3105n.
Ms. 1.865 *(Dichos de sabios y filósofos)*: 3120, 3120n.
Ms. 1.866 *(Bocados de oro*: *m* y *Donzella Teodor)*: 456n., 487, 488n., 491, 497; *(Libro de Graçián)*: 3377
Ms. 1.877 *(Barlaam*: *P)*: 983, 983n., 984-985, 986n., 993n., 1006, 1009; (materia artúrica): 1342, 1469, 1477-1479, 1481-1482, 1496, 1503, 1532, 1835, 2972, 3090-3091, 3760, 4040; *(Libro de frey Juan de Rocacisa/Libro de las tribulaciones)*: 1477, 3090, 3094
Ms. 1.890 *(Libro del conosçimiento*: *R)*: 1825n., 4049
Ms. 1.958 *(Lucidario*: *B)*: 901n., 1963
Ms. 1.966 *(Libro del tesoro)*: 866n.
Ms. 1.977 *(Fazienda de Ultramar)*: 112
Ms. 1.985 *(Tratado de las andanças e viajes* de Pero Tafur): 3403n., 4076
Ms. 2.022 *(Estoria de España*: *B)*: 676n. , 679, 680n., 1236n., 1237
Ms. 2.178 *(Breviloquio de amor y de amiçiçia)*: 3167n., 4074
Ms. 2.200 *(Libro de las claras e virtuosas mugeres*: *C)*: 3223
Ms. 2.262 *(Compendio de medicina para Álvaro de Luna*: *C)*: 2764
Ms. 2.269 *(Refundición del Sumario del despensero*: *C)*: 2099
Ms. 2.305 *(Libro de la caza de las aves)*: 2853
Ms. 2.309 *(Refundición del Sumario del despensero*: *V)*: 2097-2098

Ms. 2.406 *(Invencionario: S)*: 3704n.
Ms. 2.421 *(Invencionario: C)*: 3704n.
Mss. 2.479-2.488 *(Comento* de Eusebio de Madrigal): 2657
Mss. 2.537-2.541 (florilegio de vidas de santos): 983n.
Ms. 2.573 *(Crónica castellana* de Enrique IV): 3518n.
Ms. 2.628 *(Estoria de España: F)*: 652 , 664, 677, 678n., 679, 680n., 1108, 1230, 1240
Ms. 2.654 *(Libro de las claras e virtuosas mugeres: B)*: 3223
Ms. 2.655 (glosa a los *Proverbios* de Santillana): 2554n.; (obra poética de Santillana): 4057n.
Ms. 2.656 *(Crónica de 1344)*: 1233n.
Ms. 2.772 *(Tratado de la predestinación)*: 2803n.

CAJA DE AHORROS DE SALAMANCA:

Ms. 39 *(Crónica General Vulgata: Sl)*: 652 , 683, 1232n.
Ms. 40 *(Estoria de España: Ss)*: 651 , 683-684, 1228, 1228n.

Santander:

BIBLIOTECA MENÉNDEZ PELAYO:

Ms. 4 *(Del soberano bien)*: 2163
Ms. 7 *(Libro de las tribulaciones)*: 3008
Ms. 8 *(Legenda aurea*: Compilación B): 1920; *(La Leyenda de los Santos)*: 1938, 1940
Ms. 9 *(Legenda aurea*: Compilación B): 1920
Ms. 14 *(Libro de las consolaçiones)*: 2986, 2986n.
Ms. 36 *(Ilíada,* Juan de Mena): 2564n.
Ms. 43 *(Tratado de cómo al hombre es necesario amar: M)*: 3174n.
Ms. 53 *(Bocados de oro,* selección): 456n.
Ms. 62 *(Crónica de 1404: S)*: 2086n.
Ms. 75 *(Libro del Passo Honroso)*: 2416n.
Ms. 77 *(Libro de los doze sabios: M)*: 248n.; (miscelánea catequismal): 1011n., 1837n., 1859-1875, 1998n., 3263n., 3833n.
Ms. 88 *(Carta e breve conpendio)*: 3639n.; *(Exortaçión o información de buena e sana doctrina)*: 3648n.
Ms. 96 *(Sumas de la Ilíada de Omero: S)*: 2736n.
Ms. 100 (traducción de Boecio): 2975
Ms. 108 *(Libro de los cien capítulos: M)*: 425n., 426n., 4008
Ms. 160 *(Oracional* de Cartagena): 3016n., 3028
Ms. 226 *(Vida de San Ildefonso)*: 2701
Ms. 316 *(Estoria de España: T)*: 664n. , 676n., 679, 680n., 4029
Ms. 318 *(Crónica de 1344: S)*: 1233n.
Ms. 323 *(Crónica de Alfonso XI: M)*: 1262
Ms. 328 *(El Victorial: C)*: 2355, 2355n., 2356, 2356n., 2361n.
Ms. 563 *(Crónica de Alfonso X,* versión interpolada): 966n., 974

Santiago:

BIBLIOTECA XERAL UNIVERSITARIA DE SANTIAGO DE COMPOSTELA:

Ms. 318 *(Bocados de oro)*: 456n.; *(Libro de los cien capítulos)*: 4008
Ms. 575 *(Generaciones y semblanzas*: *C)*: 2458n.

Segovia:

ARCHIVO CAPITULAR DE LA CATEDRAL:

Ms. B338 *(Libro conplido en los iudizios de las estrellas*: Parte octava): 4006-4007

Sevilla:

BIBLIOTECA ARZOBISPAL:

Ms. 33-156 *(Gesta Hispaniensia*: *H)*: 3516

BIBLIOTECA COLOMBINA:

Ms. 1-9 *(Libro de las confesiones)*: 1740n.
Ms. 5-1-17 *(Tesoro de los remedios)*: 2774
Ms. 5-3-20 («oraciones» de Fernando de la Torre): 3785n.
Ms. 5-5-3 *(Hechos y dichos memorables)*: 3150
Ms. 5-5-16 (traducción de las *Heroidas)*: 3274
Ms. 7-4-3 *(Libro de las confesiones)*: 1740n.
Ms. 7-6-27 *(Macer herbolarium)*: 2773
Ms. 7-7-2 *(Libro de las confesiones)*: 1740n., 4042
Ms. 57-4-20 *(De rebus Hispaniae:* traducción*)*: 3997
Ms. 63-9-73 *(Memorias* de López de Córdoba): 2336
Ms. 83-6-10 *(Tratado de cómo al hombre es necesario amar*: *S)*: 3174n.
Ms. 85-5-7 *(Invencionario*: *V)*: 3703n.
Ms. 85-5-24 *(Primera parte* de la *Crónica de Juan II*: *S)*: 2196n., 2200n., 2213, 2214n., 2231

Soria:

BIBLIOTECA DEL SEMINARIO DIOCESANO (BURGO DE OSMA):

Burgo de Osma, Ms. 26 (sermones): 2962
Burgo de Osma, Ms. 59 (Sánchez de Vercial, *Compendium)*: 3048

Biblioteca Pública y Provincial:

Ms. 25H: 2974 (Sánchez de Vercial, *Sacramental)*: 3048n.

Toledo:

Biblioteca de Castilla-La Mancha:

Ms. 131 *(Estoria del fecho de los godos*, versión amplia): 2084n.

Biblioteca y Archivo de la Catedral de Toledo:

Ms. 15-11 *(Etymologiae)*: 2159
Ms. 26-24 *(Crónica del moro Rasis*: *Ca)*: 2088n.
Ms. 33-1 (homiliario romano): 2968n.
Ms. 43-20 *(General estoria VI)*: 689n., 793; *(Setenario*: *T)*: 305, 324n.; *(Siete Partidas)*: 514n.; *Purgatorio de San Patricio*: 1844
Ms. 99-37 *(Visión de don Túngano)*: 1835, 1835n.

Valladolid:

Biblioteca Universitaria Santa Cruz (Valladolid):

Ms. 147 (Sánchez de Vercial, *Compendium censure)*: 3047
Ms. 253 *(Libro conplido en los iudizios de las estrellas:* Partes quinta y sexta*)*: 4006-4007
Ms. 434 *(Abreviación del Halconero)*: 2269n., 2271n., 2272n., 2323, 2328n.

Zaragoza:

Biblioteca Universitaria:

Ms. 225 *(Liber regum)*: 101n.

ESTADOS UNIDOS

Bancroft Library, (University of California, Berkeley):

Ms. UCB 143 vol. 124 *(Crónica del moro Rasis)*: 2088n.; *(Crónica sarracina)*: 3343n.
Ms. UCB 112 *(Amadís* medieval): 1541

BEINECKE RARE BOOK AND MANUSCRIPT LIBRARY (NEW HAVEN):

Ms. 138 *(Libro de las aves que cazan)*: 2850

HISPANIC SOCIETY OF AMERICA (NEW YORK):

Ms. B-2278 *(Crónica de 1404*: *V)*: 2086
Ms. B-2705 (Valera, *Tratado en defensa de virtuosas mugeres*; Juan Rodríguez del Padrón, *Triunfo*, *Cadira)*: 3256, 3256n., 3290, 3301n.
Ms. HC 371/217 (Versión breve de *Flores de Filosofía)*: 261
Ms. HC 397/563 *(Partida I)*: 513n.

FRANCIA

BIBLIOTHÈQUE DE L'ARSENAL (PARÍS):

Ms. 8.322 (tratados astrológicos): 618, 641-642

BIBLIOTHÈQUE MUNICIPALE (DIJON):

Ms. 527 *(Tristán en prosa)*: 1509n.

BIBLIOTHÈQUE NATIONALE DE FRANCE (PARÍS):

Ms. Esp. 12 *(Crónica de Castilla*, redacción no abreviada: *P)*: 1231
Ms. Esp. 36 *(Libro del cavallero Zifar*: *P)*: 1372-1374, 1376-1377, 1398n., 1426, 1435n., 1441n., 1442n., 1443n., 1444
Ms. Esp. 43 *(Mostrador de Justiçia)*: 1753
Ms. Esp. 104 *(Primera parte* de la *Crónica de Juan II*: *P)*: 2213
Ms. Esp. 111 *(Refundición del Sumario del despensero*: *P)*: 2099
Ms. Esp. 204 *(Diálogo sobre la predestinación)*: 2798n.; *(Invencionario*: *P)*: 3704n.
Ms. Esp. 216 («Carta de Tamurbeque»): 2174n.
Ms. Esp. 227 *(Cancionero de Juan Fernández de Híjar)*: 3727-3728
Ms. Esp. 295 *(Tratado de amor*, atribuido a Mena): 3181-3182
Ms. Esp. 297 *(Libro de fecho de los cavallos*, versión catalana): 847
Ms. Esp. 326 *(Crónica de Castilla*: redacción no abreviada: *B)*: 1231
Ms. Esp. 329 *(Gran Crónica de Alfonso XI*: *P)*: 1817
Ms. Esp. 432 *(Libro de los exemplos por a.b.c.*: *P)*: 3096, 3097n., 3098, 3101, 4072, 4072n., 4073
Ms. Fr. 103 *(Tristán)*: 1527n.
Ms. Fr. 587 (H. Bouvet, *Arbre des batailles)*: 2863
Ms. Fr. 6.447 (Anales de Tierra Santa): 3998
Ms. lat. 3.291 (Sermón de don Pedro de Luna): 1907-1908
Ms. lat. 3.576 *(Diez Mandamientos)*: 1011
Ms. lat. 6.069c *(De vita et moribus philosophorum)*: 2114n.
Ms. Nouv.Acq. 10.723 *(Libro de las maravillas del mundo)*: 4055
Ms. Port. 4 *(Crónica de 1344*: *P)*: 1233n.

BIBLIOTHÈQUE DE L'UNIVERSITÉ DE PERPIGNAN:

Ms. 28 *(Libro de fecho de los cavallos: P)*: 848-849

BIBLIOTHÈQUE NATIONALE ET UNIVERSITAIRE DE STRASBOURG:

Ms. 1829 *(Barlaam: S)*: 983, 983n., 984, 992, 1006

INGLATERRA

BODLEIAN LIBRARY (OXFORD):

Ms. Laud or. 310 (versión judeo-portuguesa del *Libro de los judizios)*: 390, 4006-4007
Ms. 15 (versión latina de *Libro de los judizios)*: 390
Ms. Misc. 46 Holkham *(Flores de derecho)*: 4005

BRITISH LIBRARY (LONDRES):

Ms. Add. 8.683 *(Gesta Hispaniensia: L)*: 3516
Ms. Add. 10.431 *(Cancionero del British Museum)*: 3480
Ms. Add. 14.040 (traducciones de Lulio): 3360-3361
Ms. Add. 16.163 *(Embajada a Tamorlán)*: 2173, 2173n.
Ms. Add. 20.787 *(Partida I*: versión *A)*: 513, 516
Ms. Add. 21.245 *(Ilíada* vernácula): 2735n.
Ms. Add. 33.382 *(Lamentaçión de Spaña)*: 2524n.
Ms. Egerton 287 *(Atalaya de las Corónicas: L)*: 2694n., 2695n., 2696n.
Ms. Egerton 301 *(Generaciones y semblanzas: G)*: 2458n.
Ms. Egerton 939 *(Diálogo de Epicteto: C)*: 472n.
Ms. Egerton 1.868 *(Cadira de onor;* textos de Lope de Barrientos): 3301n.
Ms. IB 53.312 *(Leyenda de los santos)*: 1977

ITALIA

BIBLIOTECA APOSTÓLICA VATICANA:

Ms. Barb.Lat. 4.363 *(Libro conplido en los iudizios de las estrellas*: fragmento de la Parte octava): 4007
Ms. Lat. 539 *(General estoria IV: U)*: 689, 747, 747n., 760, 4012
Ms. Lat. 6.423 (Alfonso de Valladolid): 1753, 1759
Ms. Lat. 8.174 *(Libro del saber de astrología*, trad. florentina): 600
Ms. Reg.Lat. 23 *(Lapidario)*: 368n.
Ms. Vat.Lat. Reg. 1.283: *(Libro de las formas)*: 621; (astrología mágica): 237, 381n., 608, 625, 626-627, 629-636
Ms. 6.428 *(Cuento de Tristán de Leonís)*: 1513, 1514n., 1523

BIBLIOTECA CASANATENSE (ROMA):

Ms. 1.098 *(Cancionero de Roma)*: 3728

BIBLIOTECA NAZIONALE CENTRALE (FIRENZE):

Ms. II.III.214 *(Libro di Mercurio)*: 635n.
Magliabechiano XXIV *(Generaciones y semblanzas: H)*: 2458n.

PORTUGAL

BIBLIOTECA DA ACADEMIA DAS CIÊNCIAS (LISBOA):

Ms. 1 *(Crónica de 1344: L)*: 1233n.

BIBLIOTECA DA AJUDA (LISBOA):

Ms. 51-V-28 *(Crónica del Halconero)*: 2272n., 2322n.

BIBLIOTECA NACIONAL (LISBOA):

Ms. 26 *(Semejança del mundo: A)*: 141
Ms. 46 *(Poridat*, versión corta u occidental: *L)*: 276
Ms. 377 *(Libro de las confesiones*: versión portuguesa): 4043
Ms. COD. 3337 *(Visión delectable)*: 2832
Ms. F.G. 8650 *(Crónica de 1344: Li)*: 1233n.

BIBLIOTECA DO TORRE DO TOMBO (LISBOA):

Ms. 541 *(Libro de las consolaçiones)*: 2986
Ms. 643 *(Livro de Josep Abarimatia)*: 1477, 1479
Ms. Maço 6° de Forais Antigos n° 4 *(Flores de derecho)*: 4005

BIBLIOTECA DA ALCOBAÇA (ALCOBAÇA):

Ms. 266 (compilación hagiográfica): 1963

BIBLIOTECA PÚBLICA (ÉVORA):

Ms. CV/2-23 *(Crónica de 1344: Ev)*: 1233n.
Ms. CXXV2-3 *(General estoria II, III: R)*: 720n., 733, 4017

BIBLIOTECA PÚBLICA MUNICIPALE (PORTO):

Ms. 103 *(Crónica de 1344: C)*: 1233n.

Índice de incunables

Biblioteca Nacional

Inc 635 *(Libro de los Evangelios moralizados)*: 3860n.
Inc 1732 *(Crónica abreviada)*: 3591n.
Inc 2603 *(Perfeçión del triunfo)*: 3770n.

Fe de erratas

Historia de la prosa castellana medieval I (1998)

DONDE DICE:	DEBE DECIR:
pág. 33, lín. 3: «logica»:	«lógica»:
pág. 39, n. 54, lín. 9: J. González Muela	J. González Cuenca
pág. 45, n. 79, lín. 3-4: J. González Muela	J. González Cuenca
pág. 79, n. 31, lín. 1: J. Groody	J. Goody
pág. 100, lín. 18-19: del arzobispo	del obispo
pág. 124, n. 127, lín. 2: J. Gribomnt	J. Gribomont
pág. 131, lín. 6: escurialense G.iv.4	escurialense G-iv-30
pág. 153, lín. 1: al orden previso	al orden previsto
pág. 170, lín. 21: contra don Lope Díaz	contra don Diego Díaz
pág. 181, lín. 10: Loaysa, el ayo de	Loaysa, el hijo del ayo de
pág. 199, n. 75, lín. 1: Estrella Ruiz Gálvez	Estrella Ruiz-Gálvez
pág. 205, lín. 11: Helbed	Belet
pág. 205, lín. 12: Beled	Helbed
pág. 214, lín. 25: M. Epston	M. Epstein
pág. 228, n. 118, lín. 3: L. van der Walde	L. von der Walde
pág. 275, n. 206, lín. 3: A. Torres Alcalá	A. Torres-Alcalá
pág. 285, lín. 17: en lo esenci[al	en lo esencial
pág. 290, lín. 23: más los honrar	mas los honrar
pág. 298, lín. 27: reconocer, explícitamente	reconocen, explícitamente
pág. 335, lín. 2-3: allí o conviene	allí ó conviene
pág. 443, n. 34, lín. 8: Éste *L* es el	Este *L* es el
pág. 444, lín. 14-15: El «saber» entendido	El «saber» es entendido
pág. 494, lín. 17: «...si vos me	«...si vós me
pág. 504, lín. 12: variantes de h-iii-10	variantes de h-iii-11
pág. 512, n. 158, lín. 2: Juridical Textos»	Juridical Texts»
pág. 582, lín. 17: el que tiene que	la que tiene que
pág. 626, lín. 5: con los *Libros*	con el *Libro*
pág. 626, lín. 6: y los *Libros*	y el *Libro*
pág. 645, n. 383, lín. 2: de manuscritos un	de manuscritos más un

pág. 655, lín. 2: a medidados del	a mediados del
pág. 655, lín. 31: el conde do Illán	el conde don Illán
pág. 656, lín. 33: Abu Yuzaf en Granada	Muhammad I en Granada
pág. 680, n. 465, lín. 2: Madrid 10123 y 10124	Madrid 10213 y 10214
pág. 682, lín. 19: *Vulgata* se da nombre	*Vulgata,* se da nombre
pág. 687, n. 486: M. González y Jiménez	M. González Jiménez
pág. 698, n. 511, lín. 6: Esc. I, 1.6	Esc. I.1.6
pág. 743, lín.6: con al apoyo	con el apoyo
pág. 747, lín. 16-17: escurialenses,	escurialenses
pág. 758, lín. 4: que de ellos deriva	que de ellos derivan
pág. 760, lín. 15: Mas assí cuémo	Mas assí cuemo
pág. 777, lín. 14: en R-I-2	en R-I-10
pág. 779, lín. 1: Selenco, por	Seleuco, por
pág. 780, lín. 10: el rey Anthico	el rey Anthioco
pág. 783, n. 585, lín. 9: 3 vols.	4 vols.
pág. 790, lín. 37: pudiese escrevir»	pudiese escrevir
pág. 793, lín. 14: de Toledo, 40-20	de Toledo, 43-20
pág. 796, lín. 30: escucharían en	escucharía en
pág. 861, lín. 3: lo sustituye su sobrino,	lo sustituye su tío,
pág. 861, lín. 4: hasta 1298,	hasta 1299,
pág. 863, lín. 3: Sepa cuantos	Sepan cuantos
pág. 866, lín.16: frente del ms. 687	frente del ms. 685
pág. 888, lín. 21: 4) «clamar»	4) «clamor»
pág. 907, lín. 6: La estructura externa	La estructura interna
pág. 929, lín. 26: omne por que es	omne por qué es
pág. 947, lín. 23: obra, si es el saber	obra, sí es el saber
pág. 974, n. 211, lín. 5: Miguel VII Paleólogo	Miguel VIII Paleólogo
pág. 978, lín. 38: cuyo padre (que	cuyo tío (que
pág. 1009, n. 272, lín. 1: Ver J. Fernández	Ver F.J. Fernández
pág. 1012, lín. 19: Gómez de Albornoz	Gómez Álvarez de Albornoz
pág. 1048, lín. 31: Alemania, Conrado II,	Alemania, Conrado III,
pág. 1085, lín. 21: Viaje a Toledo. Haxen	Viaje a Toledo. Haxén
pág. 1098, lín. 39: en el *Libro infinido*	en el *Libro enfenido*
pág. 1111, lín. 14: del *Libre del*	del *Llibre del*
pág. 1123, lín. 15: contra Alfonso IV	contra Alfonso XI
pág. 1128, lín. 27: que F. Eixeminis	que F. Eiximenis
pág. 1144, n. 61, lín. 1: Ver «"Fablar	Ver G. Orduna, «"Fablar
pág. 1151, lín. 15: 1540 (aunque ya	1541 (aunque ya
pág. 1201, lín. 25-26: *Libros del saber de astronomía*	*Libro del saber de astrología*

Historia de la prosa medieval castellana II (1999)

pág. 1229, n. 4, lín. 3: uno de los hermanos de	uno de los hijos de
pág. 1229, n. 7, lín. 1: T.A. Manneter	T.A. Mannetter
pág. 1247, lín. 14: los infantes don Felipe y	los infantes don Pedro y
pág. 1252, lín. 22: don Pedro de Portugal	don Pedro de Aragón
pág. 1253, n. 53, lín. 1: y de doña Beatriz, era nieta	y de doña Isabel de Aragón, era bisnieta

pág. 1258, lín. 28: lo sopo pésol' mucho	lo sopo pesól' mucho
pág. 1261, lín. 7: a esta monarca	a este monarca
pág. 1311, n. 123, lín. 1: E. Montanis Ferrín	E. Montanos Ferrín
pág. 1444, lín. 18: su nieto Alfonso XI	su hijo Alfonso XI
pág. 1541, n. 436, lín. 1: el ms. 115 de la	el ms. UCB 112 de la
pág. 1619, n. 540, lín. 1: Kimberlee Ann	Kimberlee Anne
pág. 1649, n. 564, lín. 9: Mª Carmen Pina	Mª Carmen Marín Pina
pág. 1678, lín. 14: Vespasiano no se	Vespesiano no se
pág. 1706, lín. 22: Trogo Pompeyo	Pompeyo Trogo
pág. 1706, lín. 30: y Bártolo lo	y Bartolo lo
pág. 1725, lín. 2: Trogo Pompeyo	Pompeyo Trogo
pág. 1737, n. 695, lín. 3: *92719 de la Real*	*9/2719 de la Real*
pág. 1804, lín. 4: e fue preso con el su fijo	e fue preso con él su fijo
pág. 1807, n. 84, lín. 7: (IX.vi, II.275)	(IX.vi, I.275)
pág. 1835, n. 167, lín. 2: J. K. Wals	J. K. Walsh
pág. 1844, lín. 19: en el ms. 40-20	en el ms. 43-20
pág. 1848, lín. 25: de tenerse con él en todas	de tenerse con Él en todas
pág. 1850, n. 191, lín. 1: indica Path	indica Patch
pág. 1899, n. 267, lín. 1: véase J. Logère	véase J. Longère
pág. 1899, n. 268, lín. 1: véase P. Longère	véase J. Longère
pág. 1937, n. 350, lín. 1: León XI había	León IX había
pág. 1980, lín. 37: asemejan a los romances	asemejan a los *romances*
pág. 1995, n. 422, lín. 1: Luis G. Alfonso	Luis G. Alonso
pág. 2014, n. 454, lín. 1: J. M. Solá-Solé	J. M. Solà-Solé
pág. 2034, lín. 30: sale de la fosa	salen de la fosa

Historia de la prosa castellana medieval III (2002)

pág. 2088, n. 34, lín. 1: Mª Carmen Pina	Mª Carmen Marín Pina
pág. 2118, lín. 12: Estacio Cecilio	Cecilio Estacio
pág. 2175, lín. 10: Fray Alfonso Pérez	Fray Alfonso Páez
pág. 2177, lín. 19: fray Alfonso Pérez	fray Alfonso Páez
pág. 2182, lín. 19: seguid lo que en ellos	segund lo que en ellos
pág. 2252, lín. 38: la venida del infante	la venida del condestable
pág. 2281, lín. 6-7: a don Pedro de Velasco	a don Pedro Fernández de Velasco
pág. 2293, lín. 8: doña Juana de Castilla	doña Juana Pimentel
pág. 2349, lín. 31: con Beredicto XIV	con Benedicto XIV
pág. 2399, lín. 12-13: Fernando del Pulgar	Fernando de Pulgar
pág. 2428, lín. 23: Antonio Pío	Antonino Pío
pág. 2470, lín. 1: Que el propósito de cronista	Que el propósito del cronista
pág. 2475, lín. 20: que, en 1396, Juan I	que, en 1396, Enrique III
pág. 2480, lín. 7-8: hay una estrofa de	hay dos estrofas de
pág. 2498, lín. 16-17: Martínez de Talavera	Martínez de Toledo
pág. 2520, lín. 30: Fernando del Pulgar	Fernando de Pulgar
pág. 2522, lín. 6: Angelo Decembri	Angelo Decembrio
pág. 2526, lín. 21: la *constituio textus*	la *constitutio textus*
pág. 2540, lín. 10: F. del Pulgar	F. de Pulgar

pág. 2546, lín. 1, 16, 30: Zurita	Zorita
pág. 2602, n. 635, lín. 3: págs. 213-248	págs. 213-248, de María Morrás.
pág. 2604, n. 639, lín. 1: González Roldán	González-Rolán
pág. 2610, n. 646, lín. 1: A. Bierkenmajer	A. Birkenmajer
pág. 2640, lín. 19: Yo no sée para que	Yo no sée para qué
pág. 2644, lín. 20: (ver pág. 170)	(ver pág. 2601)
pág. 2667, n. 740, lín. 2: *Medieval Text*	*Medieval Texts*
pág. 2667, n. 740, lín. 3: M.B. Schichtmann	M.B. Shichtman
pág. 2679, lín. 18: cómo se a finchado	cómo se á finchado
pág. 2723, lín. 16: denengado finalmente	denegando finalmente
pág. 2758, n. 870, lín. 2: *in the Middle Ages*	*in the late Middle Ages*
pág. 2795, n. 928, lín. 2-3: y el emperador Marco	y Marco
pág. 2972, lín. 30: *evangelios maralizados*	*evangelios moralizados*
pág. 2985, n. 1210, lín. 3: Fracisco Moxó	Francisco Moxó
pág. 2986, n. 1214, lín. 1: *Oracional* de Pérez	*Oracional* para Pérez
pág. 3042, n. 1259, lín. 4: en pág. 1828.	en pág. 1872.
pág. 3055, n. 1283, lín. 4: Seidenspinner-Núñez	Seindespinner-Núñez
pág. 3070, n. 1297, lín. 1: Seidenspinner-Núñez	Seindespinner-Núñez
pág. 3085, lín. 3: *del conocimiento del fin*	*del conoscimiento del fin*
pág. 3085, lín. 20: de cáculos milenaristas	de cálculos milenaristas
pág. 3089, lín. 10: su muerte en 1465	su muerte en 1365
pág. 3100, n. 1349, lín. 1: «Los emxemplos	«Los enxemplos
pág. 3111, lín. 21-22: Augusto (1180-1233)	Augusto (1165-1223)
pág. 3128, lín. 31: Su hija Isabel	Su hermana Isabel
pág. 3210, lín. 10-11: Torre do Tumbo	Torre do Tombo
pág. 3215, n. 1573, lín. 4: Antoni Casals	Antoni Canals
pág. 3221, lín. 14: a Alonso de Cartagena	a Alfonso de Cartagena
pág. 3229, lín. 12: Ana, la hija del profeta	Ana, la madre del profeta
pág. 3272, lín. 17: Leandro y Acunti	Leandro y Acuti
pág. 3284, lín. 8: que emplea Filia con	que emplea Filis con
pág. 3317, lín. 26: Ladimoras, el rey	Lamidoras, el rey
pág. 3339, lín. 33: cerrar sus *Genealogías*	cerrar sus *Generaciones*
pág. 3342, lín. 22: (§ 11.2.1.2)	(§ 11.2.2)
pág. 3342, lín. 22: (§ 11.2.1.3)	(§ 11.2.3)

CODA FINAL

«Pero esta obra es fecha so emienda de aquellos que la quesieren emendar; e çertas, dévenlo fazer los que quesieren e la sopieren emendar (...) E otrosí mucho deve plazer a quien la cosa comiença a fazer que la emienden todos cuantos la quesieren emedar e sopieren; ca cuanto más es la cosa emendada, tanto más es loada. E non se deve ninguno esforçar en su solo entendimiento nin creer que de todo se puede acordar» (*Libro del Cavallero Zifar*, ed. JML, 20-21; ed. CG, 71) y, por ello, el autor agradecerá personalmente cualquier sugerencia que se le ofrezca para mejorar la «obra començada» en las sucesivas ediciones:

fernando.gomez@uah.es

Índice

HISTORIA DE LA PROSA MEDIEVAL CASTELLANA

I

La creación del discurso prosístico: el entramado cortesano

PRESENTACIÓN 9

0.1: Una historia del discurso prosístico 9
0.2: Una historia de los textos 10
0.3: Normas de transcripción de los textos 13

LISTA DE ABREVIATURAS 14

Capítulo I. LOS ORÍGENES DE LA PROSA MEDIEVAL CASTELLANA 19

1.1: Las tradiciones poéticas y retóricas: la «clerezía» 20
1.1.1: Los estudios generales 21
1.1.2: Las artes liberales 27
1.1.2.1: La enumeración de las artes: la educación de un príncipe 28
1.1.2.2: La *grammatica* 30
1.1.2.3: La *logica* 33
1.1.2.4: La *rhetorica* 34
1.1.2.5: El *quadrivium* 35
1.2: La prosa como discurso formal 37
1.2.1: La 'prosa': la invención de un discurso formal 37
1.2.2: La «prosa rítmica» y la versificación clerical 43
1.2.3: La configuración del discurso prosístico 47
1.2.4: El *fablar comunal* de la prosa 52
1.3: Los contextos culturales y el desarrollo del discurso prosístico 56
1.3.1: La construcción de la identidad de Castilla 58
1.3.2: La formación de una cancillería letrada 59
1.3.3: La creación de la *clerecía* cortesana 60
1.3.4: La corrección del modelo de corte: el molinismo 62

Capítulo II. De Alfonso VIII a Fernando III (1170-1230): la configuración de Castilla 63

2.1: La oposición castellano-leonesa 65
2.1.1: La historia de un reinado: de la mentalidad aristocrática a la afirmación religiosa 65
2.1.2: Los modelos culturales de las cancillerías castellana y leonesa 71
2.1.3: Los letrados de la corte castellana 75
2.1.3.1: Del Tratado de Cabreros al *Cantar de mio Cid* 76
2.2: Documentos jurídicos y textos cronísticos 81
2.2.1: Fueros 82
2.2.1.1: La tradición forística: usos legales frente a poder político 85
2.2.1.2: Las «fazañas»: las formas de vida populares 89
2.2.2: La primera historiografía vernácula 94
2.2.2.1: La tradición de los anales 96
2.2.3: Las primeras redacciones cronísticas 98
2.2.3.1: Los *Anales navarro-aragoneses* 98
2.2.3.2: El *Liber regum* 101
2.2.3.3: El *Libro de las generaciones* y la materia artúrica 104
2.3: Primeras manifestaciones de la literatura religiosa 110
2.3.1: *La Fazienda de Ultramar* 111
2.3.1.1: La transmisión textual y la datación de la *Fazienda* 111
2.3.1.2: El contenido de la *Fazienda de Ultramar* 114
2.3.1.3: La materia de la *Fazienda:* los valores de la predicación 116
2.3.2: Las Biblias medievales: el siglo XIII 122
2.3.2.1: Tradición textual y labor traductora 123
2.3.2.2: Las traducciones de mediados del siglo XIII 125
2.3.3: La *Disputa entre un cristiano y un judío* 131
2.3.3.1: La fechación de la *Disputa:* contexto de recepción 131
2.3.3.2: El contenido de la *Disputa* 134
2.3.4: Una regla monástica 137
2.4: Los tratados enciclopédicos: la clerecía escolar 139
2.4.1: La *Semejança del mundo* 140
2.4.1.1: La transmisión textual y la fecha de composición 141
2.4.1.2: Fuentes y tradición escolar 142
2.4.1.3: Materia y estructura de la *Semejança* 149

Capítulo III. De Fernando III a Alfonso X (1230-1255): la construcción de la realidad cortesana 157

3.1: El regalismo: ideología política y pensamiento cultural 159
3.2: La historiografía romance 161
3.2.1: Las traslaciones del Tudense y del Toledano 162
3.2.1.1: Las traducciones del Tudense 163
3.2.1.2: Las traducciones del Toledano 166
3.2.2: La *Crónica de la población de Ávila* 170
3.2.2.1: La historia de una fundación 171
3.2.2.2: La defensa de una identidad 172

3.2.2.3: Las acciones militares 174
3.2.2.4: La crónica como memorial de servicios 178
3.3: Primeras formas de la ficción: las traducciones del árabe 180
3.3.1: El *Calila:* un libro alfonsí 182
3.3.1.1: Los caminos del *Calila* 183
3.3.1.2: Estructura del *Calila* 187
3.3.1.2.1: La «Introducción»: el valor del «saber» 189
3.3.1.2.2: La «Estoria de Berzebuey»: caps. I-II 191
3.3.1.2.3: El *Calila:* el marco narrativo 196
3.3.1.2.4: La historia de Calila y Dina: el valor del consejo 198
3.3.1.2.5: Las cortes del *Calila* 204
3.3.1.3: Las técnicas narrativas del *Calila* 211
3.3.2: El *Sendebar* 214
3.3.2.1: Orígenes y transmisión textual 214
3.3.2.2: El prólogo del *Sendebar* 216
3.3.2.3: Estructura del *Sendebar* 218
3.3.2.3.1: El primer marco narrativo 219
3.3.2.3.2: La disputa de «exemplos» 224
3.3.2.3.3: El último marco narrativo 231
3.3.3: La *Escala de Mahoma* 234
3.3.3.1: Entre un libro de ciencias y una fuente historiográfica 234
3.3.3.2: La corte imperial como marco de traducción 237
3.3.3.3: Estructura y contenido de la *Escala de Mahoma* 239
3.4: Pensamiento político y literatura sapiencial 241
3.4.1: El *Libro de los doze sabios* 241
3.4.1.1: El prólogo y el epílogo de *Doze sabios* 242
3.4.1.2: La transmisión manuscrita de *Doze sabios* 247
3.4.1.3: La estructura de *Doze sabios* 249
3.4.1.4: La configuración ejemplar 252
3.4.1.5: Contenido y capitulación 255
3.4.2: *Flores de filosofía* 260
3.4.2.1: Transmisión textual y versiones de *Flores* 260
3.4.2.2: Significado y contenido de la obra: contexto de producción 262
3.4.2.3: Estructura de la obra 267
3.4.3: *Poridat de las poridades* 273
3.4.3.1: La transmisión del *Sirr al-'asrār* 274
3.4.3.2: El *Poridat:* significación y líneas textuales 276
3.4.3.3: La estructura y contenido del *Poridat* 279
3.4.3.4: El saber como estructura hermética 283
3.4.4: *Secreto de los secretos* 286
3.4.4.1: El marco narrativo 287
3.4.4.2: El saber y la corte 288
3.4.4.3: Estructura y líneas textuales 291
3.5: La formación de un modelo jurídico 294
3.5.1: Los fueros 295
3.5.1.1: El *Libro de los fueros de Castiella* 295
3.5.1.2: El *Fuero Viejo de Castilla* 297
3.5.2: El regalismo como identidad jurídica 300

3.5.2.1: El *Fuero Real* 300
3.5.2.1.1: La promulgación del *Fuero Real* 300
3.5.2.1.2: Estructura y contenido del *Fuero Real* 302
3.5.2.2: *Setenario* 304
3.5.2.2.1: Texto y libros en el *Setenario* 305
3.5.2.2.2: El *Elogio de Fernando III* 307
3.5.2.2.3: La ley XI: la afirmación del «saber» 315
3.5.2.2.4: El primer *Setenario* 319
3.5.2.2.5: El tratado sobre las falsas creencias 321
3.5.2.2.6: El *Setenario* como «tratado sacramental» 326
3.5.2.3: *Espéculo* 330
3.5.2.3.1: Fechación: una recopilación inacabada 331
3.5.2.3.2: La imagen del rey 337
3.5.2.3.3: El «rey» como garante de la «justicia» 338
3.5.2.3.4: La definición de «rey» 340
3.5.2.3.5: La voluntad del rey 343
3.5.2.3.6: La corte letrada 348
3.5.2.3.7: Conciencia de estilo y voluntad política 352
3.5.2.3.8: El *Espéculo:* un modelo ideológico frustrado 354
3.5.3: Los juristas alfonsíes 358
3.5.3.1: Jacobo de Junta 358
3.5.3.2: Fernando de Zamora 362
3.5.3.3: Maestro Roldán 363
3.6: Las «escuelas» alfonsíes: la transmisión del saber 364
3.6.1: El *Lapidario* 365
3.6.1.1.: Transmisión y autoría del *Lapidario* 367
3.6.1.2: El prólogo del *Lapidario* 369
3.6.1.3: Estructura y materia del *Lapidario* 372
3.6.1.3.1: El lapidario zodiacal 373
3.6.1.3.2: La materia del primer lapidario 374
3.6.1.3.3: Traducción y ciencia 377
3.6.1.4: El segundo tratado: el lapidario «sobre las fazes de loa signos» 379
3.6.1.4.1: La materia del segundo lapidario 381
3.6.1.5: El tercer tratado: el lapidario «según el estado de las planetas» 382
3.6.1.6: El cuarto tratado: el lapidario por a.b.c. 384
3.6.1.7: Espacio textual y organización narrativa 385
3.6.2: *El libro conplido en los judizios de las estrellas* 387
3.6.2.1: La traducción y la transmisión manuscrita 389
3.6.2.2: Materia y contenido del *Libro de los judizios* 390
3.6.2.3: La materia doctrinal del *Libro de los judizios* 392
3.6.2.4: Los «judizios» de las estrellas: el tratado astrológico 396
3.6.2.5: Las técnicas compositivas 399
3.6.2.5.1: La división textual 399
3.6.2.5.2: Pedagogía y enseñanza en el *Libro de los judizios* 400
3.6.2.5.3: La conciencia de autoría 402
3.6.2.6: Multiplicidad de planos y de perspectivas textuales .. 403
3.6.2.7: La valoración cortesana 405

3.6.3: El *Libro de las cruzes* 407
3.6.3.1: Autoría y transmisión del *Libro de las cruzes* 407
3.6.3.2: El prólogo del *Libro:* la defensa del saber 409
3.6.3.3: La materia y el contenido del *Libro de las cruzes* 412
3.6.3.4: La doctrina astrológica 414
3.6.3.5: Los dos ejes temáticos del *Libro de las cruzes* 416
3.6.3.6: La capitulación y la estructura de la obra 418
3.6.3.7: Organizaciones textuales y composición formal 420

Capítulo IV. La corte letrada de Alfonso X (1256-1284) 423

4.1: Libros sapienciales y clerecía cortesana 424
4.1.1: El *Libro de los cien capítulos* 425
4.1.1.1: La transmisión manuscrita de *Cien capítulos* 425
4.1.1.2: La estructura del *Libro de los cien capítulos* 427
4.1.1.3: Del saber y de la nobleza 436
4.1.2: El *Libro de los buenos proverbios* 440
4.1.2.1: Origen y transmisión manuscrita del *Libro de los buenos proverbios* 441
4.1.2.2: El contenido: las imágenes del saber 444
4.1.2.3: La estructura del *Libro de los buenos proverbios* 444
4.1.2.4: Los «exemplos» del *Libro de los buenos proverbios* 445
4.1.2.5: La organización estructural del *Libro de los buenos proverbios* 450
4.1.3: El *Bocados de oro:* la definición del saber 455
4.1.3.1: Testimonios y tradiciones del *Bocados de oro* 455
4.1.3.2: Estructura y contenido del *Bocados de oro* 458
4.1.3.3: El «saber» y el «mundo»: los regimientos de príncipes 463
4.2: La corte como marco de enseñanza: los diálogos 470
4.2.1: El *Diálogo de Epicteto y el emperador Adriano* 471
4.2.1.1: Transmisión y derivación textuales 471
4.2.1.2: El marco narrativo: Adriano y Epicteto 472
4.2.1.3: El debate: una indagación sobre el saber 476
4.2.2: La *Historia de la donzella Teodor* 482
4.2.2.1: Orígenes de la *Donzella Teodor* 483
4.2.2.2: La versión castellana de los manuscritos 485
4.2.2.3: Estructura de la versión medieval 488
4.2.2.4: Las variaciones del modelo estructural: del ms. *a* los impresos 496
4.2.3: El *Capítulo de Segundo filósofo* 502
4.2.3.1: Orígenes y transmisión textual 503
4.2.3.2: *Segundo filósofo* y la tradición escolar 504
4.2.3.2.1: El marco narrativo 505
4.2.3.2.2: El debate entre Adriano y Segundo 508
4.3: La corte como sede imperial 511
4.3.1: La revisión jurídica: las *Siete Partidas* 511
4.3.1.1: La redacción de las *Partidas* 512

4.3.1.2: La transformación del *Espéculo:* hacia un nuevo modelo de autoridad real ... 516
4.3.1.3: El título I de las *Partidas:* el triunfo de la ley sobre el rey 520
4.3.2: La *Partida I:* la configuración religiosa de la ley ... 525
4.3.2.1: El control de la voluntad del rey y la instrucción religiosa ... 529
4.3.2.2: La redacción de las leyes: la nueva dimensión estilística- 532
4.3.3: La *Partida II* ... 536
4.3.3.1: La estructura de la *Partida II* ... 538
4.3.3.2: Un nuevo modelo de pensamiento jurídico ... 540
4.3.3.3: Un nuevo modelo de autoridad real ... 547
4.3.3.4: La relación del pueblo con el rey: títulos XII-XX ... 557
4.3.3.5: La dimensión aristocrática de la ley ... 559
4.3.3.5.1: Título XXI: la configuración cortesana de la caballería ... 560
4.3.3.5.2: El arte de la guerra ... 565
4.3.3.6: La dimensión del saber de *Partida II* ... 567
4.3.4: De la *Partida III* a la *Partida VII* ... 570
4.3.4.1: La dimensión de la justicia: el desarrollo conceptual..... 573
4.3.4.2: El pensamiento legislativo: la ordenación jurídica ... 576
4.3.4.3: La autoridad jurídica del rey ... 578
4.3.4.4: Valores políticos y morales de las *Partidas* ... 581
4.3.4.5: El orden lingüístico: la construcción de la realidad 591
4.3.4.6: Modos narrativos y procedimientos de descripción en las *Partidas* ... 594
4.4: La corte como espacio de la ciencia: las compilaciones astrológicas 597
4.4.1: El *Libro del saber de astrología* ... 597
4.4.1.1: El códice regio del *Libro del saber de astrología* ... 599
4.4.1.2: Los dos primeros prólogos del *Libro:* de «fablar» a «toller las razones» ... 601
4.4.1.3: La materia y contenido del *Libro* ... 604
4.4.1.4: El *Libro de la Ochava espera* ... 604
4.4.1.5: Los libros de los instrumentos ... 609
4.4.1.5.1: El *Libro del alcora* ... 610
4.4.1.5.2: El *Libro del astrolabio redondo* ... 611
4.4.1.5.3: El *Libro del astrolabio plano* ... 613
4.4.1.5.4: El *Libro de la lámina universal* y el *Libro de la açafeha* ... 614
4.4.1.5.5: El *Libro de las armellas* ... 616
4.4.1.5.6: El *Libro de las láminas de los siete planetas* ... 617
4.4.1.5.7: El *Libro del cuadrante* ... 617
4.4.1.5.8: Los libros de los relojes ... 618
4.4.2: El *Libro de las formas et de las imágenes* ... 620
4.4.2.1: Fechación y transmisión textual ... 620
4.4.2.2: El prólogo: la imagen del rey ... 622
4.4.2.3: La materia del *Libro de las formas* ... 623
4.4.3: Los tratados de astrología mágica: del *Picatrix* al ms. Vat.lat. Reg. 1283 ... 626
4.4.3.1: El *Libro de Picatrix:* las traducciones de la *Ghāyat* ... 627

4.4.3.2: El ms. Vat.lat.Reg. 1283: materiales compilados y contenido textual ... 629
4.4.3.3: Alfonso, rey mago ... 636
4.4.4: Las *Tablas alfonsíes* ... 637
4.4.5: El códice 8232 de la Bibl. del Arsenal (París) ... 641
4.4.6: Traducciones latinas de obras científicas ... 642
4.5: La producción historiográfica ... 643
4.5.1: La *Estoria de España* ... 645
4.5.1.1: La *Estoria de España:* desarrollo textual ... 646
4.5.1.2: La *Estoria de España:* panorama de la investigación crítica ... 648
4.5.1.3: El contenido de la *Estoria de España* ... 654
4.5.1.3.1: La historia de los señoríos de España ... 657
4.5.1.3.2: Las versiones: su formación ideológica ... 665
4.5.1.4: El proceso de composición: la integración de fuentes . 669
4.5.1.5: La estructura analística y las lagunas compilatorias ... 672
4.5.1.6: La *Versión primitiva* y el códice *E2* ... 674
4.5.1.7: La *Versión concisa* y la *Versión enmendada despues de 1274* 680
4.5.1.8: La *Versión crítica* ... 682
4.5.1.8.1: El ms. *Ss* y la *Versión crítica* ... 683
4.5.1.8.2: El contenido de la *Versión crítica* ... 684
4.5.2: La *General estoria* ... 686
4.5.2.1: La construcción de la *General estoria:* fechas y desarrollo 689
4.5.2.2: La *General estoria:* proceso de composición ... 694
4.5.2.2.1: La Biblia como estructura histórica ... 694
4.5.2.2.2: La integración de fuentes ... 697
4.5.2.2.3: La *General estoria:* estructuras temporales ... 703
4.5.2.3: La *General estoria:* líneas de contenido ... 708
4.5.2.3.1: La Primera parte: los libros de Moisés ... 710
4.5.2.3.1.1: El Génesis: la visión enciclopédica del saber 710
4.5.2.3.1.2: El Éxodo: la figura de Moisés ... 713
4.5.2.3.1.3: El Levítico: la ley religiosa ... 715
4.5.2.3.1.4: Los Números: la disposición militar ... 716
4.5.2.3.1.5: El Deuteronomio: la materia consiliaria ... 718
4.5.2.3.2: La Segunda parte: la materia de la antigüedad .. 719
4.5.2.3.2.1: La «Estoria de Josué» ... 720
4.5.2.3.2.2: El *Libro de los Jueces* ... 722
4.5.2.3.2.3: La «Estoria de Tebas e del so destroimiento» 724
4.5.2.3.2.4: La «Estoria de Ércules» ... 725
4.5.2.3.2.5: La «Estoria de Troya» ... 726
4.5.2.3.2.6: El *Libro de Ruth* ... 727
4.5.2.3.2.7: El *Primero Libro de los Reyes* ... 728
4.5.2.3.2.8: El *Segundo Libro de los Reyes* ... 731
4.5.2.3.3: La Tercera parte: de Salomón al cautiverio del pueblo hebreo ... 732
4.5.2.3.3.1: El romanceamiento de la Biblia ... 733
4.5.2.3.3.2: El contenido de la Tercera parte ... 734
4.5.2.3.3.3: La unidad textual de la Tercera parte ... 736
4.5.2.3.3.3.1: La materia troyana ... 737

4.5.2.3.3.3.2: La «Estoria de Ulixes» 738
4.5.2.3.3.3.3: La «Estoria de los godos» 738
4.5.2.3.3.3.4: Salomón y el análisis del «saber» 739
4.5.2.3.3.3.5: La pérdida del *imperium* 742
4.5.2.3.4: La Cuarta parte: la «ejemplaridad» de la historia 747
4.5.2.3.4.1: La «ejemplaridad» cortesana de la historia: la «trasmigración de Babilonia» 749
4.5.2.3.4.2: El tiempo de los profetas: el regreso a Jerusalén 754
4.5.2.3.4.3: El cómputo gentílico: el linaje teutónico... 760
4.5.2.3.4.4: La transmisión del dominio imperial 768
4.5.2.3.5: La Quinta parte: la historia romana 775
4.5.2.3.5.1: La historia de los Macabeos 778
4.5.2.3.5.2: La traducción de la *Farsalia* 782
4.5.2.3.5.3: La «Estoria de Julio César» 788
4.5.2.3.5.4: La historia de Octaviano 791
4.5.2.3.6: La Sexta parte: hacia el presente histórico 793
4.5.3: Las *narraciones cortesanas* 796
4.5.3.1: La materia troyana 798
4.5.3.2: La *Historia troyana polimétrica* 803
4.5.3.2.1: La descripción de los ejércitos 805
4.5.3.2.2: El ámbito de la expresión poemática y la destrucción militar 807
4.5.3.2.3: La visión negativa del amor cortés 811
4.5.3.2.4: La muerte del héroe 815
4.6: La alegría de la corte: los juegos y la caza 817
4.6.1: *Libros de acedrex, dados e tablas* 820
4.6.1.1: El prólogo del *Libro de acedrex* 824
4.6.1.2: El *Libro de acedrex* 827
4.6.1.3: El *Libro de los dados* 830
4.6.1.4: El *Libro de las tablas* 831
4.6.1.5: El nuevo tratado: el *Libro del grant açedrex, del alquerque e del tablero que se juega por astronomía* 833
4.6.2: El «arte de la caça» 838
4.6.2.1: El ms. BN Madrid Res. 270 841
4.6.2.2: El *Libro de las animalias que caçan* 842
4.6.3: El *Libro de fecho de los cavallos* 847
4.6.3.1: La transmisión textual 848
4.6.3.2: La materia del *Libro de fecho de los cavallos* 849

Capítulo V. La corte de Sancho IV (1284-1295) 853

5.1: La escuela catedralicia y el molinismo 856
5.1.1: El *Libro del tesoro:* política y retórica 863
5.1.1.1: Redacciones y difusión del *Libro del tesoro* 865
5.1.1.2: El *Libro del tesoro:* líneas de contenido 867
5.1.1.3: Libro I: teología y naturaleza 870
5.1.1.3.1: Teología e historia 871

5.1.1.3.2: Naturaleza e historia 874
5.1.1.4: Libro II: la moralidad y la virtud 878
5.1.1.5: Libro III: retórica y política 883
5.1.1.5.1: El dominio de la retórica: la «dispositio» 884
5.1.1.5.2: Los «enseñamientos» de la retórica 885
5.1.1.5.3: La intencionalidad de la retórica 888
5.1.2: El *Lucidario:* las nuevas orientaciones científicas 890
5.1.2.1: El pensamiento científico de un monarca: el Prólogo 891
5.1.2.1.1: El rechazo de la ciencia y la ortodoxia religiosa .. 892
5.1.2.1.2: La propaganda de un monarca 896
5.1.2.2: Las estructuras del *Lucidario:* personajes y contenido 899
5.1.2.3: La estructura externa: los bloques temáticos 907
5.1.2.3.1: El conocimiento de la teología 907
5.1.2.3.2: El orden de la naturaleza 909
5.1.2.4: El pesimismo del *Lucidario* 911
5.1.3: Los *Castigos de Sancho IV:* la corte como ámbito moral 913
5.1.3.1: La transmisión textual 916
5.1.3.2: La corte y el rey 919
5.1.3.2.1: La legitimidad de los derechos dinásticos 921
5.1.3.2.2: La unión entre Dios y el rey 922
5.1.3.2.3: La autoridad del monarca 925
5.1.3.2.4: La defensa de las mujeres 927
5.1.3.2.5: *Castigos* como un «exemplario» 931
5.1.3.2.5.1: La materia «exemplar» 932
5.1.3.2.5.2: El rey como contador de «exemplos» 935
5.1.3.3: La estructura de *Castigos* 938
5.1.3.3.1: La capitulación de *Castigos* 939
5.1.3.3.2: La afirmación religiosa y la defensa dinástica .. 940
5.1.4: El *Libro del consejo e de los consejeros* 943
5.1.4.1: La transmisión textual y la autoría 944
5.1.4.2: El prólogo del *Libro del consejo* 946
5.1.4.3: El modelo estructural del *Libro del consejo* 949
5.1.4.4: La formación del consejero 951
5.1.4.5: El «exemplo» como instrumento consiliario 958
5.2: El desarrollo de la historiografía: de la crónica general a la crónica real 959
5.2.1: La *Versión amplificada de 1289* 961
5.2.2: Las crónicas reales 964
5.2.2.1: Ferrán Sánchez de Valladolid 965
5.2.2.2: La construcción de un género 968
5.2.2.3: La *Crónica de Alfonso X* 971
5.2.2.3.1: La formación de *Crónica de Alfonso X* 972
5.2.2.3.1.1: La trama cortesana de la crónica 973
5.2.2.3.1.2: De la sublevación nobiliaria a la guerra civil 975
5.2.2.4: La *Crónica de Sancho IV* 976
5.3: Literatura doctrinal y materia religiosa 980
5.3.1: *Barlaam e Josafat* 980
5.3.1.1: La formación de una leyenda 980

5.3.1.2: La transmisión peninsular del *Barlaam* 983
5.3.1.3: Estructura del *Barlaam* 984
5.3.1.3.1: La oposición corte-desierto. El nacimiento de Josafá *(A:* 1-13) 988
5.3.1.3.2: El espacio religioso. El adoctrinamiento de Josafá *(B:* 14-44) 992
5.3.1.3.3: El regreso al espacio cortesano. Disputas contra Josafá *(C:* 45-94) 999
5.3.1.3.4: El espacio religioso. La vida eremítica de Josafá *(D:* 95-101) 1006
5.3.2: Los *Diez Mandamientos* 1009
5.3.2.1: Los *Diez Mandamientos:* la transmisión textual 1011
5.3.2.2: La materia penitencial y los confesionarios 1012
5.3.3: Relatos de carácter monástico 1017
5.3.3.1: Los *Miráculos romançados* de Pero Marín 1018
5.3.3.2: Las *Crónicas anónimas de Sahagún* 1022
5.3.4: Las *Cantigas prosificadas* 1024
5.3.4.1: La prosificación y el contexto de la «traslación» 1024
5.3.4.2: Las técnicas narrativas de la amplificación 1027
5.4: Los orígenes de la ficción: la envoltura historiográfica 1029
5.4.1: La *Gran Conquista de Ultramar* 1029
5.4.1.1: La *Gran Conquista de Ultramar:* la transmisión textual 1030
5.4.1.2: La composición de la *Gran Conquista de Ultramar* 1033
5.4.1.2.1: La *Gran Conquista:* fuente historiográfica 1034
5.4.1.2.2: La *Gran Conquista:* obra historiográfica 1035
5.4.1.2.3: La *Gran Conquista:* la ficción caballeresca 1037
5.4.1.3: El contenido de la *Gran Conquista* 1038
5.4.1.3.1: La estructura de la *Gran Conquista* 1040
5.4.1.4: La primera cruzada y Gudufré de Bullón 1043
5.4.1.5: Los reyes de Jerusalén: la desaparición de un linaje .. 1046
5.4.1.6: El relato de las cruzadas 1051
5.4.2: La *Estoria del Cavallero del Çisne* 1055
5.4.2.1: Desarrollo textual 1056
5.4.2.2: Los núcleos de contenido del *Cavallero del Çisne* 1059
5.4.2.2.1: Isomberta: la esposa abandonada 1061
5.4.2.2.2: Beatriz: la conquista caballeresca 1068
5.4.2.2.2.1: La agresión contra la corte imperial 1069
5.4.2.2.2.2: La conquista del espacio linajístico 1074
5.4.2.2.2.3: La defensa del espacio linajístico 1075
5.4.2.3: Ida: la hija abandonada 1077
5.4.3: La materia carolingia 1080
5.4.3.1: *Berta* 1081
5.4.3.2: *Mainete* 1084
5.4.3.2.1: La pérdida de la identidad regia 1086
5.4.3.2.2: La construcción de la personalidad caballeresca 1087
5.4.3.2.3: La recuperación de la identidad regia 1090

Capítulo VI. Don Juan Manuel: la cortesía nobiliaria 1093

6.1: La formación de un noble: educación y primeros hechos de la vida de don Juan Manuel (1282-1312) 1094
6.1.1: El linaje de los Manuel: relaciones con la dinastía reinante 1095
6.1.2: Reinado de Fernando IV: primeras intrigas políticas 1096
6.2: Obra literaria y conciencia política: don Juan Manuel y Alfonso XI- (1312-1327) 1098
6.2.1: Minoridad de Alfonso XI: la lucha por el poder 1099
6.2.2: Don Juan Manuel como historiador: la redacción de la *Crónica abreviada* 1103
6.2.2.1: La conciencia nobiliaria de don Juan Manuel 1105
6.2.2.2: El significado textual de la *Crónica abreviada* 1107
6.2.3: Primeros enfrentamientos contra Alfonso XI. La reflexión sobre la caballería 1109
6.2.3.1: Estructura del *Libro del cavallero et del escudero* 1110
6.2.3.2: Significado del *Libro del cavallero et del escudero* 1114
6.2.4: La probable redacción del *Libro de la caza* 1116
6.3: El fracaso del político y el triunfo del escritor (1327-1335) 1121
6.3.1: El *Libro de los estados* 1122
6.3.1.1: Niveles significativos del *Libro de los estados* 1124
6.3.1.2: La estructura del *Libro de los estados* 1128
6.3.1.3: Composición y estilo del *Libro de los estados* 1141
6.3.2: El *Libro del conde Lucanor* 1148
6.3.2.1: Manuscritos y transmisión de la obra 1150
6.3.2.2: Estructura y significado 1153
6.3.2.3: El «exemplo»: unidad narrativa 1155
6.3.2.4: El *Libro de los exemplos* 1159
6.3.2.4.1: La ordenación numérica de los «exemplos» 1161
6.3.2.4.2: El análisis de la figura del consejero 1163
6.3.2.4.3: Las relaciones entre consejero y aconsejado 1166
6.3.2.4.4: La actuación del aconsejado como consejero .. 1169
6.3.2.4.5: La definición del «aristocratismo consiliario» .. 1171
6.3.2.4.6: La configuración espiritual del consejero 1175
6.3.2.5: El *Libro de los proverbios* 1179
6.3.2.6: La Parte V o el Epílogo al *Libro del conde Lucanor* 1181
6.4: La derrota del noble y la venganza literaria 1183
6.4.1: La pervivencia de su linaje: el *Libro enfenido* 1184
6.4.1.1: El saber nobiliario 1185
6.4.1.2: Estructura y sentido del *Libro enfenido* 1186
6.4.1.3: El discurso sobre el «amor» 1190
6.4.2: La justificación de una existencia: el *Libro de las tres razones* 1191
6.4.2.1: La «Razón de las armas» 1194
6.4.2.2: La «Razón de la orden de caballería» 1196
6.4.2.3: La «Razón del rey don Sancho» 1197
6.4.3: La sinceridad religiosa: el *Tractado de la Asunçión de la Virgen María* 1198
6.4.4: Útimos acontecimientos. Muerte de don Juan Manuel 1202

Apunte bibliográfico 1205

HISTORIA DE LA PROSA MEDIEVAL CASTELLANA

II

El desarrollo de los géneros.
La ficción caballeresca y el orden religioso

LISTA DE ABREVIATURAS 1221

Capítulo VII. DE FERNANDO IV A ALFONSO XI (1295-1350): EL TRIUNFO DEL MOLINISMO 1225

7.1: La evolución historiográfica: conceptos. 1226
7.1.1: Derivaciones de la *Estoria de España* 1227
7.1.1.1: La *Crónica de veinte reyes* 1228
7.1.1.2: La *Crónica de Castilla* 1230
7.1.1.3: La *Crónica General Vulgata* 1232
7.1.1.4: La *Crónica de 1344* 1233
7.1.1.5: La *Crónica fragmentaria* 1236
7.1.2: El desarrollo de la crónica real 1238
7.1.2.1: La *Crónica particular de Fernando III* 1238
7.1.2.1.1: Fernando III y las raíces del «molinismo» 1239
7.1.2.1.2: El «original» de la *Crónica particular de Fernando III* 1241
7.1.2.1.3: El significado de la *Crónica:* hagiografía y política 1245
7.1.2.2: La *Crónica de Fernando IV* 1248
7.1.2.2.1: La estructura de la crónica 1249
7.1.2.2.2: La reina doña María: un modelo de conducta política 1250
7.1.2.2.3: La débil voluntad de un monarca 1254
7.1.2.3: La historiografía sobre Alfonso XI 1260
7.1.2.3.1: Transmisión y derivaciones textuales 1261
7.1.2.3.2: La *Crónica de Alfonso XI* 1263
7.1.2.3.2.1: La estructura de la *Crónica de Alfonso XI* .. 1263
7.1.2.3.2.2: El tiempo de las tutorías 1268
7.1.2.3.2.3: El tiempo de la justicia 1271
7.1.2.3.2.4: El tiempo de las guerras 1275
7.1.2.3.2.5: El tiempo de la expansión militar 1276

7.1.2.3.2.6: El tiempo de la conquista 1280
7.1.2.3.2.7: La creación de un nuevo discurso cronístico 1282
7.1.3: Los nuevos modelos de la crónica general 1285
7.1.3.1: La *Crónica* de fray García Euguí 1285
7.1.3.2: La *Crónica de los Estados Peninsulares* 1287
7.1.3.3: La *Crónica de San Juan de la Peña* 1288
7.1.3.4: La *Grant Crónica de Espanya* de Juan Fernández de Heredia 1290
7.2: La producción jurídica 1291
7.2.1: De los fueros a los ordenamientos 1292
7.2.2: La actividad legislativa de Fernando IV 1294
7.2.2.1: Las *Leyes del Estilo* 1295
7.2.3: La labor legislativa de Alfonso XI 1297
7.2.3.1: Los primeros ordenamientos jurídicos 1300
7.2.3.2: El *Ordenamiento de Alcalá* de 1348 1302
7.2.3.2.1: Redacciones y transmisión textual 1303
7.2.3.2.2: Estructura y organización de ideas 1305
7.2.3.2.3: La defensa del nuevo regalismo 1310
7.2.3.2.4: El *Ordenamiento de Nájera:* el derecho señorial .. 1313
7.3: El desarrollo de la ficción 1314
7.3.1: Los modelos de la ficción: el entramado contextual 1315
7.3.1.1: Los límites de la ficción: las primeras materias narrativas 1318
7.3.1.2: El temor a la ficción: los libros de leyes 1319
7.3.1.3: Las prevenciones sapienciales 1323
7.3.1.4: La ficción como «alegría de la corte» 1324
7.3.1.5: La terminología de la ficción 1328
7.3.1.5.1: La «fabliella» 1329
7.3.1.5.2: La «estoria» y el «cuento» 1330
7.3.1.5.3: El «romance» 1331
7.3.2: *Romances* de materia hagiográfica 1339
7.3.2.1: La prosificación de las *vitae:* la formación de misceláneas 1341
7.3.2.2: La *Estoria de Santa María Egiçiaca* 1343
7.3.2.2.1: La *Estoria* en el ms. h-i-13: análisis de la estructura 1344
7.3.2.2.2: Otras manifestaciones de la *vita* 1350
7.3.2.3: *El Cavallero Plácidas* 1350
7.3.2.3.1: De Plácidas a San Eustaquio 1352
7.3.2.3.2: Técnicas narrativas 1356
7.3.2.4: La *Estoria del rrey Guillelme* 1357
7.3.2.4.1: Vida religiosa y obligaciones estamentales 1358
7.3.2.4.2: Orígenes y tradición textual 1359
7.3.2.5: El *Cuento de una santa enperatrís* 1366
7.3.2.5.1: La tradición hagiográfica 1366
7.3.2.5.2: Estructura y modelo narrativo 1369
7.3.3: El *Libro del Cavallero Zifar* 1371
7.3.3.1: La transmisión textual 1371
7.3.3.2: Los contextos del *Zifar* 1375
7.3.3.3: Las *estorias* del *Zifar* 1378
7.3.3.4: Los prólogos del *Zifar* 1380
7.3.3.4.1: La defensa del molinismo 1382

7.3.3.4.2: La definición de la ficción 1391
7.3.3.5: La *estoria* de Zifar y de Grima 1393
7.3.3.5.1: Los núcleos narrativos 1395
7.3.3.5.2: La falsa identidad: la vida como peregrinación .. 1398
7.3.3.5.3: La verdadera identidad: la recuperación del linaje real 1406
7.3.3.6: La *estoria* de Garfín y de Roboán 1411
7.3.3.6.1: El presente narrativo 1413
7.3.3.6.2: La nueva orientación temática 1416
7.3.3.7: La *Estoria del infante Roboán* 1420
7.3.3.7.1: La amplificación: el nuevo tratamiento argumental 1421
7.3.3.7.2: La organización textual de la *Estoria del infante Roboán* 1425
7.3.3.7.3: La nueva caballería 1427
7.3.3.7.4: El descubrimiento de la nobleza: las Ínsulas Do tadas 1433
7.3.3.8: Los *Castigos del rey de Mentón* 1439
7.3.3.8.1: La estructura de los *Castigos del rey de Mentón* .. 1442
7.3.3.8.1.1: El estamento de la nobleza 1444
7.3.3.8.1.2: El estamento de la realeza 1451
7.3.3.8.1.3: El estamento de la caballería 1454
7.3.3.9: Datación y autoría del *Libro del Cavallero Zifar* 1457
7.3.4: *Romances* de materia caballeresca: el ciclo artúrico 1459
7.3.4.1: Las tramas y los ciclos de la materia artúrica 1462
7.3.4.1.1: El discurso del verso 1464
7.3.4.1.2: La construcción prosística de la trama artúrica .. 1466
7.3.4.2: Los materiales de la *Vulgata* 1470
7.3.4.2.1: La búsqueda del Grial 1470
7.3.4.2.2: La historia de Lanzarote 1470
7.3.4.3: Derivaciones de la *Post-Vulgata* 1475
7.3.4.3.1: El *Libro de Josep Abarimatía* 1478
7.3.4.3.2: Las historias de Merlín 1481
7.3.4.3.2.1: La versión manuscrita 1483
7.3.4.3.2.2: El *Baladro del sabio Merlín* 1485
7.3.4.3.2.2.1: El contexto de recepción 1486
7.3.4.3.2.2.2: La estructura narrativa 1487
7.3.4.3.3: La *Demanda del Santo Grial* 1492
7.3.4.3.3.1: De la versión de 1313 a los impresos 1493
7.3.4.3.3.2: La estructura narrativa 1495
7.3.4.3.3.2.1: La *Demanda:* caps. i-cccxci 1497
7.3.4.3.3.2.2: La *Muerte de Arturo* 1503
7.3.4.4: La tradición textual del *Tristán* 1505
7.3.4.4.1: La transmisión peninsular del *Tristán* 1506
7.3.4.4.2: La estructura temática del *Tristán* castellano 1511
7.3.4.4.3: El *Cuento de Tristán de Leonís* 1513
7.3.4.4.3.1: La primera identidad caballeresca 1515
7.3.4.4.3.2: La reconstrucción de la identidad caballeresca 1520
7.3.4.4.4: El *Tristán de Leonís:* el final de las aventuras 1523

7.3.4.4.5: El *Tristán* medieval: los nuevos fragmentos 1527
7.3.4.4.6: La recepción ideológica del *Tristán* peninsular .. 1535
7.3.4.4.7: La construcción del discurso narrativo 1538
7.3.4.5: *Amadís de Gaula* 1540
7.3.4.5.1: Transmisión textual 1541
7.3.4.5.1.1: La primera recepción del *Amadís:* la materia artúrica 1542
7.3.4.5.1.2: La segunda recepción del *Amadís* 1547
7.3.4.5.1.3: La tercera recepción del *Amadís* 1550
7.3.4.5.1.4: El receptor como transformador de las líneas argumentales 1551
7.3.4.5.2: El primer *Amadís* 1554
7.3.4.5.2.1: La construcción de la identidad heroica .. 1556
7.3.4.5.2.2: La creación del nombre del héroe 1558
7.3.4.5.2.3: Asechanzas contra la identidad caballeresca 1559
7.3.4.5.2.4: Unidad amor-caballería 1560
7.3.4.5.2.5: Defensa de la unidad amor-heroísmo 1561
7.3.4.5.3: La versión trastámara del *Amadís* 1563
7.3.4.5.3.1: Enfrentamiento entre Lisuarte y Amadís .. 1564
7.3.4.5.3.2: Aventuras europeas de Amadís 1565
7.3.4.5.3.3: Orígenes de Esplandián 1567
7.3.4.5.3.4: Final de los personajes 1567
7.3.4.5.4: La revisión de Montalvo 1570
7.3.5: *Romances* de materia carolingia 1577
7.3.5.1: Modelos temáticos y líneas de evolución textual 1578
7.3.5.2: *Flores y Blancaflor* 1582
7.3.5.2.1: La versión historiográfica 1583
7.3.5.2.2: Los núcleos temáticos de la tradición cronística 1585
7.3.5.2.3: La versión quinientista 1589
7.3.5.3: *Berta* 1593
7.3.5.3.1: El apartamiento de Berta de la corte 1594
7.3.5.3.2: El regreso de Berta a la corte 1596
7.3.5.4: *Mainete* 1597
7.3.5.4.1: La pérdida de la identidad familiar 1599
7.3.5.4.2: La construcción de la identidad heroica 1601
7.3.5.4.3: La recuperación de la identidad familiar 1603
7.3.5.5: *Cuento del enperador Carlos Maynes* 1605
7.3.5.5.1: Caballería cortesana y acción narrativa 1605
7.3.5.5.2: Los planos de la estructura: las relaciones temáticas 1607
7.3.5.6: *Historia de Enrique fi de Oliva* 1617
7.3.5.6.1: Contexto de recepción y configuración textual 1619
7.3.5.6.2: Estructura narrativa 1622
7.3.5.6.3: La construcción de la identidad del héroe 1624
7.3.5.6.4: La demostración de la personalidad heroica 1627
7.3.6: *Romances* de materia historiográfica: textos y derivaciones .. 1631
7.3.6.1: Las *Sumas de Historia Troyana* 1632
7.3.6.1.1: Leomarte y la voluntad de autoría de las *Sumas* 1633
7.3.6.1.2: La configuración historiográfica de las *Sumas* ... 1634
7.3.6.1.3: La concepción caballeresca 1638

7.3.6.1.4: Estructura y contenido narrativo 1639
7.3.6.1.4.1: Orígenes de Troya 1641
7.3.6.1.4.2: Guerra de Troya 1642
7.3.6.1.4.3: Materia de Roma 1645
7.3.6.1.4.4: «Fablas» y «estorias» diversas 1647
7.3.6.2: La labor cronística de don Juan Fernández de Heredia 1649
7.3.6.2.1: El conocimiento de la cultura clásica 1649
7.3.6.2.2: Una aproximación al humanismo 1651
7.3.7: *Romances* de materia de la Antigüedad 1655
7.3.7.1: Las primeras formas de la materia clásica: hagiografía y ficción 1656
7.3.7.2: *Otas de Roma* 1658
7.3.7.2.1: Orígenes y transmisión textual 1659
7.3.7.2.2: El análisis de la traición 1662
7.3.7.2.3: La estructura temática 1663
7.3.7.2.3.1: La infante Florencia: amor y cortesía 1664
7.3.7.2.3.2: La emperatriz Florencia: intrigas y cortesía 1670
7.3.7.3: *Ystoria del noble Vespesiano* 1674
7.3.7.3.1: Orígenes y transmisión textual 1676
7.3.7.3.2: La estructura narrativa 1676
7.3.7.4: *Historia de Apolonio* 1680
7.4: Literatura cortesana 1683
7.4.1: Libros de caza 1683
7.4.1.1: El ms. Esc. V-ii-19: los textos menores 1684
7.4.1.1.1: El *Tratado de cetrería* del halconero Gerardo 1685
7.4.1.1.2: El *Libro de cetrería* del rey Dancos 1686
7.4.1.1.3: El *Libro de los halcones* del maestro Guillermo .. 1688
7.4.1.1.4: El *Libro de los açores* 1689
7.4.1.2: El *Tratado de cetrería* 1690
7.4.1.3: El *Libro de la montería* 1692
7.4.1.3.1: La caza como ejercicio caballeresco 1692
7.4.1.3.2: Transmisión y contenido del *Libro de la montería* 1694
7.4.2: Tratados políticos 1696
7.4.2.1: El *De Regno* de Santo Tomás de Aquino: la política como «arte» 1700
7.4.2.2: La *Glosa castellana al «Regimiento de príncipes»* 1704
7.4.2.2.1: Egidio el Romano y su *De regimini principum* 1705
7.4.2.2.2: Fray Juan García de Castrojeriz y la *Glosa* 1708
7.4.2.2.3: El Libro I: el tratado de las virtudes 1711
7.4.2.2.4: El Libro II: el gobierno de la casa 1715
7.4.2.2.5: El Libro III: el gobernamiento de la ciudad y el reino 1721
7.4.2.3: *Avisaçión de la dignidad real* 1725
7.4.2.3.1: Los núcleos temáticos de la *Avisaçión* 1727
7.4.2.3.2: La construcción de la «cortesía nobiliaria» 1728
7.4.2.4: El *Tratado de la comunidad* 1730
7.4.2.4.1: Materia y estructura del *Tratado de la comunidad* 1731
7.4.2.4.2: Procedimientos formales y técnicas de exposición 1734

7.5: Propaganda religiosa y afirmación doctrinal 1735
7.5.1: Manuales de confesión 1736
7.5.1.1: Martín Pérez, *Libro de las confesiones* 1739
7.5.1.1.1: Transmisión y estructura 1739
7.5.1.1.2: El orden de la penitencia: la imagen de la realidad 1741
7.5.2: P. López de Baeza, *Dichos de los santos padres* 1744
7.5.2.1: Un mismo marco de producción ideológica 1746
7.5.2.2: Las fuentes textuales: la nueva orientación temática 1747
7.5.2.3: Estructura y sentido de los *Dichos* 1748
7.5.3: Los tratados apologéticos y de controversia 1750
7.5.3.1: Alfonso de Valladolid 1752
7.5.3.1.1: El *Mostrador de Justiçia* 1753
7.5.3.1.2: El *Libro del zelo de Dios* 1756
7.5.3.1.3: Otros escritos 1759
7.5.3.2: La *Visión de Filiberto* 1761
7.5.3.2.1: La estructura narrativa: recitación y verosimilitud 1762
7.5.3.2.2: El debate del cuerpo y el alma 1764

Capítulo VIII: De Pedro I (1350-1369) a Juan I (1379-1390): el advenimiento de una nueva dinastía 1771

8.1: El cambio dinástico: las transformaciones políticas 1772
8.2: Las redacciones historiográficas 1776
8.2.1: La historiografía petrista 1777
8.2.1.1: La *Corónica verdadera* 1777
8.2.1.2: Juan de Castro y la propaganda petrista 1779
8.2.2: Las *Crónicas de los Reyes de Castilla* del canciller Ayala 1783
8.2.2.1: La versión *Primitiva* y la versión *Vulgar* 1784
8.2.2.2: El proceso de redacción de las *Crónicas* 1785
8.2.2.3: La *Crónica del rey don Pedro y del rey don Enrique* 1789
8.2.2.3.1: La estructura de la *Crónica* 1790
8.2.2.3.2: La labor del cronista 1795
8.2.2.3.3: La trama literaria de la *Crónica* 1800
8.2.2.3.4: La dimensión caballeresca de la *Crónica* 1803
8.2.2.4: La *Crónica de Juan I* 1808
8.2.2.4.1: La estructura cronística 1810
8.2.2.4.2: El análisis de la conducta regia 1812
8.2.2.4.3: La reconstrucción de la corte 1815
8.2.3: La *Gran Crónica de Alfonso XI* 1816
8.2.3.1: El contenido de la *Gran Crónica* 1817
8.2.3.2: La continuidad del discurso histórico: la «Corónica d'España» 1819
8.3: Los libros de viajes: los primeros pasos 1821
8.3.1: El *Libro del conosçimiento* 1824
8.3.1.1: El viaje supuesto 1825
8.3.1.2: Las estrategias de la verosimilitud 1827
8.3.2: El *Libro de Marco Polo* 1829
8.3.3: El *Libro de las maravillas del mundo* 1831

8.3.4: Los viajes alegóricos ... 1833
8.3.4.1: La *Visión de don Túngano* ... 1834
8.3.4.1.1: La estructura narrativa: el marco de la verosimilitud 1836
8.3.4.1.2: El recorrido iniciático ... 1838
8.3.4.2: El Purgatorio de San Patricio ... 1843
8.3.4.2.1: La *vita* de San Patricio: la boca del purgatorio .. 1845
8.3.4.2.2: El itinerario purgatorial ... 1846
8.4: La literatura catequismal ... 1852
8.4.1: El *Catecismo* de Gil de Albornoz ... 1853
8.4.2: El catecismo de Gutierre de Toledo ... 1856
8.4.3: El Ms. 77 de la Biblioteca Menéndez Pelayo ... 1859
8.4.3.1: Los tratados penitenciales ... 1861
8.4.3.2: Los textos catequismales ... 1866
8.4.3.2.1: Oraciones y ministerio sacerdotal ... 1866
8.4.3.2.2: La regulación de la vida eclesiástica ... 1868
8.4.3.2.3: Textos devocionales ... 1870
8.4.3.3: La materia «exemplar» ... 1871
8.4.3.3.1: La exhortación a la castidad ... 1872
8.4.3.3.2: La piedad devocional ... 1874
8.4.4: Don Pedro Gómez Álvarez de Albornoz ... 1875
8.4.4.1: El *Libro del arçobispo de Sevilla:* prólogo y tratados 1877
8.4.4.2: El *Libro de la justiçia de la vida espiritual* ... 1881
8.4.4.2.1: El sermonario sobre los mandamientos ... 1881
8.4.4.2.2: Los artículos de la fe ... 1887
8.4.4.2.3: El sacramental ... 1889
8.4.4.2.4: Las obras de misericordia ... 1890
8.4.4.2.5: El análisis sobre los pecados ... 1891
8.4.4.3: El «confesional» ... 1895
8.5: La sermonística ... 1897
8.5.1: El desarrollo de la predicación peninsular ... 1901
8.5.2: La homilía de don Pero López de Baeza ... 1904
8.5.3: Un sermón de don Pedro de Luna ... 1907
8.5.3.1: Del *thema* a la *divisio:* el contexto político ... 1908
8.5.3.2: La estructura discursiva: la lección de la historia 1910
8.5.3.3: La peroración final: la simbología del poder real 1913
8.5.4: Un sermón político aragonés ... 1914
8.6: El desarrollo de la hagiografía ... 1916
8.6.1: La *Legenda aurea* en las compilaciones peninsulares ... 1918
8.6.1.1: La *Istoria de Sant Alifonso* ... 1921
8.6.1.1.1: La estructura narrativa ... 1922
8.6.1.2: El BN Madrid, 10252 ... 1926
8.6.1.2.1: *De Sant Lorenço e de Sant Sisto* ... 1927
8.6.1.2.2: Los *Miraglos de Santiago* ... 1930
8.6.2: Las *vitae* del ms. h-i-13 ... 1936
8.6.2.1: *Vida de Santa María Madalena* ... 1937
8.6.2.1.1: Primera trama narrativa: la difusión del culto 1940
8.6.2.1.2: Segunda trama narrativa: el valor de la penitencia 1943
8.6.2.2: *Vida de Santa Marta* ... 1946
8.6.2.2.1: El «exemplo» de la vida ... 1947

8.6.2.2.2: El «exemplo» de la muerte 1950
8.6.2.3: La *passio* de Santa Catalina 1953
8.6.2.3.1: Santa Catalina y la valoración del «saber» 1954
8.6.2.3.2: El modelo narrativo de la *passio* 1955
8.6.2.3.2.1: La disputa religiosa 1958
8.6.2.3.2.2: La vida celestial 1959
8.6.3: La leyenda de San Amaro 1962
8.6.3.1: Tradición textual y contexto de producción 1962
8.6.3.2: La estructura narrativa 1964
8.6.3.2.1: El viaje como recorrido de purificación 1965
8.6.3.2.2: La contemplación escatológica 1969
8.6.4: La *Vida de San Alejo* 1972
8.6.4.1: La «versión canónica» 1972
8.6.4.2: La «versión popular» 1977
8.6.5: La *Vida de Santa Pelagia* 1981
8.6.5.1: Narrador e intención doctrinal 1982
8.6.5.2: Estructura narrativa 1983
8.6.6: La hagiografía monacal 1986
8.6.6.1: La *Vida de Santo Domingo de Guzmán* 1987
8.6.6.1.1: El relato hagiográfico 1988
8.6.6.1.2: Los *miracula* de Santo Domingo 1992
8.6.6.2: La *Leyenda de Santo Tomás de Aquino* 1995
8.6.6.2.1: La construcción de la identidad religiosa 1997
8.6.6.2.2: Las virtudes como modelo de santidad 2000
8.7: Los tratados de espiritualidad 2001
8.7.1: Fray Pedro Fernández Pecha 2002
8.7.1.1: Los *Soliloquios* 2003
8.7.1.1.1: El primer *Soliloquio:* la búsqueda de Dios 2003
8.7.1.1.2: El segundo *Soliloquio:* la disputa con el Creador 2009
8.8: La cuentística y la literatura sapiencial 2011
8.8.1: El *Libro de los gatos* 2012
8.8.1.1: Los *gatos:* el enigma de la titulación 2013
8.8.1.2: El *Libro de los gatos* y la predicación religiosa 2015
8.8.1.3: La unidad narrativa del *exemplum* 2017
8.8.1.4: Las líneas doctrinales del *Libro de los gatos* 2019
8.8.1.4.1: La sátira clerical y la enseñanza religiosa 2019
8.8.1.4.2: La crítica social: los estamentos seglares 2022
8.8.2: El *Viridario* o *Vergel de la consolaçion* 2025
8.8.2.1: Del *Viridarium* latino al *Viridario* castellano 2025
8.8.2.2: El contenido del *Viridario* 2026
8.8.2.2.1: El conocimiento del pecado 2027
8.8.2.2.2: El «vergel» del alma 2028
8.8.2.2.3: La sabiduría de Dios 2030
8.8.2.3: Los *Enxemplos que pertenesçen al Viridario* 2032
8.9: El ejercicio de la caza: don Pero López de Ayala 2036
8.9.1: El *Libro de la caza de las aves* 2036
8.9.1.1: El prólogo del *Libro* y la transmisión manuscrita 2038
8.9.1.2: La descripción de las aves 2043
8.9.1.3: El capítulo viii: el tratado de los neblíes 2046

HISTORIA DE LA PROSA MEDIEVAL CASTELLANA

III

Los orígenes del humanismo. El marco cultural de Enrique III y Juan II

Capítulo IX. ENRIQUE III (1390-1406): EL CAMBIO DE SIGLOS 2075

9.1. Un nuevo modelo de regalismo 2075
9.1.1. La sujeción de la nobleza 2077
9.1.2. Una nueva expansión militar 2079
9.2. El desarrollo historiográfico 2081
9.2.1. La recuperación de la historiografía alfonsí 2081
9.2.1.1. La *Estoria del fecho de los godos* 2084
9.2.1.2. La *Crónica de 1404* 2085
9.2.1.3. La *Crónica del moro Rasis* 2087
9.2.2. Los sumarios de crónicas 2089
9.2.2.1. El *Cuento de los Reyes* 2090
9.2.2.2. El *Sumario del Despensero* 2092
9.2.3. La cronística real 2099
9.2.3.1. La *Crónica de Enrique III* 2099
9.2.3.1.1. La estructura cronística 2100
9.2.3.1.2. La rebelión contra la corte 2101
9.2.3.1.3.El pensamiento del rey 2105
9.3. La trama de las traducciones 2111
9.3.1. Las *Vidas de filósofos* de W. Burley 2113
9.3.1.1. Estructura y formación de la obra 2114
9.3.1.2. Las imágenes del saber 2118
9.3.1.2.1. El desprecio de la riqueza 2119
9.3.1.2.2. La misoginia del sabio 2120
9.3.1.2.3. La pesquisa del saber 2123
9.3.1.2.4. El rechazo del poder 2125
9.3.1.2.5. La definición del sabio 2126
9.3.1.3. Las técnicas del saber: lenguaje y conocimiento 2128
9.3.2. Don Pero López de Ayala 2131
9.3.2.1. Las *Décadas* de Tito Livio 2135

9.3.2.2. La *Caída de príncipes* 2142
9.3.2.3. La materia de Job 2150
9.3.2.3.1. Las *Flores de los «Morales sobre Job»* 2152
9.3.2.3.2. La abreviación de los *«Morales»* 2155
9.3.3. Los romanceamientos de San Isidoro 2158
9.3.3.1. Las *Etimologías* romanceadas 2158
9.3.3.2. *Del soberano bien* 2163
9.3.3.2.1. El Libro I: la materia teológica 2164
9.3.3.2.2. El Libro II: el proceso de conversión 2165
9.3.3.2.3. Libro III: análisis de la fe y prevenciones elocutivas 2166
9.4. Las relaciones de viajes 2171
9.4.1. La *Embajada a Tamorlán* 2172
9.4.1.1. El «Prólogo»: la circunstancia del viaje 2174
9.4.1.2. La composición de la obra y las fórmulas de autoría ... 2176
9.4.1.3. La estructura narrativa: el itinerario geográfico 2183

Capítulo X. El reinado de Juan II (1406-1454): el último entramado literario 2191

10.1. Los marcos cortesanos de Juan II 2195
10.1.1. La influencia aragonesista: la formación de un linaje 2197
10.1.2. La configuración castellana: el orden caballeresco de don Álvaro de Luna 2199
10.1.3. La imagen del rey: la atracción por el saber 2202
10.2. El orden historiográfico cortesano: la cronística sobre Juan II 2207
10.2.1. Las partes de la *Crónica de Juan II* y su transmisión textual 2207
10.2.1.1. El testimonio de Galíndez de Carvajal: autoría y partes de la *Crónica* 2208
10.2.1.2. El texto de la *Refundición:* su atribución a Fernán Pérez de Guzmán 2211
10.2.2. La *Primera parte* de la *Crónica* (1406-1419) 2212
10.2.2.1. Don Fernando de Antequera 2215
10.2.2.1.1. Las virtudes del regente 2215
10.2.2.1.2. El modelo de rey 2220
10.2.2.2. La trama narrativa de los hechos 2224
10.2.2.2.1. Don Fernando, regente de Castilla 2226
10.2.2.2.2. Don Fernando, rey de Aragón 2228
10.2.3. La *Segunda parte* de la *Crónica* (1420-1434) 2231
10.2.3.1. La trama de hechos narrativos 2234
10.2.3.1.1. El valimiento de don Álvaro 2235
10.2.3.1.2. El regimiento de don Álvaro 2238
10.2.4. La *Refundición* de la *Crónica* (1435-1454) 2240
10.2.4.1. La revisión de Galíndez: el nuevo pensamiento historiográfico 2241
10.2.4.2. Los modelos de autoridad de la *Refundición* 2243
10.2.4.2.1. Juan II: la imposible reconstrucción de una autoridad perdida 2243
10.2.4.2.2. Don Álvaro de Luna: la «caída de prínçipes» 2251

10.2.4.2.3. El príncipe don Enrique: la pérdida del linaje real 2258
10.2.4.3. La trama narrativa de la *Refundición* 2261
10.2.4.3.1. El triunfo de don Álvaro 2264
10.2.4.3.2. La muerte de don Álvaro 2266
10.2.5. Pero Carrillo de Huete 2268
10.2.5.1. El «sumario» del Halconero 2270
10.2.5.2. La construcción de la *Crónica*: la figura del rey 2274
10.2.5.3. La ideología del cronista: la defensa del rey 2282
10.2.5.4. Estructura y contenido de la *Crónica del Halconero* 2287
10.2.5.5. Anécdotas y semblanzas en la *Crónica del Halconero* 2291
10.2.6. Don Lope de Barrientos 2294
10.2.6.1. Los «hechos» de don Lope de Barrientos 2297
10.2.6.2. Estructura y pensamiento cronístico 2302
10.2.7. El ms. X-ii-13 o la llamada *Refundición del Halconero* 2306
10.2.7.1. La originalidad historiográfica 2306
10.2.7.2. La singularidad del ms. X-ii-13 2309
10.2.7.3. El registro de datos del ms. X-ii-13 2313
10.2.7.4. La autoría del ms. X-ii-13 2318
10.2.8. La *Abreviación del Halconero* 2322
10.2.8.1. La *Abreviación perdida* 2323
10.2.8.2. La *Abreviación perdida* y la historiografía sobre Juan II 2324
10.2.8.2.1. El relato del escurialense X-ii-13 y el *Halconero* 2324
10.2.8.2.2. El engarce del *Halconero* y de Barrientos 2326
10.2.8.2.3. Los últimos años del reinado 2327
10.2.8.3. Las glosas de Zurita 2330
10.3. El orden histórico de la nobleza: crónicas particulares y biografías 2333
10.3.1. Las *Memorias* de doña Leonor López de Córdoba 2334
10.3.1.1. La trama de la «memoria» y de la historia 2336
10.3.1.2. La materia argumental de las *Memorias* 2340
10.3.1.3. Interpretaciones textuales 2346
10.3.2. El *Victorial*: la vida de Pero Niño 2350
10.3.2.1. El personaje histórico: Pero Niño 2350
10.3.2.2. La transmisión manuscrita 2354
10.3.2.3. Composición y fechación 2356
10.3.2.4. El «yo» de la autoría: Gutierre Díaz de Games .. 2360
10.3.2.4.1. Gutierre Díaz, «alférez» de Pero Niño 2360
10.3.2.4.2. Gutierre Díaz, escribano del rey 2364
10.3.2.4.3. Gutierre Díaz y don Álvaro de Luna 2365
10.3.2.5. Estructura y sentido de *El Victorial* 2369
10.3.2.5.1. La estructura cuaternaria 2372
10.3.2.5.2. El doctrinal de caballerías 2375
10.3.2.6. El *Tratado:* la vida caballeresca de Pero Niño 2381
10.3.2.6.1. La Parte primera: la lealtad de un linaje 2383
10.3.2.6.2. La Parte segunda: la investidura caballeresca 2385
10.3.2.6.3. La Parte tercera: el nombramiento de conde 2391
10.3.3. El *Seguro de Tordesillas:* la figura del conde de Haro 2397
10.3.3.1. Transmisión y composición del *Seguro* 2400

10.3.3.2. La heterogénea formación del texto 2402
10.3.3.2.1. La diplomacia del conde de Haro 2403
10.3.3.2.2. La pérdida de la autoridad regia 2405
10.3.4. El *Libro del Passo Honroso:* el linaje de los Quiñones 2410
10.3.4.1. El libro como «memorial». Autoría y composición 2412
10.3.4.2. Estructura y sentido del libro 2417
10.3.5. Fernán Pérez de Guzmán: la conciencia nobiliaria 2420
10.3.5.1. El *Mar de historias* 2424
10.3.5.1.1. Transmisión y contenido del *Mar de historias* 2425
10.3.5.1.2. La historia de Occidente 2426
10.3.5.1.3. La configuración religiosa del saber 2431
10.3.5.2. *Generaciones y semblanzas* 2434
10.3.5.2.1. El prólogo de *Generaciones:* el valor de la historia 2437
10.3.5.2.2. Los relatos linajísticos 2440
10.3.5.2.3. La estructura ideológica de *Generaciones* .. 2443
10.3.5.2.4. La retórica de la verosimilitud en *Generaciones* 2454
10.3.6. La memoria de los Guzmán 2459
10.3.6.1. La «Corónica de A. Pérez de Guzmán» 2460
10.3.6.1.1. La formación del héroe 2461
10.3.6.1.2. La construcción del linaje 2466
10.4. El orden cultural de la nobleza: la cortesía humanística 2470
10.4.1. Don Enrique de Aragón 2473
10.4.1.1. La vida de don Enrique: la erudición frente a la caballería 2474
10.4.1.2. La producción letrada de carácter cortesano (1417-1425) 2482
10.4.1.2.1. *Los doze trabajos de Hércules* 2482
10.4.1.2.2. El *Tratado de la lepra* 2487
10.4.1.2.3. El *Arte cisoria* 2489
10.4.1.2.4. El *Tratado de la consolación* 2493
10.4.1.2.5. El *Tratado de fascinación o de aojamiento* 2497
10.4.1.2.6. La *Epístola a Suero de Quiñones* 2500
10.4.1.2.7. El *Arte de trovar* 2503
10.4.1.3. Exégesis y traducción 2506
10.4.1.3.1. La *Exposición del salmo «Quoniam videbo»* 2507
10.4.1.3.2. La *Exposición del soneto de Petrarca* 2510
10.4.1.3.3. Glosa y traducción 2511
10.4.2. Don Íñigo López de Mendoza: el conocimiento de la cultura clásica 2516
10.4.2.1. Los textos en prosa 2521
10.4.2.1.1. Los tratados cortesanos 2523
10.4.2.1.1.1. La *Lamentaçión de Spaña* 2523
10.4.2.1.1.2. La *Qüestión* 2526
10.4.2.1.1.3. Los *Proverbios*: el prohemio y las glosas 2527
10.4.2.1.1.4. El «prohemio» al *Bías contra Fortuna* .. 2530
10.4.2.1.1.5. Los *Refranes que dizen las viejas tras el fuego* 2533
10.4.2.1.2. Los tratados literarios 2534

10.4.2.1.2.1. El *Prohemio e carta* 2535
10.4.2.1.2.2. Las epístolas poéticas 2537
10.4.2.2. El círculo literario 2540
10.4.3. Pero Díaz de Toledo 2548
10.4.3.1. Glosas y proverbios 2551
10.4.3.2. El *Basilio de la reformación de la ánima* 2556
10.4.3.3. El *Libro llamado «Fedrón»* 2563
10.4.3.4. El *Diálogo e razonamiento en la muerte del marqués de Santillana* 2568
10.4.3.4.1. El «ars moriendi» 2571
10.4.3.4.2. El valor de la lamentación 2575
10.4.3.4.3. La exposición teologal 2576
10.4.4. Nuño de Guzmán 2581
10.4.4.1. La *Oración de miçer Ganoço Manety* 2583
10.5. El orden cultural de la realeza: ciencia, religión y leyes 2586
10.5.1. La cancillería regia: la familia Santa María 2587
10.5.1.1. Don Pablo García de Santa María 2588
10.5.1.1.1. Los compendios cronísticos 2590
10.5.1.2. Don Álvar García de Santa María 2596
10.5.1.3. Don Alfonso de Cartagena 2598
10.5.1.3.1. Las traducciones 2603
10.5.1.3.1.1. Los *Libros de Tulio* 2604
10.5.1.3.2. La *Controversia Alphonsiana* 2610
10.5.1.3.3. Las epístolas 2615
10.5.1.3.4. Los tratados doctrinales y políticos 2618
10.5.1.3.4.1. La visión moral de la nobleza 2618
10.5.1.3.4.2. La supremacía de Castilla.................. 2620
10.5.1.3.4.3. Los discursos políticos 2624
10.5.2. El consejo del rey: doctores y religiosos 2630
10.5.2.1. Fernand Díaz de Toledo 2631
10.5.2.1.1. La *Instrucción del Relator* 2634
10.5.2.2. Alfonso Fernández de Madrigal 2643
10.5.2.2.1. *Las çinco figuratas paradoxas* 2646
10.5.2.2.1.1. El marco letrado de la reina 2646
10.5.2.2.1.2. La exégesis metafórica 2648
10.5.2.2.1.3. El análisis de las «paradoxas» 2651
10.5.2.2.2. La traducción de Eusebio 2655
10.5.2.2.3. *Las diez qüestiones vulgares* 2659
10.5.2.3. Alfonso Martínez de Toledo 2661
10.5.2.3.1. La vida como suma de experiencias 2662
10.5.2.3.2. El *Arcipreste de Talavera* 2665
10.5.2.3.2.1. El «Prólogo»: la heterogeneidad del tratado 2668
10.5.2.3.2.2. Parte primera: la «reprobaçión del loco amor» 2672
10.5.2.3.2.3. Las Partes segunda y tercera 2676
10.5.2.3.2.3.1. La materia ejemplar: la diatriba misógina 2679
10.5.2.3.2.3.2. Las «conplisiones de los onbres» 2683

10.5.2.3.2.4. La Parte cuarta 2686
10.5.2.3.2.4.1. La disputa escolástica 2687
10.5.2.3.2.4.2. La amplificación narrativa............ 2692
10.5.2.3.3. La *Atalaya de las Corónicas* 2694
10.5.2.3.3.1. El «Prólogo»: un nuevo modelo historiográfico 2694
10.5.2.3.3.2. La transformación de los materiales materiales cronísticos 2697
10.5.2.3.4. Las *Vidas* de San Ildefonso y San Isidoro (atribuidas) 2700
10.5.2.3.4.1. La *Vida de San Ildefonso* 2702
10.5.2.3.4.1.1. La formación religiosa: el valor de la «humildad» 2704
10.5.2.3.4.1.2. La defensa de María: el valor de la «castidad» 2705
10.5.2.3.4.2. La *Vida de San Isidoro* 2709
10.5.2.3.4.2.1. La estructura díptico: formación religiosa y defensa de la Iglesia 2710
10.5.2.4. Diego de Valera 2713
10.5.2.4.1. Los escritos nobiliarios 2715
10.5.2.4.1.1. Cartas y suplicaciones 2716
10.5.2.4.1.2. El *Espejo de verdadera nobleza* 2718
10.5.2.4.2. La *Exhortación de la paz* 2723
10.5.2.5. Juan de Mena 2727
10.5.2.5.1. La vida de un letrado: exégesis y proemios .. 2728
10.5.2.5.1.1. El comentario a la *Coronación* 2730
10.5.2.5.2. La traducción de Homero 2734
10.5.2.5.2.1. Las *Sumas de la Ilíada de Omero* 2736
10.5.2.5.3. Los tratados genealógicos 2740
10.5.2.5.3.1. El *Tratado sobre el título de duque* 2741
10.5.2.5.3.2. Las *Memorias de algunos linages* 2745
10.5.2.6. Fernando Díaz de Toledo, el Arcediano de Niebla 2747
10.5.2.6.1. La identidad de los corresponsales: una documentación económica 2748
10.5.2.6.2. La figura del Arcediano: el desengaño cortesano 2750
10.5.2.6.3. Las lecturas y los libros del Arcediano 2754
10.5.3. Tratados enciclopédicos y prosa científica 2756
10.5.3.1. Tratados de medicina 2757
10.5.3.1.1. Primeros tratados y traducciones 2759
10.5.3.1.2. La medicina en la corte de Juan II 2763
10.5.3.1.2.1. La Universidad de Salamanca 2763
10.5.3.1.2.2. Alfonso de Chirino 2764
10.5.3.1.2.3. Los tratados loimológicos.................. 2768
10.5.3.1.3. La segunda mitad del siglo XV 2771
10.5.3.2. Tratados de caso y fortuna 2775
10.5.3.2.1. El *Tractado de caso y fortuna* de Barrientos 2777
10.5.3.2.1.1. El «Prohemio»: el valor de la autoridad regia 2777

10.5.3.2.1.2. La estructura del *Tratado* 2779
10.5.3.2.2. El *Compendio de la fortuna* de fray Martín de Córdoba 2784
10.5.3.2.2.1. La «Dedicatoria» a don Álvaro 2785
10.5.3.2.2.2. El Libro I: la especulación sobre la fortuna 2787
10.5.3.2.2.3. El Libro II: la orientación religiosa de la fortuna 2791
10.5.3.3. Tratados sobre la predestinación 2797
10.5.3.3.1. El *Diálogo sobre la predestinación* 2798
10.5.3.3.1.1. El marco narrativo: los protagonistas del debate 2799
10.5.3.3.1.2. El libre albedrío y la inmutabilidad de Dios 2800
10.5.3.3.1.3. La predestinación y el saber de Dios 2800
10.5.3.3.2. El *Tratado de la predestinación* de fray Martín de Córdoba 2803
10.5.3.3.2.1. Hacia una catequesis cortesana 2804
10.5.3.3.2.2. El concepto de predestinación 2805
10.5.3.3.2.3. El libre albedrío y la naturaleza de Dios 2808
10.5.3.4. Tratados sobre la adivinación 2811
10.5.3.4.1. El *Tractado de los sueños e de los agüeros* de Barrientos 2812
10.5.3.4.1.1. La intención del *Tractado* ....
10.5.3.4.1.2. Las causas del dormir y despertar 2813
10.5.3.4.1.3. La materia de los sueños 2815
10.5.3.4.1.4. La introducción a la «adevinança» 2819
10.5.3.4.2. El *Tractado de la adivinança* de Barrientos 2820
10.5.3.4.2.1. La finalidad de la obra 2821
10.5.3.4.2.2. La especulación sobre la «adevinança» 2822
10.5.3.4.2.3. Las «espeçies» de «adevinança»: dudas y «qüestiones» 2826
10.5.3.5. Alfonso de la Torre 2829
10.5.3.5.1. La transmisión de la *Visión deleitable* 2831
10.5.3.5.2. La *Visión deleitable*: estructura y contenido 2832
10.5.3.5.2.1. La Primera parte: el valor del saber ... 2836
10.5.3.5.2.2. La Segunda parte: la filosofía natural 2846
10.5.3.5.3. Técnicas narrativas 2847
10.5.3.6. Tratados de caza 2850
10.5.4. La producción jurídica y caballeresca 2853
10.5.4.1. Los ordenamientos 2853
10.5.4.1.1. El *Ordenamiento Real de Medina del Campo* (1433) 2855
10.5.4.1.2. Las *Ordenanzas de Corte* (1436) 2858
10.5.4.2. Los tratados teóricos de caballería 2860
10.5.4.2.1. Traducciones 2862
10.5.4.2.2. Los textos castellanos 2864
10.5.4.2.2.1. La *Qüestión* de don Íñigo y la *Respuesta* de Cartagena 2865
10.5.4.2.2.2. El *Doctrinal de los cavalleros* 2870

10.5.4.2.2.2.1. El Libro I: la regulación legislativa 2872
10.5.4.2.2.2.2. El Libro II: las indemnizaciones y las ganancias 2875
10.5.4.2.2.2.3. El Libro III: retos, desafíos y «asonadas» 2876
10.5.4.2.2.2.4. El Libro IV: sobre vasallos, delitos y privilegios 2880
10.5.4.3. Las cartas de batalla 2881
10.5.5. El marco cultural de don Álvaro de Luna 2885
10.5.5.1. La *Segunda parte* de la *Crónica de Juan II* 2887
10.5.5.1.1. Don Álvaro, «Condestable» del rey: 1420-1423 2888
10.5.5.1.2. Don Álvaro, apartado del rey: 1424-1427 ... 2890
10.5.5.1.3. Don Álvaro, defensor del rey: 1428-1430 ... 2894
10.5.5.1.4. Don Álvaro, el valido entronizado: 1431-1434 2898
10.5.5.2. La *Historia del ínclito don Álvaro de Luna* 2900
10.5.5.2.1. Composición y partes de la *Historia* 2901
10.5.5.2.2. La *Primera parte*: la historia caballeresca 2904
10.5.5.2.2.1. El nacimiento del héroe 2906
10.5.5.2.2.2. El servicio cortesano 2907
10.5.5.2.2.3. El proceso de ascensión social 2909
10.5.5.2.2.4. La afirmación de la corte castellana .. 2911
10.5.5.2.2.5. La defensa del rey 2915
10.5.5.2.3. La *Segunda parte*: la caída de don Álvaro 2918
10.5.5.2.3.1. La corte de Escalona 2919
10.5.5.2.3.2. El desamor del rey 2922
10.5.5.2.3.3. El encizañamiento del rey 2925
10.5.5.2.3.4. La detención de don Álvaro 2927
10.5.5.2.3.5. Pasión y muerte de don Álvaro 2932
10.5.5.2.4. El Epílogo 2934
10.5.5.3. Fray Juan de Alarcón 2935
10.5.5.3.1. El *Libro del regimiento de los señores:* su destinatario 2936
10.5.5.3.2. Partes I-III: creación y regimiento del mundo por Dios 2938
10.5.5.3.3. Partes IV-VI: la naturaleza política y religiosa del regimiento 2941
10.5.5.4. La *Lamentación de don Álvaro de Luna* 2943
10.6. La prosa religiosa y doctrinal 2947
10.6.1. El desarrollo de la sermonística 2948
10.6.1.1. El sermonario de la B.Univ. de Salamanca, 1854 2949
10.6.1.2. La predicación castellana de San Vicente Ferrer (1411-1412) 2953
10.6.1.2.1. Los ámbitos de influencia de la predicación 2954
10.6.1.2.2. Los asuntos de la predicación 2956
10.6.1.2.3. El discurso sermonístico 2958
10.6.1.3. Los sermones atribuidos a Pedro Marín 2961
10.6.1.4. Otros sermonarios 2967
10.6.1.4.1. Las homilías del ms. 49 de la Catedral de Pamplona 2967

10.6.1.4.2. Un sermón sobre el Corpus Christi 2970
10.6.1.4.3. Juan López de Salamanca 2972
10.6.2. Los libros de consolación 2974
10.6.2.1. *La consolación natural* de Boecio 2974
10.6.2.1.1. La lectura nobiliaria de Boecio 2975
10.6.2.1.2. La labor de traducción 2978
10.6.2.2. Don Pedro de Luna 2983
10.6.2.2.1. El *Libro de las consolaçiones* 2985
10.6.2.2.1.1. El Prólogo: el marco de la consolación 2986
10.6.2.2.1.2. La materia consolatoria 2988
10.6.2.2.1.2.1. La consolación estamental......... 2989
10.6.2.2.1.2.2. La consolación temporal........... 2992
10.6.2.2.1.2.3. La consolación espiritual 2995
10.6.2.3. Fray Lope Fernández de Minaya 2998
10.6.2.3.1. *Espejo del alma* 2998
10.6.2.3.1.1. El conocimiento del «mundo» 2999
10.6.2.3.1.2. La conciencia como «espejo del alma» 3003
10.6.2.3.2. *Tractado breve de penitencia* 3006
10.6.2.3.3. *Libro de las tribulaciones* 3008
10.6.2.3.3.1. La intención y el contenido del tratado 3008
10.6.2.3.3.2. La dimensión purgativa de las tribulaciones 3010
10.6.2.3.3.3. La tribulación como camino de salvación 3014
10.6.3. Los libros de oración y confesión 3015
10.6.3.1. El *Oracional* de Alfonso de Cartagena 3015
10.6.3.1.1. La transmisión y la tradición temáticas 3016
10.6.3.1.2. El prólogo: la conciencia religiosa de los letrados 3017
10.6.3.1.3. La estructura ternaria 3021
10.6.3.1.3.1. El tratado de las virtudes.................... 3022
10.6.3.1.3.2. El tratado de la oración 3024
10.6.3.2. Las glosas de Cartagena a salmos 3028
10.6.3.2.1. La *Apología sobre el salmo «Judica me Deus»* .. 3028
10.6.3.2.2. La *Declaración sobre San Juan Crisóstomo* 3031
10.6.3.3. La *Estoria de la fiesta del Cuerpo de Dios* 3034
10.6.3.4. El *Libro de confesión de Medina de Pomar* 3037
10.6.3.4.1. La materia doctrinal 3037
10.6.3.4.2. El «exemplario» 3039
10.6.3.5. El *Confesional* del Tostado 3043
10.6.3.6. Clemente Sánchez de Vercial 3047
10.6.3.6.1. El *Sacramental* 3048
10.6.4. Las autoras religiosas 3053
10.6.4.1. Teresa de Cartagena 3054
10.6.4.1.1. La *Arboleda de los enfermos* 3057
10.6.4.1.1.1. La recepción del tratado: pautas de análisis 3058
10.6.4.1.1.2. El tratado homilético sobre la enfermedad 3060

10.6.4.1.1.3. El discurso sobre la paciencia 3063
10.6.4.1.2. La *Admiraçión operum dey* 3066
10.6.4.2. Sor Constanza 3071
10.6.5. Los tratados apocalípticos 3074
10.6.5.1. El *Libro de la consolaçión de España* 3075
10.6.5.1.1. El contexto de producción y núcleos textuales 3076
10.6.5.1.2. Los signos de la destrucción de España: el prólogo 3078
10.6.5.1.3. El análisis de las tribulaciones: el diálogo .. 3081
10.6.5.2. Los opúsculos visionarios 3084
10.6.5.2.1. El *Libro del conoscimiento del fin del mundo* ... 3085
10.6.5.2.2. El *Libro de las tribulaciones* 3089
10.6.6. El desarrollo de la cuentística 3094
10.6.6.1. El *Libro de los exemplos por a.b.c.* 3096
10.6.6.1.1. Composición y recepción del libro 3097
10.6.6.1.2. La distribución temática y la enseñanza de *Libro* 3101
10.6.6.2. El *Espéculo de los legos* 3103
10.6.6.2.1. La traducción y transmisión del *Espéculo* 3104
10.6.6.2.2. Los materiales de la predicación 3106
10.6.6.3. *Exemplos muy notables* 3109
10.6.6.3.1. La formación del ejemplario 3110
10.6.6.3.2. El contenido de los *Exemplos* 3112
10.6.6.3.2.1. Los «exemplos» consolatorios 3113
10.6.6.3.2.2. Los avisos contra el mundo................ 3115
10.6.7. Las colecciones de sentencias 3118
10.6.7.1. Las compilaciones de dichos 3120
10.6.7.1.1. Los *Dichos de sabios y filósofos* de J. Çadique de Uclés 3120
10.6.7.1.2. Los *Dichos de sabios* 3121
10.6.7.1.3. Los *Dichos por instruir a buena vida* 3123
10.6.7.1.4. Los *Dichos e castigos de profetas e filósofos* 3125
10.6.7.1.5. Los *Proverbios o sententias breves espirituales y morales* 3127
10.6.7.1.6. Los castigos de la *Suma de virtuoso deseo* 3130
10.6.7.2. Los compendios educativos 3133
10.6.7.2.1. Los *Castigos y dotrinas que un sabio dava a sus hijas* 3134
10.6.7.2.2. El *Capítulo cómo los fijos deven onrar al padre* 3139
10.6.7.3. El regimiento cortesano y los proverbios 3140
10.6.7.3.1. La *Floresta de filósofos* 3140
10.6.7.3.2. Los *Dichos de Séneca en el acto de la caballería* 3143
10.6.7.3.3. Los *Hechos y dichos memorables* de V. Máximo 3148
10.7. Los nuevos desarrollos de la ficción: el orden sentimental 3151
10.7.1. Los marcos de la ficción sentimental 3154
10.7.1.1. La cronística sobre Juan II 3155
10.7.1.2. *El Victorial* 3158
10.7.1.3. La figura de don Álvaro de Luna 3162

10.7.2. Los tratados teóricos: de amor y pedagogía 3165
10.7.2.1. Alfonso Fernández de Madrigal 3166
10.7.2.1.1. El *Breviloquio de amor y de amiçiçia* 3167
10.7.2.1.2. Una *repetitio* sobre el amor humano 3169
10.7.2.2. El *Tratado de cómo al hombre es necesario amar* 3174
10.7.2.2.1. La *epístola expurgativa* 3175
10.7.2.2.2. La necesidad de amar 3177
10.7.2.2.3. Los efectos del amor 3178
10.7.2.3. El *Tratado de amor* (atribuido a Juan de Mena) ... 3181
10.7.2.3.1. El manuscrito y la atribución a Juan de Mena 3181
10.7.2.3.2. El «tratado» sobre el amor 3183
10.7.2.3.3. La *reprobatio amoris* 3188
10.7.2.4. El *Victorial*, I.xxxiv 3190
10.7.3. Las tradiciones literarias de la ficción sentimental 3193
10.7.3.1. El cortesano como amador 3194
10.7.3.2. Ficción y alegoría: un nuevo pensamiento literario 3197
10.7.3.3. El orden narrativo: la *Fiammetta* y el *Corbaccio* ... 3201
10.7.3.4. La *Confesión del amante* de John Gower 3208
10.7.3.5. La transformación de la materia caballeresca 3218
10.7.4. La definición de la mujer: feminismo y misoginia 3220
10.7.4.1. Álvaro de Luna, *Libro de las claras e virtuosas mugeres* 3222
10.7.4.1.1. Autoría y transmisión de la obra 3223
10.7.4.1.2. El *Proemio* de Juan de Mena: el público femenino 3224
10.7.4.1.3. El «Prólogo» de don Álvaro 3226
10.7.4.1.4. La materia del *Libro* 3227
10.7.4.1.4.1. El «Libro I»: el matriarcado bíblico ... 3228
10.7.4.1.4.2. El «Libro II»: el orden de la gentilidad 3231
10.7.4.1.4.2.1. La identidad romana 3231
10.7.4.1.4.2.2. Caballería y saber 3235
10.7.4.1.4.3. El «Libro III»: la ley de gracia 3239
10.7.4.1.5. Autoridad literaria y política 3245
10.7.4.1.6. Don Álvaro, «disputador» 3250
10.7.4.1.7. El tratamiento del amor 3253
10.7.4.2. Diego de Valera, *Tratado en defensa de virtuosas mugeres* 3254
10.7.4.2.1. La transmisión del *Tratado*. Composición y prólogo 3256
10.7.4.2.2. El discurso epistolar y las glosas: niveles de textualidad 3258
10.7.4.2.3. La defensa de las mujeres 3260
10.7.4.2.4. Los maldicientes letrados 3264
10.7.4.3. Juan Rodríguez del Padrón 3266
10.7.4.3.1. La *Vida* de Juan Rodríguez del Padrón 3268
10.7.4.3.2. El *Bursario* 3272
10.7.4.3.2.1. Tradición y transmisión 3273
10.7.4.3.2.2. El sentido del *Bursario:* el prólogo y los comentarios 3275

10.7.4.3.2.3. Los rasgos sentimentales 3279
10.7.4.3.2.3.1. La definición del amor 3280
10.7.4.3.2.3.2. La exploración del amor 3282
10.7.4.3.2.3.3. El valor de la imaginación.......... 3284
10.7.4.3.2.3.4. El ámbito del amor 3285
10.7.4.3.2.4. Las cartas originales de Juan Rodríguez del Padrón 3287
10.7.4.3.3. El *Triunfo de las donas* 3289
10.7.4.3.3.1. Composición y transmisión 3290
10.7.4.3.3.2. El *Triunfo:* prólogo de la *Cadira de onor* 3291
10.7.4.3.3.3. El discurso feminista 3293
10.7.4.3.3.4. La dedicatoria de la *Cadira:* el marco cortesano 3298
10.7.4.3.4. La *Cadira de honor* 3300
10.7.4.3.4.1. La *Carta* de Juan Rodríguez 3301
10.7.4.3.4.2. El discurso sobre la nobleza 3302
10.7.4.3.4.3. El tratado sobre las «señales» 3305
10.7.4.3.5. El *Siervo libre de amor* 3307
10.7.4.3.5.1. El Prólogo y los límites textuales del *Siervo* 3308
10.7.4.3.5.2. La servidumbre amorosa 3313
10.7.4.3.5.3. El rechazo amoroso: el siervo de amor .. 3315
10.7.4.3.5.4. La *Estoria de dos amadores:* el sirviente de amor 3317
10.7.4.3.5.5. La victoria del entendimiento: el siervo libre de amor 3322
10.7.4.4. Don Pedro de Portugal 3324
10.7.4.4.1. La *Sátira:* transmisión y fechación 3326
10.7.4.4.2. Un nuevo modelo de ficción textual 3327
10.7.4.4.3. La historia sentimental y las disputas alegóricas 3329
10.7.4.4.4. Las glosas: la exégesis humanística 3334
10.8. Las transformaciones de la materia caballeresca 3340
10.8.1. Pedro de Corral 3342
10.8.1.1. La *Crónica sarracina:* la tradición textual 3343
10.8.1.2. Los orígenes de la leyenda 3345
10.8.1.3. La *Crónica sarracina:* estructura y contenido 3347
10.8.1.3.1. La *Primera parte:* la destrucción de la caballería 3348
10.8.1.3.2. La *Segunda parte:* la afirmación religiosa 3352
10.8.1.3.3. La penitencia del rey don Rodrigo 3355
10.8.1.4. Técnicas narrativas 3356
10.9. Los orígenes de la ficción alegórica: la influencia del lulismo 3359
10.9.1. Las traducciones 3360
10.9.1.1. El *Comento del dictado* 3360
10.9.1.2. El *Libro del amigo y del Amado* 3363
10.9.2. Las adaptaciones 3368
10.9.2.1. El *Arte memorativa* 3368
10.9.2.2. El *Coloquio de la Memoria, la Voluntad y el Entendimiento* 3374

10.9.3. El *Libro de Graçián* 3377
10.9.3.1. La «semblanza»: el primer nivel literal 3380
10.9.3.2. El segundo nivel: la exposición alegórica 3381
10.9.3.3. El tercer nivel: el *Libro* como proceso tropológico 3382
10.9.3.3.1. El «prólogo»: la identidad de Gracián 3383
10.9.3.3.2. El adoctrinamiento estamental 3384
10.9.3.3.3. El viaje moral: el descubrimiento de Castilla 3390
10.10. Los libros de viajes 3402
10.10.1. El *Tratado de las andanças e viajes* de Pero Tafur 3402
10.10.1.1. La dedicatoria del *Tratado* 3404
10.10.1.2. El contenido del *Tratado* 3406
10.10.1.2.1. El primer viaje: conciencia política y religiosa 3407
10.10.1.2.2. El segundo viaje: la peregrinación santa y el linaje imperial 3411
10.10.1.2.3. El tercer viaje: la confirmación caballeresca 3420
10.10.2. El *Libro del infante don Pedro de Portugal* 3425
10.10.2.1. El contexto de composición: el condestable don Pedro, rey de los catalanes 3426
10.10.2.2. Un viaje iniciático 3429
10.10.2.2.1. Las técnicas de verosimilitud 3430
10.10.2.2.2. El conocimiento religioso del viajero 3432
10.10.2.2.3. Las rutas de la espiritualidad 3434

HISTORIA DE LA PROSA MEDIEVAL CASTELLANA

IV

El reinado de Enrique IV. El final de la Edad Media.
Conclusiones. Guía de lectura.
Apéndices. Índices

Capítulo XI: El reinado de Enrique IV (1454-1474): la destrucción del modelo cultural 3475

11.1: Una historiografía en conflicto: la figura de Enrique IV 3481

11.1.1: Diego Enríquez del Castillo, *Crónica de Enrique IV* 3482
11.1.1.1: La doble redacción de la *Crónica* 3483
11.1.1.2: La estructura de la *Crónica* 3486
11.1.1.2.1: «La prosperidad del rey» (1454-1464) 3487
11.1.1.2.2: «Las duras adversidades» (1464-1474) 3493
11.1.2: Alfonso de Palencia 3508
11.1.2.1: *Gesta Hispaniensia:* el marco histórico 3511
11.1.2.2: Una nueva concepción historiográfica 3513
11.1.3: La *Crónica castellana* 3517
11.1.4: Diego de Valera 3521
11.1.4.1: La estructura del *Memorial* 3522
11.1.4.1.1: La destrucción de un modelo de autoridad (i-xxv) 3522
11.1.4.1.2: La deposición de don Enrique (xxvi-l) 3526
11.1.4.1.3: La figura del príncipe don Fernando (li-lxxv) 3530
11.1.4.1.4: La legitimidad de los príncipes (lxxvi-c) 3532
11.2: Las compilaciones históricas generales 3535
11.2.1: La *Crónica de los Reyes de Navarra* 3535
11.2.1.1: El contenido de la *Crónica*: la reivindicación sucesoria 3537
11.2.2: Pedro de Escavias 3540
11.2.2.1: El *Repertorio de Príncipes* 3542
11.2.3: Don Lope García de Salazar 3546
11.2.3.1: La *Crónica de Vizcaya* 3547
11.2.3.2: La *Istoria de las bienandazas e fortunas* 3549

11.2.4: Rodrigo Sánchez de Arévalo ... 3553
11.2.4.1: La *Compendiosa Historia Hispanica* ... 3554
11.3: Las biografías cronísticas ... 3557
11.3.1: Los *Hechos del Condestable don Miguel Lucas de Iranzo* ... 3558
11.3.1.1: El personaje histórico: las relaciones de poder ... 3559
11.3.1.2: El registro de los *Hechos* ... 3563
11.3.1.3: La estructura de los *Hechos* ... 3566
11.3.1.4: Autoría y composición ... 3575
11.3.2: Los *Hechos del arzobispo don Alfonso Carrillo* ... 3579
11.3.2.1: Pero Guillén de Segovia y el círculo literario de Carrillo ... 3580
11.3.2.2: Los *Hechos* del arzobispo: materia histórica y exégesis poética ... 3584
11.4: Tratados políticos y regimientos de príncipes ... 3590
11.4.1: Diego de Valera ... 3590
11.4.1.1: El *Tratado de las armas* ... 3592
11.4.1.2: Los tratados dedicados a Pacheco ... 3598
11.4.1.2.1: El *Tratado de providencia contra fortuna* ... 3599
11.4.1.2.2: El *Cirimonial de príncipes* ... 3601
11.4.1.3: El *Breviloquio de virtudes* ... 3605
11.4.2: Rodrigo Sánchez de Arévalo ... 3607
11.4.2.1: La *Suma política* ... 3608
11.4.2.1.1: El «Libro I»: la fundación de la ciudad ... 3609
11.4.2.1.2: El «Libro II»: el regimiento político ... 3616
11.4.2.2: El *Vergel de los príncipes* ... 3620
11.4.2.2.1: El orden de la alegría cortesana ... 3621
11.4.2.2.2: Los tres «deportes» cortesanos ... 3624
11.4.3: La *Qüistión entre dos cavalleros* ... 3629
11.4.3.1: La defensa del saber ... 3630
11.4.3.2: La filosofía moral ... 3631
11.4.3.3: La filosofía natural ... 3632
11.4.3.4: El orden de la historia ... 3633
11.4.4: *Carta al rey sobre el regimiento de su vivienda* ... 3635
11.4.4.1: Las tres líneas del regimiento religioso ... 3637
11.4.5: Pedro de Chinchilla, *Carta e breve conpendio* ... 3639
11.4.5.1: La definición de un pensamiento nobiliario ... 3640
11.4.5.2: La formación de los nobles: el orden de las virtudes ... 3642
11.4.5.3: Las referencias letradas ... 3646
11.4.6: Pedro de Chinchilla, *Exortaçión o informaçión de buena e sana doctrina* ... 3648
11.4.6.1: El proemio: un regimiento de príncipes nobiliario 3650
11.4.6.2: La «Exortaçión» del autor ... 3652
11.4.6.3: La «informaçión de buena e sana doctrina» ... 3653
11.4.6.4: Los registros de la oralidad y de la escritura ... 3659
11.4.7: Fray Martín de Córdoba, *Jardín de nobles donzellas* ... 3661
11.4.7.1: El «Prohemio»: la defensa de una legitimidad linajística ... 3663
11.4.7.2: La «Parte I»: conciencia femenina y saber religioso 3665

11.4.7.3: La «Parte II»: regimiento moral y pensamiento político ... 3668
11.4.7.4: La «Parte III»: los modelos de mujeres virtuosas ... 3672
11.4.7.5: Las técnicas discursivas ... 3675
11.5: El orden del conocimiento: diálogos y misceláneas ... 3678
11.5.1: Juan de Lucena: el humanismo de los conversos ... 3678
11.5.1.1: El *Libro de vita beata* ... 3684
11.5.1.1.1: La transmisión textual ... 3684
11.5.1.1.2: Traducción y recreación del diálogo ... 3686
11.5.1.1.3: El «diálogo moral»: líneas de contenido ... 3689
11.5.1.1.3.1: La identidad de los disputadores ... 3690
11.5.1.1.3.2: La valoración de la vida activa ... 3693
11.5.1.1.3.3: El análisis de la vida contemplativa ... 3695
11.5.1.1.3.4: La irrupción de Lucena: el fin del debate 3698
11.5.2: Alfonso de Toledo: el enciclopedismo religioso ... 3702
11.5.2.1: El círculo letrado de Carrillo ... 3704
11.5.2.2: El contenido: una miscelánea religiosa ... 3706
11.5.2.3: Las técnicas del discurso enciclopédico ... 3713
11.5.3: Los prólogos en prosa de Pero Guillén de Segovia ... 3717
11.5.3.1: Las «suplicaciones» a Carrillo ... 3718
11.5.3.2: Las quejas a dos «amigos» ... 3724
11.5.4: Los tratados en prosa del *Cancionero de Juan Fernández de Híjar* 3727
11.5.4.1: *Tratado de moral* ... 3729
11.5.4.2: Tratado de retórica ... 3732
11.5.4.3: *Regla de San Bernardo* ... 3737
11.5.4.4: La *Flor de virtudes* ... 3738
11.5.5: Pero Díaz de Toledo, *Introduçión al dezir que conpuso el noble cavallero Gómez Manrique* ... 3744
11.5.5.1: La *Esclamaçión* de Gómez Manrique ... 3745
11.5.5.2: El comentario en prosa a la *Esclamaçión* de Gómez Manrique ... 3746
11.5.5.2.1: La *enarratio poetarum:* el uso de la poesía por los caballeros ... 3748
11.5.5.2.2: Roma y Toledo como imagen de Castilla ... 3749
11.5.5.2.3: Los sentidos ocultos: el regimiento de príncipes 3751
11.5.6: Hernando de Alarcón, el consejero de Carrillo ... 3755
11.5.6.1: Las razones para «bien morir» de un alquimista ... 3757
11.6: La ficción narrativa: el orden alegórico y epistolar ... 3760
11.6.1: Alfonso de Palencia ... 3761
11.6.1.1: La *Batalla campal de los perros contra los lobos* ... 3762
11.6.1.1.1: El doble prólogo: reflexiones humanísticas .. 3763
11.6.1.1.2: Las líneas del contenido ... 3765
11.6.1.1.3: La aplicación moral ... 3769
11.6.1.2: La *Perfeçión del triunfo* ... 3769
11.6.1.2.1: La intención del tratado: los prólogos ... 3770
11.6.1.2.2: El orden argumental ... 3773
11.6.1.2.2.1: La peregrinación del «Exerçiçio» ... 3775
11.6.1.2.2.2: El encuentro con «Discreçión» ... 3778
11.6.1.2.2.3: El conocimiento del «Triunfo» ... 3781

11.6.2: Fernando de la Torre 3783
11.6.2.1: La vida de un cortesano letrado 3785
11.6.2.2: El *Libro de las veinte cartas e qüistiones* 3788
11.6.2.2.1: La dedicatoria a doña Leonor de Navarra 3788
11.6.2.2.2: El regimiento del reino 3790
11.6.2.2.3: La definición de amistad 3792
11.6.2.2.4: Las mujeres letradas 3795
11.6.2.2.5: Sobre amor y misoginia 3799
11.6.2.2.5.1: El *Tratado e despido a una dama de religión* 3800
11.6.2.2.5.2: El conocimiento de la materia sentimental 3806
11.6.2.3: El *Juego de naipes* 3809
11.6.3: *Triste deleytaçión* 3812
11.6.3.1: Contenido y estructura narrativa 3813
11.6.3.1.1: El orden de la realidad: disputas y castigos .. 3819
11.6.3.1.2: El orden de la alegoría: el discurso poético .. 3827
11.6.3.2: La trama histórica de *Triste deleytaçión* 3830
11.7: La formación religiosa y espiritual 3832
11.7.1: Las misceláneas devocionales: el BN Madrid 8744 3832
11.7.1.1: Tratados de espiritualidad 3833
11.7.1.2: El conocimiento sacramental: el orden de la penitencia 3836
11.7.1.3: Tratados de vicios y virtudes 3840
11.7.1.4: Tratados de reforma eclesiástica y conventual 3841
11.7.1.5: La reflexión moral 3844
11.7.1.6: Tratados apocalípticos 3846
11.7.1.7: El conocimiento de la hagiografía 3847
11.7.1.7.1: *Miraglo de Sanct Andrés* 3847
11.7.1.7.2: *Miraglos de San Antonio* 3850
11.7.1.7.2.1: Las líneas de la meditación espiritual ... 3851
11.7.1.7.3: La *Vida de la Virgen* 3855
11.7.1.7.4: El «aprovechamiento en la religión» 3857
11.7.1.8: Oraciones y plegarias 3858
11.7.2: Fray Juan López de Salamanca 3859
11.7.2.1: *Libro de toda la vida de nuestra Señora* 3860
11.7.2.1.1: Hacia un modelo de meditación nobiliaria .. 3861
11.7.2.1.2: La concepción de María 3866
11.7.2.1.2.1: El cuerpo de María: un nuevo modelo de belleza femenina 3868
11.7.2.1.2.2: El alma de María: el análisis de las virtudes 3871
11.7.2.1.3: La natividad de María 3872
11.7.2.1.3.1: De los acrósticos a las oraciones 3874
11.7.2.1.4: La encarnación de Jesús 3877
11.7.2.1.4.1: La formación intelectiva de la condesa: diálogo y enseñanza 3877
11.7.2.1.4.2: La identidad virginal de María: dogma y misterio 3880
11.7.2.1.5: La visitación a Isabel 3883

Capítulo XII: CONCLUSIONES. GUÍA DE LECTURA 3889

12.1: Presentación 3889
12.2: Capítulo I: Los orígenes de la prosa medieval castellana 3890
12.3: Capítulo II: De Alfonso VIII a Fernando III (1170-1230) 3891
12.4: Capítulo III: De Fernando III a Alfonso X (1230-1255) 3892
12.5: Capítulo IV: La corte letrada de Alfonso X (1256-1284) 3895
12.6: Capítulo V: La corte de Sancho IV (1284-1295) 3901
12.7: Capítulo VI: Don Juan Manuel: la cortesía nobiliaria 3906
12.8: Capítulo VII: De Fernando IV a Alfonso XI (1295-1350) 3909
12.9: Capítulo VIII: De Pedro I (1350-1369) a Juan I (1378-1390): el advenimiento de una nueva dinastía 3920
12.10: Capítulo IX: Enrique III (1390-1406): el cambio de siglos 3926
12.11: Capítulo X: Juan II (1406-1454): el último entramado literario 3930
12.12: Capítulo XI: Enrique IV (1454-1474): la destrucción del modelo cultural 3957
12.13: Síntesis final 3969

APÉNDICES 3971

Apéndice I. Primeras adiciones. Junio de 2006 3973
1.1.1: Los estudios generales 3974
1.2: La prosa como discurso formal 3975
1.2.3: La configuración del discurso prosístico 3979
1.3: Los contextos culturales y el desarrollo del discurso prosístico 3983
2.1.3.1: Del Tratado de Cabreros al *Cantar de mio Cid* 3985
2.2.1: Fueros 3987
2.3.3: La *Disputa entre un cristiano y un judío* 3989
3.2.1: Las traslaciones del Tudense y del Toledano 3991
3.2.1.1: Las traducciones del Tudense 3991
3.2.1.2: Las traducciones del Toledano 3992
3.3: [Alfonso X] 3997
3.3.2: El *Sendebar* 3998
3.5.3.1: Jacobo de Junta 4002
3.6.2: *El libro conplido en los judizios de las estrellas* 4003
4.1.1: El *Libro de los cien capítulos* 4005
4.2.3: El *Capítulo de Segundo filósofo* 4007
4.5.2: La *General estoria* 4009
4.5.3.1: La materia troyana 4017
5.1: La escuela catedralicia y el molinismo 4020
5.1.3: Los *Castigos de Sancho IV*: la corte como ámbito moral 4022
La versión extensa de los *Castigos de Sancho IV* 4026
6.3.2: El *Libro del conde Lucanor* 4029
6.4.1: El *Libro enfenido* 4031
7.3.4: «Romances» de materia caballeresca: el ciclo artúrico 4035
7.3.4.2: Los materiales de la *Vulgata* 4035
7.3.4.3: Derivaciones de la *Post-Vulgata* 4036